Amigo lector

La 25ª edición de la Guía Michelin España Portugal le proporciona una selección de hoteles y restaurantes debidamente actualizada.

En ella encontrará un amplio abanico de establecimientos, elegidos imparcialmente por nuestros inspectores, en los distintos niveles de confort y precio.

Hemos puesto al día cuidadosamente la presente edición, deseosos como siempre de proporcionar a nuestros lectores la información más reciente.

Por eso, debe usted confiar cada año en la nueva edición de la Guía.

Le agradecemos de antemano el envío de sus comentarios, que nos serán de gran utilidad.

Michelin le desea "¡Buen viaje!".

Sumario

3   *Amigo lector*

5   *Cómo utilizar la guía*

63   *Los vinos y las especialidades regionales*
581

73   *Mapa de buenas mesas con estrellas,*
578   *buenas comidas a precios moderados*
     y de hoteles y restaurantes agradables,
     aislados y muy tranquilos

71   *ESPAÑA :*

82   *Léxico*

97   *Nomenclatura de las poblaciones*

577   *PORTUGAL :*

588   *Léxico*

603   *Nomenclatura de las poblaciones*

711   *Prefijos telefónicos europeos*

716   *Distancias*

718   *Atlas : principales carreteras.*
     Paradores y Pousadas

722   *Principales marcas de automóviles*

Páginas con borde azul
Consejos para sus neumáticos

La elección de un hotel, de un restaurante

Esta guía propone una selección de hoteles
y restaurantes para uso de los automovilistas.
Los establecimientos, clasificados según su confort,
se citan por orden de preferencia dentro
de cada categoría.

Categorías

🏨	XXXXX	*Gran lujo y tradición*
🏨	XXXX	*Gran confort*
🏨	XXX	*Muy confortable*
🏨	XX	*Confortable*
🏠	X	*Sencillo pero confortable*
✿		*Sencillo pero correcto*
sin rest.	sem rest.	*El hotel no dispone de restaurante*
con hab	com qto	*El restaurante tiene habitaciones*

Atractivo y tranquilidad

Ciertos establecimientos se distinguen en la guía por
los símbolos en rojo que indicamos a continuación.
La estancia en estos hoteles es especialmente
agradable o tranquila.

Esto puede deberse a las características del edificio,
a la decoración original, al emplazamiento,
a la acogida y a los servicios que ofrece,
o también a la tranquilidad del lugar.

🏨 ... 🏠	*Hoteles agradables*
XXXXX ... X	*Restaurantes agradables*
« Parque »	*Elemento particularmente agradable*
🦢	*Hotel muy tranquilo, o aislado y tranquilo*
🦢	*Hotel tranquilo*
⩽ mar	*Vista excepcional*
⩽	*Vista interesante o extensa*

Las localidades que poseen establecimientos
agradables o muy tranquilos están señaladas
en los mapas de las páginas 73 a 81, 578 y 579.
Consúltenos para la preparación de sus viajes
y envíenos sus impresiones a su regreso.
Así nos ayudará en nuestra selección.

La instalación

Las habitaciones de los hoteles que recomendamos poseen, en general, cuarto de baño completo. No obstante puede suceder que en las categorías 🏨, 🏠 y 👤 algunas habitaciones carezcan de él.

30 hab/30 qto	*Número de habitaciones*
🛗	*Ascensor*
▤	*Aire acondicionado*
TV	*Televisión en la habitación*
☎	*Teléfono en la habitación directo con el exterior*
♿	*Habitaciones de fácil acceso para minusválidos*
🍽	*Comidas servidas en el jardín o en la terraza*
↳₆	*Fitness club (gimnasio, sauna...)*
🏊 🏊	*Piscina : al aire libre – cubierta*
🏖 🌳	*Playa equipada – Jardín*
🎾 ⛳18	*Tenis – Golf y número de hoyos*
🛐 25/150	*Salas de conferencias : capacidad de las salas*
🚗	*Garaje en el hotel (generalmente de pago)*
🅿	*Aparcamiento reservado a la clientela*
🐕⃠	*Prohibidos los perros (en todo o en parte del establecimiento)*
Fax	*Transmisión de documentos por telefax*
mayo-octubre.	*Período de apertura comunicado por el hotelero*
temp.	*Apertura probable en temporada sin precisar fechas. Sin mención, el establecimiento está abierto todo el año*
✉ 28 012	*Código postal*
✉ 1 200	

La mesa

Las estrellas

Algunos establecimientos merecen ser destacados por la calidad de su cocina. Los distinguimos con las estrellas de buena mesa.

En estos casos indicamos tres especialidades culinarias que pueden orientarles en su elección.

❀❀❀ **Una de las mejores mesas, justifica el viaje**
Cocina del más alto nivel, generalmente excepcional, grandes vinos, servicio impecable, marco elegante... Precio en consonancia.

❀❀ **Mesa excelente, vale la pena desviarse**
Especialidades y vinos selectos...
Cuente con un gasto en proporción.

❀ **Muy buena mesa en su categoría**
La estrella indica una buena etapa en su itinerario. Pero no compare la estrella de un establecimiento de lujo, de precios altos, con la de un establecimiento más sencillo en el que, a precios razonables, se sirve también una cocina de calidad.

Buenas comidas a precios moderados

🍴 *Hemos realizado una selección de restaurantes que ofrecen, con una acertada relación calidad-precio, una buena comida, generalmente de tipo regional, para cuando Vd. desee encontrar establecimientos más sencillos a precios moderados.*
Estos restaurantes se señalan con 🍴 Comida *(España),* y 🍴 Refeição *(Portugal). Ej.* Comida 3100/4000, Refeição 3100/4000.

Consulte los mapas de las localidades que poseen establecimientos con estrella, 🍴 Comida o 🍴 Refeição, *páginas 73 a 81, 578 y 579.*

Los vinos : ver páginas 63 y 581

Los precios

Los precios que indicamos en esta guía nos fueron
proporcionados en el verano de 1996. Pueden
producirse modificaciones debidas a variaciones
de los precios de bienes y servicios. El servicio
está incluido. En España el I.V.A. se añadirá
al total de la factura (7 %), salvo en Andorra (exento),
Canarias (4 % I.G.I.C. ya incluido),
Ceuta y Melilla (4 % I.T.E.). En Portugal (12 %)
ya está incluido.

En algunas ciudades y con motivo de ciertas
manifestaciones comerciales o turísticas
(ferias, fiestas religiosas o patronales...),
los precios indicados por los hoteleros
pueden sufrir importantes aumentos.

Los hoteles y restaurantes figuran en negrita
cuando los hoteleros nos han señalado todos sus
precios comprometiéndose, bajo su responsabilidad,
a respetarlos ante los turistas de paso portadores
de nuestra guía.

Entre en el hotel o en el restaurante con su guía
en la mano, demostrando, así, que ésta le conduce
allí con confianza.

Los precios se indican en pesetas o en escudos.

Comidas

Comida 2 000	**Menú a precio fijo.**
Refeição 1 800	*Almuerzo o cena servido a las horas habituales*

Comida a la carta.

carta 2 450 a 3 800	*El primer precio corresponde a una comida normal*
lista 1 800 a 2 550	*que comprende : entrada, plato fuerte del día y postre.*
	El 2° precio se refiere a una comida más completa
	(con especialidad de la casa) que comprende :
	dos platos y postre
☕ 325	*Precio del desayuno*

Habitaciones

hab 4 500/6 700 *Precio de una habitación individual /*
qto 4 500/6 700 *Precio de una habitación doble, en temporada alta*
hab ⊇ 4 800/7 000 *Precio de la habitación con desayuno incluido*
qto ⊇ 4 400/6 300

Pensión

PA 3 600 *Precio de la Pensión Alimenticia (desayuno, comida y cena).*
El precio de la pensión completa por persona y por día se obtendrá añadiendo al importe de la habitación individual el de la pensión alimenticia.
Conviene concretar de antemano los precios con el hotelero.

Las arras

Algunos hoteleros piden una señal al hacer la reserva. Se trata de un depósito-garantía que compromete tanto al hotelero como al cliente. Conviene precisar con detalle las cláusulas de esta garantía.

Tarjetas de crédito

Tarjetas de crédito aceptadas por el establecimiento

Las poblaciones

	2200	Código postal
⊠	7800 Beja	Código postal y Oficina de Correos distribuidora
☎	918	Prefijo telefónico provincial (para las llamadas desde fuera de España, no se debe marcar el 9, tampoco el 0 para Portugal)
P		Capital de Provincia
445	M 27	Mapa Michelin y coordenadas
	24 000 h.	Población
	alt. 175	Altitud de la localidad
⛰ 3		Número de teleféricos o telecabinas
⛷ 7		Número de telesquíes o telesillas
AX A		Letras para localizar un emplazamiento en el plano
⛳18		Golf y número de hoyos
☀ ⩤		Panorama, vista
✈		Aeropuerto
🚗 ☎ 22 98 36		Localidad con servicio Auto-Expreso. Información en el número indicado
⛴		Transportes marítimos
🛈		Información turística

Las curiosidades

Grado de interés _____

★★★	De interés excepcional
★★	Muy interesante
★	Interesante

Situación de las curiosidades _____

Ver	En la población
Alred./Arred.	En los alrededores de la población
Excurs.	Excursión en la región
N, S, E, O	La curiosidad está situada al Norte, al Sur, al Este, al Oeste
①. ④	Salir por la salida ① o ④, localizada por el mismo signo en el plano
6 km	Distancia en kilómetros

El coche, los neumáticos

Marcas de automóviles

Al final de la Guía encontrará una relación de las principales marcas de automóviles. En caso de avería, en el teléfono indicano, de 9 h. a 17 h., le facilitarán la dirección del agente más cercano.

Velocidad máxima autorizada

	Autopista	Carretera	Población
España Portugal	120 km/h	90/100 km/h	50 km/h

El uso del cinturón de seguridad es obligatorio delante y detrás.

Sus neumáticos

*Cuando un agente de neumáticos carezca del artículo que Vd. necesite, diríjase a la División Comercial Michelin en **Madrid** o a cualquiera de sus Sucursales en las poblaciones siguientes : Montcada i Reixac (Barcelona), Lasarte (Guipúzcoa), Coslada (Madrid), Valencia, Burgos. En **Portugal**, diríjase a la Dirección Comercial Michelin en Sacavém (Lisboa).*

Las direcciones y números de teléfono de las Sucursales Michelin figuran en el texto de estas localidades.

Nuestras sucursales tendrán mucho gusto en dar a nuestros clientes todos los consejos necesarios para la mejor utilización de sus neumáticos.

Ver también las páginas con borde azul.

"Los Automóvil Club"

RACE	*Real Automóvil Club de España*
RACC	*Reial Automòbil Club de Catalunya*
RACVN	*Real Automóvil Club Vasco Navarro*
RACV	*Real Automóvil Club de Valencia*
ACA	*Automóvil Club de Andorra*
ACP	*Automóvel Club de Portugal*

Ver las direcciones y los números de teléfono en el texto de las localidades correspondientes.

Los planos

□ ● *Hoteles*
■ ● *Restaurantes*

Curiosidades

Edificio interesante y entrada principal
Edificio religioso interesante :
🏛 🏛 ✝ *catedral, iglesia o capilla*

Vías de circulación

Autopista, autovía
❹ ❹ *número del acceso : completo-parcial*
Vía importante de circulación
← ◀ ⌁⌁⌁⌁⌁ *Sentido único – Calle impracticable, de uso restringido*
⇾ ⇾ *Calle peatonal – Tranvía*
Colón 🅿 🅿 *Calle comercial – Aparcamiento*
╪ ╪ ╪ *Puerta – Pasaje cubierto – Túnel*
Estación y línea férrea
▫+++++▫ ▫—●—●—▫ *Funicular – Teleférico, telecabina*
△ Ⓑ *Puente móvil – Barcaza para coches*

Signos diversos

🅘 *Oficina de Información de Turismo*
☪ ✡ *Mezquita – Sinagoga*
● ◉ ∴ ✻ 𝕣 *Torre – Ruinas – Molino de viento – Depósito de agua*
▨ ▨ ↟ ↟ *Jardín, parque, bosque – Cementerio – Crucero*
◯ ⌊9 🏇 *Estadio – Golf – Hipódromo*
⩓ ⩓ *Piscina al aire libre, cubierta*
≼ ⩶ *Vista – Panorama*
■ ◉ ✿ 🛒 *Monumento – Fuente – Fábrica – Centro comercial*
◗ 🚩 *Puerto deportivo – Faro*
✈ ◉ 🚌 *Aeropuerto – Boca de metro – Estación de autobuses*
Transporte por barco :
🚢 ⇁ *pasajeros y vehículos, pasajeros solamente*
③ *Referencia común a los planos y a los mapas detallados Michelin*
🕮 ☎ 🅟 ◉ *Oficina central de lista de correos – Teléfonos*
✚ ⊟ *Hospital – Mercado cubierto*
▨ ▨ *Edificio público localizado con letra :*
D   H   G *- Diputación – Ayuntamiento – Gobierno civil*
J *- Palacio de Justicia*
M   T *- Museo – Teatro*
U *- Universidad, Escuela Superior*
POL. *- Policía (en las grandes ciudades : Jefatura)*

12

Amigo Leitor

A 25ª edição do Guia Michelin España Portugal devidamente actualizado proporciona-lhe uma selecção de hotéis e restaurantes. Nele encontrará um amplo leque de estabelecimentos escolhidos imparcialmente pelos nossos inspectores dentro de distintos níveis de conforto e preço.

A presente edição tem como objectivo proporcionar aos nossos leitores a mais recente informação.

Por isso, deve confiar em cada edição anual do Guia Michelin. Agradecemos desde já, o envio dos vossos comentários que nos serão de grande utilidade.

Michelin deseja-lhe "Boa viagem !"

Sumário

15   *Como utilizar este guia*

63
581   *Os vinhos e as especialidades regionais*

73
578   *Mapa dos hotéis e restaurantes agradáveis, isolados, e muito calmos, boas mesas classificadas por estrelas e refeições cuidadas a preços moderados*

71   *ESPANHA :*

82   *Léxico*

97   *Nomenclatura das localidades*

577   *PORTUGAL :*

588   *Léxico*

603   *Nomenclatura das localidades*

711   *Indicativos telefónicos europeios*

716   *Distâncias*

718   *Atlas : principais estradas, Paradores e Pousadas*

722   *Principais marcas de automóveis*

Páginas marginadas a azul
Conselhos para os seus pneus

A escolha de um hotel, de um restaurante

A nossa classificação está estabelecida para servir os automobilistas de passagem. Em cada categoria, os estabelecimentos são classificados por ordem de preferência.

Classe e conforto

🏨🏨🏨🏨	XXXXX	*Grande luxo e tradição*
🏨🏨🏨	XXXX	*Grande conforto*
🏨🏨	XXX	*Muito confortável*
🏨	XX	*Confortável*
🏨	X	*Simples, mas confortável*
🏠		*Simples, mas aceitável*
sin rest.	sem rest.	*O hotel não tem restaurante*
con hab	com qto	*O restaurante tem quartos*

Atractivos

A estadia em certos hotéis torna-se por vezes particularmente agradável ou repousante.

Isto deve-se, por um lado as características do edifício, à decoração original, à localização, ao acolhimento e aos serviços prestados, e por outro lado à tranquilidade dos locais.

Tais estabelecimentos distinguem-se no Guia pelos símbolos a vermelho que abaixo se indicam.

🏨🏨🏨 ... 🏠		*Hotéis agradáveis*
XXXXX ... X		*Restaurantes agradáveis*
« Parque »		*Elemento particularmente agradável*
	🐾	*Hotel muito tranquilo, ou isolado e tranquilo*
	🐾	*Hotel tranquilo*
⩽ mar		*Vista excepcional*
⩽		*Vista interessante ou ampla*

As localidades que possuem hotéis e restaurantes agradáveis ou muito tranquilos encontram-se nos mapas das páginas 73 a 81, 578 e 579.

Consulte-as para a preparação das suas viagens e dê-nos as suas impressões no seu regresso. Assim facilitará os nossos inquéritos.

A instalação

Os quartos dos hotéis que lhe recomendamos têm em geral quarto de banho completo. No entanto pode acontecer que certos quartos, na categoria 🏨, 🏚 e ⌂, o não tenham.

30 hab/30 qto	Número de quartos
🛗	Elevador
🌬	Ar condicionado
📺	Televisão no quarto
☎	Telefone no quarto, directo com o exterior
♿	Quartos de fácil acesso para deficientes físicos
⛱	Refeições servidas no jardim ou no terraço
🏋	Fitness club
🏊 🏊	Piscina ao ar livre ou coberta
⛱ 🛋	Praia equipada – Jardim de repouso
🎾	Ténis
⛳ 18	Golfe e número de buracos
🧑‍🤝‍🧑 25/150	Salas de conferências : capacidade mínima e máxima das salas
🚗	Garagem (geralmente a pagar)
Ⓟ	Parque de estacionamento reservado aos clientes
🚫🐕	Proibídos os cães : em todo ou em parte do estabelecimento
Fax	Transmissão de documentos por telecópias
maio-outubro	Período de abertura comunicado pelo hoteleiro
temp.	Abertura provável na estação, mas sem datas precisas. Os estabelecimentos abertos todo o ano são os que não têm qualquer menção
✉ 28 012 ✉ 1 200	Código postal

A mesa

As estrelas

*Entre os numerosos estabelecimentos recomendados
neste guia, alguns merecem ser assinalados
pela qualidade da sua cozinha.
Nós classificamo-los por estrelas.
Indicamos, para esses estabelecimentos,
três especialidades culinárias que poderão
orientar-vos na escolha.*

🏵🏵🏵 **Uma das melhores mesas, vale a viagem**
*Come-se sempre muito bem e por vezes
maravilhosamente, vinhos de marca,
serviço impecável, ambiente elegante...
Preços em conformidade.*

🏵🏵 **Uma mesa excelente, merece um desvio**
*Especialidades e vinhos seleccionados ; deve estar
preparado para uma despesa em concordância.*

🏵 **Uma muito boa mesa na sua categoria**
*A estrela marca uma boa etapa no seu itinerário.
Mas não compare a estrela dum estabelecimento
de luxo com preços elevados com a estrela duma casa
mais simples onde, com preços moderados,
se serve também uma cozinha de qualidade.*

Refeições cuidadas a preços moderados

🍴 *Deseja por vezes encontrar mesas mais simples
a preços moderados, por isso nós selecionamos
restaurantes propondo por um lado uma relação
qualidade-preço particularmente favorável,
por outro uma refeição cuidada frequentemente
de tipo regional.
Estes restaurantes estão sinalizados por* 🍴 Comida
(Espanha) ou 🍴 Refeição *(Portugal).
Exemplo :* Comida 3100/4000, Refeição 3100/4000.

*Consulte os mapas das localidades que possuam
estabelecimentos de estrelas,* 🍴 Comida *ou* 🍴 Refeição
páginas 73 a 81, 578 e 579.
Os vinhos : ver páginas 63 e 581

17

Os preços

Os preços indicados neste Guia foram estabelecidos no Verão de 1996. Podem portanto ser modificados, nomeadamente se se verificarem alterações no custo de vida ou nos preços dos bens e serviços.
Em Espanha o I.V.A. será aplicado à totalidade da factura (7 %), salvo em Andorra (isento), Canarias (4 % I.G.I.C. já-incluído), Ceuta e Melilla (4 % I.T.E.). Em Portugal (12 %) já está incluído.
Em algumas cidades, por ocasião de manifestações comerciais ou turísticas os preços pedidos pelos hotéis poderão sofrer aumentos consideráveis.
Quando os hotéis e restaurantes figuram em carácteres destacados, significa que os hoteleiros nos deram todos os seus preços e se comprometeram sob a sua própria responsabilidade, a aplicá-los aos turistas de passagem, portadores do nosso Guia.
Entre no hotel ou no restaurante com o guia na mão e assim mostrará que ele o conduziu com confiança.
Os preços indicados em pesetas ou em escudos, incluem o serviço.

Refeições _____

Comida 2 000

Preço fixo
Preço da refeição servida às horas normais

Refeição 1 800

Refeições à lista

carta 2 450 a 3 800
lista 1 800 a 2 550

O primeiro preço corresponde a uma refeição simples, mas esmerada, compreendendo : entrada, prato do dia guarnecido e sobremesa. O segundo preço, refere-se a uma refeição mais completa (com especialidade), compreendendo : dois pratos e sobremesa.

⌁ 325 *Preço do pequeno almoço*

Quartos

hab 4 500/6 700
qto 4 500/6 700
hab ⌢ 4 800/7 000
qto ⌢ 4 400/6 300

Preço para um quarto de uma pessoa / Preço
para um quarto de duas pessoas em plena estação
O preço do pequeno almoço está incluído
no preço do quarto

Pensão

PA 3 600

Preço das refeições (almoço e jantar). Este preço
deve juntar-se ao preço do quarto individual
(pequeno almoço incluído) para se obter o custo
da pensão completa por pessoa e por dia.
É indispensável um contacto antecipado
com o hotel para se obter o custo definitivo.

O sinal

Alguns hoteleiros pedem por vezes o pagamento
de um sinal. Trata-se de um depósito de garantia
que compromete tanto o hoteleiro como o cliente.

Cartões de crédito

Principais cartões de crédito aceites
no estabelecimento

As cidades

	2200	*Código postal*
⊠	7800 Beja	*Código postal e nome do Centro de Distribuição Postal*
✪	918	*Indicativo telefónico provincial (nas chamadas interurbanas para Espanha não deve marcar o 9, assim como o 0 para Portugal)*
Ⓟ		*Capital de distrito*
🁔🁔🁔	M 27	*Mapa Michelin e quadrícula*
	24 000 h.	*População*
	alt. 175	*Altitude da localidade*
ᵍ	3	*Número de teleféricos ou telecabinas*
⚞	7	*Número de teleskis e telecadeiras*
AX	A	*Letras determinando um local na planta*
▚₁₈		*Golfe e número de buracos*
⁂ ⩤		*Panorama, vista*
✈		*Aeroporto*
🚗 ℘	22 98 36	*Localidade com serviço de transporte de viaturas em caminho-de-ferro. Informações pelo número de telefone indicado*
⛴		*Transportes marítimos*
🛈		*Informação turística*

As curiosidades

Interesses

★★★	*De interesse excepcional*
★★	*Muito interessante*
★	*Interessante*

Localização

Ver	*Na cidade*
Alred./Arred.	*Nos arredores da cidade*
Excurs.	*Excursões pela região*
N, S, E, O	*A curiosidade está situada a Norte, a Sul, a Este, a Oeste*
①, ④	*Chega-se lá pela saída ① ou ④, assinalada pelo mesmo sinal na planta*
6 km	*Distância em quilómetros*

O automóvel, os pneus

Marcas de automóveis

*No final do Guia existe uma lista das principais
marcas de automóveis. En caso de avaría, o
endereço do mais próximo agente da marca
pretendida ser-lhe-á comunicado se ligar, entre as
9 h. e 17 h. para o número de telefone indicado.*

Velocidade : límites autorizados

	Auto-estrada	Estrada	Localidade
Espanha Portugal }	*120 km/h*	*90/100 km/h*	*50 km/h*

*O uso do cinto de segurança é obrigatorio nos
veículos em todos os lugares.*

Os seus pneus

*Desde que um agente de pneus não tenha o artigo
de que necessita, dirija – se : em* **Espanha**,
*à Divisão Comercial Michelin, em Madrid,
ou à Sucursal da Michelin de qualquer das seguintes
cidades : Montcada i Reixac (Barcelona), Lasarte
(Guipúzcoa), Coslada (Madrid), Valencia, Burgos.
Em* **Portugal** *: à Direcção Comercial Michelin
em Sacavém (Lisboa).*

*Os endereços e os números de telefone das agências
Michelin figuram no texto das localidades
correspondentes.*

Ver también as páginas marginadas a azul.

Automóvel clubes

RACE	*Real Automóvil Club de España*
RACC	*Reial Automòbil Club de Catalunya*
RACVN	*Real Automóvil Club Vasco Navarro*
RACV	*Real Automóvil Club de Valencia*
ACA	*Automóvil Club de Andorra*
ACP	*Automóvel Club de Portugal*

*Ver no texto da maior parte das grandes cidades,
a morada e o número de telefone de cada
um dos Clubes Automóvel.*

Às plantas

□ ● Hotéis
■ ● Restaurantes

Curiosidades

Edifício interessante e entrada principal
Edifício religioso interessante :
　sé, igreja ou capela

Vias de circulação

Auto-estrada, estrada com faixas de rodagem separadas
- número do acesso : completo-parcial
Grande via de circulação
Sentido único – Rua impraticável, regulamentada
Via reservada aos peões – Eléctrico
Colón Rua comercial – Parque de estacionamento
Porta – Passagem sob arco – Túnel
Estação e via férrea
Funicular – Teleférico, telecabine
Ponte móvel – Barcaça para automóveis

Diversos símbolos

Centro de Turismo
Mesquita – Sinagoga
Torre – Ruínas – Moinho de vento – Mãe de água
Jardim, parque, bosque – Cemitério – Cruzeiro
Estádio – Golfe – Hipódromo
Piscina ao ar livre, coberta
Vista – Panorama
Monumento – Fonte – Fábrica – Centro Comercial
Porto de abrigo – Farol
Aeroporto – Estação de metro – Estação de autocarros
Transporte por barco :
　passageiros e automóveis, só de passageiros
③ Referência comum às plantas e aos mapas Michelin
detalhados
Correio principal com posta-restante – Telefone
Hospital – Mercado coberto
Edifício público indicado por letra :
D H G - Conselho provincial – Câmara municipal – Governo
civil
J - Tribunal
M T - Museu – Teatro
U - Universidade, grande escola
POL - Polícia (nas cidades principais : esquadra central)

22

Ami lecteur

Cette 25ᵉ édition du Guide MICHELIN
España Portugal propose une sélection
actualisée d'hôtels et de restaurants.

Réalisée en toute indépendance
par nos inspecteurs, elle offre au voyageur
de passage un large choix d'adresses
à tous les niveaux de confort et de prix.

Toujours soucieux d'apporter à nos lecteurs
l'information la plus récente, nous avons
mis à jour cette édition
avec le plus grand soin.

C'est pourquoi, seul le Guide de l'année
en cours mérite votre confiance.
Merci de vos commentaires
toujours appréciés.

Michelin vous souhaite "Bon voyage !"

Sommaire

25   *Comment se servir du guide*

63   *Les vins et les spécialités régionales*
581

73   *Carte des bonnes tables à étoiles, repas soignés à*
578   *prix modérés ; établissements agréables, isolés,*
       très tranquilles

71   *ESPAGNE :*

82   *Lexique*

97   *Nomenclature des localités*

577   *PORTUGAL :*

588   *Lexique*

603   *Nomenclature des localités*

711   *Indicatifs téléphoniques européens*

716   *Distances*

718   *Atlas : principales routes, Paradores et Pousadas*

722   *Principales marques automobiles*

Pages bordées de bleu
Des conseils pour vos pneus

Le choix d'un hôtel, d'un restaurant

Ce guide vous propose une sélection d'hôtels et restaurants établie à l'usage de l'automobiliste de passage. Les établissements, classés selon leur confort, sont cités par ordre de préférence dans chaque catégorie.

Catégories

🏨	XXXXX	*Grand luxe et tradition*
🏨	XXXX	*Grand confort*
🏨	XXX	*Très confortable*
🏨	XX	*De bon confort*
🏨	X	*Assez confortable*
⌂		*Simple mais convenable*
sin rest.	sem rest.	*L'hôtel n'a pas de restaurant*
con hab	com qto	*Le restaurant possède des chambres*

Agrément et tranquillité

Certains établissements se distinguent dans le guide par les symboles rouges indiqués ci-après.
Le séjour dans ces hôtels se révèle particulièrement agréable ou reposant.

Cela peut tenir d'une part au caractère de l'édifice, au décor original, au site, à l'accueil et aux services qui sont proposés, d'autre part à la tranquillité des lieux.

🏨 ... ⌂	*Hôtels agréables*
XXXXX ... X	*Restaurants agréables*
« Parque »	*Élément particulièrement agréable*
🦢	*Hôtel très tranquille ou isolé et tranquille*
🦢	*Hôtel tranquille*
⩽ mar	*Vue exceptionnelle*
⩽	*Vue intéressante ou étendue.*

Les localités possédant des établissements agréables ou très tranquilles sont repérées sur les cartes pages 73 a 81, 578 y 579.

Consultez-les pour la préparation de vos voyages et donnez-nous vos appréciations à votre retour, vous faciliterez ainsi nos enquêtes.

L'installation

Les chambres des hôtels que nous recommandons possèdent, en général, des installations sanitaires complètes. Il est toutefois possible que dans les catégories 🏠, 🏠 et 🏠, certaines chambres en soient dépourvues.

30 hab/30 qto	*Nombre de chambres*
🛗	*Ascenseur*
▤	*Air conditionné*
TV	*Télévision dans la chambre*
☎	*Téléphone dans la chambre, direct avec l'extérieur*
♿	*Chambres accessibles aux handicapés physiques*
🍽	*Repas servis au jardin ou en terrasse*
🏋	*Salle de remise en forme*
🏊 🏊	*Piscine : de plein air ou couverte*
🏖 🌳	*Plage aménagée – Jardin de repos*
🎾 ⛳18	*Tennis – Golf et nombre de trous*
🏛 25/150	*Salles de conférences : capacité des salles*
🚗	*Garage dans l'hôtel (généralement payant)*
🅿	*Parking réservé à la clientèle*
🚫	*Accès interdit aux chiens (dans tout ou partie de l'établissement)*
Fax	*Transmission de documents par télécopie*
mayo-octubre	*Période d'ouverture, communiquée par l'hôtelier*
temp.	*Ouverture probable en saison mais dates non précisées. En l'absence de mention, l'établissement est ouvert toute l'année.*
✉ 28 012 ✉ 1 200	*Code postal*

La table

Les étoiles

Certains établissements méritent d'être signalés
à votre attention pour la qualité de leur cuisine.
Nous les distinguons par les étoiles de bonne table.

Nous indiquons, pour ces établissements, trois
spécialités culinaires qui pourront orienter votre choix.

❀❀❀ **Une des meilleures tables, vaut le voyage**
On y mange toujours très bien, parfois merveilleusement,
grands vins, service impeccable, cadre élégant...
Prix en conséquence.

❀❀ **Table excellente, mérite un détour**
Spécialités et vins de choix...
Attendez-vous à une dépense en rapport.

❀ **Une très bonne table dans sa catégorie**
L'étoile marque une bonne étape sur votre itinéraire.
Mais ne comparez pas l'étoile d'un établissement
de luxe à prix élevés avec celle d'une petite maison
où à prix raisonnables, on sert également une cuisine
de qualité.

Repas soignés à prix modérés

🍝 *Vous souhaitez parfois trouver des tables*
plus simples, à prix modérés ; c'est pourquoi nous avons
sélectionné des restaurants proposant,
pour un rapport qualité-prix particulièrement
favorable, un repas soigné, souvent de type régional.
Ces restaurants sont signalés par 🍝 Comida *(Espagne)*
ou 🍝 Refeição *(Portugal) ; Ex.* Comida 3100/4000,
Refeição 3100/4000.

Consultez les cartes des localités possédant
des établissements à étoiles, 🍝 Comida *ou* 🍝 Refeição
pages 73 à 81, 578 et 579.

Les vins : voir pages 63 et 581

Les prix

Les prix que nous indiquons dans ce guide
ont été établis en été 1996. Ils sont susceptibles
de modifications, notamment
en cas de variations des prix des biens et services.
Ils s'entendent service compris.

En Espagne la T.V.A. (I.V.A.) sera ajoutée à la note
(7 %), sauf en Andorre (pas de T.V.A.),
aux Canaries (4 % I.G.I.C. comprise),
Ceuta et Melilla (4 % I.T.E.). Au Portugal
(12 %) elle est comprise dans les prix.

Dans certaines villes, à l'occasion de manifestations
commerciales ou touristiques, les prix demandés
par les hôteliers risquent d'être considérablement
majorés.

Les hôtels et restaurants figurent en gros caractères
lorsque les hôteliers nous ont donné tous leurs prix
et se sont engagés, sous leur propre responsabilité,
à les appliquer aux touristes de passage porteurs
de notre guide.

Entrez à l'hôtel le Guide à la main, vous montrerez
ainsi qu'il vous conduit là en confiance.

Les prix sont indiqués en pesetas ou en escudos.

Repas

Comida 2 000 **Refeição** 1 800	**Menu à prix fixe :** *Prix du menu servi aux heures normales*
carta 2 450 a 3 800 lista 1 800 a 2 550	**Repas à la carte** *Le premier prix correspond à un repas normal* *comprenant : hors-d'œuvre, plat garni et dessert.* *Le 2ᵉ prix concerne un repas plus complet* *(avec spécialité) comprenant : deux plats et dessert*
☕ 325	*Prix du petit déjeuner*

Chambres _____

hab 4 500/6 700   *Prix pour une chambre d'une personne /*
qto 4 500/6 700   *Prix pour une chambre de deux personnes*
en haute saison

hab ☕ 4 800/7 000   *Prix des chambres petit déjeuner compris*
qto ☕ 4 400/6 300

Pension _____

PA 3 600   *Prix de la « Pensión Alimenticia » (petit déjeuner*
et les deux repas), à ajouter à celui de la chambre
individuelle pour obtenir le prix de la pension
complète par personne et par jour.
Il est indispensable de s'entendre par avance
avec l'hôtelier pour conclure un arrangement définitif.

Les arrhes _____

Certains hôteliers demandent le versement d'arrhes.
Il s'agit d'un dépôt-garantie qui engage l'hôtelier
comme le client. Bien faire préciser les dispositions
de cette garantie.

Cartes de crédit _____

AE ① E *VISA* JCB   *Cartes de crédit acceptées par l'établissement*

Les villes

	2200	Numéro de code postal
⊠	7800 Beja	Numéro de code postal et nom du bureau distributeur du courrier
✆	918	Indicatif téléphonique interprovincial (pour les appels de l'étranger vers l'Espagne, ne pas composer le 9, vers le Portugal le 0)
P		Capitale de Province
445	M 27	Numéro de la Carte Michelin et carroyage
	24 000 h.	Population
	alt. 175	Altitude de la localité
🚡	3	Nombre de téléphériques ou télécabines
🚠	7	Nombre de remonte-pentes et télésièges
	AX A	Lettres repérant un emplacement sur le plan
⛳	18	Golf et nombre de trous
☀ ≤		Panorama, point de vue
✈		Aéroport
🚗 ✆	22 98 36	Localité desservie par train-auto. Renseignements au numéro de téléphone indiqué
🚢		Transports maritimes
🛈		Information touristique

Les curiosités

Intérêt

★★★	Vaut le voyage
★★	Mérite un détour
★	Intéressant

Situation

Ver	Dans la ville
Alred./Arred.	Aux environs de la ville
Excurs.	Excursions dans la région
N, S, E, O	La curiosité est située : au Nord, au Sud, à l'Est, à l'Ouest
①, ④	On s'y rend par la sortie ① ou ④ repérée par le même signe sur le plan du Guide et sur la carte
6 km	Distance en kilomètres

La voiture, les pneus

Marques automobiles

*Une liste des principales marques automobiles
figure en fin de Guide.
En cas de panne, l'adresse du plus proche agent
de la marque vous sera communiquée en appelant
le numéro de téléphone indiqué, entre 9 h et 17 h.*

Vitesse : limites autorisées

	Autoroute	Route	Agglomération
Espagne Portugal	120 km/h	90/100 km/h	50 km/h

*Le port de la ceinture de sécurité est obligatoire à
l'avant et à l'arrière des véhicules.*

Vos pneumatiques

*Lorsqu'un agent de pneus n'a pas l'article dont
vous avez besoin, adressez-vous : en **Espagne** à la
Division Commerciale Michelin à Madrid ou à la
Succursale Michelin de l'une des villes suivantes :
Montcada i Reixac (Barcelone), Lasarte (Guipúzcoa),
Coslada (Madrid), Valencia, Burgos. Au **Portugal**,
à la Direction Commerciale à Sacavém (Lisbonne).*

*Les adresses et les numéros de téléphone des agences
Michelin figurent au texte des localités correspondantes.*

*Dans nos agences, nous nous faisons un plaisir
de donner à nos clients tous conseils
pour la meilleure utilisation de leurs pneus.*

Voir aussi les pages bordées de bleu.

Automobile clubs

RACE	Real Automóvil Club de España
RACC	Reial Automòbil Club de Catalunya
RACVN	Real Automóvil Club Vasco Navarro
RACV	Real Automóvil Club de Valencia
ACA	Automóvil Club de Andorra
ACP	Automóvel Club de Portugal

*Voir au texte de la plupart des grandes villes,
l'adresse et le numéro de téléphone de ces différents
Automobile Clubs.*

Les plans

□　●   *Hôtels*
■　●   *Restaurants*

Curiosités

Bâtiment intéressant et entrée principale
Édifice religieux intéressant :
    cathédrale, église ou chapelle

Voirie

Autoroute, route à chaussées séparées
    échangeur : complet, partiel, numéro
Grande voie de circulation
Sens unique – Rue impraticable, réglementée
Rue piétonne – Tramway
Colón   *Rue commerçante – Parc de stationnement*
Porte – Passage sous voûte – Tunnel
Gare et voie ferrée
Funiculaire – Téléphérique, télécabine
Pont mobile – Bac pour autos

Signes divers

Information touristique
Mosquée – Synagogue
Tour – Ruines
Moulin à vent – Château d'eau
Jardin, parc, bois – Cimetière – Calvaire
Stade – Golf – Hippodrome
Piscine de plein air, couverte
Vue – Panorama
Monument – Fontaine – Usine – Centre commercial
Port de plaisance – Phare
Aéroport – Station de métro – gare routière
Transport par bateau :
    passagers et voitures, passagers seulement
③   *Repère commun aux plans et aux cartes Michelin détaillées*
Bureau principal de poste restante – Téléphone
Hôpital – Marché couvert
Bâtiment public repéré par une lettre :
D　H　G   *- Conseil provincial – Hôtel de ville – Préfecture*
J   *- Palais de justice*
M　T   *- Musée – Théâtre*
U   *- Université, grande école*
POL   *- Police (commissariat central)*

32

Amico Lettore

Questa 25^{esima} edizione della Guida Michelin España Portugal propone una selezione aggiornata di alberghi e ristoranti. Realizzata dai nostri ispettori in piena autonomia, offre al viaggiatore di passaggio un'ampia scelta a tutti i livelli di confort e prezzo.

Con l'intento di fornire ai nostri lettori l'informazione più recente, abbiamo aggiornato questa edizione con la massima cura. Per questo solo la Guida dell'anno in corso merita pienamente la vostra fiducia.

Grazie delle vostre segnalazioni sempre gradite.

Michelin vi augura "Buon Viaggio !".

Sommario

35   *Come servirsi della Guida*

63   *I vini e le specialità regionali*
581

73   *Carta delle ottime tavole con stelle, dei pasti accurati*
578   *a prezzi contenuti, degli alberghi e ristoranti ameni,*
       isolati, molto tranquilli

71   *SPAGNA :*

82   *Lessico*

97   *Elenco delle località*

577   *PORTOGALLO :*

588   *Lessico*

603   *Elenco delle località*

711   *Indicativi telefonici dei paesi europei*

716   *Distanze*

718   *Carta di Spagna e Portogallo : principali strade,*
       Paradores e Pousadas

722   *Principali marche automobilistiche*

Pagine bordate di blu
Consigli per i vostri pneumatici

La scelta di un albergo, di un ristorante

Questa guida propone una selezione di alberghi e ristoranti per orientare la scelta, dell'automobilista. Gli esercizi, classificati in base al confort che offrono, vengono citati in ordine di preferenza per ogni categoria.

Categorie

🏨	XXXXX	*Gran lusso e tradizione*
🏨	XXXX	*Gran confort*
🏨	XXX	*Molto confortevole*
🏨	XX	*Di buon confort*
🏨	X	*Abbastanza confortevole*
🏠		*Semplice, ma conveniente*
sin rest.	sem rest.	*L'albergo non ha ristorante*
con hab	com qto	*Il ristorante dispone di camere*

Amenità e tranquillità

Alcuni esercizi sono evidenziati nella guida dai simboli rossi indicati qui di seguito. Il soggiorno in questi alberghi si rivela particolarmente ameno o riposante.

Ciò può dipendere sia dalle caratteristiche dell'edificio, dalle decorazioni non comuni, dalla sua posizione e dal servizio offerto, sia dalla tranquillità dei luoghi.

🏨 ... 🏠	*Alberghi ameni*
XXXXX ... X	*Ristoranti ameni*
« Parque »	*Un particolare piacevole*
🐾	*Albergo molto tranquillo o isolato e tranquillo*
🐾	*Albergo tranquillo*
≤ mar	*Vista eccezionale*
≤	*Vista interessante o estesa*

Le località che possiedono degli esercizi ameni o molto tranquilli sono riportate sulle carte da pagina 73 a 81, 578 e 579.

Consultatele per la preparazione dei vostri viaggi e, al ritorno, inviateci i vostri pareri; in tal modo agevolerete le nostre inchieste.

Installazioni

Le camere degli alberghi che raccomandiamo
possiedono, generalmente, delle installazioni
sanitarie complete. È possibile tuttavia che nelle
categorie 🏨, 🏠 e ♤ alcune camere ne siano
sprovviste.

30 hab/30 qto	Numero di camere
🛗	Ascensore
🗏	Aria condizionata
TV	Televisione in camera
☎	Telefono in camera comunicante direttamente con l'esterno
♿	Camere di agevole accesso per i portatori di handicap
🍽	Pasti serviti in giardino o in terrazza
⌁	Palestra
🏊 🏊	Piscina : all'aperto – coperta
🏖 🌳	Spiaggia attrezzata – Giardino
✗ ⛳9	Tennis – Golf e numero di buche
🏛 25/150	Sale per conferenze : capienza minima e massima delle sale
🚗	Garage nell'albergo (generalmente a pagamento)
Ⓟ	Parcheggio riservato alla clientela
🚫	Accesso vietato ai cani (in tutto o in parte dell'esercizio)
Fax	Trasmissione telefonica di documenti
mayo-octubre	Periodo di apertura, comunicato dall'albergatore
temp.	Probabile apertura in stagione, ma periodo non precisato. Gli esercizi senza tali menzioni sono aperti tutto l'anno.
✉ 28 012	Codice postale
✉ 1 200	

La tavola

Le stelle

*Alcuni esercizi meritano di essere segnalati alla
vostra attenzione per la qualità particolare
della loro cucina ; li abbiamo evidenziati
con le « **stelle di ottima tavola** ».*

*Per ognuno di questi ristoranti indichiamo tre
specialità culinarie che potranno aiutarvi nella scelta.*

❀❀❀ **Una delle migliori tavole, vale il viaggio**
*Vi si mangia sempre molto bene, a volte
meravigliosamente, grandi vini, servizio impeccabile,
ambientazione accurata... Prezzi conformi.*

❀❀ **Tavola eccellente, merita una deviazione**
*Specialità e vini scelti... Aspettatevi una spesa
in proporzione.*

❀ **Un'ottima tavola nella sua categoria**
*La stella indica una tappa gastronomica
sul vostro itinerario.*
*Non mettete però a confronto la stella di un esercizio
di lusso, dai prezzi elevati, con quella di un piccolo
esercizio dove, a prezzi ragionevoli, viene offerta
una cucina di qualità.*

Pasti accurati a prezzi contenuti

*Talvolta desiderate trovare delle tavole più semplici
a prezzi contenuti. Per questo motivo abbiamo
selezionato dei ristoranti che, per un rapporto
qualità-prezzo particolarmente favorevole, offrono
un pasto accurato spesso a carattere tipicamente
regionale.*
Questi ristoranti sono evidenziati nel testo con ☺ Comida
(Spagna) o ☺ Refeição *(Portogallo), es.* Comida 3100/4000,
Refeição 3100/4000.

Consultate le carte delle località con stelle, ☺ Comida o
☺ Refeição, *pagine 73 a 81, 578 e 579.*
I vini : vedere pagine 63 e 581

I prezzi

I prezzi che indichiamo in questa guida sono stati stabiliti nell'estate 1996. Potranno pertanto subire delle variazioni in relazione ai cambiamenti dei prezzi di beni e servizi. Essi s'intendono comprensivi del servizio. In Spagna l'I.V.A. sarà aggiunta al conto (7 %) salvo in Andorra (non c'è l'I.V.A.), Canarie (4 % I.G.I.C. già compresa), Ceuta e Melilla (4 % I.T.E.). In Portogallo (12 %) è già compresa.

In alcune città, in occasione di manifestazioni turistiche o commerciali, i prezzi richiesti dagli albergatori potrebbero risultare considerevolmente più alti.

Gli alberghi e i ristoranti vengono menzionati in carattere grassetto quando gli albergatori ci hanno comunicato tutti i loro prezzi e si sono impegnati, sotto la propria responsabilità, ad applicarli ai turisti di passaggio, in possesso della nostra guida.

Entrate nell'albergo o nel ristorante con la guida in mano, dimostrando in tal modo la fiducia in chi vi ha indirizzato.

I prezzi sono indicati in pesetas o in escudos.

Pasti

Comida 2 000	**Menu a prezzo fisso**
Refeição 1 800	*Prezzo del menu servito ad ore normali*

Pasto alla carta

carta 2 450 a 3 800
lista 1 800 a 2 550

Il primo prezzo corrisponde ad un pasto semplice comprendente : antipasto, piatto con contorno e dessert. Il secondo prezzo corrisponde ad un pasto più completo (con specialità) comprendente : due piatti e dessert.

⌷ 325   *Prezzo della prima colazione*

Camere

hab 4 500/6 700	*Prezzo per una camera singola / Prezzo per una camera*
qto 4 500/6 700	*per due persone in alta stagione.*
hab ☕ 4 800/7 000	*Prezzo della camera compresa la prima colazione*
qto ☕ 4 400/6 300	

Pensione

PA 3 600

Prezzo della « Pensión Alimenticia » (prima colazione più due pasti) da sommare a quello della camera per una persona per ottenere il prezzo della pensione completa per persona e per giorno. E' tuttavia indispensabile prendere accordi preventivi con l'albergatore per stabilire le condizioni definitive.

La caparra

Alcuni albergatori chiedono il versamento di una caparra. Si tratta di un deposito-garanzia che impegna tanto l'albergatore che il cliente. Vi consigliamo di farvi precisare le norme riguardanti la reciproca garanzia di tale caparra.

Carte di credito

AE ⓄⒹ E *VISA* JCB — *Carte di credito accettate dall'esercizio.*

Le città

2200	Codice di avviamento postale
✉ 7800 Beja	Numero di codice e sede dell'Ufficio Postale
⊛ 918	Prefisso telefonico interprovinciale (per le chiamate dall'estero alla Spagna, non formare il 9, per il Portogallo, lo 0)
P	Capoluogo di Provincia
445 M 27	Numero della carta Michelin e del riquadro
24 000 h.	Popolazione
alt. 175	Altitudine della località
⛷ 3	Numero di funivie o cabinovie
⛷ 7	Numero di sciovie e seggiovie
AX A	Lettere indicanti l'ubicazione sulla pianta
⛳18	Golf e numero di buche
☀ ≼	Panorama, vista
✈	Aeroporto
🚗 ☏ 22 98 36	Località con servizio auto su treno. Informarsi al numero di telefono indicato
⛴	Trasporti marittimi
🛈	Ufficio informazioni turistiche

Le curiosità

Grado di interesse

★★★	Vale il viaggio
★★	Merita una deviazione
★	Interessante

Ubicazione

Ver	Nella città
Alred.Arred.	Nei dintorni della città
Excurs.	Nella regione
N, S, E, O	La curiosità è situata : a Nord, a Sud, a Est, a Ovest
①. ④	Ci si va dall'uscita ① o ④ indicata con lo stesso segno sulla pianta della guida e sulla carta stradale
6 km	Distanza chilometrica

L'automobile, i pneumatici

Marche automobilistiche

*L'elenco delle principali case automobilistiche
si trova in fondo alla Guida.
In caso di necessità l'indirizzo della più vicina
officina autorizzata, vi sarà comunicato chiamando
dalle 9 alle 17, il numero telefonico indicato.*

Velocità massima autorizzata

	Autostrada	Strada	Abitato
Spagna } Portogallo }	*120 km/h*	*90/100 km/h*	*50 km/h*

*L'uso della cintura di sicurezza è obbligatorio
sia sui sedili anteriori che su quelli posteriori
degli autoveicoli.*

I vostri pneumatici

*Se vi occorre rintracciare un rivenditore
di pneumatici potete rivolgervi : in **Spagna** alla
Divisione Commerciale Michelin di Madrid o alla
Succursale Michelin di una delle seguenti città :
Montcada i Reixac (Barcelona), Lasarte
(Guipúzcoa), Coslada (Madrid), Valencia, Burgos.
Per il **Portogallo**, potete rivolgervi alla Direzione
Commerciale Michelin di Sacavém (Lisboa).
Gli indirizzi ed i numeri telefonici delle Succursali
Michelin figurano nel testo delle relative località.
Le nostre Succursali sono in grado di dare ai
nostri clienti tutti i consigli relativi alla migliore
utilizzazione dei pneumatici.*
Vedere anche le pagine bordate di blu.

Automobile clubs

RACE	*Real Automóvil Club de España*
RACC	*Reial Automòbil Club de Catalunya*
RACVN	*Real Automóvil Club Vasco Navarro*
RACV	*Real Automóvil Club de Valencia*
ACA	*Automóvil Club de Andorra*
ACP	*Automóvel Club de Portugal*

*Troverete l'indirizzo e il numero di telefono di
questi Automobile Clubs nel testo della maggior
parte delle grandi città.*

Le piante

□ ● *Alberghi*
■ ● *Ristoranti*

Curiosità

Edificio interessante ed entrata principale
Costruzione religiosa interessante :
cattedrale, chiesa, cappella

Viabilità

Autostrada, strada a carreggiate separate
Svincolo : completo, parziale, numero
Grande via di circolazione
Senso unico – Via impraticabile,
a circolazione regolamentata
Via pedonale – Tranvia
Colón *Via commerciale – Parcheggio*
Porta – Sottopassaggio – Galleria
Stazione e ferrovia
Funicolare – Funivia, Cabinovia
Ponte mobile – Traghetto per auto

Simboli vari

Ufficio informazioni turistiche
Moschea – Sinagoga
Torre – Ruderi – Mulino a vento – Torre idrica
Giardino, parco, bosco – Cimitero – Calvario
Stadio – Golf – Ippodromo
Piscina : all'aperto, coperta
Vista – Panorama
Monumento – Fontana – Fabbrica – Centro commerciale
Porto per imbarcazioni da diporto – Faro
Aeroporto – Stazione della Metropolitana – Autostazione
Trasporto con traghetto :
passeggeri ed autovetture, solo passeggeri
③ *Simbolo di riferimento comune alle piante ed alle carte*
Michelin particolareggiate
Ufficio centrale di fermo posta e telefono
Ospedale – Mercato coperto
Edificio pubblico indicato con lettera :
D   H   G   *- Sede del Governo della Provincia – Municipio – Prefettura*
J   *- Palazzo di Giustizia*
M   T   *- Museo – Teatro*
U   *- Università*
POL.   *- Polizia (Questura, nelle grandi città)*

Lieber Leser

*Die 25. Ausgabe des Michelin-Hotelführers
España Portugal bietet Ihnen eine
aktualisierte Auswahl
an Hotels und Restaurants.*

*Von unseren unabhängigen
Hotelinspektoren ausgearbeitet, bietet
der Hotelführer dem Reisenden eine große
Auswahl an Hotels und Restaurants
in jeder Kategorie sowohl was den Preis
als auch den Komfort anbelangt.*

*Stets bemüht, unseren Lesern die neueste
Information anzubieten, wurde diese
Ausgabe mit größter Sorgfalt erstellt.*

*Deshalb sollten Sie immer nur dem
aktuellen Hotelführer Ihr Vertrauen
schenken.*

*Ihre Kommentare sind uns
immer willkommen.*

Michelin wünscht Ihnen "Gute Reise!" ———

Inhaltsverzeichnis

45   Zum Gebrauch dieses Führers

63   Weine und regionale Spezialitäten
581

73   Karte : Stern-Restaurants, sorgfältig zubereitete,
578   preiswerte Mahlzeiten sowie angenehme und
        besonders ruhig gelegene, Hotels und Restaurants

71   SPANIEN :

82   Lexikon

97   Alphabetisches Ortsverzeichnis

577   PORTUGAL :

588   Lexikon

603   Alphabetisches Ortsverzeichnis

711   Telefon-vorwahlnummern europäischer Länder

716   Entfernungen

718   Atlas : Hauptverkehrsstraßen, Paradores und
        Pousadas

722   Wichtigsten Automarken

Blau umrandete Seiten
Einige Tips für Ihre Reifen

Wahl eines Hotels,
eines Restaurants

*Die Auswahl der in diesem Führer aufgeführten
Hotels und Restaurants ist für Reisende gedacht.
In jeder Kategorie drückt die Reihenfolge
der Betriebe (sie sind nach ihrem Komfort
klassifiziert) eine weitere Rangordnung aus.*

Kategorien

🏨	XXXXX	*Großer Luxus und Tradition*
🏨	XXXX	*Großer Komfort*
🏠	XXX	*Sehr komfortabel*
🏠	XX	*Mit gutem Komfort*
🏠	X	*Mit Standard-Komfort*
⌂		*Bürgerlich*
sin rest.	sem rest.	*Hotel ohne Restaurant*
con hab	com qto	*Restaurant vermietet auch Zimmer*

Annehmlichkeiten

*Manche Häuser sind im Führer durch rote Symbole
gekennzeichnet (s. unten.) Der Aufenthalt in diesen
ist wegen der schönen, ruhigen Lage, der nicht
alltäglichen Einrichtung und Atmosphäre sowie
dem gebotenen Service besonders angenehm
und erholsam.*

🏨 ... 🏠		*Angenehme Hotels*
XXXXX ... X		*Angenehme Restaurants*
《 Parque 》		*Besondere Annehmlichkeit*
		Sehr ruhiges, oder abgelegenes und ruhiges Hotel
🐾		*Ruhiges Hotel*
≤ mar		*Reizvolle Aussicht*
≤		*Interessante oder weite Sicht*

*Die Übersichtskarten S. 73 – S. 81, 578 und 579,
auf denen die Orte mit besonders angenehmen oder
sehr ruhigen Häusern eingezeichnet sind, helfen
Ihnen bei der Reisevorbereitung. Teilen Sie uns bitte
nach der Reise Ihre Erfahrungen und Meinungen mit.
Sie helfen uns damit, den Führer weiter zu verbessern.*

Einrichtung

Die meisten der empfohlenen Hotels verfügen über Zimmer, die alle oder doch zum größten Teil mit Bad oder Dusche ausgestattet sind. In den Häusern der Kategorien 🏨, 🏠 und 🎍 kann diese jedoch in einigen Zimmern fehlen.

30 hab/30 qto	Anzahl der Zimmer
⬍	Fahrstuhl
☰	Klimaanlage
TV	Fernsehen im Zimmer
☎	Zimmertelefon mit direkter Außenverbindung
♿	Für Körperbehinderte leicht zugängliche Zimmer
�	Garten-, Terrassenrestaurant
♨	Fitneßraum
⌇ ▨	Freibad – Hallenbad
⛱ ✿	Strandbad – Liegewiese, Garten
✗ ⛳18	Tennisplatz – Golfplatz und Lochzahl
🏛 25/150	Konferenzräume : Mindest- und Höchstkapazität
🚗	Hotelgarage (wird gewöhnlich berechnet)
℗	Parkplatz reserviert für Gäste
🐕̸	Hunde sind unerwünscht (im ganzen Haus bzw. in den Zimmern oder im Restaurant)
Fax	Telefonische Dokumentenübermittlung
mayo-octubre	Öffnungszeit, vom Hotelier mitgeteilt
temp.	Unbestimmte Öffnungszeit eines Saisonhotels. Häuser ohne Angabe von Schließungszeiten sind ganzjährig geöffnet.
✉ 28 012 ✉ 1 200	Postleitzahl

Küche

Die Sterne

*Einige Häuser verdienen wegen ihrer
überdurchschnittlich guten Küche Ihre besondere
Beachtung. Auf diese Häuser weisen die Sterne hin.*

*Bei den mit « Stern » ausgezeichneten Betrieben
nennen wir drei kulinarische Spezialitäten,
die Sie probieren sollten.*

❀❀❀   **Eine der besten Küchen : eine Reise wert**
*Man ißt hier immer sehr gut, öfters auch
exzellent, edle Weine, tadelloser Service,
gepflegte Atmosphäre... entsprechende Preise.*

❀❀   **Eine hervorragende Küche : verdient einen Umweg**
Ausgesuchte Menus und Weine... angemessene Preise.

❀   **Eine sehr gute Küche : verdient Ihre besondere
Beachtung**
*Der Stern bedeutet eine angenehme Unterbrechung
Ihrer Reise.
Vergleichen Sie aber bitte nicht den Stern eines sehr teuren
Luxusrestaurants mit dem Stern eines kleineren oder
mittleren Hauses, wo man Ihnen zu einem annehmbaren
Preis eine ebenfalls vorzügliche Mahlzeit reicht.*

Sorgfältig zubereitete, preiswerte Mahlzeiten

*Für Sie wird es interessant sein, auch solche Häuser
kennenzulernen, die eine etwas einfachere,
vorzugsweise regionale Küche zu einem besonders
günstigen Preis/Leistungs-Verhältnis bieten.
Im Text sind die betreffenden Restaurants durch die roten
Angaben* ⓢ Comida *(Spanien),* ⓢ Refeição *(Portugal)
kenntlich gemacht, z. B.* Comida 3100/4000,
Refeição 3100/4000.

Siehe Karten der Orte mit « Stern », ⓢ Comida
oder ⓢ Refeição *S. 73 bis S. 81, 578 und 579.*
Weine : siehe S. 63 und S. 581.

Preise

*Die in diesem Führer genannten Preise wurden
uns im Sommer 1996 angegeben. Sie können sich
mit den Preisen von Waren und Dienstleistungen
ändern. Sie enthalten das Bedienungsgeld ;
in Spanien, die MWSt. (I.V.A.) wird der Rechnung
hinzugefügt (7 %), mit Ausnahme von Andorra
(keine MWSt), Kanarische Inseln (4 % inkl.),
Ceuta und Melilla (4 %). In Portugal sind die
angegebenen Preise Inklusivpreise (12 %).*

*In einigen Städten werden bei kommerziellen
oder touristischen Veranstaltungen von den Hotels
beträchtlich erhöhte Preise verlangt.*

*Die Namen der Hotels und Restaurants, die ihre
Preise genannt haben, sind fettgedruckt. Gleichzeitig
haben sich diese Häuser verpflichtet, die von den
Hoteliers selbst angegebenen Preise den Benutzern
des Michelin-Führers zu berechnen.*

*Halten Sie beim Betreten des Hotels den Führer
in der Hand. Sie zeigen damit, daß Sie aufgrund
dieser Empfehlung gekommen sind.*

*Die Preise sind in Pesetas oder Escudos
angegeben.*

Mahlzeiten

Comida 2 000	**Feste Menupreise**
Refeição 1 800	*Preis für ein Menu, das zu den normalen Tischzeiten serviert wird*

Mahlzeiten « à la carte »

carta 2 450 a 3 800	*Der erste Preis entspricht einer einfachen Mahlzeit*
lista 1 800 a 2 550	*und umfaßt Vorspeise, Tagesgericht mit Beilage, Dessert. Der zweite Preis entspricht einer reichlicheren Mahlzeit (mit Spezialgericht) bestehend aus zwei Hauptgängen und Dessert*
☕ 325	*Preis des Frühstücks*

Zimmer

hab 4 500/6 700
qto 4 500/6 700
hab ☲ 4 800/7 000
qto ☲ 4 400/6 300

*Preis für ein Einzelzimmer / Preis
für ein Doppelzimmer während der Hauptsaison
Zimmerpreis inkl. Frühstück*

Pension

PA 3 600

*Preis der « Pensión Alimenticia » (= Frühstück
und zwei Hauptmahlzeiten). Die Addition
des Einzelzimmerpreises und des Preises der « Pensión
Alimenticia » ergibt den Vollpensionspreis
pro Person und Tag.
Es ist unerläßlich, sich im voraus mit dem Hotelier über
den definitiven Endpreis zu verständigen.*

Anzahlung

*Einige Hoteliers verlangen eine Anzahlung.
Diese ist als Garantie sowohl für den Hotelier
als auch für den Gast anzusehen. Es ist ratsam,
sich beim Hotelier nach den genauen Bestimmungen
zu erkundigen.*

Kreditkarten

AE ⓪ E *VISA* JCB

Vom Haus akzeptierte Kreditkarten

Städte

	2200	Postleitzahl
✉	7800 Beja	Postleitzahl und Name des Verteilerpostamtes
✪	918	Vorwahlnummer (bei Gesprächen vom Ausland aus wird für Spanien die 9, für Portugal die 0 weggelassen)
Ⓟ		Provinzhauptstadt
445	M 27	Nummer der Michelin-Karte und Koordinaten des Planquadrats
	24 000 h.	Einwohnerzahl
	alt. 175	Höhe
🚡	3	Anzahl der Kabinenbahnen
🚠	7	Anzahl der Schlepp- oder Sessellifts
AX	A	Markierung auf dem Stadtplan
🏌 18		Golfplatz und Lochzahl
☀ ≼		Rundblick – Aussichtspunkt
✈		Flughafen
🚗 ☎	22 98 36	Ladestelle für Autoreisezüge – Nähere Auskunft unter der angegebenen Telefonnummer
⛴		Autofähre
🛈		Informationsstelle

Sehenswürdigkeiten

Bewertung _____

★★★	Eine Reise wert
★★	Verdient einen Umweg
★	Sehenswert

Lage _____

Ver	In der Stadt
Alred./Arred.	In der Umgebung der Stadt
Excurs.	Ausflugsziele
N, S, E, O	Im Norden (N), Süden (S), Osten (E), Westen (O) der Stadt
①, ④	Zu erreichen über die Ausfallstraße ① bzw. ④, die auf dem Stadtplan und auf der Michelin-Karte identisch gekennzeichnet sind
6 km	Entfernung in Kilometern

Das Auto, die Reifen

Automobilfirmen

*Am Ende des Führers finden Sie eine Adress-Liste
der wichtigsten Automarken.
Im Pannenfall erfahren Sie zwischen 9 und 17 Uhr
die Adresse der nächstgelegenen Vertragswerkstatt,
wenn Sie die angegebene Rufnummer wählen.*

Geschwindigkeitsbegrenzung (in km/h)

	Autobahn	Landstrasse	Geschlossene
Spanien	120 km/h	90/100 km/h	50 km/h
Portugal			

*Das Tragen von Sicherheitsgurten ist auf Vorder-und
Rücksitzen obligatorisch.*

Ihre Reifen

*Sollte ein Reifenhändler den von lhnen benötigten
Artikel nicht vorrätig haben, wenden Sie sich bitte
in **Spanien** an die Michelin-Hauptverwaltung in
Madrid, oder an eine der Michelin-Niederlassungen
in den Städten : Montcada i Reixac (Barcelona),
Lasarte (Guipúzcoa), Coslada (Madrid),
Valencia, Burgos.
In **Portugal** können Sie sich an die Michelin-
Hauptverwaltung in Sacavém (Lissabon) wenden.*

*Die Anschriften und Telefonnummern der
Michelin-Niederlassungen sind jeweils
bei den entsprechenden Orten vermerkt.*

*In unseren Depots geben wir unseren Kunden gerne
Auskunft über alle Reifenfragen.*

Siehe auch die blau umrandeten Seiten.

Automobil-clubs

RACE	Real Automóvil Club de España
RACC	Reial Automòbil Club de Catalunya
RACVN	Real Automóvil Club Vasco Navarro
RACV	Real Automóvil Club de Valencia
ACA	Automóvil Club de Andorra
ACP	Automóvel Club de Portugal

*Im Ortstext der meisten großen Städte sind Adresse
und Telefonnummer der einzelnen Automobil-Clubs
angegeben.*

Stadtpläne

□	●	*Hotels*
■	●	*Restaurants*

Sehenswürdigkeiten

Sehenswertes Gebäude mit Haupteingang
Sehenswerter Sakralbau
Kathedrale, Kirche oder Kapelle

Straßen

Autobahn, Schnellstraße
Anschlußstelle : Autobahneinfahrt und/oder -ausfahrt,
Nummer
Hauptverkehrsstraße
Einbahnstraße – Gesperrte Straße, mit
Verkehrsbeschränkungen
Fußgängerzone – Straßenbahn
Colón *Einkaufsstraße – Parkplatz*
Tor – Passage – Tunnel
Bahnhof und Bahnlinie
Standseilbahn – Seilschwebebahn
Bewegliche Brücke – Autofähre

Sonstige Zeichen

Informationsstelle
Moschee – Synagoge
Turm – Ruine – Windmühle – Wasserturm
Garten, Park, Wäldchen – Friedhof – Bildstock
Stadion – Golfplatz – Pferderennbahn
Freibad – Hallenbad
Aussicht – Rundblick
Denkmal – Brunnen – Fabrik – Einkaufszentrum
Jachthafen – Leuchtturm
Flughafen – U-Bahnstation – Autobusbahnhof
Schiffsverbindungen : Autofähre – Personenfähre
③ *Straßenkennzeichnung (identisch auf Michelin*
Stadtplänen und -Abschnittskarten)
Hauptpostamt (postlagernde Sendungen), Telefon
Krankenhaus – Markthalle
Öffentliches Gebäude, durch einen Buchstaben
gekennzeichnet :
D   H   G   *- Sitz der Landesregierung – Rathaus – Präfektur*
J   *- Gerichtsgebäude*
M   T   *- Museum – Theater*
U   *- Universität, Hochschule*
POL   *- Polizei (in größeren Städten Polizeipräsidium)*

52

Dear Reader

This 25th edition of the Michelin Guide to España Portugal offers the latest selection of hotels and restaurants.

Independently compiled by our inspectors, the Guide provides travellers with a wide choice of establishments at all levels of comfort and price.

We are committed to providing readers with the most up to date information and this edition has been produced with the greatest care.

That is why only this year's guide merits your complete confidence.

Thank you for your comments, which are always appreciated.

Bon voyage !

Contents

55   *How to use this guide*

63   *Wines and regional specialities*
581

73   *Map of star-rated restaurants, good food at moderate*
578   *prices and pleasant, secluded and very quiet hotels*
      and restaurants

71   *SPAIN:*

82   *Lexicon*

97   *Towns*

577   *PORTUGAL:*

588   *Lexicon*

603   *Towns*

711   *European dialling codes*

716   *Distances*

718   *Atlas: main roads and Paradores and Pousadas*

722   *Main car manufacturers*

Pages bordered in blue
Useful tips for your tyres

Choosing a hotel or restaurant

This guide offers a selection of hotels and restaurants to help the motorist on his travels. In each category establishments are listed in order of preference according to the degree of comfort they offer.

Categories

🏨🏨🏨	XXXXX	*Luxury in the traditional style*
🏨🏨	XXXX	*Top class comfort*
🏨🏨	XXX	*Very comfortable*
🏨	XX	*Comfortable*
🏠	X	*Quite comfortable*
🏠		*Simple comfort*
sin rest.	sem rest.	*The hotel has no restaurant*
con hab	com qto	*The restaurant also offers accommodation*

Peaceful atmosphere and setting

Certain establishments are distinguished in the guide by the red symbols shown below.

Your stay in such hotels will be particularly pleasant or restful, owing to the character of the building, its decor, the setting, the welcome and services offered, or simply the peace and quiet to be enjoyed there.

🏨🏨🏨 ... 🏠		*Pleasant hotels*
XXXXX ... X		*Pleasant restaurants*
« Parque »		*Particularly attractive feature*
	⅊	*Very quiet or quiet, secluded hotel*
	⅊	*Quiet hotel*
	⩽ mar	*Exceptional view*
	⩽	*Interesting or extensive view*

The maps on pages 73 to 81, 578 and 579 indicate places with such peaceful, pleasant hotels and restaurants.

By consulting them before setting out and sending us your comments on your return you can help us with our enquiries.

Hotel facilities

*In general the hotels we recommend
have full bathroom and toilet facilities in each room.
This may not be the case, however, for certain
rooms in categories ⌂, ⌂ and ⌂.*

30 hab/30 qto	*Number of rooms*
🛗	*Lift (elevator)*
▤	*Air conditioning*
TV	*Television in room*
☎	*Direct-dial phone in room*
♿	*Rooms accessible to disabled people*
⛱	*Meals served in garden or on terrace*
⫘	*Exercise room*
⎇ ⊠	*Outdoor or indoor swimming pool*
⛱ ⫘	*Beach with bathing facilities – Garden*
⚞ ⛳	*Tennis court – Golf course and number of holes*
⚑ 25/150	*Equipped conference hall (minimum and maximum capacity)*
⛍	*Hotel garage (additional charge in most cases)*
Ⓟ	*Car park for customers only*
⌾	*Dogs are excluded from all or part of the hotel*
Fax	*Telephone document transmission*
mayo-octubre	*Dates when open, as indicated by the hotelier*
temp.	*Probably open for the season – precise dates not available.*
	Where no date or season is shown, establishments are open all year round.
✉ 28 012	*Postal number*
✉ 1 200	

Cuisine

Stars

*Certain establishments deserve to be brought
to your attention for the particularly fine quality
of their cooking. Michelin stars are awarded
for the standard of meals served.*

*For such restaurants we list
three culinary specialities to assist you in your choice.*

❀❀❀ **Exceptional cuisine, worth a special journey**
*One always eats here extremely well, sometimes
superbly. Fine wines, faultless service, elegant
surroundings. One will pay accordingly!*

❀❀ **Excellent cooking, worth a detour**
*Specialities and wines of first class quality.
This will be reflected in the price.*

❀ **A very good restaurant in its category**
*The star indicates a good place to stop on your journey.
But beware of comparing the star given
to an expensive « de luxe » establishment to that
of a simple restaurant where you can appreciate
fine cuisine at a reasonable price.*

Good food at moderate prices

🍴 *You may also like to know of other restaurants
with less elaborate, moderately priced menus
that offer good value for money and serve
carefully prepared meals, often of regional cooking.
In the guide such establishments are marked 🍴 and
Comida (Spain) or 🍴 and Refeição (Portugal) just before
the price of the menu, for example Comida 3100/4000,
Refeição 3100/4000.*

*Please refer to the map of star-rated restaurants
and good food at moderate prices 🍴 Comida or
🍴 Refeição,
on pp 73 to 81, 578 and 579.*
Wines : see pp 63 and 581

Prices

*Prices quoted are valid for summer 1996. Changes
may arise if goods and service costs are revised.
The rates include service charge. In Spain
the V.A.T. (I.V.A.) will be added to the bill (7 %),
except in Andorra (no V.A.T.), Canary Islands
(4 % incl.), Ceuta and Melilla (4 %). In Portugal,
the V.A.T. (12 %) is already included.*

*In some towns, when commercial or tourist events
are taking place, the hotel rates are likely
to be considerably higher.*

*Hotels and restaurants in bold type have supplied
details of all their rates and have assumed
responsibility for maintaining them for all travellers
in possession of this guide.*

*Your recommendation is self-evident if you always
walk into a hotel, Guide in hand.*

Prices are given in pesetas or escudos.

Meals _____

Comida 2 000	**Set meals**
Refeição 1 800	*Price for set meal served at normal hours*

« A la carte » meals

carta 2 450 a 3 800
lista 1 800 a 2 550

*The first figure is for a plain meal and includes
hors-d'œuvre, main dish of the day with vegetables
and dessert
The second figure is for a fuller meal (with speciality)
and includes two main courses and dessert*

☕ 325   *Price of continental breakfast*

Rooms

hab 4 500/6 700   *Price for a single room / Price for a double*
qto 4 500/6 700   *in the season*
hab ⥿ 4 800/7 000   *Price includes breakfast*
qto ⥿ 4 400/6 300

Full board

PA 3 600   *Price of the « Pensión Alimenticia » (breakfast, lunch and dinner). Add the charge for the « Pensión Alimenticia » to the room rate to give you the price for full board per person per day. To avoid any risk of confusion it is essential to agree terms in advance with the hotel.*

Deposits

Some hotels will require a deposit, which confirms the commitment of customer and hotelier alike. Make sure the terms of the agreement are clear.

Credit cards

AE ⑩ Ɛ VISA JCB   *Credit cards accepted by the establishment*

Towns

2200	Postal number
✉ 7800 Beja	Postal number and name of the post office serving the town
✆ 918	Telephone dialling code (when dialling from outside Spain omit the 9, from outside Portugal omit the first 0)
Ⓟ	Provincial capital
445 M 27	Michelin map number and co-ordinates
24 000 h.	Population
alt. 175	Altitude (in metres)
3	Number of cable-cars
7	Number of ski and chair-lifts
AX A	Letters giving the location of a place on the town plan
18	Golf course and number of holes
※ ≼	Panoramic view, viewpoint
✈	Airport
🚗 ✆ 22 98 36	Place with a motorail connection; further information from telephone number listed
⛴	Shipping line
🛈	Tourist Information Centre

Sights

Star-rating

★★★	Worth a journey
★★	Worth a detour
★	Interesting

Location

Ver	Sights in town
Alred./Arred.	On the outskirts
Excurs.	In the surrounding area
N, S, E, O	The sight lies north, south, east or west of the town
①. ④	Sign on town plan and on the Michelin road map indicating the road leading to a place of interest
6 km	Distance in kilometres

Car, tyres

Car manufacturers

A list of the main Car Manufacturers is to be found at the end of the Guide.

Maximum speed limits

	Motorways	All other roads	Built-up areas
Spain } Portugal	120 km/h	90/100 km/h	50 km/h

The wearing of seat belts is compulsory in the front and rear of vehicles.

Your tyres

When a tyre dealer is unable to supply your needs, get in touch : in **Spain** *with the Michelin Head Office in Madrid or with the Michelin Branch in one of the following towns : Montcada i Reixac (Barcelona), Lasarte (Guipúzcoa), Coslada (Madrid), Valencia, Burgos. In* **Portugal** *with the Michelin Head Office in Sacavém (Lisbon).*

Addresses and phone numbers of Michelin Agencies are listed in the text of the towns concerned.

The staff at our depots will be pleased to give advice on the best way to look after your tyres.

See also the pages bordered in blue

Motoring organisations

RACE	Real Automóvil Club de España
RACC	Reial Automòbil Club de Catalunya
RACVN	Real Automóvil Club Vasco Navarro
RACV	Real Automóvil Club de Valencia
ACA	Automóvil Club de Andorra
ACP	Automóvel Club de Portugal

The address and telephone number of the various motoring organisations are given in the text of most of the large towns.

Town plans

□ ● *Hotels*
■ ● *Restaurants*

Sights

Place of interest and its main entrance
Interesting place of worship:
   cathedral, church or chapel

Roads

Motorway, dual carriageway
④ ④ *Junction complete, limited, number*
Major through route
One-way street – Unsuitable for traffic, street subject
   to restrictions
Pedestrian street – Tramway
Colón 🅿 🅿 *Shopping street – Car park*
Gateway – Street passing under arch – Tunnel
Station and railway
Funicular – Cable-car
△ 🅱 *Lever bridge – Car ferry*

Various signs

🛈 *Tourist Information Centre*
☾ ☒ *Mosque – Synagogue*
◉ ● ⁂ ✗ ⍾ *Tower – Ruins – Windmill – Water tower*
ᵗᵗ ✝ *Garden, park, wood – Cemetery – Cross*
◯ 🔓 ⚘ *Stadium – Golf course – Racecourse*
⚓ 🏊 *Outdoor or indoor swimming pool*
≼ ₩ *View – Panorama*
■ ◉ ☼ 🏭 *Monument – Fountain – Factory – Shopping centre*
⚓ 🗼 *Pleasure boat harbour – Lighthouse*
✈ ⊕ 🚌 *Airport – Underground station – Coach station*
Ferry services:
⛴ ⛴ *- passengers and cars, passengers only*
③ *Reference number common to town plans*
and Michelin maps
🖂 ⊗ 🅟 ☎ *Main post office with poste restante and telephone*
✛ ⊠ *Hospital – Covered market*
▨ ▢ *Public buildings located by letter:*
D H G *- Provincial Government Office – Town Hall – Prefecture*
J *- Law Courts*
M T *- Museum – Theatre*
U *- University, College*
POL *- Police (in large towns police headquarters)*

Los vinos
Os vinhos
Les vins
I vini
Weine
Wines

① , ② *Rías Baixas, Ribeiro*
③ , ④ *Valdeorras, Bierzo*
⑤ , ⑥ *Toro, Rueda*
⑦ *Cigales*
⑧ *Ribera del Duero*
⑨ *Rioja*
⑩ *Chacolí*
⑪ *Navarra*
⑫ al ⑮ *Campo de Borja, Calatayud,*
   Cariñena, Somontano
⑯ al ㉑ *Terra Alta, Costers del Segre,*
   Priorato, Conca de Barberá,
   Tarragona, Penedès
㉒ *Alella*

㉓ *Ampurdán – Costa Brava*
㉔ y ㉕ *Méntrida, Vinos de Madrid*
㉖ y ㉗ *Valdepeñas, La Mancha*
㉘ al ㉞ *Utiel – Requena, Almansa, Jumilla,*
   Valencia, Yecla, Alicante, Bullas
㉟ *Binissalem*
㊱ al ㊴ *Condado de Huelva, Jerez –*
   Manzanilla – Sanlúcar de
   Barrameda, Málaga, Montilla-
   Moriles
㊵ *Tacoronte-Acentejo,*
   Ycoden-Daute-Isora
㊶ *Lanzarote*
㊷ *La Palma*

* *CAVA* ⑨ , ⑪ , ⑫ , ⑭ , ⑳ al ㉓

63

Vinos y especialidades regionales

España, por su diversidad geográfica y tradición vinícola milenaria, ofrece gran variedad de sabrosos vinos, que pueden satisfacer los paladares más exigentes y complementan la riqueza gastronómica nacional. En el mapa indicamos las Denominaciones de Origen que la legislación española controla y protege.

Regiones y localización en el mapa	Características de los vinos	Especialidades regionales
Andalucía ㊱ al ㊴	**Blancos** afrutados **Amontillados** secos, avellanados **Finos** secos, amargos **Olorosos** aterciopelados, aromáticos **Moscatel** (dulce)	Jamón de Jabugo, Gazpacho, Aceite de oliva
Aragón ⑫ al ⑮	**Tintos** robustos **Blancos** afrutados **Rosados** afrutados, sabrosos **Cava** espumoso (método champenoise)	Jamón de Teruel, Frutas
Madrid, Castilla y León, Castilla-La Mancha, Extremadura ④ al ⑧ y ㉔ al ㉗	**Tintos** aromáticos, muy afrutados **Blancos** aromáticos, equilibrados **Rosados** refrescantes	Asados, Embutidos, Queso Manchego, Migas, Cocido madrileño
Cataluña ⑯ al ㉓	**Tintos** francos, robustos, redondos, equilibrados **Blancos** recios, amplios, afrutados, de aguja **Rosados** finos, elegantes **Dulces y mistelas** (postres) **Cava** espumoso (método champenoise)	Butifarra, Embutidos, Romesco (salsa), Aceite de oliva, Crema catalana
Galicia, Asturias, Cantabria ① al ③	**Tintos** de mucha capa, elevada acidez **Blancos** muy aromáticos, amplios, persistentes (Albariño)	Pescados, Mariscos, Fabada, Queso Tetilla, Queso Cabrales, Sidra, Orujo
Islas Baleares ㉟	**Tintos** jugosos, elegantes **Blancos y rosados** ligeros	Sobrasada, Queso de Mahón, Ensaimada, Caldereta de langosta
Islas Canarias ㊵ al ㊷	**Tintos** jóvenes, aromáticos **Blancos y rosados** ligeros **Malvasía** (dulce)	Pescados, Papas arrugadas, Mojo Picón (salsa)
Valencia, Murcia ㉘ al ㉞	**Tintos** robustos, de gran extracto **Blancos** aromáticos, frescos, afrutados **Moscatel** (dulce)	Arroces, Turrón, Verduras, Hortalizas
Navarra ⑪	**Tintos** sabrosos, con plenitud, muy aromáticos **Rosados** suaves, afrutados **Cava** espumoso (método champenoise)	Verduras, Hortalizas, Espárragos, Queso Roncal, Pacharán
País Vasco ⑩	**Blancos** frescos, aromáticos	Pescados, Queso Idiazábal
La Rioja (Alta, Baja, Alavesa) ⑨	**Tintos** de gran nivel, equilibrados, francos, aromáticos, poco ácidos **Blancos** secos **Cava** espumoso (método champenoise)	Pimientos

64

Vinhos e especialidades regionais

Espanha, com uma tradição vinícola milenária e diversidade geográfica, oferece uma grande variedade de saborosos vinhos, que podem satisfazer os paladares mais exigentes e completam a riqueza gastronómica nacional. Indicamos no mapa as Denominações de Origem (Denominaciones de Origen) que são controladas e protegidas pela legislação.

Regiões e localização no mapa	Características dos vinhos	Especialidades regionais
Andalucía (36) a (39)	**Brancos** *frutados* **Amontillados** *secos, avelanados* **Finos** *secos, amargos* **Olorosos** *aveludados, aromáticos* **Moscatel** *(doce)*	*Presunto de Jabugo, Gazpacho (Sopa fria de tomate), Azeite*
Aragón (12) a (15)	**Tintos** *robustos* **Brancos** *frutados* **Rosés** *frutados, saborosos* **Cava** *espumante (método champenoise)*	*Presunto de Teruel, Frutas*
Madrid, Castilla y León, Castilla-La Mancha, Extremadura (4) a (8) e (24) a (27)	**Tintos** *aromáticos, muito frutados* **Brancos** *aromáticos, equilibrados* **Rosés** *refrescantes*	*Assados, Enchidos, Queijo Manchego, Migas, Cozido madrilense*
Cataluña (16) a (23)	**Tintos** *francos, robustos, redondos, equilibrados* **Brancos** *secos, amplos, frutados, « perlants »* **Rosés** *finos, elegantes* **Doces e « mistelas »** *(sobremesas)* **Cava** *espumante (método champenoise)*	*Butifarra (Linguiça catalana), Enchidos, Romesco (molho), Azeite, Crema catalana (Leite creme)*
Galicia, Asturias, Cantabria (1) a (3)	**Tintos** *espessos, elevada acidêz* **Brancos** *muito aromáticos, amplos, persistentes (Albariño)*	*Peixes, Mariscos, Fabada (Feijoada), Queijo Tetilla, Queijo Cabrales, Sidra, Aguardente*
Islas Baleares (35)	**Tintos** *com bouquet, elegantes* **Brancos e rosés** *ligeiros*	*Sobrasada (Embuchado de porco), Queijo de Mahón, Ensaimada (Bolo), Guisado de lagosta*
Islas Canarias (40) a (42)	**Tintos** *novos, aromáticos* **Brancos e rosés** *ligeiros* **Malvasía** *(doce)*	*Peixes, Papas arrugadas (Batatas), Mojo Picón (molho)*
Valencia, Murcia (28) a (34)	**Tintos** *robustos, de grande extracto* **Brancos** *aromáticos, frescos, frutados* **Moscatel** *(doce)*	*Arroz, Nogado, Legumes, Hortaliças*
Navarra (11)	**Tintos** *saborosos, cheios, muito aromáticos* **Rosés** *suaves, frutados* **Cava** *Espumante (método champenoise)*	*Legumes, Hortaliças, Espargos, Queijo Roncal, « Pacharán » (licor)*
País Vasco (10)	**Brancos** *frescos, aromáticos*	*Peixes, Queijo Idiazábal*
La Rioja (Alta, Baja, Alavesa) (9)	**Tintos** *de grande nivel, equilibrados, francos, aromáticos, de pouca acidêz* **Brancos** *secos* **Cava** *espumante (método champenoise)*	*Pimentos*

Vins et spécialités régionales

L'Espagne, pays de contrastes géographiques à la tradition vinicole millénaire, offre une grande variété de vins de qualité pouvant satisfaire les palais les plus exigeants, complétant ainsi la richesse gastronomique nationale. Les Appellations d'Origine Contrôlées (Denominaciones de Origen) sont indiquées sur la carte.

Régions et localisation sur la carte	Caractéristiques des vins	Spécialités régionales
Andalucía ㊱ à ㊴	**Blancs** *fruités* **Amontillados** *secs au goût de noisette* **Finos** *secs, amers* **Olorosos** *veloutés, aromatiques* **Moscatel** *(doux)*	Jambon de Jabugo, Gazpacho (Soupe froide à la tomate), Huile d'olive
Aragón ⑫ à ⑮	**Rouges** *corsés* **Blancs** *fruités* **Rosés** *fruités, équilibrés* **Cava** *mousseux (méthode champenoise)*	Jambon de Teruel, Fruits
Madrid, Castilla y León, Castilla-La Mancha Extremadura ④ à ⑧ et ㉔ à ㉗	**Rouges** *aromatiques, très fruités* **Blancs** *aromatiques, équilibrés* **Rosés** *frais*	Rôtis, Charcuteries, Fromage Manchego, Migas (Pain et lardons frits) Pot-au-feu madrilène
Cataluña ⑯ à ㉓	**Rouges** *francs, corsés, ronds* *équilibrés* **Blancs** *secs, amples, fruités, perlants* **Rosés** *fins, élégants* **Vins doux et mistelles** *(de dessert)* **Cava** *mousseux (méthode champenoise)*	Butifarra (saucisse catalane) Charcuterie, « Romesco » (sauce), Crema catalana (Crème brûlée) Huile d'olive
Galicia, Asturias, Cantabria ① à ③	**Rouges** *épais à l'acidité élevée* **Blancs** *très aromatiques, amples, persistants (Albariño)*	Poissons et fruits de mer, Fabada (Cassoulet au lard) Fromage Tetilla, Fromage Cabrales, Cidre, Eau de vie
Islas Baleares ㉟	**Rouges** *bouquetés, élégants* **Blancs et rosés** *légers*	Sobrasada (Saucisse pimentée), Fromage de Mahón, Ensaimada (gâteau), Ragoût de langouste
Islas Canarias ㊵ à ㊷	**Rouges** *jeunes, aromatiques* **Blancs et rosés** *légers* **Malvasía** *(doux)*	Poissons, Papas arrugadas (Pommes de terre), Mojo Picón (sauce
Valencia, Murcia ㉘ à ㉞	**Rouges** *charpentés, tanniques* **Blancs** *aromatiques, frais, fruités* **Moscatel** *(doux)*	Riz, Nougat, Légumes, Primeurs
Navarra ⑪	**Rouges** *bouquetés, pleins, très aromatiques* **Rosés** *fins, fruités* **Cava** *mousseux (méthode champenoise)*	Légumes, Primeurs, Asperges, Fromage Roncal, Pacharán (liqueur de prunelle)
País Vasco ⑩	**Blancs** *frais, aromatiques*	Poissons, Fromage Idiazábal
La Rioja (Alta, Baja, Alavesa) ⑨	**Rouges** *équilibrés, francs, aromatiques, peu acides* **Blancs** *secs* **Cava** *mousseux (méthode champenoise)*	Poivrons

Vini e specialità regionali

La Spagna, paese di contrasti geografici, con una tradizione vinicola millenaria, offre una grande varietà di vini di qualità in grado di soddisfare anche i gusti più esigenti e di completare la ricchezza gastronomica nazionale.
Sulla carta indichiamo le Denominazioni d'Origine (Denominaciones de Origen) controllate e protette dalla legislazione spagnola.

Regioni e localizzazione sulla carta	Caratteristiche dei vini	Specialità regionali
Andalucía ㊱ a ㊳	**Bianchi** *fruttati* **Amontillados** *secchi dal gusto di nocciola* **Finos** *secchi, amari* **Olorosos** *vellutati, aromatici* **Moscatel** *(dolce)*	*Prosciutto di Jabugo, Gazpacho (Zuppa fredda di pomodoro), Olio d'oliva*
Aragón ⑫ a ⑮	**Rossi** *corposi* **Bianchi** *fruttati* **Rosati** *fruttati, equilibrati* **Cava** *spumoso (metodo champenoise)*	*Prosciutto di Teruel, Frutta*
Madrid, Castilla y Léon, Castilla-La Mancha Extremadura ④ a ⑧ e ㉔ a ㉗	**Rossi** *aromatici, molto fruttati* **Bianchi** *aromatici, equilibrati* **Rosati** *freschi*	*Arrosti, Salumi, Formaggio Manchego, Migas (Pane e pancetta fritta), Bollito madrileno*
Cataluña ⑯ a ㉓	**Rossi** *franchi, corposi, rotondi, equilibrati* **Bianchi** *secchi, ampi, fruttati, effervescenti* **Rosati** *fini, eleganti* **Vini dolci, Mistelle** *(da dessert)* **Cava** *spumoso (metodo champenoise)*	*Butifarra (Salsiccia catalana), Salumi, «Romesco» (salsa), Crema catalana, Olio d'oliva*
Galicia, Asturias, Cantabria ① a ③	**Rossi** *aciduli* **Bianchi** *molto aromatici, ampi, persistenti (Albariño)*	*Pesci e frutti di mare, Fabada (Stufato di lardo), Formaggio Tetilla, Formaggio Cabrales, Sidro, Acquavite*
Islas Baleares ㉟	**Rossi** *con bouquet, eleganti* **Bianchi e rosati** *leggeri*	*Sobrasada (Salsiccia piccante), Formaggio di Mahón, Ensaimada (Torta), Spezzatino di aragosta*
Islas Canarias ㊵ a ㊷	**Rossi** *giovani, aromatici* **Bianchi e rosati** *leggeri* **Malvasía** *(dolce)*	*Pesci, Papas arrugadas (Patate), Mojo Picón (salsa)*
Valencia, Murcia ㉘ a ㉞	**Rossi** *strutturati, tannici* **Bianchi** *aromatici, freschi* **Moscatel** *(dolce)*	*Riso, Torrone, Verdure, Primizie*
Navarra ⑪	**Rossi** *con bouquet, pieni, molto aromatici* **Rosati** *fini, fruttati* **Cava** *spumoso (metodo champenoise)*	*Verdure, Primizie, Asparagi, Formaggio Roncal, Pacharán (liquore di prugnole)*
País Vasco ⑩	**Bianchi** *freschi, aromatici*	*Pesci, Formaggio Idiazábal*
La Rioja (Alta, Baja, Alavesa) ⑨	**Rossi** *nobili equilibrati, franchi, aromatici, sapidi* **Bianchi** *secchi* **Cava** *spumoso (metodo champenoise)*	*Peperoni*

Weine und regionale Spezialitäten

Spanien, ein Land reich an geographischen Kontrasten, bietet mit seiner jahrtausendalten Weinbautradition ein großes Spektrum an Qualitätsweinen. Auch der anspruchsvollste Gaumen kommt dabei auf seine Kosten, abgerundet durch die gastronomische Vielfalt des Landes. Auf der Karte sind die geprüften und gesetzlich geschützten Herkunftsbezeichnungen (Denominaciones de Origen) angegeben.

Regionen und Lage auf der Karte	Charakteristik der Weine	Regionale Spezialitäten
Andalucía ㊱ bis ㊴	*Fruchtige* **Weißweine** **Amontillados** *trocken Nußgeschmack* **Finos** *trocken, bitter* **Olorosos** *voll und mild, aromatisch* **Moscatel** *(süß)*	Schinken von Jabugo, Gazpacho (Kalte Tomatensuppe), Olivenöl
Aragón ⑫ bis ⑮	*Vollmundige* **Rotweine** *Fruchtige* **Weißweine** *Fruchtige ausgewogene* **Rotweine** **Cava** *(Flaschengärung oder méthode champenoise)*	Schinken von Teruel, Obst
Madrid, Castilla y León, Castilla-La Mancha Extremadura ④ bis ⑧ y ㉔ bis ㉗	*Aromatische, sehr fruchtige* **Rotweine** *Aromatische, ausgewogene* **Weißweine** *Erfrischende* **Roséweine**	Braten, Würste, Manchego-Käse, Migas (Brot und frischer Speck), Pot-au-feu Madrider Art
Cataluña ⑯ bis ㉓	*Natürliche, körperreiche, ausgewogene, runde* **Rotweine** *Trockene, reiche, fruchtige spritzige* **Weißweine** *Feine, elegante* **Roséweine** **Süße Weine, Mistella** *(Dessertweine)* **Cava** *(Flaschengärung oder méthode champenoise)*	Butifarra (Katalanische Wurst), Würste, « Romesco » (sauce), Olivenöl, Crema catalana (Karamelisierte Vanillecreme)
Galicia, Asturias, Cantabria ① bis ③	*Schwere* **Rotweine** *mit hohem Säuregehalt* *Sehr aromatische, volle, nachaltige* **Weißweine** *(Albariño)*	Fische und Meeresfrüchte, Fabada (Bohneneintopf mit Speck), Tetilla-Käse, Cabrales-Käse, Cidre, Schnaps
Islas Baleares ㉟	*Bukettreiche, elegante* **Rotweine** *Leichte* **Weiß-** *und* **Roséweine**	Sobrasada (Paprikawurst, Mahón-Kase, Ensaimada (Kuchen), Langoustenragout
Islas Canarias ㊵ bis ㊷	*Junge aromatische* **Rotweine** *Leichte* **Weiß-** *und* **Roséweine** **Malvasía** *(süß)*	Fische, Papas arrugadas (Kartoffeln), Mojo Picón (Sauce)
Valencia, Murcia ⑧ bis ㉞	*Kräftige tanninhaltige* **Rotweine** *Frische, fruchtige aromatische* **Weißweine – Moscatel** *(süß)*	Reis, Nougat, Frühgemüse, Gemüse
Navarra ⑪	*Bukettreiche, volle sehr aromatische* **Rotweine** *Feine, fruchtige* **Roséweine** **Cava** *(Flaschengärung oder méthode champenoise)*	Frühgemüse, Gemüse, Spargel, Roncal-Käse, Pacharán (Pflaumenlikör)
País Vasco ⑩	*Frische aromatische* **Weißweine**	Fisch, Idiazábal-Käse, Paprika
La Rioja (Alta, Baja, Alavesa) ⑨	*Hochwertige, ausgeglichene, saubere, aromatische* **Rotweine** *mit geringem Säuregehalt* *Trockene* **Weißweine** **Cava** *(Flaschengärung oder méthode champenoise)*	

Wines and regional specialities

With its thousand year long tradition of wine making together with its greatly varying landscape, Spain has a large range of delicious wines to offer which are bound to satisfy the more discerning palate and complement the country's wealth of gastronomy. The map shows the official wine regions (Denominaciones de Origen) which are controlled and protected by Spanish law.

Regions and location on the map	Wine's characteristics	Regional Specialities
Andalucía ㊱ to ㊲	Fruity whites Amontillados medium dry and nutty Finos very dry, pale and delicate Olorosos velvety and aromatic Moscatel (sweet)	Jabugo ham, Gazpacho (Cold tomato soup), Olive oil
Aragón ⑫ to ⑮	Robust reds Fruity whites Pleasant, fruity rosés Sparkling wines (méthode champenoise)	Teruel ham, Fruits
Madrid, Castilla y León, Castilla-La Mancha Extremadura ④ to ⑧ e ㉔ to ㉗	Aromatic and very fruity reds Aromatic and well balanced whites Refreshing rosés	Roast, Sausages, Manchego Cheese, Migas (fried breadcrumbs), Madrid stew
Cataluña ⑯ to ㉓	Open, robust, rounded and well balanced reds Strong, full bodied and fruity whites Fine, elegant rosés Sweet, subtle dessert wines Sparking wines (méthode champenoise)	Butifarra (Catalan sausage), « Romesco » (sauce), Olive oil, Crema catalana (Crème brûlée)
Galicia, Asturias, Cantabria ① to ③	Complex, highly acidic reds Very aromatic and full bodied whites (Albariño)	Fish and seafood, Fabada (pork and bean stew), Tetilla Cheese, Cabrales Cheese, Cider, Orujo (distilled grape skins and pips)
Islas Baleares ㉟	Meaty, elegant reds Light whites and rosés	Sobrasada (Sausage spiced with pimento), Mahón Cheese, Ensaimada (Yeast buns), Lobster ragout
Islas Canarias ㊵ to ㊷	Young, aromatic reds Light whites and rosés Malvasía (sweet)	Fish, Papas arrugadas, Mojo Picón (specially prepared potatoes with a garlic sauce)
Valencia, Murcia ㉘ to ㉞	Robust reds Fresh, fruity and aromatic whites Moscatel (sweet)	Rice dishes, Nougat, Market garden produce
Navarra ⑪	Pleasant, full bodied and highly aromatic reds Smooth and fruity rosés Sparkling wines (méthode champenoise)	Green vegetables, Market garden produce, Asparagus, Roncal Cheese, Pacharán (sloeberry liqueur)
País Vasco ⑩	Fresh and aromatic whites	Fish, Idiazábal Cheese
La Rioja (Alta, Baja, Alavesa) ⑨	High quality, well balanced, open and aromatic reds with little acidity Dry whites Sparkling wines (méthode champenoise)	Peppers

España

✿✿✿ *Las estrellas* _____

✿✿ *As estrelas*

✿ *Les étoiles*

Le stelle

Die Sterne

The stars

Comida *Buenas comidas a precios moderados* _____

Refeições cuidadas a preços moderados

Repas soignés à prix modérés

Pasti accurati a prezzi contenuti

Sorgfältig zubereitete, preiswerte Mahlzeiten

Good food at moderate prices

Atractivo y tranquilidad _____

Atractivos

L'agrément

Amenità e tranquillità

Annehmlichkeit

Peaceful atmosphere and setting

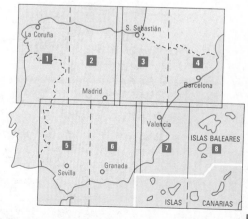

73

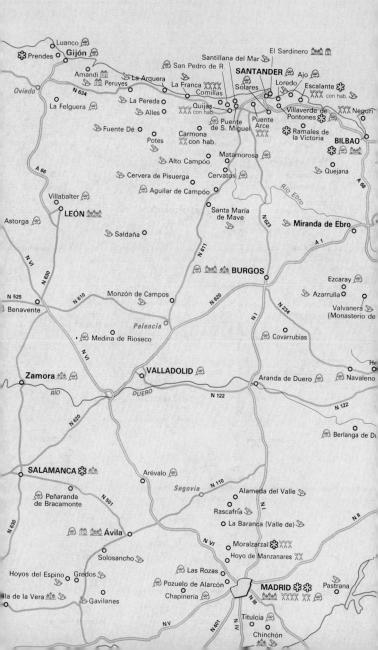

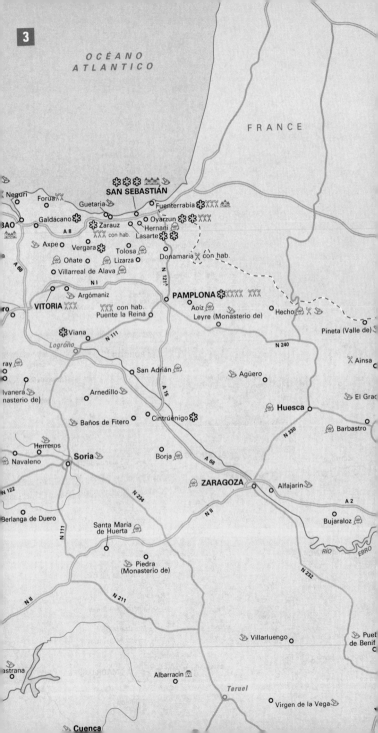

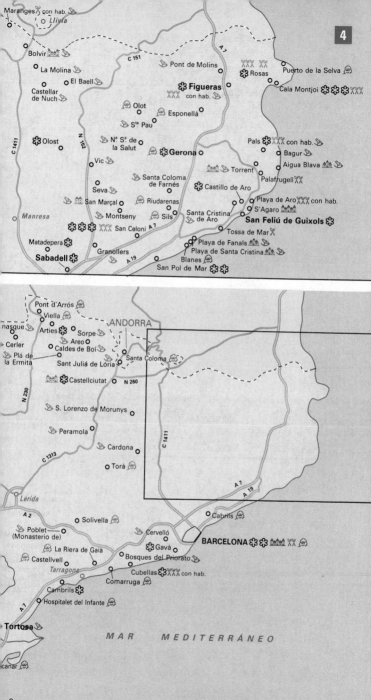

Maranges con hab.
Llivia
Bolvir
La Molina
El Baell
Castellar de Nuch
C 151
Pont de Molins
Figueras con hab.
Rosas
Puerto de la Selva
Cala Montjoi
Olot
Esponellà
Sta. Pau
Olost
Nª Sª de la Salut
Gerona
Vic
Pals con hab.
Bagur
Aigua Blava
Torrent
Palafrugell
Santa Coloma de Farnés
Seva
Castillo de Aro
San Marçal
Riudarenas
Montseny
Sils
Santa Cristina de Aro
Playa de Aro con hab.
S'Agaró
San Feliú de Guixols
Manresa
San Celoni
A 7
Tossa de Mar
Matadepera
Granollers
Playa de Fanals
Playa de Santa Cristina
Sabadell
A 19
Blanes
San Pol de Mar
C 1411
N 152

Pont d'Arrós
Viella
ANDORRA
nasque
Arties
Sorpe
Cerler
Areo
Plá de la Ermita
Caldes de Boí
Sant Juliá de Lória
Santa Coloma
Castellciutat
N 260
N 230
S. Lorenzo de Morunys
Peramola
Cardona
C 1313
Torà
C 1411
A 7
Lérida
A 19
A 2
Solivella
Cabrils
Poblet (Monasterio de)
Cervelló
BARCELONA
La Riera de Gaià
Gavà
Castellvell
Bosques del Priorato
Tarragona
Cubellas con hab.
Comarruga
Cambrils
A 7
Hospitalet del Infante
Tortosa
MAR   MEDITERRÁNEO
canar

4

3

N V
N 401
N V
Chinchón
Cuenca
N 400
N 420

Aranjuez
N III
TOLEDO
con hab.
CM 401
CM 400

Motilla
del Palancar
**Alcázar
de S. Juan**
N 420
Las Pedroñeras
Alarcón

Ciudad Real
Daimiel
Albacete
N 430
Almagro
Ballesteros
de Calatrava
CM 412
N 420
N 301
Almodóvar del Campo
Santa Cruz de Mudela
N IV
N 322

Cenajo

Úbeda
N 323
N 321
Cazorla
Jaén
Sierra de Cazorla

N 432
Pue
de Ma.
A 92
N 340
La Alhambra
GRANADA
Vera
Sierra Nevada
ama de
anada
N 323
Bubión
Agua Amarga
N 340
ALMERÍA
Salobreña
N 340
Gualchos con hab.
Almerimar

MEDITERRÁNEO

Melilla

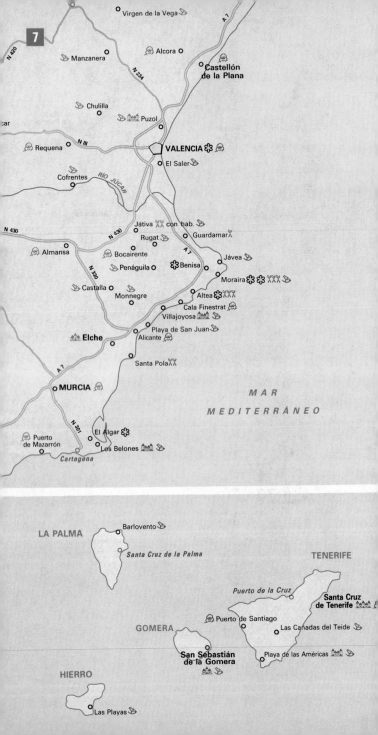

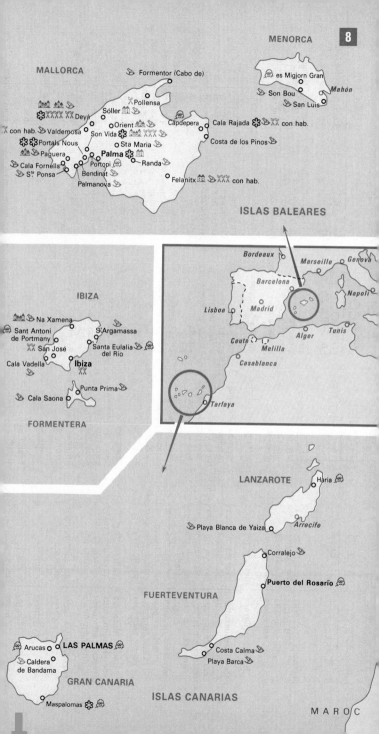

LÉXICO EN LA CARRETERA	LÉXICO NA ESTRADA	LEXIQUE SUR LA ROUTE	LESSICO LUNGO LA STRADA	LEXIKON AUF DER STRASSE	LEXICON ON THE ROAD
¡ atención, peligro !	atençâo! perigo !	attention ! danger !	attenzione ! pericolo !	Achtung ! Gefahr !	caution ! danger !
a la derecha	à direita	à droite	a destra	nach rechts	to the right
a la izquierda	à esquerda	à gauche	a sinistra	nach links	to the left
autopista	auto-estrada	autoroute	autostrada	Autobahn	motorway
bajada peligrosa	descida perigosa	descente dangereuse	discesa pericolosa	gefährliches Gefälle	dangerous descent
calzada resbaladiza	piso resvaladiço	chaussée glissante	fondo sdrucciolevole	Rutschgefahr	slippery road
cañada	rebanhos	troupeaux	greggi	Viehherde	cattle
carretera cortada	estrada interrompida	route coupée	strada interrotta	gesperrte Straße	road closed
carretera en cornisa	estrada escarpada	route en corniche	strada panoramica	Höhenstraße	coastal road
carretera en mal estado	estrada em mau estado	route en mauvais état	strada in cattivo stato	Straße in schlechtem Zustand	road in poor condition
carretera nacional	estrada nacional	route nationale	strada statale	Staatsstraße	Primary road
ceda el paso	dê passagem	cédez le passage	dare la precedenza	Vorfahrt achten	yield right of way
cruce peligroso	cruzamento perigoso	croisement dangereux	incrocio pericoloso	gefährliche Kreuzung	dangerous crossing
curva peligrosa	curva perigosa	virage dangereux	curva pericolosa	gefährliche Kurve	dangerous bend
despacio	lentamente	lentement	adagio	langsam	slowly
desprendimientos	queda de pedras	chute de pierres	caduta sassi	Steinschlag	falling rocks
dirección prohibida	sentido proibido	sens interdit	senso vietato	Einfahrt verboten	no entry
dirección única	sentido único	sens unique	senso unico	Einbahnstraße	one way
encender las luces	acender as luzes	allumer les lanternes	accendere le luci	Licht einschalten	switch on lights
esperen	esperem	attendez	attendete	warten	wait, halt
hielo	gelo	verglas	ghiaccio	Glatteis	ice (on roads)
niebla	nevoeiro	brouillard	nebbia	Nebel	fog
nieve	neve	neige	neve	Schnee	snow

82

				Halt!	compulsory stop
paso de ganado	passagem de gado	passage de troupeaux non gardé	passaggio di mandrie	Viehtrieb	cattle crossing
paso a nivel sin barreras	passagem de nivel sem guarda	passage à niveau gardé	passaggio a livello incustodito	unbewachter Bahnübergang	unattended level crossing
peaje	portagem	péage	pedaggio	Gebühr	toll
peatones	peões	piétons	pedoni	Fußgänger	pedestrians
¡peligro !	perigo !	danger !	pericolo !	Gefahr !	danger !
precaución	prudência	prudence	prudenza	Vorsicht	caution
prohibido	proibido	interdit	vietato	verboten	prohibited
prohibido aparcar	estacionamento proibido	stationnement interdit	divieto di sosta	Parkverbot	no parking
prohibido el adelantamiento	proibido ultrapassar	défense de doubler	divieto di sorpasso	Überholverbot	no overtaking
puente estrecho	ponte estreita	pont étroit	ponte stretto	enge Brücke	narrow bridge
puesto de socorro	pronto socorro	poste de secours	pronto soccorso	Unfall-Hilfsposten	first aid station
salida de camiones	saída de camiões	sortie de camions	uscita camion	LKW-Ausfahrt	lorry exit
travesia peligrosa	perigoso atravessar	traversée dangereuse	attraversamento pericoloso	gefährliche Durchfahrt	dangerous crossing

PALABRAS DE USO CORRIENTE	PALAVRAS DE USO CORRENTE	MOTS USUELS	PAROLE D'USO CORRENTE	ALLGEMEINER WORTSCHATZ	COMMON WORDS
abierto	aberto	ouvert	aperto	offen	open
abril	Abril	avril	aprile	April	April
acantilado	falésia	falaise	scogliera	Steilküste	cliff
acceso	acesso	accès	accesso	Zugang, Zufahrt	access
acueducto	aqueduto	aqueduc	acquedotto	Aquädukt	aqueduct
adornado	adornado, enfeitado	orné, décoré	decorato	geschmückt	decorated
agencia de viajes	agencia de viagens	bureau de voyages	agenzia viaggi	Reisebüro	travel bureau
agosto	Agosto	août	agosto	August	August
agua potable	água potável	eau potable	acqua potabile	Trinkwasser	drinking water

83

alameda	alameda	promenade	passeggiata	Promenade	promenade
alcazaba	antiga fortaleza árabe	ancienne forteresse arabe	antica fortezza araba	alte arabische Festung	old Arab fortress
alcázar	antigo palácio árabe	ancien palais arabe	antico palazzo arabo	alter arabischer Palast	old Arab palace
almuerzo	almoço	déjeuner	colazione	Mittagessen	lunch
alrededores	arredores	environs	dintorni	Umgebung	surroundings
altar esculpido	altar esculpido	autel sculpté	altare scolpito	Schnitzaltar	carved altar
ambiente	ambiente	ambiance	ambiente	Stimmung	ambience
antiguo	antigo	ancien	antico	alt	ancient
aparcamiento	parque de estacionamento	parc à voitures	parcheggio	Parkplatz	car park
apartado	apartado, caixa postal	boîte postale	casella postale	Postfach	post office box
arbolado	arborizado	ombragé	ombreggiato	schattig	shady
arcos	arcadas	arcades	portici	Arkaden	arcades
artesanía	artesanato	artisanat	artigianato	Handwerkskunst	craftwork
artesonado	tecto de talha	plafond à caissons	soffitto a cassettoni	Kassettendecke	stuccoed ceiling
avenida	avenida	avenue	viale, corso	Boulevard, breite Straße	avenue
bahía	baía	baie	baia	Bucht	bay
bajo pena de multa	sob pena de multa	sous peine d'amende	passibile di contravvenzione	bei Geldstrafe	under penalty of fine
balneario	termas	établissement thermal	stabilimento termale	Kurhaus	health resort
baños	termas	bains, thermes	terme	Thermen	public baths, thermal bath
barranco	barranco, ravina	ravin	burrone	Schlucht	ravine
barrio	bairro	quartier	quartiere	Stadtteil	quarter, district
bodega	adega	chais, cave	cantina	Keller	cellar
bonito	bonito	joli	bello	schön	beautiful
bosque	bosque	bois	bosco	Wäldchen	wood
bóveda	abóbada	voûte	volta	Gewölbe, Wölbung	vault, arch
cabo	cabo	cap	capo	Kap	headland

84

calle	rua	rue	via	Straße	street
callejón sin salida	beco	impasse	vicolo cieco	Sackgasse	no through road
cama	cama	lit	letto	Bett	bed
camarero	criado, empregado	garçon, serveur	cameriere	Ober, Kellner	waiter
camino	caminho	chemin	cammino	Weg	way, path
campanario	campanário	clocher	campanile	Glockenturm	belfry, steeple
campo, campiña	campo	campagne	campagna	Land	country, countryside
capilla	capela	chapelle	cappella	Kapelle	chapel
capitel	capitel	chapiteau	capitello	Kapitell	capital (of column)
cartuja	cartuxa	chartreuse	certosa	Kartäuserkloster	monastery
casa señorial	solar	manoir	villa	Herrensitz	manor house
cascada	cascata	cascade	cascata	Wasserfall	waterfall
castillo	castelo	château	castello	Burg, Schloß	castle
cena	jantar	dîner	pranzo	Abendessen	dinner
cenicero	cinzeiro	cendrier	portacenere	Aschenbecher	ashtray
centro urbano	baixa, centro urbano	centre ville	centro città	Stadtzentrum	town centre
cercano	próximo	proche	prossimo	nah	near
cerillas	fósforos	allumettes	fiammiferi	Zündhölzer	matches
cerrado	fechado	fermé	chiuso	geschlossen	closed
certificado	registado	recommandé (objet)	raccomandato	Einschreiben	registered
césped	relvado	pelouse	prato	Rasen	lawn
circunvalación	circunvalação	contournement	circonvallazione	Umgehung	by-pass
ciudad	cidade	ville	città	Stadt	town
claustro	claustro	cloître	chiostro	Kreuzgang	cloisters
climatizado	climatizado	climatisé	con aria condizionata	mit Klimaanlage	air conditioned
cocina	cozinha	cuisine	cucina	Küche	kitchen
colección	colecção	collection	collezione	Sammlung	collection
colegiata	colegiada	collégiale	collegiata	Stiftskirche	collegiate church
colina	colina	colline	colle, collina	Hügel	hill
columna	coluna	colonne	colonna	Säule	column
comedor	casa de jantar	salle à manger	sala da pranzo	Speisesaal	dining room
comisaría	esquadra de policia	commissariat de police	commissariato di polizia	Polizeistation	police headquarters
conjunto	conjunto	ensemble	insieme	Gesamtheit	group
conserje	porteiro	concierge	portiere	Portier	porter

convento	convento	couvent	convento	Kloster	convent
coro	coro	chœur	coro	Chor	chancel
correos	correios	bureau de poste	ufficio postale	Postamt	post office
crucero	transepto	transept	transetto	Querschiff	transept
crucifijo, cruz	crucifixo, cruz	crucifix, croix	crocifisso, croce	Kruzifix, Kreuz	crucifix, cross
cuadro, pintura	quadro, pintura	tableau, peinture	quadro, pittura	Gemälde, Malerei	painting
cuenta	conta	note	conto	Rechnung	bill
cueva, gruta	gruta	grotte	grotta	Höhle	cave
cuchara	colher	cuillère	cucchiaio	Löffel	spoon
cuchillo	faca	couteau	coltello	Messer	knife
cúpula	cúpula	coupole, dôme	cupola	Kuppel	dome, cupola
dentista	dentista	dentiste	dentista	Zahnarzt	dentist
deporte	desporto	sport	sport	Sport	sport
desembocadura	foz	embouchure	foce	Mündung	mouth
desfiladero	desfiladeiro	défilé	gola	Engpaß	pass
diario	jornal	journal	giornale	Zeitung	newspaper
diciembre	Dezembro	décembre	dicembre	Dezember	December
dique	dique	digue	diga	Damm	dike, dam
domingo	Domingo	dimanche	domenica	Sonntag	Sunday
embalse	barragem	barrage	sbarramento	Talsperre	dam
encinar	azinhal	chênaie	querceto	Eichenwald	oak-grove
enero	Janeiro	janvier	gennaio	Januar	January
entrada	entrada	entrée	entrata, ingresso	Eingang, Eintritt	entrance, admission
equipaje	bagagem	bagages	bagagli	Gepäck	luggage
ermita	eremitério, retiro	ermitage	eremo	Einsiedelei	hermitage
escalera	escada	escalier	scala	Treppe	stairs
escuelas	escolas	écoles	scuole	Schulen	schools
escultura	escultura	sculpture	scultura	Schnitzwerk	carving
espectáculo	espectáculo	spectacle	spettacolo	Schauspiel	show, sight
estanco	tabacaria	bureau de tabac	tabaccaio	Tabakladen	tobacconist
estanque	lago, tanque	étang	stagno	Teich	pond, pool
estatua	estátua	statue	statua	Standbild	statue
estrecho	estreito	détroit	stretto	Meerenge	strait

		façade	facciata	Vorderseite	façade
farmacia	farmácia	pharmacie	farmacia	Apotheke	chemist
faro	farol	phare	faro	Leuchtturm	lighthouse
febrero	Fevereiro	février	febbraio	Februar	February
festivo	feriado	férié	festivo	Feiertag	holiday
florido	florido	fleuri	fiorito	blümend	in bloom
fortaleza	fortaleza	forteresse, château	fortezza	Festung, Burg	fortress, fortified
		fort			castle
fortificado	fortificado	fortifié	fortificato	befestigt	fortified
frescos	frescos	fresques	affreschi	Fresken	frescoes
frío	frio	froid	freddo	kalt	cold
friso	friso	frise	fregio	Fries	frieze
frontera	fronteira	frontière	frontiera	Grenze	frontier
fuente	fonte	source	sorgente	Quelle	source, stream
garganta	garganta	gorge	gola	Schlucht	gorge, stream
gasolina	gasolina	essence	benzina	Benzin	petrol
guardia civil	policia	gendarme	poliziotto	Polizist	policeman
habitación	quarto	chambre	camera	Zimmer	room
hermoso	belo, formoso	beau	bello	schön	beautiful
huerto (a)	horta	potager	orto	Gemüsegarten	kitchen-garden
iglesia	igreja	église	chiesa	Kirche	church
informaciones	informações	renseignements	informazioni	Auskünfte	information
instalado	instalado	installé	installato	eingerichtet	established
invierno	Inverno	hiver	inverno	Winter	winter
isla	ilha	île	isola, isolotto	Insel	island
jardín	jardim	jardin	giardino	Garten	garden
jueves	5ª feira	jeudi	giovedì	Donnerstag	Thursday
julio	Julho	juillet	luglio	Juli	July
junio	Junho	juin	giugno	Juni	June
lago	lago	lac	lago	See	lake
laguna	lagoa	lagune	laguna	Lagune	lagoon
lavado	lavagem de roupa	blanchissage	lavanderia	Wäscherei	laundry

87

lonja	bolsa de comércio	bourse de commerce	borsa	Handelsbörse	Trade exchange
lunes	2ª feira	lundi	lunedì	Montag	Monday
llanura	planicie	plaine	pianura	Ebene	plain
mar	mar	mer	mare	Meer	sea
martes	3ª feira	mardi	martedì	Dienstag	Tuesday
marzo	Março	mars	marzo	März	March
mayo	Maio	mai	maggio	Mai	May
médico	medico	médecin	medico	Arzt	doctor
mediodía	meio-dia	midi	mezzogiorno	Mittag	midday
mesón	estalagem	auberge	albergo	Gasthof	inn
mezquita	mesquita	mosquée	moschea	Moschee	mosque
miércoles	4ª feira	mercredi	mercoledì	Mittwoch	Wednesday
mirador	miradouro	belvédère	belvedere	Aussichtspunkt	belvedere
mobiliario	mobiliário	ameublement	arredamento	Einrichtung	furniture
molino	moinho	moulin	mulino	Mühle	windmill
monasterio	mosteiro	monastère	monastero	Kloster	monastery
montaña	montanha	montagne	montagna	Berg	mountain
muelle	cais, molhe	quai, môle	molo	Mole, Kai	quay
murallas	muralhas	murailles	mura	Mauern	walls
nacimiento	presépio	crèche	presepio	Krippe	crib
nave	nave	nef	navata	Kirchenschiff	nave
Navidad	Natal	Noël	Natale	Weihnachten	Christmas
noviembre	Novembro	novembre	novembre	November	November
obra de arte	obra de arte	oeuvre d'art	opera d'arte	Kunstwerk	work of art
octubre	Outubro	octobre	ottobre	Oktober	October
orilla	orla, borda	bord	orlo	Rand	edge
otoño	Outono	automne	autunno	Herbst	autumn
pagar	pagar	payer	pagare	bezahlen	to pay
paisaje	paisagem	paysage	paesaggio	Landschaft	landscape
palacio real	palácio real	palais royal	palazzo reale	Königsschloß	royal palace
palmera, palmeral	palmeira, palmar	palmier, palmeraie	palma, palmeto	Palme, Palmenhain	palm-tree, palm

				Tusperre	dam
papel de carta	papel de carta	papier à lettre	carta da lettera	Briefpapier	writing paper
parada	paragem	arrêt	fermata	Haltestelle	stopping place
paraje, emplazamiento	local	site	posizione	Lage	site
parque	parque	parc	parco	Park	park
pasajeros	passageiros	passagers	passeggeri	Fahrgäste	passengers
Pascua	Páscoa	Pâques	Pasqua	Ostern	Easter
paseo	passeio	promenade	passeggiata	Spaziergang, Promenade	walk, promenade
patio	pátio interior	cour intérieure	cortile interno	Innenhof	inner courtyard
peluquería	cabeleireiro	coiffeur	parrucchiere	Friseur	hairdresser, barber
peñón	rochedo	rocher	roccia	Felsen	rock
pico	pico	pic	pico	Gipfel	peak
pinar, pineda	pinhal	pinède	pineta	Pinienhain	pine wood
piso	andar	étage	piano (di casa)	Etage	floor
planchado	engomado	repassage	stiratura	bügeln	pressing, ironing
plato	prato	assiette	piatto	Teller	plate
playa	praia	plage	spiaggia	Strand	beach
plaza de toros	praça de touros	arènes	arena	Stierkampfarena	bull ring
portada, pórtico	portal, pórtico	portail	portale	Haupttor, Portal	doorway
prado, pradera	prado, pradaria	pré, prairie	prato, prateria	Wiese	meadow
primavera	Primavera	printemps	primavera	Frühling	spring (season)
prohibido fumar	proibido fumar	défense de fumer	vietato fumare	Rauchen verboten	no smoking
promontorio	promontório	promontoire	promontorio	Vorgebirge	promontory
propina	gorjeta	pourboire	mancia	Trinkgeld	tip
pueblo	aldeia	village	villaggio	Dorf	village
puente	ponte	pont	ponte	Brücke	bridge
puerta	porta	porte	porta	Tür	door
puerto	colo, porto	col, port	passo, porto	Gebirgspaß, Hafen	mountain pass, harbour
púlpito	púlpito	chaire	pulpito	Kanzel	pulpit
punto de vista	vista	point de vue	vista	Aussichtspunkt	viewpoint
recinto	recinto	enceinte	recinto	Ringmauer	perimeter walls
recorrido	percurso	parcours	percorso	Strecke	course
reja, verja	grade	grille	cancello	Gitter	iron gate

reliquia	reliquia	relique	reliquia	Reliquie	relic
reloj	relógio	horloge	orologio	Uhr	clock
Renacimiento	Renascença	Renaissance	Rinascimento	Renaissance	Renaissance
recepción	recepção	réception	ricevimento	Empfang	reception
retablo	retábulo	retable	pala d'altare	Altaraufsatz	altarpiece, retable
río	rio	fleuve	fiume	Fluß	river
roca, peñón	rochedo, rocha	rocher, roche	roccia	Felsen	rock
rocoso	rochoso	rocheux	roccioso	felsig	rock
rodeado	rodeado	entouré	circondato	umgeben	rocky
románico, romano	românico, romano	roman, romain	romanico, romano	romanisch, römisch	surrounded Romanesque, Roman
ruinas	ruínas	ruines	ruderi	Ruinen	ruins
sábado	Sábado	samedi	sabato	Samstag	Saturday
sacristía	sacristia	sacristie	sagrestia	Sakristei	sacristy
sala capitular	sala capitular	salle capitulaire	sala capitolare	Kapitelsaal	chapterhouse
salida	partida	départ	partenza	Abfahrt	departure
salida de socorro	saída de socorro	sortie de secours	uscita di sicurezza	Notausgang	emergency exit
salón	salão, sala	salon, grande salle	sala, salotto, salone	Salon	drawing room, sitting room
santuario	santuário	sanctuaire	santuario	Heiligtum	shrine
sello	selo	timbre-poste	francobollo	Briefmarke	stamp
septiembre	Setembro	septembre	settembre	September	September
sepulcro, tumba	sepúlcro, túmulo	sépulcre, tombeau	sepolcro, tomba	Grabmal	tomb
servicio incluido	serviço incluido	service compris	servizio compreso	Bedienung inbegriffen	service included
servicios	toilette, casa de banho	toilettes	gabinetti	Toiletten	toilets
sierra	serra	chaîne de montagnes	catena montuosa	Gebirgskette	mountain range
siglo	século	siècle	secolo	Jahrhundert	century
sillería del coro	cadeiras de coro	stalles	stalli	Chorgestühl	choir stalls
sobres	envelopes	enveloppes	buste	Briefumschläge	envelopes
sótano	cave	sous-sol, cave	sottosuolo	Keller	basement
subida	subida	montée	salita	Steigung	hill
tapices, tapicerías	tapeçarias	tapisseries	tappezzerie, arazzi	Wandteppiche	tapestries
tarjeta postal	bilhete postal	carte postale	cartolina	Postkarte	postcard

			forchetta	Gabel	fork
tesoro	tesouro	trésor	tesoro	Schatz	treasure, treasury
torre	torre	tour	torre	Turm	tower
tribuna	tribuna, galeria	jubé	tribuna, galleria	Lettner	rood screen
valle	vale	val, vallée	valle, vallata	Tal	valley
vaso	copo	verre	bicchiere	Glas	glass
vega	veiga	vallée fertile	valle fertile	fruchtbare Ebene	fertile valley
verano	Verão	été	estate	Sommer	summer
vergel	pomar	verger	frutteto	Obstgarten	orchard
vidriera	vitral	verrière, vitrail	vetrata	Kirchenfenster	stained glass windows
viernes	6ª feira	vendredi	venerdì	Freitag	Friday
viñedos	vinhedos, vinhas	vignes, vignoble	vigne, vigneto	Reben, Weinberg	vines, vineyard
víspera, vigilia	véspera	veille	vigilia	Vorabend	preceding day, eve
vista pintoresca	vista pitoresca	vue pittoresque	vista pittoresca	malerische Aussicht	picturesque view
vuelta, circuito	volta, circuito	tour, circuit	giro, circuito	Rundreise	tour

COMIDAS Y BEBIDAS · COMIDAS E BEBIDAS · NOURRITURE ET BOISSONS · CIBI E BEVANDE · SPEISEN UND GETRÄNKE · FOOD AND DRINK

aceite, aceitunas	azeite, azeitonas	huiles, olives	olio, olive	Öl, Oliven	oil, olives
agua con gas	água gaseificada	eau gazeuse	acqua gasata	Sprudel	soda water
agua mineral	água mineral	eau minérale	acqua minerale	Mineralwasser	mineral water
ahumado	fumado	fumé	affumicato	geräuchert	smoked
ajo	alho	ail	aglio	Knoblauch	garlic
alcachofa	alcachofra	artichaut	carciofo	Artischocke	artichoke
almendras	améndoas	amandes	mandorle	Mandeln	almonds
alubias	feijão	haricots	fagioli	Bohnen	beans
anchoas	anchovas	anchois	acciughe	Sardellen	anchovies
arroz	arroz	riz	riso	Reis	rice
asado	assado	rôti	arrosto	gebraten	roast
atún	atum	thon	tonno	Thunfisch	tunny
ave	aves, criação	volaille	pollame	Geflügel	poultry
azúcar	açúcar	sucre	zucchero	Zucker	sugar

bacalao	bacalhau fresco	morue fraîche, cabillaud	merluzzo	Kabeljau, Dorsch	cod
bacalao en salazón	bacalhau salgado	morue salée	baccalà, stoccafisso	Laberdan	dried cod
berenjena	beringela	aubergine	melanzana	Aubergine	aubergine
bogavante	lavagante	homard	gambero di mare	Hummer	lobster
brasa (a la)	na brasa	à la braise	brasato	geschmort	braised
café con leche	café com leite	café au lait	caffelatte	Milchkaffee	coffee with milk
café solo	café simples	café nature	caffè nero	schwarzer Kaffee	black coffee
calamares	lulas, chocos	calmars	calamari	Tintenfische	squid
caldo	caldo	bouillon	brodo	Fleischbrühe	clear soup
cangrejo	caranguejo	crabe	granchio	Krabbe	crab
caracoles	caracóis	escargots	lumache	Schnecken	snails
carne	carne	viande	carne	Fleisch	meat
castañas	castanhas	châtaignes	castagne	Kastanien	chestnuts
caza mayor	caça grossa	gros gibier	cacciagione	Wildbret	game
cebolla	cebola	oignon	cipolla	Zwiebel	onion
cerdo	porco	porc	maiale	Schweinefleisch	pork
cerezas	cerejas	cerises	ciliegie	Kirschen	cherries
cerveza	cerveja	bière	birra	Bier	beer
chipirones	lulas pequenas	petits calmars	calamaretti	kleine Tintenfische	small squid
chorizos	chouriços	saucisses au piment	salsicce piccanti	Pfefferwurst	spiced sausages.
chuleta, costilla	costeleta	côtelette	costoletta	Kotelett	cutlet
ciervo venado	veado	cerf	cervo	Hirsch	deer
cigalas	lagostins	langoustines	scampi	Meerkrebse, Langustinen	crayfish
ciruelas	ameixas	prunes	prugne	Pflaumen	plums
cochinillo, tostón	leitão assado	cochon de lait grillé	maialino grigliato, porchetta	Spanferkelbraten	roast suckling pig
cordero	carneiro	mouton	montone	Hammelfleisch	mutton
cordero lechal	cordeiro	agneau de lait	agnello	Lammfleisch	lamb
corzo	cabrito montés	chevreuil	capriolo	Reh	venison
fiambres	charcutaria	charcuterie	salumi	Aufschnitt (Wurst)	pork-butchers' meat

ensalada	salada	salade	insalata	Salat	green salad
entremeses	entrada	hors-d'œuvre	antipasti	Vorspeise	hors d'oeuvre
espárragos	espargos	asperges	asparagi	Spargel	asparagus
espinacas	espinafres	épinards	spinaci	Spinat	spinach
fiambres	carnes frias	viandes froides	carni fredde	kalter Braten	cold meats
filete	filete, bife de lombo	filet	filetto	Filetsteak	fillet
fresas	morangos	fraises	fragole	Erdbeeren	strawberries
frutas	fruta	fruits	frutta	Früchte	fruit
frutas en almíbar	fruta em calda	fruits au sirop	frutta sciroppata	Früchte in Sirup	fruit in syrup
galletas	bolos sécos	gâteaux secs	biscotti secchi	Gebäck	cakes
gambas	camarões	crevettes (bouquets)	gamberetti	Garnelen	prawns
garbanzos	grão	pois chiches	ceci	Kichererbsen	chick peas
guisantes	ervilhas	petits pois	piselli	junge Erbsen	garden peas
helado	gelado	glace	gelato	Speiseeis	ice cream
hígado	figado	foie	fegato	Leber	liver
higos	figos	figues	fichi	Feigen	figs
horno (al)	no forno	au four	al forno	im Ofen gebacken	baked in the oven
huevos al plato	ovos estrelados	œufs au plat	uova fritte	Spiegeleier	fried eggs
huevo pasado por agua	ovo quente	œufs à la coque	uovo à la coque	weiches Ei	soft boiled egg
jamón	presunto, fiambre	jambon (cru ou cuit)	prosciutto (crudo o cotto)	Schinken (roh, gekocht)	ham (raw or cooked)
judías verdes	feijão verde	haricots verts	fagiolini	grüne Bohnen	French beans
langosta	lagosta	langouste	aragosta	Languste	crawfish
langostino	gamba	crevette géante	gamberone	große Garnele	prawns
legumbres	legumes	légumes	verdura	Gemüse	vegetables
lenguado	linguado	sole	sogliola	Seezunge	sole
lentejas	lentilhas	lentilles	lenticchie	Linsen	lentils
limón	limão	citron	limone	Zitrone	lemon
lobarro, perca	perca	perche	pesce persico	Barsch	perch
lomo	lombo	filet, échine	lombata, lombo	Rückenstück	loin chine
lubina	robalo	bar	spigola	Barsch	bass

mantequilla	manteiga	beurre	burro	Butter	butter
manzana	maçã	pomme	mela	Apfel	apple
mariscos	mariscos	fruits de mer	frutti di mare	Meeresfrüchte	seafood
mejillones	mexilhões	moules	cozze	Muscheln	mussels
melocotón	pêssego	pêche	pesca	Pfirsich	peach
membrillo	marmelo	coing	cotogna	Quitte	quince
merluza	pescada	colin, merlan	nasello	Kohlfisch, Weißling	hake
mero	cherne	mérou	cernia	Rautenscholle	brill
naranja	laranja	orange	arancia	Orange	orange
ostras	ostras	huîtres	ostriche	Austern	oyster
paloma, pichón	pombo, borracho	palombe, pigeon	piccione	Taube	pigeon
pan	pão	pain	pane	Brot	bread
parrilla (a la)	grelhado	à la broche, grillé	allo spiedo	am Spieß	grilled
pasteles	bolos	pâtisseries	dolci, pasticceria	Kuchen, Torten	pastries
patatas	batatas	pommes de terre	patate	Kartoffeln	potatoes
pato	pato	canard	anitra	Ente	duck
pepino, pepinillo	pepino	concombre, cornichon	cetriolo, cetriolino	Gurke, Essiggürkchen	cucumber, gherkin
pepitoria	fricassé	fricassée	fricassea	Frikassee	fricassée
pera	pêra	poire	pera	Birne	pear
perdiz	perdiz	perdrix	pernice	Rebhuhn	partridge
pescados	peixes	poissons	pesci	Fische	fish
pimienta	pimenta	poivre	pepe	Pfeffer	pepper
pimiento	pimento	poivron	peperone	Pfefferschote	pimento
plátano	banana	banane	banana	Banane	banana
pollo	frango	poulet	pollo	Hähnchen	chicken
postres	sobremesas	desserts	dessert	Nachspeise	dessert
potaje	sopa	potage	minestra	Suppe	soup
queso	queijo	fromage	formaggio	Käse	cheese
rape	lota	lotte	rana pescatrice, coda di rospo	Seeteufel	monkfish, angler fish

rñones / rodaballo	rns / pregado	rognons / turbot	rognoni / rombo	Nieren / Steinbutt	kidneys / turbot
sal	sal	sel	sale	Salz	salt
salchichas	salsichas	saucisses	salsicce	Würstchen	sausages
salchichón	salpicão	saucisson	salame	Hartwurst, Salami	salami, sausage
salmón	salmão	saumon	salmone	Lachs	salmon
salmonete	salmonete	rouget	triglia	Barbe, Rötling	red mullet
salsa	molho	sauce	salsa	Soße	sauce
sandía	melancia	pastèque	cocomero	Wassermelone	water-melon
sesos	miolos, mioleira	cervelle	cervella	Hirn	brains
setas, hongos	cogumelos	champignons	funghi	Pilze	mushrooms
sidra	cidra	cidre	sidro	Apfelwein	cider
solomillo	bife de lombo	filet	filetto	Filetsteak	fillet
sopa	sopa	soupe	minestra, zuppa	Suppe	soup
tarta	torta, tarte	tarte, grand gâteau	torta	Kuchen	tart, pie
ternera	vitela	veau	vitello	Kalbfleisch	veal
tortilla	omelete	omelette	frittata	Omelett	omelette
trucha	truta	truite	trota	Forelle	trout
turrón	torrão de Alicante, nougat	nougat	torrone	Nugat, Mandelkonfekt	nougat
uva	uva	raisin	uva	Traube	grapes
vaca, buey	vaca, boi	boeuf	manzo	Rindfleisch	beef
vieira	vieira	coquille St-Jacques	cappesante	Jakobsmuschel	scallop
vinagre	vinagre	vinaigre	aceto	Essig	vinegar
vino blanco dulce	vinho branco doce	vin blanc doux	vino bianco amabile	süßer Weißwein	sweet white wine
vino blanco seco	vinho branco seco	vin blanc sec	vino bianco secco	herber Weißwein	dry white wine
vino rosado	vinho « rosé »	vin rosé	vino rosato	Roséwein	rosé wine
vino de marca	vinho de marca	grand vin	vino pregiato	Prädikatswein	fine wine
vino tinto	vinho tinto	vin rouge	vino rosso	Rotwein	red wine
zanahoria	cenoura	carotte	carota	Karotte	carrot
zumo de frutas	sumo de frutas	jus de fruits	succo di frutta	Fruchtsaft	fruit juice

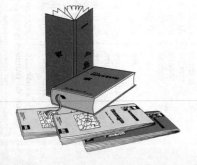

Poblaciones _____

Cidades _____

Villes _____

Città _____

Städte _____

Towns _____

ABADIANO o **ABADIÑO** *48220 Vizcaya* 442 *C 22 – 7 008 h. alt. 133 –* 🕾 *94.*
    Madrid 399 – Bilbao/Bilbo 35 – Vitoria/Gasteiz 43.

en la carretera N 634 *N : 2 km –* ✉ *48220 Abadiano –* 🕾 *94 :*

  🏠 **San Blas,** Laubideta 7 🕾 681 42 00 – 🍽 rest 📺 ☎ 🅿. 🅰🅴 ⓪ 🄴 *VISA*. ℁ rest
      Comida 950 – 🖵 270 – **17 hab** 4100/6200 – PA 1750.

ACANTILADO DE LOS GIGANTES *Santa Cruz de Tenerife – ver Canarias (Tenerife) : Puer*
    de Santiago.

ADEMUZ *46140 Valencia* 445 *L 26 – 1 208 h. alt. 670 –* 🕾 *978.*
    Madrid 286 – Cuenca 120 – Teruel 44 – Valencia 136.

  🏠 **Casa Domingo,** av. de Valencia 1 🕾 78 20 30, Fax 78 20 56 – 🍽 rest ☎ 🅿. 🄴 *VISA*.
      Comida 1400 – 🖵 350 – **30 hab** 2500/4000 – PA 2750.

AGAETE *Las Palmas – ver Canarias (Gran Canaria).*

AGINAGA *Guipúzcoa – ver Aguinaga.*

AGOITZ *Navarra – ver Aoiz.*

AGRAMUNT *25310 Lérida* 443 *G 33 – 4 702 h. alt. 337 –* 🕾 *973.*
    Madrid 520 – Barcelona 123 – Lérida/Lleida 51 – Seo de Urgel/La Seu d'Urgell 98.

  🏨 **Kipps,** carret. de Tarragona 🕾 39 08 25, Fax 39 05 73, ⊥ – 🛗 🍽 📺 ☎ 🅿 – 🕍 25/8
      ⓪ 🄴 *VISA*
      Comida 1500 – **25 hab** 🖵 3375/4840.

  🏠 **Blanc i Negre 2,** carret. de Cervera - SE : 1,2 km 🕾 39 12 13, Fax 39 12 13 – 🍽
      ☎ 🅿. 🄴 *VISA*
      Comida 1200 – 🖵 700 – **24 hab** 3500/7000.

ÁGREDA *42100 Soria* 442 *G 24 – 3 617 h. –* 🕾 *976.*
    Madrid 276 – Logroño 115 – Pamplona/Iruñea 118 – Soria 50 – Zaragoza 107.

  🏨 **Doña Juana,** av. de Soria 16 🕾 64 72 16, Fax 64 76 69 – 🛗 📺 ☎ 🅿. *VISA*. ℁
      Juani : **Comida** carta 2000 a 2750 – 🖵 800 – **47 hab** 3000/4800.

AGUA AMARGA *04149 Almería* 446 *V 24 –* 🕾 *950 – Playa.*
    Madrid 568 – Almería 62 – Mojácar 33 – Níjar 32.

  ✗ **La Chumbera,** carret. de Carboneras N : 1 km 🕾 16 83 21, 🍴 – 🅿. 🄴 *VISA*. ℁
  🐜 *cerrado febrero y del 1 al 15 de noviembre –* **Comida** (sólo cena en verano) carta 25
      a 3950.

AGUADULCE *04720 Almería* 446 *V 22 –* 🕾 *950 – Playa.*
    Madrid 560 – Almería 10 – Motril 102.

  🏨 **Andarax,** Santa Fé (carret. N 340) 🕾 34 07 08, Fax 34 07 55, ⊥ – 🛗 🍽 📺 ☎ ⚈
      – 🕍 25/100. 🅰🅴 ⓪ 🄴 *VISA*. ℁ rest
      Comida 1700 – **108 hab** 🖵 10000/13000.

  ✗ **Club Náutico,** edificio puerto Deportivo 🕾 34 66 16, Fax 34 66 16, ≤ – 🍽. 🅰🅴 ⓪
      VISA. ℁
      cerrado lunes salvo festivos y 7 enero-4 febrero – **Comida** carta 2700 a 4000.

AGÜERO *22808 Huesca* 443 *E 27 – 165 h. –* 🕾 *974.*
    Alred. : Los Mallos ★ *E : 11 km.*
    Madrid 432 – Huesca 42 – Jaca 59 – Pamplona/Iruñea 132.

  🏠 **La Costera** 🐌, San Pedro 🕾 38 03 30, ≤, ⊥ – 🅿. 🄴 *VISA* ᴶᶜᴮ. ℁
      Comida 1750 – 🖵 700 – **12 hab** 5500 – PA 3550.

AGUILAR DE CAMPÓO *34800 Palencia* 442 *D 17 – 7 594 h. alt. 895 –* 🕾 *979.*
    🛈 *pl. de España 32,* 🕾 12 20 24, (temp).
    Madrid 323 – Palencia 97 – Santander 104.

  🏨 **Valentín,** av. Generalísimo 23 🕾 12 21 25, Fax 12 24 42 – 🛗 🍽 rest 📺 ☎ 🚗 ⓪
      🕍 25/250. 🅰🅴 ⓪ 🄴 *VISA*. ℁
      Comida 1500 – **50 hab** 🖵 6500/8500 – PA 3200.

🏠 **Posada de Santa María la Real** ⏚, carret. de Cervera de Pisuerga 🖉 12 20 00, Fax 12 56 80, Conjunto rústico con jardín – 📺 ☎. 💳. ⚘
  Comida 1500 – **18 hab** ⊑ 5300/7300.

✗ **Cortés** con hab, Puente 39 🖉 12 30 55, 🍴
  🍴 ■ 📺 ☎. 🗲 💳. ⚘
  Comida carta 2800 a 4750 – ⊑ 450 – **12 hab** 4000/5000.

ÁGUILAS 30880 Murcia 445 T 25 – 24 610 h. – ✆ 968 – Playa.
    🛈 pl. Antonio Cortijos, 🖉 41 33 03, Fax 44 60 82.
    Madrid 494 – Almería 132 – Cartagena 84 – Lorca 42 – Murcia 104.

🏨 **Carlos III,** Rey Carlos III - 22 🖉 41 16 50, Fax 41 16 58 – ■ 📺 ☎. 🝙 ⓘ 💳. ⚘ rest
  Comida 1100 – ⊑ 600 – **32 hab** 7000/9500.

🏠 **El Paso,** carret. de Calabardina 13 🖉 44 71 25, Fax 44 71 27 – 📶 ■ 📺 ☎ 🚗 ⓟ. ⓘ
  🗲 💳. ⚘
  Comida 1200 – **24 hab** ⊑ 4550/6750.

✗✗ **Ruano,** Iberia 8 🖉 41 11 25 – ■. 🗲 💳. ⚘
  Comida carta 1950 a 3450.

en Calabardina NE : 8,5 km – ⊠ 30889 Águilas – ✆ 968 :

🏠 **El Paraíso,** 🖉 41 94 44, Fax 41 94 44, 🍴 – ■ rest 📺 ☎. 🝙 ⓘ 🗲 💳. ⚘
  cerrado 23 diciembre-10 enero – **Comida** 1000 – ⊑ 250 – **37 hab** 4500/7200 – PA 2100.

AGUINAGA o **AGINAGA** 20170 Guipúzcoa 442 C 23 – ✆ 943.
    Madrid 489 – Bilbao/Bilbo 93 – Pamplona/Iruñea 92 – San Sebastián/Donostia 12.

✗✗ **Aguinaga,** carret. de Zarauz N 634, ⊠ 20170 Usurbil, 🖉 36 27 37, 🍴 – ⓟ. 🝙 ⓘ
  🗲 💳. ⚘
  cerrado miércoles y 15 diciembre-15 enero – **Comida** (sólo almuerzo) carta 2800 a 4100.

AIGUA BLAVA Gerona – ver Bagur.

AIGUADOLÇ (Puerto de) Barcelona – ver Sitges.

AINSA 22330 Huesca 443 E 30 – 1 387 h. alt. 589 – ✆ 974.
    Ver : Plaza Mayor★.
    🛈 av. de Pineta, 🖉 50 07 67, (temp).
    Madrid 510 – Huesca 120 – Lérida/Lleida 136 – Pamplona/Iruñea 204.

🏨 **Dos Ríos** sin rest. con cafetería, av. Central 4 🖉 50 09 61, Fax 51 00 25 – 📶 📺 ☎. 🝙
  ⓘ 🗲 💳. ⚘
  15 marzo-octubre – ⊑ 450 – **18 hab** 5900/7800.

🏠 **Mesón de L'Ainsa,** Sobrarbe 12 🖉 50 00 28, Fax 50 07 33 – 📶 📺 ☎ ⓟ. 🗲 💳. ⚘
  marzo-diciembre – **Comida** 1350 – ⊑ 650 – **40 hab** 4950/5950 – PA 2750.

♨ **Dos Ríos** sin rest, av. Central 2 🖉 50 00 43, Fax 51 00 25 – 🝙 ⓘ 🗲 💳. ⚘
  cerrado 15 marzo-octubre – ⊑ 450 – **17 hab** 3800/4900.

✗ **Bodegas del Sobrarbe,** pl. Mayor 2 🖉 50 02 37, Fax 50 09 37, « Antiguas bodegas
  decoradas en estilo medieval » – 🝙 🗲 💳. ⚘
  cerrado 12 diciembre-18 marzo – **Comida** carta 2600 a 3500.

✗ **Bodegón de Mallacán,** pl. Mayor 6 🖉 50 09 77, 🍴 – ■. 🝙 🗲 💳
  Comida carta 2800 a 3700.

AJO 39170 Cantabria 442 B 19 – ✆ 942 – Playa.
    Madrid 416 – Bilbao/Bilbo 86 – Santander 38.

✗ **La Casuca,** Benedicto Ruiz 🖉 62 10 54 – ■ ⓟ. 💳. ⚘
  cerrado martes (salvo de julio a septiembre), Navidades y enero – **Comida** carta aprox.
  3800.

ALACANT – ver Alicante.

ALAGÓN 50630 Zaragoza 443 G 26 – 5 487 h. – ✆ 976.
    Madrid 350 – Pamplona/Iruñea 150 – Zaragoza 23.

♨ **Los Ángeles,** pl. de la Alhóndiga 4 🖉 61 13 40, Fax 61 21 11 – ■ 📺 ☎. 🗲 💳. ⚘
  Comida 1400 – ⊑ 425 – **17 hab** 3500/6000 – PA 2900.

ALAIOR Baleares - ver Baleares (Menorca).

ALAMEDA DE LA SAGRA 45240 Toledo **444** L 18 - 2724 h. - © 925.
Madrid 52 - Toledo 31.

🏨 **La Maruxiña**, carret. de Ocaña - NO : 0,7 km ℘ 50 04 92, Fax 50 02 11 - |≑| 🗐 📺
Ⓟ. *VISA*. ⚘ hab
Comida 1000 - ⇨ 225 - **32 hab** 3335/6500.

ALAMEDA DEL VALLE 28749 Madrid **444** J 18 - 137 h. alt. 1135 - © 91.
Madrid 83 - Segovia 59.

🏨🏨 **La Posada de Alameda** ⚲, Grande 34 ℘ 869 13 37, Fax 869 01 63 - 📺 ☎ **Ⓟ**
🍴 25/35. 🗚 *VISA*. ⚘
Comida carta 3600 a 4700 - ⇨ 790 - **22 hab** 8925/11000.

ALARCÓN 16213 Cuenca **444** N 23 - 245 h. alt. 845 - © 969.
Ver : Emplazamiento★★.
Madrid 189 - Albacete 94 - Cuenca 85 - Valencia 163.

🏨🏨 **Parador de Alarcón** ⚲, av. Amigos de los Castillos 3 ℘ 33 03 15, Fax 33 03 (
« Castillo medieval sobre un peñón rocoso dominando el río Júcar » - |≑| 🗐 📺 ☎ **Ⓟ**.
① E *VISA*. ⚘
Comida 3500 - ⇨ 1200 - **13 hab** 18500.

ALÁS o **ALÀS I CERC** 25718 Lérida **443** E 34 - 388 h. alt. 768 - © 973.
Madrid 603 - Lérida/Lleida 146 - Seo de Urgel/La Seu d'Urgell 7.

🍴 **Alás**, Zulueta 10 ℘ 35 41 92 - 🗚 **① E** *VISA* 🇯🇨🇧. ⚘
cerrado lunes y febrero - **Comida** carta 2700 a 3500.

ALAYOR Baleares - ver Baleares (Menorca).

ALBA DE TORMES 37800 Salamanca **441** J 13 - 4422 h. alt. 826 - © 923.
Ver : Iglesia de San Juan (grupo escultórico★).
🛈 Lepanto 4, ℘ 30 08 98.
Madrid 191 - Ávila 85 - Plasencia 123 - Salamanca 19.

🏨 **Alameda**, av. Juan Pablo II ℘ 30 00 31, Fax 37 02 81, 🛝 - 🗐 rest 📺 ☎ **Ⓟ**. 🗚
E *VISA*. ⚘
Comida 900 - ⇨ 275 - **34 hab** 3000/5000.

🍴 **La Villa**, carret. de Peñaranda 49 ℘ 30 09 85 - 🗐. **① E** *VISA*. ⚘
Comida carta aprox. 2800.

ALBACETE 02000 **P** **444** O y P 24 - 135889 h. alt. 686 - © 967.
Ver : Museo (Muñecas romanas articuladas★) BY M1.
🛈 Tinte 2-edificio Posada del Rosario, ⊠ 02001, ℘ 58 05 22.
Madrid 249 ⑥ - Córdoba 358 ④ - Granada 350 ④ - Murcia 147 ③ - Valencia 183
Plano página siguiente

🏨🏨 **Los Llanos** sin rest, av. de España 9, ⊠ 02002, ℘ 22 37 50, Fax 23 46 07, 🕭 - |≑|
📺 ☎ ⟷ - 🍴 25/400. 🗚 **① E** *VISA*. ⚘ BZ
⇨ 625 - **102 hab** 11000/15600.

🏨🏨 **Manila** sin rest, San José de Calasanz 12, ⊠ 02002, ℘ 50 74 02, Fax 50 61 27 - |≑|
📺 ☎ ⟷. 🗚 **① E** *VISA*. ⚘ ABZ
⇨ 500 - **46 hab** 6000/7500, 1 apartamento.

🏨🏨 **Europa**, San Antonio 39, ⊠ 02001, ℘ 24 15 12, Fax 21 45 69 - |≑| 🗐 📺 ☎ ⟷
🍴 25/350. 🗚 **① E** *VISA*. ⚘ rest BY
Comida 2000 - ⇨ 500 - **116 hab** 8000/13000, 3 suites - PA 4500.

🏨🏨 **San Antonio**, San Antonio 8, ⊠ 02001, ℘ 52 35 35, Fax 52 31 30 - |≑| 🗐 📺 ☎ ⟷
- 🍴 25/40. 🗚 **① E** *VISA* 🇯🇨🇧. ⚘ rest BY
Comida 2000 - ⇨ 700 - **32 hab** 11000/16000 - PA 5000.

🏨🏨 **Gran Hotel** sin rest, Marqués de Molins 1, ⊠ 02001, ℘ 21 37 87, Fax 24 00 63 -
🗐 📺 ☎ - 🍴 25/60. 🗚 **① E** *VISA*. ⚘ BY
⇨ 525 - **68 hab** 8000/11900.

🏨 **NH Albar**, Isaac Peral 3, ⊠ 02001, ℘ 21 68 61, Fax 21 43 79 - |≑| 🗐 📺 ☎. 🗚
E *VISA*. ⚘ BY
Comida 1300 - ⇨ 750 - **51 hab** 7200/10500.

100

ALBACETE

Marqués de Molins . . . . . . **BZ** 24
Mayor . . . . **AYZ** 28

Arcángel San Gabriel . . . **AZ** 3
Arquitecto Julio
Carrilero (Av. del) . . . . **AY** 4
Batalla del Salado . . . . . . **BZ** 5
Caba . . . . **AZ** 6
Carretas (Pl. de las) . . . . **BZ** 7

Catedral (Pl. de la) . . . . . . **AY** 8
Comandante Padilla . . . . . **AZ** 9
Fernán Pérez de Oliva . . . **AY** 14
Francisco Fontecha . . . . . **BY** 16
G. Lodares (Pl. de) . . . . . . **AZ** 17
Granada . . . . **AY** 18
Iris . . . . **BY** 19
Isabel la Católica . . . . . . **AY** 20
Joaquín Quijada . . . . **AY** 21
Libertad (Pas. de la) . . . . **BY** 22
Martínez Villena . . . . . . **BY** 26
Mayor (Pl.) . . . . **AY** 29

Pedro Martínez Gutiérrez . . . **AY** 30
Pedro Simón Abril (Pas. de) . **AZ** 32
Rosario . . . . **AY** 33
San Antonio . . . . **BY** 34
San Julián . . . . **AY** 35
San Sebastián . . . . **AY** 36
Santa Quiteria . . . . **BZ** 37
Tesifonte Gallego . . . . **AZ** 38
Tinte . . . . **AZ** 39
Valencia (Puerta de) . . . . . **BZ** 42
Virgen de las Maravillas . . . **AY** 44
Zapateros . . . . **AY** 46

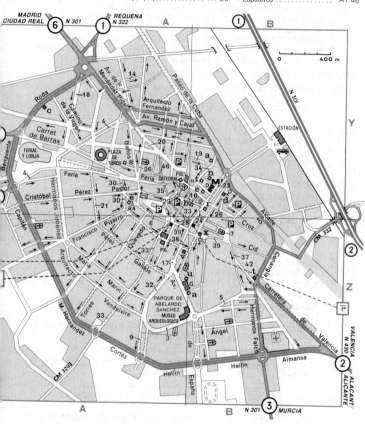

🏨 **Green Universidad** ⑤, av. de España 71, ⊠ 02006, 𝒫 50 88 95, Fax 23 69 79, 🕳
 – |‡| 🔳 📺 ☎ & ⇦. 🗉 𝓥𝓘𝓢𝓐. ⅍ rest   por av. de España   BZ
 Comida 1400 – ⇲ 500 – **80 hab** 8000/10000 – PA 3000.

🏨 **Florida,** Ibáñez Ibero 14, ⊠ 02005, 𝒫 22 70 58, Fax 22 91 15 – |‡| 🔳 📺 ☎ ⇦,
 🗉 𝓥𝓘𝓢𝓐. ⅍   AY s
 Comida 1350 – ⇲ 350 – **79 hab** 7000/7900 – PA 2750.

🏨 **Altozano** sin rest y sin ⇲, pl. Altozano 7, ⊠ 02001, 𝒫 21 04 62, Fax 52 13 66 – |‡|
 🔳 📺 ☎ ⇦. 🗉 𝓥𝓘𝓢𝓐. ⅍   ABY b
 40 hab 4500/7500.

🏨 **Cardinal** sin rest, Virgen de las Maravillas 5, ⊠ 02004, 𝒫 50 87 78, Fax 50 87 79 – |‡|
 🔳 📺 ☎ ⇦. 🖭 🗉 𝓥𝓘𝓢𝓐. ⅍   AY e
 ⇲ 300 – **15 hab** 4500/6500.

🏨 **Albacete,** Carcelén 8, ⊠ 02001, 𝒫 21 81 11, Fax 21 87 25 – 🔳 📺 ☎. 🖭 ① 🗉 𝓥𝓘𝓢𝓐.
 ⅍ rest   BY n
 Comida (cerrado sábado, domingo, julio y agosto) 1350 – ⇲ 500 – **36 hab** 3500/6700
 – PA 2650.

XX **Álvarez**, Salamanca 12, ⊠ 02001, ℘ 21 82 69 – ▤. 🆎 🆅🅸🆂🅰. ✺   BY c
cerrado domingo noche y agosto – **Comida** carta aprox. 3800.

XX **Rincón Gallego**, Teodoro Camino, ⊠ 02002, ℘ 21 14 94, Cocina gallega – ▤. 🆎 ⓞ
 E 🆅🅸🆂🅰. ✺   BZ ✕
Comida carta 2850 a 4350.

X **Nuestro Bar**, Alcalde Conangla 102, ⊠ 02002, ℘ 22 72 15, Fax 22 72 15, 🍴, Cocina
 regional – ▤. 🆎 ⓞ E 🆅🅸🆂🅰. ✺   BZ
cerrado domingo noche y julio – **Comida** carta 3200 a 4400.

X **Casa Paco**, La Roda 26, ⊠ 02005, ℘ 50 06 18, Fax 50 06 18   AY c
 ▤. 🆎 ⓞ E 🆅🅸🆂🅰. ✺
cerrado domingo noche y agosto – **Comida** carta aprox. 3150.

X **Las Rejas**, Dionisio Guardiola 9, ⊠ 02002, ℘ 22 72 42, Mesón típico – ▤. 🆎 ⓞ E 🆅🅸🆂🅰. ✺
cerrado domingo y del 15 al 30 de agosto – **Comida** carta 3350 a 5050.   AZ

al Sureste : *5 km por ② o ③* – ⊠ 02000 Albacete – 🕾 967 :

ⒶⒶ **Parador de Albacete** 🍷, ℘ 50 93 43, Fax 22 60 92, ≤, « Conjunto de estil
 regional », 🏊, ✺ – ▤ 📺 ☎ 🅟 – 🔬 25/200. 🆎 ⓞ E 🆅🅸🆂🅰 🄹🄲🄱. ✺
Comida 3200 – ⊡ 1200 – **70 hab** 14500.

ALBAIDA 46860 Valencia 🄼🄼🄼 P 28 – 5862 h. alt. 315 – 🕾 96.
  Madrid 381 – Albacete 132 – Alicante/Alacant 80 – Valencia 82.

X **El Bessó**, av. El Romeral 6 ℘ 239 02 91 – ▤. 🆎 ⓞ E 🆅🅸🆂🅰. ✺
cerrado domingo y del 15 al 31 de agosto – **Comida** carta 2650 a 3800.

ALBARRACÍN 44100 Teruel 🄼🄼🄼 K 25 – 1164 h. alt. 1200 – 🕾 978.
  Ver : *Pueblo típico ★ Emplazamiento ★ Catedral (tapices★).*
  Madrid 268 – Cuenca 105 – Teruel 38 – Zaragoza 191.

ⓕ Casa de Santiago 🍷, Subida a las Torres 11 ℘ 70 03 16 – ☎
 9 hab.

ⓕ **Arabia** *sin rest*, Bernardo Zapater 2 ℘ 71 02 12, Fax 71 02 37, ≤ – 📺 ☎. E 🆅🅸🆂🅰. 🍷
 ⊡ 390 – **11 hab** 5500/6950, 10 apartamentos.

ⓕ **Santo Cristo** 🍷 *sin rest*, camino Santo Cristo ℘ 70 03 01 – 📺 🅟. 🆅🅸🆂🅰
 ⊡ 350 – **12 hab** 3500/4900.

ⓕ **Albarracín** 🍷, Azagra ℘ 71 00 11, Fax 71 00 11, ≤, 🏊 – 📺 ☎. 🆎 ⓞ E 🆅🅸🆂🅰. ✺ re
Comida 3025 – ⊡ 700 – **43 hab** 7980/14805.

ⓕ **Mesón del Gallo**, Los Puentes 1 ℘ 71 00 32 – 📺 ☎. ⓞ 🆅🅸🆂🅰. ✺
Comida 1400 – ⊡ 300 – **17 hab** 3300/5500.

X **El Portal**, Portal de Molina 14 ℘ 70 03 90, Decoración castellana – 🆅🅸🆂🅰
cerrado lunes – **Comida** carta 1750 a 3150.

en la carretera de Teruel *NE : 1,5 km* – ⊠ 44100 Albarracín – 🕾 978 :

♨ **Montes Universales**, ℘ 71 01 58, Fax 71 02 12 – 📺 ☎ 🚐 🅟. 🆅🅸🆂🅰. ✺
Comida 1250 – ⊡ 350 – **32 hab** 3990/5500 – PA 2690.

La ALBERCA 37624 Salamanca 🄼🄼🄼 K 11 – 958 h. alt. 1050 – 🕾 923.
  Ver : *Pueblo típico★★.*
  Alred. : *S : Carretera de Las Batuecas★ – Peña de Francia★★ – 💥★★ O : 15 km.*
  🄱 pl. Mayor, ℘ 41 52 91, (temp).
  Madrid 299 – Béjar 54 – Ciudad Rodrigo 49 – Salamanca 94.

ⓐⓐ **Doña Teresa** 🍷, carret. de Mogarraz ℘ 41 53 08, Fax 41 53 08, 🛁, 🏊 – 📳 ▤ 📺 ☎ ⇐
 41 hab.

ⓐⓐ **Las Batuecas** 🍷, carret. de Las Batuecas ℘ 41 51 88, Fax 41 50 55 – ▤ rest 📺
 🅟. E 🆅🅸🆂🅰. ✺ rest
cerrado 10 enero-10 febrero – **Comida** 1750 – ⊡ 550 – **24 hab** 4500/7000 – PA 31

ⓐⓐ **París** 🍷, San Antonio ℘ 41 51 31, Fax 26 09 91 – ▤ rest 📺 ☎ 🅟. 🆎 E 🆅🅸🆂🅰. 🍷
Comida 1500 – ⊡ 500 – **22 hab** 5000/7000.

ALBERIQUE o ALBERIC 46260 Valencia 🄼🄼🄼 O 28 – 8587 h. alt. 28 – 🕾 96.
  Madrid 392 – Albacete 145 – Alicante/Alacant 126 – Valencia 41.

en la carretera N 340 *S : 3 km* – ⊠ 46260 Alberique – 🕾 96 :

ⓕ **Balcón del Júcar**, ℘ 244 00 87, 🍴 – ▤ 📺 🅟. 🆎 ⓞ E 🆅🅸🆂🅰. ✺
Comida 2000 – ⊡ 450 – **18 hab** 3200/5500.

ALBIR (Playa de) Alicante – ver Alfaz del Pi.

ALBOLOTE 18220 Granada **446** U 19 – 10 070 h. alt. 654 – **958**.
Madrid 415 – Antequera 91 – Granada 8.

🏨 **Príncipe Felipe,** av. Jacobo Camarero 32 ℰ 46 54 11, Fax 46 54 46, ⅃ – ▮ ▤ ▥
☎ 🚗 – 🔬 25/200. 🝙 🝗 🝥
Comida (cerrado domingo) 1000 – ☑ 425 – **57 hab** 4700/6000 – PA 2425.

en la autovía N 323 NE : 3 km – ⊠ 18220 Albolote – **958** :

🏨 **Villa Blanca,** urb. Villas Blancas ℰ 45 30 02, Fax 45 31 61, ≼, ⅃ – ▤ ▥ ☎ 🅿. 🝙
🝥 🝗 🝥. 🝥 rest
Comida 2200 – ☑ 850 – **36 hab** 7900/10500 – PA 4400.

La ALBUFERETA (Playa de) Alicante – ver Alicante.

ALBURQUERQUE 06510 Badajoz **444** O 8 y 9 – 5714 h. alt. 440 – **924**.
Madrid 372 – Badajoz 46 – Cáceres 72 – Castelo de Vide 65 – Elvas 59.

🏨 **Las Alcabalas,** carret. C 530 ℰ 40 11 02, Fax 40 11 89, ≼ – ▤ ▥ ☎ 🅿. 🝙
🝥. 🝥
Comida 1500 – **14 hab** ☑ 3500/5500.

ALCALÁ DE GUADAIRA 41500 Sevilla **446** T 12 – 52 515 h. alt. 92 – **95**.
Madrid 529 – Cádiz 117 – Córdoba 131 – Málaga 193 – Sevilla 14.

🏨 **Silos,** av. Duquesa de Talavera ℰ 568 00 59, Fax 568 44 57 – ▤ ▥ ☎ 🚗 – 🔬 25/40.
🝙 🝥 🝗 🝥
cerrado agosto – **Comida** (ver rest. **Nuevo Coliseo**) – ☑ 450 – **53 hab** 7500/10000.

🏨 **Guadaira** sin rest. con cafetería, Mairena 8 ℰ 568 14 00, Fax 568 14 00 – ▮ ▤ ▥ ☎
🚗. 🝥 🝗 🝥
☑ 375 – **27 hab** 6000/9000.

🝭🝭 **Zambra,** av. Antonio Mairena 98 ℰ 561 28 29, Fax 561 07 13, �, Pescados y mariscos
– ▤. 🝙 🝥 🝗 🝥. 🝥
Comida carta 2900 a 4200.

🝭🝭 **Nuevo Coliseo,** av. Duquesa de Talavera ℰ 568 34 01, Fax 568 44 57 – ▤. 🝙 🝥 🝗
🝥. 🝥
cerrado agosto – **Comida** carta 2750 a 5800.

ALCALÁ DE HENARES 28800 Madrid **444** K 19 – 162 780 h. alt. 588 – **91**.
Ver : Antigua Universidad o Colegio de San Ildefonso (fachada plateresca★) – Capilla de
San Ildefonso (sepulcro★ del Cardenal Cisneros).
🟆 Club Valdeláguila SE : 8 km ℰ 885 96 59, Fax 885 96 59.
🏛 Callejón de Santa María 1, ℰ 889 26 94, ⊠ 28801.
Madrid 31 – Guadalajara 25 – Zaragoza 290.

🏨 **El Bedel** sin rest. con cafetería, pl. San Diego 6, ⊠ 28801, ℰ 889 37 00, Fax 889 37 16
– ▮ ▤ ▥ ☎ – 🔬 25/90. 🝙 🝥 🝗 🝥. 🝥
☑ 790 – **51 hab** 8300/11550.

🏨 **Green Cisneros,** paseo de Pastrana 32, ⊠ 28803, ℰ 888 25 11, Fax 883 19 95, �
– ▮ ▤ ▥ ☎ 🚗 🅿. 🝙 🝥 🝗 🝥. 🝥 rest
Comida 1500 – ☑ 400 – **60 hab** 8800/11000.

🏨 **Bari,** Vía Complutense 112, ⊠ 28805, ℰ 888 14 50, Fax 883 38 36 – ▮ ▤ ▥ ☎ 🅿.
🝙 🝥 🝗 🝥. 🝥
Comida 2300 – ☑ 580 – **49 hab** 6300/10000 – PA 4120.

🝭🝭🝭 **Hostería del Estudiante,** Colegios 3, ⊠ 28801, ℰ 888 03 30, Fax 888 05 27,
« Decoración de estilo castellano. Claustro del siglo XV » – ▤. 🝙 🝥 🝗 🝥. 🝥
Comida carta 3200 a 5000.

ALCALÁ DE LA SELVA 44432 Teruel **446** K 27 – 409 h. alt. 1500 – **978**.
Madrid 360 – Castellón de la Plana/Castelló de la Plana 111 – Teruel 59 – Valencia 148.

Virgen de la Vega SE : 2 km – ⊠ 44431 Virgen de la Vega – **978** :

🝭 **Mesón de la Nieve** 🔈 con hab, ℰ 80 10 83, Fax 80 10 83, ≼ – 🅿. 🝥
cerrado 5 septiembre-5 octubre – **Comida** carta 1950 a 2650 – ☑ 500 – **9 hab**
3800/6600.

ALCANAR *43530 Tarragona* 443 *K 31 – 7 828 h. alt. 72 – ☎ 977 – Playa.*
Madrid 507 – Castellón de la Plana/Castelló de la Plana 85 – Tarragona 101 – Tortosa 37

X **Can Bunyoles,** av. d'Abril 5 ☎ 73 20 14
▤. ⓓ VISA. ✻
cerrado domingo noche, lunes y septiembre – **Comida** carta 2750 a 3500.

en Cases d'Alcanar *NE : 4,5 km – ✉ 43569 Cases d'Alcanar – ☎ 977 :*

X **Racó del Port,** Lepanto 41 ☎ 73 70 50, Pescados y mariscos – AE ⓓ E VISA. ✻
cerrado lunes y del 5 al 30 de noviembre – **Comida** carta 2685 a 4775.

ALCANTARILLA *30820 Murcia* 445 *S 26 – 30 070 h. alt. 66 – ☎ 968.*
Madrid 397 – Granada 276 – Murcia 7.

X **Mesón de la Huerta,** av. del Príncipe (carret. N 340) ☎ 80 23 90, Mesón típico – ▤
P. ⓓ E VISA. ✻
cerrado domingo en julio y agosto – **Comida** (sólo almuerzo) carta aprox. 3500.

junto a la autovía N 340 *SO : 5 km – ✉ 30835 Sangonera la Seca – ☎ 968 :*

La Paz, ☎ 80 13 37, Fax 80 13 37, ⛱ – |‡| ▤ TV ☎ ⇔ P – 🏛 25/500. AE E VISA
✻
Comida 1950 – ☕ 880 – **111 hab** 5800/9600 – PA 4200.

ALCAÑIZ *44600 Teruel* 443 *I 29 – 12 820 h. alt. 338 – ☎ 978.*
Ver : *Colegiata (portada★).*
Madrid 397 – Teruel 156 – Tortosa 102 – Zaragoza 103.

Parador de Alcañiz ⛰, castillo de Calatravos ☎ 83 04 00, Fax 83 03 66, ≤ valle colinas, « Edificio medieval. Decoración castellana » – |‡| ▤ TV ☎ P. AE ⓓ E VISA. ✻
cerrado 18 diciembre-1 febrero – **Comida** 3500 – ☕ 1200 – **12 hab** 16500.

Calpe, carret. de Zaragoza - O : 1 km ☎ 83 07 32, Fax 83 00 54 – |‡| ▤ TV ☎ ⇔
– 🏛 25/350. AE ⓓ VISA. ✻ rest
Comida *(cerrado domingo noche)* 1300 – ☕ 450 – **40 hab** 5000/9000 – PA 3000.

Meseguer, av. Maestrazgo 9 ☎ 83 10 02, Fax 83 01 41 – ▤ TV ☎. AE ⓓ E VISA. ✻
Comida *(cerrado domingo y del 14 al 30 de septiembre)* carta aprox. 3500 – ☕ 400
24 hab 3800/6300.

Senante, carret. de Zaragoza 13 ☎ 83 05 50, Fax 87 02 67 – ▤ TV ☎ P – 🏛 25/50
AE E VISA. ✻
cerrado 22 diciembre-8 enero – **Comida** *(cerrado domingo noche)* 1000 – ☕ 250 – **29 ha**
4500/5500.

Alcañiz, pl. Santo Domingo 6 ☎ 87 01 55 – ▤ TV ☎ ⇔
21 hab.

ALCÁZAR DE SAN JUAN *13600 Ciudad Real* 444 *N 20 – 25 706 h. alt. 651 – ☎ 926.*
Madrid 149 – Albacete 147 – Aranjuez 102 – Ciudad Real 87 – Cuenca 156 – Toledo 9

Ercilla Don Quijote, av. de Criptana 5 ☎ 54 38 00, Fax 54 63 00 – |‡| ▤ TV ☎ ⇔
AE ⓓ E VISA. ✻ rest
Comida 1500 - ***Sancho*** *(cerrado domingo noche y festivos noche)* **Comida** carta 28
a 5450 – ☕ 450 – **44 hab** 5775/9240 – PA 3450.

XX **Casa Paco,** av. Álvarez Guerra 5 ☎ 54 06 06
▤. ✻
cerrado lunes – **Comida** carta 1950 a 3800.

X **La Mancha,** av. de la Constitución ☎ 54 10 47, 🏠, Cocina regional – ▤. VISA. ✻
cerrado miércoles y 28 julio-30 agosto – **Comida** carta 2200 a 3175.

en la carretera de Herencia *O : 2 km – ✉ 13600 Alcázar de San Juan – ☎ 926 :*

Ercilla Barataria, av. de Herencia ☎ 54 06 17, Fax 54 32 32 – ▤ TV ☎ P
🏛 25/500. AE ⓓ E VISA. ✻ rest
Comida *(cerrado domingo noche y festivos noche)* 1300 – ☕ 450 – **37 hab** 5775/92
– PA 3050.

Los ALCÁZARES *30710 Murcia* 445 *S 27 – 4 052 h. – ☎ 968 – Playa.*
ℹ Fuster 63, ☎ 17 13 61, Fax 57 52 49.
Madrid 444 – Alicante/Alacant 85 – Cartagena 25 – Murcia 54.

Corzo, La Base 6 ☎ 57 51 25, Fax 17 14 51 – |‡| ▤ TV ☎ ⇔ – 🏛 25/40. ⓓ E VISA. ✻
cerrado 22 diciembre-6 enero – **Comida** 1500 – **44 hab** ☕ 7000/10000.

Cristina *sin rest,* La Base 4 ☎ 17 11 10, Fax 17 11 10 – |‡| ▤ TV ☎ ⇔. AE ⓓ E
cerrado 22 diciembre-7 enero – **35 hab** ☕ 4900/6800.

LCIRA o ALZIRA 46600 Valencia **445** O 28 – 40055 h. alt. 24 – ✿ 96.
Madrid 387 – Albacete 153 – Alicante/Alacant 127 – Valencia 39.

🏦 **Reconquista,** Sueca 14 ℰ 240 30 61, Fax 240 25 36 – 🔳 📺 ☎ ⟵, 🅰🅴 ⓞ 🅴 ▨
Comida 1500 – � 600 – **78 hab** 6156/8585 – PA 3075.

LCOBENDAS 28100 Madrid **444** K 19 – 78916 h. alt. 670 – ✿ 91.
Madrid 16 – Ávila 124 – Guadalajara 60.

nto a la autovía N I *SO : 3 km –* ✉ 28100 Alcobendas – ✿ 91 :

🏨 **La Moraleja** sin rest, av. de Europa 17 - parque empresarial La Moraleja ℰ 661 80 55,
Fax 661 21 88, *I₆*, **⊥** – 🛗 🔳 📺 ☎ ⟵ 🅿. 🅰🅴 ⓞ 🅴 ▨ ⚘
⊐ 1350 – **37 suites** 22000.

La Moraleja *S : 4 km –* ✉ 28109 La Moraleja – ✿ 91 :

🍽🍽 **Ascot,** pl. de La Moraleja ℰ 650 13 53, 🍴 – 🔳. 🅰🅴 ⓞ 🅴 ▨. ⚘
Comida carta 4875 a 6250.

LCOCÉBER o ALCOSSEBRE 12579 Castellón **445** L 30 – ✿ 964 – Playa.
Madrid 471 – Castellón de la Plana/Castelló de la Plana 49 – Tarragona 139.

la playa – ✉ 12579 Alcocéber – ✿ 964 :

🏦 **Jeremías** ⚬, S : 1 km ℰ 41 44 37, Fax 41 45 12, 🍴, 🏖, 🍽 – 🛗 🔳 rest 📺 ☎ 🅿.
🅰🅴 ⓞ 🅴 ▨
Comida 1500 – ⊐ 1000 – **39 hab** 4500/9000.

🍽 **Can Roig,** S : 3 km ℰ 41 43 91, 🍴 – 🅰🅴 ⓞ 🅴 ▨. ⚘
cerrado martes y 20 octubre-1 marzo – **Comida** carta 2700 a 4400.

cia la carretera N 340 *NO : 2 km –* ✉ 12579 Alcocéber – ✿ 964 :

🏨 **D'el Tossalet** sin rest, ℰ 41 44 69, ≤, **⊥**, 🍽 – 🅿. 🅴 ▨. ⚘
julio-septiembre – ⊐ 250 – **16 hab** 4000/5575.

LCORA o L'ALCORA 12110 Castellón **445** L 29 – 8372 h. alt. 279 – ✿ 964.
Madrid 407 – Castellón de la Plana/Castelló de la Plana 19 – Teruel 130 – Valencia 94.

🍽🍽 **Sant Francesc,** av. Castelló 19 ℰ 36 09 24
⚬ 🔳. 🅰🅴 ⓞ 🅴 ▨. ⚘
Comida (sólo almuerzo, salvo sábado) carta 2700 a 3500.

COSSEBRE Castellón – ver Alcocéber.

COY o ALCOI 03803 Alicante **445** P 28 – 64579 h. alt. 545 – ✿ 96.
Alred. : *Puerto de la Carrasqueta* ★ *S : 15 km.*
Madrid 405 – Albacete 156 – Alicante/Alacant 55 – Murcia 136 – Valencia 110.

🏦 **Reconquista,** puente de San Jorge 1 ℰ 533 09 00, Fax 533 09 55, ≤ – 🛗 🔳 📺 ☎
⟵ – 🚲 25/260. 🅰🅴 ⓞ 🅴 ▨. ⚘ rest
Comida (cerrado domingo y viernes) 1800 – ⊐ 725 – **70 hab** 6000/8500 – PA 3825.

🍽 **Lolo,** Castalla 5 ℰ 533 69 42, Fax 533 69 42 – 🔳. 🅰🅴 🅴 ▨. ⚘
cerrado domingo noche, lunes y del 1 al 15 de septiembre – **Comida** carta 2800 a 4250.

COZ o ALKOTZ 31797 Navarra **442** C y D 24 – alt. 588 – ✿ 948.
Madrid 425 – Bayonne 94 – Pamplona/Iruñea 30.

🍽 **Anayak** ⚬ con hab, San Esteban 30 ℰ 30 50 05 – 🅿. ▨. ⚘
cerrado 2ª quincena de septiembre – **Comida** carta aprox. 2450 – ⊐ 350 – **10 hab**
2750/4100.

CUDIA DE CARLET o L'ALCUDIA 46250 Valencia **445** O 28 – 9988 h. – ✿ 96.
Madrid 362 – Albacete 153 – Alicante/Alacant 134 – Valencia 33.

🍽🍽 **Galbis,** av. Antonio Almela 15 ℰ 254 10 93, Fax 299 65 84 – 🔳. 🅰🅴 ⓞ 🅴 ▨. ⚘
cerrado agosto – **Comida** carta 3600 a 5500.

DEA o L'ALDEA 43896 Tarragona **443** J 31 – 3543 h. alt. 5 – ✿ 977.
Madrid 498 – Castellón de la Plana/Castelló de la Plana 118 – Tarragona 72 – Tortosa 13.

🏨 **Can Quimet,** av. Catalunya 328 ℰ 45 00 03, Fax 45 00 03 – 🛗 🔳 📺 ☎ ⟵. 🅰🅴 🅴
▨. ⚘
cerrado 23 diciembre-15 enero – **Comida** 1300 – ⊐ 500 – **38 hab** 3200/6000 – PA 3000.

ALDEANUEVA DE LA VERA 10440 Cáceres 🔢 *L 12 – 2 476 h. alt. 658 – ✆ 927.*
Madrid 217 – Ávila 149 – Cáceres 128 – Plasencia 49.

△ **Chiquete,** av. Extremadura 3 ☎ 56 08 62 – 🖃 rest. 𝖵𝖨𝖲𝖠. ✨
Comida 950 – 🖵 250 – **13 hab** 2500/4500 – PA 2150.

La ALDOSA Andorra – ver Andorra (Principado de) : La Massana.

ALELLA 08328 Barcelona 🔢 *H 36 – 6 865 h. – ✆ 93.*
Madrid 641 – Barcelona 15 – Granollers 16.

✕✕ **El Niu,** rambla Angel Guimerá 16 (interior) ☎ 555 17 00, Fax 555 17 00 – 🖃. 🖾 ➀ 🌓
𝖵𝖨𝖲𝖠. ✨
cerrado domingo noche y lunes – **Comida** carta aprox. 4400.

ALFAJARÍN 50172 Zaragoza 🔢 *H 27 – 1 546 h. alt. 199 – ✆ 976.*
Madrid 342 – Lérida/Lleida 129 – Zaragoza 23.

por la carretera N II y carretera particular E : 3 km – ⊠ 50172 Alfajarín – ✆ 976

🏨 **Casino de Zaragoza** ⦾ sin rest, ☎ 10 20 04, Fax 10 20 87, ≤, ⊒, ✕ – 🛗 🖃 🖾
☎ ➋ – 🔬 25/200. 🖾 𝖤 𝖵𝖨𝖲𝖠
🖵 850 – **37 hab** 10400/13000.

ALFARO 26540 La Rioja 🔢 *F 24 – 9 432 h. alt. 301 – ✆ 941.*
Madrid 319 – Logroño 78 – Pamplona/Iruñea 81 – Soria 93 – Zaragoza 102.

🏨 **Palacios,** av. de Zaragoza 6 ☎ 18 01 00, Fax 18 36 22, Museo del vino de Rioja, ⊒, ⦿
✕ – 🛗 🖃 rest 📺 ☎ ➋ – 🔬 25/250. 🖾 ➀ 𝖤 𝖵𝖨𝖲𝖠. ✨ rest
Comida 1300 – 🖵 575 – **86 hab** 4385/6175.

ALFAZ DEL PÍ 03580 Alicante 🔢 *Q 29 – 6 671 h. alt. 80 – ✆ 96.*
Madrid 468 – Alicante/Alacant 50 – Benidorm 7.

🏠 **El Molí,** Calvari 12 ☎ 588 82 44, Fax 588 82 44, ☇, ⊒ – 📺 ☎. ➀ 𝖤 𝖵𝖨𝖲𝖠
Comida 1750 – 🖵 700 – **10 hab** 3925/6500.

en la carretera N 332 E : 3 km – ⊠ 03580 Alfaz del Pi – ✆ 96 :

✕✕ **La Torreta,** ☎ 686 65 07, ☇ – 🖃 ➋. 🖾 ➀ 𝖤 𝖵𝖨𝖲𝖠. ✨
cerrado sábado mediodía y domingo – **Comida** carta 3100 a 4400.

en la playa de Albir E : 4 km – ⊠ 03580 Alfaz del Pí – ✆ 96 :

🏠 **La Riviera,** camino al Faro 1 ☎ 686 53 86, Fax 686 66 53, ≤ mar, montaña y Altea,
– 🖃 hab 📺 ☎. ✨
Comida (cerrado jueves y 15 enero-20 febrero) 1800 – **11 hab** 🖵 5750/8500 – PA 36❶

La ALGABA 41980 Sevilla 🔢 *T 11 – 12 298 h. alt. 10 – ✆ 95.*
Madrid 560 – Huelva 61 – Sevilla 11.

en la carretera C 431 N : 2 km – ⊠ 41980 La Algaba – ✆ 95 :

🏠 **Torre de los Guzmanes** sin rest, ☎ 578 91 75, Fax 578 92 05, ⊒ – 🖃 📺 ☎ ⦾
➋ – 🔬 25/120. 🖾 𝖤 𝖵𝖨𝖲𝖠
🖵 500 – **40 hab** 10000/15000.

ALGAIDA Baleares – ver Baleares (Mallorca).

ALGAR 11369 Cádiz 🔢 *W 13 – 1 846 h. alt. 204 – ✆ 956.*
Madrid 597 – Algeciras 74 – Arcos de la Frontera 20 – Cádiz 87 – Marbella 121.

🏨 Villa de Algar, camino Arroyo Vinateros ☎ 71 02 75, Fax 71 02 66, ≤ – 🛗 🖃 📺 ☎
20 hab.

El ALGAR 30366 Murcia 🔢 *T 27 – ✆ 968.*
Madrid 457 – Alicante/Alacant 95 – Cartagena 15 – Murcia 64.

✕✕ **José María Los Churrascos,** av. Filipinas 24 ☎ 13 60 28, Fax 13 62 30 – 🖃 ➋.
⦿ ➀ 𝖤 𝖵𝖨𝖲𝖠. ✨
Comida carta 3100 a 5300
Espec. Bacalao Don Bibiano con habichuelas blancas. Salmonetes a la mediterránea
verduras (temp). Pierna de cabrito a la algareña.

ALGECIRAS 11200 Cádiz **446** X 13 – 101 556 h. – ✪ 956 – *Playas en El Rinconcillo y Getares.*
Ver : ≼★★ *(Peñón de Gibraltar).*

🚗 ☎ 65 49 07.

🛥 para Tánger y Ceuta : Cía Trasmediterránea, recinto del puerto ☎ 66 52 00, Telex 78002, Fax 66 52 16.

🛈 Juan de la Cierva, ✉ 11207, ☎ 57 26 36, Fax 57 04 75.

Madrid 681 ① – Cádiz 124 ② – Jerez de la Frontera 141 ② – Málaga 133 ① – Ronda 102 ①.

ALGECIRAS

Alta (Pl.)	BY 2	Conferencia (Pas. de la)	AYZ 8	Reyes Católicos	AZ 32
Emilio Santacana	BY 14	Domingo Savio	AY 9	Salvador Allende	BY 33
Monet	BZ 27	Duque de Almodóvar	BZ 10	San Bernardo	BZ 34
Regino Martínez	BY 31	Fray Tomás del Valle	BY 17	Santiago Ramón y Cajal	BY 35
Tarifa	BZ 37	Fuente Nueva	AY 18	Segismundo Moret (Av.)	BZ 36
Velarde	BZ 40	Fuerzas Armadas (Av. de las)	BY 20	Teniente Miranda	BY 39
		José Antonio	BY 21	Vicente de Paul	AY 42
Cádiz (Carret. de)	BZ 3	José Santacana	BZ 23	Virgen de Europa (Av.)	BY 43
Cayetano del Toro	BZ 4	Juan de la Cierva	BZ 24		
Carteya	AZ 5	Marina (Av. de la)	BZ 26		
		Muñoz Cobos	BY 28		
		N.S. de la Palma (Pl.)	BY 29		
		Ramón Puyol (Av.)	AY 30		

🏨🏨 **Reina Cristina** ⑤, paseo de la Conferencia, ✉ 11207, ☎ 60 26 22, Fax 60 33 23, 🍴, « En un parque », 🛝, 🏊, 🎾, ※ – 📳 🗏 📺 ☎ ℗ – 🔏 25/100. 🖭 ◑ ⋿ 𝘝𝘐𝘚𝘈. ※
Comida 3000 – **158 hab** ☑ 10000/17500, 2 suites.   AZ **k**

🏨🏨 **Octavio** sin rest, San Bernardo 1, ✉ 11207, ☎ 65 27 00, Fax 65 28 02 – 📳 🗏 📺 ☎ ⟷ – 🔏 25/30. 🖭 ◑ ⋿ 𝘝𝘐𝘚𝘈. ※
☑ 1000 – **74 hab** 20000/25000, 3 suites.   BZ **h**

🏨 **Alarde** sin rest. con cafetería, Alfonso XI - 4, ✉ 11201, ☎ 66 04 08, Fax 65 49 01 – 📳 🗏 📺 ☎ ⟷ – 🔏 25/45. 🖭 ◑ ⋿ 𝘝𝘐𝘚𝘈 𝘑𝘊𝘉
☑ 600 – **68 hab** 6000/9300.   BY **e**

🏨 **Don Manuel** sin rest y sin ☑, Segismundo Moret 4, ✉ 11201, ☎ 63 46 06, Fax 63 47 16 – 📳 🗏 📺 ☎. 𝘝𝘐𝘚𝘈. ※
15 hab 3500/5800.   BZ **a**

107

⚱ **El Estrecho** sin rest y sin ☲, av. Virgen del Carmen 15 - 7°, ⊠ 11201, 𝒫 65 35 11
Fax 65 35 11, ≼ - 🛗 ☎. ஊ 𝘝𝘐𝘚𝘈. 𝒮𝒮   BY n
20 hab 3100/4000.

✗ **La Capilla,** Murillo, ⊠ 11201, 𝒫 66 65 00
🍴 📠. ஊ ① ⴲ 𝘝𝘐𝘚𝘈.   BY
cerrado domingo y del 15 al 31 de agosto - Comida carta aprox. 2800.

✗ **Asador Iruña,** Alfonso XI - 11, ⊠ 11201, 𝒫 63 28 18, Carnes - 📠. ஊ ① ⴲ 𝘝𝘐𝘚𝘈. 𝒮𝒮
Comida carta 2700 a 4400.   BY

en la autovía N 340 por ① : 4 km - ⊠ 11205 Algeciras - ☎ 956 :

🏨 **Alborán,** Álamo 𝒫 63 28 70, Fax 63 23 20 - 🛗 📠 📺 ☎ ⓟ - 🔬 25/550. ஊ ① ⴲ
𝘝𝘐𝘚𝘈. 𝒮𝒮 rest
Comida 1350 - ☲ 500 - **79 hab** 8000/10500 - PA 3100.
Ver también : **Palmones** por ① : 8 km.

ALGORTA Vizcaya - ver Getxo.

ALHAMA DE ARAGÓN 50230 Zaragoza 𝟰𝟰𝟯 I 24 - 1195 h. alt. 634 - ☎ 976 - Balneario
Madrid 206 - Soria 99 - Teruel 166 - Zaragoza 115.

🏨 **Baln. Termas Pallarés,** Constitución 20 𝒫 84 00 11, Fax 84 05 35, « Estanque d
agua termal en un gran parque », 𝐹₆, 🏊 de agua termal, 𝒮 - 🛗 ☎ ⓟ. ஊ ① ⴲ 𝘝𝘐𝘚
2 marzo-13 noviembre - **Comida** 2800 - ☲ 500 - **143 hab** 6300/9400.
Ver también : **Piedra (Monasterio de)** SE : 17 km.

ALHAMA DE GRANADA 18120 Granada 𝟰𝟰𝟲 U 17 y 18 - 5783 h. alt. 960 - ☎ 958 - Balneario
Ver : Emplazamiento★★.
Madrid 483 - Córdoba 158 - Granada 54 - Málaga 82.

al Norte : 3 km - ⊠ 18120 Alhama de Granada - ☎ 958 :

🏨 **Balneario** 𝒮, carret. de Granada 𝒫 35 00 11, Fax 35 02 97, En un parque, 🏊 de agu
termal - 🛗 📺 ⓟ. ① 𝘝𝘐𝘚𝘈. 𝒮𝒮
10 junio-10 octubre - **Comida** 2600 - ☲ 575 - **116 hab** 4700/8000 - PA 4350.

La ALHAMBRA Granada - ver Granada.

ALICANTE o ALACANT 03000 🅿 𝟰𝟰𝟱 Q 28 - 275111 h. - ☎ 96 - Playa.
Ver : Explanada de España★ DEZ - Colección de Arte del S. XX. Museo de La Asegurada
EY M.
✈ de Alicante por ② : 12 km 𝒫 691 90 00 - Iberia : av. Federico Soto 9, ⊠ 0300
568 26 22 DYZ.
🚂 𝒫 592 50 47.
🅱 explanada de España 2, ⊠ 03002, 𝒫 520 00 00, Fax 520 02 43 y Portugal 17, ⊠ 0300:
𝒫 592 98 02, Fax 592 01 12 - R.A.C.E. Orense 3, ⊠ 03003, 𝒫 522 93 49, Fax 512 55 9.
Madrid 417 ③ - Albacete 168 ③ - Cartagena 110 ② - Murcia 81 ② - Valencia (por
costa) 174 ①.

Planos páginas siguientes

🏨 **Meliá Alicante,** playa de El Postiguet, ⊠ 03001, 𝒫 520 50 00, Fax 520 47 56, ≼, 🏊
- 🛗 📠 📺 ☎ ⓟ - 🔬 25/500. ஊ ① ⴲ 𝘝𝘐𝘚𝘈 ᴊᴄʙ. 𝒮𝒮   EZ
Comida 3300 - ☲ 1150 - **540 hab** 15500/19000, 5 suites - PA 7750.

🏨 **Eurhotel,** Pintor Lorenzo Casanova 33, ⊠ 03003, 𝒫 513 04 40, Fax 592 83 23 -
📠 📺 ☎ - 🔬 25/250. ஊ ① ⴲ 𝘝𝘐𝘚𝘈. 𝒮𝒮   CZ
Comida (cerrado fines de semana y agosto) 1500 - ☲ 975 - **115 hab** 11000/12000,
suite.

🏨 **Covadonga** sin rest, pl. de los Luceros 17, ⊠ 03004, 𝒫 520 28 44, Fax 521 43 97
🛗 📠 📺 ☎ ⇔. ஊ ① 𝘝𝘐𝘚𝘈. 𝒮𝒮   CY
☲ 550 - **83 hab** 5000/8000.

🏨 NH Cristal sin rest. con cafetería por la noche, López Torregrosa 9, ⊠ 0300
𝒫 514 36 59, Fax 520 66 96 - 🛗 📠 📺 ☎ - 🔬 35/40   DY
53 hab.

🏨 **Sol Alicante** sin rest, Gravina 9, ⊠ 03002, 𝒫 521 07 00, Fax 521 09 76 - 🛗 📠 ⴲ
☎ ⇔ - 🔬 25/150. ஊ ① ⴲ 𝘝𝘐𝘚𝘈 ᴊᴄʙ   EY
66 hab ☲ 7920/11020.

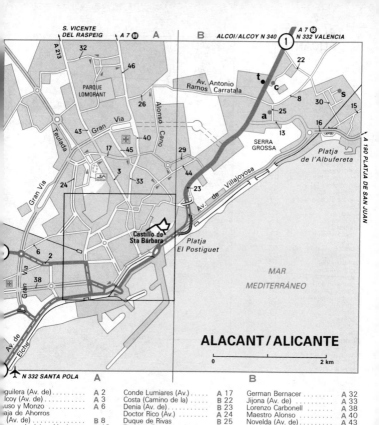

ALACANT / ALICANTE

0   2 km

guilera (Av. de)	A 2	Conde Lumiares (Av.)	A 17	German Bernacer	A 32
lcoy (Av. de)	A 3	Costa (Camino de la)	B 22	Jijona (Av. de)	A 33
uso y Monzo	A 6	Denia (Av. de)	B 23	Lorenzo Carbonell	A 38
aja de Ahorros		Doctor Rico (Av.)	A 24	Maestro Alonso	A 40
(Av. de)	B 8	Duque de Rivas	B 25	Novelda (Av. de)	A 43
amarada Jaime Llopis	B 13	Ejercitos Españoles (Av.)	A 26	Padre Esplá	B 44
olonia (Camino de la)	B 15	Enrique Madrid	B 29	Pintor Baeza (Av.)	A 45
ondomina (Av. de la)	B 16	Flora de España (Vial)	B 30	Pintor Gaston Castelló (Av.)	A 46

🏨 **Leuka** sin rest. con cafetería, Segura 23, ✉ 03004, ✆ 520 27 44, Fax 514 12 22 – 🛗
■ 📺 ☎ ⟵. 🆎 ⓪ 🇪 VISA. ✆
☲ 650 – **108 hab** 6045/9835.   CY h

🏨 **La Reforma** sin rest. con cafetería por la noche, Reyes Católicos 7, ✉ 03003,
✆ 592 81 47, Fax 592 39 50 – 🛗 ■ 📺 ☎ ⟵. 🆎 ⓪ 🇪 VISA
☲ 650 – **52 hab** 4200/8000.   DZ h

XXX **Delfín**, explanada de España 12, ✉ 03001, ✆ 521 49 11, Fax 521 99 07, ≼, 🍽 – ■.
🆎 ⓪ 🇪 VISA. ✆
Comida carta aprox. 4500.   DZ y

XX **Nou Manolín**, Villegas 3, ✉ 03001, ✆ 520 03 68, Fax 521 70 07, Vinoteca – ■. 🆎
⓪ 🇪 VISA. ✆
Comida carta 3775 a 4450.   DY m

XX **Piripi**, Oscar Esplá 30, ✉ 03003, ✆ 522 79 40, Fax 521 70 07 – ■. 🆎 ⓪ 🇪 VISA. ✆
Comida carta aprox. 3700.   CZ v

X **Valencia Once**, Valencia 11, ✉ 03012, ✆ 521 13 09
🍴 ■. 🆎 🇪 VISA. ✆   DY a
cerrado domingo noche, lunes y 15 agosto-15 septiembre – Comida carta 3600 a 4200.

X **Govana**, General Lacy 17, ✉ 03003, ✆ 592 56 58 – ■. 🇪 VISA   CZ r
cerrado domingo y agosto – **Comida** carta aprox. 3200.

X **El Bocaíto**, Isabel la Católica 22, ✉ 03007, ✆ 592 26 30 – ■. 🆎 ⓪ 🇪 VISA JCB. ✆
Comida carta 3500 a 4500.   CZ d

X **Bar Luis**, Pedro Sebastiá 7, ✉ 03002, ✆ 521 14 46 – ■. 🆎 ⓪ 🇪 VISA   EY e
cerrado domingo, lunes mediodía y 2ª quincena de mayo – **Comida** carta 2900 a 4900.

109

ALACANT
ALICANTE

Alfonso X el Sabio (Av. de) **DY**
Constitución (Av. de la) **DY** 21
Major **EY**
Méndez Núñez (Rambla) **DYZ**

Adolfo Muñoz
  Alonso (Av.) **CY**
Aguilera (Av. de) **CZ**
Alcoy (Av. de) **DY**
Ayuntamiento (Pl. del) **EY** 7
Bailén **DY**
Bazán **DY**
Benito
  Pérez Galdós (Av.) **CY**
Bono Guarner **CY**
Calderón de la Barca **DY**
Calvo Sotelo (Pl.) **DZ** 10
Canalejas **DZ**
Capitán Segarra **DY**
Castaños **DYZ** 14
Catedrático Soler (Av.) **CZ**
Churruca **CZ**
Condes de
  Soto Ameno (Av.) **CY** 20
Díaz Moreu **DY**
Doctor Gadea (Av. del) **DZ**
Doctor Rico (Av.) **CY**
Elche (Av. de) **CZ**
Elche (Portal de) **DZ** 28
España (Explanada de) **DEZ**
España (Pl. de) **DY**
Estación (Av. de la) **CY**
Eusebio Sempere (Av.) **CZ**
Fábrica (Cuesta de la) **EY**
Federico Soto (Av. de) **DZ**
Foglieti **CZ**
Gabriel Miró (Pl. de) **DZ** 31
García Morato **DY**
General Marvá (Av. del) **CY**
Gerona **DZ**
Gomiz (Paseo de) **EY**
Hermanos Pascual (Pl.) **DY**
Isabel la Católica **CZ**
Italia **CZ**
Jijona (Av. de) **DY** 33
Jorge Juan **EY**
Jovellanos (Av. de) **EY** 35
López Torregrosa **DY** 37
Loring (Av. de) **CZ**
Maisonnave (Av. de) **CZ**
Montañeta (Pl. de la) **DZ** 41
Navas **DYZ**
Oliveretes (Pl. de los) **DY**
Oscar Esplá (Av.) **CZ**
Pablo Iglesias **DY**
Padre Mariana **DY**
Pintor Aparicio **CZ**
Pintor Gisbert **CY**
Pintor Murillo **DY**
Poeta
  Carmelo Calvo (Av.) **DY** 47
Portugal **DZ**
Puerta del Mar (Pl.) **EZ** 48
Rafael Altamira **EZ** 50
Rafael Terol **DZ**
Ramiro (Pas.) **EY** 51
Ramón y Cajal (Av. de) **DZ**
Reyes Católicos **CZ**
Salamanca (Av. de) **EY**
San Carlos **DEZ**
San Fernando **DEZ** 53
San Francisco **DZ**
San Vicente **DY**
Santa Teresa (Pl.) **DY**
Teatre Chapí **DY** 58
Vázquez de Mella (Av.) **EY**

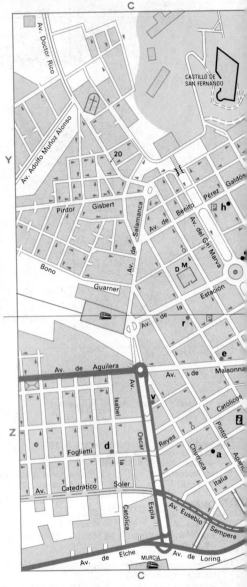

✗ **China**, av. Dr. Gadea 11, ⊠ 03003, ✆ 592 75 74, Rest. chino – 🍽. 🆎 ⓞ
🎫 🛇
cerrado martes noche – **Comida** carta 1485 a 2185.
DZ

✗ **La Cava**, General Lacy 4, ⊠ 03003, ✆ 522 96 46, Fax 516 01 95 – 🍽. 🆎 ⓞ
🖪 🎫
Comida carta 2300 a 3400.
CZ

✗ **La Goleta**, explanada de España 8, ⊠ 03002, ✆ 521 43 92, 🌳 – 🍽. 🆎 ⓞ 🎫 ⓥ
Comida carta 2900 a 4150.
EZ

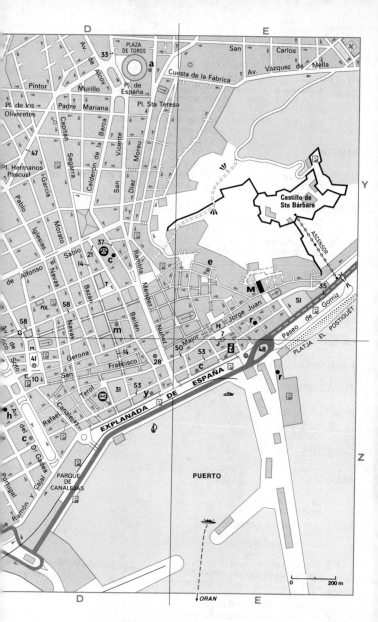

🏦 Europa, av. de Denia 93 : 5 km, ⊠ 03015, ☎ 516 09 11, Fax 526 03 99, ⑤ – 🛗 ▤ 📺
☎ 🚗 🅿 – 🔏 25/30
B t
141 hab.

XXX **Maestral,** Andalucía 18-Vistahermosa, cruce Albufereta : 3 km, ⊠ 03016, ☎ 516 46 18,
Fax 516 18 88, 🌁, « Villa con terraza rodeada de jardín » – ▤. 🄰🄴 ⓪ 🄴 𝘝𝘐𝘚𝘈. ⌘
cerrado domingo noche – **Comida** carta aprox. 4300.
B a

111

XX **La Piel del Oso,** Vistahermosa : 3,5 km, ⊠ 03016, ℘ 526 06 01, Fax 515 20 47 – ≣
Ɗ. 🆎 ⓞ 🄴 *VISA*
B C
cerrado domingo noche y lunes – **Comida** carta 3250 a 4450.

en la playa de la Albufereta – ⊠ *03016 Alicante* – 🕲 *96* :

XX **Auberge de France,** Flora de España 32 - Finca Las Palmeras : 5 km ℘ 526 06 02
Fax 526 44 42, 🛱, Cocina francesa, « En un pinar » – ≣ **Ɗ**. 🆎 ⓞ 🄴 *VISA*
B s
cerrado martes y del 15 al 31 de octubre – **Comida** carta 3400 a 4200.

Ver también : **Playa de San Juan** *por A 190 : 7 km* B
San Juan de Alicante *por* ① *: 9 km.*

ALISEDA *10550 Cáceres* 🄳🄳🄳 *N 9 – 2 342 h. alt. 351 –* 🕲 *927.*
Madrid 325 – Alcántara 42 – Badajoz 77 – Cáceres 28.

♨ **El Ciervo,** carret. N 521 ℘ 27 72 92, Fax 27 74 84 – ≣ 📺 ☎ **Ɗ**. ⓞ 🄴 *VISA*. 🕸
Comida 1000 – ☲ 350 – **20 hab** 4000/6400 – PA 2210.

ALJARAQUE *21110 Huelva* 🄳🄳🄶 *U 8 – 6 720 h. –* 🕲 *959.*
🄸🄸 *Bellavista,* ℘ 31 90 17, Fax 31 90 25.
Madrid 652 – Faro 77 – Huelva 10.

XX **Las Candelas,** SE : 0,5 km ℘ 31 83 01 – ≣ **Ɗ**. 🆎 ⓞ 🄴 *VISA*
cerrado domingo en verano – **Comida** carta aprox. 4150.

ALKOTZ *Navarra – ver Alcoz.*

ALLES *Asturias – ver Panes.*

La ALMADRABA (Playa de) *Gerona – ver Rosas.*

LA ALMADRABA DE MONTELEVA *Almería – ver Cabo de Gata.*

L'ALMADRAVA (Playa de) *Tarragona – ver Hospitalet del Infante.*

ALMADRONES *19414 Guadalajara* 🄳🄳🄳 *J 21 – 112 h. alt. 1 054 –* 🕲 *949.*
Madrid 100 – Guadalajara 44 – Soria 127.

en la autovía N II *E : 1 km* – ⊠ *19414 Almadrones* – 🕲 *949* :

🄰 **103,** ℘ 28 55 11, Fax 28 55 45 – ≣ 📺 ⇌ **Ɗ**. 🆎 ⓞ *VISA*. 🕸
Comida 2070 – ☲ 625 – **40 hab** 3115/5915.

XX **103 - II,** ℘ 28 55 95, Fax 28 55 45 – ≣ **Ɗ**. 🆎 ⓞ *VISA*. 🕸
Comida carta 2575 a 5600.

ALMAGRO *13270 Ciudad Real* 🄳🄳🄳 *P 18 – 8 962 h. alt. 643 –* 🕲 *926.*
Ver : Plaza Mayor★★ *(Corral de Comedias★).*
🄱 *Bernardas 2, (Palacio Valdeparaiso)* ℘ 86 07 17.
Madrid 189 – Albacete 204 – Ciudad Real 23 – Córdoba 230 – Jaén 165.

🏛 **Parador de Almagro** ⏴, Ronda de San Francisco 31 ℘ 86 01 00, Fax 86 01 5
Instalado en el convento de Santa Catalina - siglo XVI, ♨ – ≣ 📺 ☎ **Ɗ** – 🄰 25/1◐
🆎 ⓞ 🄴 *VISA*. 🕸
Comida 3500 – ☲ 1200 – **54 hab** 16500, 1 suite.

🏛 **Confortel Almagro,** carret. de Bolaños ℘ 86 00 11, Fax 86 06 18, 🛱, ♨ – ≣
☎ **Ɗ** – 🄰 25/150. 🆎 ⓞ *VISA*. 🕸
Comida 2000 – ☲ 1000 – **50 hab** 9750/12500 – PA 4250.

🄱🄷 **Don Diego** *sin rest,* Bolaños 1 ℘ 86 12 87, Fax 86 05 74 – 📳 ≣ 📺 ☎ ⇌. 🄴 *VISA*. 🕸
cerrado 23 diciembre-6 enero – ☲ 250 – **31 hab** 4300/7000.

♨ **Hospedería Municipal de Almagro,** Ejido de Calatrava ℘ 88 20 87, Fax 88 21 ☰
Instalado parcialmente en un convento – ☎ **Ɗ**. *VISA*. 🕸 rest
Comida *(cerrado lunes salvo junio-agosto)* 1000 – ☲ 250 – **42 hab** 2000/3500.

X **Mesón El Corregidor,** pl. Fray Fernando Fernández de Córdoba 2 ℘ 86 06 ◁
Fax 88 27 69, 🛱, Antigua posada – ≣. 🆎 ⓞ 🄴 *VISA* 🄹🄲🄱. 🕸
cerrado lunes y 1ª semana de agosto – **Comida** carta 3100 a 4200.

X **La Cuerda,** Ronda de Santo Domingo 29 ℘ 88 28 05, 🛱 – ≣. 🆎
☺ *VISA*. 🕸
cerrado lunes, 1ª semana de agosto y 1ª semana de octubre – Comida carta aprox. 3◐

ALMANDOZ 31976 Navarra 442 C 25 - ✆ 948.

Madrid 437 - Bayonne 76 - Pamplona/Iruñea 42.

X **Beola**, Mayor ℘ 58 50 02, Fax 58 50 30, 佘, Decoración rústica - ℗. VISA. ⋇
cerrado lunes (salvo verano) y 15 diciembre-febrero - **Comida** (sólo almuerzo salvo sábado)
carta 2625 a 3200.

ALMANSA 02640 Albacete 444 P 26 - 22 488 h. alt. 685 - ✆ 967.

Madrid 325 - Albacete 76 - Alicante/Alacant 96 - Murcia 131 - Valencia 111.

🏨 **Los Rosales**, carret. de circunvalación ℘ 34 07 50, Fax 31 18 82 - 🗐 rest 📺 ☎ ℗.
AE E VISA. ⋇
Comida 1500 - � 330 - **33 hab** 3240/5580.

XX **Mesón de Pincelín**, Las Norias 10 ℘ 34 00 07, Fax 34 54 27, « Decoración regional »
⌂ - 🗐. AE ⓞ E VISA. ⋇
cerrado domingo noche, lunes no festivos, del 8 al 15 de abril y del 1 al 20 de agosto -
Comida carta 2650 a 4750.

XX Bodegón, Corredera 128 ℘ 31 06 37 - 🗐.

XX Casa Valencia, carret. de circunvalación 20 ℘ 31 16 52 - 🗐 ℗.

al Noroeste : 2,3 km - ⊠ 02640 Almansa - ✆ 967 :

🏨 **Confortel Almansa**, av. de Madrid - salida 586 autovía ℘ 34 47 00, Fax 31 15 60, ⅃
- 🗐 📺 ☎ ℗ - 🔬 25/200. AE ⓞ VISA. ⋇
Comida 1800 - ⊆ 750 - **50 hab** 6700/8900 - PA 4250.

ALMAZÁN 42200 Soria 442 H 22 - 5 975 h. alt. 950 - ✆ 975.

Madrid 191 - Aranda de Duero 107 - Soria 35 - Zaragoza 179.

🏨 Antonio, av. de Soria 13 ℘ 30 07 11 - ℗
28 hab.

ALMAZCARA 24170 León 441 E 10 - ✆ 987.

Madrid 378 - León 99 - Ponferrada 10.

🏨 **Los Rosales**, carret. N VI ℘ 46 71 67, Fax 46 72 00 - 🛗 🗐 📺 ☎ ℗. AE
VISA. ⋇
Comida 1100 - ⊆ 225 - **40 hab** 3500/4800 - PA 2100.

ALMENDRALEJO 06200 Badajoz 444 P 10 - 24 120 h. alt. 336 - ✆ 924.

Madrid 368 - Badajoz 56 - Mérida 25 - Sevilla 172.

🏨 Vetonia, carret. N 630 - NE : 2 km ℘ 67 11 51, Fax 67 11 51 - 🛗 🗐 📺 ☎ ℗ - 🔬 25/
500
30 hab.

🏨 **España**, av. San Antonio 69 ℘ 67 01 20, Fax 67 01 20 - 🛗 🗐 📺 ☎ ⌂, VISA
cerrado 22 diciembre-2 enero - **Comida** (ver rest. **Zara**) - ⊆ 250 - **26 hab** 3500/5000.

XX **El Paraíso**, carret. N 630 - SE : 2 km ℘ 66 10 01, Fax 67 02 55, 佘 - 🗐 ℗. AE ⓞ
⌂ E VISA. ⋇
Comida carta 2600 a 3200.

X **El Danubio**, carret. N 630 - SE : 1 km ℘ 66 10 84 - 🗐 ℗. ⓞ E VISA. ⋇
Comida carta 1425 a 2925.

X Nandos, Ricardo Romero 16 ℘ 66 12 71 - 🗐.

X **Zara**, carret. N 630 ℘ 66 10 78 - 🗐. VISA
cerrado 22 diciembre-2 enero - **Comida** carta 2200 a 3200.

ALMERÍA 04000 🅿 446 V 22 - 159 587 h. - ✆ 950 - Playa.

Ver : Alcazaba★ (jardines★) Y - Catedral★ Z.

Alred. : Cabo de Gata★ (playas de los Genoveses y Monsul★) E : 29 km por ② - Ruta★
de Benahadux a Tabernas NO : 55 km por ①.

🛫 de Almería por ② : 8 km ℘ 21 37 15.

⛴ para Melilla : Cía. Trasmediterránea, parque Nicolás Salmerón 19, ⊠ 04002,
℘ 23 61 55, Telex 78811, Fax 26 37 14.

🛈 Parque de Nicolás Salmerón, ⊠ 04002, ℘ 27 43 55, Fax 27 43 60.

Madrid 550 ② - Cartagena 240 ② - Granada 171 ① - Jaén 232 ① - Lorca 157 ② - Motril
112 ③.

113

ALMERÍA

Almería (Pas. de) .... **YZ** 3
Tiendas .... **Y** 29

Antonio Vico .... **Y** 4
Arapiles .... **Z** 6
Cervantes .... **YZ** 7
Circular (Pl.) .... **Z** 8
Conde Ofalia .... **Z** 9
Dr. Paco Pérez .... **Y** 10
Eduardo Pérez .... **Z** 12
Flores (Pl.) .... **Y** 15
Hermanos Pinzón .... **Y** 16
Humilladero .... **Y** 17
Nicolás Salmerón (Parque) **Z** 18

Obispo Orbera
  (Rambla) .... **Y** 19
Poeta Paco Aquino ...... **Y** 21
Purchena (Pta. de) ...... **Y** 22
Real .... **Z** 24
Regocijos .... **Y** 25
Santos Zárate .... **Z** 28
Trajano .... **Z** 31
Vilchez (Av. de) .... **Y** 32

Torreluz IV, pl. Flores 5, ⊠ 04001, ℰ 23 47 99, Fax 23 47 99, « Terraza con ⬚ »
🛗 🖩 🔟 ☎ 🖘 – 🔬 25/220. 🝙 ⓞ ☰ 𝘝𝘐𝘚𝘈. ✑ Y
Comida (ver rest. *Asador Torreluz*) – ⯎ 1050 – **100 hab** 9310/15840, 5 suites.

G. H. Almería *sin rest. con cafetería*, av. Reina Regente 8, ⊠ 04001, ℰ 23 80
Fax 27 06 91, ⩤, ⬚ – 🛗 🖩 🔟 ☎ 🖘 – 🔬 25/300. 🝙 ⓞ ☰ 𝘝𝘐𝘚𝘈. ✑ Z
⯎ 1000 – **114 hab** 11000/18000, 3 suites.

Torreluz II, pl. Flores 6, ⊠ 04001, ℰ 23 47 99, Fax 23 47 99 – 🛗 🖩 🔟 ☎ 🖘
🔬 25/250. 🝙 ⓞ ☰ 𝘝𝘐𝘚𝘈 𝘑𝘊𝘉. ✑ Y
Comida (ver rest. *Asador Torreluz*) – ⯎ 700 – **73 hab** 6660/8860.

Costasol *sin rest. con cafetería*, paseo de Almería 58, ⊠ 04001, ℰ 23 40
Fax 23 40 11 – 🛗 🖩 🔟 ☎ – 🔬 25/100. 🝙 ⓞ ☰ 𝘝𝘐𝘚𝘈. ✑ Z
⯎ 575 – **55 hab** 7700/9800.

Indálico *sin rest. con cafetería*, Dolores R. Sopeña 4, ⊠ 04004, ℰ 23 11 11, Fax 23 10
– 🛗 🖩 🔟 ☎ 🖘. 🝙 ⓞ ☰ 𝘝𝘐𝘚𝘈 Y
⯎ 525 – **52 hab** 7900/9900.

Torreluz, pl. Flores 1, ⊠ 04001, ℰ 23 47 99, Fax 23 47 99 – 🛗 🖩 🔟 ☎ 🖘. 🝙
☰ 𝘝𝘐𝘚𝘈 𝘑𝘊𝘉. ✑
Comida 1300 – ⯎ 565 – **24 hab** 4140/6995.

🏨 **Sol Almería** sin rest. con cafetería, carret. de Ronda 193, ☒ 04005, ℰ 27 18 11, Fax 27 37 09 – 🛗 ☰ 📺 ☎. 🖭 VISA
☲ 350 – **25 hab** 4500/8500.
Y q

🏨 **Embajador** sin rest. con cafetería, Calzada de Castro 4, ☒ 04006, ℰ 25 55 11, Fax 25 93 64 – 🛗 ☰ 📺 ☎. VISA
☲ 275 – **67 hab** 4100/6400.
Z b

🏨 **Nixar** sin rest, Antonio Vico 24, ☒ 04003, ℰ 23 72 55, Fax 23 72 55 – ☎. VISA. ⋘
☲ 300 – **40 hab** 3500/5100.
Y f

XX **Asador Torreluz,** Fructuoso Pérez 8, ☒ 04001, ℰ 23 47 99, Fax 23 47 99 – ☰. 🖭 ⓞ E VISA JCB. ⋘
cerrado domingo – **Comida** carta aprox. 3900.
Y a

X **Club de Mar,** Muelle 1, ☒ 04002, ℰ 23 50 48, ≤, 😤 – ☰. 🖭 ⓞ E VISA. ⋘
cerrado lunes – **Comida** carta 3150 a 4150.
Z s

X Imperial, Puerta de Purchena 13, ☒ 04001, ℰ 23 17 40, 😤 – ☰
Y d

X **Valentín,** Tenor Iribarne 7, ☒ 04001, ℰ 26 44 75 – ☰. 🖭 ⓞ E VISA. ⋘
cerrado domingo y septiembre – **Comida** carta aprox. 4050.
Y n

en la carretera de Málaga por ③ – ☒ 04002 Almería – 🕾 950 :

🏨 **Solymar,** 2,5 km ℰ 27 70 00, Fax 27 70 10, ≤ – 🛗 ☰ 📺 ☎ 🅟. 🖭 VISA. ⋘
Comida 2900 – ☲ 1000 – **15 hab** 9800/13500.

XX **La Gruta,** 5 km ℰ 23 93 35, Fax 27 56 27, Carnes, « En una gruta » – 🅟. 🖭 ⓞ E VISA. ⋘
cerrado domingo y noviembre – **Comida** (sólo cena) carta 2250 a 3100.

X **El Bello Rincón,** 5 km ℰ 23 84 27, Fax 23 84 27, 😤, Pescados y mariscos – ☰ 🅟. 🖭 ⓞ E VISA. ⋘
cerrado lunes, julio y agosto – **Comida** (sólo almuerzo con reserva) carta 3050 a 3850.

ALMERIMAR Almería – ver El Ejido.

ALMODÓVAR DEL CAMPO 13580 Ciudad Real 444 P 17 – 7718 h. alt. 670 – 🕾 926.
Madrid 234 – Alcázar de San Juan 135 – Ciudad Real 47 – Puertollano 7 – Valdepeñas 89.

X **El Comendador,** Jardín ℰ 48 39 53, 😤, En una bodega
🖭 ⓞ E VISA
cerrado lunes y del 16 al 30 de septiembre – Comida carta 2300 a 3700.

ALMODÓVAR DEL RIO 14720 Córdoba 446 S 14 – 6960 h. alt. 123 – 🕾 957.
Ver : Castillo★.
Madrid 414 – Córdoba 17 – Sevilla 123.

ALMONTE 21730 Huelva 446 U 10 – 16 350 h. alt. 75 – 🕾 959.
Madrid 593 – Huelva 53 – Sevilla 63.

🏨 **El Tamborilero,** carret. del Rocío 226 ℰ 45 01 02, Fax 45 00 36 – ☰ 📺 ☎ 🚗. 🖭 VISA. ⋘
cerrado del 16 al 31 de agosto – **Comida** (cerrado domingo) 1500 – ☲ 375 – **22 hab** 3500/5000 – PA 3000.

en la carretera de El Rocío S : 5 km – ☒ 21730 Almonte – 🕾 959 :

X **El Pastorcito,** ℰ 45 02 05 – ☰ 🅟. 🖭 ⓞ E VISA. ⋘
cerrado lunes (junio, agosto, septiembre) y semana del Rocío – **Comida** carta 2450 a 3350.

ALMORADÍ 03160 Alicante 445 R 27 – 12 304 h. alt. 9 – 🕾 96.
Madrid 428 – Alicante/Alacant 52 – Cartagena 74 – Murcia 39.

X **El Cruce,** Camino de Catral 156 - N : 1 km ℰ 570 03 56 – ☰ 🅟. 🖭 E VISA. ⋘
cerrado lunes y del 15 al 31 de agosto – **Comida** carta 1800 a 3500.

ALMOSTER 43393 Tarragona 443 I 33 – 474 h. alt. 290 – 🕾 977.
Madrid 535 – Lérida/Lleida 81 – Tarragona 22 – Tortosa 88.

XX **Morrofi,** Raval 9 ℰ 85 54 45, 😤 – ☰. ⓞ E VISA. ⋘
cerrado domingo noche salvo vísperas de festivos – **Comida** carta 2150 a 2795.

EUROPA en una sola hoja Mapa Michelin nº 970.

La ALMUNIA DE DOÑA GODINA 50100 Zaragoza 443 H 25 – 5 775 h. alt. 366 – ✆ 97
Madrid 270 – Tudela 87 – Zaragoza 52.

> 🏨 **El Patio**, av. del Generalísimo 6 ✆ 60 05 63, Fax 60 05 63 – 🛗 🗐 📺 ☎ 🅿. 🆎 ⑩
> 𝘝𝘐𝘚𝘈. ⚘
> **Comida** (cerrado domingo noche) 1500 – ☲ 500 – **24 hab** 4000/6000.

ALMUÑÉCAR 18690 Granada 446 V 18 – 20 461 h. alt. 24 – ✆ 958 – Playa.
🅱 av. Europa-Palacete La Najarra, ✆ 63 11 25, Fax 63 50 07.
Madrid 516 – Almería 136 – Granada 87 – Málaga 85.

> 🏨 **Helios**, paseo de las Flores ✆ 63 44 59, Fax 63 44 69, ≤, 🎄, ⛝ – 🛗 🗐 ☎ 🅿
> ⚒ 25/200
> **232 hab.**

> 🏨 **Goya**, av. de Europa 31 ✆ 63 05 50, Fax 63 11 92 – 𝘝𝘐𝘚𝘈. ⚘
> cerrado octubre – **Comida** (cerrado martes) 1200 – ☲ 250 – **26 hab** 2800/5500 –
> 2650.

> 🏨 **Casablanca**, pl. San Cristóbal 4 ✆ 63 55 75, 🎄 – 🛗 🗐 hab 📺 ☎ ⟺. 🆎 ⑩ 🇪 𝘝
> 𝙅𝘾𝘽. ⚘
> **Comida** (cerrado miércoles) 850 – ☲ 300 – **15 hab** 5000/8000 – PA 1825.

> 🏨 **Playa de San Cristóbal** sin rest, pl. San Cristóbal 5 ✆ 63 11 12, Fax 63 36 12 –
> 🆎 🇪 𝘝𝘐𝘚𝘈
> 15 marzo-15 octubre – ☲ 250 – **22 hab** 3500/5700.

> 🏨 **Carmen** sin rest, av. de Europa 19 ✆ 63 14 13, Fax 63 14 13 – 🆎 ⑩ 🇪 𝘝𝘐𝘚𝘈
> ☲ 300 – **24 hab** 3500/5000.

> 🏨 **San Sebastián** sin rest, Ingenio Real 18 ✆ 63 04 66 – 🆎. ⚘
> abril-septiembre – ☲ 225 – **19 hab** 3000/4500.

> 🏠 **El Puente** sin rest, av. de la Costa del Sol 14 ✆ 63 01 23
> ☲ 250 – **24 hab** 2300/3500.

> 🏠 **Tropical** sin rest, av. de Europa 39 ✆ 63 34 58
> **11 hab.**

> 🍴 Antonio, bajos del Paseo 12 ✆ 63 00 20, 🎄 – 🗐.

> 🍴 **Los Geranios**, pl. de la Rosa 4 ✆ 63 07 24, 🎄, Decoración típica regional – 🆎 ⑩
> 𝘝𝘐𝘚𝘈
> cerrado domingo y noviembre – **Comida** (sólo cena salvo en verano) carta 2200 a 32

> 🍴 **Mar de Plata**, paseo San Cristóbal ✆ 63 30 79, 🎄 – 🆎 ⑩ 🇪 𝘝𝘐𝘚𝘈 𝙅𝘾𝘽. ⚘
> cerrado martes y del 1 al 15 de mayo – **Comida** carta 1950 a 3025.

> 🍴 **La Última Ola**, Manila 17 ✆ 63 00 18, 🎄 – 🗐. 🆎 ⑩ 🇪 𝘝𝘐𝘚𝘈
> cerrado lunes en invierno y 15 enero-15 marzo – **Comida** carta 2250 a 3800.

en la playa de Velilla E : 2,5 km – ✉ 18690 Velilla – ✆ 958 :

> 🏨 **Velilla** sin rest, edificio Inti-Yan IV ✆ 63 07 58, Fax 63 07 54 – 🆎 ⑩
> 𝘝𝘐𝘚𝘈. ⚘
> abril-septiembre – ☲ 250 – **28 hab** 4200/5750.

al Oeste : 2,5 km – ✉ 18690 Almuñécar – ✆ 958 :

> 🍴 **Cotobro**, Bajada del Mar 1 (playa de Cotobro) ✆ 63 18 02, ≤ – 🇪 𝘝𝘐𝘚𝘈
> cerrado del 15 al 30 de noviembre – **Comida** carta 2950 a 4050.

> 🍴 **Los Arcos**, Bajada del Mar 25 (alto de Cotobro) ✆ 63 52 75, Fax 63 52 75, ≤, 🎄
> 🆎 🇪 𝘝𝘐𝘚𝘈
> cerrado martes y noviembre – **Comida** carta aprox. 3250.

ALMUSAFES o ALMUSSAFES 46440 Valencia 445 O 28 – 6 335 h. alt. 30 – ✆ 96.
Madrid 402 – Albacete 172 – Alicante/Alacant 146 – Valencia 18.

> 🏨 **Reig**, Llavradors 13 ✆ 178 06 92, Fax 178 03 42 – 🛗 🗐 📺 ☎. 🇪 𝘝𝘐𝘚𝘈. ⚘
> **Comida** 1200 – ☲ 500 – **36 hab** 5000/7000 – PA 2600.

ALOVERA 19208 Guadalajara 444 K 20 – 1 371 h. alt. 644 – ✆ 949.
Madrid 52 – Guadalajara 13 – Segovia 139 – Toledo 122.

junto a la autovía N II SE : 4,5 km – ✉ 19208 Alovera – ✆ 949 :

> 🏨 **Lux** sin rest, ✆ 27 01 61, Fax 27 04 12 – 🗐 📺 ☎ 🅿. 🆎 ⑩ 🇪 𝘝𝘐𝘚𝘈
> ☲ 575 – **48 hab** 5600/7000.

.P 17538 Gerona **443** E 35 – 908 h. alt. 1 158 – ✪ 972 – Deportes de invierno en Masella SE :
7 km : ≰ 11.
Madrid 644 – Lérida/Lleida 175 – Puigcerdá 8.

🏨 **Aero Hotel Cerdanya,** passeig Agnès Fabra 4 ℘ 89 00 33, Fax 89 03 54, 余 – 歴
E *VISA*. ≶
Comida 1600 - *Ca l'Eudald* : Comida carta 2450 a 3600 - **36 hab** ⌂ 4500/
8500.

✗ **Casa Patxi,** Orient 23 ℘ 89 01 82, 余, Decoración rústica – **E** *VISA*. ≶
cerrado miércoles, 1ª quincena de julio y 1ª quincena de noviembre – **Comida** carta 2300
a 3350.

✗ Les Lloses, av. Sports ℘ 89 00 96, 余 – ▤ **℗**.

ALQUERIA BLANCA Baleares – ver Baleares (Mallorca).

La carte Michelin est constamment tenue à jour.

.QUÉZAR 22145 Huesca **443** F 30 – 215 h. alt. 660 – ✪ 974.
Madrid 434 – Huesca 48 – Lérida/Lleida 105.

🏨 **Villa de Alquézar** sin rest, Pedro Arnal Cavero 12 ℘ 31 84 16, Fax 31 84 16 – 📺 **℗**.
E *VISA*. ≶
20 hab ⌂ 3500/5500.

.SÁSUA o ALTSASU 31800 Navarra **442** D 23 – 6 793 h. alt. 532 – ✪ 948.
Alred. : S : carretera★★ del Puerto de Urbasa – E : carretera★★ del Puerto de Lizárraga
(mirador★★).
Excurs. : Santuario de San Miguel de Aralar★ NE : 19 km.
Madrid 402 – Pamplona/Iruñea 50 – San Sebastián/Donostia 71 – Vitoria/Gasteiz 46.

.TEA 03590 Alicante **445** Q 29 – 12 829 h. – ✪ 96 – Playa.
🅂 Club Don Cayo N : 4 km ℘ 584 80 46, Fax 584 11 88.
🄱 San Pedro 9, ℘ 584 41 14, Fax 584 42 13.
Madrid 475 – Alicante/Alacant 57 – Benidorm 11 – Gandía 60.

🏨 **Altaya** sin rest, La Mar 115 (zona del puerto) ℘ 584 08 00 – ☎ **℗**. 歴 ① **E**
VISA. ≶
⌂ 450 – **24 hab** 4000/6000.

✗✗ Club Náutico, av. del Puerto-edificio Club Náutico ℘ 584 47 19, ≤, 余 – **℗**.
✗ Racó de Toni, La Mar 127 (zona del puerto) ℘ 584 17 63 – ▤.
✗ **Oustau de Altea,** Mayor 5 (casco antiguo) ℘ 584 20 78, Fax 584 20 78, 余 – 歴 ①
E *VISA*
cerrado lunes (octubre-15 junio) y febrero – **Comida** (sólo cena) carta 3075 a 3950.

✗ **El Negro,** Santa Bárbara 4 (casco antiguo) ℘ 584 18 26, ≤ bahía, 余, En una cueva –
E *VISA*
cerrado lunes – **Comida** (sólo cena) carta aprox. 3550.

▸ la carretera de Valencia NE : 2,5 km y desvío a la izquierda 1 km – ⊠ 03590 Altea –
✪ 96 :
✗✗✗ **Monte Molar,** ℘ 584 15 81, Fax 584 15 81, 余, « Elegante villa con terraza y ≤ mar »
✿ – **℗**. 歴 ① **E** *VISA*
cerrado miércoles (salvo julio-agosto), del 2 al 19 de diciembre y 9 enero-1 abril – **Comida**
(almuerzos por encargo) 8500 y carta 5050 a 7600
Espec. Raviolis con trufa y bogavante. Rodaballo con compota de tomate a la albahaca.
Solomillo de buey con mostaza de Dijon caramelizada.

TO CAMPÓO Cantabria – ver Reinosa.

TO DE MEAGAS Guipúzcoa – ver Zarauz.

TRÓN Lérida – ver Llessuy.

TSASU Navarra – ver Alsasua.

ZIRA Valencia – ver Alcira.

AMANDI 33311 Asturias 🄰🄰🄳 B 13 – ☎ 98.

Ver : *Iglesia de San Juan (ábside★, decoración★ de la cabecera).*
Madrid 495 – Gijón 31 – Oviedo 42.

🏠 **La Casona de Amandi** ◈ sin rest, ℰ 589 01 30, Fax 589 01 29, « Antigua ca
solariega », 🌳 – 📺 ☎ 🅿. 🍽 *VISA*. ✻
cerrado del 15 al 30 de enero – 🖃 850 – **9 hab** 13900.

AMASA Guipúzcoa – ver Villabona.

AMENEIRO 15866 La Coruña 🄰🄰🄳 D 4 – ☎ 981.

Madrid 611 – La Coruña/A Coruña 71 – Pontevedra 50 – Santiago de Compostela 9.

🍴 **Cierto Blanco,** carret N 550 ℰ 54 83 83 – 🅿. 🕮 ⓞ 🍽 *VISA*. ✻
cerrado domingo (julio-agosto), lunes y Navidades – **Comida** carta 3700 a 5000.

La AMETLLA DEL VALLÉS o L'AMETLLA DEL VALLÉS 08480 Barcelona 🄰🄰🄳 G 36
3459 h. alt. 312 – ☎ 93.

Madrid 648 – Barcelona 35 – Gerona/Girona 83.

🍴 **La Masía,** passeig Torregassa 77 ℰ 843 00 02, Fax 843 00 02 – 🗏 🅿. 🕮 ⓞ 🍽 *Vᴵ*
✻
cerrado martes y del 1 al 19 de agosto – **Comida** carta 2450 a 4500.

AMETLLA DE MAR o L'AMETLLA DE MAR 43860 Tarragona 🄰🄰🄳 J 32 – 4183 h. alt.
– ☎ 977 – Playa.

🄱 Amistad Hispano Italiana, ℰ 45 63 29 y St. Joan 55, ℰ 45 64 77, Fax 45 68 38.
Madrid 509 – Castellón de la Plana/Castelló de la Plana 132 – Tarragona 50 – Tortosa

🏠 **L'Alguer** sin rest, Mar 20 ℰ 49 33 72, Fax 49 33 75 – 🛗 🗏 📺 ☎. 🕮 ⓞ 🍽 *VISA*.
🖃 525 – **37 hab** 4200/7500.

🏠 **Bon Repòs,** pl. Catalunya 49 ℰ 45 60 25, Fax 45 65 82, 🌳, « Jardín con arbolado
🔄 – 🗏 hab 📺 ☎ 🅿. 🍽 *VISA*. ✻ rest
30 marzo-septiembre – **Comida** 1700 – 🖃 600 – **38 hab** 4800/7800 – PA 3200.

🍴 **L'Alguer,** Trafalgar 21 ℰ 45 61 24, ≤, 🌳, Pescados y mariscos – 🗏. 🕮 ⓞ 🍽 *VISA*. ✻
cerrado lunes y 15 diciembre-15 enero – **Comida** carta 2975 a 4350.

AMEYUGO 09219 Burgos 🄰🄰🄲 E 20 – 57 h. – ☎ 947.

Madrid 311 – Burgos 67 – Logroño 60 – Vitoria/Gasteiz 44.

en el monumento al Pastor NO : 1 km – ✉ 09219 Ameyugo – ☎ 947 :

🍴🍴 **Mesón El Pastor,** carret. N I ℰ 34 43 75 – 🗏 🅿. 🕮 ⓞ 🍽 *VISA*
Comida carta aprox. 3500.

AMOREBIETA o ZORNOTZA 48340 Vizcaya 🄰🄰🄲 C 21 – 15798 h. alt. 70 – ☎ 94.

Madrid 415 – Bilbao/Bilbo 22 – San Sebastián/Donostia 79 – Vitoria/Gasteiz 51.

🍴🍴 Juantxu, barrio Enartze ℰ 673 26 50, ≤, 🌳 – 🗏 🅿.

🍴🍴 El Cojo, San Miguel 11 ℰ 673 00 25, Fax 673 15 29 – 🗏 🅿.

AMPUERO 39840 Cantabria 🄰🄰🄲 B 19 – 3324 h. – ☎ 942.

Madrid 430 – Bilbao/Bilbo 68 – Santander 52.

🍴 La Pinta con hab, José Antonio 31 ℰ 62 22 98, Fax 62 22 98 – 🗏 rest 📺 ☎ 🅿
16 hab.

🍴 **Casa Sarabia,** Melchor Torío 3 ℰ 62 23 65 – 🗏. 🕮 ⓞ 🍽 *VISA*. ✻
Comida carta 3100 a 4100.

AMPURIABRAVA o EMPURIABRAVA 17487 Gerona 🄰🄰🄳 F 39 – ☎ 972 – Playa.

🄱 Puigmal 1, ℰ 45 08 02 Fax 45 06 00.
Madrid 752 – Figueras/Figueres 15 – Gerona/Girona 53.

🏠 **Briaxis,** Port Principal 25 ℰ 45 15 45, Fax 45 18 89, 🌳, « Junto al canal principal
≤ », 🔄 – 🛗 🗏 📺 ☎ 🅿. 🕮 ⓞ 🍽 *VISA*
Comida 1950 – 🖃 1000 – **52 hab** 10500/12000.

🏠 **Silvia,** Puigmal 14 ℰ 45 29 92, Fax 45 28 55, 🌳 – 🛗 📺 ☎ 🅿. 🍽 *VISA*. ✻
Comida (cerrado domingo noche de octubre a 15 junio) 1200 – 🖃 600 – **33**
4500/6500 – PA 2800.

Ver también : **Castelló de Ampurias.**

AMURRIO 01470 Álava 𝟒𝟒𝟐 C 20 – 9 849 h. alt. 219 – 🕏 945.

    Madrid 342 – Bilbao/Bilbo 37 – Burgos 124 – Vitoria/Gasteiz 38.

XX   **Arenalde**, Arenalde 1 ℘ 89 24 26, Fax 39 36 98 – 🗏 **☉**. 🖭 **①** 🖪 *VISA*. ⫸
    cerrado domingo noche, Semana Santa, del 17 al 31 de agosto y 24 diciembre-2 enero
    Comida carta 3650 a 4350.

ANDORRA (Principado de)★★ 𝟒𝟒𝟑 E 34 y 35 𝟖𝟔 ⑭ ⑮ – 61 599 h. – 🕏 *desde España 07-376*

Andorra la Vieja (Andorra la Vella) *Capital del Principado – alt. 1 029.*
    Ver : *Valle del Valira del Orient*★ *NE – Valle del Valira del Norte*★ *N.*
    🛈 *Dr. Vilanova*, ℘ 82 02 14, Fax 82 58 23 – *A.C.A. Babot Camp 13*, ℘ 82 08 90, Fax 82 25 60.
    Madrid 625 – Barcelona 220 – Carcassonne 168 – Foix 105 – Gerona/Girona 245 – Lérida/Lleida 155 – Perpignan 166 – Tarragona 208 – Toulouse 185.

🏨🏨   **Plaza**, María Pla 19 ℘ 86 44 44, Fax 82 17 21, 𝐼𝛿 – 🗏 🖾 🖭 ☎ 🕭 🕾 – 🔬 25/300. 🖭 **①** 🖪 *VISA*. ⫸ rest
    La Cúpula : **Comida** carta aprox. 4300 – ⇌ 1200 – **93 hab** 13600/17000, 8 suites.

🏨🏨   **Andorra Park H.** ⫸, Les Canals 24 ℘ 82 09 79, Fax 82 09 83, ≤, 🏛, « 🌲 rodeada de jardines », 🍴 – 🗏 🖾 ☎ **☉** – 🔬 25/80. 🖭 🖪 *VISA*. ⫸
    Comida 4225 – ⇌ 1750 – **38 hab** 18100/22600, 2 suites – PA 10200.

🏨🏨   **Andorra Center**, Dr. Nequi 12 ℘ 82 48 00, Fax 82 86 06, 🏛, 𝐼𝛿, 🖾 – 🗏 🖾 rest 🖾 ☎ 🕾 – 🔬 25/50. 🖭 **①** 🖪 *VISA*. ⫸ rest
    Comida 3600 - *La Dama Blanca* : **Comida** carta 2500 a 4375 – ⇌ 1150 – **130 hab** 10500/12800, 10 suites.

🏨🏨   **President**, av. Santa Coloma 44 ℘ 82 29 22, Fax 86 14 14, ≤, 𝐼𝛿, 🖾 – 🗏 🖾 ☎ 🕾 – 🔬 25/110. 🖭 **①** 🖪 *VISA*
    Comida 2400 – ⇌ 950 – **111 hab** 9550/13100 – PA 4950.

🏨🏨   **Eden Roc**, av. Dr. Mitjavila 1 ℘ 82 10 00, Fax 86 03 19 – 🗏 🖾 ☎ **☉**. 🖭 **①** 🖪 *VISA*. ⫸
    Comida *(cerrado junio)* 2100 – **56 hab** ⇌ 10500/15000.

🏨🏨   **Flora** *sin rest*, antic carrer Major 25 ℘ 82 15 08, Fax 86 20 85, 🌲, 🍴 – 🗏 🖾 ☎ 🕾. 🖭 **①** 🖪 *VISA* ᴊᴄʙ. ⫸
    45 hab ⇌ 7000/12000.

🏨   **Xalet Sasplugas** ⫸, La Creu Grossa 15 ℘ 82 03 11, Fax 82 86 98, ≤, 🏛 – 🗏 🖾 ☎ 🕾. 🖭 🖪 *VISA*. ⫸
    Comida 2500 - *Metropol* *(cerrado domingo noche, lunes mediodía y del 1 al 15 de julio)* **Comida** carta 3200 a 4100 – **26 hab** ⇌ 6800/9500.

🏨   **Pyrénées**, av. Princep Benlloch 20 ℘ 86 00 06, Fax 82 02 65, 🌲, 🍴 – 🗏 🖾 rest 🖾 ☎ 🕾. 🖭 **①** 🖪 *VISA*. ⫸ rest
    Comida carta aprox. 4250 – **74 hab** ⇌ 5600/9000.

🏨   **Font del Marge**, Baixada del Molí 49 ℘ 82 34 43, Fax 82 31 82, ≤ – 🗏 🖾 rest 🖾 ☎ 🕭 🕾. 🖪 *VISA*
    Comida 2100 – ⇌ 750 – **42 hab** 6825/9975.

🏨   **De l'Isard**, av. Meritxell 36 ℘ 82 00 96, Fax 86 66 95 – 🗏 🖾 rest 🖾 ☎ 🕾. 🖭 🖪 *VISA*. ⫸ rest
    Comida 2500 – ⇌ 1000 – **61 hab** 6500/8000 – PA 6000.

🏨   **Cassany** *sin rest*, av. Meritxell 28 ℘ 82 06 36, Fax 86 36 09 – 🗏 🖾 ☎. 🖪 *VISA*
    ⇌ 800 – **54 hab** 7000/8000.

🏨   **Florida** *sin rest*, Llacuna 15 ℘ 82 01 05, Fax 86 19 25 – 🗏 🖾 ☎. 🖭 **①** 🖪 *VISA*
    48 hab ⇌ 4400/8500.

🏨   Sant Jordi *sin rest, con cafetería*, Princep Benlloch 5 ℘ 82 08 65 – 🗏 🖾 ☎
    30 hab.

XX   **Celler d'En Toni** *con hab*, Verge del Pilar 4 ℘ 82 12 52, Fax 82 18 72 – 🗏 🖾 ☎. 🖭 🖪 *VISA*. ⫸
    Comida carta 3300 a 6050 – ⇌ 400 – **17 hab** 3000/5000.

XX   **Borda Estevet**, carret. de La Comella 2 ℘ 86 40 26, Fax 82 31 42, « Decoración rústica » – 🗏 **☉**. 🖭 🖪 *VISA* ᴊᴄʙ
    Comida carta aprox. 3600.

X   Can Manel, Mestre Xavier Plana 6 ℘ 82 23 97 – 🗏 **☉**.

⫿rinsal – *alt. 1 145* – ✉ *La Massana – Deportes de invierno : 1 550/2 800 m. ⫸15.*
    Andorra la Vieja/Andorra la Vella 12.

🏨   **Solana**, ℘ 83 51 27, Fax 83 73 95, ≤, 🖾 – 🗏 🖾 ☎ 🕾 – 🔬 25/40. 🖭 **①** 🖪 *VISA*. ⫸ rest
    cerrado noviembre – **Comida** 2500 – ⇌ 800 – **95 hab** 5000/8500.

Canillo – alt. 1 531 – ⊠ Canillo.
   Ver : Crucifixión★ en la iglesia de Sant Joan de Caselles NE : 1km.
   Andorra la Vieja/Andorra la Vella 12.

🏠🏠   **Bonavida,** pl. Major ℰ 85 13 00, Fax 85 17 22, ≤ – 🛗 📺 ☎ ⇔. 🖭 ⓞ Ε 𝓥𝓘𝓢𝓐. ⚡
   cerrado octubre-4 diciembre – **Comida** (cerrado 5 mayo-junio y octubre-4 diciembre) (só
   cena salvo julio-septiembre) 2400 – **43 hab** ⊇ 8750/11500.

🏠🏠   **Roc del Castell** sin rest, carretera General ℰ 85 18 25, Fax 85 17 07 – 🛗 📺 ☎ ⇔
   🖭 Ε 𝓥𝓘𝓢𝓐. ⚡
   ⊇ 800 – **44 hab** 5500/9000.

Encamp – alt. 1 313 – ⊠ Encamp.
   Ver : Les Bons : lugar★ N : 1 km.
   Andorra la Vieja/Andorra la Vella 12.

🏠🏠   **Coray,** Caballers 38 ℰ 83 15 13, Fax 83 18 06, ≤, ☞ – 🛗 📺 ☎ ⇔. 𝓥𝓘𝓢𝓐. ⚡ ha
   cerrado del 4 al 30 de noviembre – **Comida** carta 1100 a 2400 – **85 hab** ⊇ 4500/60C

🏠   **Univers,** René Baulard 13 ℰ 83 10 05, Fax 83 19 70 – 🛗 📺 ☎ ℗. 🖭 Ε 𝓥𝓘𝓢𝓐. ⚡
   cerrado noviembre – **Comida** 1400 – **36 hab** ⊇ 4200/6000.

Les Escaldes Engordany – alt. 1 105 – ⊠ Les Escaldes Engordany.
   Andorra la Vieja/Andorra la Vella 2.

🏠🏠🏠   **Roc de Caldes** ⑤, carret. d'Engolasters ℰ 86 27 67, Fax 86 33 25, « En el flanco
   una montaña con ≤ », 🔲 – 🛗 🗏 📺 ☎ ఉ ⇔ ℗ – 🔬 25/120. 🖭 ⓞ Ε 𝓥𝓘𝓢𝓐. ⚡ re
   Comida 3500 – **45 hab** ⊇ 13500/18000.

🏠🏠   **Roc Blanc,** pl. dels Co-Princeps 5 ℰ 82 14 86, Fax 86 02 44, ʃᵇ, ⅃, 🔲 – 🛗 🗏 re
   📺 ☎ ⇔ 🔬 25/600. 🖭 ⓞ Ε 𝓥𝓘𝓢𝓐 ᴶᶜᴮ. ⚡ rest
   Comida 4900 - **Brasserie L'Entrecôte :** Comida carta 3150 a 4650 - **El Pí :** Comida car
   3700 a 5200 – ⊇ 1700 – **240 hab** 11550/17900 – PA 9800.

🏠🏠   **Delfos,** av. del Fener 17 ℰ 82 46 42, Fax 86 16 42 – 🛗 🗏 rest 📺 ☎ ⇔ – 🔬 25/7
   🖭 ⓞ Ε 𝓥𝓘𝓢𝓐 ᴶᶜᴮ. ⚡ rest
   Comida 2800 – **200 hab** ⊇ 8700/10400.

🏠🏠   **Panorama,** carret. de l'Obac ℰ 86 18 61, Fax 86 17 42, Terraza con ≤ valle y montaña
   ʃᵇ, 🔲 – 🛗 🗏 rest 📺 ☎ ఉ ⇔ – 🔬 25/500. 🖭 ⓞ Ε 𝓥𝓘𝓢𝓐. ⚡ rest
   Comida 2950 – ⊇ 1200 – **177 hab** 10200/12000 – PA 3500.

🏠🏠   **Valira,** av. Carlemany 37 ℰ 82 05 65, Fax 86 67 80 – 🛗 📺 ☎ ℗. 🖭 Ε 𝓥𝓘𝓢𝓐. ⚡
   Comida 2500 – ⊇ 1050 – **55 hab** 6450/7900 – PA 6050.

🏠🏠   Eureka, av. Carlemany 36 ℰ 86 66 00, Fax 86 68 00 – 🛗 🗏 📺 ☎
   75 hab.

🏠🏠   Eurotel, av. Fiter i Rossell 51 ℰ 86 30 31, Fax 86 30 24 – 🛗 📺 ☎ ⇔ ℗
   70 hab.

🏠🏠   **Comtes d'Urgell,** av. Escoles 29 ℰ 82 06 21, Fax 82 04 65 – 🛗 🗏 rest 📺 ☎ ⇔
   🖭 ⓞ Ε 𝓥𝓘𝓢𝓐 ᴶᶜᴮ. ⚡ rest
   Comida 2500 – **200 hab** ⊇ 5725/8400.

🏠🏠   **Les Closes** sin rest. con cafetería, av. Carlemany 93 ℰ 82 83 11, Fax 86 39 70 – 🛗
   ☎ ⇔. 🖭 Ε 𝓥𝓘𝓢𝓐
   78 hab 6000/9000.

🏠   **Espel,** pl. Creu Blanca 1 ℰ 82 08 55, Fax 82 80 56 – 🛗 📺 ☎ ⇔. 🖭 Ε 𝓥𝓘𝓢𝓐. ⚡
   cerrado noviembre – **Comida** 1800 – **102 hab** ⊇ 4800/6500 – PA 3500.

XX   Aquarius, Parc de la Mola 10 (Caldea) ℰ 82 86 00, Fax 82 92 22, Decoración moder
   con ≤ al centro termolúdico – 🗏 ℗.

X   **Don Denis,** Isabel Sandy 3 ℰ 82 06 92, Fax 86 31 30 – 🗏. 🖭 ⓞ Ε 𝓥𝓘𝓢𝓐 ᴶᶜᴮ. ⚡
   Comida carta aprox. 3900.

La Massana – alt. 1 241 – ⊠ La Massana.
   Andorra la Vieja/Andorra la Vella 5.

🏠🏠🏠   **Xalet Ritz** ⑤, carret. de Sispony - S : 1,8 km ℰ 83 78 77, Fax 83 77 20, ≤, « Bor
   decoración interior », ⅃ – 🛗 📺 ☎ ⇔ ℗. 🖭 ⓞ Ε 𝓥𝓘𝓢𝓐. ⚡
   Comida 3000 – **47 hab** ⊇ 14000/19000.

🏠🏠🏠   **Rutllan,** av. del Ravell ℰ 83 50 00, Fax 83 51 80, ≤, ⅃ climatizada, ☞, ⅍ – 🛗 📺
   ⇔. 🖭 ⓞ Ε 𝓥𝓘𝓢𝓐. ⚡ rest
   Comida 3000 – ⊇ 1300 – **100 hab** 6000/10000 – PA 6000.

XXX   **El Rusc,** carret. de Arinsal 1,5 km ℰ 83 82 00, Fax 83 51 80, Rústico elegante – 🗏
   🖭 ⓞ Ε 𝓥𝓘𝓢𝓐. ⚡
   cerrado domingo noche y lunes – **Comida** carta 5250 a 7700.

XX **La Borda de l'Avi,** carret. de Arinsal 0,7 km ℰ 83 51 54, Fax 83 53 90, Carnes – **ℙ**. ﹐ ⑩ Ⅱ **VISA**
Comida carta 4025 a 5650.

X Borda Raubert, carret. de Arinsal 2 km ℰ 83 54 20, Fax 86 61 65, Decoración rústica. Cocina típica – **ℙ**.

n La Aldosa *NE : 2,7 km –* ⊠ *La Massana :*

血 **Del Bisset** ⑊, carret. de Ordino ℰ 83 75 55, Fax 83 79 89, ≤ – 劇 ⅏ ☎ ⅊ ⇜ **ℙ**. Ⅱ **VISA**. ⅏ rest
Comida 2500 – ⇌ 600 – **30 hab** 6000.

rdino *– alt. 1304 –* ⊠ *Ordino.*
Andorra la Vieja/Andorra la Vella 9.

血血 **Coma** ⑊, ℰ 83 51 16, Fax 83 79 38, ≤, 余, ⏚ climatizada, ⅏ – 劇 ▤ rest ⅏ ☎ ⇜ **ℙ**. ﹐ Ⅱ **VISA**. ⅏
cerrado noviembre – Comida 2500 – **48 hab** ⇌ 7750/10500 – PA 5000.

n Ansalonga *NO : 1,8 km –* ⊠ *Ordino :*

血 **Sant Miquel,** ℰ 85 07 70, Fax 85 05 71, ≤, 余 – 劇 ⅏ ☎ **ℙ**. Ⅱ **VISA**. ⅏ hab
Comida 1450 – **19 hab** ⇌ 5000/7500.

as de la Casa *– alt. 2091 –* ⊠ *Pas de la Casa – Deportes de invierno : 2050/2600 m. ⅙ 27.*
Andorra la Vieja/Andorra la Vella 29.

血血 **Esquí d'Or,** Catalunya 9 ℰ 85 51 27, Fax 85 51 78 – 劇 ⅏ ☎ ⇜. Ⅱ **VISA**. ⅏ rest
diciembre-abril – Comida 2500 – ⇌ 1000 – **62 hab** 13000 – PA 5000.

anta Coloma *– alt. 970 –* ⊠ *Andorra la Vieja.*
Andorra la Vieja/Andorra la Vella 4.

血血 **Cerqueda** ⑊, Mossèn Lluis Pujol ℰ 82 02 35, Fax 86 19 09, ≤, ⏚, 余 – 劇 ⅏ ☎ **ℙ**. ﹐ ⑩ Ⅱ **VISA**. ⅏ rest
cerrado 8 enero-8 febrero – Comida 2400 – ⇌ 600 – **65 hab** 4400/8100.

X **Don Pernil,** av. d'Enclar 94 ℰ 86 52 55, Fax 86 36 24, 余, Decoración rústica. Carnes a la brasa – ▤ **ℙ**. ﹐ ⑩ Ⅱ **VISA**
cerrado noviembre – Comida carta 2250 a 3550.

ant Julià de Lòria *– alt. 909 –* ⊠ *Sant Julià de Lòria.*
Andorra la Vieja/Andorra la Vella 7.

血血血 **Pol,** Verge de Canolich 52 ℰ 84 11 22, Fax 84 18 52 – 劇 ▤ rest ⅏ ☎ **ℙ**. Ⅱ **VISA**. ⅏
cerrado 7 enero-9 febrero – Comida (sólo cena) 2400 – **80 hab** ⇌ 9800.

血血血 **Imperial** *sin rest,* av. Rocafort 27 ℰ 84 33 92, Fax 84 34 79 – 劇 ▤ ⅏ ☎ **ℙ**. ﹐ Ⅱ **VISA**
cerrado mayo – **44 hab** ⇌ 7500/9500.

XX **La Guingueta,** carret. de La Rabassa ℰ 84 29 45, Fax 84 39 45, 余, « Decoración rústica » – ﹐ ⑩ Ⅱ **VISA**
cerrado domingo noche y lunes – Comida carta aprox. 6700.

Sureste : 7 km – ⊠ *Sant Julià de Lòria :*

血 **Coma Bella** ⑊, alt. 1 300 ℰ 84 12 20, Fax 84 14 60, ≤, Parque, « En el bosque de La Rabassa », 🝔 – 劇 ⅏ ☎ **ℙ**. ﹐ Ⅱ **VISA**
cerrado 12 noviembre-3 diciembre – Comida 1700 – **35 hab** ⇌ 6500/8200 – PA 3400.

ldeu *– alt. 1826 –* ⊠ *Canillo – Deportes de invierno : 1700/2560 m. ⅙ 21.*
Andorra la Vieja/Andorra la Vella 19.

n Incles *O : 1,8 km –* ⊠ *Canillo :*

血 **Parador Canaro,** ℰ 85 10 46, Fax 85 17 20, ≤ – ⅏ ☎ ⇜ **ℙ**. ﹐ ⑩ Ⅱ **VISA** **JCB**. ⅏
cerrado 15 mayo-20 junio – Comida 1900 – ⇌ 550 – **18 hab** 4000/6900.

El Tarter *O : 3 km –* ⊠ *Canillo :*

血血 **Del Tarter,** ℰ 85 11 65, Fax 85 14 74, ≤ – 劇 ⅏ ☎ ⇜ **ℙ**. ﹐ ⑩ Ⅱ **VISA**. ⅏
cerrado mayo y 15 octubre-4 diciembre – Comida 2250 – ⇌ 1000 – **37 hab** 6000/9000 – PA 5500.

🏨 **Llop Gris** ♨, ℘ 85 15 59, Fax 85 12 29, ≤, ℔, ⃤ – 🛗 📺 ☎ ⇐ ℗ – 🖄 30/8
⚙ 🗜 🅴 ⭐️ 🍽 rest
Comida 3000 – **68 hab** ⊐ 14000/17600.

🏨 **Del Clos** ♨, ℘ 85 15 00, Fax 85 15 54, ℗ – 🛗 📺 ☎ ⇐. 🅰🅴 ⓞ 🅴 🗜 🍽
cerrado mayo-25 junio – **Comida** (sólo cena) 1500 – **29 hab** ⊐ 9000/10000.

🍴🍴 **De Sant Pere** ♨ con hab, ℘ 85 10 87, Fax 85 10 87, ≤, 🍽, « Decoración rústica
» – 📺 ☎ ℗. 🅰🅴 🗜 🍽
Comida carta 3500 a 5500 – **6 hab** ⊐ 9000/12000.

ANDRÍN 33596 Asturias 🌀🌀🌀 B 15 – 241 h. – ✪ 98.
Madrid 441 – Gijón 99 – Oviedo 110 – Santander 94.

🏨 **La Boriza** ♨ sin rest, ℘ 541 70 49, Fax 541 70 49, ≤ – 📺 ☎ ℗. 🅴 🗜 🍽
cerrado del 15 al 30 de octubre – **11 hab** ⊐ 7200/9000.

ANDÚJAR 23740 Jaén 🌀🌀🌀 R 17 – 35 803 h. alt. 212 – ✪ 953.
Ver : *Iglesia de Santa María (reja★).*
Excurs. : *Santuario de la Virgen de la Cabeza : carretera en cornisa ≤★★ N : 32 km.*
Madrid 321 – Córdoba 77 – Jaén 66 – Linares 41.

🏨 **Del Val**, av. Puerta de Madrid 29 ℘ 50 09 50, Fax 50 66 06, 🍽, ⃤, 🚗 – 🗏 📺
℗ – 🖄 25/200. 🅰🅴 ⓞ 🗜 🍽 rest
Comida 1400 – ⊐ 500 – **79 hab** 4150/6100 – PA 2850.

🏨 **Don Pedro**, Gabriel Zamora 5 ℘ 50 12 74, Fax 50 47 85, 🍽 – 🛗 🗏 📺 ☎ ⇐.
ⓞ 🗜 🍽 rest
Comida 1250 – ⊐ 200 – **29 hab** 2995/5600 – PA 2700.

🏨 **La Fuente**, Vendederas 4 ℘ 50 46 29 – 🗏 📺 ☎ ⇐. 🅰🅴 🗜
Comida 1200 – ⊐ 225 – **17 hab** 2800/5400.

LOS ÁNGELES u **OS ÁNXELES** 15280 La Coruña 🌀🌀🌀 D 3 – ✪ 981.
Madrid 626 – Noya 24 – Pontevedra 50 – Santiago de Compostela 13.

🏨 **Pousada Rosalía**, ℘ 88 75 65, Fax 88 75 57, 🍽, « Antigua casa de labranza »,
– 📺 ☎ ⇐ – 🖄 25/60. 🅰🅴 🗜 🍽
Comida (cerrado lunes en invierno) 1600 – ⊐ 435 – **31 hab** 5450/6950.

ANSALONGA Andorra – ver Andorra (Principado de) : Ordino.

ANTEQUERA 29200 Málaga 🌀🌀🌀 U 16 – 38 827 h. alt. 512 – ✪ 95.
Ver : *Castillo ≤★ - Museo Municipal (El Efebo de Antequera★).*
Alred. : *NE : Los dólmenes★ (cuevas de Menga, Viera y del Romeral) – El Torcal★ S : 16
– Carretera★ de Antequera a Málaga ≤★★.*
🅱 pl. de San Sebastián 7, ℘ 270 25 05, Fax 284 02 56.
Madrid 521 – Córdoba 125 – Granada 99 – Jaén 185 – Málaga 52 – Sevilla 164.

🏨 **Parador de Antequera** ♨, paseo García del Olmo ℘ 284 02 61, Fax 284 13 12,
⃤, 🚗 – 🗏 📺 ☎ ℗ – 🖄 25/60. 🅰🅴 ⓞ 🗜 🍽
Comida 3500 – ⊐ 1200 – **55 hab** 12500.

🏨 **Nuevo Infante** sin rest, Infante Don Fernando 5 - 2° ℘ 270 02 93, Fax 270 00 86
🛗 🗏 📺 ☎. 🗜 🍽
⊐ 300 – **12 hab** 4000/6000.

🍴 **Noelia**, Alameda de Andalucía 12 ℘ 284 54 07
🗏. 🅴 🗜 🍽
cerrado miércoles y septiembre – **Comida** carta aprox. 3800.

en la antigua carretera de Málaga E : 2,5 km – ✉ 29200 Antequera – ✪ 95 :

🍴🍴 **Lozano** con hab, av. Principal 1 ℘ 284 27 12, Fax 284 27 12, 🍽 – 🗏 📺 ☎ ℗. 🅰🅴
🗜 🍽
Comida carta 1600 a 3000 – ⊐ 475 – **17 hab** 4300/6500.

en la autovía de Málaga SE : 12 km – ✉ 29200 Antequera – ✪ 95 :

🏨 **La Sierra**, ℘ 284 54 10, Fax 284 52 65, ≤ – 🛗 🗏 📺 ☎ ⇐ ℗. 🅰🅴 🗜 🍽 🍽
Comida 1300 – ⊐ 550 – **30 hab** 6000/9000.

Les prix	Pour toutes précisions sur les prix indiqués dans ce guide, reportez-vous aux pages de l'introduction.

La ANTILLA 21449 Huelva **446** U 8 – ✆ 959 – Playa.
Madrid 656 – Ayamonte 28 – Faro 88 – Huelva 39 – Lepe 6.

🏨 **Lepe-Mar,** Delfín 12 ✆ 48 10 01, Fax 48 14 78, ≼ – ▤ rest ☎ ⇔. ฿฿ ⨀ 𝓥𝓘𝓢𝓐. ⅍
Comida 1500 – ⊡ 650 – **73 hab** 8000/10000.

Os ÁNXELES La Coruña – ver Los Ángeles.

AOÍZ o **AGOITZ** 31430 Navarra **442** D 25 – 360 h. – ✆ 948.
🛈 Francisco Indurain 12 - 1º, ✆ 33 65 98, Fax 33 65 98.
Madrid 413 – Pamplona/Iruñea 28 – St-Jean-Pied-de-Port 58.

X **Beti Jai** con hab, Santa Águeda 6 ✆ 33 60 52, Fax 33 60 52
⨺ ▤ rest 📺. 𝓥𝓘𝓢𝓐. ⅍
Comida carta 2600 a 4500 – ⊡ 250 – **14 hab** 3500/5000.

ARACENA 21200 Huelva **446** S 10 – 6 739 h. alt. 682 – ✆ 959.
Ver : Gruta de las Maravillas ★★.
Excurs. : S : Sierra de Aracena ★.
Madrid 514 – Beja 132 – Cáceres 243 – Huelva 108 – Sevilla 93.

🏨 **Los Castaños,** av. de Huelva 5 ✆ 12 63 00, Fax 12 62 87 – 🛗 📺 ☎ ⇔ – 🔏 25/60.
฿฿ ⨀ ⬤ 𝓥𝓘𝓢𝓐. ⅍
Comida 1500 – ⊡ 400 – **33 hab** 3900/6000 – PA 3400.

🏨 **Sierra de Aracena** sin rest, Gran Vía 21 ✆ 12 60 19, Fax 12 62 18 – 🛗 📺 ☎ –
🔏 25/75. ฿฿ ⨀ ⬤ 𝓥𝓘𝓢𝓐. ⅍
⊡ 450 – **43 hab** 4200/8400.

X Casas, Colmenetas 41 ✆ 12 80 44, « Decoración de estilo andaluz »
Comida (sólo almuerzo).

ARANDA DE DUERO 09400 Burgos **442** G 18 – 29 446 h. alt. 798 – ✆ 947.
Alred. : Peñaranda de Duero (plaza Mayor ★) – Palacio de Avellaneda ★ : artesonados ★ E :
18 km.
🛈 pl. Jardines de Don Diego 3, ✆ 51 04 76, (temp).
Madrid 156 – Burgos 83 – Segovia 115 – Soria 114 – Valladolid 93.

🏨 **Tres Condes,** av. Castilla 66 ✆ 50 24 00, Fax 50 24 04 – ▤ rest 📺 ☎ ⇔ –
🔏 25/200. ฿฿ ⨀ 𝓥𝓘𝓢𝓐. ⅍
Comida (cerrado domingo noche) carta aprox. 3800 – ⊡ 700 – **35 hab** 5400/8100.

🏨 **Julia,** San Gregorio 2 ✆ 50 12 00, Fax 50 04 49 – 🛗 ▤ rest 📺 ☎ ⇔. 𝓥𝓘𝓢𝓐. ⅍ rest
Comida 1650 – ⊡ 495 – **60 hab** 3600/6300.

🏨 **Aranda,** San Francisco 51 ✆ 50 16 00, Fax 50 16 04 – 🛗 ▤ rest 📺 ☎ ⇔. ฿฿ ⬤ 𝓥𝓘𝓢𝓐
Comida 1700 – ⊡ 500 – **44 hab** 4200/7000 – PA 3500.

XX **Mesón de la Villa,** pl. Mayor 3 ✆ 50 10 25, Fax 50 83 19, Decoración castellana – ▤.
฿฿ ⨀ ⬤ 𝓥𝓘𝓢𝓐. ⅍
cerrado lunes y del 13 al 31 de octubre – **Comida** carta 4000 a 4800.

XX **Casa Florencio,** Isilla 14 ✆ 50 02 30, Cordero asado – ▤. ⬤ 𝓥𝓘𝓢𝓐
cerrado domingo noche – **Comida** carta 2550 a 3620.

XX **El Ciprés,** pl. Primo de Rivera 1 ✆ 50 74 14, Cordero asado – ▤. ⬤ 𝓥𝓘𝓢𝓐. ⅍
cerrado domingo noche – **Comida** carta 3800 a 5600.

XX **Mesón El Roble,** pl. Primo de Rivera 7 ✆ 50 29 02, Decoración rústica castellana. Cor-
⨺ dero asado – ▤. 𝓥𝓘𝓢𝓐. ⅍
cerrado martes noche – **Comida** carta 2600 a 3800.

X **Chef Fermín,** av. Castilla 69 ✆ 50 23 58 – ▤. ฿฿ ⨀ ⬤ 𝓥𝓘𝓢𝓐. ⅍
cerrado martes (salvo festivos o vísperas) y noviembre – **Comida** carta 3025 a 3700.

X La Perla, pl. Arco Isilla 13 ✆ 50 00 20 – ▤.

la antigua carretera N I – ✉ 09400 Aranda de Duero – ✆ 947 :

🏨 Montermoso, N : 4,5 km ✆ 50 15 50, Fax 50 15 50 – 🛗 ▤ rest 📺 ☎ 🅿 – 🔏 25
51 hab.

🏨 **Motel Tudanca,** S : 6,5 km ✆ 50 60 11, Fax 50 60 15 – ▤ rest 📺 ☎ 🅿. ฿฿ ⨀ ⬤ ฿
𝓥𝓘𝓢𝓐. ⅍
Comida 1975 – ⊡ 600 – **20 hab** 7900.

la carretera N 122 O : 5,5 km – ✉ 09400 Aranda de Duero – ✆ 947 :

🏨 **El Ventorro,** carret. de Valladolid ✆ 53 60 00, Fax 53 61 34 – ▤ rest 🅿. ฿฿ ⨀ ⬤ 𝓥𝓘𝓢𝓐. ⅍
cerrado enero – **Comida** 1900 – ⊡ 400 – **21 hab** 3000/4800.

ARANJUEZ 28300 Madrid 👤👤👤 L 19 – 35 872 h. alt. 489 – 🕿 91.

Ver : *Reales Sitios★★ : Palacio Real★ (salón de porcelana★★), parterre y Jardín de la Isla*★
– *Jardín del Príncipe★★ (Casa del Labrador★★, Casa de Marinos : falúas reales★★).*

🛈 pl. de San Antonio 9, 🖉 891 04 27.

Madrid 47 – Albacete 202 – Ciudad Real 156 – Cuenca 147 – Toledo 48.

🏠 **Isabel II** *sin rest. con cafetería*, av. Infantas 15 🖉 891 09 45, Fax 891 52 44 – 📳 ☰ 📺
🕿 – 🕍 25/150. ☒ ⑩ ☒ 🗺 . ⁏⁏
⫧ 640 – **25 hab** 7200/10700.

🍴🍴 **Casa Pablo**, Almíbar 42 🖉 891 14 51, Fax 892 50 49, Decoración castellana – ☰ . ☒
☒ 🗺 . ⁏⁏
cerrado agosto – **Comida** carta 3800 a 5100.

🍴🍴 **Casa José**, Abastos 32 🖉 891 14 88 – ☰ . ☒ ⑩ ☒ 🗺 . ⁏⁏
③ *cerrado domingo noche, lunes y 25 julio-25 agosto* – **Comida** 3000 y carta 3500 a 510
Espec. Alcachofas glaseadas con yemas de erizos. Medallones de corzo en adobo (temp
Soufflé caliente de chocolate a la menta.

🍴🍴 **Chirón**, Real 10 🖉 891 09 41, Fax 895 69 60 – ☰ . ☒ ⑩ ☒ 🗺 🤍 . ⁏⁏
cerrado domingo noche – **Comida** carta 3150 a 4100.

🍴🍴 **Almíbar**, Almíbar 138 🖉 891 00 97 – ☰ . ☒ ⑩ ☒ 🗺 . ⁏⁏
Comida carta 3300 a 4200.

🍴 **El Faisán**, Capitán Angosto 21 🖉 892 16 83 – ☰ . ☒ ⑩ 🗺 . ⁏⁏
cerrado lunes noche – **Comida** carta 3800 a 6200.

ARÁNZAZU o ARANTZAZU 20567 Guipúzcoa 👤👤👤 D 22 – alt. 800 – 🕿 943.

Ver : *Paraje★ – Carretera★ de Aránzazu a Oñate.*

Madrid 410 – San Sebastián/Donostia 83 – Vitoria/Gasteiz 54.

🏠 **Hospedería** ⁏⁏ , 🖉 78 13 13, ← – 📳 🗺 . ⁏⁏
cerrado enero – **Comida** 1750 – ⫧ 375 – **60 hab** 2400/3925.

en la carretera de Oñate NO : 6 km – ✉ 20567 Aránzazu – 🕿 943 :

🍴🍴 **Zelai Zabal**, 🖉 78 13 06 – ☰ 🅿 .

ARASCUÉS 22193 Huesca 👤👤👤 F 28 – 107 h. alt. 673 – 🕿 974.

Madrid 403 – Huesca 13 – Jaca 60.

🍴 **Monrepos** *con hab*, carret. N 330 - E : 1,5 km 🖉 27 10 64, ←, 🍴, ⫷, ⫷, 🍴 – ☰ re
🕿 🅿 . ☒ ⑩ ☒ 🗺 . ⁏⁏
Comida carta 2600 a 3100 – ⫧ 500 – **14 hab** 3300/5200.

ARAYA o ARAIA 01250 Álava 👤👤👤 D 23 – 🕿 945.

Madrid 408 – Pamplona/Iruñea 64 – San Sebastián/Donostia 84 – Vitoria/Gasteiz 35

🍴 **Caserío Marutegui**, NO : 1,8 km 🖉 30 44 55, « Caserío típico » – 🅿 . ⑩ ☒ 🗺
Comida carta 2800 a 4200.

ARBOLÍ 43365 Tarragona 👤👤👤 I 32 – 138 h. alt. 715 – 🕿 977.

Madrid 538 – Barcelona 142 – Lérida/Lleida 86 – Tarragona 39.

🍴 **El Pigot**, Trinquet 7 🖉 81 60 63, Decoración regional – ☒ 🗺
cerrado martes (salvo festivos) y junio – **Comida** (sólo almuerzo de octubre a junio sa
sábado) carta 2000 a 3150.

ARCADE 36690 Pontevedra 👤👤👤 E 4 – 🕿 986.

Madrid 612 – Orense/Ourense 113 – Pontevedra 12 – Vigo 22.

🍴 **Arcadia**, av. Castelao 25 🖉 70 00 37, Pescados y mariscos
ⓐ ☰ . ☒ ⑩ ☒ 🗺 . ⁏⁏
cerrado domingo noche, lunes y 28 días en octubre – Comida carta 2375 a 3750.

ARCHENA 30600 Murcia 👤👤👤 R 26 – 13 852 h. alt. 100 – 🕿 968 – Balneario.

Madrid 374 – Albacete 127 – Lorca 76 – Murcia 24.

🏠 **La Parra**, carret. Balneario 3 🖉 67 04 44, Fax 67 04 44 – ☰ hab 🕿 . ⁏⁏
Comida 975 – ⫧ 250 – **27 hab** 2900/4800 – PA 1870.

en el balneario O : 2 km – ✉ 30600 Archena – 🕿 968 :

🏨 **Termas** ⁏⁏ , 🖉 67 01 00, Fax 67 10 02, 🛠, ⫷ de agua termal, ⫷, ⫶ – 📳 ☰ 📺
🅿 . ☒ ⑩ ☒ 🗺 . ⁏⁏
Comida 2800 – ⫧ 900 – **65 hab** 8500/10700, 6 suites.

🏨 **León** ⟨S⟩, ℰ 67 01 00, Fax 67 10 02, *Ŀ₅*, ⊥ de agua termal, ☞, ✘ – 🛗 ▤ ☎ 🅿 –
   🖴 25/300. 厘 WSA. ⛝
   Comida 2000 – ⊒ 525 – **103 hab** 7500/9350.

🏨 **Levante** ⟨S⟩ sin rest y sin ⊒, ℰ 67 01 00, Fax 67 10 02, *Ŀ₅*, ⊥ de agua termal, ☞,
   ✘ – 🛗 ☎ 🅿. 厘 WSA. ⛝
   abril-22 diciembre – **81 hab** 6100/7700.

ARCONES 40164 Segovia 442 I 18 – 255 h. alt. 1 152 – ✆ 921.
Madrid 113 – Aranda de Duero 78 – Segovia 42 – Valladolid 120.

🏖 La Berrocosa, carret. N 110 ℰ 50 41 45, ≼ – 🖵 🅿
   21 hab.

LOS ARCOS 31210 Navarra 442 E 23 – 1 381 h. alt. 444 – ✆ 948.
   Alred. : Torres del Río (iglesia del Santo Sepulcro★) SO : 7 km.
   Madrid 360 – Logroño 28 – Pamplona/Iruñea 64 – Vitoria/Gasteiz 63.

✘ **Ezequiel** con hab, carret. de La Serna ℰ 64 02 96, Fax 64 02 78 – 🅿. WSA. ⛝
   Comida carta 2100 a 2900 – ⊒ 350 – **14 hab** 3000/4950.

ARCOS DE LA FRONTERA 11630 Cádiz 446 V 12 – 26 466 h. alt. 187 – ✆ 956.
   Ver : Emplazamiento★★ – Plaza del Cabildo ≼★ – Iglesia de Santa María (fachada
   occidental★).
   🖪 pl. del Cabildo, ℰ 70 22 64, Fax 70 09 00.
   Madrid 586 – Cádiz 65 – Jerez de la Frontera 32 – Ronda 86 – Sevilla 91.

🏨🏨 **Parador de Arcos de la Frontera** ⟨S⟩, pl. del Cabildo ℰ 70 05 00, Fax 70 11 16,
   ≼, « Magnífica situación dominando un amplio panorama » – 🛗 ▤ 🖵 ☎. 厘 ① 🄴 WSA.
   ⛝
   Comida 3200 – ⊒ 1200 – **24 hab** 16500.

🏨 **Marqués de Torresoto** sin rest, Marqués de Torresoto 4 ℰ 70 07 17, Fax 70 42 05
   – ▤ 🖵 ☎. 厘 ① 🄴 WSA. ⛝
   ⊒ 525 – **15 hab** 6885/9200.

🏨 **Los Olivos** sin rest, Boliches 30 ℰ 70 08 11, Fax 70 20 18 – ▤ 🖵 ☎. 厘 ① 🄴 WSA.
   ⛝
   cerrado 7 enero-6 febrero – ⊒ 600 – **19 hab** 5000/9000.

🏛 **El Convento** ⟨S⟩, Maldonado 2 ℰ 70 23 33, Fax 70 23 33, ≼ – 🖵 ☎. 厘 🄴 WSA. ⛝
   Comida (ver rest *El Convento*) – ⊒ 700 – **8 hab** 5500/7500.

✘✘ **El Convento,** Marqués de Torresoto 7 ℰ 70 32 22, Fax 70 23 33, « Patio de estilo
   andaluz » – ▤. 厘 🄴 WSA. ⛝
   Comida carta 2800 a 3500.

✘ **El Lago** con hab, carret. N 342 - E : 1 km ℰ 70 11 17, Fax 70 04 67, ☆ – ▤ 🖵 ☎
   🅿. 厘 ① 🄴 WSA. ⛝
   Comida carta 2200 a 3200 – ⊒ 600 – **10 hab** 4200/7600.

REA (Playa de) Lugo – ver Vivero.

REETA Vizcaya – ver Getxo (Las Arenas).

ARENA (Playa de) Cantabria – ver Isla.

ARENAL Baleares – ver Baleares (Mallorca) : Palma.

S ARENALES DEL SOL 03195 Alicante 445 R 28 – ✆ 96 – Playa.
   Madrid 434 – Alicante/Alacant 14 – Cartagena 90 – Elche/Elx 20 – Murcia 76.

✘ **Las Palomas,** Isla de Ibiza 7 ℰ 691 07 76, ☆, Asados por encargo – 厘 WSA. ⛝
   cerrado domingo noche – **Comida** carta 2600 a 3650.

S ARENAS Vizcaya – ver Getxo.

L'EUROPE en une seule feuille
Cartes Michelin n° 970 (routière, pliée) et n° 973 (politique, plastifiée).

ARENAS DE CABRALES 33554 Asturias **[441]** *C 15* – ☎ *98.*
Madrid 458 – Oviedo 100 – Santander 106.

🏨 **Picos de Europa** ⬎, carretera General ℘ 584 64 91, Fax 584 65 45, ≤, 🈸, 🏊 – 🛗
🗾 ☎ ➋. 🇦🇪 🇪 *VISA*. ❀
Comida 2200 – 🍽 600 – **36 hab** 7500/10000 – PA 3250.

🏠 **Naranjo de Bulnes** ⬎, carretera General ℘ 584 65 19, Fax 584 65 20, ≤ – 🛗. 🇦
VISA. ❀ rest
cerrado enero-15 marzo – **Comida** 1200 – 🍽 450 – **30 hab** 4000/6400 – P▪
2800.

ARENAS DE SAN PEDRO 05400 Ávila **[442]** *L 14* – 6153 h. – ☎ *920.*
Alred. : Cuevas del Águila★ : 9 km.
Madrid 143 – Ávila 73 – Plasencia 120 – Talavera de la Reina 46.

🍴 **Hostería Los Galayos** *con hab*, pl. del Castillo 2 ℘ 37 13 79, Fax 37 13 79, 🈸, Bode
gón típico – 🗐 🗾 ☎. 🇦🇪 🇴 🇪 *VISA*. ❀
Comida carta 2850 a 3500 – 🍽 500 – **20 hab** 4500/6500.

Benutzen Sie für weite Fahrten in Europa die Michelin-Länderkarten :
[970] *Europa,* **[976]** *Tschechische Republik-Slowakische Republik,*
[980] *Griechenland,* **[984]** *Deutschland,* **[985]** *Skandinavien-Finnland,*
[986] *Groβbritannien-Irland,* **[987]** *Deutschland-Österreich-Benelux,*
[988] *Italien,* **[989]** *Frankreich,* **[990]** *Spanien-Portugal,* **[991]** *Jugoslawien.*

Les ARENES *Valencia – ver Valencia (playa de Levante).*

ARENYS DE MAR 08350 Barcelona **[443]** *H 37* – 11048 h. – ☎ *93* – Playa.
🛈 *passeig Xifré 25,* ℘ *792 17 83.*
Madrid 672 – Barcelona 37 – Gerona/Girona 60.

🍴 **El Bon Racó**, Josep Anselm Clavé 4 ℘ 795 70 67 – 🗐. 🇦🇪 🇴 🇪 *VISA*. ❀
Comida carta 2100 a 3200.

en la carretera N II *SO : 2 km* – ⊠ *08350 Arenys de Mar* – ☎ *93 :*
🍴🍴 **Hispania**, Real 54 ℘ 791 03 06, Fax 791 26 61 – 🗐 ➋. 🇦🇪 🇴 🇪 *VISA*
cerrado domingo noche, martes, Semana Santa y octubre – **Comida** carta 4450
5700.

AREO o **AREU** 25575 Lérida **[443]** *E 33* – alt. 920 – ☎ *973.*
Madrid 613 – Lérida/Lleida 157 – Seo de Urgel/La Seu d'Urgell 83.

🏠 **Vall Ferrera** *(anexo* 🏨*)* ⬎, Martí 1 ℘ 62 43 43, ≤ – *VISA*. ❀ rest
20 marzo-2 noviembre y 27 diciembre-6 enero – **Comida** 1850 – 🍽 750 – **28 h**
4000/5000, 6 apartamentos – PA 3750.

ARETA *Álava – ver Llodio.*

ARÉVALO 05200 Ávila **[442]** *I 15* – 7267 h. alt. 827 – ☎ *920.*
Ver : Plaza de la Villa★.
Madrid 121 – Ávila 55 – Salamanca 95 – Valladolid 78.

🏠 Fray Juan Gil *sin rest y sin* 🍽, av. de los Deportes 2 ℘ 30 08 00, Fax 30 08 00 – 🛗
☎
27 hab, 3 suites.

🍴 **El Tostón de Oro**, av. de los Deportes 2 ℘ 30 07 98 – 🗐. 🇪 *VISA*. ❀
cerrado lunes y 10 diciembre-10 enero – **Comida** carta 2400 a 2800.

🍴 **Las Cubas**, Figones 9 ℘ 30 01 25 – 🗐. 🇦🇪 🇴 🇪 *VISA*. ❀
cerrado 2ª quincena de junio – **Comida** (sólo almuerzo) carta 2400 a 3800.

🍴 **La Pinilla**, Figones 1 ℘ 30 00 63
🇦🇪 🇴 🇪 *VISA*
🐾 *cerrado lunes, festivos noche y del 15 al 31 de julio* – **Comida** carta 2000 a 2700.

🍴 **Donis**, pl. El Salvador 2 ℘ 30 06 92 – 🗐. *VISA*. ❀
cerrado martes noche y miércoles (salvo vísperas o festivos) y 15 días en septiemb▪
Comida carta 3175 a 5200.

S'ARGAMASSA (Urbanización) *Baleares – ver Baleares (Ibiza) : Santa Eulalia del Río.*

ARGENTONA *08310 Barcelona* 443 *H 37 – 7819 h. alt. 75 – ✆ 93.*
Madrid 657 – Barcelona 27 – Mataró 4.

XX **El Celler d'Argentona,** Bernat de Riudemeya 6 ✆ 797 02 69, Celler típico – ▤. AE ◑ E VISA JCB
cerrado domingo noche y lunes – **Comida** carta 2925 a 4350.

ARGÓMANIZ o **ARGOMAIZ** *01192 Álava* 442 *D 22 – ✆ 945.*
Madrid 364 – San Sebastián/Donostia 95 – Vitoria/Gasteiz 15.

Parador de Argómaniz ⛰, ✆ 29 32 00, Fax 29 32 87, ← – |⇕| TV ☎ P – 🚶 25/65. AE ◑ E VISA. ✂
Comida 3200 – ☕ 1200 – **53 hab** 14500.

ARGOÑOS *39197 Cantabria* 442 *B 19 – 650 h. – ✆ 942.*
Madrid 482 – Bilbao/Bilbo 85 – Santander 43.

Noray, ✆ 62 61 36, Fax 62 62 52 – ▤ rest TV ☎ P
temp – **50 hab.**

ARGUINEGUÍN *Las Palmas – ver Canarias (Gran Canaria).*

ARGUIS *22150 Huesca* 443 *F 28 – 62 h. alt. 1044 – ✆ 974.*
Ver : *Embalse*★.
Madrid 404 – Huesca 21 – Jaca 52 – Pamplona/Iruñea 163.

en la carretera N 330 *E : 2 km – ✉ 22150 Arguis – ✆ 974 :*

Hospedería de Arguis, ✆ 27 12 11, Fax 27 12 11, 🌳 – |⇕| ▤ rest TV ☎ P. AE E VISA. ✂
Comida 1500 – ☕ 525 – **36 hab** 4400/6600.

ARINSAL *Andorra – ver Andorra (Principado de).*

ARLABÁN (Puerto de) *Guipúzcoa – ver Salinas de Leniz.*

ARMENTIA *Álava – ver Vitoria.*

ARMILLA *18100 Granada* 446 *U 19 – 10990 h. alt. 675 – ✆ 958.*
Madrid 435 – Granada 6 – Guadix 64 – Jaén 99 – Motril 60.

Los Galanes, carret. de Granada - NE : 1 km ✆ 57 05 12, Fax 57 05 13, 🌳 – ▤ TV ☎ P. AE ◑ E VISA. ✂ rest
Comida *(cerrado domingo)* 1300 – ☕ 300 – **27 hab** 4500/6000 – PA 2900.

ARNEDILLO *26589 La Rioja* 442 *F 23 – 393 h. alt. 640 – ✆ 941 – Balneario.*
Madrid 294 – Calahorra 26 – Logroño 61 – Soria 68 – Zaragoza 150.

Spa Arnedillo ⛰, ✆ 39 40 00, Fax 39 40 75, Ls, ⛱ de agua termal, ⛱, 🎾 – |⇕| ▤ TV ☎ P – 🚶 25/220. AE VISA. ✂
Comida 2500 – ☕ 800 – **136 hab** 8400/12800, 4 suites – PA 4400.

El Olivar ⛰, ✆ 39 41 05, Fax 39 40 75, ←, ⛱ de agua termal – TV ☎ P – 🚶 25/200. AE VISA. ✂ rest
marzo-15 diciembre – **Comida** 2200 – ☕ 750 – **45 hab** 7500/9400 – PA 3900.

XX **El Molino del Cidacos** *con hab*, carret. de Arnedo - E : 1 km ✆ 39 40 63, Fax 39 42 00, Decoración rústica-regional – TV ☎ P. AE ◑ E VISA. ✂ hab
Comida *(cerrado domingo noche, lunes y 15 enero-15 febrero)* carta 2700 a 4750 – ☕ 500 – **8 hab** 7500/10000.

ARNEDO *26580 La Rioja* 442 *F 23 – 12463 h. alt. 550 – ✆ 941.*
Madrid 306 – Calahorra 14 – Logroño 49 – Soria 80 – Zaragoza 138.

Victoria, paseo de la Constitución 97 ✆ 38 01 00, Fax 38 10 50 – |⇕| ▤ rest TV ☎ – 🚶 25/500
48 hab.

Virrey, paseo de la Constitución 27 ✆ 38 01 50, Fax 38 30 17 – |⇕| ▤ rest TV ☎ P. AE ◑ E VISA. ✂
Comida 1700 – ☕ 350 – **36 hab** 5200/8700 – PA 3750.

ARNOIA 32234 Orense **441** F 5 – 1 028 h. alt. 95 – **↻** 988 – Balneario.
　　Madrid 516 – Orense/Ourense 37 – Pontevedra 92 – Santiago de Compostela 153 – Vig
　　72.

🏨　Arnoia ⌂, Vilatermal 1 ℘ 49 24 00, Fax 49 24 22, Servicios terapéuticos, « En un bonit
　　paraje de viñedos y montes junto al Miño », ↳, ⤵ de agua termal, 🖵 – 🛗 🖿 rest 🖸
　　☎ ♿ ⇔ 🅿
　　24 hab, 1 suite.

ARONA Santa Cruz de Tenerife – ver Canarias (Tenerife).

La ARQUERA Asturias – ver Llanes.

ARRASATE Guipúzcoa – ver Mondragón.

ARRECIFE Las Palmas – ver Canarias (Lanzarote).

ARRIONDAS 33540 Asturias **441** B 14 – 2 214 h. alt. 39 – **↻** 98.
　　Madrid 426 – Gijón 62 – Oviedo 66 – Ribadesella 18.

🏨　**Carús,** carret. N 625 - S : 1 km ℘ 584 05 31, Fax 584 09 51, ⤵ – 📺 ☎ 🅿. 🖭 ⓞ
　　VISA JCB. ⁑
　　Comida (cerrado noviembre) 1500 – ⊡ 600 – **21 hab** 5000/8500 – PA 3600.
%　**El Corral del Indianu,** av. Europa 14 ℘ 584 10 72, 🍴 – 🖪 **VISA** ⁑
　　cerrado domingo noche (salvo julio-septiembre) – **Comida** carta 3500 a 4500.

ARROYO DE LA ENCOMIENDA 47195 Valladolid **442** H 15 – 1 427 h. alt. 690 – **↻** 98.
　　Madrid 189 – Ávila 121 – Salamanca 108 – Segovia 119 – Valladolid 10 – Zamora 90

🏨　**NH La Vega** ⌂, av. de Salamanca - NE : 2 km ℘ 47 04 62, Fax 47 27 61, ↳, 🖵 –
　　🖿 📺 ☎ ♿ ⇔ 🅿 – 🕍 25/400. 🖭 ⓞ 🖪 **VISA** JCB. ⁑
　　Comida 2500 – ⊡ 1000 – **143 hab** 12000/15000, 6 suites – PA 6000.

ARROYO DE LA MIEL 29630 Málaga **446** W 16 – 15 180 h. – **↻** 95.
　　Madrid 552 – Málaga 18 – Marbella 40.

%　**Ventorrillo de la Perra,** av. de la Constitución 85 (carret. de Torremolinc
　　℘ 244 19 66, Fax 244 19 66, 🍴 – 🖭 ⓞ 🖪 **VISA** ⁑
　　cerrado lunes – **Comida** carta 3000 a 4100.
%　**La Mar Chica,** av. de la Estación - urb. Los Jardines ℘ 244 48 06, Pescados y marisc
　　– 🖿. 🖭 🖪 **VISA** ⁑
　　cerrado miércoles – Comida carta aprox. 3450.

ARTÁ (Cuevas de) Baleares – ver Baleares (Mallorca).

ARTEIJO o ARTEIXO 15142 La Coruña **441** C 4 – 17 934 h. alt. 32 – **↻** 981.
　　Madrid 615 – La Coruña/A Coruña 12 – Santiago de Compostela 78.

en la carretera C 552 – ✉ 15142 Arteijo – **↻** 981 :

🏠　Europa, av de Finisterre 31 - NE : 1,5 km ℘ 64 04 44 – 🛗 📺 ☎ 🅿
　　24 hab.
%%%　**El Gallo de Oro,** av. de Finisterre 8 ℘ 60 04 10, Fax 60 27 41, Pescados y marisc
　　Vivero propio – 🖿 🅿. 🖭 🖪 **VISA**. ⁑
　　cerrado domingo noche, lunes y 2 semanas en febrero – **Comida** carta aprox. 6500.

en Villarrodis NE : 3 km – ✉ 15141 Villarrodis – **↻** 981 :

🏨　**Las Camelias,** carret. LC 410 ℘ 64 03 25, Fax 64 03 25 – 🛗 📺 ☎ ⇔. 🖭 ⓞ 🖪 ⲩ
　　⁑
　　Comida (cerrado domingo) 1500 – ⊡ 400 – **35 hab** 5000/7500.

ARTENARA Las Palmas – ver Canarias (Gran Canaria).

ARTESA DE SEGRE 25730 Lérida **443** G 33 – 3 141 h. alt. 400 – **↻** 973.
　　Madrid 519 – Barcelona 141 – Lérida/Lleida 50.

🏠　**Montaña,** carret. de Agramunt 84 ℘ 40 01 86, Fax 40 20 05 – 🖿 rest 📺 ⇔ 🅿
　　VISA
　　Comida 1150 – ⊡ 425 – **29 hab** 1600/3950 – PA 2300.

ARTIES 25599 Lérida **443** D 32 – alt. 1 143 – **۞** 973 – Deportes de invierno.
Madrid 603 – Lérida/Lleida 169 – Viella 6.

🏨🏨🏨 **Parador de Arties,** carret. de Baqueira ℰ 64 08 01, Fax 64 10 01, ≼ – 🛗 🗏 rest 📺
🕿 ⇔ 🅿 – 🛋 25/100. 🆎 ① 🖂 🗺. 🛠
Comida 3200 – 🖙 1200 – **39 hab** 14500, 1 suite.

🏨🏨🏨 **Valartiés** 🦢, Mayor 3 ℰ 64 43 64, Fax 64 21 74, ≼, 🌴 – 🛗 🗏 📺 🕿 🔥 🅿. 🆎 ①
🖂 🗺. 🛠
diciembre-Semana Santa y 15 junio-15 octubre – **Comida** (ver a continuación rest. **Casa Irene**) – 🖙 950 – **26 hab** 9200, 1 suite.

🏨🏨 **Edelweiss,** carret. de Baqueira ℰ 64 09 02, Fax 64 09 02, ≼, 🖽 – 🛗 📺 🕿 🅿. 🆎 🗺.
🛠
cerrado del 2 al 20 de noviembre **- Montarto** (cerrado martes y del 5 al 25 de mayo)
Comida carta 2650 a 3475 – 🖙 500 – **25 hab** 4900/8500.

🍴🍴 **Casa Irene** - Hotel Valartiés, Mayor 3 ℰ 64 43 64, Fax 64 21 74 – 🗏 🅿. 🆎 ① 🖂 🗺.
⁂ 🛠
diciembre-Semana Santa y 20 junio-12 octubre – **Comida** (cerrado lunes en invierno) carta 4400 a 5600
Espec. Foie gras salteado sobre espárragos con vinagreta de remolacha (primavera). Solomillo en salsa de foie. Lubina con cebolla dulce y vinagre de Jerez.

🍴 **Urtau,** pl. Urtau 2 ℰ 64 09 26 – ① 🖂 🗺. 🛠
cerrado miércoles en invierno, mayo-15 junio y octubre-noviembre – **Comida** (sólo cena en invierno) carta 2350 a 2900.

RUCAS Las Palmas – ver Canarias (Gran Canaria).

RURE Santa Cruz de Tenerife – ver Canarias (Gomera).

ASTILLERO 39610 Cantabria **442** B 18 – 12 587 h. – **۞** 942 – Playa.
Alred. : Peña Cabarga ❄★★ SE : 8 km.
Madrid 394 – Bilbao/Bilbo 99 – Santander 10.

🏨 **Las Anclas,** San José 11 ℰ 54 08 50, Fax 54 07 15 – 🛗 🗏 rest 📺 🕿. 🆎 🖂
🗺. 🛠
Comida 1250 – 🖙 600 – **58 hab** 6500/9000 – PA 2800.

ASTORGA 24700 León **441** E 11 – 13 802 h. alt. 869 – **۞** 987.
Ver : Catedral★ (retablo mayor★, pórtico★).
🅱 pl. Eduardo de Castro, (iglesia Santa Marta), ℰ 61 68 38.
Madrid 320 – León 47 – Lugo 184 – Orense/Ourense 232 – Ponferrada 62.

🏨🏨🏨 **Gaudí,** pl. Eduardo de Castro 6 ℰ 61 56 54, Fax 61 50 40 – 🛗 📺 🕿. 🆎 ① 🖂
🗺. 🛠
Comida 1500 – 🖙 950 – **35 hab** 6250/10000.

🍴🍴 **La Peseta** con hab, pl. San Bartolomé 3 ℰ 61 72 75, Fax 61 53 00 – 🛗 🗏 rest 📺. 🆎
🖂 🗺
Comida (cerrado domingo noche salvo agosto) carta 2400 a 3500 – 🖙 550 – **19 hab**
5500/7100.

n la carretera N VI – **۞** 987 :

🏨🏨🏨 **Motel de Pradorrey,** NO : 5 km, ⊠ 24700, ℰ 61 57 29, Fax 61 92 20, En un marco medieval – 🗏 rest 📺 🕿 🅿. 🆎 ① 🖂 🗺 🗾. 🛠 rest
Comida 2500 a 3200 – 🖙 750 – **64 hab** 8600/11800.

🏨 **Monterrey,** NO : 8,5 km, ⊠ 24714 Pradorrey, ℰ 60 66 11, Fax 60 66 33 – 📺 🕿 ⇔
🅿. 🖂 🗺. 🛠
Comida 1175 – 🖙 350 – **22 hab** 3400/6600.

STÚN (Valle de) 22889 Huesca **443** D 28 – alt. 1 700 – **۞** 974 – Deportes de invierno : ℤ15.
Madrid 517 – Huesca 108 – Oloron-Ste. Marie 59 – Pamplona/Iruñea 147.

🏨 **Europa** 🦢, ℰ 37 33 12, Telex 58638, Fax 37 33 12, ≼, ℤ – 🛗 📺 🕿. 🆎 ① 🗺. 🛠
diciembre-abril y julio-agosto – **Comida** 1700 – **36 hab** 🖙 10685/15675.

---

s ATALAYAS (Urbanización) Castellón – ver Peñíscola.

JRITZ Navarra – ver Burguete.

AUSEJO 26513 La Rioja **442** E 23 – 747 h. – ☎ 941.
Madrid 326 – Logroño 29 – Pamplona/Iruñea 95 – Zaragoza 148.

🏨 **Maite,** carret. N 232 ℰ 43 00 00, Fax 43 02 35, ⅃ – ▤ rest ⇐ ℗. ℀ ⑩ Ɛ 𝘝𝘐𝘚𝘈
⇘ rest
Comida 1200 – ⌀ 300 – **24 hab** 2500/4500 – PA 2700.

Els AVETS (Urbanización) Barcelona – ver Rubí.

ÁVILA 05000 **P** **442** K 15 – 49 868 h. alt. 1 131 – ☎ 920.
Ver : Murallas★★ – Catedral★★ B (obras de arte★★, sepulcro del Tostado★★, sacristía★★
Y – Basílica de San Vicente★★ (portada occidental★★, sepulcro de los Santos Titulares★★
cimborrio★) B – Monasterio de Santo Tomás★ (mausoleo★, Claustro del Silencio★, retabl
de Santo Tomás★★) B.
🛈 pl. Catedral 4, ⊠ 05001, ℰ 21 13 87, Fax 25 37 17.
Madrid 107 ① – Cáceres 235 ③ – Salamanca 98 ④ – Segovia 67 ① – Valladolid 120 ①

ÁVILA

Alemania	B 2	Calvo Sotelo (Plaza de)	B 8	Ramón y Cajal	A 2
Generalísimo Franco	B 14	Cardenal Pla y Deniel	B 10	San Segundo	B 2
Reyes Católicos	B 21	Esteban Domingo	B 12	San Vicente	B 2
		General Mola (Plaza)	A 13	Santa (Pl. la)	A 2
Alférez Provisional (Av. de)	B 4	Jimena Blázquez	A 15	Sonsoles (Bajada de)	B 2
Caballeros	B 6	Lope Núñez	B 16	Telares	A 2
		Marqués de Benavites	AB 18	Tomás Luis de Victoria	B 3
		Peregrino (Bajada del)	B 19	Tostado	B 3

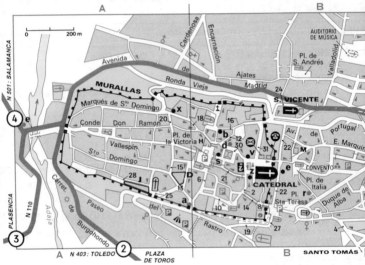

🏰 **Meliá Palacio de Los Velada** ⑤, pl. de la Catedral 10, ⊠ 05001, ℰ 25 51 0
Fax 25 49 00, « Edificio del siglo XVI con bonito patio interior » – 🛗 ▤ 📺 ☎ ⇐
🕍 25/550. ℀ ⑩ Ɛ 𝘝𝘐𝘚𝘈 JᴄB. ⇘
Comida 2500 – ⌀ 1100 – **84 hab** 13500/15000, 1 suite – PA 6100. B

🏨 **Parador de Ávila** ⑤, Marqués Canales de Chozas 2, ⊠ 05001, ℰ 21 13 4
Fax 22 61 66, Decoración castellana, ⊶ – 🛗 ▤ 📺 ☎ ⇐ ℗ – 🕍 25/80. ℀ ⑩
𝘝𝘐𝘚𝘈. ⇘
Comida 3500 – ⌀ 1200 – **60 hab** 14500, 1 suite. A

🏨 **G.H. Palacio de Valderrábanos,** pl. Catedral 9, ⊠ 05001, ℰ 21 10 23, Telex 235
Fax 25 16 91, Decoración elegante – 🛗 ▤ 📺 ☎ ℗ – 🕍 25/290. ℀ ⑩ Ɛ 𝘝𝘐𝘚𝘈 Jᴄ
⇘ rest B
Comida 1600 - **El Fogón de Santa Teresa** : Comida carta aprox. 3800 – ⌀ 100
70 hab 9000/14000, 3 suites.

🏨 **Cuatro Postes,** carret. de Salamanca 23, ⊠ 05002, ℰ 22 00 00, Fax 25 00 00, ⋖
🛗 ▤ 📺 ☎ & ⇐ ℗ – 🕍 25/250. ℀ ⑩ Ɛ 𝘝𝘐𝘚𝘈. ⇘ por
Comida 2000 – ⌀ 750 – **78 hab** 6925/10725 – PA 3900.

130

🏛 **Don Carmelo** sin rest, paseo de Don Carmelo 30, ⊠ 05001, ℰ 22 80 50, Fax 25 12 41 – 🛗 📺 ☎ ⇐⇒. 🖭 ⓪ 🗉 𝗩𝗜𝗦𝗔. ❄ por ①
⬭ 650 – **95 hab** 4900/7700, 2 suites.

🏛 **Hostería de Bracamonte** 🕭, Bracamonte 6, ⊠ 05001, ℰ 25 12 80, ☄,
« Decoración castellana » – 🗏 rest 📺 ☎. 🗉 𝗩𝗜𝗦𝗔. ❄ rest B b
Comida (cerrado martes y noviembre) 1950 – ⬭ 500 – **18 hab** 6000/10000, 2 suites.

🏛 **San Segundo,** San Segundo 28, ⊠ 05001, ℰ 25 25 90, Fax 25 27 90 – 🗏 rest 📺
☎. 🖭 ⓪ 🗉 𝗩𝗜𝗦𝗔. ❄ rest B e
Comida 1800 – ⬭ 500 – **14 hab** 4500/7000.

🏛 **San Juan** sin rest y sin ⬭, Comuneros de Castilla 3, ⊠ 05001, ℰ 25 14 75, Fax 25 72 35 – 📺 ☎. 🖭 🗉 𝗩𝗜𝗦𝗔 B s
13 hab 3600/6500.

🏟 **Copacabana,** San Millán 9, ⊠ 05001, ℰ 21 11 10, Fax 22 00 62 – 🗏. 🖭 ⓪ 🗉 𝗩𝗜𝗦𝗔
𝗝𝗖𝗕. B r
Comida carta 3300 a 4400.

🏟 **Doña Guiomar,** Tomás Luis de Victoria 3, ⊠ 05001, ℰ 25 37 09 – 🗏. 🖭 ⓪ 🗉 𝗩𝗜𝗦𝗔
𝗝𝗖𝗕. B d
cerrado domingo noche – **Comida** carta 2950 a 4000.

🏟 **La Cochera,** av. de Portugal 47, ⊠ 05001, ℰ 21 37 89, Fax 25 05 91 – 🗏. 🖭 ⓪ 🗉
𝗩𝗜𝗦𝗔 𝗝𝗖𝗕. por av. de Portugal B
Comida carta 3200 a 4900.

🏟 **El Almacén,** carret. de Salamanca 6, ⊠ 05002, ℰ 25 44 55, ⇐ – 🗏. 🖭 ⓪ 🗉 𝗩𝗜𝗦𝗔 𝗝𝗖𝗕.
❄ A e
cerrado domingo noche, lunes y 15 septiembre-10 octubre – **Comida** carta 3100 a 4200.

🗡 **Mesón El Sol y Resid. Santa Teresa** con hab, av. 18 de Julio 25, ⊠ 05003,
ℰ 22 02 11, Fax 22 41 13 – 🛗 🗏 rest 📺 ☎. 🖭 ⓪ 🗉 𝗩𝗜𝗦𝗔. ❄ por ①
Comida carta 2850 a 4775 – ⬭ 500 – **15 hab** 5200/7900.

🗡 **El Rastro** con hab, pl. del Rastro 1, ⊠ 05001, ℰ 21 12 18, Fax 25 16 26, Albergue
castellano – 🗏 rest. 🖭 ⓪ 🗉 𝗩𝗜𝗦𝗔. ❄ AB a
Comida carta 3000 a 4600 – ⬭ 400 – **10 hab** 3500/5000.

'ILÉS 33400 Asturias 𝟰𝟰𝟭 B 12 – 84 582 h. alt. 13 – ✆ 98.
Alred. : Salinas ⇐★ NO : 5 km.
🛈 Ruiz Gómez 21, ℰ 554 43 25.
Madrid 466 – Ferrol 280 – Gijón 25 – Oviedo 31.

🏛 **Luzana,** Fruta 9 ℰ 556 58 40, Telex 84213, Fax 556 49 12 – 🛗 🗏 rest 📺 ☎ –
🔬 25/60. 🖭 ⓪ 🗉 𝗩𝗜𝗦𝗔
Comida 2500 - **La Serrana :** Comida carta 2800 a 3500 – ⬭ 650 – **73 hab** 8500/11000.

🏟 **La Fragata,** San Francisco 18 ℰ 555 19 29, Decoración neorústica – 🖭 ⓪ 🗉 𝗩𝗜𝗦𝗔. ❄
cerrado domingo – **Comida** carta 3475 a 4000.

🏟 **San Félix** con hab, av. de los Telares 48 ℰ 556 51 46, Fax 552 17 79 – ☎ ⓟ. 🗉 𝗩𝗜𝗦𝗔.
❄
Comida carta aprox. 4400 – ⬭ 400 – **18 hab** 5000/8000.

🗡 **Casa Tataguyo 6,** pl. del Carbayedo 6 ℰ 556 48 15, Decoración rústica – 🗏. 🖭 ⓪
🗉 𝗩𝗜𝗦𝗔. ❄
cerrado marzo – **Comida** carta aprox. 4400.
Ver también : **Salinas** NO : 5 km.

PE 48291 Vizcaya 𝟰𝟰𝟮 C 22 – ✆ 94.
Madrid 399 – Bilbao/Bilbo 37 – San Sebastián/Donostia 80 – Vitoria/Gasteiz 50.

🏟 **Mendigoikoa** 🕭 con hab, barrio San Juan 33, ⊠ 48290 apartado 74 Abadiano,
ℰ 682 08 33, Fax 682 11 36, « Decoración rústica » – ☎ ⓟ. 🖭 ⓪ 🗉 𝗩𝗜𝗦𝗔. ❄
cerrado 22 diciembre-5 enero – **Comida** (cerrado domingo noche y lunes) carta 4300 a
5800 – ⬭ 1200 – **12 hab** 9000/13250.

🏟 **Etxebarri,** pl. San Juan 1 ℰ 658 30 42, Fax 658 26 40 – 🗏 ⓟ. 🖭 ⓪ 🗉 𝗩𝗜𝗦𝗔. ❄
cerrado domingo noche, lunes noche y 24 diciembre-5 enero – **Comida** carta 4000 a 6000.

AMONTE 21400 Huelva 𝟰𝟰𝟲 U 7 – 14 937 h. alt. 84 – ✆ 959 – Playa.
Ver : Vista desde el Parador★.
🚢 para Vila Real de Santo António (Portugal).
🛈 av. Ramón y Cajal, ℰ 47 09 88, Fax 47 09 88.
Madrid 680 – Beja 125 – Faro 53 – Huelva 52.

✗ **Andalucía 2,** av. Alcalde Narciso Martín Navarro 32 01 73
🖨 ▤. ⅩⅢ ⓪ Ε *VISA*. ※
Comida carta aprox. 3300.

en la playa de Isla Canela SE : 6,5 km – ✉ 21470 Isla Canela – 959 :

🏨 Riu Canela ≫, paseo de los Gavilanes 47 71 24, Fax 47 71 70, ≼, « Conjunto de est
andaluz. Agradables terrazas junto a la 🔧 », ⅎⓈ, 🔲, ※ – 🛗 ▤ 🔟 ☎ ⅇ ⅇ ⊕ – 🔏 25/
temp – **Comida** (sólo cena buffet) – **300 hab.**

AYORA 46620 Valencia 445 O 26 – 5402 h. alt. 552 – 96.
Madrid 341 – Albacete 94 – Alicante/Alacant 117 – Valencia 132.

🛖 **Murpimar** sin rest y sin ⇆, Virgen del Rosario 70 219 10 33 – ※
21 hab 2200/4200.

✗ **El Rincón,** Parras 10 219 17 05 – ▤. ⅩⅢ ⓪ Ε *VISA*
Comida carta 2200 a 2750.

AZÁRRULLA 26289 La Rioja 442 F 20 – 941.
Madrid 328 – Burgos 100 – Logroño 70 – Soria 170 – Vitoria/Gasteiz 85.

🏠 **Hostería Valle del Oja** ≫, 42 74 16, Fax 42 74 32, « Conjunto rural de est
rústico-regional », 🔧 – 🔟 ☎ ⅇ. Ε *VISA*
cerrado febrero – **Comida** carta 2700 a 4300 – **12 hab** ⇆ 7425/9900, 8 apartament

AZPEITIA 20730 Guipúzcoa 442 C 23 – 13170 h. alt. 84 – 943.
Madrid 427 – Bilbao/Bilbo 74 – Pamplona/Iruñea 92 – San Sebastián/Donostia 44
Vitoria/Gasteiz 71.

✗✗ **Juantxo,** av. de Loyola 3 81 43 15 – ▤. ⅩⅢ ⓪ *VISA*. ※
cerrado domingo, martes noche y 2 agosto-1 septiembre – **Comida** carta apr
3275.

en Loyola O : 1,5 km – ✉ 20730 Loyola – 943 :

✗✗ **Kiruri,** 81 56 08, Fax 15 03 62, 🍽 – ▤ ⅇ. ⅩⅢ ⓪ Ε *VISA*. ※
cerrado lunes noche y 20 diciembre-7 enero – **Comida** carta 3650 a 5350.

AZUQUECA DE HENARES 19200 Guadalajara 444 K 20 – 11996 h. alt. 626 – 949.
Madrid 46 – Guadalajara 12 – Segovia 139.

🏨 **Green Alcor** ≫, av. de Alcalá - S : 1,5 km 26 46 05, Fax 26 31 01, ≼ – 🛗 ▤
☎ 🚗 ⅇ – 🔏 25/150. ⅩⅢ ⓪ Ε *VISA*. ※ rest
Comida 1500 - **La Cabarra : Comida** carta aprox. 4700 – ⇆ 550 – **36 hab** 68
9500.

🏨 **Azuqueca,** av. de Alovera - N : 1 km 26 44 88, Fax 26 44 98 – 🛗 ▤ 🔟 ☎
🔏 25/300. ⅩⅢ ⓪ Ε *VISA*. ※
Comida 1200 – **45 hab** ⇆ 6400/8500.

BADAJOZ 06000 🅿 444 P 9 – 130247 h. alt. 183 – 924.
🏌 Golf del Guadiana por ② : 8 km 44 81 88, Fax 44 80 33.
✈ de Badajoz por ② : 16 km, 06195, 21 04 00, Fax 21 04 10.
🛈 pl. de la Libertad 3, ✉ 06005, 22 27 63.
Madrid 409 ② – Cáceres 91 ① – Córdoba 278 ③ – Lisboa 247 ④ – Mérida 62 ② – Se
218 ③.

Plano página siguiente

🏨 **G.H. Zurbarán,** paseo Castelar, ✉ 06001, 22 37 41, Telex 28818, Fax 22 01 42
– 🛗 ▤ 🔟 ☎ 🚗 – 🔏 25/500. ⅩⅢ ⓪ Ε *VISA* ⱼⅽв. ※ rest   A
Comida 3750 - **Los Monjes : Comida** carta 3100 a 4450 – ⇆ 1100 – **215**
10750/16750.

🏨 **Río,** av. Adolfo Díaz Ambrona 13, ✉ 06006, 27 26 00, Telex 28784, Fax 27 3
🔧 – 🛗 ▤ 🔟 ☎ ⅇ – 🔏 25/400. ⅩⅢ ⓪ Ε *VISA*. ※ rest   po
La Alacena : Comida carta 2400 a 3500 – ⇆ 685 – **85 hab** 8775/11875.

🏠 **Condedu** sin rest, Muñoz Torrero 27, ✉ 06001, 22 46 41, Fax 22 00 03 – 🛗
☎. ⅩⅢ ⓪ Ε *VISA* ⱼⅽв.   B
⇆ 400 – **34 hab** 4500/6500.

🏠 **Cervantes** sin rest y sin ⇆, Trinidad 2, ✉ 06002, 22 09 31 – 🛗 ▤ 🔟 ☎
VISA   C
38 hab 3200/5200.

BADAJOZ

ancisco Pizarro . . . . **BY** 7
oispo San Juan de Rivera . **BZ** 17
in Juan . . . . **BY**

ntonio Masa
Campos (Av.) . . . . **AZ** 2

Calatrava . . . .**BCZ** 3
Carolina Coronado . . . . . . **AY** 4
Doblados . . . . **CZ** 5
España (Pl. de) . . . . **BZ** 6
Hernán Cortés . . . . **BZ** 8
Huelva (Av. de) . . . . **AZ** 9
Joaquín Costa (Av. de) . . . **AY** 12
Juan Sebastián Elcano
(Av. de) . . . . **CZ** 14

Minayo (Pl. de) . . . . **BZ** 15
Muñoz Torrero . . . . **BYZ** 16
Pedro de Valdivia . . . . . . **BZ** 18
Reyes Católicos
(Pl.) . . . . **AY** 19
San Blas . . . . **BZ** 20
San Francisco
(Paseo) . . . . **AZ** 21
Soledad (Pl. de la) . . . . . . **BY** 23

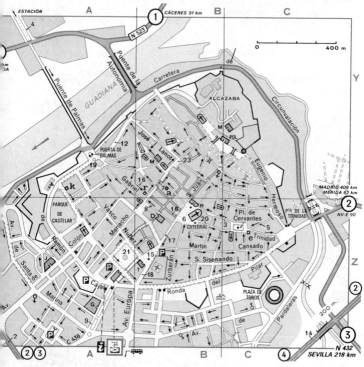

XXX **Aldebarán,** av. de Elvas - urb. Guadiana, ⊠ 06006, ☎ 27 42 61, Fax 27 42 61,
✿ « Decoración elegante » – ▤. 𝔸𝔼 ⓞ 𝚅𝙸𝚂𝙰. ※ por ④
cerrado domingo – **Comida** 4500 y carta 4350 a 5250
Espec. Bacalao asado sobre crujiente de alcachofa. Solomillo de ibérico con puré de trufa (temp). Higos confitados con sorbete de fruta de la pasión.

X **Los Gabrieles,** Vicente Barrantes 21, ⊠ 06001, ☎ 22 00 01 – ▤. 𝔸𝔼 ⓞ 𝙴 𝚅𝙸𝚂𝙰. ※
cerrado domingo noche – **Comida** carta aprox. 3150. BY a

la antigua carretera N V por ② : 8 km – ⊠ 06080 Badajoz – ✿ 924 :

▥ **Confortel Badajoz** ⑤, Golf del Guadiana ☎ 44 37 11, Fax 44 37 08, ⅃ – |✿| ▤ 𝚃𝚅
☎ ⴵ ⇔ – ⚖ 25/200. 𝔸𝔼 ⓞ 𝙴 𝚅𝙸𝚂𝙰. ※
Comida 1800 – ⇌ 1000 – **104 hab** 9500/11300, 16 suites – PA 4600.

ⴰALONA 08911 Barcelona 𝟜𝟜𝟛 H 36 – 218 171 h. – ✿ 93 – Playa.
Madrid 635 – Barcelona 8,5 – Mataró 19.

▥ **Miramar** sin rest. con cafetería por la noche, Santa Madrona 60 ☎ 384 03 11,
Fax 389 16 27, < – |✿| ▤ 𝚃𝚅 ☎ ⇔. 𝔸𝔼 𝙴 𝚅𝙸𝚂𝙰 𝙹𝙲𝙱. ※
⇌ 850 – **42 hab** 4200/7500.

XX **Obiols,** Prim 170 ☎ 384 42 78 – ▤. 𝔸𝔼 ⓞ 𝙴 𝚅𝙸𝚂𝙰 𝙹𝙲𝙱
cerrado lunes y del 15 al 30 de agosto – **Comida** carta 2600 a 4500.

ⴰAELL Gerona – ver Campellas.

BAENA 14850 Córdoba **446** T 16 – 16 599 h. alt. 407 – ✆ 957.

Madrid 392 – Antequera 88 – Andújar 89 – Córdoba 66 – Granada 105 – Jaén 66.

🏠 **Iponuba,** Nicolás Alcalá 7 ✆ 67 00 75, Fax 69 07 02 – 📶 🔳 📺 ☎ 🚗, 𝘃𝘐𝘚𝘈. ⧆
Comida (cerrado viernes) 1500 – 🖵 450 – **31 hab** 3300/5800 – PA 3000.

BAEZA 23440 Jaén **446** S 19 – 17 691 h. alt. 760 – ✆ 953.

Ver : Centro monumental★★ : plaza del Pópulo★ Z – Catedral (interior★) Z – Pala
de Jabalquinto★ (fachada★) Z – Ayuntamiento★ Y – Iglesia de San Andrés (tab.
góticas★) Y.

🛈 pl. del Pópulo, ✆ 74 04 44, Fax 74 04 44.

Madrid 319 ① – Jaén 48 ③ – Linares 20 ① – Úbeda 9 ②.

BAEZA

San Francisco	Y
Aguayo	Y 2
Alcalde Garzón Nebrera (Av. del)	Y
Barbacana	Z 3
Cardenal Benavides (Pasaje)	Y 5
Carmen	Z
Cipriano Tornero o del Rojo	Y
Compañía	Z 6
Concepción	Y
Conde de Romanones	Z 7
Constitución (Paseo de la)	Z 8
Córdoba (Puerta de)	Z 9
Corvera	Y
España (Pl. de)	Y
Gaspar Becerra	Y 12
General Cuadros	Y 13
José M. Cortés	Y 15
Julio Burel	YZ
Los Molinos	Y
Magdalena	Y 16
Merced	Z
Motilla	Y
Obispo Mengíbar	Z 17
Obispo Narváez o Barreras	YZ
Pintada Baja	Y
Pópulo (Pl. del)	Z
Real (Camino)	Z 19
Sacramento	Z 20
San Andrés	Y 21
San Felipe Neri (Cuesta)	Z 23
San Gil (Cuesta de)	Z 25
San Juan Bautista	Z
San Pablo	Y
Santa María (Pl. de)	Z

🏨 **Confortel Baeza,** Concepción 3 ✆ 74 81 30, Fax 74 25 19 – 📶 🔳 📺 ☎ ⧆
🅿 25/60. 🅰🅴 ① 🄴 𝘃𝘐𝘚𝘈. ⧆ rest   Y
Comida (ver también rest. *Andrés de Vandelvira*) 1800 – **84 hab** 🖵 6300/9600.

🏨 **Hospedería Fuentenueva,** paseo Arca del Agua ✆ 74 31 00, Fax 74 32 00, 𝕴 –
📺 ☎. 🅰🅴 ① 🄴 𝘃𝘐𝘚𝘈. ⧆ rest   por
Comida (cerrado lunes) 2000 – **12 hab** 🖵 5600/8000.

🍴 **La Loma,** carret. de Úbeda ✆ 74 33 02 – 🔳 📺 ☎ 🅿. 🅰🅴 ① 🄴 𝘃𝘐𝘚𝘈. ⧆   por
Comida 1200 – 🖵 325 – **10 hab** 4000/5150.

🍴🍴 **Juanito** con hab, av. Puche Pardo 43 ✆ 74 00 40, Fax 74 23 24 – 📶 🔳 📺 ☎ ⧆
🄴 𝘃𝘐𝘚𝘈. ⧆   por
Comida (cerrado domingo noche y lunes noche) carta 3750 a 4950 – 🖵 525 – **35**
4600/5600.

🍴🍴 **Andrés de Vandelvira,** San Francisco 14 ✆ 74 81 30, Fax 74 25 19, Instalado en
convento del siglo XVI – 🔳. 🅰🅴 ① 🄴 𝘃𝘐𝘚𝘈   Y
cerrado domingo noche, lunes y enero – **Comida** carta 2925 a 4350.

🍴 **Sali,** pasaje Cardenal Benavides 15 ✆ 74 13 65, 🍽 – 🔳. 🅰🅴 ① 🄴 𝘃𝘐𝘚𝘈. ⧆ Y
cerrado miércoles noche y octubre – **Comida** carta 2000 a 4800.

BAGERGUE Lérida – ver Salardú.

BAGUR o BEGUR 17255 Gerona 443 G 39 – 2 734 h. – © 972.

Alred. : Pals★ (7 km).

🛈 pl. de la Iglesia 8, ℰ 62 40 20, Fax 62 35 88.

Madrid 739 – Gerona/Girona 46 – Palamós 17.

🏨 **Begur,** Comas y Ros 8 ℰ 62 34 00, Fax 62 29 38, 佘 – 🛗 📺 🕮 ⑩ 🗲 𝖵𝖨𝖲𝖠. 🕸 rest
Comida 1100 – **31 hab** ⊑ 4250/8500.

🏨 **Rosa,** Pi i Rallo 11 ℰ 62 30 15, Fax 62 29 38 – ☎. 🕮 ⑩ 🗲 𝖵𝖨𝖲𝖠. 🕸
cerrado Navidad-Semana Santa – **Comida** 1200 – **23 hab** ⊑ 3865/7515 – PA 2475.

🏨 **Plaja,** pl. Pella i Forgas ℰ 62 21 97 – 🍽 rest. 🕮 🗲 𝖵𝖨𝖲𝖠. 🕸 rest
abril-noviembre – **Comida** 2000 – **16 hab** ⊑ 3500/6000.

✗ **Mas Comangau,** carret. de Fornells ℰ 62 32 10, Fax 60 01 12, Decoración típica
catalana – 🍽 🅿. 🕮 ⑩ 🗲 𝖵𝖨𝖲𝖠. 🕸
cerrado martes y noviembre-10 diciembre – **Comida** carta 2800 a 4400.

en la playa de Sa Riera N : 2 km – ✉ 17255 Begur – © 972 :

🏨 **Sa Riera** 🐾, ℰ 62 30 00, Fax 62 34 60, 🐧 – 🛗 ☎ 🅿. 🗲 𝖵𝖨𝖲𝖠. 🕸 rest
15 marzo-15 octubre – **Comida** 1500 – ⊑ 600 – **41 hab** 4500/8600.

en Aigua Blava SE : 3,5 km – ✉ 17255 Begur – © 972 :

🏨🏨 **Aigua Blava** 🐾, playa de Fornells ℰ 62 20 58, Fax 62 21 12, « Parque ajardinado, ≤
cala », 🐧, 🕸 – 🍽 rest 📺 ☎ ➾ 🅿 – 🔬 25/60. 🕮 🗲 𝖵𝖨𝖲𝖠. 🕸
16 febrero-10 noviembre – **Comida** 3500 – ⊑ 1500 – **85 hab** 10400/17100.

🏨🏨 **Parador de Aiguablava** 🐾, ℰ 62 21 62, Fax 62 21 66, « Magnífica situación con ≤
cala », 🐧 – 🛗 🍽 📺 ☎ 🅿 – 🔬 25/180. 🕮 ⑩ 🗲 𝖵𝖨𝖲𝖠. 🕸
Comida 3500 – ⊑ 1200 – **83 hab** 18500.

🏨 **Bonaigua** 🐾 sin rest, playa de Fornells ℰ 62 20 50, Fax 62 20 54, ≤, 🕸 – 🛗 ➾ 🅿.
🕮 🗲 𝖵𝖨𝖲𝖠
Semana Santa-septiembre – ⊑ 600 – **47 hab** 6690/9900.

por la antigua carret. de Palafrugell y desvío a la izquierda S : 5 km – ✉ 17255
Begur – © 972 :

✗✗ **Jordi's** 🐾 con hab, apartado 47 Begur ℰ 30 15 70, Telex 57077, Fax 61 01 66, ≤, 佘,
« Casa de campo », 🐕 – 🅿
8 hab.

BAILÉN 23710 Jaén 446 R 18 – 16 814 h. alt. 349 – © 953.

Madrid 294 – Córdoba 104 – Jaén 37 – Úbeda 40.

en la antigua carretera N IV – ✉ 23710 Bailén – © 953 :

🏨🏨 **Bailén,** ℰ 67 01 00, Fax 67 25 30, 🐧, 🐕 – 🍽 📺 ☎ 🅿 – 🔬 25/80. 🕮 ⑩ 🗲 𝖵𝖨𝖲𝖠.
🕸
Comida carta 3500 a 4450 – ⊑ 800 – **86 hab** 6000/7500.

🏨 **Zodíaco,** ℰ 67 10 62, Fax 67 19 06 – 🛗 🍽 📺 ☎ ➾ 🅿 – 🔬 25/120. 🕮 ⑩ 🗲 𝖵𝖨𝖲𝖠. 🕸
Comida 1600 – ⊑ 500 – **52 hab** 4475/6530.

BAIONA Pontevedra – ver Bayona.

BAKIO Vizcaya – ver Baquio.

BALAGUER 25600 Lérida 443 G 32 – 13 086 h. alt. 233 – © 973.

🛈 pl. Mercadal 1, ℰ 44 66 06, Fax 44 86 21.

Madrid 496 – Barcelona 149 – Huesca 125 – Lérida/Lleida 27.

🏨 **Balaguer** sin rest, La Banqueta 7 ℰ 44 57 50, Fax 44 57 50 – 🛗 📺 ☎. 🕮 ⑩ 🗲 𝖵𝖨𝖲𝖠
⊑ 600 – **30 hab** 4000/7000.

✗✗ **Cal Morell,** passeig Estació 18 ℰ 44 80 09, Fax 44 66 59 – 🍽. 🕮 ⑩ 🗲 𝖵𝖨𝖲𝖠
cerrado lunes (salvo festivos o vísperas) y del 1 al 10 de octubre – **Comida** carta 3450
a 4900.

en la carretera C 1313 – ✉ 25600 Balaguer – © 973 :

✗ **El Caliu d'en Ton,** S : 3,5 km ℰ 44 70 85 – 🍽 🅿. 🕮 ⑩ 🗲 𝖵𝖨𝖲𝖠
cerrado jueves noche – **Comida** carta 2450 a 3450.

✗ **El Bosquet,** E : 2 km ℰ 44 68 68, 佘 – 🍽 🅿. ⑩ 🗲 𝖵𝖨𝖲𝖠. 🕸
cerrado martes (salvo festivos) y febrero – **Comida** carta 2700 a 4300.

BALEARES (Islas) o **BALEARS (Illes)** ★★★ 𝟒𝟒𝟑 – *745 944 h..*

    ⚓ ver : Palma de Mallorca, Mahón, Ibiza.

    🚢 *para Baleares ver : Barcelona, Valencia. En Baleares ver : Palma de Mallorca, Mahó Ibiza.*

MALLORCA

Algaida 07210 𝟒𝟒𝟑 N 38 – 3 157 h. – ✆ 971.
    Palma 23.

  XX **Binicomprat,** carret. de Manacor - NO : 1 km ℘ 12 54 11, Fax 12 54 09, 🍴 – ▤ ◖
    🖭 **E** 𝗩𝗜𝗦𝗔. ✍
    cerrado domingo noche y lunes (salvo festivos) – **Comida** carta 2950 a 4350.

  X **Es 4 Vents,** carret. de Manacor ℘ 66 51 73, Fax 12 54 09, 🍴 – ▤ **ⓟ**. 𝗩𝗜𝗦𝗔. ✍
    cerrado jueves no festivos y 15 días en junio – **Comida** carta 2100 a 3700.

  X **Hostal Algaida,** carret. de Manacor ℘ 66 51 09, 🍴 – ▤ **ⓟ**. **E** 𝗩𝗜𝗦𝗔 ✍
    Comida carta 2500 a 3500.

s'Alqueria Blanca 07691 𝟒𝟒𝟑 N 39 – ✆ 971.
    Palma 53.

  X Ses Covetes, Jaime I-20 ℘ 65 39 03, 🍴.

Artà (Cuevas de) 07570 ★★★ 𝟒𝟒𝟑 N 40.
    Palma 78.
    Hoteles y restaurantes ver : **Cala Ratjada** N : 11,5 km, **Son Servera** SO : 13 km

Bañalbufar o **Banyalbufar** 07191 𝟒𝟒𝟑 M 37 – 440 h. – ✆ 971.
    Palma 23.

  🏠 **Sa Coma** ⚜, Camí d'es Molí ℘ 61 80 34, Fax 61 81 98, ≤, ⌧, ✍ – ▯ ☎ **ⓟ**. **E** 𝗩
    ✍
    abril-octubre – **Comida** (sólo cena) 2500 – ⌸ 2000 – **32 hab** 6000/9000.

  🏠 **Mar i Vent** ⚜, Major 49 ℘ 61 80 00, Fax 61 82 01, ≤ mar y montaña, ⌧, ✍ –
    🚗 **ⓟ**. **E** 𝗩𝗜𝗦𝗔. ✍
    cerrado diciembre-enero – **Comida** (sólo cena salvo domingo) 2300 – **23 h**
    ⌸ 7500/10500 – PA 4760.

  X **Son Tomás,** Baronía 17 ℘ 61 81 49, ≤, 🍴 – 🖭 ⓞ **E** 𝗩𝗜𝗦𝗔
    cerrado martes y 10 enero-10 febrero – **Comida** carta 2650 a 3500.

Bendinat 𝟒𝟒𝟑 N 37 – ✆ 971.
    Palma 11.

  🏨 Bendinat ⚜, ⌂ 07015 Portals Nous, ℘ 67 57 25, Fax 67 72 76, 🍴, « Bungalows
    un jardín con árboles y terrazas junto al mar », 🚗, ✍ – ☎ **ⓟ**
    temp – **29 hab.**

Bunyola 07110 𝟒𝟒𝟑 M 38 – 4 045 h. – ✆ 971.
    Palma 14.

en la carretera de Sóller – ⌂ 07110 Bunyola – ✆ 971 :

  X **Ses Porxeres,** NO : 3,5 km ℘ 61 37 62, Decoración rústica. Cocina catalana – **ⓟ**.
    𝗩𝗜𝗦𝗔
    cerrado domingo noche, lunes y agosto – **Comida** carta aprox. 4500.

  X Ca'n Penasso, O : 1,5 km ℘ 61 32 12, ≤, 🍴, « Conjunto de estilo rústico regional
    ⌧, 🚗, ✍ – **ⓟ**.

Cala de San Vicente o **Cala Sant Vicenç** 𝟒𝟒𝟑 M 39 – ⌂ 07469 Pollença – ✆ 9
    – Playa.
    Palma 58.

  🏛 **Cala Sant Vicenç** ⚜, Maresers ℘ 53 02 50, Fax 53 20 84, 🍴, **Ⅰₛ**, ⌧ climatizad
    ▯ ▤ 🖵 ☎ **ⓟ**. 🖭 ⓞ **E** 𝗩𝗜𝗦𝗔. ✍
    cerrado noviembre y enero – **Comida** 4000 - ***Cavall Bernat :*** **Comida** carta 3400 a 4‑
    – **38 hab** ⌸ 17000/28000.

  🏛 **Molins** ⚜, Cala Molins ℘ 53 02 00, Fax 53 02 16, Amplias terrazas con ≤, ⌧, ✍ –
    ▤ 🖵 ☎ **ⓟ**. 🖭 **E** 𝗩𝗜𝗦𝗔. ✍
    marzo-noviembre – **Comida** (sólo cena) 3150 – **100 hab** ⌸ 7850/10660.

Cala d'Or 07660 🔢 N 39 – ✪ 971 – Playa.
Ver : Paraje★.
🏠 Club de Vall d'Or N : 7 km ♟ 83 70 68, Fax 83 72 99.
🛈 av. Cala Llonga 10, ♟ 65 74 63, Fax 65 74 63.
Palma 69.

🏨 **Rocador,** Marqués de Comillas 3 ♟ 65 70 75, Fax 65 77 51, ≤, 🌊, 🛤 – 🛗 🗏 rest. 𝚅𝙸𝚂𝙰.
cerrado noviembre-enero – **Comida** 2200 – ⊇ 1050 – **105 hab** 5700/8400, 1 suite –
PA 4600.

🏨 **Cala D'Or** 🕭, av. de Bélgica 33 ♟ 65 72 49, Fax 65 93 51, 🍴, « Terrazas bajo los pinos », 🌊 – 🛗 🗏 📺 ☎. 🆎 ⓞ Ɛ 𝚅𝙸𝚂𝙰. ⋘
abril-octubre – **Comida** (sólo cena) 2900 – **95 hab** ⊇ 10000/16000.

🏨 **Rocador Playa,** Marqués de Comillas 1 ♟ 65 77 25, Fax 65 77 51, ≤, 🌊 – 🛗 🗏 rest
– 🛁 25/100. 𝚅𝙸𝚂𝙰. ⋘
abril-octubre – **Comida** 2200 – ⊇ 1050 – **105 hab** 5700/8400 – PA 4600.

XXX **Port Petit,** av. Cala Llonga ♟ 64 30 39, Fax 64 30 73, ≤, 🍴 – 🆎 ⓞ Ɛ 𝚅𝙸𝚂𝙰
abril-octubre – **Comida** (sólo cena) carta 3225 a 5250.

XX **Cala Llonga,** av. Cala Llonga - Porto Cari ♟ 65 80 36, 🍴 – 🗏. 🆎 ⓞ Ɛ 𝚅𝙸𝚂𝙰. ⋘
cerrado lunes (salvo verano) y noviembre – **Comida** carta 2200 a 4350.

X **Ca'n Trompé,** av. de Bélgica 12 ♟ 65 73 41, 🍴 – 🗏. Ɛ 𝚅𝙸𝚂𝙰. ⋘
cerrado martes y 15 noviembre-7 febrero – **Comida** carta 2250 a 3850.

en **Cala es Forti** S : 1,5 km – ✉ 07660 Cala d'Or – ✪ 971 :

🏨 **Rocamarina** 🕭, ♟ 65 78 32, Fax 64 31 80, 🌊, ⚹ – 🛗 🗏 rest ☎. Ɛ 𝚅𝙸𝚂𝙰. ⋘
mayo-octubre – **Comida** (sólo cena buffet) 2100 – ⊇ 1100 – **207 hab** 8000.

Cala Figuera 07659 🔢 O 39 – ✪ 971.
Ver : Paraje★.
Palma 59.

Cala Pí 07639 🔢 N 38 – ✪ 971.
Palma 41.

X Miquel, Torre de Cala Pí 13 ♟ 12 30 00, Fax 12 30 92, 🍴, Decoración regional.

Cala Rajada 07590 🔢 M 40 – ✪ 971 – Playa.
Alred. : Capdepera (murallas ≤★) O : 2,5 km.
🛈 pl. dels Pins, ♟ 56 30 33 Fax 56 52 56.
Palma 79.

🏨 **Aguait** 🕭, av. des Pins 61 - S : 2 km ♟ 56 34 08, Fax 56 51 06, ≤, 🌊 – 🛗 🗏 📺 ☎
🅿. Ɛ 𝚅𝙸𝚂𝙰. ⋘
cerrado noviembre y diciembre – **Comida** (sólo buffet) 2300 – ⊇ 1025 – **188 hab**
6200/11000 – PA 4500.

🏨 **Son Moll,** Tritón 25 ♟ 56 31 00, Fax 56 35 81, ≤, 🌊 – 🛗 🗏 📺 ☎. Ɛ 𝚅𝙸𝚂𝙰. ⋘
abril-octubre – **Comida** (sólo buffet) 2700 – ⊇ 1100 – **125 hab** 5500/9000 – PA 5500.

🏨 **L'Illot,** Hernán Cortés 41 ♟ 81 82 84, Fax 81 81 67, 🛁, 🌊, 🄺 – 🛗 🗏 📺 ☎. 🆎 ⓞ
Ɛ 𝚅𝙸𝚂𝙰 rest
Comida (sólo cena buffet) 2500 – ⊇ 1500 – **102 apartamentos** 15000/17000 – PA 5525.

XX **Ses Rotges** con hab, Rafael Blanes 21 ♟ 56 31 08, Fax 56 43 45, 🍴, Cocina francesa,
✿ « Terraza rústico-regional con plantas » – 🗏 hab ☎. 🆎 ⓞ Ɛ 𝚅𝙸𝚂𝙰. ⋘
marzo-noviembre – **Comida** (sólo cena en verano) carta 4850 a 5900 – ⊇ 1350 – **24 hab**
8200/10200
Espec. Delicias de foie gras hechas en casa. Filetes de Cap Roig con tomates confitados
y albahaca. Conejo con salsa de mostaza a l'ancienne.

Calobra o sa Calobra 07008 🔢 M 38 – ✪ 971 – Playa.
Ver : Paraje★ – Carretera de acceso★★★ – Torrente de Pareis★, mirador★.
Palma 66.

Calvià 07184 🔢 N 37 – alt. 156 – ✪ 971.
🛈 Ca'n Vich 29, ♟ 13 91 00, Fax 13 91 46.
Palma 20.

X **Ses Forquetes,** C'an Vich (edificio Ayuntamiento) ♟ 67 06 13, ≤, 🍴 – 🗏 🅿. 🆎 Ɛ
𝚅𝙸𝚂𝙰
cerrado domingo noche – **Comida** carta 2750 a 3700.

Can Picafort 07458 👭👪 M 39 – ✪ 971 – Playa.
  Palma 56.
  ✗ **Mandilego,** Isabel Garau 49 ♪ 85 00 89, 🏠 – ▤. ⬛ ⓞ ☰ 🆅🆂🅰. ✁
    cerrado lunes y 15 diciembre-7 febrero – **Comida** carta 2950 a 4500.

Capdepera 07580 👭👪 M 40 – 7 017 h. alt. 102 – ✪ 971.
  Palma 77.

en la carretera de Artá-Canyamel S : 5 km – ⊠ 07580 Capdepera – ✪ 971 :
  ✗ **Porxada de Sa Torre,** Torre de Canyamel ♪ 56 30 44, Decoración rústica – ▤ ●
  🐾 ⬛ ⓞ ☰ 🆅🆂🅰 🇯🇨🇧. ✁
    cerrado lunes y 10 diciembre-febrero – **Comida** carta aprox. 2900.

en Canyamel SE : 9 km – ⊠ 07580 Capdepera – ✪ 971 :
  🏨 **Canyamel Park,** Vía de Melesigeni ♪ 56 55 11, Fax 56 56 14, ⌂, 🏊, 🅽 – 🛗 ▤
    ⬛ ☰ 🆅🆂🅰. ✁
    24 enero-octubre – **Comida** (sólo buffet) 1650 – **133 hab** ⊆ 8500/14800.

Colònia de Sant Jordi 07638 👭👪 O 38 – ✪ 971 – Playa.
  Palma 9.
  ✗ **Marisol,** Gabriel Roca 65 ♪ 65 50 70, Fax 65 50 70, ≤, 🏠 – ⬛ ⓞ ☰ 🆅🆂🅰
    cerrado martes y noviembre-marzo – **Comida** carta 2725 a 4145.

Deyá o **Deià** 07179 👭👪 M 37 – 616 h. alt. 184 – ✪ 971.
  Palma 27.
  🏨 **La Residencia** ◈, finca Son Canals ♪ 63 90 11, Fax 63 93 70, ≤, « Antigua casa se◀
    rial de estilo mallorquín », 🏊 climatizada, 🌳, ✗ – 🛗 ▤ ☎ ℗ – 🕹 25/50. ⬛ ⓞ ◀
    🆅🆂🅰
    Comida (ver a continuación rest. **El Olivo**) – **64 hab** ⊆ 21500/41000, 1 suite.
  🏨 **Es Molí** ◈, carret. de Valldemosa - SO : 1 km ♪ 63 90 00, Fax 63 93 33, ≤ valle y m◀
    🏠, « Jardin escalonado », 🏊 climatizada, ✗ – 🛗 ▤ ☎ ℗. ⬛ ⓞ ☰ 🆅🆂🅰. ✁ rest◀
    Comida (sólo cena) 4600 – **71 hab** ⊆ 18700/33400, 1 suite.
  ✗✗✗✗ **El Olivo** - Hotel La Residencia, finca Son Canals ♪ 63 90 11, Fax 63 93 70, 🏠, Instala◀
    ✿ en un antiguo molino de aceite – ▤ ℗. ⬛ ⓞ ☰ 🆅🆂🅰. ✁
    Comida 7500 y carta 6500 a 8900
    Espec. Filetes de salmonetes con ragout de calamares y tortellini negros. Carré de cord◀
    en costra de aceitunas. Postre del bosque con helado de menta.
  ✗✗ **Ca'n Quet,** carret. de Valldemosa - SO : 1,2 km ♪ 63 91 96, Fax 63 93 33, ≤ monta◀
    🏠, 🏊 – ℗. ⬛ ⓞ ☰ 🆅🆂🅰. ✁
    25 abril-27 octubre – **Comida** (cerrado lunes) carta 3550 a 5000.

Drach (Cuevas del) ★★★ 👭👪 N 39.
  Palma 63 – Porto Cristo 1.
  Hoteles y restaurantes ver : **Portocristo** N : 1 km.

Escorca 07315 👭👪 M 38 – 402 h. – ✪ 971.
  Palma 46.

en la carretera C 710 O : 5 km – ⊠ 07315 Escorca – ✪ 971 :
  ✗ Escorca, ♪ 51 70 95, Fax 51 70 73, ≤, 🏠, Decoración rústica – ℗
    Comida (sólo almuerzo).

Estellenchs o **Estellencs** 07192 👭👪 N 37 – 411 h. – ✪ 971.
  Palma 30.
  ✗ **Son Llarg,** pl. Constitució 6 ♪ 61 85 64, 🏠 – ⬛ ⓞ ☰ 🆅🆂🅰
    cerrado martes (salvo verano) y 12 enero-febrero – **Comida** carta 2425 a 3425.
  ✗ **Montimar,** pl. Constitució 7 ♪ 61 85 76, 🏠 – ☰ 🆅🆂🅰. ✁
    cerrado lunes y enero – **Comida** carta 2700 a 3600.

Felanitx 07200 👭👪 N 39 – 14 176 h. alt. 151 – ✪ 971.
  Palma 51.

al Noroeste : 6,5 km – ⊠ 07200 Felanitx – ✪ 971 :
  🏨 **Sa Posada d'Aumallía** ◈, camino Son Prohens 1027 ♪ 58 26 57, Fax 58 32 69, ◀
    🏠, En pleno campo, 🏊, 🌳, ✗ – 📺 ☎ ℗. ⬛ ⓞ ☰ 🆅🆂🅰. ✁
    Comida 3000 – **14 hab** ⊆ 15000/20000.

al Suroeste : *6 km – ✉ 07200 Felanitx – ☎ 971 :*

XXX **Vista Hermosa** ⑤ *con hab*, carret. de Portocolom ✆ 82 49 60, Fax 82 45 92, ≤ valle, monte y mar, ⛱, Fð, ⛱, 🎾 – ▤ hab TV ☎ ♿ P. AE E VISA. ✂ rest
cerrado 8 enero-15 marzo – **Comida** carta 3860 a 5280 – **6 hab** ⊡ 28000/35000, 4 suites.

Formentor (Cabo de) *07470* 443 *M 39 – ☎ 971.*
Ver : *Carretera★ de Puerto de Pollensa al Cabo Formentor – Mirador des Colomer★★★ – Cabo Formentor★.*
Palma 78 – Puerto de Pollensa 20.

Formentor ⑤, ✆ 89 91 00, Telex 68523, Fax 86 51 55, ≤ bahía y montañas, ⛱, « Magnífica situación frente al mar rodeado de un extenso pinar », Fð, ⛱ climatizada, 🌳, 🎾 – |‡| ▤ TV ☎ P – 🏛 25/200. AE ⓓ E VISA. ✂
cerrado 12 enero-7 marzo – **Comida** 6800 - ***El Pi*** *(sólo cena)* **Comida** carta 5700 a 7800 – **107 hab** ⊡ 25800/41800, 20 suites.

Illetas o ses Illetes *07015* 443 *N 37 – ☎ 971 – Playa.*
Palma 4.

Meliá de Mar ⑤, passeig d'Illetes 7 ✆ 40 25 11, Fax 40 58 52, ≤ mar y costa, ⛱, « Jardín con arbolado », ⛱, ⛱, 🎾 – |‡| ▤ TV ☎ P – 🏛 25/220. AE ⓓ E VISA JCB. ✂
15 febrero-15 noviembre – **Comida** (sólo cena) 5700 – ⊡ 2500 – **133 hab** 28000/35000, 11 suites.

Bonsol ⑤, passeig d'Illetes 30 ✆ 40 21 11, Fax 40 25 59, ≤, ⛱, Decoración castellana, « Terrazas bajo los pinos », Fð, ⛱ climatizada, 🌳, 🎾 – |‡| ▤ TV ☎ P – 🏛 25/80. AE ⓓ E VISA JCB. ✂ rest
cerrado 5 enero-8 febrero – **Comida** 2800 – **92 hab** ⊡ 15000/23500.

G. H. Bonanza Playa ⑤, passeig d'Illetes ✆ 40 11 12, Telex 68782, Fax 40 56 15, ≤ mar, « Amplia terraza con ⛱ al borde del mar », ⛱, 🎾 – |‡| ▤ TV ☎ P – 🏛 25/225
274 hab, 7 suites.

Confortel Albatros ⑤, passeig d'Illetes 15 ✆ 40 22 11, Fax 40 21 54, ≤, ⛱, ⛱, ⛱, 🎾 – |‡| ▤ TV ☎ ♿ P – 🏛 25/150. AE ⓓ E VISA. ✂
cerrado 11 diciembre-28 enero – **Comida** 2500 – **119 hab** ⊡ 10500/17725.

Bonanza Park ⑤, passeig d'Illetes ✆ 40 11 12, Telex 68782, Fax 40 56 15, ⛱, 🌳, 🎾 – |‡| ▤ TV ☎ P
temp – **112 hab**, 5 suites.

Illot *07687* 443 *N 40 – ☎ 971 – Playa.*
Palma 66.

XX **La Gamba de Oro,** Camí de la Mar 25 ✆ 81 04 97 – ▤. AE ⓓ E VISA JCB. ✂
cerrado lunes y del 10 al 31 de enero – **Comida** carta aprox. 5000.

Inca *07300* 443 *M 38 – 20 415 h. alt. 120 – ☎ 971.*
Palma 28.

X Ca'n Amer, Pau 39 ✆ 50 12 61, Celler típico – ▤.

X **Ca'n Moreno,** Gloria 103 ✆ 50 35 20 – ▤. ⓓ E VISA. ✂
cerrado domingo y agosto – **Comida** carta 1550 a 3625.

Magaluf *07182* 443 *N 37 – ☎ 971 – Playa.*
ℹ *av. Magaluf 20, ✆ 13 11 26, Fax 13 11 26.*
Palma 17.

Flamboyan, Martí Ros García 16 ✆ 68 04 62, Fax 68 22 67, ⛱ – |‡| ▤ TV ☎ P. AE ⓓ E VISA. ✂
marzo-octubre – **Comida** (sólo buffet) 1450 – ⊡ 700 – **128 hab** 7150/12300.

Cala Vinyes *S : 2 km – ✉ 07184 Cala Viñas – ☎ 971 :*

Cala Viñas ⑤, Sirenes 17 ✆ 13 11 00, Fax 13 09 82, ≤, ⛱, ⛱, 🎾 – |‡| ▤ TV ☎ P – 🏛 25/250. AE ⓓ E VISA. ✂
abril-noviembre – **Comida** 2100 – **240 hab** ⊡ 9655/17950, 10 suites, 25 apartamentos.

Orient *07349* 443 *M 38 – ☎ 971.*
Palma 25.

L'Hermitage ⑤, carret. de Alaró - NE : 1,3 km ✆ 61 33 00, Fax 18 04 11, ≤, ⛱, Antigua casa de campo, ⛱, 🌳, 🎾 – TV P. AE ⓓ E VISA. ✂
cerrado del 1 al 30 de enero – **Comida** carta 4200 a 5500 – **24 hab** ⊡ 17300/26900.

X **Mandala,** Nueva 1 ✆ 61 52 85, ⛱ – E VISA. ✂
cerrado domingo noche, lunes, 14 junio-3 julio y del 1 al 15 de diciembre – **Comida** (sólo cena julio-15 septiembre) carta 2950 a 3750.

BALEARES (Islas)

Paguera o **Peguera** 07160 🏤🗺🗺 N 37 – 🏖 971 – Playa.
　🟦 pl. Parking 7-8, 𝒫 68 70 83, Fax 68 54 68.
　Palma 22.

🏨🏨🏨 **Villamil,** av. de Peguera 66 𝒫 68 60 50, Telex 68841, Fax 68 68 15, ≼, 🏛, « Terra
　bajo los pinos con 🏊 », 🔲, 🐎, 🦆 – 🛗 🗎 🔟 ☎ 🅿 – 🔬 25/50. 🆎 ⑩ 🅴 🆅🆂🅰.
　Comida 2750 - *La Terrasse (sólo cena, cerrado lunes y noviembre-abril)* **Comida** car
　3100 a 4350 – **125 hab** � 16425/30440.

🏨🏨 G.H. Sunna Park, Gavines 19 𝒫 68 67 50, Fax 68 67 66, 🖪, 🏊, 🔲 – 🛗 🗎 ☎ 🅿
　Comida (sólo cena buffet) – **131 hab.**

🏨🏨 **Bahía Club,** av. de Peguera 81 𝒫 68 61 00, Fax 68 61 04, 🏊, 🔲 – 🗎 🔟 ☎. 🆎
　🆅🆂🅰. 🎄
　marzo-15 noviembre – **Comida** (sólo cena) 3000 – **55 hab** ⊆ 8000/9000.

🏛🏛 **La Gran Tortuga,** carret. de Cala Fornells 𝒫 68 60 23, 🏛, « Terrazas con 🏊 y ≼ bal
　y mar » – 🆎 ⑩ 🅴 🆅🆂🅰
　cerrado 8 enero-8 febrero – **Comida** carta 2910 a 3825.

🏛 **La Gritta,** L'Espiga 5 𝒫 68 60 22, Fax 68 60 22, 🏛, Terraza con ≼ mar – 🗎. 🆎 ⑩
　🅴 🆅🆂🅰. 🎄
　febrero-20 noviembre – **Comida** carta aprox. 4230.

en la carretera de Palma E : 2 km – ✉ 07160 Peguera – 🏖 971 :

🏨🏨 **Galatzó** ≤, 𝒫 68 62 70, Fax 68 78 52, 🏛, « Magnífica situación sobre un promontor
　≤ mar y colinas circundantes », 🖪, 🏊, 🔲, 🐎, 🦆 – 🛗 🗎 🔟 ☎ 🅿 – 🔬 25/50.
　🆅🆂🅰. 🎄 rest
　Comida 3000 - *Vista de Rey (cerrado domingo noche, diciembre y enero)* **Comida** ca
　3300 a 5500 – ⊆ 400 – **190 hab** 11000/20000, 32 suites.

en Cala Fornells SO : 1,5 km – ✉ 07160 Peguera – 🏖 971 :

🏨🏨 **Coronado** ≤, 𝒫 68 68 00, Fax 68 74 57, ≼ cala y mar, « Rodeado de pinos », 🏊, [
　🐎, 🦆 – 🛗 🗎 🔟 ☎ 🅿 – 🔬 25/150. ⑩ 🅴 🆅🆂🅰. 🎄
　cerrado noviembre-17 diciembre – **Comida** 1800 – ⊆ 600 – **139 hab** 12000/20000
　PA 3700.

Palma 07000 🅿 🗺🗺🗺 N 37 – 308 616 h. – 🏖 971 – Playas : Portixol DX , Can Pastilla por C
　10 km y s'Arenal por ④ : 14 km.
　Ver : Barrio de la Catedral★ : Catedral★★ FZ – Iglesia de Sant Francesc (claustro★) G2
　– Museo de Mallorca (Sección de Bellas Artes★ : San Jorge★) GZ M1 - Museo Diocesa
　(cuadro de Pere Nisart : San Jorge★) FGZ M2.
　Otras curiosidades : La Lonja★ EZ - Palacio Sollerich (patio★) FY Z - Pueblo español★
　A Castillo de Bellver★ BV ⁂★★.
　🏌 de Son Vida NO : 5 km 𝒫 79 12 10, 79 11 27 BU – 🏌 Club de Bendinat, carret.
　Bendinat O : 15 km, 𝒫 40 52 00.
　✈ de Palma de Mallorca por ④ : 11 km 𝒫 78 90 99 – Iberia : passeig des Born 10,
　07006, 𝒫 26 26 00 FYZ y Aviaco : ae ropuerto, 𝒫 26 28 26.
　🚢 para la Península, Menorca e Ibiza : Cía. Trasmediterránea, Muelle de Peraires,
　07012, 𝒫 40 50 14, Telex 68555, EZ, Fax 70 06 11.
　🟦 Sant Domingo 11, ✉ 07001, 𝒫 72 40 90 pl. Espanya, ✉ 07002, 𝒫 71 15 27 y er
　aeropuerto, 𝒫 26 08 03 – R.A.C.E. av. Marqués de la Sénia 37, ✉ 07014, 𝒫 73 73
　Fax 73 73 47.
　Alcudia 52 ② *– Paguera 22* ⑤ *– Sóller 30* ① *– Son Servera 64* ③.

Planos páginas siguientes

En la ciudad :

🏛🏛 **Saratoga,** passeig Mallorca 6, ✉ 07012, 𝒫 72 72 40, Fax 72 73 12, 🏊 – 🛗 🗎 🔟
　👓 – 🔬 25/50. 🅴 🆅🆂🅰. 🎄　　　　　　　　　　　　　　　　　　　　　　EY
　Comida (sólo buffet) 2000 – **187 hab** ⊆ 9100/13975 – PA 5000.

🏛🏛 **Palacio Ca Sa Galesa** sin rest, Miramar 8, ✉ 07001, 𝒫 71 54 00, Fax 72 15
　« Decoración elegante en un antiguo palacete. Mobiliario de época » – 🛗 🗎 🔟 ☎ 👓
　🆎 🅴 🆅🆂🅰. 🎄　　　　　　　　　　　　　　　　　　　　　　　　　　GZ
　⊆ 2000 – **12 hab** 17500/24650.

🏨 **Sol Jaime III** sin rest. con cafetería, passeig Mallorca 14-B, ✉ 07012, 𝒫 72 59
　Fax 72 59 46 – 🛗 🔟 ☎. 🆎 ⑩ 🅴 🆅🆂🅰. 🎄　　　　　　　　　　　　　　EY
　⊆ 650 – **88 hab** 8500/10500.

🏨 **San Lorenzo** ≤ sin rest, San Lorenzo 14, ✉ 07012, 𝒫 72 82 00, Fax 71 19
　« Antigua casa señorial », 🏊 – 🗎 🔟 ☎. 🆎 🅴 🆅🆂🅰. 🎄　　　　　　　　EZ
　⊆ 1000 – **6 hab** 25400/29500.

🏨🏨 **Almudaina** sin rest. con cafetería, av. Jaume III-9, ✉ 07012, ℰ 72 73 40, Fax 72 25 99 – 🛗 🗐 📺 ☎ – 🛕 25/35. 🖭 ⓪ 🗉 ⅦⅣ, ℅
80 hab ⊇ 7650/10750.
FY a

🏨🏨 **Palladium** sin rest. con cafetería, passeig Mallorca 40, ✉ 07012, ℰ 71 28 41, Fax 71 46 65 – 🛗 🗐 📺 ☎. 🖭 ⓪ 🗉 ⅦⅣ ℡·
⊇ 1000 – **53 hab** 8500/12850.
EY z

🏛 **Born** sin rest, Sant Jaume 3, ✉ 07012, ℰ 71 29 42, Fax 71 86 18, « Antigua casa solariega. Patio con palmeras » – 📺 ☎. 🖭 ⅦⅣ, ℅
30 hab ⊇ 7500/12500.
FY b

🕸 **Gran Dragón,** Ruiz de Alda 5, ✉ 07011, ℰ 28 02 00, Fax 28 02 00, Rest. chino – 🗐. 🖭 ⓪ ⅦⅣ, ℅
Comida carta 2050 a 2950.
BX k

🕸 **Diplomatic,** Palau Reial 5, ✉ 07001, ℰ 72 64 82, Fax 72 64 82 – 🗐. 🖭 ⓪ 🗉 ⅦⅣ ℡·
℅
cerrado sábado noche y domingo – **Comida** carta 3100 a 4000.
FGZ s

✗ **Parlament,** Conquistador 11, ✉ 07001, ℰ 72 60 26 – 🗐. ℅
cerrado domingo y agosto – **Comida** carta aprox. 3775.
FZ e

✗ Xoriguer, Fábrica 60, ✉ 07013, ℰ 28 83 32 – 🗐
CV a

✗ **Peppone,** Bayarte 14, ✉ 07013, ℰ 45 42 42, Cocina italiana – 🗐. 🖭 ⓪ 🗉 ⅦⅣ, ℅
cerrado domingo y lunes mediodía – **Comida** carta 2340 a 3760.
EY d

✗ **La Lubina,** Muelle Viejo, ✉ 07012, ℰ 72 33 50, Fax 72 46 56, ≤, 佘, Pescados y mariscos – 🗐. 🗉 ⅦⅣ. ℅
Comida carta aprox. 3400.
EZ c

✗ **Caballito de Mar,** passeig de Sagrera 5, ✉ 07012, ℰ 72 10 74, Fax 72 46 56, 佘, Pescados y mariscos – 🗐. 🖭 ⓪ 🗉 ⅦⅣ ℡·
Comida carta aprox. 3400.
EZ a

✗ Le Bistrot, Teodor Llorente 4, ✉ 07011, ℰ 28 71 75, Cocina francesa – 🗐
EY a

✗ **Los Gauchos,** Sant Magí 80, ✉ 07013, ℰ 28 00 23, Carnes – 🗐. 🖭 ⓪ 🗉 ⅦⅣ, ℅
cerrado sábado mediodía, domingo y agosto – **Comida** carta 2375 a 3750.
EY f

✗ **Casa Gallega,** Pueyo 6, ✉ 07003, ℰ 72 11 41, Cocina gallega – 🗐. ⅦⅣ
Comida carta 3700 a 5100.
GY a

✗ **Ca'n Nofre,** Manacor 27, ✉ 07006, ℰ 46 23 59 – 🗐. ⓪ 🗉 ⅦⅣ, ℅
cerrado miércoles noche, jueves y 15 junio-20 julio – **Comida** carta 2350 a 3150.
HY a

✗ **Casa Sophie,** Apuntadors 24, ✉ 07012, ℰ 72 60 86, Cocina francesa – 🗐. 🖭 ⓪ 🗉 ⅦⅣ
cerrado domingo, lunes mediodía y 15 noviembre-15 diciembre – **Comida** (sólo cena en julio-agosto) carta 3300 a 4600.
EZ u

✗ **Celler Pagès,** Felip Bauzà 2, ✉ 07012, ℰ 72 60 36 – 🗐. 🖭 ⓪ 🗉 ⅦⅣ. ℅
cerrado sábado noche, domingo y Navidades – **Comida** carta 1900 a 2550.
FZ a

Al Oeste de la Bahía :

borde del mar :

🏨🏨🏨 **Meliá Victoria,** av. Joan Miró 21, ✉ 07014, ℰ 73 25 42, Fax 45 08 24, ≤ bahía y ciudad, 佘, ⅙, ⤓, ⬛ – 🛗 🗐 📺 ☎ ☻ – 🛕 25/120. 🖭 ⓪ 🗉 ⅦⅣ ℡· ℅
Comida carta 5300 a 6200 – ⊇ 1900 – **161 hab** 13800/28800, 6 suites.
BV u

🏨🏨🏨 **Meliá Confort Palas Atenea,** av. Gabriel Roca 29, ✉ 07014, ℰ 28 14 00, Telex 69644, Fax 45 19 89, ≤, ⤓, ⬛ – 🛗 🗐 📺 ☎ – 🛕 25/300. 🖭 ⓪ 🗉 ⅦⅣ, ℅
Comida (sólo cena buffet) 3000 – ⊇ 1100 – **362 hab** 19000/22000, 8 suites.
BV e

🏨🏨 **Meliá Confort Bellver,** av. Gabriel Roca 11, ✉ 07014, ℰ 73 51 42, Fax 73 14 51, ≤ bahía y ciudad, 佘, ⤓ – 🛗 🗐 📺 ☎ – 🛕 25/150. 🖭 ⓪ 🗉 ⅦⅣ ℡· ℅
Comida (sólo cena) 2300 – ⊇ 1000 – **389 hab** 11000/17500, 1 suite.
CV v

🏨🏨 **Mirador** sin rest, av. Gabriel Roca 10, ✉ 07014, ℰ 73 20 46, Fax 73 39 15, ≤ – 🛗 📺 ☎ – 🛕 25/50. 🖭 ⓪ 🗉 ⅦⅣ. ℅
⊇ 750 – **78 hab** 7415/11035.
CV x

🕸🕸🕸 **Mediterráneo 1930,** av. Gabriel Roca 33, ✉ 07014, ℰ 73 03 77, Fax 28 92 66, « Decoración estilo años treinta » – 🗐. 🖭 🗉 ⅦⅣ. ℅
Comida carta 3500 a 4550.
BVX u

🕸🕸🕸 **Koldo Royo,** av. Gabriel Roca 3, ✉ 07014, ℰ 73 24 35, Fax 73 24 35, ≤ – 🗐. 🖭 🗉 ⅦⅣ. ℅
ⲝ
cerrado sábado mediodía, domingo, del 16 al 31 de enero y del 16 al 30 de junio – **Comida** carta 3700 a 5175
CV c
Espec. Ensalada de raya en escabeche. San Pedro braseado sobre compota de tomate confitado y aceitunas negras. Pintada con salsa de melocotón.

PALMA

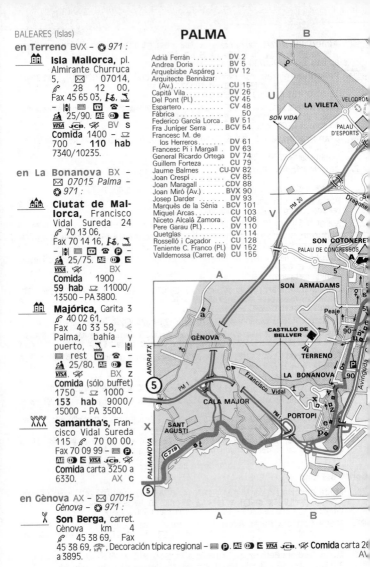

en Terreno BVX – ☎ 971 :

🏨 **Isla Mallorca,** pl. Almirante Churruca 5, ⊠ 07014, ℰ 28 12 00, Fax 45 65 03, ♨, 🏊 – 🛗 🗏 📺 ☎ – 🔬 25/90. 🖭 ① 🗲 VISA JCB. ℅ BV s
Comida 1400 – ☑ 700 – **110 hab** 7340/10235.

en La Bonanova BX – ⊠ 07015 Palma – ☎ 971 :

🏨 **Ciutat de Mallorca,** Francisco Vidal Sureda 24 ℰ 70 13 06, Fax 70 14 16, ♨, 🏊 – 🛗 🗏 📺 ☎ ᴘ – 🔬 25/75. 🖭 ① 🗲 VISA. ℅ BX
Comida 1900 – **59 hab** ☑ 11000/13500 – PA 3800.

🏨 **Majórica,** Garita 3 ℰ 40 02 61, Fax 40 33 58, ≼ Palma, bahía y puerto, 🏊 – 🛗 🗏 rest 📺 ☎ – 🔬 25/80. 🖭 ① 🗲 VISA. ℅ BX z
Comida (sólo buffet) 1750 – ☑ 1000 – **153 hab** 9000/15000 – PA 3500.

🟫🟫🟫 **Samantha's,** Francisco Vidal Sureda 115 ℰ 70 00 00, Fax 70 09 99 – 🗏 ᴘ. 🖭 ① 🗲 VISA JCB. ℅
Comida carta 3250 a 6330. AX c

en Gènova AX – ⊠ 07015 Gènova – ☎ 971 :

🟫 **Son Berga,** carret. Gènova km 4 ℰ 45 38 69, Fax 45 38 69, 斎, Decoración típica regional – 🗏 ᴘ. 🖭 ① 🗲 VISA JCB. ℅ **Comida** carta 26 a 3895. AV

en Portopí BX – ⊠ 07015 Palma – ☎ 971 :

🟫🟫🟫 **Porto Pí,** Joan Miró 174 ℰ 40 00 87, 斎, « Antigua villa mallorquina » 🗏. 🗲 VISA
cerrado domingo – **Comida** carta 3750 a 4650. BX

🟫🟫 **Gran Dragón III,** Joan Miró 146 ℰ 70 17 17, Fax 28 02 00, Rest. chino – 🗏. 🖭 ①
℅
Comida carta aprox. 2500. BX

🟫 **Rififí,** Joan Miró 182 ℰ 40 20 35, Fax 40 09 06, Pescados y mariscos – 🗏. 🖭 ① 🗲 VISA
cerrado martes y enero – **Comida** carta 2700 a 4600. BX

en San Agustín AX – ⊠ 07015 San Agustín – ☎ 971 :

🟫 Buona Sera, Joan Miró 299 ℰ 40 03 22, Cocina italiana – 🗏 AX

Street index

Adrià Ferràn	DV 2
Andrea Doria	BV 5
Arquebisbe Aspáreg	DV 12
Arquitecte Bennàzar (Av.)	CU 15
Capità Vila	DV 26
Del Pont (Pl.)	CV 45
Espartero	CV 48
Fàbrica	50
Federico García Lorca	BV 51
Fra Juníper Serra	BCV 54
Francesc M. de los Herreros	DV 61
Francesc Pi i Margall	DV 63
General Ricardo Ortega	DV 74
Guillem Forteza	CU 79
Jaurne Balmes	CU-DV 82
Joan Crespí	CV 85
Joan Maragall	CDV 88
Joan Miró (Av.)	BVX 90
Josep Darder	DV 93
Marquès de la Sènia	BCV 101
Miquel Arcas	CU 103
Niceto Alcalá Zamora	CV 106
Pere Garau (Pl.)	DV 110
Quetglas	CV 114
Rosselló i Caçador	CU 128
Teniente C. Franco (Pl.)	DV 152
Valldemossa (Carret. de)	CU 155

Son Vida *NO : 6 km BU* – ⊠ *07013 Son Vida* – ✆ *971 :*

🏨 **Son Vida** ⌖, Raixa 2 ℰ 79 00 00, Telex 68651, Fax 79 00 17, ☞, « Antiguo palacio señorial entre pinos con ≤ ciudad, bahía y montañas », ♨, ⚊, ⚋, ☞, ✖, ☷ – 🛗 ☰ 📺 ☎ 🅿 – 🔏 25/200. 🝙 ⓞ 🝙 🆅🆂🅰. ✖ rest
El Jardín (cerrado lunes) **Comida** carta 6300 a 8600 **- Bellver :** **Comida** 6400 – **158 hab** ⌸ 26700/34450, 12 suites.

🏨 **Arabella Golf H.** ⌖, de la Vinagrella ℰ 79 99 99, Fax 79 99 97, ≤, ☞, « Edificio señorial en un marco elegante de ambiente acogedor junto al golf », ♨, ⚊, ⚋, ☞, ✖, ☷ – 🛗 ☰ 📺 ☎ ☜ 🅿 – 🔏 25/90. 🝙 ⓞ 🝙 🆅🆂🅰. ✖
Comida (ver también rest. **Plat d'Or**) **- Foravila :** **Comida** carta aprox. 5050 – **92 hab** ⌸ 20330/36350, 1 suite.

✖✖ **Plat d'Or** - *Arabella Golf H.*, de la Vinagrella ℰ 79 99 99, Fax 79 99 97, ☞ – ☜ 🅿. ✸ 🝙 ⓞ 🝙 🆅🆂🅰. ✖
Comida (sólo cena, buffet en domingo) carta 5150 a 6150
Espec. Ensalada de bogavante con pastel de salmón ahumado. Escalopines de rodaballo rellenos de espinacas y setas. Crujiente de frambuesas con su mousse.

143

PALMA

Born (Pas. des)	FYZ 21
Jaume III (Av.)	EY
Antoni Maura (Av. d')	FZ 7
Apuntadors	EZ 10
Arxiduc Lluís Salvador	GY 18
Bayarte	EY 20
Bosseria	GY 23
Can Savellà	GZ 25
Can Serra	GZ 26
Cardenal Reig (Pl.)	GHY 31
Conquistador	FZ 34
Constitució	FZ 36
Convent dels Caputxins	GY 38
Convent Sant Francesc	GZ 39
Corderia	FZ 42
Felip Bauça	GYZ 42
Francesc Barceló i Combis	HY 56
Francesc Martí i Mora	EY 58
Gabriel Alomar i	
Villalonga (Av.)	HYZ 69
Gabriel Roca (Av.)	EZ 71
Gloria (Forn de la)	EZ 76
Josep Tous i Ferrer	GY 95
Julià Álvarez	FY 98
Mercat (Pl.)	FY 102
Miramar	GZ 104
Morey	GZ 105
Olivar (Pl.)	GY 107
Palau Reial	FZ 109
Pueyo	GY 112
Quadrado	GZ 113
Rafael Rodríguez Méndez	EY 116
Ramón Llull	GZ 118
Rei Joan Carles I (Pl.)	FY 121
Reina (Pl.)	FZ 123
Riera	GY 125
Rubén Darío	FY 130
Ruiz de Alda	EY 132
Sant Francesc (Pl.)	GZ 133
Sant Gaieta	FY 135
Santa Eulalia (Pl.)	GZ 141
Temple (Pl.)	HZ 149
Teodor Llorente	EY 154

Para el buen uso
de los planos
de ciudades,
consulte los signos
convencionales.

Pour un bon usage
des plans de villes,
voir les signes
conventionnels.

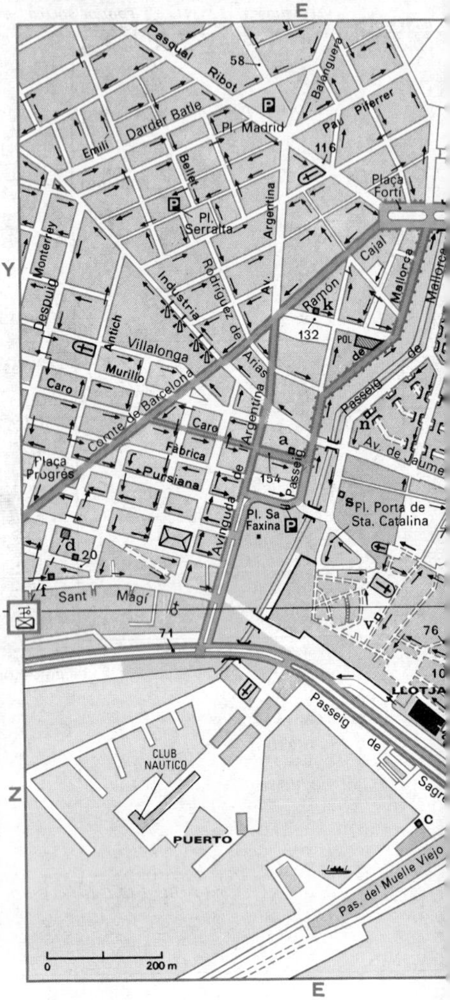

XXX **El Pato,** Club de Golf ℰ 79 12 10, Fax 79 11 27, ≤, 佘, « Junto al golf » – ▤. **E**
※
cerrado domingo noche, lunes y julio-15 agosto – **Comida** carta 3000 a 5550.

Al Este de la Bahía :

en es Molinar – ☒ 07006 Palma – ☎ 971 :

X **Portixol del Molinar,** Sirena 27 ℰ 27 18 00, Fax 24 37 58, 佘, Pescados y maris
▤ – ﷼ ⓪ **E** VISA. ※
Comida carta 3200 a 4950.

en es Coll d'en Rabassa por ④ : 6 km – ☒ 07007 Palma – ☎ 971 :

XX Club Náutico Cala Gamba, paseo de Cala Gamba ℰ 26 10 45, ≤, 佘, Pescados y mar
– ▤.

X **Casa Fernando,** Trafalgar 27 ℰ 26 54 17, Pescados y mariscos – ▤. ﷼ **E** VISA
cerrado lunes – **Comida** carta aprox. 4500.

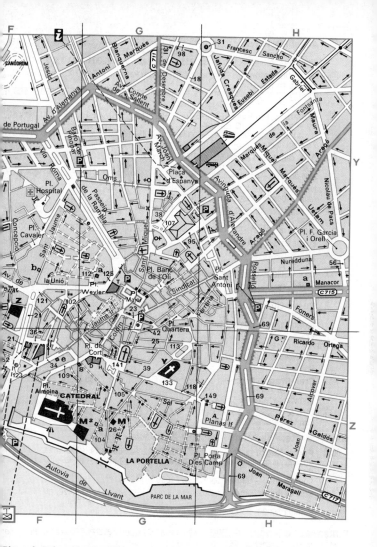

Playa de Palma (Can Pastilla, ses Meravelles, s'Arenal) *por* ④ : *10 y 20 km* – ✆ *971 :*

🏨 **Delta** ⑤, carret. de Cabo Blanco km 6,4 - Puig de Ros, ⊠ 07609 Cala Blava, ✆ 74 10 00, Fax 74 10 00, 🌂, « En un pinar », ⛴, ⌁, ⌁, 🌊, ✎ – 🛗 ▤ 📺 ☎ ℗ – 🕍 25/200. 🖭 ① ㊤ 𝕍𝕀𝕊𝔸 . ✿ – *febrero-octubre* - - *Delta (sólo buffet)* **Comida** 2500 - *Argos :* **Comida** carta 2625 a 3575 – **288 hab** ⌷ 9800/14200.

🏨 **Garonda,** carret. de s'Arenal 28, ⊠ 07610 Can Pastilla, ✆ 26 22 00, ≼, ⌁ climatizada, 🌊 – 🛗 ▤ 📺 ☎. 🖭 ① ㊤ 𝕍𝕀𝕊𝔸 ✿ *febrero-octubre* – **Comida** (sólo cena buffet) 2600 – **133 hab** ⌷ 10500/16000.

🏨 **Playa Golf,** Laud 26, ⊠ 07600 S'Arenal, ✆ 26 26 50, Fax 49 18 52, ≼, ⌁, ⌁, 🌊 – 🛗 ▤ rest ℗ – 🕍 25/60. 🖭 ㊤ 𝕍𝕀𝕊𝔸 . **Comida** (sólo buffet) 1600 – ⌷ 725 – **210 hab** 7700/11800, 12 suites – PA 3925.

🏨 **Royal Cupido,** Marbella 32, ⊠ 07600 Can Pastilla, ✆ 26 43 00, Fax 26 55 10, ≼, ⌁ – 🛗 ▤ ☎ ℗ – 🕍 25/100. 🖭 ① ㊤ 𝕍𝕀𝕊𝔸 . *cerrado 15 diciembre-15 febrero* – **Comida** (sólo cena buffet) 2100 – ⌷ 1100 – **161 hab** 15200/19000, 18 suites.

145

🏨 **Acapulco Playa**, carret. de s'Arenal 21, ✉ 07610 Can Pastilla, 𝒫 26 18 0
Fax 26 80 85, ≤, 🏊, 🔲 – |≑| 🗐 📺 ☎. 𝔸𝔼 ⓞ 𝔼 𝚅𝙸𝚂𝙰. 🛇
Comida (sólo buffet) 1900 – ⬜ 935 – **143 hab** 7500/12000 – PA 3500.

🏨 **Cristóbal Colón**, Las Parcelas, ✉ 07610 Can Pastilla, 𝒫 74 40 00, Fax 74 34 42, 🔲 – |≑| 🗐 📺
cerrado noviembre-20 diciembre – **Comida** (sólo buffet) 2000 – ⬜ 900 – **158 h**
7900/9900 – PA 4000.

🏨 **Leman**, av. Son Rigo 6, ✉ 07610 Can Pastilla, 𝒫 26 07 12, Fax 49 25 20, ≤, 🎰, 🔲 – |≑| 🗐 rest ☎. 𝔼 𝚅𝙸𝚂𝙰. 🛇
cerrado noviembre-diciembre – **Comida** (sólo buffet) 1250 – ⬜ 900 – **98 hab** 7100/905
23 apartamentos – PA 2975.

🏨 **Aya**, carret. de s'Arenal 60, ✉ 07600 s'Arenal, 𝒫 26 04 50, Fax 26 62 16, ≤, – |≑| 🗐 rest. ⓞ 𝔼 𝚅𝙸𝚂𝙰. 🛇
abril-octubre – **Comida** 1200 – **145 hab** ⬜ 7100/12000.

🏨 **Neptuno**, Laud 34, ✉ 07600 s'Arenal, 𝒫 26 65 50, ≤, 🏊 – |≑|
temp – **Comida** (sólo buffet) – **105 hab**.

🏨 **Boreal**, Mar Jónico 9, ✉ 07610 Can Pastilla, 𝒫 26 21 12, Fax 26 21 12, 🏊, 🔲, 🛇 |≑| 🗐 rest. 🛇
cerrado noviembre-10 diciembre – **Comida** (sólo buffet) 1000 – **64 hab** ⬜ 5200/85

🏨 **Luxor** *sin rest y sin* ⬜, av. Son Rigo 23, ✉ 07610 Can Pastilla, 𝒫 26 05 12, Fax 49 25
🏊, 🛇 – |≑|
52 hab.

🍴🍴 **Ca's Cotxer**, carret. de s'Arenal 31, ✉ 07600 Can Pastilla, 𝒫 26 20 49 – 🗐. 𝔸𝔼 𝔼 𝚅𝙸𝚂𝙰. 🛇
cerrado domingo (noviembre-abril) y enero-febrero – **Comida** carta 3100 a 5200.

🍴 **Nuevo Club Naútico El Arenal**, Roses, ✉ 07600 s'Arenal, 𝒫 44 04 27, Fax 44 05
≤, 🛱 – 🗐 ℗. 𝔸𝔼 ⓞ 𝔼 𝚅𝙸𝚂𝙰. 🛇
cerrado lunes – **Comida** carta 3175 a 4500.

Palmanova 07181 🟦🟦🟦 N 37 – 🔵 971 – Playa.
🏌 Poniente, zona de Magaluf 𝒫 72 36 15.
Palma 14.

🍴🍴🍴 **Gran Dragón II**, passeig de la Mar 2 𝒫 68 13 38, Fax 73 58 71, ≤, 🛱, Rest. chin
🗐. 𝔸𝔼 ⓞ 𝚅𝙸𝚂𝙰. 🛇
Comida carta aprox. 2500.

🍴🍴 **Ciro's**, passeig de la Mar 3 𝒫 68 10 52, Fax 68 26 14, ≤ – 🗐. 𝔸𝔼 𝔼 𝚅𝙸𝚂𝙰
Comida carta 3400 a 4400.

por la carretera de Palma - ✉ 07011 Portals Nous - 🔵 971 :

🏨🏨 **Punta Negra** 🐾, NE : 2,5 km 𝒫 68 07 62, Fax 68 39 19, ≤ bahía, 🛱, « Magní
situación al borde de una cala », 🏊, 🌴 – |≑| 🗐 📺 ☎ ℗ – 🔬 25/40. 𝔸𝔼 ⓞ 𝔼
🛇
Comida 4000 – **69 hab** ⬜ 15000/32000.

🏨🏨 **Son Caliu** 🐾, urb. Son Caliu - NE : 2 km 𝒫 68 22 00, Fax 68 37 20, 🛱, « Jardín
🏊 », 🔲, 🛇 – |≑| 🗐 📺 ☎ – 🔬 25/200. 𝔸𝔼 ⓞ 𝔼 𝚅𝙸𝚂𝙰. 🛇 rest
Comida 3000 – **235 hab** ⬜ 14000/25000, 4 suites.

Pollensa o **Pollença** 07460 🟦🟦🟦 M 39 – 11 256 h. alt. 200 – 🔵 971 – Playa en Port de Polle
🏌 Golf Pollensa 𝒫 53 32 16.
Palma 52.

🍴🍴🍴 **Clivia**, av. Pollentia 𝒫 53 36 35 – 🗐. 𝔸𝔼 𝔼 𝚅𝙸𝚂𝙰. 🛇
*cerrado lunes mediodía y miércoles mediodía en verano, miércoles en inviern
10 enero-10 febrero* – **Comida** carta 3150 a 4650.

🍴🍴 **Ca'n Costa**, Costa i Llobera 11 𝒫 53 00 42 – 🗐. 𝔸𝔼 𝔼 𝚅𝙸𝚂𝙰. 🛇
cerrado domingo (salvo julio-septiembre), 18 noviembre-15 diciembre y 8 enero-20 ma
– **Comida** (sólo cena) carta 3550 a 4300.

🍴🍴 **Daus**, Escalonada Calvari 10 𝒫 53 28 67, « En una antigua bodega » – 🗐. 𝔸𝔼 𝔼
🛇
cerrado lunes y noviembre – **Comida** carta 3350 a 4400.

🍴 **Cantonet**, Montesión 20 𝒫 53 00 39, Fax 53 48 29, 🛱 – 𝔸𝔼 ⓞ 𝔼 𝚅𝙸𝚂𝙰. 🛇
cerrado martes y miércoles mediodía – **Comida** carta aprox. 3650.

🍴 **La Font del Gall**, Montesión 4 𝒫 53 03 96 – 🗐. 𝔸𝔼 𝔼 𝚅𝙸𝚂𝙰. 🛇
cerrado lunes salvo julio y agosto – **Comida** carta 2450 a 3450.

n la carretera del Port de Pollença E : 2 km – ⊠ 07470 Port de Pollença – ✆ 971 :

 ✗ **Ca'n Pacienci,** ✆ 53 07 87, 😤 – 🄿. 🕐 🄴 🚾
   marzo-octubre – **Comida** (cerrado domingo) (sólo cena) carta aprox. 5000.

 ✗ Garroverar, ✆ 53 06 59, 😤, 🍸 – 🄿
   temp.

s Pont d'Inca 07009 ⅃⅃⅃ N 38 – ✆ 971.
   Palma 5.

 ✗ **S'Altell,** av. Antonio Maura 69 (carret. de Inca C 713) ✆ 60 10 01 – 🍽, 🄰🄴 🕐 🄴 🚾.
   🦐
   cerrado domingo, lunes y agosto – **Comida** (sólo cena) carta 2550 a 3000.

rtals Nous 07015 ⅃⅃⅃ N 37 – ✆ 971 – Puerto deportivo.
   Palma 5.

🕸🕸
✗✗✗ **Tristán,** Puerto Portals ✆ 67 55 47, Telex 69804, Fax 17 11 17, ≤, 😤, « Elegante
😳😳 terraza en el puerto deportivo » – 🍽, 🄰🄴 🕐 🄴 🚾
   cerrado lunes (salvo mayo-septiembre), del 7 al 28 de enero y 27 noviembre-18 diciembre
   – **Comida** (sólo cena) 12500 y carta 6900 a 8800
   Espec. Lubina pochée en vinagre de higos y salsa fría de alcachofas. Raviolis de gambas.
   Lomo de cordero gratinado con hierbas y olivas verdes.

rtals Vells 07184 ⅃⅃⅃ N 37 – ✆ 971 – Playa.
   Palma 20.

 ✗ **Ca'n Pau Perdiueta,** Eivissa 5 ✆ (908) 53 55 72, 😤, Pescados y mariscos – 🄰🄴 🄴 🚾.
   🦐
   cerrado 20 diciembre-4 enero – **Comida** carta aprox. 4800.

rtocolom 07670 ⅃⅃⅃ N 39 – ✆ 971 – Playa.
   Palma 63.

 ✗ **Ses Portadores,** Ronda del Creuer Baleares 59 ✆ 82 52 71, 😤 – 🄴 🚾. 🦐
   cerrado martes y 15 noviembre-febrero – **Comida** carta 2400 a 4100.

 ✗ **Celler Sa Sinia,** Pescadors 25 ✆ 82 43 23, 😤 – 🍽. 🕐 🄴 🚾. 🦐
   cerrado lunes y noviembre-15 febrero – **Comida** carta aprox. 3750.

rtocristo 07680 ⅃⅃⅃ N 40 – ✆ 971 – Playa.
   Alred. : Cuevas del Drach★★★ S : 1 km – Cuevas del Hams (sala de los Anzuelos★) O : 1,5 km.
   🄱 Gual 31 A, ✆ 82 09 31, Fax 82 09 31.
   Palma 62.

 ✗ **Ses Comes,** av. dels Pins 50 ✆ 82 12 54 – 🄰🄴 🄴 🚾
   cerrado lunes y 15 noviembre-15 diciembre – **Comida** carta 2000 a 4850.

 ✗ **Sa Carrotja,** av. d'en Joan Amer 45 ✆ 82 15 03 – 🍽. 🄰🄴 🕐 🄴 🚾. 🦐
   cerrado lunes noche y noviembre – **Comida** carta 3025 a 5500.

rtopetro 07691 ⅃⅃⅃ N 39 – ✆ 971.
   Alred. : Cala Santanyí (paraje★) SO : 16 km.
   Palma 65.

erto de Alcudia o **Port d'Alcúdia** 07410 ⅃⅃⅃ M 39 – ✆ 971 – Playa.
   🄱 carret. de Artà 68, ✆ 89 26 15, Fax 89 26 15.
   Palma 54.

🏨 **Golf Garden,** av. Reina Sofía 13 ✆ 89 24 26, Fax 89 24 26, ≤, 😤, 🍸, 🌳 – 🛗 🍽 📺
   ☎. 🄰🄴 🕐 🄴 🚾. 🦐
   Comida (sólo cena) 1100 – **117 hab** ⊇ 16000/20000.

 ✗ **Bogavante,** Teodor Canet 2 ✆ 54 73 64, 😤 – 🍽. 🄰🄴 🄴 🚾
   cerrado 15 noviembre-15 diciembre – **Comida** carta 3650 a 4800.

la carretera de sa Pobla SO : 4 km – ⊠ 07410 Puerto de Alcudia – ✆ 971 :
 ✗ Mesón los Patos, ✆ 89 02 65, Fax 89 02 64, 😤, Decoración rústica, 🍸 – 🍽 🄿.

la playa de Muro S : 6 km – ⊠ 07458 Platja de Muro – ✆ 971 :

🏨 **Parc Natural,** carret. de Alcúdia-Artà ✆ 89 20 17, Fax 89 03 45, 🄵🅢, 🍸, 🄽 – 🛗 🍽 📺
   ☎ ♿ 🄿 – 🎪 25/175
   120 hab, 36 suites.

Puerto de Andraitx o **Port d'Andratx** 07157 ᐃᐃᐃ N 37 – ✆ 971.

Alred. : *Paraje*★ – *Recorrido en cornisa*★★★ *de Puerto de Andraitx a Sóller.*

Palma 33.

🏠 **Brismar,** av. Almirante Riera Alemany 6 ✆ 67 16 00, Fax 67 11 83, ⩽, 🍽 – 🛗 ☎ ●
ᴀᴇ ⓞ ᴇ 𝘝𝘐𝘚𝘈. 🛇
cerrado 16 noviembre-9 febrero – **Comida** 1200 – ⌷ 600 – **56 hab** 7400/8800 – ●
2500.

🍴🍴 **Miramar,** av. Mateo Bosch 22 ✆ 67 16 17, Fax 67 34 11, ⩽, 🍽 – ᴀᴇ ⓞ ᴇ 𝘝𝘐𝘚𝘈 ᴊᴄ
cerrado lunes (salvo julio-agosto) y 20 diciembre-20 enero – **Comida** carta 4795 a 574

🍴 **Layn,** av. Almirante Riera Alemany 20 ✆ 67 18 55, Fax 67 30 11, ⩽, 🍽 – ᴀᴇ ⓞ ᴇ 𝘝
cerrado 15 diciembre-15 enero – **Comida** carta 2800 a 3900.

🍴 **Rocamar,** av. Almirante Riera Alemany 27 bis ✆ 67 12 61, ⩽, 🍽, Pescados y marisc
– ᴀᴇ ⓞ ᴇ 𝘝𝘐𝘚𝘈
cerrado lunes y enero – **Comida** carta 3400 a 4500.

Puerto de Pollensa o **Port de Pollença** 07470 ᐃᐃᐃ M 39 – ✆ 971 – Playa.

Ver : *Paraje*★.

Alred. : *Carretera*★ *de Puerto de Pollensa al Cabo Formentor*★ : *Mirador d'Es Colomer*★
– *Cabo Formentor*★.

🅱 carret. de Formentor 31, bajos, ✆ 86 54 67, Fax 86 54 67.

Palma 58.

🏨🏨 **Illa d'Or** 🐾, passeig Colón 265 ✆ 86 51 00, Fax 86 42 13, ⩽, « Terraza con árboles
🍽 – 🛗 🚭 📺 ☎. ᴀᴇ ⓞ ᴇ 𝘝𝘐𝘚𝘈. 🛇
cerrado diciembre-enero – **Comida** 4000 – ⌷ 1300 – **119 hab** 8450/18000.

🏨🏨 **Daina** sin rest, Atilio Boveri 2 ✆ 86 62 50, Fax 86 61 45, ⩽, 🏊 – 🛗 📺 ☎. ᴀᴇ ⓞ ᴇ
🛇
marzo-noviembre – **62 hab** ⌷ 7500/13500, 5 suites.

🏨🏨 **Uyal,** passeig de Londres ✆ 86 55 00, Fax 86 42 55, ⩽, « Terraza con árboles », 🏊,
– 🛗 🚭 rest ☎. ᴀᴇ ᴇ 𝘝𝘐𝘚𝘈
cerrado diciembre-febrero – **Comida** (sólo cena buffet) 1375 – **105 hab** ⌷ 7925.

🏨🏨 **Miramar,** passeig Anglada Camarasa 39 ✆ 86 64 00, Fax 86 40 75, ⩽ – 🛗 🚭 ☎.
ᴇ 𝘝𝘐𝘚𝘈. 🛇
abril-octubre – **Comida** (sólo cena) 2200 – ⌷ 700 – **84 hab** 7300/10480 – PA 450

🏨 **Pollentia,** passeig de Londres ✆ 86 52 00, Fax 86 52 00, ⩽, « Terraza con palmera
– 🛗. ᴀᴇ ᴇ 𝘝𝘐𝘚𝘈. 🛇
mayo-octubre – **Comida** (sólo buffet) 1375 – **70 hab** ⌷ 7130.

🏠 **Capri,** passeig Anglada Camarasa 69 ✆ 86 66 01, Fax 53 33 22 – 🛗. ᴀᴇ ᴇ 𝘝𝘐𝘚𝘈. 🛇
mayo-octubre – **Comida** (sólo cena) 1650 – **33 hab** ⌷ 6485/11470.

🏠 **Panorama Golden Beach,** urb. Gommar 5 ✆ 86 51 92, Fax 86 51 92, 🏊 – ●.
ⓞ ᴇ 𝘝𝘐𝘚𝘈 ᴊᴄʙ. 🛇 rest
abril-octubre – **Comida** (sólo cena) 1750 – ⌷ 750 – **40 hab** 4000/6000.

🍴🍴 Ca'n Pep, Verge del Carme ✆ 86 40 10, 🍽, Decoración regional – 🚭 ●.

🍴🍴 **Reial Club Nàutic,** Muelle Viejo ✆ 86 56 22, Fax 86 56 23, ⩽, 🍽, 🏊 – 🚭. ᴀᴇ ⓞ
𝘝𝘐𝘚𝘈. 🛇
cerrado martes en invierno – **Comida** carta 3450 a 3950.

🍴 **Corb Mari,** passeig Anglada Camarasa 91 ✆ 86 70 40, 🍽, Carnes y pescados a la par
– ᴀᴇ ⓞ ᴇ 𝘝𝘐𝘚𝘈
cerrado lunes, diciembre y enero – **Comida** carta 3455 a 4265.

🍴 **Stay,** Estación Marítima ✆ 86 40 13, Fax 86 52 32, ⩽, 🍽, Terraza frente al mar – ᴇ 𝘝
Comida carta 3525 a 5600.

🍴 Hibiscus, carret. de Formentor 5 ✆ 86 64 83, 🍽 – 🚭
temp.

🍴 **Lonja del Pescado,** Muelle Viejo ✆ 86 65 04, ⩽, 🍽, Pescados y mariscos – 🚭. ᴇ 𝘝
cerrado domingo noche (salvo en verano), enero y febrero – **Comida** carta 3850 a 4

en la carretera de Alcudia S : 3 km – ⊠ 07470 Puerto de Pollensa – ✆ 971 :

🍴🍴 **Ca'n Cuarassa,** ✆ 86 42 66, ⩽, 🍽 – 🚭. ᴀᴇ ⓞ ᴇ 𝘝𝘐𝘚𝘈. 🛇
cerrado lunes (salvo julio-agosto) y 9 enero-15 marzo – **Comida** carta 3200 a 420

Puerto de Sóller o **Port de Sóller** 07108 ᐃᐃᐃ M 38 – ✆ 971 – Playa.

Palma 35.

🏨 **Edén,** passeig Es Través 26 ✆ 63 16 00, Fax 63 36 56, ⩽, 🏊 – 🛗 ☎ ●. ᴀᴇ ⓞ ᴇ 𝘝𝘐𝘚𝘈.
abril-octubre – **Comida** (sólo buffet) 2850 – ⌷ 900 – **150 hab** 5100/9400 – PA 5

🏨 **Edén Park** sin rest, Lepanto ✆ 63 12 00, Fax 63 36 56, 🏊 – 🛗. ᴀᴇ ⓞ ᴇ 𝘝𝘐𝘚𝘈
mayo-15 octubre – ⌷ 900 – **64 hab** 5100/9400.

X **Es Canyis,** platja de'n Repic ✆ 63 14 06, Fax 63 30 18, 🏡 - ▤. AE ⓓ E VISA
cerrado lunes y diciembre-febrero - **Comida** carta 2325 a 3100.

X **Randemar,** Es Través 16 ✆ 63 45 78, Fax 63 45 78, 🏡, Cocina italiana - AE E VISA
cerrado de lunes a jueves (noviembre-febrero) y miércoles (septiembre-marzo) - **Comida** carta 2600 a 3250.

Randa *07629* 443 *N 38 - ✆ 971.*
Ver : *Monasterio de Cura★.*
Palma 26.

XX **Es Recó de Randa** 🐌 *con hab*, Font 13 ✆ 66 09 97, Fax 66 25 58, « Terrazas », 🏊 - ▤ TV ☎. AE E VISA. 🚫
Comida carta aprox. 4500 - **14 hab** ☕ 13500/18000.

La Ràpita *07639 Baleares* 443 *N 38 - ✆ 971 - Playa.*
Palma 50.

X Ca'n Pep, av. Miramar 16 ✆ 64 01 02, Fax 64 01 02, ≤, 🏡.

San Salvador o **Sant Salvador** 443 *N 39 - alt. 509.*
Ver : *Monasterio★ (✳★★).*
Palma 55 - Felanitx 6.
Hoteles y restaurantes ver : **Cala d'Or** *SE : 21 km.*

Santa María o **Santa Maria del Camí** *07320* 443 *N 38 - 3 972 h. alt. 150 - ✆ 971.*
Palma 16.

Norte : *4 km*

🏨 **Read's H.** 🐌, ✆ 14 02 62, Fax 14 07 62, ≤, 🏡, « Antigua casa señorial de estilo mallorquín rodeada de césped con 🏊 », 🎾 - ▤ TV ☎ P. AE ⓓ E VISA. 🚫
Comida 5600 - **18 hab** ☕ 29000, 2 suites - PA 9500.

Santa Ponsa o **Santa Ponça** *07180* 443 *N 37 - ✆ 971 - Playa.*
⛳18 *Santa Ponsa, ✆ 69 48 54, Fax 69 33 64.*
ℹ *vía Puig de Galatzó, ✆ 69 17 12, Fax 69 41 37.*
Palma 20.

🏨 **Bahía del Sol,** av. Rei Jaume I-74 ✆ 69 11 50, Fax 69 06 50, 🏋, 🏊, 🏊 - 🛗 ▤ ☎ P - 🏛 25/60. AE ⓓ E VISA. 🚫 rest - *cerrado noviembre-15 diciembre* - **Comida** (sólo cena buffet) 1750 - **161 hab** ☕ 6000/10000 - PA 3600.

🏨 **Casablanca,** vía Rey Sancho 6 ✆ 69 03 61, Fax 69 05 51, ≤, 🏊 - 🛗 P. 🚫
mayo-octubre - **Comida** (sólo cena buffet) 1300 - ☕ 525 - **87 hab** 5800/8400.

X **Miguel,** av. Rei Jaume I-92 ✆ 69 09 13, 🏡 - ▤. E VISA. 🚫
cerrado lunes y diciembre-febrero - **Comida** carta 3250 a 5800.

X **La Rotonda,** av. Rei Jaume I-105 ✆ 69 02 19, 🏡 - ⓓ E VISA. 🚫
cerrado lunes y 20 diciembre-20 febrero - **Comida** carta 2100 a 4150.

X **Jackie's,** Vía Puig de Galatzó 18 ✆ 69 00 67, 🏡 - AE ⓓ E VISA JCB. 🚫
abril-30 octubre - **Comida** carta 2300 a 3300.

el Club de Golf *SE : 3 km - ✉ 07180 Santa Ponsa - ✆ 971 :*

🏨 **Golf Santa Ponça** 🐌, ✆ 69 02 11, Fax 69 48 53, ≤ campo de golf y bahía, 🏡, 🏊, ⛳18 - 🛗 ▤ TV ☎ P. AE E VISA. 🚫
Comida 1500 - **13 hab** ☕ 14500/23000, 5 suites - PA 3000.

Sineu *07510 Baleares* 443 *N 39 - 2 581 h. alt. 160 - ✆ 971.*
Palma 24.

🏠 **León de Sineu** 🐌, dels Bous 129 ✆ 52 02 11, Fax 85 50 58, « Antigua casa con bonito patio ajardinado », 🏊 - TV ☎
Comida (ver rest. ***Sa Bóveda***) - **8 hab** ☕ 8500/17000.

X **Sa Bóveda,** dels Bous 129 ✆ 52 02 11, Fax 85 50 58, 🏡 - E VISA. 🚫
cerrado martes - **Comida** (sólo cena salvo miércoles) carta 2300 a 4000.

Sóller *07100* 443 *M 38 - 10 021 h. alt. 54 - ✆ 971 - Playa en Puerto de Sóller.*
ℹ *pl. de Sa Constitució 1, ✆ 63 02 00, Fax 63 37 22.*
Palma 30.

X **El Guía** *con hab, de abril a octubre* Castañer 3 ✆ 63 02 27, Fax 63 26 34 - E VISA. 🚫
Comida *(cerrado lunes de noviembre a marzo)* carta 2700 a 3600 - ☕ 600 - **18 hab** 4500/6500.

4

en el camino de Son Puça NO : 2 km – ⊠ 07100 Soller – ☎ 971 :

🏠 **Ca N'ai** ⤸, ℰ 63 24 94, Fax 63 18 99, ≤ sierra de Alfabia y Puig Major, 🍴, Casa
campo, ℥ – 🗐 ☎ ℗. ℀ ⓪ ☑ ⑩. ✆
febrero-octubre – **Comida** *(cerrado lunes)* carta 3750 a 5000 – **11 hab** ⊊ 15000/2850
Ver también : **Puerto de Sóller** NO : 5 km.

Son Servera 07550 ᐃᐃᐃ N 40 – 6 002 h. alt. 92 – ☎ 971 – Playa.
🏌 de Son Servera NE : 7,5 km ℰ 56 78 02, Fax 56 81 46.
🛈 av. Joan Servera Camps, ℰ 58 58 64.
Palma 64.

en la carretera de Capdepera NE : 3 km – ⊠ 07550 Son Servera – ☎ 971 :

XX **S'Era de Pula**, ℰ 56 79 40, Fax 81 70 35, 🍴, Decoración rústica regional – ℗. ℀
E ☑. ✆
cerrado 10 enero-10 febrero – **Comida** carta aprox. 3750.

en Cala Millor SE : 3 km – ⊠ 07560 Cala Millor – ☎ 971 :

XX **Son Floriana** ⤸ con hab, urb. Son Floriana ℰ 58 60 75, Fax 81 35 46, 🍴, Decorac
rústica regional – 🗐 hab ☑ ☎ ℗
10 hab.

en Costa de los Pinos NE : 7,5 km – ⊠ 07559 Costa de los Pinos – ☎ 971 :

🏨 **Eurotel Golf Punta Rotja** ⤸, ℰ 56 76 00, Fax 56 77 37, ≤ mar y montaña, 🍴
« Jardín bajo los pinos », 🇫ᴅ, ℥ climatizada, 🎾, 🏌 – 🛗 🗐 ☑ ☎ ℗ – 🔬 25/250.
⓪ E ☑. ✆ rest
febrero-6 noviembre – **Comida** 2900 – ⊊ 1500 – **198 hab** 20400/24000, 2 suites –
5410.

Valdemosa o **Valldemossa** 07170 ᐃᐃᐃ M 37 – 1 370 h. alt. 427 – ☎ 971.
🛈 Cartuja de Valldemosa, ℰ 61 21 06, Fax 61 21 06.
Palma 17.

X **Ca'n Pedro**, av. Arxiduc Lluis Salvador ℰ 61 21 70, Fax 61 60 27, 🍴, Mesón típic
E ☑. ✆
cerrado domingo noche y lunes – **Comida** carta 2045 a 3575.

en la carretera de Andratx O : 2,5 km – ⊠ 07170 Valdemosa – ☎ 971 :

XX **Vistamar** ⤸ con hab, ℰ 61 23 00, Fax 61 25 83, 🍴, Conjunto de estilo mallorq
℥ – 🗐 ☑ ☎ ℗. ℀ ⓪ E ☑. ✆
febrero-octubre – **Comida** *(cerrado lunes mediodía)* carta aprox. 5600 – ⊊ 1500 – **18**
18000/30000.

MENORCA

Alayor o **Alaior** 07730 ᐃᐃᐃ M 42 – 6 406 h. – ☎ 971.
Mahón 12.

en Son Bou SO : 8,5 km – ⊠ 07730 Alayor – ☎ 971 :

🏨 San Valentín ⤸, urb. Torre Solí Nou, ⊠ apartado 7, ℰ 37 26 02, Fax 37 23 75, ≤,
℥, 🇫, 🌊, 🎾 – 🛗 🗐 ☑ ☎ 🕭 ℗ – 🔬 25/100
temp – **Comida** (sólo cena buffet) – **210 hab**, 98 apartamentos.

XX **Club San Jaime**, urb. San Jaime ℰ 37 27 87, 🍴, ℥, 🎾 – ℀ ⓪ E ☑. ✆
mayo-octubre – **Comida** (sólo cena salvo festivos) carta 3325 a 4325.

es Castell 07720 ᐃᐃᐃ M 42 – ☎ 971.
Mahón 3.

🏠 **Rey Carlos III** ⤸, Carlos III-2 ℰ 36 31 00, Fax 36 31 08, « Amplias terrazas con
≤ » – 🛗 🗐 rest ☎ ℗. E ☑. ✆
cerrado noviembre-abril – **Comida** 1900 – ⊊ 575 – **84 hab** 6500/10000, 3 suites

Ciudadela o **Ciutadella** 07760 ᐃᐃᐃ M 41 – 20 707 h. – ☎ 971.
Ver : Localidad★.
Mahón 44.

🏨 **Patricia** sin rest, passeig Sant Nicolau 90 ℰ 38 55 11, Fax 48 11 20 – 🛗 🗐 ☑
🔬 25/110. ℀ E ☑. ✆
marzo-noviembre – ⊊ 850 – **44 hab** 14500/15500.

X **Casa Manolo**, Marina 117 ℰ 38 00 03, 🍴 – 🗐. ℀ ⓪ ☑. ✆
cerrado noviembre – **Comida** carta 4100 a 5000.

X **Club Nàutic,** Camí de Baix 8 - 1º ℘ 38 27 73, 🍽 – ▤ ℗. 🆎 ⓪ 🄴 𝘝𝘐𝘚𝘈. ⁂
Comida carta 3400 a 4500.

X **Cas Quintu,** pl. d'Alfons III-4 ℘ 38 10 02, 🍽 – 🆎 ⓪ 🄴 𝘝𝘐𝘚𝘈. ⁂
Comida carta 2850 a 4500.

X **El Horno,** d'es Forn 12 ℘ 38 07 67 – 🆎 ⓪ 🄴 𝘝𝘐𝘚𝘈. ⁂
abril-octubre – Comida carta aprox. 3200.

X Racó d'es Palau, Palau 3 ℘ 38 54 02, 🍽 – ▤
temp.

n la carretera del Cap d'Artrutx S : 3 km – ✉ 07760 Ciudadela – 🕿 971 :

X **Es Caliu,** ✉ apartado 355, ℘ 38 01 65, 🍽, Carnes a la brasa. Decoración rústica – ℗.
🆎 ⓪ 🄴 𝘝𝘐𝘚𝘈
cerrado 15 diciembre-10 enero – Comida carta 2700 a 3900.

n Cala Blanca S : 4 km – ✉ 07760 Ciudadela – 🕿 971 :

🏨 Sagitario, av. de la Playa 4 ℘ 38 28 77, Fax 38 33 19, 🏊, ⁂ – 🛗 ▤ rest 📺 🕿
Comida (sólo buffet) – **72 hab.**

errerías o Ferreries 07750 🆗🄽🄱 M 42 – 3 652 h. – 🕿 971.
Mahón 29.

n Cala Santa Galdana SO : 7 km – ✉ 07750 Cala Santa Galdana – 🕿 971 :

🏨 **Cala Galdana** ⁑, ℘ 15 45 00, Fax 15 45 26, ≼, 🍽, 🎾, 🏊, 🌳 – 🛗 ▤ rest 🕿. 🆎
⓪ 🄴 𝘝𝘐𝘚𝘈. ⁂
mayo-octubre – Comida 2575 – ⌷ 675 – **204 hab** 6325/11900.

X **Tornare,** ℘ 15 45 00, Fax 15 45 26, 🍽 – ▤. 🆎 ⓪ 🄴 𝘝𝘐𝘚𝘈. ⁂
mayo-octubre – Comida carta 2315 a 3380.

ornells 07748 🆗🄽🄱 L 42 – 🕿 971.
Mahón 30.

X **S'Áncora,** passeig Marítim 8 ℘ 37 66 70, 🍽 – ▤. 🆎 ⓪ 🄴 𝘝𝘐𝘚𝘈
cerrado domingo noche en invierno – Comida carta 4625 a 7300.

X **Es Cranc,** Escoles 31 ℘ 37 64 42, Vivero propio – ▤. 🄴 𝘝𝘐𝘚𝘈. ⁂
cerrado miércoles (salvo en verano), enero, febrero y diciembre – Comida carta 3175 a
5950.

n la urbanización Playas de Fornells SO : 4 km – ✉ 07748 Fornells – 🕿 971 :

🏨 **Tramontana Park** ⁑, ℘ 37 67 42, Fax 37 67 48, 🍽, 🏊 – ▤ rest 📺 🕿. 🆎 𝘝𝘐𝘚𝘈.
⁂
mayo-octubre – Comida (sólo cena buffet) 1900 – ⌷ 700 – **87 apartamentos**
15265/18000.

ahón o Maó 07700 🆗🄽🄱 M 42 – 21 814 h. – 🕿 971.
Ver : Emplazamiento★, La Rada★.
✈ de Menorca, San Clemente SO : 5 km ℘ 15 70 00 – Aviaco : aeropuerto, ℘ 36 90 15.
⚓ para la Península y Mallorca : Cía Trasmediterránea, Nuevo Muelle Comercial,
℘ 36 60 50, Telex 68888, Fax 36 99 28.
🛈 pl. Explanada 40, ✉ 07703, ℘ 36 37 90, Fax 36 37 90.

🏩 **Port Mahón,** av. Fort de l'Eau 13, ✉ 07701, ℘ 36 26 00, Fax 35 10 50, ≼, 🍽, 🏊
– 🛗 ▤ 📺 🕿 ⅄. – 🏊 25/40. 🆎 ⓪ 🄴 𝘝𝘐𝘚𝘈. ⁂
Comida 1500 – **80 hab** ⌷ 10000/20000, 2 suites.

🏩 **Sol Mirador des Port,** Dalt Vilanova 1, ✉ 07701, ℘ 36 00 16, Fax 36 73 46, ≼, 🏊
– 🛗 ▤ 📺 🕿. 🆎 ⓪ 🄴 𝘝𝘐𝘚𝘈 🄹🄲🄱. ⁂ rest
Comida (sólo cena) 1800 – ⌷ 800 – **69 hab** 9500/12900.

🏩 Capri sin rest. con cafetería, Sant Esteve 8, ✉ 07703, ℘ 36 14 00, Fax 35 08 53 – 🛗
▤ 📺 🕿 – 🏊 25/50
75 hab.

XX **La Minerva,** Moll de Llevant 87, ✉ 07701, ℘ 35 19 95, Fax 35 20 76 – 🛗 ▤. 🆎 ⓪
🄴 𝘝𝘐𝘚𝘈
Comida carta 3300 a 5000.

X Jardí Marivent, Moll de Llevant 314 (puerto), ✉ 07701, ℘ 36 98 01, ≼, 🍽 – ▤
Comida (sólo cena en verano).

X **Club Marítimo,** Moll de Llevant 287 (puerto), ✉ 07701, ℘ 36 42 26, Fax 36 80 78,
≼, 🍽 – 🆎 ⓪ 🄴 𝘝𝘐𝘚𝘈
Comida carta 3000 a 4600.

X **Jàgaro,** Moll de Llevant 334 (puerto), ⊠ 07701, ℰ 36 23 90, ≤, 龠 – 国, AE ①
VISA
Comida carta 2100 a 4200.

X El Greco, Las Moreras 49, ⊠ 07700,
ℰ 36 43 67.

X **Pilar,** des Forn 61, ⊠ 07702, ℰ 36 68 17, 龠 – E *VISA*. ⋘
cerrado lunes (salvo en verano) y domingo – **Comida** carta aprox. 3800.

X **Gregal,** Moll de Llevant 306 (puerto), ⊠ 07701, ℰ 36 66 06, ≤ – 国, AE ① E *VISA* Jⵥ
⋘
Comida carta 2850 a 4600.

en Cala Fonduco E : 1 km – ⊠ 07720 es Castell – ✆ 971 :

XX **Rocamar,** Fonduco 32-1° ℰ 36 56 01, Fax 36 52 99, ≤, 龠 – 濐 国, AE ①
VISA JⵥB
cerrado domingo noche, lunes (en invierno) y noviembre – **Comida** carta aprox. 275

es Mercadal 07740 443 M 42 – ✆ 971.
Alred. : Monte Toro : ≤★★ (3,5 km).
ⴴ Club Son Parc NE : 6 km ℰ 35 17 48.
Mahón 22.

XX **Ca N'Aguedet,** Lepanto 30-1° ℰ 37 53 91, Cocina regional – 国, AE ① E *VISA*, ⋘
Comida carta 2100 a 3700.

es Migjorn Gran 07749 443 M 42 – 1051 h. – ✆ 971.
Mahón 18.

X **S'Engolidor** con hab, Major 3 ℰ 37 01 93, 龠 – E *VISA*
Semana Santa-octubre – Comida (cerrado noviembre-enero, salvo fines de semana) (s
cena) carta aprox. 3500 – **4 hab** ⊊ 4500.

San Luis o Sant Lluís 07710 443 M 42 – 3404 h. – ✆ 971.
Mahón 4.

en la carretera de Binibèquer SO : 1,5 km – ⊠ 07710 San Luis – ✆ 971 :

X **Biniali** ⌂ con hab, carret. S'Uestrà-Binibeca 50 ℰ 15 17 24, Fax 15 03 52, ≤, 龠
« Antigua casa de campo », ⌇ – ☎ ℗, AE ① E *VISA* JⵥB. ⋘
Semana Santa-octubre – **Comida** carta aprox. 3800 – ⊊ 990 – **9 hab** 1333
14850.

IBIZA

Ibiza o Eivissa 07800 443 P 34 – 30376 h. – ✆ 971.
Ver : Emplazamiento★★, La ciudad alta★ (Dalt vila) BZ : Catedral B ⋇★ - Mus
Arqueológico★ M1.
Otras curiosidades : Museo monográfico de Puig de Molins★ AZ M2 (busto de la Di
Tanit★) - Sa Penya★ BY.
ⴴ Golf de Ibiza por ② : 10 km ℰ 19 60 52, Fax 19 60 51.
⤢ de Ibiza por ③ : 9 km ℰ 80 90 00 – Iberia : paseo Vara del Rey 15, ℰ 30 08 33
⤢⤢ para la Península y Mallorca : Cía. Trasmediterránea, Andenes del Puerto, Estac
Marítima, ℰ 31 50 50, Telex 68866 BY, Fax 31 21 04.
🛈 Vara de Rey 13, ℰ 30 19 00, Fax 30 15 62.
Plano página siguiente

Ⓗⓗⓗ **Royal Plaza,** Pere Francès 27 ℰ 31 00 00, Fax 31 40 95, ⌇ – 濐 国 🖵 ☎ 🖅
🏊 25/45. AE ① E *VISA*. ⋘
AY
Comida 3200 – ⊊ 950 – **112 hab** 14600/21350, 5 suites.

Ⓜ **La Ventana,** Sa Carrossa 13 ℰ 39 08 57, Fax 39 01 45, 龠, Decoración original –
☎, AE E *VISA*. ⋘
BZ
Comida (cerrado martes de octubre-marzo) (sólo cena en verano) 4300 – ⊊ 800 – **13**
13910/23540, 1 suite.

Ⓜ **El Corsario** ⌂, Ponent 5 ℰ 39 32 12, Fax 39 19 53, ≤, 龠, Conjunto de estilo ibice
– E *VISA*
BZ
cerrado diciembre-enero – **Comida** (cerrado octubre-abril) (sólo cena) carta 3100 a 5
– **14 hab** ⊊ 6500/13000.

XX **El Cigarral,** Frare Vicent Nicolau 9 ℰ 31 12 46 – 国, AE ① E *VISA*. ⋘
AY
cerrado domingo noche y 15 abril-15 mayo – **Comida** carta 3600 a 4700.

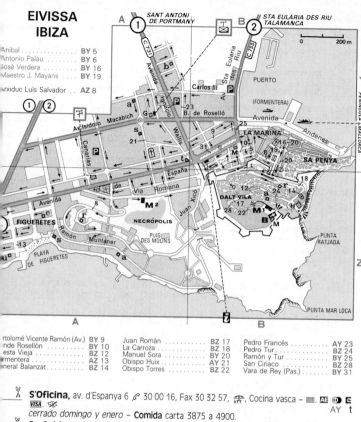

EIVISSA
IBIZA

Anibal . . . . **BY** 5
Antonio Palau . . . . **BY** 6
José Verdera . . . . **BY** 16
Maestro J. Mayans . . . . **BY** 19

Arxiduc Luis Salvador . . **AZ** 8

rtolomé Vicente Ramón (Av.)	**BY** 9	Juan Román	**BZ** 17	Pedro Francés	**AY** 23
nde Rosellón	**BY** 10	La Carroza	**BZ** 18	Pedro Tur	**BZ** 24
esta Vieja	**BZ** 12	Manuel Sora	**BY** 20	Ramón y Tur	**BY** 25
rmentera	**AZ** 13	Obispo Huix	**AY** 21	San Ciriaco	**BZ** 28
neral Balanzat	**BZ** 14	Obispo Torres	**BZ** 22	Vara de Rey (Pas.)	**BY** 31

ॐ **S'Oficina,** av. d'Espanya 6 ℰ 30 00 16, Fax 30 32 57, �, Cocina vasca – ☰. ⅇ ⓪ ⅇ
☒☒. ﹪
    cerrado domingo y enero – **Comida** carta 3875 a 4900.
AY t

ॐ **Sa Caldera,** Bisbe Huix 19 ℰ 30 64 16 – ☰. ⅇ ⓪ ⅇ ☒☒. ﹪
    cerrado sábado mediodía – **Comida** carta 2950 a 4250.
AY s

n la playa de ses Figueretes AZ – ⊠ *07800 Ibiza* – ✆ *971* :

🏚 **Los Molinos,** Ramón Muntaner 60 ℰ 30 22 50, Fax 30 25 04, ≼, « Bonito jardín y terraza con ⅀ al borde del mar », ⅃ₒ – ⧉ ☰ ☒ ☎ ⇌ – ⅍ 25/150. ⅇ ⓪ ⅇ ☒☒. ﹪
    Comida carta 3200 a 5050 – ☲ 850 – **154 hab** 9900/16900.
AZ a

🏚 **Ibiza Playa,** Tarragona 5 ℰ 30 48 00, Fax 30 69 02, ≼, ⅃ₒ, ⅀ – ⧉ ☰ rest ☒ ☎. ⅇ
⓪ ⅇ ☒☒. ﹪ rest
    29 abril-octubre – **Comida** (sólo cena) 2900 – **157 hab** ☲ 9300/14500.
AZ u

🏚 **Cenit** *sin rest,* Arxiduc Lluis Salvador ℰ 30 14 04, Fax 30 07 54, ≼, ⅀ – ⧉
    temp – **62 hab**.
AZ r

🏚 **Central Playa,** Galicia 12 ℰ 30 23 50, Fax 39 21 76 – ⧉
    temp – **Comida** (sólo cena) – **72 hab**.
AZ e

ॐ **Príncipe,** passeig de Figueretes ℰ 30 19 14, � – ☰. ⅇ ⓪ ⅇ ☒☒
    cerrado enero-marzo – **Comida** carta 2800 a 4150.
AZ s

es Vivé AZ *SO : 2,5 km* – ⊠ *07819 Es Vivé* – ✆ *971* :

🏚 **Torre del Mar** ⑤, platja d'en Bossa ℰ 30 30 50, Fax 30 40 60, ≼, « Jardín con terraza y ⅀ al borde del mar », ⅃ₒ, ⅀, ﹪ – ⧉ ☰ ☒ ☎ ⓟ – ⅍ 25/120. ⅇ ⓪ ⅇ ☒☒.
﹪
    mayo-octubre – **Comida** (sólo cena) 3150 – ☲ 1000 – **213 hab** 16000/24000, 4 suites.

Este : *por* ② – ✆ *971* :

🏚 **Anchorage** ⑤ *sin rest,* puerto deportivo Marina Botafoch : 2,5 km, ⊠ apartado 750-Ibiza, ℰ 31 17 11, Fax 31 15 57, ≼ puerto y ciudad – ☰ ☒ ☎
    temp – **20 hab**.

🏨 **Argos,** playa de Talamanca : 2,8 km, ✉ apartado 107 Ibiza, ℘ 31 21 62, Fax 31 62 0
≼, ⅃ – ▐ ▤ rest ☎ ❷. ㏂ ⓞ ㏃ 𝗩𝗜𝗦𝗔. ⅍
abril-octubre – **Comida** (sólo cena buffet) 1900 – ⌑ 825 – **106 hab** 6200/11200 –
2725.

✗ **Michelangelo,** puerto deportivo Marina Botafoch : 2,5 km ℘ 19 04 67, 🍴, Coci
italiana – ㏂ ⓞ ㏃ 𝗩𝗜𝗦𝗔
cerrado miércoles y febrero – **Comida** (sólo cena en verano) carta 3850 a 4700.

en la carretera de San Miguel por ② : 6,5 km – ✉ 07800 Ibiza – ✪ 971 :

✗✗ **La Masía d'en Sort,** ✉ apartado 897 Ibiza, ℘ 31 02 28, 🍴, Antigua masía ibicenc
Galería de arte – ❷. ㏂ ⓞ ㏃ 𝗩𝗜𝗦𝗔
cerrado noviembre-abril – **Comida** (sólo cena) carta 3200 a 4500.

San Agustín o Sant Agustí des Vedrà 07839 ㈋㐨 P 33 – ✪ 971.
Ibiza 20.

por la carretera de Sant Josep – ✉ 07830 San José – ✪ 971 :

✗ **Sa Tasca,** ℘ 80 00 75, 🍴, « Rincón rústico en el campo » – ❷.

San Antonio de Portmany o Sant Antoni de Portmany 07820 ㈋㐨 P 33
14663 h. – ✪ 971 – Playa.
⚓ para la Península : Cía. Flebasa, edificio Faro, ℘ 34 28 71, Fax 34 32 20.
🏢 passeig de Ses Fonts, ℘ 34 33 63.
Ibiza 15.

🏨 **Tropical,** Cervantes 28 ℘ 34 00 50, Fax 34 40 69, ⅃ – ▐. ㏂ ⓞ ㏃ 𝗩𝗜𝗦𝗔. ⅍
mayo-octubre – **Comida** (sólo cena buffet) 1500 – ⌑ 700 – **142 hab** 385
7700.

✗ **Rías Baixas,** Ignasi Riquer 4 ℘ 34 04 80, Fax 34 07 71, Cocina gallega – ▤. ㏂ ⓞ
🦞 𝗩𝗜𝗦𝗔. ⅍
cerrado lunes mediodía y 15 enero-15 marzo – **Comida** carta 3100 a 3850.

✗ **Sa Prensa,** General Prim 6 ℘ 34 16 70, 🍴 – ▤. ㏂ ⓞ ㏃ 𝗩𝗜𝗦𝗔 ㏿. ⅍
cerrado miércoles mediodía en verano y de lunes a jueves en invierno – **Comida** carta 27
a 3600.

en la playa de s'Estanyol SO : 2,5 km – ✉ 07820 San Antonio de Portmany
✪ 971 :

🏨 Bergantín, ℘ 34 09 50, Fax 34 19 71, ⅃ climatizada, ⅍ – ▐ ▤ rest ☎ ❷
temp – **Comida** (sólo buffet) – **253 hab.**

en la carretera de Santa Agnès N : 1 km – ✉ 07820 San Antonio de Portmany
✪ 971 :

✗✗ **Sa Capella,** ℘ 34 00 57, « En una antigua capilla » – ❷. ㏃ 𝗩𝗜𝗦𝗔
abril-octubre – **Comida** (sólo cena) carta 3525 a 5850.

San José o Sant Josep de Sa Talaia 07830 ㈋㐨 P 33 – ✪ 971.
Ibiza 14.

por la carretera de Ibiza – ✉ 07830 San José – ✪ 971 :

✗✗ **Cana Joana,** E : 2,5 km, ✉ apartado 149 San José, ℘ 80 01 58, ≼, 🍴, Decorac
regional – ❷. ㏂ ⓞ ㏃ 𝗩𝗜𝗦𝗔
cerrado domingo noche y lunes (31 diciembre-mayo) y noviembre-30 diciembre – **Com**
(sólo cena junio-octubre) carta aprox. 5500.

✗ **Ca'n Domingo de Ca'n Botja,** E : 3 km ℘ 80 01 84, 🍴 – ❷. ㏂ ⓞ ㏃ 𝗩𝗜𝗦𝗔
cerrado domingo (salvo agosto-septiembre) y octubre-marzo – **Comida** (sólo cena) ca
3800 a 4800.

en la playa de Cala Tarida NO : 7 km – ✉ 07830 San José :

✗ **C'as Milà,** ℘ 80 61 93, ≼, 🍴 – ❷. ㏃ 𝗩𝗜𝗦𝗔
mayo-octubre y fines de semana resto del año – **Comida** carta 2715 a 4000.

en Cala Vedella SO : 8 km – ✉ 07830 San José – ✪ 971 :

🏨 **Village** ⌂, urb. Caló d'en Real ℘ 80 80 01, Fax 80 80 27, 🍴, ⅃, 🛵, ⅍ – ▤
☎ ❷. ㏂ ⓞ ㏃ 𝗩𝗜𝗦𝗔. ⅍
Comida (cerrado noviembre) 3000 – **19 hab** ⌑ 16000/24500, 1 suite – PA 6000.

San Miguel o Sant Miquel de Balansat 07815 443 O 34 – 🕿 971.
Ibiza 19.

en la urbanización Na Xamena NO : 6 km – 🕿 971 :

🏨 **Hacienda** ⟨, ℰ 33 45 00, Fax 33 45 14, 😤, Edificio de estilo ibicenco con ≤ cala, ⤢,
⤢ ✖ - ⌷ 🔲 📺 🕿 🄿. 🄰🄴 🄾 🄴 🆅🅸🆂🄰. ✸ rest
25 abril-28 octubre – **Comida** carta 5170 a 6450 – ⌷ 2100 – **56 hab** 27500/37300, 7
suites.

Santa Eulalia del Río o Santa Eulàlia des Riu 07840 443 P 34 – 15545 h. – 🕿 971
– *Playa.*
🛈 *Marià Riquer Wallis 4,* ℰ 33 07 28.
Ibiza 15.

🏨 San Marino *sin rest. con cafetería,* Ricardo Curtoys Gotarredona 1 ℰ 33 03 16,
Fax 33 90 76, ⤢ – ⌷ 🔲 📺 🕿 ⟺
44 hab.

🏨 **Tres Torres** ⟨, passeig Marítim (frente puerto deportivo), ⊠ apartado 5 Santa Eulalia
del Río, ℰ 33 63 36, Fax 33 20 85, ≤, ⤢ climatizada – ⌷ 🔲 📺 🕿 🄿. 🄰🄴 🄾 🄴 🆅🅸🆂🄰. ✸
mayo-octubre – **Comida** (sólo cena buffet) 1500 – **110 hab** ⌷ 10500/18000, 2 suites.

🏨 La Cala, Huesca 1 ℰ 33 00 09, Fax 33 15 12, ⤢ – ⌷ 🔲 rest 🕿
temp – **Comida** (sólo buffet) – **180 hab.**

XX **Doña Margarita,** passeig Marítim ℰ 33 06 55, ≤, 😤
🄴. 🄰🄴 🄾 🄴 🆅🅸🆂🄰
cerrado lunes y noviembre – Comida carta 3050 a 3650.

X **Celler Ca'n Pere,** Sant Jaume 63 ℰ 33 00 56, 😤, Celler típico – 🄰🄴 🄾 🄴 🆅🅸🆂🄰. ✸
cerrado jueves y 15 enero-febrero – **Comida** carta 2920 a 4300.

X La Posada, camino Puig de Missa ℰ 33 00 17, Fax 33 00 17, 😤, Decoración rústica
regional – 🄿
Comida (sólo cena).

X **Doña Margarita Puerto,** puerto deportivo ℰ 33 22 00, ≤, 😤 – 🄰🄴 🄾 🄴 🆅🅸🆂🄰
cerrado lunes y 10 diciembre-Semana Santa – **Comida** carta 4400 a 5800.

X **El Naranjo,** Sant Josep 31 ℰ 33 03 24, 😤 – 🄰🄴 🄴 🆅🅸🆂🄰. ✸
cerrado lunes y noviembre-febrero – **Comida** (sólo cena) carta 2850 a 4250.

X **Bahía,** Molíns de Rei 2 ℰ 33 08 28, 😤 – 🄴. 🄰🄴 🄴 🆅🅸🆂🄰
cerrado martes (en invierno) y enero – **Comida** carta 2200 a 3600.

en la urbanización s'Argamassa NE : 3,5 km – ⊠ 07849 Urbanización S'Argamassa – 🕿 971 :

🏨 **Sol S'Argamassa** ⟨, ℰ 33 00 51, Fax 33 00 76, ≤, ⤢, ☀, ✖ – ⌷ 🄿. 🄰🄴 🄾 🄴 🆅🅸🆂🄰
🄹🄲🄱. ✸
mayo-octubre – **Comida** (sólo buffet) 2250 – ⌷ 825 – **217 hab** 8300/13200.

por la carretera de Cala Llonga S : 4 km – ⊠ 07840 Santa Eulalia del Río – 🕿 971 :

X **La Casita,** urb. Valverde ℰ 33 02 93, Fax 33 05 77, 😤, Decoración regional – 🄿. 🄰🄴
🄾 🄴 🆅🅸🆂🄰. ✸
cerrado 15 noviembre-15 diciembre – **Comida** (sólo cena salvo domingo) carta 3000 a
4800.

en la carretera de Ibiza SO : 5,5 km – ⊠ 07840 Santa Eulalia del Río – 🕿 971 :

🏠 **La Colina** ⟨, ℰ 33 27 67, Fax 33 27 67, Antigua casa de campo, ⤢ – 🄿. 🄰🄴 🄾 🄴
🆅🅸🆂🄰
cerrado 15 enero-15 febrero – **Comida** 2100 – **16 hab** ⌷ 11100/14200.

Santa Gertrudis de Fruitera 07814 443 OP 34 – 🕿 971.
Ibiza 11.

en la carretera de Ibiza – ⊠ 07814 Santa Gertrudis de Fruitera – 🕿 971 :

XX **Ama Lur,** SE : 2,5 km ℰ 31 45 54, 😤, Cocina vasca – 🄿. 🄰🄴 🄴 🆅🅸🆂🄰
marzo-noviembre – **Comida** (sólo cena) carta 4400 a 5000.

X Can Pau, S : 2 km ℰ 19 70 07, 😤, « Antigua casa campesina. Terraza » – 🄿.

FORMENTERA

Cala Saona o Cala Sahona 07860 443 P 35 – 🕿 971 – *Playa.*

🏨 **Cala Saona** ⟨, playa, ⊠ 07860 apartado 88 San Francisco, ℰ 32 20 30, Fax 32 25 09,
≤, 😤, ⤢, ✖ – ⌷ 🔲 📺 🕿 🄿. 🄰🄴 🄴 🆅🅸🆂🄰. ✸
mayo-20 octubre – **Comida** 1600 – ⌷ 800 – **116 hab** 10360/14800.

es Pujols 07871 📗📗📗 P 34 – 🕲 971 – Playa.
🖪 Port de la Savina, 𝒸 32 20 57, Fax 32 28 25.

🏛 **Sa Volta** sin rest. con cafetería, Miramar 94, ⊠ 07860 apartado 71 San Francisco,
𝒸 32 81 25, Fax 32 82 28 – 📺 ☎. 🖽 ⓪ 🗲 𝘝𝘐𝘚𝘈. 🌺
⊊ 850 – **25 hab** 6000/10000.

✗ **Le Cyrano,** passeig Marítim, ⊠ 07860 apartado 46 San Francisco, 𝒸 32 83 86, ≤, 🍽
Cocina francesa – 🖽 🗲 𝘝𝘐𝘚𝘈
abril-15 octubre – **Comida** (sólo cena 16 junio-15 octubre) carta 3300 a 5400.

✗ **Capri** con hab, Miramar 41-47, ⊠ 07871 San Fernando, 𝒸 32 83 52, Fax 32 88 39, 🍽
– 🅿. 🖽 🗲 𝘝𝘐𝘚𝘈. 🌺
abril-octubre – **Comida** carta 2900 a 4200 – ⊊ 600 – **15 hab** 3500/5500.

en Punta Prima E : 2 km – ⊠ 07871 San Fernando – 🕲 971 :

🏛🏛 **Club Punta Prima** 🌤, 𝒸 32 82 44, Fax 32 81 28, ≤ mar e isla de Ibiza, 🍽
« Bungalows rodeados de jardín », 🛆, 🛠 – 📺 ☎ 🅿. 🖽 🗲 𝘝𝘐𝘚𝘈. 🌺
mayo-27 octubre – **Comida** (sólo buffet) 2000 – ⊊ 1000 – **94 hab** 11940/14400.

al Noroeste : 5 km – ⊠ 07870 La Savina – 🕲 971 :

✗ Es Molí de Sal, Ses Illetes 𝒸 (908) 13 67 73, ≤ mar e isla de Ibiza, 🍽 – 🅿
temp.

San Fernando o **Sant Ferran de ses Roques** 07871 📗📗📗 P 34 – 🕲 971

🏛 **Illes Pitiüses** sin rest, av. Joan Castelló 48 𝒸 32 87 40, Fax 32 21 14 – ▤ ☎ 🅿. 🅐
🗲 𝘝𝘐𝘚𝘈
⊊ 625 – **26 hab** 4500/6875.

✗ **Las Ranas,** carret. de Cala En Baster 𝒸 32 81 95, 🍽 – 🌺
Semana Santa-octubre – **Comida** (cerrado martes) (sólo cena) carta 3450 a 4500.

BALLESTEROS DE CALATRAVA 13432 Ciudad Real 📗📗📗 P 18 – 644 h. alt. 659 – 🕲 92🔾
Madrid 198 – Alcázar de San Juan 82 – Ciudad Real 21 – Puertollano 34 – Valdepeñas 6🔾

🏛🏛 **Palacio de la Serna** 🌤, Cervantes 18 𝒸 84 22 08, Fax 84 22 24, Decoración con
ceptual, « Palacio del siglo XVIII » – ▤ 📺 ☎ 🅿 – 🏛 25/150. 🖽 ⓪ 𝘝𝘐𝘚𝘈. 🌺 rest
Comida carta aprox. 4150 – ⊊ 500 – **20 hab** 8000/14000.

BALMASEDA Vizcaya – ver Valmaseda.

BALNEARIO – ver el nombre propio del balneario.

BANDEIRA 36570 Pontevedra 📗📗📗 D 5 – 🕲 986.
Madrid 581 – Lugo 91 – Orense/Ourense 80 – Pontevedra 83 – Santiago de Compostel🔾
30.

🏛 **Victorino,** Empanada 1 𝒸 58 53 30 – 🛗 📺. 🗲 𝘝𝘐𝘚𝘈. 🌺 rest
Comida 1500 – ⊊ 300 – **12 hab** 3000/5000.

BANYALBUFAR Baleares – ver Baleares (Mallorca) : Bañalbufar.

BANYOLES Gerona – ver Bañolas.

BAÑALBUFAR Baleares – ver Baleares (Mallorca).

BAÑERAS o **BANYERES DEL PENEDÉS** 43711 Tarragona 📗📗📗 I 34 – 1438 h. – 🕲 97🔾
Madrid 558 – Barcelona 69 – Lérida/Lleida 101 – Tarragona 37.

en la urbanización Bosques del Priorato S : 1,5 km – ⊠ 43711 Banyeres del Pene🔾
– 🕲 977 :

✗ **El Bosque** 🌤 con hab, 𝒸 67 10 02, Fax 67 14 13, 🍽, « Terraza con césped, árbo🔾
y 🛆 », 🛠 – ▤ rest 📺. 🖽 🗲 𝘝𝘐𝘚𝘈
cerrado 10 enero-10 febrero – **Comida** (cerrado martes) carta 2750 a 3900 – ⊊ 57🔾
9 hab 8000.

Do not use yesterday's maps for today's journey.

a BAÑEZA 24750 León **441** F 12 - 9722 h. alt. 771 - ✆ 987.

Madrid 297 - León 48 - Ponferrada 85 - Zamora 106.

XX **Los Ángeles,** pl. Obispo Alcolea 2 ℰ 65 57 30, Fax 66 61 82 - |⫯| ☰. ⅍ ☒ ⅀. ⅍
Comida carta 2750 a 3650.

X **Chipén,** carret. de Madrid N VI - km 301 ℰ 64 03 89 - ℗. ⅍ ⑩ ⅀ ☒
Comida carta 2200 a 2950.

n la carretera LE 420 N : 1,5 km - ✉ 24750 La Bañeza - ✆ 987 :

🏠 **Río Verde,** ℰ 64 17 12, ≤, 龠, 涼 - ☒ ℗. ☒. ⅍ rest
Comida 1800 - ☷ 600 - **15 hab** 4500/5900.

AÑOLAS o BANYOLES 17820 Gerona **443** F 38 - 11870 h. alt. 172 - ✆ 972.

Ver : Lago★.

🄳 passeig Industria 25, ℰ 57 55 73, Fax 57 49 17.

Madrid 729 - Figueras/Figueres 29 - Gerona/Girona 20.

XX **Quatre Estacions,** passeig de La Farga ℰ 57 33 00 - ☰. ⅍ ⅀ ☒. ⅍
cerrado domingo noche, lunes, agosto y Navidades - Comida carta 3000 a 4600.

orillas del lago :

🏠 **L'Ast** ⅏ sin rest y sin ☷, passeig Dalmau 63 ℰ 57 04 14, Fax 57 04 14, ⅃ - |⫯| ☒
☎. ⅍ ⑩ ⅀ ☒ ⅉⅽⅾ. ⅍
27 hab 5500/9300.

AÑOS DE FITERO Navarra - ver Fitero.

AÑOS DE MOLGAS 32701 Orense **441** F 6 - 3208 h. alt. 460 - ✆ 988 - Balneario.

Madrid 536 - Orense/Ourense 36 - Ponferrada 154.

🏠 **Balneario,** Samuel González Movilla 26 ℰ 43 02 46, Fax 43 04 05 - ⅍
marzo-15 diciembre - Comida 1400 - ☷ 450 - **28 hab** 3500/6000.

AQUEIRA Lérida - ver Salardú.

AQUIO o BAKIO 48130 Vizcaya **442** B 21 - 1220 h. - ✆ 94 - Playa.

Alred. : Recorrido en cornisa★ de Baquio a Arminza ≤★ - Carretera de Baquio a Bermeo
≤★.

Madrid 425 - Bilbao/Bilbo 26.

🏠 **Hostería del Señorío de Bizkaia** ⅏, Dr. José María Cirarda 4 ℰ 619 47 25,
Fax 619 47 25, ≤, « Instalación rústica en un extenso césped con jardín » - ☒ ☎ ℗.
⅍ ⑩ ⅀ ☒. ⅍ rest
cerrado enero-febrero - Comida 1975 - ☷ 495 - **16 hab** 5975/7975.

XX **Gotzón,** carret. de Bermeo ℰ 619 40 43, 龠 - ☰. ⅍ ⅀ ☒. ⅍
cerrado lunes y diciembre - Comida carta 3500 a 4500.

ARAJAS 28042 Madrid **444** K 19 - ✆ 91.

✈ de Madrid-Barajas ℰ 393 60 00.

Madrid 14.

🏛 **Barajas,** av. de Logroño 305 ℰ 747 77 00, Telex 22255, Fax 747 87 17, 龠, ⅃₆, ⅃,
龠 - |⫯| ☰ ☒ ☎ ℗ - 🕭 25/675. ⅍ ⑩ ⅀ ☒ ⅉⅽⅾ. ⅍ rest
Comida 4350 - ☷ 1850 - **218 hab** 22800/28500, 12 suites.

🏛 **Alameda,** av. de Logroño 100 ℰ 747 48 00, Telex 43809, Fax 747 89 28, ⬚ - |⫯| ☰
☒ ☎ ℗ - 🕭 25/280. ⅍ ⑩ ⅀ ☒ ⅉⅽⅾ. ⅍ rest
Comida 3950 - ☷ 1300 - **136 hab** 18000/22500, 9 suites - PA 8800.

🏢 **Villa de Barajas,** av. de Logroño 331 ℰ 329 28 18, Fax 329 27 04 - |⫯| ☰ ☒ ☎ ⊂⊃
- 🕭 25. ⅍ ⅀ ☒ ⅉⅽⅾ
Comida (sólo cena) carta 2550 a 4200 - ☷ 900 - **36 hab** 10350/12950.

X **Mesón Don Fernando,** Canal de Suez 1 ℰ 747 75 51 - ☰. ⅍ ⑩ ⅀ ☒. ⅍
cerrado sábado y agosto - Comida carta 2800 a 4000.

a la carretera del aeropuerto a Madrid S : 3 km - ✉ 28042 Madrid - ✆ 91 :

🏨 **Tryp Diana,** Galeón 27 (Alameda de Osuna) ℰ 747 13 55, Telex 45688, Fax 747 97 97,
⅃ - |⫯| ☰ ☒ ☎ - 🕭 25/220. ⅍ ⑩ ⅀ ☒
Comida 1800 - **Asador Duque de Osuna** (cerrado domingo) Comida carta 2900 a 4000
- ☷ 1100 - **220 hab** 10000/12500, 40 suites - PA 3500.

BARBASTRO 22300 Huesca 443 F 30 – 15 827 h. alt. 215 – 🕾 974.

> Ver : Catedral★.
> Alred. : Alquézar (paraje★★, Cañón del río Vero★) NO : 21 km - Torreciudad : ≤★★ (NE : 24 km).
> 🖪 pl. de Aragón, 🖉 31 43 13, Fax 31 43 13.
> Madrid 442 – Huesca 52 – Lérida/Lleida 68.

🏠 **Palafox** sin rest, Corona de Aragón 20 🖉 31 24 61 – |韋| 📺 ⇔. 🛠
  ⊑ 500 – **28 hab** 5500.

🏻🏻 **Flor,** Goya 3 🖉 31 10 56, Fax 31 13 18 – 🍽. 🆎 ⓞ ⋿ 𝘝𝘐𝘚𝘈. 🛠
  Comida carta 2925 a 4300.

🏻 **L'Arrabal,** av. de los Pirineos 7 🖉 31 16 73 – 🍽. 🆎 ⓞ ⋿ 𝘝𝘐𝘚𝘈. 🛠
  cerrado domingo (salvo Semana Santa, Navidad) y del 15 al 31 de octubre – Comida carta 2925 a 3275.

en la carretera de Huesca N 240 O : 1 km – ✉ 22300 Barbastro – 🕾 974 :

🏨 **Rey Sancho Ramírez,** 🖉 31 00 50, Fax 31 00 58, ≤, 🏊, 🛠 – |韋| 🍽 📺 ☎ ⇔ Ⓟ
  🆎 ⓞ ⋿ 𝘝𝘐𝘚𝘈 ᴊᴄʙ. 🛠
  Comida (cerrado lunes y del 9 al 31 de enero) 2200 – ⊑ 1000 – **75 hab** 10920/15200 – PA 5400.

BARBATE 11160 Cádiz 446 X 12 – 21 440 h. – 🕾 956 – Playa.

> 🖪 Ramón y Cajal 43, 🖉 43 10 06.
> Madrid 677 – Algeciras 72 – Cádiz 60 – Córdoba 279 – Sevilla 169.

🏠 Galia sin rest, Dr. Valencia 5 🖉 43 33 76, Fax 43 04 82 – ☎
  23 hab.

🏻🏻 **Torres,** Ruiz de Alda 1 🖉 43 09 85, Pescados y mariscos
  🍽. 🆎 ⓞ ⋿ 𝘝𝘐𝘚𝘈. 🛠
  cerrado lunes y 15 octubre-noviembre – Comida carta aprox. 3900.

BARBERÁ o BARBERÀ DEL VALLÈS 08210 Barcelona 443 H 36 – 30 905 h. – 🕾 93.

> Madrid 609 – Barcelona 19 – Mataró 39.

junto a la autopista A 7 SE : 2 km – ✉ 08210 Barberà del Vallès – 🕾 93 :

🏨 **Campanile,** carret. N 150 - sector Baricentro 🖉 729 29 28, Fax 729 25 52 – |韋| 🍽 📺
  ☎ 🕭 ⇔ Ⓟ – 🔏 60/220. 🆎 ⓞ ⋿ 𝘝𝘐𝘚𝘈
  Comida 2200 – ⊑ 850 – **212 hab** 8250 – PA 5250.

La BARCA (Playa de) Pontevedra – ver Vigo.

BARCELONA

08000 $\boxed{P}$ $\boxed{443}$ H 36 – *1 681 132 h. –* $\circledast$ *93.*

Madrid 627 ⑥ *– Bilbao Bilbo 607* ⑥ *– Lérida/Lleida 169* ⑥ *– Perpignan 187* ② *– Tarragona 109* ⑥ *– Toulouse 388* ② *– Valencia 361* ⑥ *– Zaragoza 307* ⑥.

Planos de Barcelona	
Aglomeración	p. 2 y 3
Centro	p. 4 a 6-8 y 9
Índice de calles de los planos	p. 2, 7 y 8
Lista alfabética de hoteles y restaurantes	p. 10 a 12
Nomenclatura	p. 13 a 23

OFICINAS DE TURISMO

🛈 *Gran Via de les Corts Catalanes 658,* ✉ *08010,* ℰ *301 74 43, Fax 412 25 70, Sants Estació,* ℰ *491 44 31 y en el aeropuerto* ℰ *478 47 04*

R.A.C.C. *(R.A.C. de Catalunya) Santaló 8,* ✉ *08021,* ℰ *200 33 11, Fax 414 31 63.*

INFORMACIONES PRÁCTICAS

🛇, 🛇 *Prat por* ⑤ *: 16 km* ℰ *379 02 78.*

✈ *de Barcelona por* ⑤ *: 12 km* ℰ *298 38 38 – Iberia : passeig de Gràcia 30,* ✉ *08007,* ℰ *412 56 67 HV y Aviaco : aeropuerto* ℰ *478 24 11*

🚗 *Sants* ℰ *490 75 91.*

⚓ *para Baleares : Cia. Trasmediterránea, Moll de Barcelona – Estació Marítima,* ✉ *08039,* ℰ *443 25 32, Fax 443 27 81 CT.*

CURIOSIDADES

Barrio Gótico *(Barri Gòtic)*★★ : Catedral★ MX, Casa de l'Ardiaca★ MX **A** Plaça del Rei★★ MX 149, Museu d'Història de la Ciutat★ MX **M¹** Capilla de Santa Àgata★ MX **F** Mirador del Rei Marti ⩽ ★★ MX **K** Museu Frederic Marès★ MX **M²**.

La Rambla★★ LX, MY : Atarazanas y Museo Marítimo★★ MY, Museu d'Art Contemporàni de Barcelona★★ HX **M¹⁰**, Plaça Reial★★ MY, Palacio Güell★★ LY, Gran Teatre del Liceu★ LY, Iglesia de Santa Maria del Pi★ LX, Palau de la Virreina★ LX, Carrer de Montcada★ NX **122** : Museo Picasso★ NV, Iglesia de Santa Maria del Mar★★ NX Montjuic★ ⩽ ★★ BCT : Pavelló Mies van der Rohe★★ BT **Z**, Museo Nacional de Arte de Cataluña★★★ CT **M⁴**, Poble Espanyol★ BT **E**, Anella Olímpica★ (Estadi Olímpic★ CT, Palau Sant Jordi★★ BT **P1**), Fundación Joan Miró★★ CT **W**, Teatre Grec★ CT **T1**, Museo Arqueológico★ CT **M⁵**

El Eixample★★ : Rambla de Catalunya★ HVX, Sagrada Familia★★★ JU, Hospital de Sant Pau★ CS, Passeig de Gràcia★★ HV (farolas★, Casa Lleó i Morera★ HV **Y**, Casa Amatller★ HV **Y**, Casa Batlló★★ HV **Y**, La Pedrera o Casa Milà★★★ HV **P**), Casa Terrades (les Punxes★) HV **Q**, Park Güell★★ BS, Palau de la Música Catalana★★ MV, Fundació Antoni Tàpies★★ HV **S**

La Fachada Marítima★ : Port Vell★ NY Basílica de la Mercé★ NY, La Llotja (lonja)★ NX, Estació de França★ NVX, Parque de La Ciutadella★ NV, KX (Castell des Tres Dragons★★ NV **M⁷**, Museu de Zoologia★ NV **M⁷**, Parque Zoológico★ KX), La Barceloneta★ KXY, Vila Olímpica★ (puerto deportivo★★, torres gemelas 🚡 ★★★) DT

Otras curiosidades : Tibidabo (🚡 ★★) ABS, Monasterio de Pedralbes★★ (frescos capilla Sant Miquel★★★, colección Thyssen Bornemisza★) AT, Palau de Pedralbes (Museu de Cerámica★) EX, Pabellones Güell★ EX, Torres Trade★ EX

161

BARCELONA

Alfons XIII (Av. d')	DS	2
Bartrina	CS	8
Berlín	BT	12
Bisbe Català	AT	13
Bonanova (Pas. de la)	BT	16
Borbó (Av. de)	CS	17
Brasil	BT	25
Can Serra (Av. de)	AT	30
Carles III (Gran Via de)	BT	38
Constitució	BT	50
Creu Coberta	BT	53
Dalt (Travessera de)	CS	56
Doctor Pi i Molist	CS	65
Enric Prat de la Riba	AT	66
Entença	BT	71
Fabra i Puig (Pas. de)	CS	77
FF. CC. (Pas. dels)	AT	78

Gavà	BT	84
Gran Sant Andreu	CS	88
Hospital Militar (Av. de l')	BS	93
Isabel la Católica (Av. d')	AT	96
Josep Tarradellas (Av.)	BT	102
Just Oliveras (Rambla de)	AT	105
Llorens Serra (Pas.)	DS	107
Madrid (Av. de)	BT	110
Manuel Girona (Pas. de)	BT	112
Mare de Déu de Montserrat (Av. de la)	CS	113
Marina	CT	114
Marquès de Comillas (Av.)	BT	115
Marquès de Mont-Roig (Av.)	DS	116
Marquès de Sant Mori (Av. del)	DS	117
Miramar (Av. de)	CT	119
Numància	CS	129
Pi i Margall	CS	138
Príncep d'Astúries (Av. del)	BT	144

Pujades (Pas. de)	CT	1
Ramiro de Maeztu	CS	1
Reina Elisenda de Montcada (Pas. de la)	BT	1
Reina Maria Cristina (Av.)	BT	1
Ribes (Carret.)	CS	1
Sant Antoni (Ronda de)	CT	1
Sant Antoni Maria Claret	CS	1
Sant Gervasi (Pas. de)	BS	1
Sant Joan (Rambla)	DS	1
Sant Pau (Ronda de)	CT	1
Sant Sebastià (Rambla de)	DS	1
Santa Coloma (Av. de)	DS	1
Santa Coloma (Pas. de)	CS	1
Sardenya	CT	1
Tarragona	BT	1
Tibidabo (Av. del)	BS	1
Universitat (Pl. de la)	CT	1
Verdum	CS	2
4 Camins	BS	2

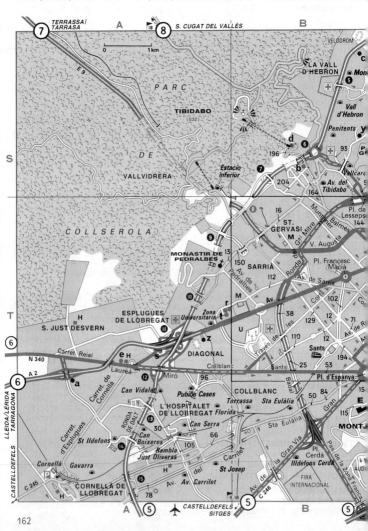

E	POBLE ESPANYOL
M⁴	MUSEU D'ART DE CATALUNYA
M⁵	MUSEU ARQUEOLÒGIC
P¹	PALAU SANT JORDI
T¹	TEATRE GREC
W	FUNDACIÓ JOAN MIRÓ
Z	PAVELLÓ MIES VAN DER ROHE

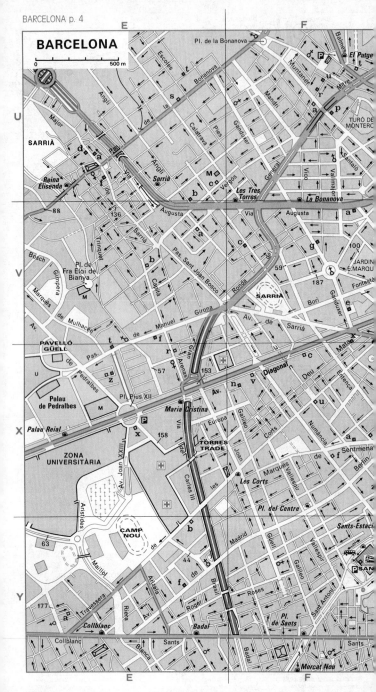

BARCELONA

0   500 m

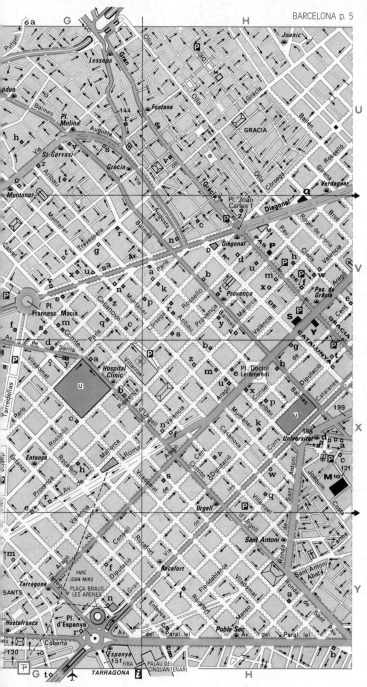

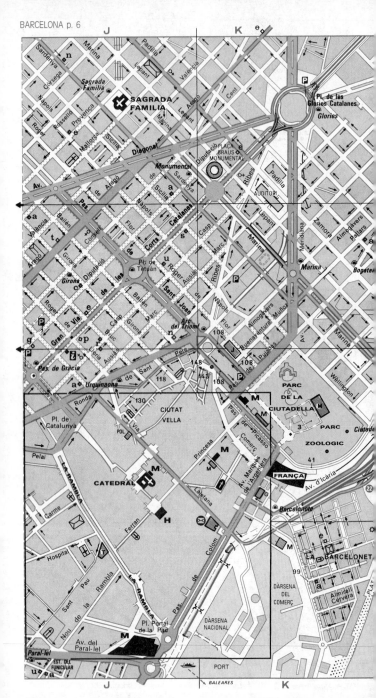

Caputxins
  (Rambla dels) . . . . . p. 9 **MY** 35
Catalunya (Pl. de) . . . p. 8 **LV**
Catalunya (Rambla de) . p. 5 **HX**
Corts Catalanes
  (Gran Via de les) . . p. 5 **HX**
Estudis (Rambla dels) . p. 8 **LX**
Gràcia (Pas. de) . . . . p. 8 **HV**
Pelai . . . . p. 8 **LV**
Sant Josep (Rambla de) p. 8 **LX** 168
Santa Mònica
  (Rambla de) . . . . . . p. 9 **MY**
Universitat (Pl. de la) . p. 5 **LV** 198
Universitat
  (Ronda de la) . . . . . p. 8 **LV** 199

Alfons XIII (Av. d') . . . p. 3 **DS** 2
Almirall Cervera . . . . p. 6 **KY**
Almogàvers . . . . p. 6 **KV**
Ample . . . . p. 9 **MY**
Àngels . . . . p. 8 **LX**
Àngel (Pl. de l') . . . . . p. 4 **EU**
Angli . . . . p. 4 **EU**
Antoni López (Pl. d') . . p. 9 **MY**
Antoni Maura (Pl. d') . . p. 9 **MV**
Aragó . . . . p. 5 **HX**
Argenteria . . . . p. 9 **NX**
Aribau . . . . p. 5 **HX**
Arístides Maillol . . . . p. 4 **EY**
Arizala . . . . p. 4 **EY**
Armes (Pl. d') . . . . . . p. 6 **KX** 3
Augusta (Via) . . . . . . p. 4 **FV**
Ausiàs Marc . . . . p. 6 **JV**
Avinyó . . . . p. 9 **MY**
Bacardí (Pas.) . . . . . . p. 9 **MY** 4
Badajoz . . . . p. 3 **DT**
Badal . . . . p. 2 **BT**
Bailèn . . . . p. 6 **JV**
Balmes . . . . p. 5 **HV**
Banys Nous . . . . p. 9 **MX** 7
Bartrina . . . . p. 3 **CS** 8
Bergara . . . . p. 8 **LV** 10
Berlín . . . . p. 2 **BT** 12
Bisbe Català . . . . p. 2 **AT** 13
Bisbe Irurita . . . . p. 9 **MX** 15
Bonanova (Pas. de la) . p. 2 **BT** 16
Bonanova (Pl. de la) . . p. 4 **FU**
Boqueria . . . . p. 8 **LY**
Borbó (Av. de) . . . . . . p. 3 **CS** 17
Bòria . . . . p. 9 **MV** 18
Borí i Fontestà . . . . . p. 4 **FV**
Born (Pas. del) . . . . . p. 9 **NX** 20
Bosch i Alsina
  (Moll de) . . . . p. 9 **NY**
Boters . . . . p. 9 **MX** 23
Brasil . . . . p. 2 **BT** 25
Bruc . . . . p. 5 **HV**
Buenaventura
  Muñoz . . . . p. 6 **KV**
Calatrava . . . . p. 4 **EU**
Calvet . . . . p. 5 **GV**
Canaletes
  (Rambla de) . . . . . . p. 8 **LV** 27
Canonge Colom (Pl.) . . p. 8 **LY** 28
Can Serra (Av. de) . . . p. 2 **AT** 30
Canuda . . . . p. 8 **LX**
Canvís Vells . . . . p. 9 **NX** 32
Capità Arenas . . . . . . p. 4 **EV**
Cardenal Casañas . . . p. 8 **LX** 36
Carders . . . . p. 9 **NV**
Cardrillet (Av. del) . . . p. 2 **AT**
Carles III
  (Gran Via de) . . . . . p. 2 **BT** 38
Carme . . . . p. 9 **LX**
Casanova . . . . p. 5 **HX**
Casp . . . . p. 6 **JV**
Catedral (Av. de la) . . p. 9 **MV** 40
Cerdà (Pl.) . . . . p. 2 **BT**
Circumval.lació
  (Pas. de) . . . . p. 6 **KX** 41
Ciutat . . . . p. 9 **MX** 43
Collblanc . . . . p. 4 **EY**
Colom (Pas. de) . . . . . p. 9 **NY**
Comandant Benítez . . p. 4 **EY** 44
Comerç . . . . p. 9 **NV**
Comercial (Pl.) . . . . . p. 9 **NV** 45
Comte d'Urgell . . . . . p. 5 **HX**
Consell de Cent . . . . . p. 5 **HX**
Constitució . . . . p. 2 **BT** 50
Cornellà (Carret. de) . . p. 2 **AT**
Corsega . . . . p. 5 **HU**
Corts (Travessera de les) p. 4 **EY**

Creu Coberta . . . . . . p. 2 **BT** 53
Cucurulla . . . . p. 8 **LX** 55
Dalt (Travessera de) . . p. 3 **CS** 56
Déu i Mata . . . . p. 4 **FX**
Diagonal (Av.) . . . . . . p. 5 **HV**
Diputació . . . . p. 5 **HX**
Doctor Ferran . . . . . . p. 4 **EX** 57
Doctor Fleming . . . . . p. 4 **FV** 59
Doctor Joaquim Pou . . p. 9 **MV** 61
Doctor Letamendi (Pl.) p. 5 **HX**
Doctor Marañón
  (Av. del) . . . . p. 4 **EY** 63
Doctor Pi i Molist . . . p. 3 **CS** 65
Drassanes (Av. de les) . p. 8 **LY**
Duc de Medinaceli
  (Pl. del) . . . . p. 9 **NY**
Elisabets . . . . p. 8 **LX**
Enric Prat de la Riba . p. 2 **AT** 66
Entença . . . . p. 5 **GX**
Escoles Pies . . . . p. 4 **EU**
Escudellers . . . . p. 9 **MY**
Espanya (Moll d') . . . . p. 9 **NY**
Espanya (Pl. d') . . . . . p. 5 **GY**
Esplugues (Carret d') . p. 2 **AT**
Estadi (Av. de l') . . . . p. 3 **CT** 75
Europa . . . . p. 4 **EX**
Fabra i Puig (Pas. de) . p. 3 **CS** 77
Ferran . . . . p. 9 **MY**
FF. CC. (Pas. dels) . . . p. 2 **AT** 78
Floridablanca . . . . . . p. 5 **HY**
Fontanella . . . . p. 8 **LV**
Fra Eloi de Bianya
  (Pl. de) . . . . p. 4 **FV**
Francesc Cambó (Av.) . p. 9 **MV** 79
Francesc. Macià
  (Pl. de) . . . . p. 5 **GV**
Galileo . . . . p. 4 **FX**
Ganduxer . . . . p. 4 **FV**
Garriga i Bach . . . . . . p. 9 **MX** 81
Gavà . . . . p. 2 **BT** 84
General Mitre
  (Ronda del) . . . . . . p. 4 **FU**
Girona . . . . p. 6 **JV**
Glòries Catalanes
  (Pl. de les) . . . . p. 6 **KU**
Gràcia (Travessera de) . p. 5 **HU**
Gran de Gràcia . . . . . p. 5 **HU**
Gran Sant Andreu
  (Carrer) . . . . p. 3 **CS** 88
Gran Via (Av. de la)
  (L'HOSPITALET) . . . p. 2 **BT**
Guipúscoa . . . . p. 3 **DS**
Hospital . . . . p. 8 **LY**
Hospital Militar
  (Av. de l') . . . . p. 2 **BS** 93
Icària (Av. d') . . . . . . p. 6 **KX**
Isabel la Católica (Av.) . p. 2 **AT** 96
Isabel II (Pas. d') . . . . p. 9 **NX** 98
Joan Carles I (Pl. de) . p. 5 **HV**
Joan Borbó Comte de
  Barcelona (Pas. de) . p. 6 **KY** 99
Joan Güell . . . . p. 4 **EX**
Joan XXIII (Av.) . . . . . p. 4 **EX**
Joaquim Costa . . . . . p. 5 **HX**
Johann Sebastian
  Bach . . . . p. 4 **FV** 100
Josep Anselm Clavé . p. 9 **MY**
Josep Tarradellas (Av.) . p. 2 **BT** 102
Just Oliveras
  (Rambla de) . . . . . . p. 2 **AT** 105
Laietana (Via) . . . . . . p. 9 **NX**
Laureà Miró . . . . p. 2 **AT**
Lepant . . . . p. 6 **JU**
Lesseps (Pl. de) . . . . . p. 2 **BT**
Liszt . . . . p. 3 **DS**
Llobregós . . . . p. 3 **DS**
Llorens Serra (Pas.) . . p. 3 **CS** 107
Lluís Companys
  (Pas. de) . . . . p. 6 **KX** 108
Llull . . . . p. 3 **DS**
Madrid (Av. de) . . . . . p. 2 **BT** 110
Major de Sarrià . . . . . p. 4 **EV**
Mallorca . . . . p. 5 **HV**
Mandri . . . . p. 4 **FU**
Manso . . . . p. 5 **HY**
Manuel Girona
  (Pas. de) . . . . p. 2 **BT** 112
Maragall (Av. de) . . . . p. 3 **CS**
Mare de Déu de
  Montserrat (Av. de la) p. 3 **CS** 113
Marina . . . . p. 3 **CT** 114
Marquès de l'Argentera
  (Av.) . . . . p. 9 **NX**

Marquès de Comillas
  (Av. del) . . . . p. 2 **BT** 115
Marquès de Mont-Roig
  (Av. del) . . . . p. 3 **DS** 116
Marquès
  de Mulhacén . . . . . p. 4 **EV**
Marquès de Sant
  Mori (Av. del) . . . . . p. 3 **DS** 117
Marquès de
  Sentmenat . . . . . . p. 4 **FX**
Mata . . . . p. 4 **FX**
Méndez Núñez . . . . . p. 6 **JX** 118
Mercaders . . . . p. 9 **MY**
Meridiana (Av.) . . . . . p. 6 **KV**
Mirallers . . . . p. 9 **NX**
Miramar (Av. de) . . . . p. 3 **CT** 119
Moianès . . . . p. 5 **GY** 120
Montalegre . . . . p. 5 **HX** 121
Montcada . . . . p. 9 **NX** 122
Montjuic del Bisbe . . . p. 9 **MX** 123
Muntaner . . . . p. 5 **GV**
Nàpols . . . . p. 6 **JU**
Nou de la Rambla . . . p. 8 **LY**
Nou de
  Sant Francesc . . . . p. 9 **MY** 126
Nova (Pl.) . . . . p. 9 **MX** 128
Numància . . . . p. 2 **BT** 129
Olla . . . . p. 5 **HU**
Ortigosa . . . . p. 6 **JX** 130
Padilla . . . . p. 6 **KU**
Paisos Catalans (Pl.) . . p. 5 **GY** 132
Palau (Pl. del) . . . . . . p. 9 **NX**
Palla . . . . p. 9 **MX**
Pallars . . . . p. 6 **KV**
Paradís . . . . p. 9 **MX** 135
Paral. lel (Av. del) . . . . p. 8 **LY**
París . . . . p. 5 **GX**
Pau Claris . . . . p. 5 **HV**
Pau Villa (Pl. de) . . . . p. 9 **NY**
Pedralbes (Av. de) . . . p. 4 **EX**
Pedró de la Creu . . . . p. 4 **EV** 136
Pere IV . . . . p. 3 **DS**
Pi (Pl. del) . . . . p. 8 **LX** 137
Picasso (Pas. de) . . . . p. 9 **NV**
Pi i Margall . . . . p. 3 **CS** 138
Pintor Fortuny . . . . . . p. 8 **LX** 140
Pius XII (Pl.) . . . . p. 4 **EX**
Portaferrissa . . . . p. 8 **LX**
Portal de l'Àngel
  (Av.) . . . . p. 8 **LV**
Portal de la Pau
  (Pl.) . . . . p. 9 **MY**
Portal de
  Santa Madrona . . . p. 9 **MY** 142
Portal Nou . . . . p. 6 **KX** 143
Prim . . . . p. 3 **DS**
Príncep d'Astúries
  (Av. del) . . . . p. 5 **GU** 144
Princesa . . . . p. 9 **NV**
Provença . . . . p. 5 **GX**
Pujades (Pas. de) . . . . p. 3 **CT** 145
Putget . . . . p. 5 **GU**
Ramiro de Maeztu . . . p. 3 **CS** 146
Ramon Berenguer
  el Gran (Pl. de) . . . . p. 9 **MX** 147
Rec Comtal . . . . p. 6 **JX** 148
Rei (Pl. del) . . . . p. 9 **MX** 149
Reial (Carret.) . . . . . . p. 2 **AT**
Reial (Pl.) . . . . p. 9 **MY**
Reina Elisenda de
  Montcada (Pas. de la) p. 2 **BT** 150
Reina Maria Cristina
  (Av. de la) . . . . p. 2 **BT** 151
Reina Maria Cristina
  (Pl. de la) . . . . p. 4 **EX** 153
Ribes . . . . p. 6 **KV**
Ribes (Carret.) . . . . . . p. 3 **CS** 154
Rocafort . . . . p. 5 **HY**
Roger . . . . p. 4 **EY**
Roger de Flor . . . . . . p. 6 **JU**
Roger de Llúria . . . . . p. 5 **HV**
Roma (Av. de) . . . . . . p. 5 **GX**
Roses . . . . p. 4 **FY**
Rosselló . . . . p. 5 **HV**
Sabino de Arana (Av.) . p. 4 **EX** 158
Sagrera . . . . p. 3 **CS**
Sant Antoni . . . . p. 4 **FY**
Sant Antoni
  (Ronda de) . . . . p. 3 **CT** 160

Continuación Barcelona p. 8

REPERTORIO
DE CALLES (fin)

Sant Antoni Abat .... p. 5 **HY**
Sant Antoni Maria
  Claret .... p. 3 **CS 162**
Sant Felip Neri (Pl.) ... p. 9 **MX 163**
Sant Gervasi (Pas. de) p. 2 **BS 164**
Sant Jaume (Pl.) ..... p. 9 **MX**
Sant Joan (Pas. de) ... p. 6 **JV**
Sant Joan (Rambla)... p. 3 **DS 166**
Sant Joan Bosco
  (Pas. de).......... p. 4 **EV**
Sant Josep Oriol ..... p. 8 **LX 167**
Sant Lu (Pl. de) ...... p. 9 **MX 170**
Sant Miquel (Pl. de) .. p. 9 **MX 173**
Sant Pau .... p. 8 **LY**
Sant Pau (Ronda de).. p. 3 **CT 174**
Sant Pere més alt .... p. 9 **MV**
Sant Pere més baix ... p. 9 **MV**
Sant Pere (Ronda de) . p. 6 **JX**
Sant Rafael .... p. 8 **LY**
Sant Ramon Nonat
  (Av. de) .... p. 4 **EY 177**
Sant Sebastià
  (Rambla de) .... p. 3 **DS 179**
Sant Sever .... p. 9 **MX 181**
Santa Anna .... p. 8 **LV 182**
Santa Coloma (Av. de). p. 3 **DS 184**
Santa Coloma
  (Pas. de).......... p. 3 **CS 186**
Santa Eulàlia .... p. 2 **BT**
Santa Fe de
  Nou Mèxic .... p. 4 **FV 187**
Santa Maria (Pl.) ..... p. 9 **NX 189**
Santaló .... p. 4 **FU**
Santander .... p. 3 **DS**
Sants .... p. 4 **FY**
Sardenya .... p. 3 **CT 191**
Sarrià (Av. de) .... p. 4 **FV**
Serra .... p. 9 **MY**
Sicília .... p. 6 **JU**
Seu (Pl. de la) .... p. 9 **MX 192**
Tapineria .... p. 9 **MX 193**
Tarragona .... p. 2 **BT 194**
Teatre (Pl. del) ...... p. 9 **MY**
Tetuàn (Pl. de) ...... p. 6 **JV**
Tibidabo (Av. del) .... p. 2 **BS 196**
Trinquet .... p. 4 **EV**
Urquinaona (Pl.) ..... p. 6 **JX**
València .... p. 5 **HX**
Valldaura
  (Pas. de).......... p. 3 **CS**
Vallespir .... p. 4 **FY**
Vallmajor .... p. 4 **FU**
Verdum (Pas. de) .... p. 3 **CS 200**
Vergós .... p. 4 **FU**
Vico .... p. 4 **FU**
Viladomat .... p. 5 **HY**
Villarroel .... p. 5 **GX**
Wellington .... p. 6 **KX**
Zamora .... p. 6 **KV**
Zona Franca
  (Pas. de la)........ p. 2 **BT**
4 Camins .... p. 2 **BS 204**

Michelin
pone sus mapas
constantemente al día.
Llévelos en su coche
y no tendrá
sorpresas desagradables
en carretera.

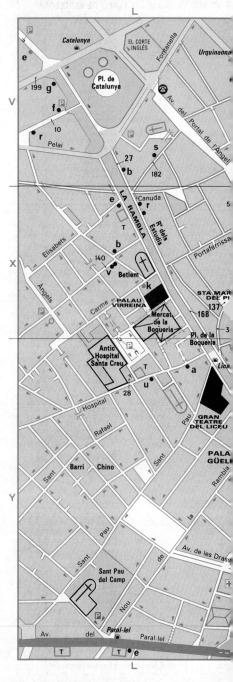

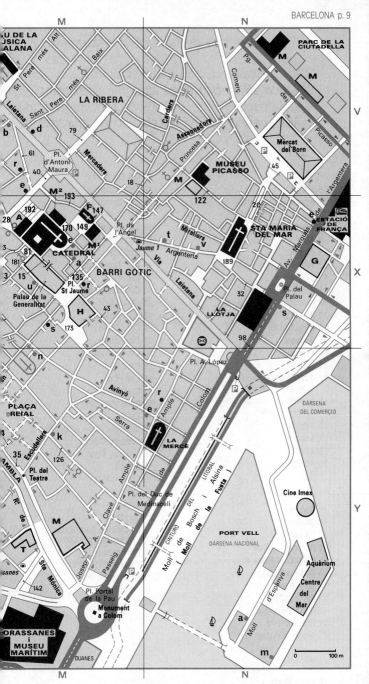

PARC DE LA CIUTADELLA

LA RIBERA

Pl. d'Antoni Maura

MUSEU PICASSO

Mèrcat del Born

45

122

STA MARIA DEL MAR

ESTACIÓ DE FRANÇA

Pl. de l'Àngel

Miralers

189

20

G

CATEDRAL

BARRI GOTIC

Jaume 1   Argenteria

Pl. St Jaume

Palau de la Generalitat

H

Pl. del Palau

32

LA LLOTJA

S

98

Pl. A. López

PLAÇA REIAL

Avinyó

Escudellers

Pl. del Teatre

35

126

LA MERCÈ

Pl. del Duc de Medinaceli

DÀRSENA DEL COMERÇIO

Cine Imax

T

142

PORT VELL

DÀRSENA NACIONAL

Pl. Portal de la Pau

Monument a Colom

DRASSANES i MUSEU MARÍTIM

DUANES

Aquàrium

Centre del Mar

0   100 m

169

Lista alfabética de hoteles y restaurantes
Lista alfabética de hotéis e restaurantes
Liste alphabétique des hôtels et restaurants
Elenco alfabetico degli alberghi e ristoranti
Alphabetisches Hotel-und Restaurantverzeichnis
Alphabetical list of hotels and restaurants

A

16 Abbot
16 Acacia (Aparthotel)
17 Accés (Aparthotel)
14 Agut d'Avignon
14 Aitor
21 Albéniz
22 Alberto
16 Alexandra
17 Alfa Aeropuerto
17 Alguer (L')
20 Alimara
13 Ambassador
21 Aragón
20 Arenas
14 Arts
22 Asador de Aranda (El)
        av. del Tibidabo 31
18 Asador de Aranda (El) Londres 94
19 Asador Izarra
16 Astoria
21 Atenas
13 Atlantis
20 Azpiolea

B

16 Balmes
20 Balmoral
15 Barcelo Sants
15 Barcelona Hilton
15 Barcelona Plaza H.
13 Barcino (G.H.)
17 Beltxenea
19 Bierzo (O')
14 Bona Cuina (La)
21 Botafumeiro
20 Brochette (La)

C

14 Ca la Maria

19 Cal Sardineta
16 Caledonian
22 Can Cortada
14 Can Culleretes
18 Can Fayos
14 Can Ramonet
14 Can Solé
23 Can Traví Nou
20 Cañota
14 Caracoles (Los)
20 Carles Grill
17 Casa Calvet
19 Casa Darío
22 Casa Jordi
20 Casa Juliana
19 Casa Toni
19 Casimiro
21 Castellnou
15 Catalonia (G.H.)
17 Catalunya Plaza
19 Celler de Casa Jordi (El)
17 Century Glòries
16 Century Park
19 Chicoa
16 City Park H.
15 Claris
13 Colón
21 Condado
15 Condes de Barcelona
        (Monument i Centre)
14 Continental
14 Cortés
21 Covadonga
16 Cristal
14 Cuineta (La)

D

17 Dama (La)
16 Dante
22 Daxa

16 Derby
15 Diplomatic
19 Dolceta 2
16 Duques de Bergara

E – F

19 Elche
19 Elx al Moll (L')
23 Encis (L')
17 Europark
16 Expo H.
17 Finisterre
15 Fira Palace
18 Font del Gat

G – H

22 Gaig
15 Gallery H.
18 Gargantua i Pantagruel
18 Gorría
15 Gran Derby
13 Gravina
13 Guitart Almirante
16 Guitart Grand Passage
15 Havana (G.H.)
20 Hesperia
14 Hostal El Pinter
22 Hostal Sant Jordi

J – K – L

15 Illa (L')
17 Jaume de Provença
21 Jean Luc Figueras
23 Julivert Meu
18 Koxkera
19 Lázaro
13 Lleó
18 Llotja (La)
20 Lubina (La)

M

18 Maison du Languedoc Roussillon (La)
18 Maitetxu
15 Majestic
19 Manduca (La)
20 Marisqueiro Panduriño
23 Masía (La)
23 Medulio
15 Meliá Barcelona

15 Meliá Confort Apolo
23 Menta (A la)
13 Meridien Barcelona (Le)
13 Mesón Castilla
13 Metropol
21 Mikado
19 Miquel Chan
21 Mitre
13 Moderno
13 Montecarlo
18 Muffins

N – O

21 Neichel
19 Nervión
14 Neyras
20 NH Belagua
15 NH Calderón
20 NH Cóndor
16 NH Forum
17 NH Les Corts
16 NH Master
16 NH Numancia
21 NH Pedralbes
16 NH Podium
16 NH Rallye
16 NH Sant Angelo
16 Núñez Urgel
17 Oliver y Hardy
17 Onix
19 Ostres (Les)

P – Q

20 Pá i Trago
15 Palace
20 Paolo (Da)
22 Paradis Barcelona
17 Paral.lel
13 Park H.
20 Park Putxet
23 Pati Blau (El)
20 Peppo (Da)
20 Perols de l'Empordá (Els)
19 Pescador (El)
18 Pescadors (Els)
18 Petit Paris
22 Petite Marmite (La)
14 Pitarra
19 Portal (El)
15 Princesa Sofia Inter-Continental
18 Provença (La)

23 Quattro Stagioni (Le)
23 Quirze
14 Quo Vadis

R

19 Racó de la Vila
18 Racó d'en Cesc
22 Racó d'en Freixa (El)
13 Ramblas H.
13 Reding
13 Regencia Colón
17 Regina
14 Reial Club Marítim
21 Rekor'd
21 Reno
14 Rey Juan Carlos I
13 Rialto
18 Rías de Galicia
14 Ribera (La)
13 Rivoli Rambla
22 Roig Robi
16 Roma
21 Roncesvalles
19 Rosamar
23 Rovell d'Ou
13 Royal
21 Rubens

S

22 Sal i Pebre
13 San Agustín
23 Sant Just
18 Satélite
19 Semproniana
14 Senyor Parellada
14 7 Portes
18 Si Senyor
18 Sibarit

19 Solera Gallega
15 St. Moritz
20 Suite H.

T

17 Taber
17 Talaia Mar
23 Taula (La)
18 Tikal
22 Tiró Mimet
17 Tragaluz (El)
22 Tram-Tram
18 Tramonti 1980
22 Trapío (El)
21 Travesera
22 Tritón
20 Tryp Presidente
19 Túnel del Port (El)
13 Turín

V – W – X – Y – Z

19 Vaquería (La)
22 Vell Sarrià (El)
22 Venta (La)
21 Via Veneto
20 Victoria
19 Vieiras (As)
18 Vinya Rosa-Magi
22 Vivanda
23 Vol de Nit (El)
21 Wilson
22 Xarxa (La)
18 Yantar de la Ribera (El)
18 Yashima
23 Yaya Amelia (La)
21 Zenit
22 Zure Etxea

Ciutat Vella : Ramblas, pl. S. Jaume, Via Laietana, passeig Nacional, passeig de Colom

Le Meridien Barcelona, La Rambla 111, ✉ 08002, ℰ 318 62 00, Telex 54634, Fax 301 77 76 – 🛗 ▤ 📺 ☎ ♿ 🚗 – 🏛 25/200. AE ⓓ E VISA JCB. 🚫 LX b
Comida carta 3500 a 5325 – ☕ 2250 – **198 hab** 24000/30000, 7 suites.

Colón, av. de la Catedral 7, ✉ 08002, ℰ 301 14 04, Telex 52654, Fax 317 29 15 – 🛗 ▤ 📺 ☎ ♿ – 🏛 25/120. AE ⓓ E VISA JCB. 🚫 rest MV e
Comida 3500 – ☕ 1600 – **138 hab** 14750/22000, 9 suites.

Rivoli Rambla, La Rambla 128, ✉ 08002, ℰ 302 66 43, Telex 99222, Fax 317 20 38, Ꮀ – 🛗 ▤ 📺 ☎ ♿ – 🏛 25/180. AE ⓓ E VISA JCB. 🚫 LX r
Comida (sólo almuerzo) 3500 – ☕ 1900 – **81 hab** 19000/24000, 9 suites.

Royal *sin rest. con cafetería*, La Rambla 117, ✉ 08002, ℰ 301 94 00, Telex 97565, Fax 317 31 79 – 🛗 ▤ 📺 ☎ 🚗 – 🏛 25/100. AE ⓓ E VISA JCB. 🚫 LX e
☕ 1500 – **108 hab** 13800/17500.

Ambassador, Pintor Fortuny 13, ✉ 08001, ℰ 412 05 30, Telex 99222, Fax 317 20 38, Ꮀ, 🏊 – 🛗 ▤ 📺 ☎ ♿ 🚗 – 🏛 25/200. AE ⓓ E VISA JCB. 🚫 LX v
Comida 2800 – ☕ 1900 – **96 hab** 15900/19900, 9 suites.

G.H. Barcino *sin rest*, Jaume I-6, ✉ 08002, ℰ 302 20 12, Fax 301 42 42 – 🛗 ▤ 📺 ☎ ♿. AE ⓓ E VISA. 🚫 MX r
☕ 1700 – **53 hab** 16300/23500.

Guitart Almirante, Via Laietana 42, ✉ 08003, ℰ 268 30 20, Fax 268 31 92 – 🛗 ▤ 📺 ☎ 🚗 – 🏛 25/40. AE ⓓ E VISA JCB. 🚫 MV d
Comida 3000 – ☕ 1300 – **73 hab** 11250/15000, 3 suites – PA 6000.

Gravina *sin rest. con cafetería*, Gravina 12, ✉ 08001, ℰ 301 68 68, Telex 99370, Fax 317 28 38 – 🛗 ▤ 📺 ☎ – 🏛 25/50. AE ⓓ E VISA. 🚫 HX d
☕ 1000 – **60 hab** 10900/15900.

Montecarlo *sin rest*, La Rambla 124, ✉ 08002, ℰ 412 04 04, Fax 318 73 23 – 🛗 ▤ 📺 ☎ ♿ 🚗. AE ⓓ E VISA. 🚫 LX r
☕ 1100 – **80 hab** 8900/12500.

Reding, Gravina 5, ✉ 08001, ℰ 412 10 97, Fax 268 34 82 – 🛗 ▤ 📺 ☎ 🚗. AE ⓓ E VISA JCB. 🚫 HX d
Comida 1075 – ☕ 1100 – **44 hab** 13500/16200 – PA 5100.

Atlantis *sin rest*, Pelai 20, ✉ 08001, ℰ 318 90 12, Fax 412 09 14 – 🛗 ▤ 📺 ☎. AE ⓓ E VISA. 🚫 HX a
☕ 900 – **42 hab** 8000/10000.

Metropol *sin rest*, Ample 31, ✉ 08002, ℰ 310 51 00, Fax 319 12 76 – 🛗 ▤ 📺 ☎. AE ⓓ E VISA. 🚫 NY r
☕ 995 – **68 hab** 10400/11600.

Lleó *sin rest. con cafetería*, Pelai 22, ✉ 08001, ℰ 318 13 12, Fax 412 26 57 – 🛗 ▤ 📺 ☎ ♿. AE E VISA JCB HX a
☕ 975 – **75 hab** 8500/11000.

Turín, Pintor Fortuny 9, ✉ 08001, ℰ 302 48 12, Fax 302 10 05 – 🛗 ▤ 📺 ☎ ♿. AE ⓓ E VISA LX v
Comida 1000 – ☕ 850 – **60 hab** 8900/13500.

Ramblas H. *sin rest*, Rambles 33, ✉ 08002, ℰ 301 57 00, Fax 412 25 07 – 🛗 ▤ 📺 ☎ ♿ – 🏛 25. E VISA. 🚫 MY z
☕ 975 – **70 hab** 10225/12750.

Rialto *sin rest. con cafetería*, Ferran 42, ✉ 08002, ℰ 318 52 12, Telex 97206, Fax 318 53 12 – 🛗 ▤ 📺 ☎ – 🏛 25/50. AE ⓓ E VISA JCB MX s
☕ 700 – **149 hab** 9470/12360.

Park H., av. Marquès de l'Argentera 11, ✉ 08003, ℰ 319 60 00, Fax 319 45 19 – 🛗 ▤ 📺 ☎ ♿ 🚗. AE ⓓ E VISA JCB. 🚫 NX e
Comida 2500 – ☕ 950 – **87 hab** 8500/11500.

San Agustín, pl. Sant Agustí 3, ✉ 08001, ℰ 318 17 08, Fax 317 29 28 – 🛗 ▤ 📺 ☎ ♿. AE E VISA. 🚫 LY u
Comida 1200 – **77 hab** ☕ 6000/8900.

Regencia Colón *sin rest*, Sagristans 13, ✉ 08002, ℰ 318 98 58, Telex 98175, Fax 317 28 22 – 🛗 ▤ 📺 ☎. AE ⓓ E VISA MV r
☕ 1000 – **55 hab** 7900/13500.

Mesón Castilla *sin rest*, Valldoncella 5, ✉ 08001, ℰ 318 21 82, Fax 412 40 20 – 🛗 ▤ 📺 ☎ 🚗. AE E VISA HX c
☕ 700 – **56 hab** 8750/9750.

Moderno, Hospital 11, ✉ 08001, ℰ 301 41 54, Telex 98215, Fax 301 02 83 – 🛗 ▤ 📺 ☎. AE ⓓ E VISA JCB. 🚫 LY a
Comida *(cerrado lunes)* 1100 – ☕ 500 – **49 hab** 6000/10000.

🏛 **Cortés,** Santa Ana 25, ⊠ 08002, ℘ 317 91 12, Telex 98215, Fax 302 78 70 – |❦| ▤ re
📺 ☎. ﷳ ⓞ Ɛ 𝘝𝘐𝘚𝘈 ᴊ𝘤ʙ. ⍚%
LV
Comida *(cerrado domingo)* 1100 – ⌷ 500 – **45 hab** 4800/7500.

🏛 **Continental** *sin rest*, Rambles 138-2°, ⊠ 08002, ℘ 301 25 70, Fax 302 73 60 – |❦| [
☎. ﷳ ⓞ Ɛ 𝘝𝘐𝘚𝘈 ᴊ𝘤ʙ
LV
35 hab ⌷ 6950/9900.

✗✗ **Agut d'Avignon,** Trinitat 3, ⊠ 08002, ℘ 302 60 34, Fax 302 53 18 – ▤. ﷳ ⓞ
𝘝𝘐𝘚𝘈 ᴊ𝘤ʙ. ⍚%
MY
Comida carta 3970 a 5385.

✗✗ **Neyras,** Julià Portet 1, ⊠ 08003, ℘ 302 46 47, Fax 302 67 41 – ▤. ﷳ ⓞ Ɛ 𝘝𝘐𝘚𝘈.
MV
cerrado domingo y agosto – **Comida** carta 4500 a 5500.

✗✗ **Quo Vadis,** Carme 7, ⊠ 08001, ℘ 302 40 72, Fax 301 04 35 – ▤. ﷳ ⓞ Ɛ 𝘝𝘐𝘚𝘈 ᴊ𝘤
LX
cerrado domingo y agosto – **Comida** carta 4600 a 5450.

✗✗ **La Bona Cuina,** Pietat 12, ⊠ 08002, ℘ 268 23 94, Fax 315 07 98 – ▤. ﷳ ⓞ Ɛ 𝘝
ᴊ𝘤ʙ. ⍚%
MX
Comida carta 3675 a 5350.

✗✗ **Reial Club Marítim,** Moll d'Espanya, ⊠ 08039, ℘ 221 71 43, Fax 221 44 12, ≤, ⍤
– ▤. Ɛ 𝘝𝘐𝘚𝘈 ᴊ𝘤ʙ
NY
Comida carta 3200 a 4675.

✗✗ **Senyor Parellada,** Argenteria 37, ⊠ 08003, ℘ 310 50 94 – ▤. ﷳ ⓞ Ɛ 𝘝𝘐𝘚𝘈 ᴊ𝘤
⍚%
NX
cerrado domingo y festivos – **Comida** carta 2525 a 3700.

✗✗ **7 Portes,** passeig d'Isabel II-14, ⊠ 08003, ℘ 319 30 33, Fax 319 30 46 – ▤. ﷳ
𝘝𝘐𝘚𝘈
NX
Comida carta 3100 a 5900.

✗ **La Cuineta,** Paradís 4, ⊠ 08002, ℘ 315 01 11, Fax 315 07 98, Rest. típico, « Instala
en una bodega del siglo XVII » – ▤. ﷳ ⓞ Ɛ 𝘝𝘐𝘚𝘈 ᴊ𝘤ʙ. ⍚%
MX
Comida carta 2360 a 4560.

✗ **La Ribera,** Argenteria 53, ⊠ 08003, ℘ 310 42 94 – ▤. ﷳ ⓞ Ɛ 𝘝𝘐𝘚𝘈
NX
cerrado domingo y agosto – **Comida** carta aprox. 3200.

✗ **Can Ramonet,** Maquinista 17, ⊠ 08003, ℘ 319 30 64, Fax 319 70 14, Pescados y
mariscos – ▤. ﷳ ⓞ Ɛ 𝘝𝘐𝘚𝘈 ᴊ𝘤ʙ
KY
cerrado 5 agosto-5 septiembre – **Comida** carta 2800 a 4150.

✗ **Hostal El Pintor,** Sant Honorat 7, ⊠ 08002, ℘ 301 40 65, Decoración rústica – ▤
ﷳ ⓞ Ɛ 𝘝𝘐𝘚𝘈 ᴊ𝘤ʙ
MX
Comida carta 3050 a 4900.

✗ **Pitarra,** Avinyó 56, ⊠ 08002, ℘ 301 16 47, Fax 301 16 47, Decoración evocadora c
recuerdos del poeta Pitarra – ▤. ﷳ ⓞ Ɛ 𝘝𝘐𝘚𝘈
NY
cerrado domingo, festivos noche y agosto – **Comida** carta 2125 a 3275.

✗ **Can Solé,** Sant Carles 4, ⊠ 08003, ℘ 221 58 15, Fax 221 58 15, Pescados – ▤. ﷳ
𝘝𝘐𝘚𝘈
KY
cerrado domingo noche y lunes – **Comida** carta 2925 a 4975.

✗ **Ca la María,** Tallers 76 bis, ⊠ 08001, ℘ 318 89 93
▤. ﷳ ⓞ Ɛ 𝘝𝘐𝘚𝘈 ᴊ𝘤ʙ
HX
cerrado domingo noche, lunes y agosto – Comida carta 2500 a 3200.

✗ **Can Culleretes,** Quintana 5, ⊠ 08002, ℘ 317 64 85, Fax 317 64 85, Rest. típico – ▤
ﷳ ⓞ Ɛ 𝘝𝘐𝘚𝘈 ᴊ𝘤ʙ
MY
cerrado domingo noche, lunes y del 1 al 22 de julio – **Comida** carta 2150 a 3200.

✗ **Los Caracoles,** Escudellers 14, ⊠ 08002, ℘ 302 31 85, Fax 302 07 43, Rest. típico
Decoración rústica regional – ▤. ﷳ ⓞ Ɛ 𝘝𝘐𝘚𝘈 ᴊ𝘤ʙ. ⍚%
MY
Comida carta 2975 a 4725.

Sur Diagonal : pl. de Catalunya, Gran Via de Les Corts Catalanes, passeig de Gràc
Balmes, Muntaner, Aragó

🏨🏨🏨 **Rey Juan Carlos I** ⤬, av. Diagonal 661, ⊠ 08028, ℘ 448 08 08, Fax 448 06 07,
ciudad, ⛲, « Modernas instalaciones. Parque con estanque y ⤢ », ₤₅, ⬜, ⛭ – |❦|
📺 ☎ ₺ ⇔ ⓟ – 🔬 25/1000. ﷳ ⓞ Ɛ 𝘝𝘐𝘚𝘈. ⍚%
AT
Chez Vous (cerrado sábado mediodía y domingo) **Comida** carta 4300 a 585
Café Polo : **Comida** carta 2100 a 4900 – ⌷ 2100 – **375 hab** 27000/3600
37 suites.

🏨🏨🏨 **Arts** ⤬, Marina 19, ⊠ 08005, ℘ 221 10 00, Fax 221 10 70, ≤, ⤢ – |❦| ▤ 📺 ☎
⇔ – 🔬 25/900. ﷳ ⓞ 𝘝𝘐𝘚𝘈 ᴊ𝘤ʙ. ⍚%
DT
Newport (sólo cena, cerrado domingo, lunes y agosto) **Comida** carta 4950 a 7100 –
2500 – **397 hab** 27000, 58 suites.

🏨🏨🏨🏨 **Palace,** Gran Via de les Corts Catalanes 668, ⊠ 08010, ℰ 318 52 00, Telex 52739, Fax 318 01 48, 🍴 – 📵 ▤ 📺 ☎ – 🔏 25/350. 🖭 ⓞ 🗲 𝘝𝘐𝘚𝘈. 🛇 JV p
Comida carta 5500 a 6600 – ヱ 2300 – **148 hab** 29500/43000, 13 suites.

🏨🏨🏨 **Claris** ⟂, Pau Claris 150, ⊠ 08009, ℰ 487 62 62, Fax 215 79 70, « Modernas instalaciones con antigüedades. Museo arqueológico », ⟂, – 📵 ▤ 📺 ☎ ⟵ – 🔏 25/60. 🖭 ⓞ 🗲 𝘝𝘐𝘚𝘈 ᴊᴄʙ. 🛇 rest HV w
Comida 6000 - *Beluga (sólo cena, cerrado domingo)* **Comida** carta 6000 a 9000 – ヱ 2100 – **106 hab** 25500/31850, 18 suites.

🏨🏨🏨 **Barcelona Hilton,** av. Diagonal 589, ⊠ 08014, ℰ 419 22 33, Telex 99623, Fax 405 25 73, 🍴 – 📵 ▤ 📺 ☎ ℰ ⟵ – 🔏 25/800. 🖭 ⓞ 🗲 𝘝𝘐𝘚𝘈 ᴊᴄʙ FX v
Comida 2800 – ヱ 2100 – **285 hab** 24000/29000, 2 suites.

🏨🏨🏨 **Meliá Barcelona,** av. de Sarrià 50, ⊠ 08029, ℰ 410 60 60, Telex 51638, Fax 321 51 79, ← – 📵 ▤ 📺 ☎ ⟵ – 🔏 25/500. 🖭 ⓞ 🗲 𝘝𝘐𝘚𝘈 ᴊᴄʙ. 🛇 FV n
Comida 6000 – ヱ 2000 – **308 hab** 23500/30500, 4 suites.

🏨🏨🏨 **Princesa Sofía Inter-Continental,** pl. Pius XII-4, ⊠ 08028, ℰ 330 71 11, Telex 51032, Fax 330 76 21, ←, 𝘍ᴅ, ⟂ – 📵 ▤ 📺 ☎ ℰ ⟵ – 🔏 25/1200. 🖭 ⓞ 🗲 𝘝𝘐𝘚𝘈
Comida 3900 - *L'Empordà (cerrado sábado, domingo y 15 julio-15 agosto)* **Comida** carta 4100 a 6500 – ヱ 1800 – **481 hab** 20000/25000, 24 suites. EX x

🏨🏨🏨 **G.H. Havana,** Gran Via de les Corts Catalanes 647, ⊠ 08010, ℰ 412 11 15, Fax 412 26 11 – 📵 ▤ 📺 ☎ ⟵ – 🔏 25/200. 🖭 ⓞ 🗲 𝘝𝘐𝘚𝘈 ᴊᴄʙ. 🛇 rest JV e
Comida 2650 – ヱ 1350 – **141 hab** 17500/19500, 4 suites.

🏨🏨🏨 **Fira Palace,** av. Rius i Taulet 1, ⊠ 08004, ℰ 426 22 23, Telex 97588, Fax 424 86 79, 𝘍ᴅ, ⟂ – 📵 ▤ 📺 ☎ ℰ ⟵ – 🔏 25/1300. 🖭 ⓞ 🗲 𝘝𝘐𝘚𝘈 ᴊᴄʙ. 🛇 CT s
Comida 3000 - *El Mall :* **Comida** carta 3100 a 3700 – ヱ 1400 – **260 hab** 18000/22500, 16 suites.

🏨🏨🏨 **Barcelona Plaza H.,** pl. d'Espanya 6, ⊠ 08014, ℰ 426 26 00, Fax 426 04 00, 𝘍ᴅ, ⟂ – 📵 ▤ 📺 ☎ ℰ ⟵ – 🔏 25/600. 🖭 ⓞ 🗲 𝘝𝘐𝘚𝘈 ᴊᴄʙ. 🛇 GY r
Comida 3000 - *Gourmet Plaza :* **Comida** carta 3600 a 5100 – ヱ 1400 – **338 hab** 15500/17000, 9 suites.

🏨🏨🏨 **Majestic,** passeig de Gràcia 70, ⊠ 08008, ℰ 488 17 17, Telex 52211, Fax 488 18 80, ⟂ – 📵 ▤ 📺 ☎ – 🔏 25/600. 🖭 ⓞ 🗲 𝘝𝘐𝘚𝘈 ᴊᴄʙ. 🛇 HV f
Comida 2600 – ヱ 1900 – **328 hab** 20000/25000, 1 suite.

🏨🏨🏨 **Diplomatic,** Pau Claris 122, ⊠ 08009, ℰ 488 02 00, Telex 54701, Fax 488 12 22, ⟂ – 📵 ▤ 📺 ☎ ⟵ – 🔏 25/250. 🖭 ⓞ 🗲 𝘝𝘐𝘚𝘈 ᴊᴄʙ. 🛇 HV e
La Salsa : **Comida** carta 3400 a 4550 – ヱ 1500 – **210 hab** 16800/21000, 7 suites.

🏨🏨🏨 **NH Calderón,** Rambla de Catalunya 26, ⊠ 08007, ℰ 301 00 00, Fax 317 31 57, ⟂, ⟂ – 📵 ▤ 📺 ☎ ⟵ – 🔏 25/200. 🖭 ⓞ 🗲 𝘝𝘐𝘚𝘈 ᴊᴄʙ. 🛇 rest HX t
Comida carta 3300 a 4400 – ヱ 1800 – **245 hab** 18000/25000, 17 suites.

🏨🏨🏨 **Barceló Sants,** pl. dels Països Catalans (estació Barcelona Sants), ⊠ 08014, ℰ 490 95 95, Telex 97568, Fax 490 60 45, ← – 📵 ▤ 📺 ☎ ℰ 🄿 – 🔏 25/1500. 🖭 ⓞ 🗲 𝘝𝘐𝘚𝘈 ᴊᴄʙ. 🛇 FY
Comida 3250 – ヱ 1500 – **364 hab** 14100/17300, 13 suites.

🏨🏨🏨 **G.H. Catalonia,** Balmes 142, ⊠ 08008, ℰ 415 90 90, Telex 98718, Fax 415 22 09 – 📵 ▤ 📺 ☎ ℰ ⟵ – 🔏 50/260. 🖭 ⓞ 🗲 𝘝𝘐𝘚𝘈 ᴊᴄʙ. 🛇 HV b
Comida 2700 – ヱ 1500 – **82 hab** 15750/17490, 2 suites.

🏨🏨🏨 **Condes de Barcelona** *(Monument i Centre)***,** passeig de Gràcia 75, ⊠ 08008, ℰ 488 22 00, Telex 51531, Fax 487 14 42, ⟂ – 📵 ▤ 📺 ☎ ⟵ – 🔏 25/300. 🖭 ⓞ 🗲 𝘝𝘐𝘚𝘈 HV m
Comida 3500 – ヱ 1500 – **180 hab** 23000/29000, 2 suites.

🏨🏨🏨 **L'Illa** *sin rest,* av. Diagonal 555, ⊠ 08029, ℰ 410 33 00, Fax 410 88 92 – 📵 ▤ 📺 ☎ ℰ – 🔏 25/100. 🖭 ⓞ 🗲 𝘝𝘐𝘚𝘈. 🛇 FX c
ヱ 1300 – **103 hab** 19900/24500, 10 suites.

🏨🏨 **Gallery H.,** Rosselló 249, ⊠ 08008, ℰ 415 99 11, Telex 97518, Fax 415 91 84, 🍴, 𝘍ᴅ – 📵 ▤ 📺 ☎ ℰ ⟵ – 🔏 25/200. 🖭 ⓞ 🗲 𝘝𝘐𝘚𝘈 ᴊᴄʙ. 🛇 HV d
Comida 2250 – ヱ 1750 – **110 hab** 19400/23500, 5 suites.

🏨🏨 **Meliá Confort Apolo** *sin rest,* av. del Paral·lel 57, ⊠ 08004, ℰ 443 11 22, Fax 443 00 59 – 📵 ▤ 📺 ☎ ℰ 🄿 – 🔏 25/500. 🖭 ⓞ 🗲 𝘝𝘐𝘚𝘈 ᴊᴄʙ LY e
ヱ 950 – **303 hab** 14500/17500.

🏨🏨 **St. Moritz,** Diputació 262, ⊠ 08007, ℰ 412 15 00, Telex 97340, Fax 412 12 36 – 📵 ▤ 📺 ☎ ℰ ⟵ – 🔏 25/140. 🖭 ⓞ 🗲 𝘝𝘐𝘚𝘈 ᴊᴄʙ. 🛇 rest JV g
Comida 2300 – ヱ 1750 – **92 hab** 15400/18000.

🏨🏨 **Gran Derby** *sin rest,* Loreto 28, ⊠ 08029, ℰ 322 20 62, Telex 97429, Fax 419 68 20 – 📵 ▤ 📺 ☎ ⟵ – 🔏 25/100. 🖭 ⓞ 🗲 𝘝𝘐𝘚𝘈 ᴊᴄʙ GX g
ヱ 1700 – **31 hab** 16200/17850, 12 suites.

Balmes, Mallorca 216, ⊠ 08008, ℰ 451 19 14, Fax 451 00 49, « Terraza con ⌁ »
🛗 ☰ 📺 ☎ ⇔ – 🛎 25/70. 🏧 ⓞ 🟢 VISA JCB. ✸ rest   HV
Comida 1700 – ⊈ 1400 – **92 hab** 15500/17350, 8 suites.

City Park H., Nicaragua 47, ⊠ 08029, ℰ 419 95 00, Fax 419 71 63 – 🛗 ☰ 📺 ☎ ⇔
– 🛎 25/40. 🏧 ⓞ 🟢 VISA JCB   FX
Comida 2500 – ⊈ 1100 – **80 hab** 14500/20500 – PA 5200.

NH Podium, Bailén 4, ⊠ 08010, ℰ 265 02 02, Fax 265 05 06, ₤₈, ⌁ – 🛗 ☰ 📺
♿ ⇔ – 🛎 25/240. 🏧 ⓞ 🟢 VISA JCB. ✸   JV
Comida 2700 – ⊈ 1600 – **140 hab** 15000/21000, 5 suites – PA 6600.

Derby sin rest. con cafetería, Loreto 21, ⊠ 08029, ℰ 322 32 15, Telex 9742
Fax 410 08 62 – 🛗 ☰ 📺 ☎ ⇔ – 🛎 25/100. 🏧 ⓞ 🟢 VISA JCB   FX
⊈ 1500 – **107 hab** 15500/17350, 4 suites.

Alexandra, Mallorca 251, ⊠ 08008, ℰ 487 05 05, Telex 81107, Fax 488 02 58 –
☰ 📺 ☎ ♿ ⇔ – 🛎 25/100. 🏧 ⓞ 🟢 VISA JCB   HV
Comida 2300 – ⊈ 1700 – **73 hab** 15000/19000, 2 suites – PA 6300.

Astoria sin rest, París 203, ⊠ 08036, ℰ 209 83 11, Telex 81129, Fax 202 30 08 –
☰ 📺 ☎ – 🛎 25/30. 🏧 ⓞ 🟢 VISA JCB   HV
⊈ 1200 – **114 hab** 14200/16200, 3 suites.

NH Master, València 105, ⊠ 08011, ℰ 323 62 15, Telex 81258, Fax 323 43 89 –
☰ 📺 ☎ ⇔ – 🛎 25/170. 🏧 ⓞ 🟢 VISA JCB. ✸ rest   HX
Comida 2400 – ⊈ 1100 – **80 hab** 11880/16150, 1 suite.

Cristal, Diputació 257, ⊠ 08007, ℰ 487 87 78, Telex 54560, Fax 487 90 30 – 🛗
📺 ☎ ⇔ – 🛎 25/70. 🏧 ⓞ 🟢 VISA JCB. ✸ rest   HX
Comida 1400 – **148 hab** ⊈ 14900/22400.

NH Numància, Numància 74, ⊠ 08029, ℰ 322 44 51, Fax 410 76 42 – 🛗 ☰ 📺
⇔ – 🛎 25/70. 🏧 ⓞ 🟢 VISA JCB. ✸   FX
Comida carta aprox. 3500 – ⊈ 1200 – **140 hab** 13600/17000.

NH Sant Angelo sin rest. con cafetería por la noche, Consell de Cent 74, ⊠ 0801
ℰ 423 46 47, Fax 423 88 40 – 🛗 ☰ 📺 ☎ ♿ ⇔ – 🛎 25. 🏧 ⓞ 🟢 VISA JCB. ✸ GY
⊈ 1200 – **50 hab** 13600/17000.

Guitart Grand Passage, Muntaner 212, ⊠ 08036, ℰ 201 03 06, Telex 9831
Fax 201 00 04 – 🛗 ☰ 📺 ☎ – 🛎 25/80. 🏧 ⓞ 🟢 VISA. ✸ rest   GV
Comida (cerrado agosto) carta aprox. 3700 – ⊈ 1200 – **40 suites** 16000/20000.

Núñez Urgel sin rest, Comte d'Urgell 232, ⊠ 08036, ℰ 322 41 53, Fax 419 01 06
🛗 ☰ 📺 ☎ ⇔ – 🛎 25/100. 🏧 ⓞ 🟢 VISA JCB   GX
⊈ 1300 – **120 hab** 9500/12000, 2 suites.

Expo H., Mallorca 1, ⊠ 08014, ℰ 325 12 12, Telex 54147, Fax 325 11 44, ⌁ – 🛗
📺 ☎ ⇔ – 🛎 25/900. 🏧 ⓞ VISA. ✸   GY
Comida 1900 – ⊈ 1000 – **435 hab** 12000.

Duques de Bergara, Bergara 11, ⊠ 08002, ℰ 301 51 51, Fax 317 34 42 – 🛗 ☰
☎ – 🛎 25/80. 🏧 ⓞ 🟢 VISA JCB. ✸   LV
Comida 1800 – ⊈ 1200 – **51 hab** 14850/16400.

Dante sin rest. con cafetería por la noche, Mallorca 181, ⊠ 08036, ℰ 323 22 5
Fax 323 74 72 – 🛗 ☰ 📺 ☎ ⇔ – 🛎 25/70   HX
81 hab.

Caledonian sin rest, Gran Via de les Corts Catalanes 574, ⊠ 08011, ℰ 453 02 C
Fax 451 77 03 – 🛗 ☰ 📺 ☎ ♿ ⇔. 🏧 ⓞ 🟢 VISA. ✸   HX
44 hab ⊈ 10200/16600.

Roma sin rest, av. de Roma 31, ⊠ 08029, ℰ 410 66 33, Telex 98718, Fax 410 13 5
🍴 – 🛗 ☰ 📺 ☎ – 🛎 25/60. 🏧 ⓞ 🟢 VISA JCB. ✸   GX
⊈ 950 – **49 hab** 9350/10800.

Aparthotel Acacia sin rest, Comte d'Urgell 194, ⊠ 08036, ℰ 454 07 3
Fax 451 85 82 – 🛗 ☰ 📺 ☎ ♿ ⇔. 🏧 ⓞ 🟢 VISA JCB   GX
⊈ 750 – **26 apartamentos** 11000/13000.

Abbot sin rest, av. de Roma 23, ⊠ 08029, ℰ 430 04 05, Fax 419 57 41 – 🛗 ☰ 📺
⇔ – 🛎 25/100. 🏧 ⓞ 🟢 VISA. ✸   GXY
⊈ 1100 – **39 hab** 10500/13500.

NH Forum, Ecuador 20, ⊠ 08029, ℰ 419 36 36, Fax 419 89 10 – 🛗 ☰ 📺 ☎ ⇔
– 🛎 25/50. 🏧 🟢 VISA JCB. ✸   FX
Comida 2500 – ⊈ 1200 – **47 hab** 14000/18000, 1 suite.

NH Rallye, Travessera de les Corts 150, ⊠ 08028, ℰ 339 90 50, Fax 411 07 90,
– 🛗 ☰ 📺 ☎ ♿ ⇔ – 🛎 25/200. 🏧 ⓞ VISA JCB. ✸   EY
Comida (cerrado agosto) 2400 – ⊈ 1300 – **106 hab** 13500 – PA 6000.

🏨 **Alfa Aeropuerto,** Zona Franca - calle K (entrada principal Mercabarna), ⊠ 08040, 𝒫 336 25 64, Telex 80820, Fax 335 55 92, 🔼 – |⧢| ≣ 📺 ☎ 🅟 – 🛦 25/80. 🖭 ◑ 🗲
𝑉𝐼𝑆𝐴 𝐽𝐶𝐵. ⅏ rest   por Pas. de la Zona Franca   BT
Comida 2650 - *Gran Mercat :* **Comida** carta 3200 a 4700 – ⌇ 1075 – **98 hab** 13670/17090, 1 suite.

🏨 **NH Les Corts,** Travessera de les Corts 292, ⊠ 08029, 𝒫 322 08 11, Fax 322 09 08
– |⧢| ≣ 📺 ☎ – 🛦 25/80. 🖭 ◑ 🗲 𝑉𝐼𝑆𝐴 𝐽𝐶𝐵. ⅏ rest   FX u
Comida (sólo cena) 1900 – ⌇ 1200 – **80 hab** 10350/11000, 1 suite.

🏨 **Europark** sin rest, Aragó 325, ⊠ 08009, 𝒫 457 92 05, Fax 458 99 61 – |⧢| ≣ 📺 ☎.
🖭 ◑ 🗲 𝑉𝐼𝑆𝐴   JV t
⌇ 1000 – **66 hab** 12000/18000.

🏨 **Regina** sin rest. con cafetería, Bergara 2, ⊠ 08002, 𝒫 301 32 32, Telex 59380,
Fax 318 23 26 – |⧢| ≣ 📺 ☎. 🖭 ◑ 🗲 𝑉𝐼𝑆𝐴 𝐽𝐶𝐵. ⅏   LV r
⌇ 1100 – **102 hab** 12150/18100.

🏨 **Aparthotel Accés** sin rest, Gran Via de les Corts Catalanes 327, ⊠ 08014,
𝒫 425 51 61, Fax 426 80 64 – |⧢| ≣ 📺 ☎ ⇔ – 🛦 25. 🖭 ◑ 𝑉𝐼𝑆𝐴.   GY t
⌇ 800 – **22 apartamentos** 14200/16200.

🏨 **Catalunya Plaza** sin rest, pl. de Catalunya 7, ⊠ 08002, 𝒫 317 71 71, Fax 317 78 55
– |⧢| ≣ 📺 ☎ ♦ – 🛦 25. 🖭 ◑ 🗲 𝑉𝐼𝑆𝐴. ⅏   LV g
⌇ 1000 – **46 hab** 13000/15000.

🏨 **Century Park** sin rest, València 154, ⊠ 08011, 𝒫 453 44 00, Fax 453 26 26 – |⧢| ≣
📺 ☎. 🖭 𝑉𝐼𝑆𝐴. ⅏   HX f
⌇ 950 – **47 hab** 10000/14000.

🏨 **Century Glòries,** Padilla 173, ⊠ 08013, 𝒫 265 08 08, Fax 245 20 22 – |⧢| ≣ 📺 ☎
♦ – 🛦 25/50. 🖭 𝑉𝐼𝑆𝐴. ⅏   KU e
Comida 1500 – ⌇ 950 – **68 hab** 10000/14000.

🏨 **Paral.lel** sin rest, Poeta Cabanyes 7, ⊠ 08004, 𝒫 329 11 04, Fax 442 16 56 – |⧢| ≣
📺 ☎. 🖭 ◑ 🗲 𝑉𝐼𝑆𝐴. ⅏   HY b
⌇ 650 – **64 hab** 6500/8500, 2 suites.

🏨 **Onix** sin rest, Llansà 30, ⊠ 08015, 𝒫 426 00 87, Fax 426 19 81, 🔼 – |⧢| ≣ 📺 ☎ ⇔
– 🛦 25/150. 🖭 ◑ 𝑉𝐼𝑆𝐴   GY n
⌇ 1000 – **80 hab** 11200/14000.

🏨 **Taber** sin rest, Aragó 256, ⊠ 08007, 𝒫 487 38 87, Fax 488 13 50 – |⧢| ≣ 📺 ☎ –
🛦 25/40. 🖭 ◑ 🗲 𝑉𝐼𝑆𝐴. ⅏   HX g
⌇ 625 – **91 hab** 10000/13500.

🏨 **L'Alguer** sin rest, passatge Pere Rodriguez 20, ⊠ 08028, 𝒫 334 60 50, Fax 333 83 65
– |⧢| ≣ 📺 ☎. 🖭 ◑ 🗲 𝑉𝐼𝑆𝐴. ⅏   EY a
⌇ 600 – **33 hab** 6000/7700.

XXXX **Beltxenea,** Mallorca 275, ⊠ 08008, 𝒫 215 30 24, Fax 487 00 81, �́,
« Terraza-jardín » – ≣. 🖭 ◑ 𝑉𝐼𝑆𝐴. ⅏   HV h
cerrado sábado mediodía, domingo y agosto – **Comida** carta 5300 a 6600.

XXXX **La Dama,** av. Diagonal 423, ⊠ 08036, 𝒫 202 06 86, Fax 200 72 99 – ≣. 🖭 ◑ 🗲 𝑉𝐼𝑆𝐴. ⅏
🕸 **Comida** 5975 y carta 4950 a 6875   HV a
Espec. Ensalada tibia de salmonetes con patatas al caviar. Medallones de rape Costa Brava.
Carro de pastelería.

XXXX **Finisterre,** av. Diagonal 469, ⊠ 08036, 𝒫 439 55 76, Fax 439 99 41 – ≣. 🖭 ◑ 🗲
𝑉𝐼𝑆𝐴. ⅏   GV e
Comida carta aprox. 7000.

XXX **Oliver y Hardy,** av. Diagonal 593, ⊠ 08014, 𝒫 419 31 81, Fax 419 18 99, �́ – ≣.
🖭 ◑ 🗲 𝑉𝐼𝑆𝐴. ⅏   FX n
Comida carta 4250 a 5600.

XXX **Casa Calvet,** Casp 48, ⊠ 08010, 𝒫 412 40 12, Fax 412 43 36 – ≣. 🖭 ◑ 🗲 𝑉𝐼𝑆𝐴. ⅏
cerrado domingo, festivos y del 11 al 24 de agosto – **Comida** carta 4300 a 5700. JVX r

XXX **Jaume de Provença,** Provença 88, ⊠ 08029, 𝒫 430 00 29, Fax 439 29 50 – ≣. 🖭
🕸 ◑ 🗲 𝑉𝐼𝑆𝐴 𝐽𝐶𝐵. ⅏   GX h
cerrado domingo noche, lunes, Semana Santa, agosto y 4 días en Navidad – **Comida** 7000
y carta 4900 a 5500
Espec. Arroz Basmati a la catalana con mariscos. Milhojas de bacalao al all i oli de canela
y almendras. Suprema de turbot a la plancha en salsa virgen.

XXX **Talaia Mar,** de la Marina 16, ⊠ 08005, 𝒫 221 90 90, Fax 221 89 89, ≤ – ≣ ⇔. 🖭
◑ 🗲 𝑉𝐼𝑆𝐴. ⅏   DT t
Comida carta 4950 a 6150.

XXX **El Tragaluz,** passatge de la Concepció 5-1º, ⊠ 08008, 𝒫 487 01 96, Fax 217 01 19,
« Decoración original con techo acristalado » – ≣. 🖭 ◑ 🗲 𝑉𝐼𝑆𝐴 𝐽𝐶𝐵. ⅏   HV u
Comida carta 2900 a 4500.

XXX **Tikal,** Rambla de Catalunya 5, ✉ 08007, ☎ 302 22 21 – ▤. AE ⓓ E VISA JCB. ✂ LV
Comida carta aprox. 3480.

XX **Koxkera,** Marquès de Sentmenat 67, ✉ 08029, ☎ 322 35 56, Fax 322 35 56, Pescad y mariscos – ▤. AE ⓓ E VISA. ✂ FX
Comida carta aprox. 4500.

XX **Gargantua i Pantagruel,** Aragó 214, ✉ 08011, ☎ 453 20 20, Fax 451 39 08, Coci ilerdense – ▤. AE ⓓ E VISA JCB. ✂ HX
cerrado domingo noche y Semana Santa – **Comida** carta 3300 a 4800.

XX **El Asador de Aranda,** Londres 94, ✉ 08036, ☎ 414 67 90, Fax 414 67 90, Corde asado – ▤. AE ⓓ E VISA. ✂ GV
cerrado domingo noche y del 16 al 31 de agosto – **Comida** carta aprox. 4000.

XX **Maitetxu,** Balmes 55, ✉ 08007, ☎ 323 59 65, Cocina vasco-navarra – ▤. AE ⓓ VISA HX
cerrado sábado mediodía, domingo y del 15 al 31 de agosto – **Comida** carta 3950 a 467

XX **Els Pescadors,** pl. Prim 1, ✉ 08005, ☎ 225 20 18, Fax 225 20 18, ☂, Pescados mariscos – ▤. AE ⓓ E VISA DT
cerrado Semana Santa y Navidad – **Comida** carta 3325 a 4600.

XX **Rías de Galicia,** Lleida 7, ✉ 08004, ☎ 424 81 52, Fax 426 13 07, Pescados y marisc – ▤. AE ⓓ E VISA JCB. ✂ HY
Comida carta 3900 a 5700.

XX **Sí, Senyor,** Mallorca 199, ✉ 08036, ☎ 453 21 49, Fax 451 10 02 – ▤. AE ⓓ E V
cerrado domingo noche – **Comida** carta aprox. 4500. HX

XX **Satélite,** av. de Sarrià 10, ✉ 08029, ☎ 321 34 31, Fax 419 63 89 – ▤. AE E VISA.
cerrado sábado (en verano) y domingo noche – **Comida** carta 3900 a 5500. GX

XX **Vinya Rosa-Magí,** av. de Sarrià 17, ✉ 08029, ☎ 430 00 03, Fax 430 00 41 – ▤. ⓓ E VISA GX
cerrado sábado mediodía y domingo – **Comida** carta aprox. 4420.

XX **Gorría,** Diputació 421, ✉ 08013, ☎ 245 11 64, Fax 232 78 57, Cocina vasco-navar ▤. AE ⓓ E VISA JCB. ✂ JU
cerrado domingo, festivos noche, Semana Santa y agosto – **Comida** carta 4525 a 53(

XX **Can Fayos,** Loreto 22, ✉ 08029, ☎ 439 30 22, Fax 439 30 22 – ▤. AE ⓓ E VISA.
cerrado sábado, domingo y agosto – **Comida** carta 3150 a 4100. GX

XX **Muffins,** València 210, ✉ 08011, ☎ 454 02 21 – ▤. AE E VISA. ✂ HX
cerrado sábado mediodía, domingo, festivos y agosto – **Comida** carta aprox. 4000.

XX **La Provença,** Provença 242, ✉ 08008, ☎ 323 23 67, Fax 451 23 89 – ▤. AE ⓓ VISA HV
Comida carta 2470 a 3330.

XX **Sibarit,** Aribau 65, ✉ 08011, ☎ 453 93 03 – ▤. AE ⓓ E VISA. ✂ HX
cerrado sábado mediodía, domingo, festivos, Semana Santa y 2ª quincena de agos
Comida carta aprox. 5000.

XX **Yashima,** Josep Tarradellas 145, ✉ 08029, ☎ 419 06 97, Fax 410 80 25, Rest. japon – ▤. AE ⓓ VISA JCB. ✂ GV
cerrado domingo y festivos – **Comida** carta 4725 a 5750.

XX **La Llotja,** Aribau 55, ✉ 08011, ☎ 453 89 58, Carnes, pescados a la brasa y bacala – ▤. AE ⓓ E VISA JCB. ✂ HX
cerrado domingo noche – **Comida** carta aprox. 3500.

XX **El Yantar de la Ribera,** Roger de Flor 114, ✉ 08013, ☎ 265 63 09, Decoraci castellana. Asados – ▤. AE ⓓ E VISA. ✂ JV
cerrado domingo noche – **Comida** carta 2130 a 3275.

XX **Tramonti 1980,** av. Diagonal 501, ✉ 08029, ☎ 410 15 35, Fax 405 04 03, Coci italiana – ▤. AE ⓓ E VISA. ✂ FV
Comida carta aprox. 4000.

XX **La Maison du Languedoc Roussillon,** Pau Claris 77, ✉ 08010, ☎ 301 04 9 Fax 301 05 65, Cocina del suroeste francés – ▤. AE ⓓ E VISA JX
cerrado sábado mediodía, domingo, festivos y agosto – **Comida** carta 4700 a 6900.

XX **Racó d'en Cesc,** Diputació 201, ✉ 08011, ☎ 453 23 52 – ▤. AE ⓓ E V ✂ HX
cerrado domingo, festivos noche, Semana Santa y agosto – **Comida** carta 3100 a 50(

XX **Font del Gat,** passeig Santa Madrona (Montjuïc), ✉ 08004, ☎ 424 02 2 Fax 207 10 26, ☂, Decoración regional – Ⓟ. AE ⓓ E VISA. ✂ CT
cerrado domingo noche y lunes salvo festivos – **Comida** carta 2700 a 3450.

XX **Petit París,** París 196, ✉ 08036, ☎ 218 26 78 – ▤. AE ⓓ E VISA JCB. ✂ HV
Comida carta 3950 a 4875.

XX **Casa Darío,** Consell de Cent 256, ⊠ 08011, ℘ 453 31 35, Fax 451 33 95 – ▤. ஊ ⓞ
E VISA JcB. ℀
HX p
cerrado domingo y agosto – **Comida** carta 3900 a 5750.

XX **Les Ostres,** València 267, ⊠ 08007, ℘ 215 30 35, Pescados y mariscos – ▤. ஊ ⓞ
E VISA. ℀
HV w
cerrado domingo, Semana Santa y 21 días en agosto – **Comida** carta 4300 a 6000.

XX **Solera Gallega,** París 176, ⊠ 08036, ℘ 322 91 40, Fax 322 91 40, Pescados y mariscos
– ▤. ஊ ⓞ E VISA. ℀
GHV p
cerrado lunes y del 15 al 31 de agosto – **Comida** carta 3900 a 5700.

XX **El Túnel del Port,** moll de Gregal 12 (Port Olímpic), ⊠ 08005, ℘ 221 03 21,
Fax 221 35 86, ≤, 斉 – ▤. ஊ ⓞ E VISA
DT a
cerrado domingo noche – **Comida** carta 3100 a 4400.

XX **La Vaquería,** Déu i Mata 141, ⊠ 08029, ℘ 419 07 35, Instalado en una antigua vaquería
– ▤. ஊ E VISA
FVX x
cerrado sábado mediodía y domingo mediodía – **Comida** carta aprox. 4200.

X **El Celler de Casa Jordi,** Rita Bonnat 3, ⊠ 08029, ℘ 430 10 45 – ▤. ஊ ⓞ E VISA
JcB. ℀
GX s
cerrado domingo y agosto – **Comida** carta 2200 a 3025.

X **Rosamar,** Sepúlveda 159, ⊠ 08011, ℘ 453 31 92 – ▤. ஊ ⓞ VISA
HX q
cerrado domingo noche, lunes, Semana Santa y agosto – **Comida** carta 2700
a 3800.

X **El Pescador,** Mallorca 314, ⊠ 08037, ℘ 207 10 24, Pescados y mariscos – ▤. ஊ ⓞ
VISA. ℀
JV a
cerrado lunes – **Comida** carta 4000 a 5350.

X **Dolceta 2,** Comte d'Urgell 266, ⊠ 08036, ℘ 321 83 51, Fax 321 83 51, Carnes a la brasa
– ▤. ஊ ⓞ E VISA JcB. ℀
GV m
cerrado domingo y agosto – **Comida** carta 2800 a 3825.

X **As Vieiras,** Comte Borrell 171, ⊠ 08015, ℘ 453 11 25, Fax 453 11 25, Pescados y
mariscos – ▤. ⓞ E VISA. ℀
HX s
cerrado domingo y agosto – **Comida** carta aprox. 3825.

X **El Portal,** Pallars 120, ⊠ 08018, ℘ 485 50 02, 斉, Carnes a la brasa – ▤. E VISA. ℀
KV a
cerrado domingo noche – **Comida** carta aprox. 3500.

X **Semproniana,** Rosselló 148, ⊠ 08036, ℘ 453 18 20 – ▤. ஊ E VISA
HV s
cerrado domingo, festivos y del 12 al 18 de agosto – **Comida** carta 2500 a 3800.

X **Miquel Chan,** Buenos Aires 12, ⊠ 08029, ℘ 419 39 91, Rest. chino – ▤. ஊ ⓞ E
VISA. ℀
GV s
cerrado lunes – **Comida** carta aprox. 4800.

X **O'Bierzo,** Vila i Vilà 73, ⊠ 08004, ℘ 441 82 04 – ▤. ஊ E VISA. ℀
JY u
cerrado domingo noche, lunes, Semana Santa y del 11 al 31 de agosto – **Comida** carta
3800 a 5650.

X **Casimiro,** Londres 84, ⊠ 08036, ℘ 410 30 93 – ▤. ஊ ⓞ E VISA. ℀
GV z
cerrado domingo y agosto – **Comida** carta 3350 a 5100.

X **Elche,** Vila i Vilà 71, ⊠ 08004, ℘ 329 68 46, Fax 329 40 12, Arroces
▤. ஊ ⓞ E VISA
JY a
cerrado domingo noche – **Comida** carta 2500 a 3500.

X L'Elx al Moll, Moll d'Espanya-Maremagnun, Local 9, ⊠ 08039, ℘ 225 81 17,
Fax 225 81 20, ≤, 斉, Arroces – ▤
NY m

X **Asador Izarra,** Sicilia 135, ⊠ 08013, ℘ 245 21 03 – ▤. ஊ ⓞ E VISA. ℀
JV s
cerrado domingo y tres semanas en agosto – **Comida** carta 3750 a 5200.

X **Chicoa,** Aribau 73, ⊠ 08036, ℘ 453 11 23 – ▤. ஊ E VISA
HX m
cerrado domingo, festivos y agosto – **Comida** carta aprox. 4000.

X **La Manduca,** Girona 59, ⊠ 08009, ℘ 487 99 89 – ▤. E VISA. ℀
JV c
cerrado sábado mediodía, domingo y agosto – **Comida** carta aprox. 3800.

X **Casa Toni,** Sepúlveda 62, ⊠ 08015, ℘ 424 00 68 – ▤. ஊ E VISA. ℀
HY f
cerrado domingo noche y Semana Santa – **Comida** carta 2550 a 3575.

X **Nervión,** Còrsega 232, ⊠ 08036, ℘ 218 06 27, Cocina vasca – ▤. ஊ E VISA. ℀
HV r
cerrado domingo, festivos noche, Semana Santa y agosto – **Comida** carta 3800 a 4975.

X **Lázaro,** Aribau 146 bis, ⊠ 08036, ℘ 218 74 18, Fax 218 77 47 – ▤. ஊ E VISA. ℀
HV r
cerrado domingo, festivos y del 5 al 25 de agosto – **Comida** carta 2600 a 4400.

X **Racó de la Vila,** Ciutat de Granada 33, ⊠ 08005, ℘ 485 47 72, Decoración rústica
– ▤. ஊ ⓞ E VISA. ℀
DT n
cerrado domingo noche – **Comida** carta 2525 a 4075.

X **Cal Sardineta,** Casp 35, ⊠ 08010, ℘ 302 68 44 – ▤. ஊ ⓞ E VISA. ℀
JV r
cerrado sábado noche, domingo y festivos – **Comida** carta aprox. 3900.

179

X **Da Paolo,** av. de Madrid 63, ⊠ 08028, ℰ 490 48 91, Fax 411 25 90, Cocina italiana
≣, **ᴬᴱ ⓞ ᴇ** *VISA*. ⛝ EY
cerrado domingo noche y 15 días en agosto – **Comida** carta 2600 a 3500.

X **Els Perols de l'Empordà,** Villarroel 88, ⊠ 08011, ℰ 323 10 33, Cocina ampurdane
⊛ – ≣, **ᴬᴱ ⓞ ᴇ** *VISA*. ⛝ HX
cerrado domingo noche, Semana Santa y 15 días en agosto – Comida carta 2850 a 425

X **Da Peppo,** av. de Sarriá 19, ⊠ 08029, ℰ 322 51 55, Cocina italiana – ≣. **ᴬᴱ** ⓞ
ᴇ *VISA* GX
cerrado domingo en verano, martes en invierno y agosto – **Comida** carta 2100 a 330

X **Azpiolea,** Casanova 167, ⊠ 08036, ℰ 430 90 30, Cocina vasca – ≣. **ᴬᴱ ⓞ ᴇ** *VISA*, ⛝
cerrado domingo, festivos noche, Semana Santa y agosto – **Comida** carta 3425 a 485
GV

X **La Lubina,** Viladomat 257, ⊠ 08029, ℰ 430 03 33, Pescados y mariscos – ≣. **ᴬᴱ** ⓞ
ᴇ *VISA* **ᴊᴄʙ**. ⛝ GX
cerrado domingo noche y agosto – **Comida** carta 3800 a 5300.

X **Carles Grill,** Comte d'Urgell 280, ⊠ 08036, ℰ 410 43 00, Carnes – ≣. **ᴬᴱ ⓞ ᴇ** *VIS*
⛝ GV
Comida carta 2000 a 2475.

X **Casa Juliana,** Casanova 178, ⊠ 08036, ℰ 410 10 15 – ≣. **ᴬᴱ** *VISA* GV
cerrado domingo, lunes noche y agosto – **Comida** carta 1900 a 3075.

X **Marisqueiro Panduriño,** Floridablanca 3, ⊠ 08015, ℰ 325 70 16, Fax 426 13 0
Pescados y mariscos – ≣. **ᴬᴱ ⓞ ᴇ** *VISA* **ᴊᴄʙ**. ⛝ HY
cerrado martes, Semana Santa y agosto – **Comida** carta 3400 a 5100.

X **Cañota,** Lleida 7, ⊠ 08004, ℰ 325 91 71, Fax 426 13 07, Carnes a la brasa – ≣. *VI*
⊛ ⛝ HY
Comida carta aprox. 2500.

X **Pá i Trago,** Parlament 41, ⊠ 08015, ℰ 441 13 20, Fax 441 13 20, Rest. típico – ≣
ᴇ *VISA* HY
cerrado lunes y 24 junio-7 julio – **Comida** carta 2400 a 4350.

X **La Brochette,** Balmes 122, ⊠ 08008, ℰ 215 89 44 – ≣. **ᴬᴱ ᴇ** *VISA* HV
cerrado domingo y agosto – **Comida** carta 2175 a 3425.

Norte Diagonal : Via Augusta, Capità Arenas, ronda General Mitre, passeig de la Bon
nova, av. de Pedralbes

🏨🏨🏨 **Tryp Presidente,** av. Diagonal 570, ⊠ 08021, ℰ 200 21 11, Fax 209 51 06 – ▮
ᴛᴠ ☎ – **🔬** 25/420. **ᴬᴱ ⓞ ᴇ** *VISA*. ⛝ GV
Comida 2500 – ☲ 1350 – **155 hab** 14500/18500 – PA 5000.

🏨🏨 **Alimara,** Berruguete 126, ⊠ 08035, ℰ 427 00 00, Fax 427 92 92 – ▮ ≣ **ᴛᴠ ☎** ⧓ ⧉
– **🔬** 25/470. **ᴬᴱ ⓞ ᴇ** *VISA*. ⛝ rest BS
Comida 1950 – ☲ 1100 – **156 hab** 13500/15600.

🏨🏨 **Hesperia** *sin rest. con cafetería,* Vergós 20, ⊠ 08017, ℰ 204 55 51, Telex 984C
Fax 204 43 92 – ▮ ≣ **ᴛᴠ ☎** ⧉ – **🔬** 25/150. **ᴬᴱ ⓞ ᴇ** *VISA*. ⛝ EU
☲ 1300 – **139 hab** 17000/19000.

🏨🏨 **Suite H.,** Muntaner 505, ⊠ 08022, ℰ 212 80 12, Telex 99077, Fax 211 23 17 – ▮
ᴛᴠ ☎ ⧉ – **🔬** 25/90. **ᴬᴱ ⓞ ᴇ** *VISA*. ⛝ FU
Comida 1900 – ☲ 1200 – **77 suites** 12650/14190.

🏨🏨 **Balmoral** *sin rest,* Via Augusta 5, ⊠ 08006, ℰ 217 87 00, Fax 415 14 21 – ▮ ≣ ▮
☎ ⧉ – **🔬** 25/250. **ᴬᴱ ⓞ ᴇ** *VISA* **ᴊᴄʙ**. ⛝ HV
☲ 1050 – **94 hab** 11100/13600.

🏨 **NH Cóndor,** Via Augusta 127, ⊠ 08006, ℰ 209 45 11, Telex 52925, Fax 202 27 13
▮ ≣ **ᴛᴠ ☎** – **🔬** 25/50. **ᴬᴱ ⓞ ᴇ** *VISA*. ⛝ rest GU
Comida 2000 – ☲ 1100 – **78 hab** 11500/17000, 12 suites.

🏨 **Arenas** *sin rest. con cafetería,* Capità Arenas 20, ⊠ 08034, ℰ 280 03 03, Fax 280 33
– ▮ ≣ **ᴛᴠ ☎** – **🔬** 25/50. **ᴬᴱ ⓞ** *VISA* EX
☲ 1000 – **58 hab** 14000/17000, 1 suite.

🏨 **Victoria,** av. de Pedralbes 16 bis, ⊠ 08034, ℰ 280 15 15, Fax 280 52 67, ⛱, �🏊
▮ ≣ **ᴛᴠ ☎** ⧓. **ᴬᴱ ⓞ ᴇ** *VISA*. ⛝ rest EX
Comida 1650 – ☲ 1350 – **74 apartamentos** 14400/18000.

🏨 **Park Putxet,** Putxet 68, ⊠ 08023, ℰ 212 51 58, Telex 98718, Fax 418 58 17 –
≣ **ᴛᴠ ☎** ⧓ – **🔬** 25/200. **ᴬᴱ ⓞ ᴇ** *VISA* **ᴊᴄʙ**. ⛝ GU
Comida 1800 – ☲ 950 – **141 hab** 8700/9750.

🏨 **NH Belagua,** Via Augusta 89, ⊠ 08006, ℰ 237 39 40, Fax 415 30 62 – ▮ ≣ **ᴛᴠ**
– **🔬** 25/90. **ᴬᴱ ⓞ ᴇ** *VISA* **ᴊᴄʙ**. ⛝ rest GU
Comida *(cerrado sábado y del 2 al 24 de agosto)* (sólo cena) 2400 – ☲ 1200 – **72 h**
12250/17000.

🏨 **Atenas**, av. Meridiana 151, ⊠ 08026, 𝒫 232 20 11, Telex 98718, Fax 232 09 10, 🏊
– 🛗 ▤ 📺 ☎ 🚗 – 🔬 25/200. 🆎 ⓞ 🇪 𝘝𝘐𝘚𝘈 𝘑𝘊𝘉. 🛠 　　　　　　　CS z
Comida 1800 – 🖙 950 – **166 hab** 8700/9750.

🏨 **Mitre** sin rest, Bertràn 9, ⊠ 08023, 𝒫 212 11 04, Fax 418 94 81 – 🛗 ▤ 📺 ☎. 🆎 ⓞ
🇪 𝘝𝘐𝘚𝘈 𝘑𝘊𝘉 　　　　　　　　　　　　　　　　　　　　　　FU t
🖙 775 – **57 hab** 11000/14000.

🏨 **Condado** sin rest, Aribau 201, ⊠ 08021, 𝒫 200 23 11, Fax 200 25 86 – 🛗 ▤ 📺 ☎.
🆎 ⓞ 🇪 𝘝𝘐𝘚𝘈 　　　　　　　　　　　　　　　　　　　　　　　　GV g
🖙 1100 – **88 hab** 11115/12335.

🏨 **NH Pedralbes** sin rest. con cafetería por la noche, Fontcuberta 4, ⊠ 08034,
𝒫 203 71 12, Fax 205 70 65 – 🛗 ▤ 📺 ☎ – 🔬 25. 🆎 ⓞ 🇪 𝘝𝘐𝘚𝘈 𝘑𝘊𝘉. 🛠　EV b
🖙 1200 – **30 hab** 13600/17000.

🏨 **Covadonga** sin rest, av. Diagonal 596, ⊠ 08021, 𝒫 209 55 11, Fax 209 58 33 – 🛗 ▤
📺 ☎. 🆎 ⓞ 🇪 𝘝𝘐𝘚𝘈 𝘑𝘊𝘉 　　　　　　　　　　　　　　　　　　　GV v
🖙 650 – **85 hab** 8300/14000.

🏨 **Aragón**, Aragó 569 bis, ⊠ 08026, 𝒫 245 89 05, Telex 98718, Fax 447 09 23 – 🛗 ▤
📺 ☎ 🚗 – 🔬 25/60. 🆎 ⓞ 🇪 𝘝𝘐𝘚𝘈 𝘑𝘊𝘉. 🛠 　　　　　　　　KU e
Comida 1700 – 🖙 1100 – **115 hab** 8250/9350.

🏨 **Wilson** sin rest, av. Diagonal 568, ⊠ 08021, 𝒫 209 25 11, Fax 200 83 70 – 🛗 ▤ 📺
☎. 🆎 ⓞ 🇪 𝘝𝘐𝘚𝘈. 🛠 　　　　　　　　　　　　　　　　　　　　GV a
🖙 800 – **47 hab** 10000/14000, 5 suites.

🏨 **Mikado**, passeig de la Bonanova 58, ⊠ 08017, 𝒫 211 41 66, Fax 211 42 10, 🏤 – 🛗
▤ 📺 ☎ 🚗 – 🔬 25. 🆎 ⓞ 🇪 𝘝𝘐𝘚𝘈 𝘑𝘊𝘉. 🛠 　　　　　　　EU s
Comida 1700 – 🖙 950 – **66 hab** 10450/11550.

🏨 **Albéniz** sin rest, Aragó 591, ⊠ 08021, 𝒫 265 26 26, Fax 265 40 07 – 🛗 ▤ 📺 ☎ –
🔬 25/50. 🆎 ⓞ 🇪 𝘝𝘐𝘚𝘈 𝘑𝘊𝘉. 🛠 　　　　　　　　　　　　　　CS e
🖙 950 – **47 hab** 9400/10900.

🏨 **Rubens**, passeig de la Mare de Déu del Coll 10, ⊠ 08023, 𝒫 219 12 04, Telex 98718,
Fax 219 12 69 – 🛗 ▤ 📺 ☎ – 🔬 25/100. 🆎 ⓞ 🇪 𝘝𝘐𝘚𝘈 𝘑𝘊𝘉. 🛠 　BS y
Comida 1700 – 🖙 950 – **141 hab** 7600/8500.

🏨 **Rekor'd** sin rest, Muntaner 352, ⊠ 08021, 𝒫 200 19 53, Fax 414 50 84 – 🛗 ▤ 📺 ☎.
🆎 ⓞ 🇪 𝘝𝘐𝘚𝘈. 🛠 　　　　　　　　　　　　　　　　　　　　　GU c
15 suites 🖙 14000/16000.

🏨 **Zenit** sin rest, Santaló 8, ⊠ 08021, 𝒫 209 89 11, Fax 414 59 65 – 🛗 ▤ 📺 ☎. 🆎 ⓞ
🇪 𝘝𝘐𝘚𝘈. 🛠 　　　　　　　　　　　　　　　　　　　　　　　GV t
🖙 800 – **61 hab** 10400/13000.

🏨 **Castellnou**, Castellnou 61, ⊠ 08017, 𝒫 203 05 50, Telex 98718, Fax 205 60 14 – 🛗
▤ 📺 ☎. 🆎 ⓞ 🇪 𝘝𝘐𝘚𝘈 𝘑𝘊𝘉. 🛠 　　　　　　　　　　　　　　EV a
Comida 950 – 🖙 **52 hab** 8250/8700.

🏛 **Travesera** sin rest y sin 🖙, Travessera de Dalt 121, ⊠ 08024, 𝒫 213 24 54 – 🛗. 🆎
ⓞ 🇪 𝘝𝘐𝘚𝘈. 🛠 　　　　　　　　　　　　　　　　　　　　　CS u
17 hab 5600.

XXXX **Via Veneto**, Canduxer 10, ⊠ 08021, 𝒫 200 72 44, Fax 201 60 95, « Estilo belle
😊 époque » – ▤. 🆎 ⓞ 🇪 𝘝𝘐𝘚𝘈 𝘑𝘊𝘉. 🛠 　　　　　　　　　　FV e
cerrado sábado mediodía, domingo y del 1 al 20 de agosto – **Comida** carta 5480 a 7680
Espec. Lasaña con hígado de pato fresco y setas al perfume de albahaca. Raya asada con
verduras a la salsa de almendras. Espuma de limón con salsa de maracuyá.

XXXX **Reno**, Tuset 27, ⊠ 08006, 𝒫 200 91 29, Fax 414 41 14 – ▤. 🆎 ⓞ 🇪 𝘝𝘐𝘚𝘈 𝘑𝘊𝘉. 🛠
cerrado sábado mediodía – **Comida** carta 5600 a 6650. 　　　　　　　GV r

XXXX **Neichel**, Beltran i Rózpide 16 bis, ⊠ 08034, 𝒫 203 84 08, Fax 205 63 69 – ▤. 🆎 ⓞ 🇪 𝘝𝘐𝘚𝘈
😊😊 *cerrado sábado mediodía, domingo, Semana Santa, agosto y del 1 al 6 de enero* – **Comida**
7300 y carta 6300 a 7200 　　　　　　　　　　　　　　　　　EX z
Espec. Rapet de playa con piperrada al tomillo y olivada de anchoas. Caneton en dos sabores
y cocciones. Mousse de ruibarbo y fresas con helado de regaliz.

XXX **Jean Luc Figueras**, Santa Teresa 10, ⊠ 08012, 𝒫 415 28 77, Fax 218 92 62,
😊 Decoración elegante – ▤. 🆎 ⓞ 🇪 𝘝𝘐𝘚𝘈. 　　　　　　　　　　HV z
cerrado sábado mediodía, domingo y del 15 al 31 de agosto – **Comida** carta 5400 a 6600
Espec. Filloa de caviar con bogavante, queso y membrillo. Pescado de playa con parmentier
de berenjenas (verano). Pintada del Gers rustida con cardamomo y canela.

XXX **Botafumeiro**, Gran de Gràcia 81, ⊠ 08012, 𝒫 218 42 30, Fax 415 58 48, Pescados
y mariscos – ▤. 🆎 ⓞ 🇪 𝘝𝘐𝘚𝘈 𝘑𝘊𝘉 　　　　　　　　　　　　　HU v
cerrado del 5 al 25 de agosto – **Comida** carta 4850 a 6500.

XXX **Roncesvalles**, Via Augusta 201, ⊠ 08021, 𝒫 209 01 25, Fax 209 12 95 – ▤. 🆎 ⓞ
🇪 𝘝𝘐𝘚𝘈 𝘑𝘊𝘉. 🛠 　　　　　　　　　　　　　　　　　　　　FV a
cerrado sábado mediodía y domingo noche – **Comida** carta aprox. 4000.

XX **El Trapío,** Esperanza 25, ✉ 08017, ℘ 211 58 17, Fax 417 10 37, 🏠, « Terraza » – ▤. AE ⓓ VISA. ✂ EU
cerrado domingo noche – **Comida** carta 3000 a 4500.

XX **La Petite Marmite,** Madrazo 68, ✉ 08006, ℘ 201 48 79 – ▤. AE ⓓ E VISA. ✂ GU
cerrado domingo, festivos, Semana Santa y agosto – **Comida** carta 2800 a 4050.

XX **Tiró Mimet,** Sant Màrius 22, ✉ 08022, ℘ 211 77 66, Fax 211 77 66 – ▤. AE ⓓ VISA JCB FU
cerrado sábado mediodía, domingo, del 2 al 7 de enero, Semana Santa y 3 semanas en agosto – **Comida** carta 3650 a 5050.

XX **Can Cortada,** av. de l'Estatut de Catalunya, ✉ 08035, ℘ 427 23 15, Fax 427 02 9…, 🏠, « Masía del siglo XVI » – ▣ P. AE ⓓ E VISA JCB BS
Comida carta 2975 a 5350.

XX **El Asador de Aranda,** av. del Tibidabo 31, ✉ 08022, ℘ 417 01 15, Fax 212 24 8…, 🏠, Cordero asado, « Antiguo palacete » – AE ⓓ E VISA. ✂ BS
cerrado domingo noche – **Comida** carta aprox. 4000.

XX **Paradis Barcelona** *con buffet*, passeig Manuel Girona 7, ✉ 08034, ℘ 203 76 3… Fax 203 61 94 – ▤. AE ⓓ E VISA. ✂ EVX
cerrado domingo noche – **Comida** carta aprox. 4000.

XX **Daxa,** Muntaner 472, ✉ 08006, ℘ 201 60 06 – ▤. E VISA. ✂ FU
cerrado domingo noche y 3 semanas en agosto – **Comida** carta aprox. 2800.

XX **Casa Jordi,** passatge de Marimón 18, ✉ 08021, ℘ 200 11 18 – ▤. AE ⓓ E VISA JCB. ✂ GV
cerrado domingo – **Comida** carta 2700 a 3900.

XX ✿ **El Racó d'en Freixa,** Sant Elíes 22, ✉ 08006, ℘ 209 75 59, Fax 209 79 18 – ▤. … ⓓ E VISA. ✂ GU
cerrado domingo noche, lunes, Semana Santa y agosto – **Comida** carta 4500 a 6075
Espec. El huevo poché con crema de trufas (invierno). Escabeche de codornices y pies … cerdo. El pescado de Palamós a la cocotte con setas (octubre-diciembre).

XX ✿ **Gaig,** passeig de Maragall 402, ✉ 08031, ℘ 429 10 17, Fax 429 70 02, 🏠 – ▤. AE … E VISA CS
cerrado lunes, festivos noche, Semana Santa y 2 agosto-1 septiembre – **Comida** car… 4200 a 6505
Espec. Arroz de pichón y ceps. Rodaballo y percebes al jengibre. Perdiz asada con toci… de Jabugo (octubre-enero).

XX **Roig Robí,** Séneca 20, ✉ 08006, ℘ 218 92 22, Fax 415 78 42, 🏠, « Terraza-jardín… – ▤. AE ⓓ E VISA JCB. ✂ HV
cerrado sábado mediodía, domingo y dos semanas en agosto – **Comida** carta 4150 a 63…

XX **Tram-Tram,** Major de Sarrià 121, ✉ 08017, ℘ 204 85 18, 🏠 – ▤. AE E VISA. … EU
cerrado sábado mediodía, domingo, Semana Santa, del 7 al 17 de agosto y 24 diciembre… enero – **Comida** carta 4150 a 5800.

XX **Zure Etxea,** Jordi Girona Salgado 10, ✉ 08034, ℘ 203 83 90, Fax 280 31 46 – ▤. … AT
cerrado sábado mediodía, domingo, festivos y 3 semanas en agosto – **Comida** carta 43… a 5350.

X **Hostal Sant Jordi,** Travesera de Dalt 123, ✉ 08024, ℘ 213 10 37 – ▤. AE ⓓ VISA. ✂ CS
cerrado sábado, domingo noche y agosto – **Comida** carta 3290 a 5150.

X **Tritón,** Alfambra 16, ✉ 08034, ℘ 203 30 85 – ▤ 🚗 P. AE E VISA AT
cerrado domingo, festivos, 20 días en Semana Santa y 15 días en agosto – **Comida** car… aprox. 4475.

X **La Xarxa,** pl. Molina 4, ✉ 08006, ℘ 415 41 68, Pescados y mariscos – ▤. AE E V… ✂ GU
cerrado domingo noche y del 11 al 31 de agosto – **Comida** carta 4000 a 4950.

X **Alberto,** Ganduxer 50, ✉ 08021, ℘ 201 00 09, 🏠 – ▤. AE VISA FV
cerrado domingo noche – **Comida** carta 3500 a 6200.

X **Vivanda,** Major de Sarrià 134, ✉ 08017, ℘ 205 47 17, Fax 203 19 18, 🏠 – ▤. … E VISA. ✂ EU
cerrado domingo y lunes mediodía – **Comida** carta aprox. 3500.

X **El Vell Sarriá,** Major de Sarrià 93, ✉ 08017, ℘ 204 57 10, Fax 205 45 41 – ▤. AE … E VISA. ✂ EU
cerrado sábado mediodía – **Comida** carta aprox. 4500.

X **La Venta,** pl. Dr. Andreu, ✉ 08035, ℘ 212 64 55, Fax 212 51 44, 🏠, Antiguo ca… – AE ⓓ E VISA BS
cerrado domingo – **Comida** carta aprox. 4800.

X **Sal i Pebre,** Alfambra 14, ✉ 08034, ℘ 205 36 58, Fax 205 56 72 – ▤. AE ⓓ V… ✂ AT
Comida carta 2575 a 3050.

X **Medulio,** av. Príncipe de Asturias 6, ⊠ 08012, ℰ 217 38 68, Fax 415 34 36 – 🗏. 🖭
🕦 **E** *VISA* *JCB* GU r
cerrado domingo – **Comida** carta aprox. 4500.

X **Can Traví Nou,** antic Camí de Sant Cebrià, ⊠ 08035, ℰ 428 03 01, Fax 428 19 17,
🏤, Antigua masía – **P**. 🖭 🕦 **E** *VISA* *JCB* BS a
cerrado domingo y festivos noche – **Comida** carta 2800 a 5620.

X **Julivert Meu,** Jordi Girona Salgado 12, ⊠ 08034, ℰ 204 11 96, Fax 205 56 72 – 🗏.
🖭 🕦 *VISA*. ⁏⁏⁏ AT r
Comida carta 2500 a 3625.

X **El Pati Blau,** Jordi Girona Salgado 14, ⊠ 08034, ℰ 204 22 15, Fax 205 56 72 – 🗏. 🖭
🕦 *VISA*. ⁏⁏⁏ AT r
Comida carta 2500 a 3150.

X **Le Quattro Stagioni,** Dr. Roux 37, ⊠ 08017, ℰ 205 22 79, Fax 415 51 97, 🏤, Patio-
terraza. Cocina italiana – 🗏. 🖭 🕦 **E** *VISA*. ⁏⁏⁏ FV c
cerrado Semana Santa y 15 días en agosto – **Comida** *(cerrado domingo y lunes mediodía
julio-septiembre, domingo noche y lunes resto año)* carta 2875 a 4000.

X **La Taula,** Sant Màrius 8-12, ⊠ 08022, ℰ 417 28 48 – 🗏. 🖭 🕦 **E** *VISA*. ⁏⁏⁏ FU u
cerrado sábado mediodía, domingo, festivos y agosto – **Comida** carta 2675 a 3500.

X **A la Menta,** passeig Manuel Girona 50, ⊠ 08034, ℰ 204 15 49, Taberna típica – 🗏.
🖭 🕦 **E** *VISA*. ⁏⁏⁏ EV f
cerrado domingo noche – **Comida** carta 3500 a 4600.

X **L'Encís,** Provença 379, ⊠ 08025, ℰ 457 68 74, Fax 457 68 74 – 🗏. 🖭 🕦 **E** *VISA* *JCB*. ⁏⁏⁏
*cerrado domingo, lunes noche (invierno), sábado noche (verano), Semana Santa, 28 abril-5
mayo y del 4 al 24 agosto* – **Comida** *(festivos sólo almuerzo)* carta 3625 a 4300. JU e

X **La Yaya Amelia,** Sardenya 364, ⊠ 08025, ℰ 456 45 73 – 🗏. 🖭 **E** *VISA* *JCB*.
⁏⁏⁏ JU n
cerrado domingo, Semana Santa y 15 días en agosto – **Comida** carta 2850 a 3925.

X **El Vol de Nit,** Angli 4, ⊠ 08017, ℰ 203 91 81 – 🗏. 🖭 🕦 **E** *VISA*. ⁏⁏⁏ EU b
cerrado domingo, festivos y del 7 al 20 de agosto – **Comida** carta aprox. 3800.

X **Rovell d'Ou,** Jordi Girona Salgado 6, ⊠ 08034, ℰ 205 78 71 – 🗏. 🖭 🕦 *VISA*. ⁏⁏⁏ AT r
Comida carta 1750 a 2650.

Alrededores

en **Esplugues de Llobregat** – ⊠ *08950 Esplugues de Llobregat* – 🕾 *93* :

XXX **La Masía,** av. Països Catalans 58 ℰ 371 00 09, Fax 372 84 00, 🏤, « Terraza bajo los
pinos » – 🗏. **P**. 🖭 🕦 **E** *VISA* *JCB*. ⁏⁏⁏ AT s
cerrado domingo noche – **Comida** carta 3750 a 5650.

X **Quirze,** Laureà Miró 202 ℰ 371 10 84, Fax 371 65 12, 🏤 – 🗏 **P**. 🖭 **E** *VISA*. ⁏⁏⁏ AT e
cerrado sábado noche y domingo – **Comida** carta 3400 a 4400.

en **Sant Just Desvern** – ⊠ *08960 Sant Just Desvern* – 🕾 *93* :

🏨 **Sant Just,** Frederic Mompou 1 ℰ 473 25 17, Fax 473 24 50, 🎮 – 🕼 🗏 📺 ☎ 🚗
– 🔏 25/450. 🖭 🕦 **E** *VISA*. ⁏⁏⁏ AT a
Alambí : **Comida** carta 3150 a 4650 – 🖙 1300 – **138 hab** 13900/14900, 12 suites.

Ver también : **San Cugat del Vallés por** ⑦ : 18 km.

Neumáticos MICHELIN, **S.A. Sucursal** MONTCADA I REIXACH : polígono industrial La
Ferreria-parcela 34 bis por ③, ⊠ 08110 ℰ 575 38 38 y 575 40 00, Fax 564 31 51

L BARCO DE ÁVILA 05600 Ávila 🅰🅰🅰 K 13 – 2515 h. alt. 1009 – 🕾 920.
Madrid 193 – Ávila 81 – Béjar 30 – Plasencia 70 – Salamanca 89.

🏨 **Manila** ⁏⁏, carret. de Plasencia ℰ 34 08 44, Fax 34 12 91, ⇐ – 🕼 📺 ☎ **P** – 🔏 25/35.
🖭 🕦 **E** *VISA*. ⁏⁏⁏ rest
Comida 1200 – 🖙 700 – **50 hab** 5800/8000 – PA 2650.

I BARCO DE VALDEORRAS u **O BARCO** 32300 Orense 🅰🅰🅰 E 9 – 10379 h. alt. 324 –
🕾 988.
Madrid 439 – Lugo 123 – Orense/Ourense 118 – Ponferrada 52.

🏨 **Espada,** carret. N 120 - E : 1,5 km ℰ 32 26 86, Fax 32 27 07 – 🕼 🗏 📺 ☎ 🚗 **P**. *VISA*. ⁏⁏⁏
Comida *(cerrado domingo)* 2000 – 🖙 500 – **29 hab** 5000/8000.

🍴 **La Gran Tortuga,** Conde de Fenosa 34 ℰ 32 11 75, Fax 32 51 69 – 🕼 ☎. *VISA*. ⁏⁏⁏
Comida *(cerrado domingo)* 1400 – 🖙 300 – **16 hab** 2500/3800.

X **San Mauro,** pl. de la Iglesia 11 ℰ 32 01 45 – 🗏. 🖭 🕦 **E** *VISA*. ⁏⁏⁏
cerrado lunes y 19 junio-18 julio – **Comida** carta 2200 a 4300.

BARLOVENTO *Santa Cruz de Tenerife – ver Canarias (La Palma).*

La BARRANCA (Valle de) *Madrid – ver Navacerrada.*

Los BARRIOS *11370 Cádiz* **446** *X 13 – 13 901 h. alt. 23 –* ✆ *956.*
Madrid 666 – Algeciras 10 – Cádiz 127 – Gibraltar 28 – Marbella 77.

🏠 **Real**, av. Pablo Picasso 7 ✆ 62 00 24, Fax 62 19 68 – ⏐🛗⏐ ▤ 📺 ☎. 🗲 *VISA*. ⅏
Comida *(cerrado viernes)* 1200 – ⌷ 200 – **22 hab** 3200/5200 – PA 2600.

BARRO *33529 Asturias* **441** *B 15 –* ✆ *98 – Playa.*
Madrid 460 – Oviedo 106 – Santander 103.

🏠 **Kaype** ⅖, playa ✆ 540 09 00, Fax 540 04 18, ≼ – ⏐🛗⏐ 📺 ☎ 🅿. ① 🗲 *VISA*. ⅏
abril-septiembre – **Comida** 1550 – ⌷ 425 – **48 hab** 6300/9000 – PA 2760.

🏠 **Miracielos** ⅖ *sin rest. con cafetería*, playa de Miracielos ✆ 540 25 85, Fax 540 25
– ⏐🛗⏐ 📺 ☎ ⇦ 🅿. ⁂ 🗲 *VISA*. ⅏
⌷ 600 – **21 hab** 5900/8900.

BAYONA o BAIONA *36300 Pontevedra* **441** *F 3 – 9 690 h. –* ✆ *986 – Playa.*
Ver : *Monterreal (murallas★ : ≼★★).*
Alred. : *Carretera★ de Bayona a La Guardia.*
Madrid 616 – Orense/Ourense 117 – Pontevedra 44 – Vigo 21.

🏠🏠 **Parador de Bayona** ⅖, ✆ 35 50 00, Telex 83424, Fax 35 50 76, ≼, « Reproducci
de un típico pazo gallego en el recinto de un antiguo castillo feudal al borde del mar
⅃, 🐾, ⅌ – 📺 ☎ 🅿 – 🛗 25/400. ⁂ ① 🗲 *VISA*. ⅏
Comida 3700 – ⌷ 1300 – **122 hab** 18000, 2 suites.

🏠 **Bayona** *sin rest*, Conde 36 ✆ 35 50 87 – ⏐🛗⏐ 📺 ☎. 🗲 *VISA*. ⅏
Semana Santa y junio-septiembre – ⌷ 450 – **33 hab** 4800/7000.

🏠 **Tres Carabelas** *sin rest*, Ventura Misa 61 ✆ 35 51 33, Fax 35 59 21 – 📺 ☎. ⁂
🗲 *VISA*. ⅏
⌷ 400 – **15 hab** 5700/7500.

🏠 Pinzón *sin rest*, Elduayen 21 ✆ 35 60 46, ≼ – 📺 ☎
18 hab.

✗ **O Moscón,** Alférez Barreiro 2 ✆ 35 50 08 – ▤. ⁂ ① 🗲 *VISA*. ⅏
Comida carta aprox. 2650.

BAZA *18800 Granada* **446** *T 21 – 19 997 h. alt. 872 –* ✆ *958.*
Madrid 425 – Granada 105 – Murcia 178.

🏠 **Venta del Sol** *sin rest*, carret. de Murcia ✆ 70 03 00, Fax 70 03 04 – ▤ 📺 ☎ ⇦
🅿. *VISA*. ⅏
⌷ 300 – **25 hab** 3200/5200, 10 apartamentos.

🏠 **Anabel,** María de Luna ✆ 86 09 98, Fax 86 09 98 – ▤ 📺. *VISA*. ⅏ rest
Comida 1500 – ⌷ 400 – **18 hab** 3000/5000.

✗ **Las Perdices,** carret. de Murcia 17 ✆ 70 13 26 – ▤. ① 🗲 *VISA*. ⅏
cerrado sábado noche y 7 días en junio – **Comida** carta 1700 a 2800.

BEASAIN *20200 Guipúzcoa* **442** *C 23 – 12 089 h. alt. 157 –* ✆ *943.*
Madrid 428 – Pamplona/Iruñea 73 – San Sebastián/Donostia 45 – Vitoria/Gasteiz 71

✗ Rubiorena, Zaldizurreta 7 ✆ 88 57 60 – ▤.

BECERRIL DE LA SIERRA *28490 Madrid* **444** *J 18 – 1 957 h. alt. 1 080 –* ✆ *91.*
Madrid 54 – Segovia 41.

🏠 **Las Gacelas,** San Sebastián 53 ✆ 853 80 00, Fax 853 75 06, ≼, 🏡, ⅃, 🐾, ⅌ –
▤ rest 📺 ☎ 🅿 – 🛗 25/100. ⁂ ① 🗲 *VISA*. ⅏
Comida 3000 – ⌷ 600 – **26 hab** 5000/8500.

⚐ Victoria *sin rest y sin* ⌷, San Sebastián 12 ✆ 853 85 61 – 📺
10 hab.

✗ El Albero, Orense 11 ✆ 853 75 41 – ▤.

BEGUR *Gerona – ver Bagur.*

BEHOBIA Guipúzcoa – ver Irún.

BEIFAR Asturias – ver Pravia.

BÉJAR 37700 Salamanca **441** K 12 – 17 027 h. alt. 938 – ✆ 923.

Alred. : Candelario★ : pueblo típico S : 4 km.

🛈 paseo de Cervantes 6, ☏ 40 30 05.

Madrid 211 – Ávila 105 – Plasencia 63 – Salamanca 72.

🏛 **Argentino** sin ☎, travesía Recreo ☏ 40 23 64 – **E** **VISA**. ✻
Comida (ver rest. **Argentino**) – **13 hab** 3500/4900.

✗ **Argentino**, carret. de Salamanca 93 ☏ 40 26 92, 🛱 – 🗏. **AE** ⓞ **E** **VISA**. ✻
Comida carta aprox. 3000.

✗ Tres Coronas, carret. de Salamanca 1 ☏ 40 20 23 – 🗏.

*Le nostre guide alberghi e ristoranti, guide turistiche e carte stradali
sono complementari. Utilizzatele insieme.*

BELMONTE 16640 Cuenca **444** N 21 – 2 601 h. alt. 720 – ✆ 967.

Ver : Antigua Colegiata (Sillería★) - Castillo (artesonados★).

Alred. : Villaescusa de Haro (Iglesia parroquial : capilla de la Asunción★) NE : 6 km.

Madrid 157 – Albacete 107 – Ciudad Real 142 – Cuenca 101.

🏛 **Palacio Buenavista Hospedería** sin rest, José Antonio González 2 ☏ 18 75 80,
Fax 18 75 88, Artesonados y rejerías originales, « Palacio del siglo XVI » – 🛗 🗏 📺 ☎ 🅿
– 🔬 25. **VISA**. ✻
22 hab ☟ 4750/6975.

🎣 **La Muralla**, Osa de la Vega 1 ☏ 17 10 45, Fax 17 10 45 – 🗏 rest. **AE** **VISA**. ✻
Comida 1000 – ☟ 450 – **7 hab** 1500/3000.

OS BELONES 30385 Murcia **445** T 27 – ✆ 968.

Madrid 459 – Alicante/Alacant 102 – Cartagena 20 – Murcia 69.

or la carretera de Portman – ✉ 30385 Los Belones – ✆ 968 :

🏨 **Príncipe Felipe** ⑤, S : 3 km ☏ 13 72 34, Fax 13 72 72, ≤ campo de golf y montañas,
🛱, ⊿ climatizada, 🎾 – 🛗 🗏 📺 ☎ 🕭 🅿 – 🔬 25/400. **AE** ⓞ **E** **VISA**. ✻
Comida carta 3600 a 5800 – ☟ 2200 – **185 hab** 35000, 7 suites.

✗✗ **La Finca**, poblado de Atamaría - S : 3,5 km ☏ 17 50 00 (ext. 2228), 🛱, ⊿ – **AE** ⓞ
E **VISA**. ✻
cerrado martes (salvo agosto) y 20 noviembre-27 diciembre – **Comida** (sólo cena) carta
aprox. 3500.

✗ **Andale**, La Manga Club-Centro de Tenis - S : 4 km ☏ 13 72 34, Fax 13 72 72, Rest.
mexicano – 🗏. **AE** ⓞ **E** **VISA**. ✻
cerrado domingo noche en otoño e invierno – **Comida** carta aprox. 2600.

ELLAVISTA Sevilla – ver Sevilla.

ELLPUIG D'URGELL 25250 Lérida **443** H 33 – 3 706 h. alt. 308 – ✆ 973.

Madrid 502 – Barcelona 127 – Lérida/Lleida 33 – Tarragona 86.

🏛 **Bellpuig**, carret. N II ☏ 32 02 50, Fax 32 22 53 – 🗏 rest 🅿. ⓞ **VISA**. ✻
Comida 1000 – ☟ 400 – **30 hab** 3750/6950.

ELLVER DE CERDAÑA o **BELLVER DE CERDANYA** 25720 Lérida **443** E 35 – 1 549 h.
alt. 1 061 – ✆ 973.

🛈 pl. de Sant Roc 9, ☏ 51 02 29.

Madrid 634 – Lérida/Lleida 165 – Seo de Urgel/La Seu d'Urgell 32.

🏛 **María Antonieta** ⑤, av. de la Cerdanya ☏ 51 01 25, Fax 51 01 25, ≤, ⊿ – 🛗 📺
☎ 🚗. **AE** ⓞ **E** **VISA**. ✻
Comida 2250 – ☟ 660 – **54 hab** 5450/8450 – PA 4250.

🏛 **Bellavista**, carret. de Puigcerdà 43 ☏ 51 00 00, Fax 51 04 18, ≤, ⊿, ✾ – 🛗 📺 ☎
🅿. **E** **VISA**. ✻ rest
cerrado noviembre – **Comida** 1650 – ☟ 600 – **50 hab** 3950/6500.

por la carretera de Alp y desvío a la derecha en Balltarga SE : 4 km - ⊠ 25720
Bellver de Cerdaña - ✪ 973 :

> ✗ **Mas Martí,** urb. Bades 𝒫 51 00 22, Decoración rústica - **Ⓟ**. ⅏
> *fines de semana, Semana Santa, agosto y Navidades* - **Comida** carta aprox. 3300.

BENACAZÓN 41805 Sevilla **446** T 11 - 4753 h. alt. 113 - ✪ 95.
Madrid 566 - Huelva 72 - Sevilla 23.

> 🏨🏨 **Andalusi Park H.,** autopista A 49 - salida 6 𝒫 570 56 00, Fax 570 50 79, « Edificio de
> estilo árabe. Jardín », **f₆**, **⊥**, **⊠** - **≣** **▤** **▥** **☎** **&** **Ⓟ** - **⊿** 25/500. **℡** **⑩** **Ɛ** **VISA**. ⅏
> **Los Olivos :** **Comida** carta aprox. 4000 - **Al'Mutamid :** **Comida** carta aprox. 5500 - ⊡
> 1500 - **189 hab** 12800/16000, 11 suites.

BENAHAVÍS 29679 Málaga **446** W 14 - 1405 h. alt. 185 - ✪ 95.
Madrid 610 - Algeciras 78 - Málaga 79 - Marbella 17 - Ronda 60.

> ✗ Los Faroles, Málaga 𝒫 285 54 25,
> 🍴.

> ✗ La Escalera, Almendro 4 𝒫 285 52 35, 🍴
> **Comida** (sólo cena en verano).

BENALMÁDENA 29639 Málaga **446** W 16 - 25747 h. - ✪ 95.
Madrid 579 - Algeciras 117 - Málaga 24.

> ✗✗ **Casa Fidel,** Maestra Ayala 1 𝒫 244 91 65, 🍴 - **≣**. **⑩** **Ɛ** **VISA** **JCB**
> *cerrado martes y miércoles mediodía* - **Comida** carta 2500 a 3500.

BENALMÁDENA COSTA 29630 Málaga **446** W 16 - ✪ 95 - Playa.
> **ᵢ₈** Torrequebrada 𝒫 244 27 42, Fax 256 11 29.
> **🛈** av. Antonio Machado 14, 𝒫 244 12 95, Fax 244 06 78.
> *Madrid 558 - Málaga 24 - Marbella 46.*

> 🏨🏨🏨 **Torrequebrada,** carret. de Cádiz - SO : 2 km 𝒫 244 60 00, Fax 244 57 02, ≤ mar, 🍴
> **f₆**, **⊥**, **⊠**, **%** - **≣** **▤** **▥** **☎** **&** **⟷** **Ⓟ** - **⊿** 25/600. **℡** **⑩** **Ɛ** **VISA**. ⅏
> **Café Royal** (sólo cena) **Comida** carta aprox. 5700 - **Pavillón** (sólo almuerzo y buffet e
> verano) **Comida** carta aprox. 4500 - ⊡ 2500 - **328 hab** 15500/19500, 10 suites.

> 🏨🏨 **Tritón,** av. Antonio Machado 29 𝒫 244 32 40, Telex 77061, Fax 244 26 49, ≤, 🍴
> « Gran jardín tropical », **⊥**, **%** - **≣** **▤** **▥** **☎** **⟷** **Ⓟ** - **⊿** 25/280. **℡** **⑩** **Ɛ** **VISA** **JCB**. ⅏
> **Comida** 3600 - ⊡ 1400 - **186 hab** 15500/19500, 10 suites - PA 7300.

> 🏨🏨 **Riviera,** av. Antonio Machado 49 𝒫 244 12 40, Fax 244 22 30, ≤, « Terrazas escalonad
> con césped », **⊥**, **⊠**, **%** - **≣** **▤** **☎** **⟷** **Ⓟ** - **⊿** 25/100. **℡** **⑩** **VISA**. ⅏
> **Comida** (sólo cena buffet) 2850 - ⊡ 1500 - **189 hab** 10800/14700 - PA 6100.

> 🏨🏨 **Alay,** av. del Alay 5 𝒫 244 14 40, Fax 244 63 80, ≤, **⊥** climatizada, **%** - **≣** **▤** **▥**
> **&** **Ⓟ** - **⊿** 25/750. **℡** **⑩** **Ɛ** **VISA** **JCB**. ⅏
> **Comida** (sólo cena buffet) 3300 - **257 hab** ⊡ 10700/17000.

> 🏨 **La Roca,** playa de Santa Ana 𝒫 244 17 40, Fax 244 32 55, ≤, **⊥** climatizada - **≣**
> **☎**. **℡** **⑩** **Ɛ** **VISA** **JCB**. ⅏
> **Comida** (sólo cena buffet) 2350 - **154 hab** ⊡ 8725/13105.

> 🏨 **Villasol,** av. Antonio Machado 𝒫 244 19 96, Fax 244 19 75, ≤, **⊥** - **≣** **≣** rest **▥**
> **Ⓟ**. **℡** **⑩** **Ɛ** **VISA**. ⅏
> **Comida** 2200 - ⊡ 600 - **76 hab** 7300/9200.

> ✗✗✗ **Mar de Alborán,** av. del Alay 5 𝒫 244 64 27, Fax 244 63 80, ≤, 🍴 - **≣**. **℡** **⑩**
> **VISA**. ⅏
> *cerrado domingo noche y lunes (salvo verano) y 20 diciembre-20 enero* - **Comida** car
> 3150 a 4400.

> ✗ **O. K. 2,** Terramar Alto - edificio Delta del Sur 𝒫 244 28 16, 🍴, Asados y carnes a
> parrilla - **≣**. **⑩** **Ɛ** **VISA**. ⅏
> *cerrado martes y agosto* - **Comida** carta 3150 a 3650.

> ✗ **El Varadero,** puerto deportivo - Pueblo Marinero 𝒫 256 43 27, 🍴, Pescados y mar
> cos - **≣**. **℡** **⑩** **Ɛ** **VISA**
> **Comida** carta aprox. 3750.

> ✗ **Chef Alonso,** av. Antonio Machado 222 𝒫 244 34 35, 🍴 - **≣**. **℡** **VISA**. ⅏
> *cerrado martes y del 1 al 15 de noviembre* - **Comida** carta 2250 a 3400.

> ✗ **O.K.,** San Francisco 2 𝒫 244 36 96, 🍴 - **≣**. **Ɛ** **VISA**. ⅏
> *cerrado miércoles y 15 enero-febrero* - **Comida** carta 2700 a 4050.

> ✗ Asador del Camborio, castillo El Bil-Bil 𝒫 244 20 67, 🍴.

BENAOJÁN 29370 Málaga **446** V 14 – 1593 h. alt. 565 – **✪** 95.
  Madrid 567 – Algeciras 95 – Cádiz 138 – Marbella 81 – Ronda 22 – Sevilla 135.

por la carretera de Ronda SE : 2 km – ⊠ 29370 Benaoján – **✪** 95 :

🏨 Molino del Santo, barriada Estación ℘ 216 71 51, Fax 216 71 51, 😤, « Instalado en un
  antiguo molino de aceite », 🏊 climatizada – 🗏 rest 🕿 🅿
  12 hab.

Benutzen Sie für weite Fahrten in Europa die Michelin-Länderkarten :
  970 *Europa,* **976** *Tschechische Republik-Slowakische Republik,*
  980 *Griechenland,* **984** *Deutschland,* **985** *Skandinavien-Finnland,*
  986 *Großbritannien-Irland,* **987** *Deutschland-Österreich-Benelux,*
  988 *Italien,* **989** *Frankreich,* **990** *Spanien-Portugal,* **991** *Jugoslawien.*

BENASQUE 22440 Huesca **443** E 31 – 1507 h. alt. 1138 – **✪** 974 – Balneario – Deportes de
  invierno en Cerler : **✆**13.
  Alred. : S : Valle de Benasque★ – Congosto de Ventamillo★ S : 16 km.
  🚩 San Pedro, ℘ 55 12 89.
  Madrid 538 – Huesca 148 – Lérida/Lleida 148.

🏨 **St Antón** ॐ, carret. de Francia ℘ 55 16 11, Fax 55 16 21, ≼, 😤 – 📳 📺 🕿 🅿. 🗏
  VISA. ✑
  Comida 1600 - *Casa Pedro :* **Comida** carta aprox. 2850 – ☲ 600 – **34 hab** 5500/11000
  – PA 3200.

🏨 **Aragüells** sin rest. con cafetería, av. de Los Tilos ℘ 55 16 19, Fax 55 16 64 – 📺 🕿
  ⇔, 🖭 🗏 **VISA**. ✑
  cerrado mayo y noviembre – ☲ 650 – **19 hab** 5000/8000.

🏨 Aneto ॐ, carret. Anciles 2 ℘ 55 10 61, Fax 55 15 09, 🏊, 🛲, 🎾 – 📳 🕿 🅿
  38 hab.

🏨 **San Marsial** ॐ, carret. de Francia ℘ 55 16 16, Fax 55 16 23 – 📳 📺 🕿. 🖭 ⑩ 🗏 **VISA**.
  ✑ rest
  Comida 1750 – **24 hab** ☲ 9500/12000 – PA 3400.

🏨 **El Puente II** ॐ sin rest, San Pedro ℘ 55 12 11, Fax 55 16 84, ≼ – 🕿 ⇔ 🅿. 🖭 ⑩
  🗏 **VISA**. ✑
  ☲ 750 – **28 hab** 5000/8250.

🏨 **Ciria** ॐ, av. de Los Tilos ℘ 55 16 12, Fax 55 16 86 – 📳 📺 🕿 ⇔ 🅿. 🖭 🗏 **VISA**. ✑ rest
  Comida 1850 - *El Fogaril :* **Comida** carta 2300 a 4700 – ☲ 900 – **30 hab** 5775/9735
  – PA 3800.

🏨 El Pilar ॐ, carret. de Francia ℘ 55 12 63, Fax 55 15 09, ≼ – 📳 🕿 ⇔ 🅿
  51 hab.

🏨 **Avenida** ॐ, av. de Los Tilos 3 ℘ 55 11 26, Fax 55 15 15 – 📺 🕿. 🖭 🗏 **VISA**. ✑
  cerrado 15 octubre-noviembre – **Comida** 1400 – ☲ 650 – **16 hab** 6500/7500 – PA 3100.

✗ **El Puente** ॐ con hab, San Pedro ℘ 55 12 79, Fax 55 16 84, ≼ – 🗏 rest 🕿 🅿. 🖭
  ⑩ 🗏 **VISA**. ✑
  Comida carta 1700 a 3450 – ☲ 750 – **13 hab** 5000/8250.

✗ **La Parrilla,** carret. de Francia ℘ 55 11 34, 😤 – **VISA**. ✑
  cerrado del 20 al 30 de septiembre – **Comida** carta 2000 a 3200.

por la carretera de Francia NE : 13 km – ⊠ 22440 Benasque – **✪** 974 :

🏨 **Llanos del Hospital** ॐ, camino de la Renclusa ℘ 908 - 53 60 53, Fax 908 - 53 60
  53 – 📺 🅿. **VISA**. ✑
  cerrado noviembre – **Comida** 1600 – ☲ 650 – **15 hab** 4300/6600 – PA 3350.
  Ver también : **Cerler** SE : 6 km.

BENAVENTE 49600 Zamora **441** F 12 – 14410 h. alt. 724 – **✪** 980.
  Madrid 259 – León 71 – Orense/Ourense 242 – Palencia 108 – Ponferrada 125 – Valladolid
  99.

🏨 **Parador de Benavente** ॐ, paseo Ramón y Cajal ℘ 63 03 00, Fax 63 03 03, ≼ – 🗏
  📺 🕿 ⇔ 🅿 – 🔬 25/60. 🖭 ⑩ 🗏 **VISA** JCB
  Comida 3500 – ☲ 1200 – **30 hab** 16500.

🏨 **Orense,** Perú 4 ℘ 63 01 56, Fax 63 47 93, Cocina gallega – 📳 🗏 rest 📺 🕿 ⇔. 🖭
  ⑩ 🗏 **VISA**. ✑
  Comida carta 2450 a 3500 – ☲ 500 – **33 hab** 3895/6960.

187

por la carretera de León NE : 2,5 km y desvío a la derecha 0,5 km – ⊠ 49600 Benavente
– ✪ 980 :

XX El Ermitaño, ℰ 63 22 13, Fax 63 22 13, 佘 – 🔳.

en la carretera N VI – ⊠ 49600 Benavente – ✪ 980 :

🏨 **Tudanca**, NO : 6 km ℰ 63 64 66, Fax 63 68 19 – 🔳 📺 ☎ 🚗 🄿 – 🔬 25/200. 🄰
🄾 🄴 𝘝𝘐𝘚𝘈. ✋
Comida 1850 – ⊆ 550 – **32 hab** 6700/8000 – PA 3500.

🏠 **Arenas**, SE : 2 km - salida 259 autovía ℰ 63 03 34, Fax 63 03 34 – 🛗 📺 ☎ 🚗 🄿
🄰🄴 🄾 🄴 𝘝𝘐𝘚𝘈
Comida 1650 – ⊆ 300 – **37 hab** 4500/7000.

BENAVIDES DE ÓRBIGO 24280 León 𝟺𝟺𝟷 E 12 – 2 904 h. alt. 646 – ✪ 987.
Madrid 327 – León 29 – Ponferrada 83.

X **La Villa**, carret. LE 420 ℰ 37 09 86 – 🔳. 🄰🄴 🄴 𝘝𝘐𝘚𝘈. ✋
cerrado lunes noche y 2ª quincena de septiembre – Comida carta aprox. 2000.

BENDINAT Baleares – ver Baleares (Mallorca).

BENICARLÓ 12580 Castellón 𝟺𝟺𝟻 K 31 – 18 460 h. alt. 27 – ✪ 964 – Playa.
🄱 pl. de la Constitución, ℰ 47 31 80, Fax 47 31 80.
Madrid 492 – Castellón de la Plana/Castelló de la Plana 69 – Tarragona 116 – Tortosa 5

🏨 **Parador de Benicarló** ⑤, av. del Papa Luna 5 ℰ 47 01 00, Fax 47 09 34, 🛋, ➳
✋ – 🔳 📺 ☎ 🄿 – 🔬 25/60. 🄰🄴 🄾 🄴 𝘝𝘐𝘚𝘈. ✋
Comida 3200 – ⊆ 1200 – **108 hab** 14500.

🏨 **Márynton**, paseo Marítimo 5 ℰ 47 30 11, Fax 46 07 20 – 🛗 🔳 📺 ☎ 🚗. 🄴 𝘝𝘐𝘚𝘈. ⑤
Comida (cerrado viernes de noviembre a junio y octubre) 1900 – ⊆ 600 – **26 ha**
4500/6800 – PA 3800.

🏠 **Sol** sin rest, carret. N 340 ℰ 47 13 49 – 🚗 🄿
julio-agosto – ⊆ 550 – **22 hab** 3000/5250.

X **El Cortijo**, av. Méndez Núñez 85 ℰ 47 00 75, Fax 47 00 75, Pescados y mariscos – 🄸
🄿. 🄰🄴 🄾 🄴 𝘝𝘐𝘚𝘈. ✋
cerrado lunes y del 1 al 15 de julio – Comida carta 3500 a 5300.

BENICASIM o BENICÀSSIM 12560 Castellón 𝟺𝟺𝟻 L 30 – 6 151 h. – ✪ 964 – Playa.
🄱 Médico Segarra 4, (Ayuntamiento), ℰ 30 09 62, Fax 30 34 32.
Madrid 436 – Castellón de la Plana/Castelló de la Plana 14 – Tarragona 165 – Valencia 8

🏠 **Avenida y Eco-Avenida**, av. de Castellón 2 ℰ 30 00 47, Fax 30 00 79, 🛋 climatiza
– 🄿. 🄴 𝘝𝘐𝘚𝘈. ✋ rest
marzo-octubre – Comida 1360 – ⊆ 515 – **64 hab** 4675.

X **Plaza**, Cristóbal Colón 3 ℰ 30 00 72 – 🔳. 🄴 𝘝𝘐𝘚𝘈. ✋
cerrado martes (salvo julio-septiembre), enero y febrero – Comida carta 3000 a 450

en la zona de la playa :

🏨 **Intur Orange**, av. Gimeno Tomás 9 ℰ 39 44 00, Fax 30 15 41, « 🛋 rodeada de césp
con árboles », ✋ – 🛗 🔳 📺 ☎ 🄿 – 🔬 25/400. 🄰🄴 🄾 🄴 𝘝𝘐𝘚𝘈. ✋ rest
marzo-15 noviembre – Comida 2750 – ⊆ 850 – **415 hab** 8900/10500.

🏨 **Trinimar** sin rest, av. Ferrándiz Salvador 184 ℰ 30 08 50, Fax 30 08 66, ≤, 🛋 – 🛗
📺 ☎ 🄿
temp – **170 hab**.

🏨 **Intur Azor**, av. Gimeno Tomás 1 ℰ 39 20 00, Fax 39 23 79, ≤, « Terraza con flores
🛋, 🌴, ✋ – 🛗 🔳 ☎ 🄿. 🄾 🄴 𝘝𝘐𝘚𝘈. ✋ rest
marzo-octubre – Comida 2725 – ⊆ 850 – **87 hab** 8800/10350.

🏨 **Voramar**, paseo Pilar Coloma 1 ℰ 30 01 50, Fax 30 05 26, ≤, « Terraza », ✋ – 🛗
☎ 🚗. 🄾 🄴 𝘝𝘐𝘚𝘈. ✋ rest
marzo-noviembre – Comida 1600 – ⊆ 650 – **55 hab** 4900/8600.

🏨 **Vista Alegre**, av. de Barcelona 48 ℰ 30 04 00, Fax 30 04 00, 🛋 – 🛗 🔳 rest ☎
🄴 𝘝𝘐𝘚𝘈. ✋ rest
marzo-15 octubre – Comida 1700 – ⊆ 500 – **68 hab** 3900/6400.

🏨 **Intur Bonaire**, av. Gimeno Tomás 3 ℰ 39 24 80, Fax 39 23 79, 佘, « Pequeño pinar
🛋, ✋ – 🔳 rest ☎ 🄿. 🄾 🄴 𝘝𝘐𝘚𝘈. ✋ rest
abril-septiembre – Comida 2350 – ⊆ 680 – **78 hab** 6480/7750.

🏛 **Tramontana** *sin rest*, paseo Marítimo Ferrándiz Salvador 6 ℰ 30 03 00, Fax 25 21 37,
☞ – 🛗 ℗. 🆎 ① 🅴 *VISA*. ℅
16 marzo-octubre – ☲ 475 – **65 hab** 3325/5375.

🏛 **Bersoca,** Gran Avinguda Jaume I-217 ℰ 30 12 58, Fax 39 41 44, ℥ – 🛗 📺 ☎ ℗. 🆎
VISA. ℅ rest
marzo-noviembre – **Comida** 1600 – ☲ 550 – **48 hab** 4000/5500 – PA 2900.

n el Desierto de Las Palmas *NO : 8 km* – ✉ 12560 Benicasim – ☯ 964 :
🍴 Desierto de las Palmas, ℰ 30 09 47, ≤ montaña, valle y mar, 🍽 – ℗.

ENIDORM 03500 Alicante 🅰🅰🅵 Q 29 – 75 322 h. – ☯ 96 – Playa.
Ver : Promontorio del Castillo ≤ ★ AZ.
🛈 av. Martínez Alejos 16, ℰ 585 13 11 y av. del Derramador, ℰ 680 59 14.
Madrid 459 ③ – Alicante/Alacant 44 ③ – Valencia (por la costa) 136 ③

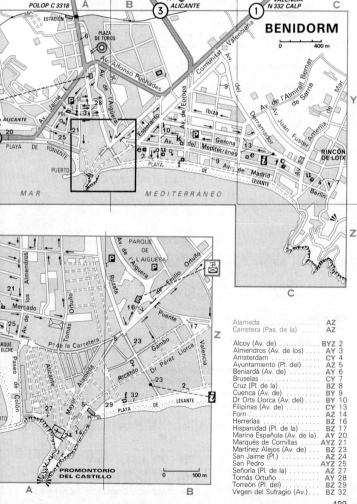

Alameda	**AZ**
Carretera (Pas. de la)	**AZ**
Alcoy (Av. de)	**BYZ** 2
Almendros (Av. de los)	**AY** 3
Amsterdam	**CY** 4
Ayuntamiento (Pl. del)	**AZ** 5
Beniardá (Av. de)	**AY** 6
Bruselas	**CY** 7
Cruz (Pl. de la)	**BZ** 8
Cuenca (Av. de)	**BY** 9
Dr Orts Llorca (Av. del)	**BY** 10
Filipinas (Av. de)	**CY** 13
Forn	**AZ** 14
Herrerías	**BZ** 16
Hispanidad (Pl. de la)	**BZ** 17
Marina Española (Av. de la)	**AY** 20
Marqués de Comillas	**AYZ** 21
Martínez Alejos (Av. de)	**BZ** 23
San Jaime (Pl.)	**AZ** 24
San Pedro	**AYZ** 25
Señoría (Pl. de la)	**AZ** 27
Tomás Ortuño	**AY** 28
Torreón (Pl. del)	**BZ** 29
Virgen del Sufragio (Av.)	**BZ** 32

G. H. Delfín, playa de Poniente - La Cala ☎ 585 34 00, Fax 585 71 54, ≤, 🏖, 🏊, ... - |‡| ▤ 📺 ☎ P. AE ⓓ E VISA. ✂ rest por
22 marzo-septiembre - **Comida** 3425 - ☕ 800 - **96 hab** 10915/18300.

Cimbel, av. de Europa 1 ☎ 585 21 00, Fax 586 06 61, ≤, 🏊 climatizada - |‡| ▤ 📺 🚗. AE ⓓ E VISA. ✂ BY
Comida 3200 - ☕ 795 - **139 hab** 9550/19100, 1 suite - PA 5300.

Don Pancho, av. del Mediterráneo 39 ☎ 585 29 50, Fax 586 77 79, 🏊 climatizada, - |‡| ▤ 📺 ☎ 🚗 P - 🎪 25/330 CY
Comida (sólo buffet) - **252 hab.**

Agir *(obras en curso)*, av. del Mediterráneo 11 ☎ 585 22 54, Fax 585 89 50, 🏖, Terra en el ático - |‡| ▤ 📺 ☎ BY
67 hab.

Bilbaíno, av. Virgen del Sufragio 1 ☎ 585 08 04, Fax 585 08 05, ≤ - |‡| ▤ 📺 ☎. VISA. ✂ BZ
cerrado diciembre-febrero - **Comida** 1700 - ☕ 800 - **38 hab** 5750/10000.

Tiffany's, av. del Mediterráneo 51 - edificio Coblanca 3 ☎ 585 44 68 - ▤. AE ⓓ E VISA.
cerrado 7 enero-7 febrero - **Comida** (sólo cena) carta 3400 a 5100. CY

I Fratelli, av. Dr. Orts Llorca 21 ☎ 585 39 79, 🏖 - ▤. AE ⓓ E VISA BY
cerrado noviembre - **Comida** carta 4100 a 5850.

El Romeral, carret. Rincón de Loix ☎ 585 20 10, 🏖 - ▤. ✂
cerrado sábado y domingo mediodía - **Comida** carta aprox. 5150.
por av. Ametlla de Mar : 3 km CY

La Lubina, av. Bilbao 3 ☎ 585 30 85, 🏖 - ▤. VISA. ✂ BY
cerrado noviembre-febrero - **Comida** carta 3100 a 3900.

Castañuela, Estocolmo 7 - Rincón de Loix ☎ 585 10 09 - ▤. AE ⓓ E VISA CY
cerrado martes salvo junio-septiembre - **Comida** carta 1250 a 2750.

en la carretera de Valencia *por ① : 3 km - ✉ 03500 Benidorm - ☎ 96 :*

El Molino, ☎ 585 71 81, 🏖, Colección de botellas de vino - ▤ P. AE ⓓ E VISA.
cerrado lunes y octubre - **Comida** (sólo cena) carta 2300 a 3450.

en Cala Finestrat *por ② : 4 km - ✉ 03500 Benidorm - ☎ 96 :*

Casa Modesto, ☎ 585 86 37, ≤, 🏖, Pescados y mariscos
ⓓ E VISA. ✂
cerrado 16 enero-1 marzo - **Comida** carta 2400 a 3000.

BENIEL *30130 Murcia 445 R 26 Y 27 - 6 975 h. alt. 29 - ☎ 968.*
Madrid 412 - Alicante/Alacant 58 - Cartagena 64 - Murcia 16.

al Sureste : *2 km*

Angelín, Vereda del Rollo 55 ☎ 60 11 00, Fax (96) 530 52 87 - ▤ P.

BENIFAYÓ o **BENIFAIÓ** *46450 Valencia 445 O 28 - 11 850 h. alt. 35 - ☎ 96.*
Madrid 404 - Albacete 170 - Alicante/Alacant 144 - Valencia 20.

La Caseta, Gràcia 5 ☎ 178 22 07 - ▤. AE E VISA. ✂
cerrado domingo noche - **Comida** carta 3200 a 5100.

BENIMANTELL *03516 Alicante 445 P 29 - 404 h. alt. 527 - ☎ 96.*
Madrid 437 - Alcoy 32 - Alicante/Alacant 68 - Candía 85.

Venta la Montaña, carret. de Alcoy 9 ☎ 588 51 41, Decoración típica - ▤. AE E
cerrado lunes (salvo agosto) y 7 días en junio - **Comida** (sólo almuerzo salvo agosto) ca aprox. 2950.

L'Obrer, carret. de Alcoy 27 ☎ 588 50 88 - ▤ P. AE E VISA. ✂
cerrado viernes y 22 junio-julio - **Comida** (sólo almuerzo salvo agosto) carta 1925 a 27

BENIPARRELL *46469 Valencia 445 N 28 - 1 366 h. alt. 20 - ☎ 96.*
Madrid 362 - Valencia 11.

Quiquet, av. Levante 45 ☎ 120 07 50, Fax 121 26 77 - |‡| ▤ 📺 ☎ P - 🎪 25/
34 hab.

BENISA o **BENISSA** *03720 Alicante 445 P 30 - 8 583 h. - ☎ 96.*
Madrid 458 - Alicante/Alacant 71 - Valencia 110.

Casa Cantó, av. País Valencià 223 ☎ 573 06 29 - ▤. AE ⓓ E VISA. ✂
cerrado domingo y del 15 al 30 de noviembre - **Comida** carta 3500 a 4800.

en la carretera N 332 S : 4,8 km – ✉ 03720 Benisa – ✿ 96 :

XX **Al Zaraq,** Partida de Benimarraig 79 ℘ 573 16 15, Fax 573 16 15, ≼, 斎, Rest. libanés – **⑫**. **ⴲ** _VISA_
cerrado lunes y marzo – **Comida** (sólo cena) carta 3750 a 4900.

en la zona de la playa SE : 9 km – ✉ 03720 Benisa – ✿ 96 :

XXX **La Chaca,** Fanadix X 5 - cruce carret. Calpe-Moraira ℘ 574 77 06, Fax 574 77 06, 斎,
✿ Cocina franco-belga – **⑫**. **①** **ⴲ** _VISA_. ℀
cerrado lunes y 10 noviembre-16 diciembre – **Comida** (sólo fines de semana de enero a
marzo) (sólo cena de abril a diciembre salvo domingo en abril y mayo) 4800 y carta 4050
a 6100
Espec. Terrina de hígado de ganso con confitura de cebollas. Waterzooi de pescado. Tarta
casera de fruta fresca con helado.

BENISANÓ 46181 Valencia **445** N 28 – 1 643 h. alt. 70 – ✿ 96.
Madrid 344 – Teruel 129 – Valencia 24.

X **Levante,** Virgen del Fundamento 15 ℘ 278 07 21, Fax 279 00 21, Paellas – ▤. **ⴲ** **ⴲ**
VISA. ℀
cerrado martes no festivos y 15 julio-15 agosto – **Comida** (sólo almuerzo) carta 2350 a
3700.

BERA Navarra – ver Vera de Bidasoa.

BERGA 08600 Barcelona **443** F 35 – 14 324 h. alt. 715 – ✿ 93.
🛈 dels Àngels 7, ℘ 821 17 87.
Madrid 627 – Barcelona 117 – Lérida/Lleida 158.

🏠 **Estel** sin rest, carret. Sant Fruitós 39 ℘ 821 34 63 – 📺 ☎ **⑫**. **ⴲ** _VISA_. ℀
立 550 – **40 hab** 3450/4750.

XX **Sala,** passeig de la Pau 27 ℘ 821 11 85, Fax 822 20 54 – ▤. **ⴲ** **①** **ⴲ** _VISA_. ℀
cerrado domingo noche y lunes – **Comida** carta 2600 a 4600.

en la carretera C 1411 SE : 2 km – ✉ 08600 Berga – ✿ 93 :

XX **L'Esquirol,** camping de Berga ℘ 821 12 50, Fax 822 23 88, ≼, 斎, 🎢, 🎣, ℀ – ▤
⑫ **ⴲ** **ⴲ** _VISA_
Comida carta 2350 a 3500.

ERGARA Guipúzcoa – ver Vergara.

ERGONDO 15217 La Coruña **441** C 5 – 5 443 h. – ✿ 981.
Madrid 582 – La Coruña/A Coruña 21 – Ferrol 30 – Lugo 78 – Santiago de Compostela 63.

en Fiobre NE : 2,5 km – ✉ 15165 Fiobre – ✿ 981 :

XX A Cabana, carret. de Ferrol ℘ 79 11 53, ≼ ría, 斎 – **⑫**.

ERIAIN 31191 Navarra **442** D 25 – alt. 442 – ✿ 948.
Madrid 389 – Logroño 87 – Pamplona/Iruñea 8.

🏠 Alaiz, carret. N 121 ℘ 31 01 75, Fax 31 03 50, **ℐ₆** – 📶 ▤ rest 📺 ☎ ⇦ **⑫**
71 hab.

ERLANGA DE DUERO 42360 Soria **442** H 21 – 1 294 h. alt. 922 – ✿ 975.
Madrid 206 – Aranda de Duero 85 – Soria 47.

🏠 **Fray Tomás-Casa Vallecas,** Real 16 ℘ 34 31 36, Hotel instalado en una casa-palacio
🏠 del siglo XV – 📺 ☎. **ⴲ** _VISA_. ℀
Comida carta 2800 a 3500 – 立 200 – **14 hab** 3900/6300.

ERMEO 48370 Vizcaya **442** B 21 – 18 111 h. – ✿ 94 – Playa.
Alred. : Alto de Sollube ★ SO : 5 km.
🛈 Askatasun Bidea 2, ℘ 618 65 43, Fax 618 61 57.
Madrid 432 – Bilbao/Bilbo 33 – San Sebastián/Donostia 98.

🏠 **Txaraka** ⬙ sin rest, Almike Auzoa 5 ℘ 688 55 58, Fax 688 51 64 – 📺 ☎ **⑫**. **ⴲ** _VISA_
JCB. ℀
立 800 – **12 hab** 8000/11000.

XX Iñaki, Bizkaiko Jaurreria 25 ℘ 688 57 35 – ▤.

BERMEO

- ※ **Jokin,** Eupeme Deuna 13 𝓟 688 40 89, ≤, 斎 – 🗉. 🖭 ⓞ 🛭 𝘷𝘐𝘚𝘈. ⋘
  cerrado domingo noche – **Comida** carta 3800 a 5000.

- ※ **Beitxi,** Eskoikiz 6 𝓟 688 00 06, Fax 688 35 72 – 🗉. 🖭 ⓞ 🛭 𝘷𝘐𝘚𝘈. ⋘
  cerrado miércoles – **Comida** carta aprox. 2500.

- ※ **Aguirre,** López de Haro 5 𝓟 688 08 30, 斎 – 🗉. 🖭 ⓞ 🛭 𝘷𝘐𝘚𝘈
  cerrado miércoles (salvo en verano) y marzo – **Comida** carta 3660 a 5200.

- ※ **Artxanda,** Santa Eufemia 14 𝓟 688 09 30, 斎 – 🗉. 🖭 ⓞ 🛭 𝘷𝘐𝘚𝘈. ⋘
  cerrado del 15 al 31 de enero – **Comida** carta 2800 a 5500.

BERNUI Lérida – ver Llessuy.

BERRIA (Playa de) Cantabria – ver Santoña.

BERRIOPLANO 31195 Navarra 𝟜𝟜𝟚 D 24 – alt. 450 – ✆ 948.
Madrid 391 – Jaca 117 – Logroño 98 – Pamplona/Iruñea 6.

- 🏨 **NH El Toro,** carret. N 240 𝓟 30 22 11, Fax 30 20 85, 𝕃₆, ◻ – 🗉 rest 📺 ☎ ℗
  🛗 25/750. 🖭 ⓞ 🛭 𝘷𝘐𝘚𝘈 𝖩𝖼𝖻. ⋘ rest
  Comida 3000 – ⌕ 1000 – **65 hab** 17100/20400.

BERRIOZAR 31195 Navarra 𝟜𝟜𝟚 D 24 – ✆ 948.
Madrid 400 – Logroño 90 – Pamplona/Iruñea 5 – San Sebastián/Donostia 70.

- ※※ **Maitena** con hab, carret. N 240 𝓟 30 10 11, Fax 30 12 54 – 🗉 rest 📺 ☎ ℗
  24 hab.

BESALÚ 17850 Gerona 𝟜𝟜𝟛 F 38 – 2099 h. – ✆ 972.
Ver : Puente fortificado★.
🛈 pl. de la Llibertat 2, 𝓟 59 12 40, Fax 59 04 11.
Madrid 743 – Figueras/Figueres 24 – Gerona/Girona 34.

- ※ **Cúria Reial** con hab, pl. de la Llibertat 15 𝓟 59 02 63, Fax 59 02 63, 斎 , Instalado
  un antiguo convento – 🗉 📺. 🖭 ⓞ 🛭 𝘷𝘐𝘚𝘈. ⋘
  cerrado febrero – **Comida** (cerrado lunes noche, martes noche y miércoles noche sal
  verano) carta 2275 a 4420 – ⌕ 550 – **7 hab** 3000/4000.

- ※ **Pont Vell,** Pont Vell 28 𝓟 59 10 27, ≤, 斎 – 🖭 ⓞ 🛭 𝘷𝘐𝘚𝘈
  cerrado martes y una semana en enero – **Comida** carta aprox. 3475.

BETANZOS 15300 La Coruña 𝟜𝟜𝟙 C 5 – 11871 h. alt. 24 – ✆ 981.
Ver : Iglesia de Santa María del Azogue★ – Iglesia de San Francisco★ (sepulcro★).
Madrid 576 – La Coruña/A Coruña 23 – Ferrol 38 – Lugo 72 – Santiago de Composte
64.

- 🏨 **Los Ángeles,** Ángeles 11 𝓟 77 12 13, Fax 77 12 13 – 🛗 ☎ ℗. 🛭 𝘷𝘐𝘚𝘈. ⋘
  Comida 1300 – ⌕ 450 – **36 hab** 4950/6600 – PA 2590.

- ※ **Casanova,** pl. García Hermanos 15 𝓟 77 06 03.

BETETA 16870 Cuenca 𝟜𝟜𝟜 K 23 – 387 h. alt. 1210 – ✆ 969.
Ver : Hoz de Beteta★.
Madrid 217 – Cuenca 109 – Guadalajara 161.

- 🏨 **Los Tilos** ⑤, Extrarradio 𝓟 31 80 97, Fax 31 82 99, ≤ – 📺 ☎ ⇦ ℗. 🖭 ⓞ 🛭 🗉
  ⋘
  Comida 1600 – ⌕ 450 – **24 hab** 4000/6000.

BETRÉN Lérida – ver Viella.

BIELSA 22350 Huesca 𝟜𝟜𝟛 D 30 y E 30 – 430 h. alt. 1053 – ✆ 974.
Ver : Parque Nacional de Ordesa y Monte Perdido★★★.
Madrid 544 – Huesca 154 – Lérida/Lleida 170.

- 🏨 **Bielsa** ⑤, carret. de Ainsa 𝓟 50 10 08, Fax 50 11 13, ≤ – 🛗 📺 ☎ ℗. 🛭 𝘷𝘐𝘚𝘈.
  febrero-noviembre y Navidad – **Comida** 1750 – ⌕ 775 – **60 hab** 3750/4700 – PA 36

- 🏨 **Valle de Pineta** ⑤, Baja 𝓟 50 10 10, Fax 50 11 91, ≤, ⍐ – 🛗 📺 ☎ ⇦. 🛭
  cerrado noviembre – **Comida** 1350 – ⌕ 475 – **26 hab** 3700/5100 – PA 2650.

en el valle de Pineta *NO : 14 km –* ⊠ *22350 Bielsa –* 🕿 *974 :*

🏨 **Parador de Bielsa** ♨, alt. 1 350 🏖 50 10 11, Fax 50 11 88, ≼, « En un magnífico paraje de montaña » – |‡| 🔟 🕿 🅿. 🖭 ⑩ 🖪 𝘝𝘐𝘚𝘈. ⅍ rest
Comida 3200 – ⧠ 1200 – **24 hab** 16500.

BIESCAS 22630 Huesca 𝟜𝟜𝟛 *E 29 –* 1 142 h. alt. 860 – 🕿 974.
Madrid 458 – Huesca 68 – Jaca 30.

🏠 Casa Ruba ♨, Esperanza 18 🏖 48 50 01, Fax 48 50 01 – ▤ rest 🕿
29 hab.

🏠 **La Rambla** ♨, rambla San Pedro 7 🏖 48 51 77, ≼ – 🔟 🕿 ⇚. 🖪 𝘝𝘐𝘚𝘈. ⅍
cerrado noviembre – **Comida** 1450 – ⧠ 475 – **28 hab** 3400/5000 – PA 2900.

BILBAO o BILBO 48000 ℙ Vizcaya 𝟜𝟜𝟚 *C 20 –* 372 054 h. – 🕿 94.
Ver : Museo de Bellas Artes★ (sección de arte antiguo★★) CY M.
🇮🇦 Club de Campo Laukariz 🏖 674 04 62, Fax 674 08 62.
✈ de Bilbao, Sondica NE : 11 km por autovía BI 631 🏖 486 93 01 – Iberia : Ercilla 20, ⊠ 48009, 🏖 471 12 10 CZ.
🚂 Abando 🏖 423 06 17.
⚓ Cía. Trasmediterránea, Colón de Larreategui 30, ⊠ 48009, 🏖 423 43 00, Telex 32497 DZ, Fax 424 74 59.
🛈 pl. Arriaga 1, ⊠ 48005, 🏖 416 00 22, Fax 416 81 68 – **R.A.C.V.N.** Rodríguez Arias 59 bis ⊠ 48013, 🏖 442 58 08, Fax 441 27 12.
Madrid 397 ② – Barcelona 607 ② – La Coruña/A Coruña 622 ③ – Lisboa 907 ② – San Sebastián/Donostia 100 ① – Santander 116 ③ – Toulouse 449 ① – Valencia 606 ② – Zaragoza 305 ②.

Planos páginas siguientes

🏨🏨 **López de Haro**, Obispo Orueta 2, ⊠ 48009, 🏖 423 55 00, Telex 34787, Fax 423 45 00 – |‡| ▤ 🔟 🕿 ⇚ – 🔬 25/40. 🖭 ⑩ 🖪 𝘝𝘐𝘚𝘈. ⅍ rest   CY r
Comida 4250 - *Náutico (cerrado sábado mediodía, domingo y 17 julio-17 agosto)* **Comida** carta 4800 a 6500 – ⧠ 1450 – **49 hab** 19100/26460, 4 suites.

🏨🏨 **Carlton**, pl. de Federico Moyúa 2, ⊠ 48009, 🏖 416 22 00, Telex 32233, Fax 416 46 28 – |‡| ▤ 🔟 🕿 ⇚ – 🔬 25/200. 🖭 ⑩ 🖪 𝘝𝘐𝘚𝘈. ⅍   CZ x
Comida *(cerrado domingo)* 3000 – ⧠ 1200 – **141 hab** 14840/26500, 7 suites.

🏨🏨 **Indautxu**, pl. Bombero Etxaniz, ⊠ 48010, 🏖 421 11 98, Fax 422 13 31 – |‡| ▤ 🔟 🕿 ⇚ – 🔬 25/400. 🖭 ⑩ 🖪 𝘝𝘐𝘚𝘈 𝙅𝘊𝘉.   CZ b
Comida (ver rest. *Etxaniz*) – ⧠ 1300 – **181 hab** 16800/21000, 3 suites.

🏨🏨 **G. H. Ercilla**, Ercilla 37, ⊠ 48011, 🏖 410 20 00, Telex 32449, Fax 443 93 35 – |‡| ▤ 🔟 🕿 ⇚ – 🔬 25/400. 🖭 ⑩ 🖪 𝘝𝘐𝘚𝘈 𝙅𝘊𝘉.   CZ a
Comida (ver rest. *Bermeo*) – ⧠ 1425 – **338 hab** 16675/22245, 8 suites.

🏨🏨 **Abando**, Colón de Larreategui 9, ⊠ 48001, 🏖 423 62 00, Fax 424 55 25 – |‡| ▤ 🔟 🕿 ⇚ – 🔬 25/150. 🖭 ⑩ 🖪 𝘝𝘐𝘚𝘈 𝙅𝘊𝘉. ⅍   DZ b
Comida *(cerrado domingo y festivos)* 2500 – ⧠ 1000 – **142 hab** 10400/17000, 3 suites.

🏨🏨 **NH Villa de Bilbao**, Gran Vía Don Diego López de Haro 87, ⊠ 48011, 🏖 441 60 00, Fax 441 65 29 – |‡| ▤ 🔟 🕿 ⇚ – 🔬 25/250. 🖭 ⑩ 🖪 𝘝𝘐𝘚𝘈 𝙅𝘊𝘉. ⅍   BY n
Comida 2800 – ⧠ 1400 – **139 hab** 14500/20000, 3 suites.

🏨🏨 **Nervión**, paseo Campo de Volantín 11, ⊠ 48007, 🏖 445 47 00, Fax 445 56 08 – |‡| ▤ rest 🔟 🕿 ⇚ – 🔬 25/500. 🖭 ⑩ 🖪 𝘝𝘐𝘚𝘈. ⅍   DY a
Comida *(cerrado domingo)* 1700 – ⧠ 1100 – **324 hab** 9000/13750, 24 suites.

🏨🏨 **NH de Deusto** sin rest, Francisco Maciá 9, ⊠ 48014, 🏖 476 00 06, Fax 476 21 99 – |‡| ▤ 🔟 🕿 ⇚ – 🔬 25/90. 🖭 ⑩ 🖪 𝘝𝘐𝘚𝘈. ⅍   BY f
⧠ 1000 – **63 hab** 13400/18000.

🏨 **Conde Duque**, paseo Campo de Volantín 22, ⊠ 48007, 🏖 445 60 00, Fax 445 60 66 – |‡| ▤ rest 🔟 🕿 ⇚ – 🔬 25/120. 🖭 ⑩ 🖪 𝘝𝘐𝘚𝘈.   DY m
Comida 1500 – ⧠ 1070 – **65 hab** 8800/13000, 2 suites.

🏨 **Estadio** sin rest, Juan Antonio Zunzunegui 10 bis, ⊠ 48013, 🏖 442 42 41, Fax 442 50 11 – 🔟 🕿 ⇚. ⅍   AZ a
⧠ 600 – **18 hab** 8000/12000.

🏠 **Vista Alegre** sin rest, Pablo Picasso 13, ⊠ 48012, 🏖 443 14 50, Fax 443 14 54 – 🔟 🕿 ⇚. 𝘝𝘐𝘚𝘈. ⅍   CZ t
⧠ 550 – **35 hab** 6000/7300.

🏠 **Zabálburu** sin rest, Pedro Martínez Artola 8, ⊠ 48012, 🏖 443 71 00, Fax 410 00 73 – 🔟 🕿 ⇚. 🖪 𝘝𝘐𝘚𝘈. ⅍   CZ d
⧠ 425 – **38 hab** 6000/8300.

BILBO/BILBAO

Bidebarreta . . . . **DZ** 5
Correo . . . . **DZ**
Gran Vía de López de Haro . . **BCYZ**

Amézola (Plaza) . . . . **CZ** 2
Arenal (Puente del) . . . . **DZ** 3
Ayuntamiento (Puente del) . . **DYZ** 4
Bilbao la Vieja . . . . **DZ** 6
Bombero Echániz (Pl.) . . . . **CZ** 7
Buenos Aires . . . . **DZ** 8
Cruz . . . . **DZ** 9
Deusto (Puente de) . . . . **BCY** 10
Emilio Campuzano
  (Plaza) . . . . **CZ** 12
Enécuri (Av. de) . . . . **AZ** 13
Ernesto Erkoreka (Plaza) . . . . . **DY** 15
Espainia (Plaza de) . . . . **DZ** 16
Federico Moyúa (Plaza de) . . . . **CZ** 19

Gardoqui . . . . **CZ** 20
Huertas de la Villa . . . . **DY** 24
Iparraguirre . . . . **CYZ** 25
Juan de Garay . . . . **CZ** 27
Lehendakari Aguirre (Av.) . . . . . **BY** 28
Luis Luciano Bonaparte . . . . . . **AZ** 29
Montevideo
  (Avenida de) . . . . **AZ** 30
Múgica y Butrón . . . . **DY** 31
Navarra . . . . **DZ** 32
Pintor Losada . . . . **DZ** 33
Pío Baroja (Pl. de) . . . . **DY** 35
Rodríguez Arias . . . . **BCYZ** 36
San Antón (Puente de) . . . . **DZ** 37
San José (Plaza) . . . . **CY** 38
San Mamés (Alameda de) . . . . **CZ** 39
Santuchu . . . . **DZ** 40
Viuda de Epalza . . . . **DZ** 42
Zabalbide . . . . **DZ** 43
Zabálburu (Plaza de) . . . . **CZ** 45
Zumalacárregui (Avenida) . . . . **DY** 46

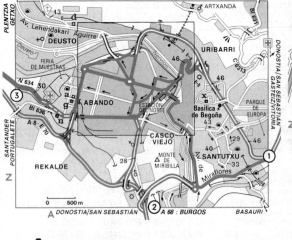

🏛 **Plaza San Pedro** sin rest, Luzarra 7, ✉ 48014, ℘ 476 31 26, Fax 476 38 95 – 🛗
📞, 🅰🅴 🄴 𝗩𝗜𝗦𝗔. ⚹
AZ
⊠ 500 – **19 hab** 5400/7000.

ⅩⅩⅩⅩ **Zortziko,** Alameda de Mazarredo 17, ✉ 48001, ℘ 423 97 43, Fax 423 56 87 – 🔲.
⬭ 🄾 🄴 𝗩𝗜𝗦𝗔. ⚹
CY
cerrado domingo y 25 agosto-15 septiembre
Comida carta 4700 a 5500
Espec. Langostinos con rissoto de perretxicos. Lomo de mero asado con salsa de txal
y harina de limón. Suprema de pintada asada a la salsa de trufas.

ⅩⅩⅩⅩ **Guria,** Gran Vía Don Diego López de Haro 66, ✉ 48011, ℘ 441 05 43, Fax 471 02
– 🔲, 🅰🅴 🄾 🄴 𝗩𝗜𝗦𝗔 🄹🄲🄱. ⚹
BY
cerrado domingo, Semana Santa y 25 agosto-7 septiembre – **Comida** carta 6⁷
a 8050.

ⅩⅩⅩⅩ **Bermeo,** Ercilla 37, ✉ 48011, ℘ 410 20 00, Telex 32449, Fax 443 93 35 – 🔲. 🅰🅴
🄴 𝗩𝗜𝗦𝗔 🄹🄲🄱
CZ
cerrado sábado mediodía, domingo noche y del 1 al 15 de agosto – **Comida** carta 4⁰
a 6105.

ⅩⅩⅩ **Goizeko Kabi,** Particular de Estraunza 4, ✉ 48011, ℘ 441 50 04, Fax 442 11 29 –
🅰🅴 🄾 🄴 𝗩𝗜𝗦𝗔 🄹🄲🄱. ⚹
CY
cerrado domingo y del 1 al 15 de agosto – **Comida** carta 4900 a 5780
Espec. Ensalada de vieiras y foie con trigueros en sal gorda (primavera). Arroz con alⁱ
jas, chipirones y gambas. Rodaballo asado a la vinagreta de verduritas.

ⅩⅩⅩ **Gorrotxa,** Alameda Urquijo 30 (galería), ✉ 48008, ℘ 422 05 35, Fax 422 05 35 –
⬭ 🄾 🄴 𝗩𝗜𝗦𝗔 🄹🄲🄱. ⚹
CZ
cerrado domingo, Semana Santa y 27 julio-17 agosto – **Comida** carta 5300 a 7300
Espec. Ensalada de bogavante con verdura templada. Langosta Thermidor. Pichón
crapaudine con hongos.

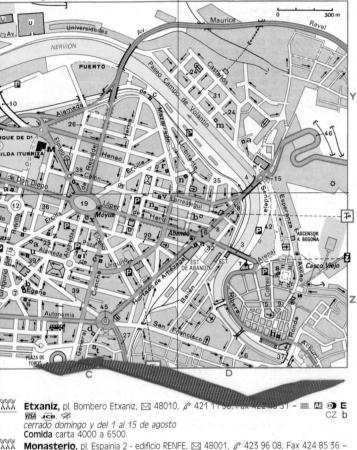

XXX **Etxaniz,** pl. Bombero Etxaniz, ⊠ 48010, ℰ 421 11 98, Fax 422 49 51 – ≣. 𝖠𝖤 ⓞ 𝖤
VISA **JCB**. ℿ
CZ b
cerrado domingo y del 1 al 15 de agosto
Comida carta 4000 a 6500.

XXX **Monasterio,** pl. Espainia 2 - edificio RENFE, ⊠ 48001, ℰ 423 96 08, Fax 424 85 36 –
≣. 𝖠𝖤 ⓞ 𝖤 **VISA**. ℿ
DZ a
cerrado domingo y 23 julio-21 agosto – **Comida** carta 4100 a 6200.

XXX **Matxinbenta,** Ledesma 26, ⊠ 48001, ℰ 424 84 95, Fax 423 84 03 – ≣. 𝖠𝖤 ⓞ 𝖤
VISA
CZ n
cerrado domingo – **Comida** carta 4450 a 5100.

XXX **Casa Vasca,** av. Lehendakari Aguirre 13, ⊠ 48014, ℰ 475 47 78, Fax 476 14 87 – ≣
⇔. 𝖠𝖤 ⓞ 𝖤 **VISA**. ℿ
BY d
cerrado domingo noche y festivos noche – **Comida** carta 3600 a 4650.

XX **Kaskagorri,** Alameda de Mazarredo 20, ⊠ 48009, ℰ 423 83 90, ☆ – ≣. ⓞ 𝖤 **VISA**.
ℿ
CY c
cerrado domingo y Semana Santa – **Comida** carta 2200 a 4350.

XX **Asador Oteiza,** Licenciado Poza 27, ⊠ 48011, ℰ 441 41 33 – ≣. 𝖠𝖤 ⓞ **VISA**
CZ e
cerrado sábado mediodía, domingo y Semana Santa – **Comida** carta aprox. 5200.

XX **Víctor,** pl. Nueva 2-1°, ⊠ 48005, ℰ 415 16 78, Fax 415 06 16 – ≣. 𝖠𝖤 ⓞ 𝖤 **VISA** **JCB**. ℿ
DZ s
cerrado domingo y 15 julio-15 agosto – **Comida** carta 3950 a 6450.

XX **Begoña,** Virgen de Begoña, ⊠ 48006, ℰ 412 72 57 – ≣. 𝖠𝖤 ⓞ 𝖤 **VISA** **JCB**. ℿ AZ x
cerrado domingo (salvo mayo) y agosto – **Comida** carta 3600 a 5400.

XX **Guetaria,** Colón de Larreategui 12, ⊠ 48001, ℰ 424 39 23 – ≣. 𝖠𝖤 ⓞ 𝖤 **VISA**. ℿ
CZ v
cerrado Semana Santa – **Comida** carta 4150 a 4675.

XX **Txixilu,** General Concha 3, ⊠ 48008, ℰ 443 97 45, Fax 443 97 45 – ≣. 𝖠𝖤 ⓞ 𝖤 **VISA**
CZ c
cerrado domingo – **Comida** carta 4800 a 5800.

XX **Asador Jauna,** Juan Antonio Zunzunegui 7, ✉ 48013, ☎ 441 73 81, Fax 442 31 – ▤. AE E VISA. ✂ AZ
cerrado agosto – **Comida** carta 3400 a 4500.

XX **El Asador de Aranda,** Egaña 27, ✉ 48010, ☎ 443 06 64, Fax 443 06 64, Corde asado – ▤. AE ⓞ E VISA CZ
cerrado 20 julio-12 agosto – **Comida** carta aprox. 4250.

X **Serantes,** Licenciado Poza 16, ✉ 48011, ☎ 421 21 29, Fax 444 59 79, Pescados mariscos – ▤. AE ⓞ E VISA CZ
cerrado 20 agosto-20 septiembre – **Comida** carta 3800 a 5550.

X **Serantes II,** Alameda de Urquijo 51, ✉ 48011, ☎ 410 26 99, Fax 444 59 79, Pescac y mariscos – ▤. AE ⓞ E VISA CZ
cerrado 15 julio-15 agosto – **Comida** carta 3100 a 5250.

X **Ariatza,** Somera 1, ✉ 48005, ☎ 415 96 74 – ▤. AE ⓞ E VISA. ✂ DZ
cerrado domingo noche y lunes noche – **Comida** carta 2500 a 5100.

X **Rogelio,** carret. de Basurto a Castrejana 7, ✉ 48002, ☎ 427 30 21, Fax 427 17 78 ▤. AE ⓞ E VISA. ✂ AZ
cerrado domingo, Semana Santa y 25 julio-26 agosto – **Comida** carta 3250 a 4900.

X **Albatros,** San Vicente 5, ✉ 48001, ☎ 423 69 00 – ▤. AE ⓞ E VISA. ✂ DY
cerrado domingo y del 1 al 15 de agosto – **Comida** carta 3600 a 4950.

Ver también : **Getxo** *por av. Lehendakari Aguirre AZ NO : 15 km*
Galdácano *por ① : 8 km.*

BINÉFAR *22500 Huesca 443 G 30 – 8 033 h. alt. 286 – ☎ 974.*
Almacella 87, ☎ 42 81 00, Fax 43 09 50.
Madrid 488 – Barcelona 214 – Huesca 81 – Lérida/Lleida 39.

La Paz, av. Aragón 30 ☎ 42 86 00, Fax 43 04 11 – |‡| ▤ rest TV – 25/550. AE VISA
Comida *(cerrado domingo noche)* 1500 – ☕ 500 – **52 hab** 3000/5000 – PA 2900.

Cantábrico, Zaragoza 1 ☎ 42 86 50, Fax 42 86 50 – |‡| ▤ rest
30 hab.

BLANES *17300 Gerona 443 G 38 – 25 408 h. – ☎ 972 – Playa.*
Ver : *Jardín Botánico Marimurtra★ (≤★).*
pl. Catalunya, ☎ 33 03 48, Fax 33 46 86.
Madrid 691 – Barcelona 61 – Gerona/Girona 43.

X **Can Flores II,** Explanada del Port 3 ☎ 33 16 33, ☂, Pescados y mariscos – ▤. AE E VISA. ✂
Comida carta aprox. 3200.

X **Port Blau,** Explanada del Port 18 ☎ 33 42 24, Pescados y mariscos – ▤. AE ⓞ E V ✂
cerrado lunes y 7 enero-7 febrero – **Comida** carta 2950 a 4100.

X **Casa Patacano,** passeig del Mar 12 ☎ 33 00 02, Pescados y mariscos – ▤. ⓞ E V ✂
cerrado las noches de domingo a jueves en invierno – **Comida** carta aprox. 3900.

X **S'Auguer,** S'Auguer 2 ☎ 35 14 05, Decoración rústica
▤. E VISA. ✂
cerrado 20 enero-10 febrero – **Comida** carta 3050 a 4050.

en la playa de Sabanell – ✉ *17300 Blanes* – ☎ *972 :*

Park H. Blanes, Enric Morera ☎ 33 02 50, Fax 33 71 03, ≤, « Extenso pinar ajardin con ⛱ », ✂ – |‡| ▤ rest ☎ P – 25/100. AE ⓞ E VISA. ✂ rest
mayo-octubre – **Comida** (sólo buffet) 2400 – ☕ 750 – **127 hab** 10000/14700.

Horitzó, passeig Marítim S'Abanell 11 ☎ 33 04 00, Fax 33 78 63, ≤ – |‡| TV ☎. AE VISA. ✂ rest
17 marzo-octubre – **Comida** 2000 – ☕ 675 – **122 hab** 5650/9700.

Stella Maris, Vila de Madrid 18 ☎ 33 00 92, Fax 33 57 03, ⛱ – |‡| ▤ rest. AE ⓞ VISA. ✂ rest
Semana Santa-octubre – **Comida** (sólo buffet) 1500 – **90 hab** ☕ 4000/6000.

en la carretera de Lloret de Mar *NE : 2 km* – ✉ *17300 Blanes* – ☎ *972 :*

XX **El Ventall,** ✉ apartado 457, ☎ 33 29 81, Fax 33 29 81, ☂ – ▤ P. AE ⓞ E VISA
cerrado martes y 15 diciembre-15 enero – **Comida** carta 3100 a 5750.

BOADILLA DEL MONTE 28660 Madrid **444** K 18 – 15 984 h. – **✆** 91.

ᵣ̃ Lomas-Bosque, urb. El Bosque ℰ 616 75 00 – ᵣ̃ Las Encinas ℰ 633 11 00, Fax 633 18 99.
Madrid 13.

XX **La Cañada,** carret. de Madrid - E : 1,5 km ℰ 633 12 83, Fax 547 04 63, ≤, 🕿, ✗ –
🗏 **©**. *VISA*. ✗
cerrado domingo noche, lunes noche y festivos – **Comida** carta 4200 a 5400.

BOCAIRENTE o BOCAIRENT 46880 Valencia **445** P 28 – 4607 h. alt. 680 – **✆** 96.
🗃 pl. del Ayuntamiento 2, ℰ 290 50 62, Fax 290 50 85.
Madrid 383 – Albacete 134 – Alicante/Alacant 84 – Valencia 93.

🏥 **L'Estació** ⑤, Parc de l'Estació ℰ 290 52 11, Fax 290 54 23 – 🗏 📺 ☎ ६ – 🔏 25.
AE E *VISA*. ✗ rest
Comida 1700 – 🖂 550 – **14 hab** 7065/8240 – PA 3750.

XX **Riberet,** av. Sant Blai 16 ℰ 290 53 23
🗏. **E** *VISA*. ✗
cerrado domingo noche y del 8 al 21 de septiembre – **Comida** carta 2550 a 3300.

BOCEGUILLAS 40560 Segovia **442** H 19 – 553 h. alt. 957 – **✆** 921.
Madrid 119 – Burgos 124 – Segovia 73 – Soria 154 – Valladolid 134.

🏠 **Tres Hermanos,** antigua carret. N I ℰ 54 30 40, Fax 54 30 40, 🛌 – 📺 ☎ 🚗 **©**.
VISA. ✗ rest
Comida 1600 – 🖂 400 – **30 hab** 4000/6000.

BOECILLO 47151 Valladolid **442** H 15 – 836 h. alt. 720 – **✆** 983.
Madrid 179 – Aranda de Duero 85 – Segovia 103 – Valladolid 14.

Oeste : 2 km – ⊠ 47151 Boecillo – **✆** 983 :
XX **El Yugo de Castilla,** paraje de las Guindaleras - Las Bodegas ℰ 55 24 43, Fax 55 20 75,
🕿, Carnes a la brasa y asados, « En una bodega del siglo XII » – 🗏 **©**. **AE ① E** *VISA*.
✗
Comida carta 2750 a 4100.

BOHÍ o BOÍ 25528 Lérida **443** E 32 – alt. 1 250 – **✆** 973 – Balneario en Caldes de Boí.
Alred. : E : Parque Nacional de Aigües Tortes y Lago San Mauricio★★.
Madrid 575 – Lérida/Lleida 143 – Viella 56.

🏠 **Fondevila,** Única ℰ 69 60 11, ≤ – **©**. **AE E** *VISA*. ✗
cerrado octubre y noviembre – **Comida** 1700 – 🖂 700 – **46 hab** 3500/5500.

X **La Cabana,** carret. de Tahull ℰ 69 62 13 – 🗏. **① E** *VISA*. ✗
cerrado lunes en invierno, octubre-noviembre y mayo-23 junio – **Comida** carta 2500 a
3750.

Caldes de Boí N : 5 km – ⊠ 25528 Caldes de Boí – **✆** 973 :

🏨 **El Manantial** ⑤, ℰ 69 62 10, Fax 69 62 20, ≤, « Magnífico parque », 🛌 de agua
termal, 🗔, 🌲, ✗ – 🛗 📺 ☎ 🚗 **©**. ✗ rest
24 junio-septiembre – **Comida** 3225 – 🖂 825 – **118 hab** 10875/17475 – PA 6175.

🏠 **Caldas** ⑤, ℰ 69 62 30, Fax 69 60 58, « Magnífico parque », 🛌 de agua termal, 🗔, 🌲,
✗ – 🚗 **©**. ✗ rest
24 junio-septiembre – **Comida** 2250 – 🖂 575 – **104 hab** 4245/6830.

BOIRO 15930 La Coruña **441** E 3 – 16 792 h. – **✆** 981 – Playa.
Madrid 660 – La Coruña/A Coruña 112 – Pontevedra 57 – Santiago de Compostela 40.

🏥 **Jopi,** Derechos Humanos 6 ℰ 84 44 70, Fax 84 44 70 – 🛗 📺 ☎ 🚗. **AE E** *VISA*. ✗
cerrado 25 diciembre-2 enero – **Comida** (*cerrado domingo salvo en verano*) 1800 – 🖂
450 – **35 hab** 4300/6300.

LOS BOLICHES Málaga – ver Fuengirola.

Questa guida non é un repertorio di tutti gli alberghi e ristoranti,
né comprende tutti i buoni alberghi e ristoranti di Spagna e Portogallo.

Nell'intento di tornare utili a tutti i turisti, siamo indotti ad indicare stabilimenti
di tutte le classi ed a citarne soltanto un certo numero di ognuna.

BOLTAÑA 22340 Huesca **443** E 30 – 777 h. alt. 643 – ✆ 974.

🛈 av. de Ordesa 47, ℘ 50 20 43, Fax 50 23 02.

Madrid 473 – Huesca 50 – Lérida/Lleida 143 – Sabiñánigo 72.

🏨 **Boltaña** ⬩, av. de Ordesa 39 ℘ 50 20 00, Fax 50 22 36 – 📶 📺 ☎ 🅿. 🖭 ⑩ 🄴 ⅒
cerrado 10 diciembre-10 enero – **Comida** (ver rest. *El Parador*) – 🖵 575 – **55 h**
3200/5200.

✗ **El Parador**, av. de Ordesa 37 ℘ 50 23 31, Fax 50 22 36 – 🍴 🅿. 🖭 ⑩ 🄴 *VISA*. ⬩
cerrado 10 diciembre-10 enero – **Comida** carta 2150 a 3100.

BOLVIR o **BOLVIR DE CERDANYA** 17463 Gerona **443** E 35 – 226 h. alt. 1145 – ✆ 9.

Madrid 657 – Barcelona 172 – Gerona/Girona 156 – Lérida/Lleida 188.

🏨 **Torre del Remei** ⬩, Camí Reial - NE : 1 km ℘ 14 01 82, Fax 14 04 49, ≤ sierra
Cadí y Pirineos, 🏞, « Elegante palacete rodeado de jardín », 🏊, 🍴 🖃 📺 ☎ 🅿
🏋 25/30. 🖭 ⑩ 🄴 *VISA*. ⬩ rest
Comida carta 4500 a 5300 – 🖵 2300 – **10 hab** 26000, 1 suite.

✗✗ Els Esclops, Ciudadella ℘ 89 51 87, ≤ valle de la Cerdanya, Alp y sierra del Cadí.

por la carretera N 260 E : 2,5 km – ⬜ 17463 Bolvir – ✆ 972 :

🏨 Chalet del Golf ⬩, Club de Golf ℘ 88 09 62, Fax 88 09 66, ≤, 🏊, 🍴, 🎿, 🅿
🅿
11 hab.

La BONAIGUA (Puerto de) Lérida **443** E 32 – ⬜ 25587 Alto Aneu – ✆ 973 – alt. 18.

Madrid 623 – Andorra la Vella 126 – Lérida/Lleida 186.

✗ **Les Ares**, Refugi de la Verge dels Ares ℘ 62 61 99, Carnes a la brasa – *VISA*
cerrado martes, mayo y noviembre – **Comida** (sólo almuerzo) carta 2150 a 2975.

La BONANOVA Baleares – ver Baleares (Mallorca) : Palma.

BOO DE GUARNIZO 39061 Cantabria **442** B 18 – ✆ 942.

Madrid 398 – Santander 17.

🏨 **Los Ángeles**, San Camilo 1 (carret. N 634) ℘ 54 03 39, Fax 55 82 46 – 🍴 📺 ☎
🖭 ⑩ 🄴 *VISA*. ⬩
Comida 1300 – 🖵 600 – **43 hab** 5700/10200 – PA 2720.

BORJA 50540 Zaragoza **442** G 25 – 3859 h. alt. 448 – ✆ 976.

🛈 pl. de España 1, ℘ 85 20 01, Fax 86 72 15.

Madrid 309 – Logroño 135 – Pamplona/Iruñea 138 – Soria 96 – Zaragoza 64.

✗✗ **La Bóveda del Mercado**, pl. del Mercado 4 ℘ 86 82 51, Fax 86 88 44, En una antig
🍽 bodega – ⑩ 🄴 *VISA*. ⬩
cerrado domingo noche, lunes, Navidades y del 1 al 20 de febrero – Comida (sólo almue
salvo fines de semana y vísperas de festivos) carta 2600 a 3050.

BORLEÑA 39699 Cantabria **442** C 18 – ✆ 942.

Madrid 360 – Bilbao/Bilbo 111 – Burgos 117 – Santander 35.

✗✗ **Mesón de Borleña**, carret. N 623 ℘ 59 76 43, 🏞 – 🅿. 🖭 ⑩ 🄴 *VISA*. ⬩
Comida carta 2450 a 3950.

BORNOS 11640 Cádiz **446** V 12 – 7179 h. alt. 169 – ✆ 956.

Madrid 575 – Algeciras 118 – Cádiz 74 – Ronda 70 – Sevilla 88.

🏨 **Bornos**, av. San Jerónimo ℘ 71 22 89 – 🖃 🅿. *VISA*. ⬩
Comida 1200 – 🖵 350 – **20 hab** 3000/5500.

BOSOST o **BOSSOST** 25550 Lérida **443** D 32 – 779 h. alt. 710 – ✆ 973.

🛈 Eduard Aunós, ℘ 64 72 79.

Madrid 611 – Lérida/Lleida 179 – Viella 16.

🏨 **Portillón Bossost**, Piedad y Agua 33 ℘ 64 70 77, Fax 64 72 95, 🏞 – 🍴 🖃 📺
VISA
Comida 1900 – 🖵 900 – **22 hab** 5500/8000 – PA 3850.

🏨 **Garona**, Eduard Aunós 1 ℘ 64 82 46, Fax 64 70 01, ≤ – 🍴 ☎. 🄴 *VISA*. ⬩
cerrado 2 noviembre-2 diciembre – **Comida** 1550 – 🖵 625 – **25 hab** 5040/6300 –
3300.

Batalla, urb. Sol de la Vall ✆ 64 81 99, Fax 64 70 02 – TV ☎. AE ⓓ E VISA. ⚡
cerrado noviembre – **Comida** 1200 – ☕ 660 – **16 hab** 4070/6050.

Portalet *con hab*, San Jaime 32 ✆ 64 82 00 – ▤ rest Ⓟ. AE ⓓ E VISA. ⚡
Comida carta 2900 a 4250 – ☕ 500 – **6 hab** 6000.

BOSQUES DEL PRIORATO (Urbanización) *Tarragona – ver Bañeras.*

BOT *43785 Tarragona 443 I 31 – 837 h. alt. 290 – ✆ 977.*
Madrid 474 – Lérida/Lleida 100 – Tarragona 102 – Tortosa 53.

Can Josep, av. Catalunya 34 ✆ 42 82 40 – ▤. E VISA. ⚡
cerrado miércoles – **Comida** carta 2025 a 3025.

BÓVEDA *27340 Lugo 441 E 7 – 2 320 h. alt. 361 – ✆ 982.*
Madrid 275 – Lugo 53 – Orense/Ourense 61 – Ponferrada 103.

Arcadia, Casas Novas ✆ 42 63 78, Fax 42 65 61 – TV ☎ 🚗 Ⓟ. AE VISA. ⚡ rest
Comida 1200 – ☕ 300 – **27 hab** 2300/4600 – PA 2500.

BREDA *17400 Gerona 443 G 37 – 3 192 h. alt. 169 – ✆ 972.*
Madrid 658 – Barcelona 56 – Gerona/Girona 51 – Vic 48.

El Romaní de Breda, Joan XXIII-36 ✆ 87 10 51 – ▤. AE VISA. ⚡
cerrado domingo noche, jueves no festivos y 21 diciembre-15 enero – **Comida** carta 1810 a 2600.

BREÑA ALTA *Santa Cruz de Tenerife – ver Canarias : La Palma (Santa Cruz de Tenerife).*

BRIHUEGA *19400 Guadalajara 444 J 21 – 3 035 h. alt. 897 – ✆ 949.*
Madrid 94 – Guadalajara 35 – Soria 149.

Asador El Tolmo, av. de la Constitución 26 ✆ 28 04 76 – ▤. E VISA. ⚡
Comida carta 2700 a 3850.

BRIVIESCA *09240 Burgos 442 E 20 – 5 795 h. alt. 725 – ✆ 947.*
Madrid 285 – Burgos 42 – Vitoria/Gasteiz 78.

Lagaresma, Santa María Bajera 11 ✆ 59 07 51, Fax 59 07 51 – |‡| ▤ rest TV ☎. AE ⓓ E VISA. ⚡ rest
Comida *(cerrado domingo noche en invierno)* carta 1600 a 2800 – ☕ 590 – **30 hab** 3750/5750.

El Concejo, pl. Mayor 14 ✆ 59 16 86 – ▤. AE ⓓ E VISA. ⚡
Comida carta 3200 a 4050.

BRONCHALES *44367 Teruel 443 K 25 – 478 h. alt. 1 569 – ✆ 978.*
Madrid 261 – Teruel 55 – Zaragoza 184.

Suiza , Fombuena 8 ✆ 70 10 89, Fax 70 10 89 – 🚗. VISA. ⚡
Comida 1650 – **50 hab** ☕ 4000 – PA 3000.

BROTO *22370 Huesca 443 E 29 – 403 h. alt. 905 – ✆ 974.*
Madrid 484 – Huesca 94 – Jaca 56.

Latre *sin rest*, av. Ordesa 23 ✆ 48 60 53, ≤ – Ⓟ. VISA
abril-12 octubre – ☕ 400 – **34 hab** 3500/5200.

BROZAS *10950 Cáceres 444 N 9 – 2 307 h. alt. 411 – ✆ 927.*
Madrid 330 – Cáceres 51 – Castelo Branco 95 – Plasencia 95.

La Posada, pl. de Ovando 1 ✆ 39 50 19 – ▤ rest TV. ⚡
Comida 1000 – ☕ 400 – **12 hab** 2000/4000.

BRULL *08553 Barcelona 443 G 36 – 182 h. – ✆ 93.*
Golf Osona Montanyà O : 3 km ✆ 884 01 70, Fax 884 04 07.
Madrid 635 – Barcelona 65 – Manresa 51.

El Castell, ✆ 884 00 63, ≤ – ▤ Ⓟ. AE ⓓ E VISA. ⚡
cerrado martes noche, miércoles y 6 septiembre-3 octubre – **Comida** carta 2090 a 3350.

junto al Club de Golf *O : 3 km – ✉ 08553 El Brull – ☏ 93 :*

XX **L'Estanyol,** ✆ 884 03 54, Fax 884 04 07, ≤ campo de golf – ▤ ⓟ. AE E VISA. ✂
cerrado 25 diciembre-1 enero – **Comida** carta 3200 a 4375.

BRUNETE *28690 Madrid 444 K 18 – 2 505 h. – ☏ 91.*
Madrid 32 – Ávila 92 – Talavera de la Reina 99.

por la carretera M 501 *SE : 2 km – ✉ 28690 Brunete – ☏ 91 :*

X **El Vivero,** ✆ 815 92 22, Asados – ▤ ⓟ. AE ⓓ E VISA. ✂
cerrado jueves y agosto – **Comida** carta 2650 a 3450.

BUBIÓN *18412 Granada 446 V 19 – 303 h. alt. 1 150 – ☏ 958.*
Madrid 504 – Almería 151 – Granada 75.

Villa Turística de Bubión ⛰, ✆ 76 31 11, Fax 76 31 36, ≤ – ▤ rest ☎ ⓟ
25/60. AE ⓓ E VISA. ✂
Comida 2250 – ☕ 875 – **43 apartamentos** 8300/10400 – PA 4545.

X **Teide,** Carretera 2 ✆ 76 30 37, 🏠, Decoración típica – ⓟ. E VISA. ✂
cerrado martes y 19 junio-7 julio – **Comida** carta 1575 a 2500.

BUELNA *33598 Asturias 441 B 16 – ☏ 98.*
Madrid 439 – Gijón 117 – Oviedo 127 – Santander 82.

XX El Horno, carret. N 634 ✆ 541 12 01, 🏠, « Decoración típica regional » – ⓟ.

BUEU *36939 Pontevedra 441 F 3 – 11 506 h. – ☏ 986 – Playa.*
Madrid 621 – Pontevedra 19 – Vigo 32.

Incamar, Montero Ríos 147 ✆ 32 00 67, Fax 32 07 84 – |‡| ▤ rest TV ☎
46 hab.

Playa Agrelo, playa de Agrelo - NE : 1,5 km ✆ 32 08 44, Fax 32 06 26 – |‡| TV ☎
AE ⓓ E VISA. ✂
cerrado diciembre-febrero – **Comida** *(cerrado domingo noche)* 2500 – ☕ 600 – **46 h**
5500/7500 – PA 4500.

X **Loureiro** *con hab*, playa de Loureiro - NE : 1 km ✆ 32 07 19, Fax 32 14 98, ≤ – TV
ⓟ. AE ⓓ E VISA. ✂
abril-octubre – **Comida** carta 2000 a 3200 – ☕ 400 – **24 hab** 4280/5885.

BUJARALOZ *50177 Zaragoza 443 H 29 – 1 074 h. alt. 245 – ☏ 976.*
Madrid 394 – Lérida/Lleida 83 – Zaragoza 75.

X **Español** *con hab*, carret. N II ✆ 17 30 43, Fax 17 31 92 – ▤ rest ⓟ. AE ⓓ E V
✂
Comida carta 1600 a 2425 – ☕ 250 – **18 hab** 1750/3150.

BUNYOLA *Baleares – ver Baleares (Mallorca).*

BUÑO *15111 La Coruña 441 C 3 – ☏ 981.*
Madrid 644 – Carballo 10 – La Coruña/A Coruña 67 – Santiago de Compostela 72.

XX **Casa Elías,** Santa Catalina ✆ 71 10 49, Fax 71 10 49, Pescados y mariscos. Vivero pro
– ▤. AE E VISA. ✂
cerrado lunes y 27 septiembre-13 octubre – **Comida** carta 2600 a 4500.

BURELA *27880 Lugo 441 B 7 – ☏ 982.*
Madrid 612 – La Coruña/A Coruña 157 – Lugo 108.

Luzern *sin rest. con cafetería*, carret. General 225 ✆ 58 02 66, Fax 58 55 70 – TV
AE ⓓ E VISA JCB. ✂
☕ 300 – **19 hab** 3000/5500.

X **Sargo,** Rosalía de Castro 2 ✆ 58 51 38 – ▤. AE E VISA. ✂
Comida carta 3650 a 4900.

El BURGO *29420 Málaga 446 V 15 – 2 040 h. alt. 591 – ☏ 95.*
Madrid 538 – Antequera 80 – Málaga 69 – Marbella 63 – Ronda 26.

Posada del Canónigo *sin rest*, Mesones 24 ✆ 216 01 85, Casa del siglo XVIII – ▤. E
12 hab ☕ 4500/6500.

BURGO DE OSMA 42300 Soria **442** H 20 – 5 054 h. alt. 895 – **✿** 975.

Ver : *Catedral*★ *(sepulcro de Pedro de Osma*★*, museo : documentos antiguos y códices miniados*★*).*

Madrid 183 – Aranda de Duero 56 – Soria 56.

🏨 **Il Virrey,** Mayor 4 ℰ 34 13 11, Fax 34 08 55, « Decoración elegante » – |‡| 📺 ☎ ⇌
– 🕍 25/45. 🆎 ⓪ Ε 𝘝𝘐𝘚𝘈. ⚘
Comida 2000 – ☲ 1200 – **52 hab** 8000/12000.

🏨 **Río Ucero,** carret. N 122 ℰ 34 12 78, Fax 34 12 50 – 🍽 rest 📺 ☎ 🅿 – 🕍 25/180.
🆎 ⓪ Ε 𝘝𝘐𝘚𝘈. ⚘
Comida 1600 - ***Puente Real :*** **Comida** carta aprox. 4400 – ☲ 1000 - **62 hab** 6000/10000,
8 suites.

Wenn Sie ein ruhiges Hotel suchen,
benutzen Sie zuerst die Karte in der Einleitung
oder wählen Sie im Text ein Hotel mit dem Zeichen ⑤ bzw. ⑤

⌐URGOS 09000 ℙ **442** E 18 y 19 – 169 111 h. alt. 856 – **✿** 947.

Ver : *Catedral*★★★ *(crucero, coro y Capilla Mayor*★★*, Girola*★*, capilla del Condestable*★★*,
capilla de Santa Ana*★*)* A – *Museo de Burgos*★ *(arqueta hispanoárabe*★*, frontal de altar*★*,
sepulcro de Juan de Padilla*★*)* B **M1** – *Arco de Santa María*★ A B – *Iglesia de San Nicolás :
retablo*★*.*

Alred. : *Real Monasterio de las Huelgas*★★ *(sala Capitular : pendón*★*, museo de telas
medievales*★★*) por av. del Monasterio de las Huelgas* A – *Cartuja de Miraflores : iglesia*★
(conjunto escultórico de la Capilla Mayor★★★*)* B.

🖪 *pl. Alonso Martínez 7,* ⊠ *09003,* ℰ *20 31 25, Fax 27 65 29.*
Madrid 239 ② – Bilbao/Bilbo 156 ① – Santander 154 ① – Valladolid 125 ③ –
Vitoria/Gasteiz 111 ①.

BURGOS

⌐yor (Plaza)	AB 18	Aparicio y Ruiz	A 5	Libertad (Pl.)	B 17
⌐to Domingo (Pl. de)	B 28	Cid Campeador (Av. del)	B 8	Miguel Primo de Rivera (Pl.)	B 19
⌐oria	B	Conde de Guadalhorce		Miranda	B 20
		(Av. del)	A 9	Monasterio de las Huelgas	
		Eduardo Martínez del		(Av. del)	A 21
		Campo	A 10	Nuño Rasura	A 23
⌐mirante Bonifaz	B 2	España (Pl.)	B 12	Paloma	A 24
⌐nso Martínez (Pl. de)	B 3	Gen. Sanjurjo (Av. del)	B 14	Reyes Católicos (Av. de los)	B 26
		Gen. Santocildes (Pl. del)	B 15	Rey San Fernando (Pl. de)	A 27

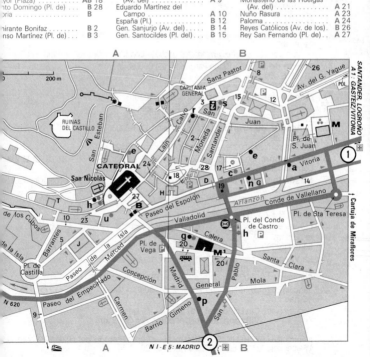

201

Puerta de Burgos, Vitoria 69, ⊠ 09006, ℘ 24 10 00, Fax 24 07 07, ⅙ – 🛗 🗏 📺
☎ 🚗 – 🔬 25/500. 🝙 ⓪ 🝙 𝗩𝗜𝗦𝗔. 🕸
por
Comida (cerrado domingo) 2350 – ⋤ 1250 – **136 hab** 10240/12940, 1 suite – PA 59⋮

Almirante Bonifaz, Vitoria 22, ⊠ 09004, ℘ 20 69 43, Fax 20 29 19 – 🛗 🗏 rest ▮
☎ – 🔬 25/200. 🝙 ⓪ 🝙 𝗩𝗜𝗦𝗔 𝗝𝗖𝗕. 🕸
B
- Los Sauces (cerrado lunes mediodía) **Comida** carta 3100 a 3975 – ⋤ 1200 – **79 h**
8950/16200.

Rice, av. de los Reyes Católicos 30, ⊠ 09005, ℘ 22 23 00, Fax 22 35 50 – 🛗 🗏 r⋮
📺 ☎. 🝙 ⓪ 🝙 𝗩𝗜𝗦𝗔. 🕸 rest
por av. de los Reyes Católicos   B
Comida 1500 – ⋤ 650 – **50 hab** 11600/14500.

Corona de Castilla, Madrid 15, ⊠ 09002, ℘ 26 21 42, Telex 39619, Fax 20 80⋮
– 🛗 🗏 rest 📺 ☎ 🚗 – 🔬 25/350. 🝙 ⓪ 🝙 𝗩𝗜𝗦𝗔
B
Comida 2900 – ⋤ 900 – **71 hab** 6950/11900 – PA 5695.

María Luisa sin rest, av. del Cid Campeador 42, ⊠ 09005, ℘ 22 80 00, Fax 22 80 ⋮
« Decoración elegante » – 🛗 📺 ☎ – 🔬 25. 🝙 ⓪ 🝙 𝗩𝗜𝗦𝗔
⋤ 650 – **44 hab** 10000/12800.
por av. del Cid Campeador   B

Fernán González, Calera 17, ⊠ 09002, ℘ 20 94 41, Telex 39602, Fax 27 41 21 – ⋮
📺 ☎ 🚗 – 🔬 25/500. 🝙 ⓪ 𝗩𝗜𝗦𝗔 𝗝𝗖𝗕. 🕸 rest
B
Comida (ver rest. **Fernán González**) – ⋤ 675 – **85 hab** 8900/14900.

Del Cid, pl. Santa María 8, ⊠ 09003, ℘ 20 87 15, Fax 26 94 60, ⋖ – 🛗 📺 ☎ 🚗.
⓪ 🝙 𝗩𝗜𝗦𝗔 𝗝𝗖𝗕. 🕸
A
Comida (ver rest. **Mesón del Cid**) – ⋤ 900 – **28 hab** 14500.

Cordón sin rest, La Puebla 6, ⊠ 09004, ℘ 26 50 00, Fax 20 02 69 – 🛗 🗏 📺 ☎
🔬 25/70. 🝙 ⓪ 🝙 𝗩𝗜𝗦𝗔
B
⋤ 800 – **35 hab** 7000/12000.

Norte y Londres sin rest, pl. de Alonso Martínez 10, ⊠ 09003, ℘ 26 41 ⋮
Fax 27 73 75 – 🛗 📺 ☎. 🝙 ⓪ 🝙 𝗩𝗜𝗦𝗔
B
⋤ 600 – **50 hab** 5500/8800.

Casa Ojeda, Vitoria 5, ⊠ 09004, ℘ 20 90 52, Decoración castellana – 🗏. 🝙 ⓪ 🝙 𝗩𝗜𝗦𝗔.
cerrado domingo noche – **Comida** carta 3900 a 4900.
B

Fernán González, Calera 19, ⊠ 09002, ℘ 20 94 42, Telex 39602, Fax 27 41 21 – ⋮
🚗. 🝙 ⓪ 𝗩𝗜𝗦𝗔 𝗝𝗖𝗕. 🕸
B
Comida carta 2900 a 3800.

Los Chapiteles, General Santocildes 7, ⊠ 09003, ℘ 20 18 37, Fax 20 57 65 – 🗏.
⓪ 🝙 𝗩𝗜𝗦𝗔
B
cerrado domingo noche y miércoles noche – **Comida** carta 3150 a 4400.

Rincón de España, Nuño Rasura 11, ⊠ 09003, ℘ 20 59 55, Fax 20 59 55, 🛱 –
🝙 ⓪ 🝙 𝗩𝗜𝗦𝗔 𝗝𝗖𝗕. 🕸
A
Comida carta 3400 a 4750.

Mesón del Cid, pl. Santa María 8, ⊠ 09003, ℘ 20 59 71, Fax 26 94 60, ⋮
« Decoración castellana » – 🝙 ⓪ 🝙 𝗩𝗜𝗦𝗔 𝗝𝗖𝗕. 🕸
A
cerrado domingo noche – **Comida** carta aprox. 3900.

El Asador de Aranda, Llana de Afuera, ⊠ 09003, ℘ 26 81 41, ⋖, Cordero as⋮
🍂 – 🗏. 🝙 𝗩𝗜𝗦𝗔. 🕸
A⋮
cerrado domingo noche – **Comida** carta aprox. 2950.

Don Jamón, San Pablo 3, ⊠ 09002, ℘ 26 56 61, Fax 26 00 36 – 🗏. 🝙 ⓪ 🝙 𝗩𝗜𝗦𝗔.
Comida carta 3900 a 4800.
B⋮

Mesón la Cueva, pl. de Santa María 7, ⊠ 09003, ℘ 20 86 71, Decoración castell⋮
🍂 – 🝙 ⓪ 🝙 𝗩𝗜𝗦𝗔. 🕸
A
cerrado domingo noche y 2ª quincena de febrero – **Comida** carta 3050 a 4300.

en la autovía N I por ② – 🕿 947 :

Landa Palace, 3,5 Km, ⊠ 09001, ℘ 20 63 43, Fax 26 46 76, 🌊, 🔲, �── – 🛗 🗏
☎ 🚗 🅿 – 🔬 25. 🝙 𝗩𝗜𝗦𝗔. 🕸
Comida 6000 – ⋤ 1800 – **39 hab** 15400/35200, 3 suites – PA 11000.

La Varga con hab, 5 km, ⊠ 09195 Villagonzalo-Pedernales, ℘ 20 16 40, Fax 26 2⋮
– 🗏 rest 📺 ☎ 🅿. 🝙 🝙 𝗩𝗜𝗦𝗔. 🕸 rest
Comida carta 2800 a 4450 – ⋤ 840 – **12 hab** 4000/7700.

Landilla con hab, 4 km, ⊠ 09001, ℘ 20 90 03 – 🗏 rest 📺 ☎ 🚗 🅿
13 hab.

Ver también : **Castrillo del Val** por ① : 11 km
Villagonzalo-Pedernales por ③ : 8 km.

Neumáticos MICHELIN, **S.A. Sucursal** av. López Bravo 52 por ① (N 623)-políg. ind⋮
Villalonquejar ℘ 29 83 45 y 29 81 88, Fax 29 84 94

BURGUETE o AURITZ 31640 Navarra 442 D 25 y 26 – 321 h. alt. 960 – 🕾 948 – Deportes de invierno : ✗3.

Madrid 439 – Jaca 120 – Pamplona/Iruñea 44 – St-Jean-Pied-de-Port 32.

🏠 **Loizu,** av. Roncesvalles 7 🖉 76 00 08, Fax 79 04 44 – 📳 📺 🕾 🅿. 🆎 🗉 📨. 🛠
cerrado febrero – **Comida** 1800 – 😞 500 – **27 hab** 4500/8000.

URLADA 31600 Navarra 442 D 25 – 15 174 h. – 🕾 948.

Madrid 391 – Jaca 117 – Logroño 98 – Pamplona/Iruñea 6.

🏠🏠 **Tryp Burlada** sin rest. con cafetería, La Fuente 2 🖉 13 13 00, Fax 12 23 46 – 📳 🗉 📺 🕾 ⟺. 🛠
😞 550 – **53 hab** 11000/14000.

URRIANA 12530 Castellón 445 M 29 – 25 438 h. – 🕾 964.

Madrid 410 – Castellón de la Plana/Castelló de la Plana 11 – Valencia 62.

n la autopista A 7 SO : 4 km – ⊠ 12530 Burriana – 🕾 964 :

🏠🏠 **La Plana,** 🖉 51 25 50, Fax 51 27 54 – 📳 🗉 📺 🕾 🅿. 🆎 🗉 🗉 📨. 🛠 rest
Comida 1800 - **Rhodas Grill :** Comida carta 2555 a 3785 – 😞 750 – **56 hab** 6250/9600.

n la playa SE : 2,5 km – ⊠ 12530 Burriana – 🕾 964 :

🏠🏠 **Aloha,** av. Mediterráneo 74 🖉 58 50 00, Fax 58 50 00, 🏊 – 📳 🗉 📺 🕾 🅿. 🗉 📨.
🛠
Comida (cerrado domingo noche salvo verano) 2050 – 😞 500 – **30 hab** 5300/7950.

ABAÑAS 15621 La Coruña 441 B 5 – 3074 h. alt. 79 – 🕾 981 – Playa.

Madrid 611 – La Coruña/A Coruña 50 – Ferrol 13 – Santiago de Compostela 87.

🏠🏠 **Sarga,** carret. de La Coruña 🖉 43 10 00, Fax 43 06 78, 🏊 – 📳 📺 ⟺ 🅿. 🆎 📨. 🛠
Comida (cerrado enero-marzo y noviembre-diciembre) 2500 – 😞 600 – **80 hab** 8000/11000 – PA 4500.

ABEZÓN DE LA SAL 39500 Cantabria 442 C 17 – 6 789 h. alt. 128 – 🕾 942.

🅱 pl. Ricardo Botín, 🖉 70 03 32.

Madrid 401 – Burgos 158 – Oviedo 161 – Palencia 191 – Santander 44.

🏠 **El Cruce,** Navas 🖉 70 00 32 – 📺 🅿
22 hab.

🏠 **Conde de Lara,** carret. N 634 - barrio La Losa 🖉 70 03 12 – 🅿. 🆎 🗉 🗉 📨. 🛠
Comida 1200 – 😞 400 – **22 hab** 3000/5500 – PA 2280.

XX **La Villa,** pl. de la Bodega 🖉 70 17 04 – 🗉. 🆎 📨. 🛠
cerrado lunes (salvo festivos y agosto) y febrero – **Comida** carta 2050 a 3300.

la carretera de Luzmela S : 3 km – ⊠ 39500 Cabezón de la Sal – 🕾 942 :

XX **Venta Santa Lucía,** 🖉 70 10 61, Fax 70 00 69, Antigua posada – 🅿. 🆎 🗉 📨. 🛠
cerrado martes y febrero – **Comida** carta 2200 a 3800.

ABO – ver a continuación y el nombre propio del cabo.

ABO DE GATA 04150 Almería 446 V 23 – 🕾 950 – Playa.

Madrid 576 – Almería 30.

La Almadraba de Monteleva SE : 5 km – ⊠ 04150 Cabo de Gata – 🕾 950 :

🏠🏠 **Las Salinas de Cabo de Gata** ⟨S⟩, Las Salinas 🖉 37 01 03, Fax 37 12 39, ≼ – 🗉 📺 🕾. 🆎 🗉 🗉 📨. 🛠
Comida 1800 – 😞 600 – **14 hab** 7600/10500 – PA 4200.

BO DE PALOS 30370 Murcia 445 T 27 – 🕾 968.

Madrid 465 – Alicante/Alacant 108 – Cartagena 26 – Murcia 75.

XX **Miramar,** paseo del Puerto 14 🖉 56 30 33, Fax 56 30 86, ≼, 🌿 – 🗉. 🆎 🗉 🗉 📨.
🛠
cerrado martes salvo festivos y enero – **Comida** carta 1700 a 2950.

X **La Tana,** paseo de la Barra 33 🖉 56 30 03, ≼, 🌿 – 🆎 🗉 🗉 📨. 🛠
cerrado lunes (salvo julio-agosto) y noviembre – **Comida** carta 2300 a 3200.

CABRA *14940 Córdoba* 446 *T 16 – 20 343 h. alt. 350 – ☎ 957.*
Madrid 432 – Antequera 66 – Córdoba 75 – Granada 113 – Jaén 99.

Olivia, av. Federico García Lorca 10 ☎ 52 09 30 – ▤. AE ⓓ E VISA. ✂
cerrado lunes (salvo verano) y del 9 al 30 de septiembre – **Comida** carta 207
a 3250.

Mesón del Vizconde, Martín Belda 16 ☎ 52 17 02, Espec. en pescados y mariscos
▤. AE ⓓ E VISA. ✂
cerrado martes y del 1 al 24 de julio – **Comida** carta aprox. 4000.

La CABRERA *28751 Madrid* 444 *J 19 – 1 093 h. alt. 1 038 – ☎ 91.*
Madrid 56 – Burgos 191.

Mavi, Generalísimo 8 ☎ 868 80 00, Fax 868 88 21, ☂ – TV ☎ P. AE ⓓ E VISA. ✂ re
Comida 1500 – ☕ 450 – **42 hab** 3300/5300 – PA 2760.

CABRERA DE MAR *08349 Barcelona* 443 *H 37 – 2 909 h. alt. 125 – ☎ 93.*
Madrid 651 – Barcelona 25 – Mataró 8.

Santa Marta, Josep Doménech 35 ☎ 759 01 98, Fax 759 20 24, ☂, « Terraza con ≤
– ▤ P.

CABRILS *08348 Barcelona* 443 *H 37 – 3 042 h. – ☎ 93.*
Madrid 650 – Barcelona 24 – Mataró 7.

Cabrils, Emilia Carles 31 ☎ 753 24 56, Fax 753 24 56, ☂ – P. ⓓ E VISA
cerrado enero – **Comida** *(cerrado miércoles)* 975 – ☕ 300 – **19 hab** 2900/4500 –
2000.

Hostal de la Plaça *con hab*, pl. de l'Església 11 ☎ 753 19 02, Fax 753 18 67, ☂
▤ TV ☎. AE ⓓ E VISA
Comida *(cerrado domingo noche, lunes y octubre)* carta 2600 a 3150 – ☕ 700 – **10 h**
7500/9750.

Splá, Emilia Carles 18 ☎ 753 19 06 – ▤. ⓓ E VISA. ✂
cerrado martes, octubre y Navidad – **Comida** carta aprox. 4380.

CABUEÑES *Asturias – ver Gijón.*

CACABELOS *24540 León* 441 *E 9 – 4 903 h. – ☎ 987.*
Madrid 393 – León 116 – Lugo 108 – Ponferrada 14.

Prada a Tope, Cimadevilla 99 ☎ 54 61 01, Fax 54 90 56, ☂, Rest. típico, « Conjur
rústico regional » – P. AE ⓓ E VISA
cerrado lunes noche en invierno – **Comida** carta 3000 a 3500.

CÁCERES *10000* P 444 *N 10 – 84 319 h. alt. 439 – ☎ 927.*
Ver : *El Cáceres Viejo*★★★ BYZ : *Plaza de Santa María*★, *Palacio de los Golfines de Abaj*
D.
Alred. : *Virgen de la Montaña* ≤★ *E : 3 km* BZ – *Arroyo de la Luz (Iglesia de la Asuncic*
tablas del retablo★*) O : 20 km.*
18 Norba Club de Golf por ② : 6 km ☎ 23 14 41, Fax 23 14 80.
pl. Mayor 10, ✉ 10003, ☎ 24 63 47 – **R.A.C.E.** *av. de Alemania 1, dpcho. 13, ✉ 100*
☎ 21 35 19, Fax 21 11 65.
Madrid 307 ① – Coimbra 292 ③ – Córdoba 325 ② – Salamanca 217 ③ – Sevilla 265

Plano página siguiente

Meliá Cáceres ⛰, pl. San Juan 11, ✉ 10003, ☎ 21 58 00, Telex 28914, Fax 21 40
Instalado en el antiguo palacio de Los Marqueses de Oquendo – |‡| ▤ TV ☎ – 🏛 25/2
AE ⓓ VISA. ✂ BYZ
Comida 3800 – ☕ 1400 – **86 hab** 13600/17500.

Parador de Cáceres ⛰, Ancha 6, ✉ 10003, ☎ 21 17 59, Fax 21 17 29, « Instaladc
el antiguo palacio de Torreorgaz » – |‡| ▤ TV ☎ – 🏛 25/30. AE ⓓ E VISA. ✂ BZ
Comida 3500 – ☕ 1200 – **31 hab** 16500.

Alcántara, av. Virgen de Guadalupe 14, ✉ 10001, ☎ 22 39 00, Fax 22 39 04 – |‡|
TV ☎ 🚗. AE ⓓ E VISA. ✂ AZ
Comida 2000 – ☕ 1000 – **64 hab** 7900/11700, 3 suites – PA 5000.

Iberia *sin rest y sin* ☕, Pintores 2, ✉ 10003, ☎ 24 76 34, Fax 24 82 00 – ▤ TV
32 hab. BY

CÁCERES

Mayor (Pl.)		BY
intores		BY 36
an Antón		AZ 47
an Pedro		BZ 53
mérica (Pl. de)		AZ 2
mor de Dios		BZ 3
ncha		BZ 4
ntonio Reyes Huertas		BZ 6
rturo Aranguren		AZ 7
eres		BY 9

Colón		BZ 10
Compañía (Cuesta de la)		BY 12
Diego María Crehuet		BZ 14
Fuente Nueva		BZ 15
Gabino Muriel		AZ 17
Gen. Primo de Rivera (Av. del)		AZ 22
Isabel de Moctezuma (Av.)		AZ 24
José L. Cotallo		AY 25
Juan XXIII		AY 26
Lope de Vega		BY 28
Marqués (Cuesta del)		BY 30
Médico Sorapán		BZ 31
Millán Astray (Av.)		BZ 32
Mono		BY 33

Perreros		BZ 35
Portugal (Av. de)		AZ 37
Profesor Hdez Pacheco		BZ 39
Quijotes (Av. de los)		BY 40
Ramón y Cajal (Paseo de)		AY 42
Reyes Católicos		AY 43
San Blas (Av. de)		BY 45
San Jorge		AY 49
San Juan (Pl. de)		BZ 51
S. Pedro de Alcántara (Av.)		AZ 54
San Roque		BZ 56
Tiendas		BY 58
Trabajo		AY 59
Viena		AZ 60

Hernán Cortés sin rest y sin ⌕, travesía Hernán Cortés 6, ✉ 10004, ℰ 24 34 88 – ☎. ⚥
18 hab 2925/4900.
AY r

Atrio, av. de España 30, ✉ 10002, ℰ 24 29 28, Fax 22 11 11 – ▤. ⓞ ℇ 𝗩𝗜𝗦𝗔 AZ n
cerrado domingo noche salvo vísperas de festivos
Comida 4800 y carta 4250 a 4840
Espec. Hígado de oca marinado con aceite de perejil. Parmentier de trufa negra con foie (enero-marzo). Perdiz al modo de Alcántara.

Torre de Sande, de los Condes 3, ✉ 10003, ℰ 21 11 47, Fax 21 11 47, ⌂, Cocina vasca, « Terraza-jardín en un marco histórico » – ▤. 𝗩𝗜𝗦𝗔. ⚥
BZ n
cerrado domingo noche, lunes y del 1 al 15 de febrero – **Comida** carta aprox. 4400.

205

XX Liberty, Moret 7, ✉ 10003, ✆ 21 61 09, Fax 21 61 09 – ▤ BY

X **El Figón de Eustaquio,** pl. San Juan 12, ✉ 10003, ✆ 24 81 94, Decoración rústic – ▤. AE ◑ E VISA. ✻ BY
Comida carta 2450 a 4700.

en la carretera N 630 :

V Centenario, urb. Castellanos por ③ : 1,5 km, ✉ 10001, ✆ 23 22 00, Fax 23 22 0 ⛱, ✻ – |‡| ▤ TV ☎ ⇔ Ⓟ – ⛹ 25/450. AE ◑ E VISA. ✻
Comida carta 3000 a 4550 – ☕ 1300 – **129 hab** 13200/16500, 9 suites.

NH Cáceres Golf ⛳, Residencial Ceres Golf por ② : 6 km, ✉ 10080, ✆ 23 46 0 Fax 23 46 12, ⛱ – |‡| ▤ TV ☎ Ⓟ – ⛹ 25/600. AE ◑ E VISA JCB. ✻
Comida 2500 – ☕ 1000 – **37 hab** 9000/11000, 66 apartamentos – PA 6000.

XX **Álvarez,** por ③ : 4 km, ✉ 10080, ✆ 23 06 50, Fax 23 06 50, ⛱ – ▤ Ⓟ. AE ◑ VISA. ✻
Comida carta 3800 a 4800.

CADAQUÉS *17488 Gerona* 443 *F 39 – 1814 h. – ☎ 972 – Playa.*
ℹ Cotxe 2, ✆ 25 83 15, Fax 15 94 42.
Madrid 776 – Figueras/Figueres 31 – Gerona/Girona 69.

Playa Sol *sin rest. con cafetería,* platja Pianch 3 ✆ 25 81 00, Fax 25 80 54, ≤, ⛱, ✻ – |‡| ▤ TV ☎ ⇔ Ⓟ. AE ◑ E VISA. ✻
cerrado 10 enero-febrero – ☕ 1200 – **50 hab** 10900/17900.

S'Aguarda, carret. de Port-Lligat 28 - N : 1 km ✆ 25 80 82, Fax 25 87 56, ≤, ⛱ – ▤ TV ☎ Ⓟ. AE ◑ E VISA. ✻
Comida *(abril-septiembre)* 1800 – ☕ 550 – **28 hab** 5600/9350.

Blaumar *sin rest,* Massa d'Or 21 ✆ 15 90 20, Fax 25 80 54, ≤ – |‡| ▤ TV ☎ ⇔. ◑ E VISA. ✻
cerrado 15 febrero-15 marzo y 3 noviembre-4 diciembre – ☕ 950 – **21 hab** 8500/120

X **Es Baluard,** Riba Nemesio Llorens 2 ✆ 25 81 83, Instalado en un antiguo baluarte – E VISA
cerrado jueves y 15 octubre-29 noviembre – **Comida** carta 2800 a 4725.

X **La Galiota,** Narcís Monturiol 9 ✆ 25 81 87 – AE E VISA
junio-septiembre – **Comida** carta 3600 a 6500.

X **Don Quijote,** av. Caridad Seriñana 5 ✆ 25 81 41, ⛱, Terraza cubierta de yedra – E
abril-octubre – **Comida** carta 2900 a 4400.

CÁDIZ *11000* P 446 *W 11 – 157 355 h. – ☎ 956 – Playa.*
Ver : – *Los paseos marítimos★ : jardines★* AY – *Museo de Cádiz★ (sarcófagos fenicios lienzos de Zurbarán★)* BY **M** – *Museo Histórico : maqueta★* AY **M1** – *Museo de la Catedr colección de orfebrería★* BZ.
⛴ para Canarias : Cía. Trasmediterránea, Muelle Alfonso XIII, Estación Marítima, 11006, ✆ 22 74 21, Telex 46619 BYZ, *Fax 22 20 38.*
ℹ Calderón de la Barca 1, ✉ 11003, ✆ 21 13 13, Fax 22 84 71 y pl. de San Juan de D 11, ✉ 11005, ✆ 24 10 01, Fax 24 10 05 – **R.A.C.E.** *Santa Teresa 4, triplicado, ✉ 110 ✆ 25 07 07.*
Madrid 646 ① – Algeciras 124 ① – Córdoba 239 ① – Granada 306 ① – Málaga 262 – Sevilla 123 ①

Plano página siguiente

Atlántico, Duque de Nájera 9, ✉ 11002, ✆ 22 69 05, Fax 21 45 82, ≤, ⛱ – |‡| ▤ ☎ ⇔ Ⓟ – ⛹ 25/700. AE ◑ E VISA. ✻ rest AY
Comida 3200 – ☕ 1200 – **89 hab** 14500, 8 suites.

Playa Victoria, glorieta Ingeniero La Cierva 4, ✉ 11010, ✆ 27 54 11, Fax 26 33 ≤, ⛱, ⛱ – |‡| ▤ TV ☎ ♿ ⇔ – ⛹ 25/250. AE ◑ E VISA. ✻ por
Comida 2500 – ☕ 1300 – **184 hab** 13600/17000, 4 suites.

Meliá la Caleta *sin rest. con cafetería,* av. Amílcar Barca - playa de la Victoria, ✉ 110 ✆ 27 94 11, Fax 25 93 22, ≤ – |‡| ▤ TV ☎ ♿ ⇔ – ⛹ 25/130. AE ◑ E VISA JCB. ✻ po
☕ 1300 – **141 hab** 11600/14500, 2 suites.

Puertatierra, av. Andalucía 34, ✉ 11008, ✆ 27 21 11, Fax 25 03 11, ✻ – |‡| ▤ ☎ ⇔ – ⛹ 25/200. AE ◑ E VISA. ✻ por
Comida 2700 – ☕ 900 – **98 hab** 10000/12500 – PA 5040.

Regio 2 *sin rest,* av. Andalucía 79, ✉ 11008, ✆ 25 30 08, Fax 25 30 09 – |‡| ▤ TV ⇔ Ⓟ. AE ◑ E VISA JCB por
☕ 600 – **40 hab** 6000/9000.

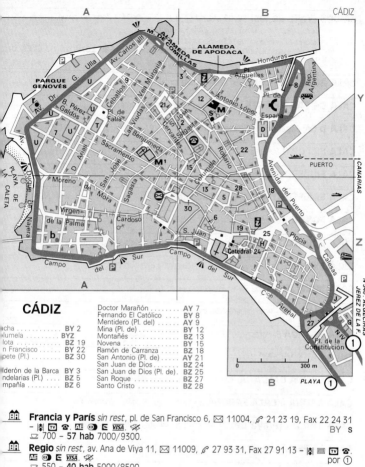

CÁDIZ

...cha		**BY** 2
...lumela		**BYZ**
...lota		**BZ** 19
...n Francisco		**BY** 22
...pete (Pl.)		**BZ** 30
...lderón de la Barca		**BY** 3
...ndelarias (Pl.)		**BZ** 5
...mpañía		**BZ** 6

Doctor Marañón		**AY** 7
Fernando El Católico		**BY** 8
Mentidero (Pl. del)		**AY** 9
Mina (Pl. de)		**BY** 12
Montañés		**BZ** 13
Novena		**BY** 15
Ramón de Carranza		**BZ** 18
San Antonio (Pl. de)		**AY** 21
San Juan de Dios		**BZ** 24
San Juan de Dios (Pl. de)		**BZ** 25
San Roque		**BZ** 27
Santo Cristo		**BZ** 28

🏨 **Francia y París** sin rest, pl. de San Francisco 6, ⊠ 11004, ℰ 21 23 19, Fax 22 24 31 – 劇 📺 ☎. 🖭 ⓸ 🗲 𝖵𝖨𝖲𝖠. ⋘
�BY s
🖵 700 – **57 hab** 7000/9300.

🏨 **Regio** sin rest, av. Ana de Viya 11, ⊠ 11009, ℰ 27 93 31, Fax 27 91 13 – 劇 🔟 📺 ☎.
🖭 ⓸ 🗲 𝖵𝖨𝖲𝖠. ⋘
por ①
🖵 550 – **40 hab** 5000/8500.

🍴🍴 **El Faro,** San Félix 15, ⊠ 11002, ℰ 21 10 68, Fax 21 21 88 – 🗐 🚗. 🖭 ⓸ 🗲 𝖵𝖨𝖲𝖠 𝖩𝖢𝖡.
⋘
AZ b
Comida carta 3650 a 4400.

🍴🍴 **1800,** paseo Marítimo 3, ⊠ 11009, ℰ 26 02 03, 🛋 – 🗐. 🖭 ⓸ 🗲 𝖵𝖨𝖲𝖠. ⋘ por ①
cerrado lunes y febrero – **Comida** carta 2100 a 4700.

🍴 **El Consuelo,** av. Marconi 1, ⊠ 11009, ℰ 27 29 62 – 🗐. 🖭 🗲 𝖵𝖨𝖲𝖠. ⋘ por ①
cerrado domingo noche – **Comida** carta 2900 a 4200.

🍴 La Costera, Dr. Fleming 8, ⊠ 11009, ℰ 27 34 88, Fax 27 83 19, ≤, 🛋 – 🗐 por ①
🍴 **El Brocal,** av. José León de Carranza 4, ⊠ 11011, ℰ 25 77 59, Fax 25 77 59 – 🗐. 🖭
⓸ 🗲 𝖵𝖨𝖲𝖠. ⋘ por ①
cerrado domingo, carnavales y Semana Santa – **Comida** carta 2345 a 3325.

▪ **la playa de Cortadura** S : 2 km – ⊠ 11011 Cádiz – 🕿 956 :

🍴🍴 **Ventorrillo del Chato,** Vía Augusta Julia - carret. N IV ℰ 25 00 25, Decoración rústica
– 🗐 🅿. 🖭 ⓸ 🗲 𝖵𝖨𝖲𝖠. ⋘
cerrado domingo – **Comida** carta 3350 a 5050.

Do not use yesterday's maps for today's journey.

CAÍDOS (Valle de los) 28209 Madrid **444** K 17 – ۞ 91 – Zona de peaje.
Ver : *Lugar*★★ – *Basílica*★★ *(cúpula*★*)* – *Cruz*★.
Madrid 52 – El Escorial 13 – Segovia 47.
Hoteles y restaurantes ver : **Guadarrama** *NE : 8 km,* **San Lorenzo de El Escor**
S : 13 km.

CALA BLANCA *Baleares – ver Baleares (Menorca) : Ciudadela.*

CALA DE SAN VICENTE *Baleares – ver Baleares (Mallorca).*

CALA D'OR *Baleares – ver Baleares (Mallorca).*

CALA ES FORTÍ *Baleares – ver Baleares (Mallorca) : Cala d'Or.*

CALA FIGUERA *Baleares – ver Baleares (Mallorca).*

CALA FINESTRAT *Alicante – ver Benidorm.*

CALA FONDUCO *Baleares – ver Baleares (Menorca) : Mahón.*

CALA FORNELLS *Baleares – ver Baleares (Mallorca) : Paguera.*

CALA MILLOR *Baleares – ver Baleares (Mallorca) : Son Servera.*

CALA MONTJOI *Gerona – ver Rosas.*

CALA PÍ *Baleares – ver Baleares (Mallorca).*

CALA RAJADA *Baleares – ver Baleares (Mallorca).*

CALA SANT VICENÇ *Baleares – ver Baleares (Mallorca).*

CALA SANTA GALDANA *Baleares – ver Baleares (Menorca) : Ferrerías.*

CALA SAONA o **CALA SAHONA** *Baleares – ver Baleares (Formentera).*

CALA TARIDA (Playa de) *Baleares – ver Baleares (Ibiza) : San José.*

CALA VEDELLA *Baleares – ver Baleares (Ibiza) : San José.*

CALA VINYES *Baleares – ver Baleares (Mallorca) : Magaluf.*

CALABARDINA *Murcia – ver Águilas.*

CALAF 08280 Barcelona **443** G 34 – 3 184 h. – ۞ 93.
Madrid 551 – Barcelona 93 – Lérida/Lleida 82 – Manresa 34.
※ **Calaf,** carret. de Igualada 1 ℘ 869 84 49 – ▤ **P**. **E** *VISA*. ⁀
cerrado lunes (salvo 16 julio-16 septiembre) y 25 junio-13 julio – **Comida** (sólo almuer
carta 2450 a 4250.

CALAFELL 43820 Tarragona **443** I 34 – 7 061 h. – ۞ 977 – Playa.
🛈 *Sant Pere 29-31,* ℘ 69 29 81, Fax 69 29 81.
Madrid 574 – Barcelona 65 – Tarragona 31.

en la playa :
🏨 **Kursaal** ⌂, av. Sant Joan de Déu 119 ℘ 69 23 00, Fax 69 27 55, ≤, 🍴 – 🛗 ▤
🕿 ⇨, **AE ① E** *VISA*. ⁀ rest
Semana Santa-septiembre – **Comida** 2500 – ☲ 900 – **39 hab** 5000/10000 – PA 5C
🏨 **Canadá,** av. Mossèn Jaume Soler 44 ℘ 69 15 00, Fax 69 12 55, 🍴, 🔟, ❤ – 🛗 **P**
27 mayo-15 septiembre – **Comida** 1450 – ☲ 575 – **106 hab** 7200/10200.

XX   Masia de la Platja, Vilamar 67 & 69 13 41, Pescados y mariscos
     – ▤.

XX   **Papiol,** av. Sant Joan de Déu 56 & 69 13 49, 🐟, Pescados y mariscos – ▤, 🆎 🗲 𝑽𝑰𝑺𝑨. 🛠
     cerrado lunes y enero – **Comida** carta aprox. 4500.

XX   La Barca de Ca l'Ardet, av. Sant Joan de Déu 79 & 69 15 59, 🐟, Pescados y mariscos
     – ▤ 🅿.

ALAHONDA 18730 Granada 446 V 19 – ✿ 958 – Playa.

Alred. : Carretera★ de Calahonda a Castell de Ferro.
Madrid 518 – Almería 100 – Granada 89 – Málaga 121 – Motril 13.

X   **El Ancla** con hab, av. de los Geránios 1 & 62 30 42, Fax 62 34 27, 🐟 – 🛗 ▤ 📺 ☎.
     🆎 🗲 𝑽𝑰𝑺𝑨. 🛠 rest
     Comida carta 2200 a 4100 – 😅 400 – **26 hab** 3500/6000.

ALAHORRA 26500 La Rioja 442 F 24 – 18829 h. alt. 350 – ✿ 941.

Madrid 320 – Logroño 55 – Soria 94 – Zaragoza 128.

🏨   **Parador de Calahorra,** paseo Mercadal & 13 03 58, Fax 13 51 39 – 🛗 ▤ 📺 ☎ 🅿
     – 🍴 25/140. 🆎 ◑ 🗲 𝑽𝑰𝑺𝑨. 🛠
     Comida 3200 – 😅 1200 – **62 hab** 14500.

🏨   **Chef Nino,** Padre Lucas 2 & 13 31 04, Fax 13 35 16 – 🛗 ▤ 📺 ☎ 🚗. 🆎 🗲 𝑽𝑰𝑺𝑨. 🛠
     Comida *(cerrado jueves y 6 diciembre-2 enero)* carta 2200 a 3700 – 😅 600 – **28 hab**
     3500/5500.

X   **La Taberna de la Cuarta Esquina,** Cuatro Esquinas 16 & 13 43 55 – ▤. 🆎 ◑
     🗲 𝑽𝑰𝑺𝑨
     cerrado martes y del 8 al 31 de julio – **Comida** carta aprox. 3750.

We suggest :

for a successful tour, that you prepare it in advance.

Michelin maps and guides will give you much useful information on route
planning, places of interest, accommodation, prices etc.

ALAMOCHA 44200 Teruel 443 J 26 – 4270 h. alt. 884 – ✿ 978.

Madrid 261 – Soria 157 – Teruel 72 – Zaragoza 110.

🏠   **Lázaro,** carret. N 234 & 73 20 70, Fax 73 20 98 – 🛗 ▤ rest 📺 ☎ 🚗
     36 hab.

🏠   **Calamocha,** carret. N 234 & 73 14 12, Fax 73 21 59 – ▤ 📺 ☎ 🚗 🅿
     22 hab.

🏠   **Fidalgo,** carret. N 234 & 73 02 77, Fax 73 02 77 – ▤ rest 📺 ☎ 🅿. 🆎 ◑ 🗲 𝑽𝑰𝑺𝑨. 🛠
     Comida 1500 – 😅 350 – **20 hab** 3500/6000.

ALANDA 44570 Teruel 443 J 29 – 3538 h. alt. 466 – ✿ 978.

Madrid 362 – Teruel 136 – Zaragoza 123.

🏠   **Balfagón,** carret. N 211 & 84 63 12, Fax 84 63 12 – ▤ 📺 ☎ 🚗 🅿. ◑ 🗲 𝑽𝑰𝑺𝑨. 🛠
     Comida *(cerrado domingo noche)* 1400 – 😅 350 – **29 hab** 2900/4700 – PA 3000.

ALATAYUD 50300 Zaragoza 443 H 25 – 18759 h. alt. 534 – ✿ 976.

🖪 pl. del Fuerte, & 88 63 22.
Madrid 235 – Cuenca 295 – Pamplona/Iruñea 205 – Teruel 139 – Tortosa 289 – Zaragoza
87.

🏠   **Fornos,** paseo de las Cortes de Aragón 5 & 88 13 00, Fax 88 31 47 – 🛗 ▤ ☎. 🆎 ◑
     🗲 𝑽𝑰𝑺𝑨. 🛠
     Comida 1000 – 😅 500 – **46 hab** 7000.

X   **Bílbilis,** Madre Puig 1 & 88 39 55 – ▤. 🆎 ◑ 𝑽𝑰𝑺𝑨
     Comida carta 2400 a 4250.

la antigua carretera N II – ✉ 50300 Calatayud – ✿ 976 :

🏨   **Calatayud,** E : 2 km - salida 237 autovía & 88 13 23, Fax 88 54 38 – ▤ rest 📺 ☎
     🚗 🅿 – 🍴 25/130. 🆎 ◑ 🗲 𝑽𝑰𝑺𝑨. 🛠
     Comida 1500 – 😅 675 – **63 hab** 5000/8450 – PA 3000.

🏠   **Marivella,** NE : 6 km - salida 240 autovía & 88 12 37, Fax 88 51 50 – ▤ rest 📺 🅿.
     🛠 rest
     Comida 800 – 😅 250 – **39 hab** 1800/4000.

CALDAS DE MALAVELLA o **CALDES DE MALAVELLA** 17455 Gerona 443 G 38 – 315
alt. 94 – ☼ 972 – Balneario.
Madrid 696 – Barcelona 83 – Gerona/Girona 19.

🏨 **Baln. Vichy Catalán** ⑤, av. Dr. Furest 32 ℰ 47 00 00, Fax 47 22 99, En un parc
🖼, 🔲, ⚒ – |♿| 🍴 rest 📺 ☎ 🅟 – 🔬 25/100. 🆎 🔛 VISA. ⚒
Comida 3150 – 🍽 790 – **82 hab** 10200/17850, 4 suites.

🏨 **Baln. Prats** ⑤, pl. Sant Esteve 7 ℰ 47 00 51, Fax 47 22 33, « Terraza con arbolade
⚒ de agua termal – |♿| 🍴 rest 📺 ☎ 🅟. 🆎 🔛 🔛 VISA JCB. ⚒
Comida 2700 – 🍽 800 – **75 hab** 13500 – PA 4200.

CALDAS DE MONTBUY o **CALDES DE MONTBUI** 08140 Barcelona 443 H 36 – 1148
alt. 180 – ☼ 93 – Balneario.
🅱 pl. Font del Lleó 20, ℰ 865 41 40, Fax 865 34 00.
Madrid 636 – Barcelona 29 – Manresa 57.

🏘 **Vila de Caldes** sin rest. con cafetería, pl. de l'Àngel 5 ℰ 865 41 00, Fax 865 00
Centro termal. Solarium con ⚒ y ≼ – |♿| 🍴 📺 ☎ 🅟 🚿 – 🔬 25/50. 🆎 🔛 🔛
JCB.
cerrado 15 enero-15 marzo – 🍽 1100 – **30 hab** 10000/13975.

🏘 **Baln. Broquetas** ⑤, pl. Font del Lleó 1 ℰ 865 01 00, Fax 865 23 12, 🍴, « Ja
con arbolado y ⚒ climatizada », 🖼 – |♿| 🍴 📺 ☎ 🅟. 🆎 🔛 🔛 VISA JCB. ⚒ rest
Comida 2125 – 🍽 950 – **84 hab** 7400/11000 – PA 4400.

🏠 **Baln. Termas Victoria** ⑤, Barcelona 12 ℰ 865 01 50, Fax 865 08 16, ⚒, 🍴
🍴 rest 📺 ☎ 🅟. 🔛 🔛 VISA. ⚒ rest
Comida 2300 – 🍽 750 – **85 hab** 10300/13000.

🍴🍴 **Robert de Nola,** passeig del Remei 50 ℰ 865 40 47, Fax 865 40 47 – 🍴. 🆎 🔛
VISA. ⚒
cerrado domingo noche y lunes (salvo festivos) – **Comida** carta 2100 a 3550.

CALDAS DE REYES o **CALDES DE REIS** 36650 Pontevedra 441 E 4 – 9 042 h. alt. 2
☼ 986 – Balneario.
Madrid 621 – Orense/Ourense 122 – Pontevedra 23 – Santiago de Compostela 34.

🏨 **Baln. Acuña,** Herrería 2 ℰ 54 00 10, Fax 54 00 10, « Jardín con arbolado. ⚒ de a
termal » – |♿| 🅟. ⚒ rest
julio-septiembre – **Comida** 2310 – 🍽 420 – **21 hab** 6065/7980.

La CALDERA DE BANDAMA Las Palmas – ver Canarias (Gran Canaria) : Santa Brígida.

CALDES DE BOÍ Lérida – ver Bohí.

CALDETAS o **CALDES D'ESTRAC** 08393 Barcelona 443 H 37 – 1451 h. – ☼ 93 – P
Madrid 661 – Barcelona 35 – Gerona/Girona 62.

🏠 **Jet,** Santema 25 ℰ 791 07 00, Fax 791 27 54, ⚒ – |♿| 📺 ☎ 🚗. 🆎 🔛 🔛 VISA. ⚒
cerrado enero y febrero – **Comida** 2200 – 🍽 600 – **30 hab** 4500/7500.

🍴 **Emma,** Baixada de L'Estació 5 ℰ 791 13 05, 🍴 – 🍴. 🆎 🔛 VISA. ⚒
cerrado miércoles y diciembre-10 enero – **Comida** carta 2600 a 4300.

CALELLA 08370 Barcelona 443 H 37 – 11 577 h. – ☼ 93 – Playa.
🅱 Sant Jaume 231, ℰ 769 05 59, Fax 769 59 82.
Madrid 683 – Barcelona 48 – Gerona/Girona 49.

🏘 **Bernat II,** av. del Turisme 42 ℰ 766 01 33, Fax 766 07 16, 🖼, ⚒, 🔲 – |♿| 🍴 📺
🚿 – 🔬 25/300. 🆎 🔛 🔛 VISA JCB. ⚒
Comida 2200 – 🍽 800 – **137 hab** 10000/14000 – PA 4000.

🏨 **Sant Jordi,** av. del Turisme 80 ℰ 766 19 19, Fax 766 05 66, ⚒ – |♿| 🍴 📺 ☎ 🚿
🆎 🔛 VISA. ⚒
Comida (cerrado 7 enero-14 febrero) 1900 – **49 hab** 🍽 8500/12000 – PA 4050.

🏨 **Vila,** Sant Josep 66 ℰ 766 21 69, Fax 766 19 56, ⚒ – |♿| 🍴 rest 📺 ☎ – 🔬 25/
🆎 🔛 🔛 VISA. ⚒
Comida 1600 – 🍽 650 – **167 hab** 6000/8800 – PA 3300.

🏨 **Calella Park,** Jovara 257 ℰ 769 03 00, Telex 56291, Fax 766 00 88, ⚒ – |♿| ☎. 🆎
⚒
abril-octubre – **Comida** 1500 – 🍽 800 – **50 hab** 5700/7500 – PA 2750.

🏨 **Calella** sin rest, Anselm Clavé 134 ℰ 769 03 00, Telex 56291, Fax 766 00 88, ≤ – |≢|.
AE VISA. ⅋
mayo-octubre – ⚏ 800 – **60 hab** 4400/5750.

🍴 **El Hogar Gallego,** Ánimes 73 ℰ 766 20 27, Pescados y mariscos – ▤. AE ① E VISA
JCB. ⅋
cerrado lunes y febrero – **Comida** carta 3100 a 5350.

LLELLA DE PALAFRUGELL 17210 Gerona 443 G 39 – ✿ 972 – Playa.

Alred. : Jardín Botánico del Cap Roig★ : ≤★★.
🛈 Les Voltes 6, ℰ 61 44 75.
Madrid 727 – Gerona/Girona 43 – Palafrugell 6 – Palamós 17.

🏨🏨 **Alga** ⑂, Costa Blanca 55 ℰ 61 48 70, Fax 61 48 70, ㄥ, ㅈ, ㄲ, ⅋ – |≢| ☎ ⓟ. AE
① E VISA. ⅋ rest
abril-septiembre – **Comida** 2500 - **El Cantir** (junio-15 septiembre) **Comida** carta aprox.
4100 – **54 hab** ⚏ 7000/13000.

🏨🏨 **Garbi** ⑂, av. Costa Daurada 20 ℰ 61 40 40, Fax 61 58 03, ㄲ, « En el centro de un
pinar », ㅈ climatizada, ㄲ – |≢| ☎ ⓟ. AE E VISA. ⅋ rest
abril-15 octubre – **Comida** 2400 – ⚏ 900 – **30 hab** 6400/10900 – PA 4725.

🏨🏨 **Port-Bo** ⑂, August Pi i Sunyer 6 ℰ 61 49 62, Fax 61 40 65, ㄲ, ㅈ, ⅋ – |≢| ▤ rest
☎ ⓟ. AE E VISA. ⅋ rest
abril-octubre – **Comida** (sólo cena) 1850 – ⚏ 700 – **61 hab** 5500/10000 – PA 3500.

🏨🏨 **Sant Roc** ⑂, pl. Atlántic 2 - barri Sant Roc ℰ 61 42 50, Fax 61 40 68, « Terraza domi-
nando la costa con ≤ » – |≢| ▤ rest ⓣⓥ ☎ ⓟ. AE ① E VISA. ⅋ rest
21 marzo-15 octubre – **Comida** 2750 – ⚏ 945 – **42 hab** 8900/13500.

🏨 **La Torre** ⑂, passeig de la Torre 28 ℰ 61 46 03, Fax 61 51 71, ≤, ㄲ – ⓟ. AE E VISA.
⅋
junio-septiembre – **Comida** 2000 – **28 hab** ⚏ 5900/11600 – PA 3870.

🏨 **Mediterrani,** Francesc Estrabau 40 ℰ 61 45 00, Fax 61 45 00, ≤, ⅋ – ⓟ. AE E VISA.
⅋ rest
15 mayo-septiembre – **Comida** 2000 – ⚏ 630 – **38 hab** 5300/10600 – PA 3950.

🏨 **Batlle** sin rest, Les Voltes 4 ℰ 61 59 05, ≤ – |≢| ⓟ
temp – **16 hab.**

LLDETENES 08519 Barcelona 443 G 36 – 1 447 h. alt. 489 – ✿ 93.

Madrid 673 – Barcelona 72 – Gerona/Girona 64 – Manresa 57 – Vich/Vic 4.

🍴🍴 Can Jubany, acceso carret. C-25 - E : 1,5 km ℰ 889 10 23 – ⓟ.

CALOBRA o sa CALOBRA Baleares – ver Baleares (Mallorca).

LONGE 17251 Gerona 443 G 39 – 5 256 h. alt. 36 – ✿ 972.

Madrid 714 – Barcelona 109 – Gerona/Girona 50 – Palamós 5.

🍴 **Can Ramón,** Balmes 21 ℰ 65 00 06, ㄲ – ⓟ. AE E VISA
cerrado domingo noche (salvo en verano) y 24 diciembre-5 enero – **Comida** carta 1900
a 3500.

LPE o CALP 03710 Alicante 445 Q 30 – 10 962 h. – ✿ 96 – Playa.

Alred. : Peñón de Ifach★.
🛈 Club Ifach NE : 3 km, ℰ 649 71 14.
🛈 av. Ejércitos Españoles 66, ℰ 583 69 20, Fax 583 85 31 y pl. del Mosquit, ℰ 583 85 32,
Fax 583 85 81.
Madrid 464 – Alicante/Alacant 63 – Benidorm 22 – Gandía 48.

🍴 **Casita Suiza,** Jardín 9 - edificio Apolo III ℰ 583 06 06, Fax 583 06 06, Cocina suiza –
▤. AE ① E VISA. ⅋
cerrado domingo, lunes, 20 junio-10 julio y del 1 al 20 de diciembre – **Comida** (sólo cena)
carta 2900 a 3500.

🍴 **La Cambra,** Delfín ℰ 583 06 05 – ▤. AE E VISA. ⅋
cerrado domingo, del 1 al 15 de junio y del 1 al 15 de diciembre – **Comida** carta 2350
a 4050.

🍴 **El Bodegón,** Delfín 6 ℰ 583 01 64, Decoración rústica castellana – ▤. AE ① E VISA.
⅋
cerrado domingo en invierno y febrero – **Comida** carta 2400 a 4100.

X **Rincón de Paco**, Oscar Esplá ℰ 583 08 32 – 🗐. 🗉 𝑉𝐼𝑆𝐴. ⬧
cerrado martes en invierno y enero – **Comida** carta 2300 a 3400.

X **Los Zapatos**, Santa María 7 ℰ 583 15 07, Fax 583 15 07 – 🗐. 🗚🗓 🗉 𝑉𝐼𝑆𝐴. ⬧
cerrado miércoles y 15 noviembre-15 diciembre – **Comida** (sólo cena salvo domingo) ca
3750 a 5335.

en la carretera de Moraira E : 3,5 km – ⬚ 03710 Calpe – 🕲 96 :

🏨 **Roca Esmeralda**, Ponent 1 - playa de Levante ℰ 583 61 01, Fax 583 60 04, ≼, ⬧
🗓, 🗓, 🗓 – 🗐 🗐 🗓 🕿 🗓 ⬧, ⬧ 25/300. 🗚🗓 🗓 🗉 𝑉𝐼𝑆𝐴. ⬧
Comida (sólo buffet) 2100 – ⬚ 940 – **212 hab** 10700/13600 – PA 4500.

XX **El Pierrot**, playa de Levante - edificio Gran Sol 42 ℰ 583 26 24, Fax 583 26 24, ⬧
🗉 𝑉𝐼𝑆𝐴. ⬧
cerrado martes, del 10 al 31 de mayo y del 1 al 23 de diciembre – **Comida** (sólo cena
julio y agosto) carta 3900 a 4500.

en la carretera de Valencia – ⬚ 03710 Calpe – 🕲 96 :

🏠 **Venta La Chata** *sin rest*, N : 4,5 km ℰ 583 03 08, Decoración regional, ⬧, ⬧ – ⬧
🗓. 🗚🗓 🗓 🗉 𝑉𝐼𝑆𝐴
⬚ 360 – **17 hab** 2700/5000.

XX **Casa del Maco**, Pou Roig-Lleus, N : 2,5 km y desvío 1,2 km ℰ 597 31 21, Fax 597 31
⬧, 🗓 – 🗓. 🗚🗓 🗓 🗉 𝑉𝐼𝑆𝐴
cerrado martes y noviembre – **Comida** carta 4300 a 6600.

CALVIÀ Baleares – ver Baleares (Mallorca).

CAMALEÑO 39587 Cantabria 🗚🗚🗚 C 15 – 1 192 h. – 🕲 942.
Madrid 483 – Oviedo 173 – Santander 126.

🏠 **El Jisu** ⬧, carret. de Fuente Dé - O : 0,5 km ℰ 73 30 38, Fax 73 03 15 – 🗓 🕿 🗓
𝑉𝐼𝑆𝐴. ⬧
Comida 1700 – ⬚ 500 – **8 hab** 5400/8400 – PA 4000.

🏠 **El Caserío** ⬧, ℰ 73 30 48, Fax 73 30 48 – 🗓. 𝑉𝐼𝑆𝐴. ⬧
marzo-octubre y fines de semana resto del año – **Comida** 1200 – ⬚ 450 – **17**
3000/5000.

CAMARENA 45180 Toledo 🗚🗚🗚 M 15 – 1948 h. – 🕲 91.
Madrid 58 – Talavera de la Reina 80 – Toledo 29.

X **Mesón Gregorio II**, Héroes del Alcázar 34 ℰ 817 43 72 – 🗐. 🗓 🗉 𝑉𝐼𝑆𝐴. ⬧
cerrado miércoles – **Comida** carta aprox. 4400.

CAMARIÑAS 15123 La Coruña 🗚🗚🗚 C 2 – 6 930 h. alt. 8 – 🕲 981 – Playa.
Madrid 671 – La Coruña/A Coruña 93 – Santiago de Compostela 81.

X **La Marina** *con hab*, Miguel Feijóo 3 ℰ 73 60 30, Fax 73 63 14 – 🗚🗓 🗉 𝑉𝐼𝑆𝐴. ⬧
⬧ *cerrado 10 enero-10 febrero* – **Comida** (cerrado martes noche en invierno) carta ⬧
a 4000 – ⬚ 325 – **15 hab** 2700/4200.

CAMBADOS 36630 Pontevedra 🗚🗚🗚 E 3 – 12 503 h. – 🕲 986 – Playa.
Ver : Plaza de Fefiñanes ★.
🛈 Novedades 13, ℰ 52 46 78, (temp).
Madrid 638 – Pontevedra 34 – Santiago de Compostela 53.

🏨 **Parador de Cambados**, paseo de Cervantes ℰ 54 22 50, Fax 54 20 68, « Conj⬧
de estilo regional », 🗓, ⬧, ⬧ – 🗐 🗓 🕿 🗓 – ⬧ 25/60. 🗚🗓 🗓 🗉 𝑉𝐼𝑆𝐴. ⬧
Comida 3200 – ⬚ 1200 – **63 hab** 14500.

🏢 **Rosita**, av. de Villagarcía 8 ℰ 54 34 77, Fax 54 28 78 – 🗐 rest 🗓 🕿 🗓. 🗚🗓
⬧
Comida (cerrado domingo noche) carta aprox. 3250 – ⬚ 400 – **29 hab** 4000/65⬧

🏠 **Carisan** *sin rest*, Eduardo Pondal 2 ℰ 52 01 08, Fax 54 24 70 – 🗐 ⬅ 𝑉𝐼𝑆𝐴. ⬧
marzo-octubre – ⬚ 375 – **30 hab** 3900/5000.

XX **Ribadomar**, Terra Santa 17 ℰ 54 36 79 – 🗓. 🗚🗓 🗓 🗉 𝑉𝐼𝑆𝐴 𝐽𝐶𝐵. ⬧
cerrado domingo noche (salvo en verano) y 15 días en octubre – **Comida** carta 23⬧
3500.

XX O Arco, Real 14 ℰ 54 23 12, Pescados y mariscos – 🗐.

AMBRILS 43850 Tarragona **443** I 33 – 14 903 h. – ◑ 977 – Playa.

🖪 pl. Creu de la Missió 1, ℘ 36 11 59.

Madrid 554 – Castellón de la Plana/Castelló de la Plana 165 – Tarragona 18.

■ el puerto :

🏨🏨 **Rovira**, av. Diputació 6 ℘ 36 09 00, Fax 36 09 44, ≤, ☒ – 🛗 ▤ 📺 ☎ 🄿 – 🅰 25/40. ◭ ➊ 🄴 *VISA*. ✾
cerrado 20 diciembre-25 enero – **Comida** *(cerrado martes salvo 15 junio-15 septiembre)* 2350 – ☲ 750 – **58 hab** 6800/8800 – PA 4610.

🏨🏨 **Mónica H.**, Galcerán Marquet 3 ℘ 36 01 16, Fax 79 36 78, « Césped con palmeras », ☒, 🐎 – 🛗 ▤ 📺 ☎ 🄿 – 🅰 25/50. ◭ 🄴 *VISA*. ✾
15 febrero-15 diciembre – **Comida** *(abril-octubre)* 1600 – ☲ 750 – **56 hab** 6000/8100 – PA 3200.

🏨🏨 **Port Eugeni**, pl. Aragó 49 ℘ 36 52 61, Fax 36 56 13, ☒ – 🛗 ▤ 📺 ☎ 🚗 – 🅰 25/200. ◭ 🄴 *VISA*. ✾
Comida *(sólo buffet)* 1450 – **105 hab** ☲ 9200/11500.

🏨🏨 **Princep**, pl. de l'Església 2 ℘ 36 11 27, Fax 36 35 32 – 🛗 ▤ 📺 ☎ 🚗. ◭ ➊ 🄴 *VISA*. ✾ rest
Can Pessic (cerrado domingo noche, lunes y 22 diciembre-25 enero) **Comida** carta aprox. 3950 – ☲ 650 – **27 hab** 8200/9200.

🏨 **Can Solé**, Ramón Llull 19 ℘ 36 02 36, Fax 36 17 68, � – ▤ 📺 ☎ 🚗. ◭ 🄴 *VISA*. ✾ rest
Comida 1750 – ☲ 650 – **26 hab** 3400/6200 – PA 3500.

XX **Joan Gatell-Casa Gatell**, passeig Miramar 26 ℘ 36 00 57, Fax 79 37 44, ≤, 🌤, ◱ Pescados y mariscos – ▤. ◭ ➊ 🄴 *VISA*. ✾
cerrado domingo noche, lunes, enero y Navidades – **Comida** carta 4650 a 6450
Espec. Entremeses Gatell. Angulas con dorada macerada. Arroz marinera en cassola.

XX **Can Gatell-Rodolfo**, passeig Miramar 27 ℘ 36 01 06, Fax 36 57 20, ≤, 🌤, Pescados y mariscos – ▤. ◭ ➊ 🄴 *VISA*. ✾
cerrado martes noche, miércoles, 15 días en febrero y noviembre – **Comida** carta 4150 a 5700.

XX **Can Bosch**, Rambla Jaume I-19 ℘ 36 00 19, Fax 36 38 72, Pescados y mariscos – ▤. ◱ ◭ ➊ 🄴 *VISA*. ✾
cerrado domingo noche, lunes y 23 diciembre-enero – **Comida** 4990 y carta 3700 a 5450
Espec. Pulpitos de Cambrils con cebolla y tomate. Arroz negro Can Bosch. Lenguado con cigalas.

XX **Rincón de Diego**, Drassanes 7 ℘ 36 13 07, Pescados – ▤. ◭ ➊ 🄴 *VISA*. ✾
cerrado domingo noche, lunes y 20 diciembre-20 enero – **Comida** carta 3950 a 5125.

XX **Bandert**, Rambla Jaume I ℘ 36 10 63 – ▤. ◭ ➊ 🄴 *VISA*. ✾
cerrado martes – **Comida** carta 3540 a 4900.

XX **Rovira**, passeig Miramar 37 ℘ 36 01 05, 🌤, Pescados y mariscos – ◭ ➊ 🄴 *VISA*
cerrado miércoles y 16 diciembre-16 enero – **Comida** carta 3150 a 4500.

X **Gami**, Sant Pere 9 ℘ 36 10 49, Fax 36 10 49, 🌤 – ▤. ◭ ➊ *VISA*. ✾
cerrado domingo noche, lunes y 19 diciembre-20 enero – **Comida** carta 2950 a 4075.

X **Casa Gallau**, Pescadors 25 ℘ 36 02 61, 🌤, Pescados y mariscos – ▤. ◭ ➊ 🄴 *VISA*
cerrado martes en invierno y 22 diciembre-22 enero – **Comida** carta 2900 a 4550.

X **Acuamar**, Consolat de Mar 66 ℘ 36 00 59, Fax 36 46 58, ≤ – ▤. ◭ ➊ 🄴 *VISA*. ✾
cerrado 15 octubre-15 noviembre y 23 diciembre-2 enero – **Comida** carta aprox. 4050.

X **Font Casa Gallot**, Joan S. Elcano 8 ℘ 36 44 57, 🌤 – ▤. 🄴 *VISA*. ✾
cerrado domingo noche, lunes y 22 diciembre-enero – **Comida** carta 3200 a 4500.

X **Macarrilla**, Barques 14 ℘ 36 08 14, 🌤, Pescados y mariscos – ▤. ➊ 🄴 *VISA*. ✾
cerrado martes (salvo festivos) y 15 diciembre-15 enero – **Comida** carta aprox. 3900.

X **La Torrada**, Drassanes 19 ℘ 79 11 72, 🌤 – ▤. ◭ ➊ 🄴 *VISA*
cerrado lunes y 21 diciembre-10 febrero – **Comida** carta 2800 a 4100.

X **El Caliu**, Pau Casals 22 ℘ 36 01 08, Decoración rústica. Carnes a la brasa – ▤. ◭ 🄴 *VISA*
cerrado lunes y 10 enero-15 febrero – **Comida** carta 1960 a 3190.

■ la carretera de Salou *(por la costa)* – ✉ 43850 Cambrils – ◑ 977 :

🏨 **Centurión Playa**, av. Diputació 70 - E : 3 km ℘ 36 14 50, Fax 36 15 00, ≤, ☒ – 🛗 ▤ 📺 ☎ 🄿 – 🅰 25/360. ◭ ➊ 🄴 *VISA*. ✾
Semana Santa-octubre – **Comida** *(sólo buffet)* 2900 – ☲ 1050 – **211 hab** 10875/17270 – PA 6050.

CAMBRILS

🏨🏨 **Tropicana**, av. Diputació 33 - E : 1,5 km ✆ 36 01 12, Fax 36 01 12, 🛱, « Césped arbolado », ⤢, – 🛗 ▤ rest 📺 ☎ 🅿. 🗲 *VISA*. ⬥
22 marzo-2 noviembre – **Comida** 1650 – � 600 – **30 hab** 4300/7800 – PA 3315

XX **Casa Soler**, av. Diputació 197 - E : 5 km ✆ 38 04 63, Fax 38 04 63, 🛱 – ▤ 🅿
⓪ 🗲 *VISA*
Comida carta 2700 a 4850.

al Noroeste :

🏨🏨🏨 **Mas Gallau**, carret. N 340 : 3,5 km ✆ 36 05 88, Fax 36 05 88, « Jardín con ⤢ » ◄
▤ 📺 ☎ 🕭 🖚 🅿 – 🔏 25/400. 🝅 ⓪ 🗲 *VISA*. ⬥
Comida (ver rest. *Mas Gallau*) – � 900 – **38 hab** 12000/14000, 2 suites.

XX **Mas Gallau**, carret. N 340 : 3,5 km ✆ 36 05 88, Fax 36 05 88, Decoración rústica ◄
🅿. 🝅 ⓪ 🗲 *VISA*
Comida carta aprox. 3900.

XX **Mas de l'Avi**, Frederic Marés - urb. Jardins de Vilafortuny : 5 km ✆ 79 50 09, 🛱 ◄
⓪ 🗲 *VISA*. ⬥
cerrado domingo noche y lunes (octubre-marzo) y enero – **Comida** carta 2975 a 3□

La CAMELLA *Santa Cruz de Tenerife – ver Canarias (Tenerife) : Arona.*

CAMPELLAS o CAMPELLES *17534 Gerona* 🟦🟦🟦 *F 36* – ⬢ *972.*
Madrid 695 – Barcelona 124 – Gerona/Girona 107.

en El Baell *SE : 8 km* – ✉ *17534 Campellas* – ⬢ *972 :*

🏠 **Terralta** ⬡, alt. 1 300 ✆ 72 73 50, ≤ valle y montañas, ⤢ – 🅿. 🗲 *VISA*. ⬥
15 julio-15 septiembre – **Comida** 2150 – extract 650 – **36 hab** 4500/7500 – PA 4400

CAMPELLO o El CAMPELLO *03560 Alicante* 🟦🟦🟦 *Q 28* – *11094 h.* – ⬢ *96* – *Playa.*
Madrid 431 – Alicante/Alacant 13 – Benidorm 29.

X **La Peña**, San Vicente 12 (zona de la playa) ✆ 563 10 48, Pescados y mariscos – ▤

X **Cavia**, San Vicente 43 (zona de la playa) ✆ 563 28 57, Fax 563 28 57, 🛱 – ▤. 🝅
🗲 *VISA*
cerrado martes y noviembre – **Comida** carta 3800 a 5500.

en la playa Muchavista *S : 5 km* – ✉ *03560 Campello* – ⬢ *96 :*

🏠 **San Juan**, av. Jaime I-110 ✆ 565 23 08, Fax 565 26 42, ≤, 🛱, ⤢ – ☎ 🅿
temp – **29 hab.**

CAMPILLOS *29320 Málaga* 🟦🟦🟦 *U 15* – *7589 h. alt. 461* – ⬢ *95.*
Madrid 508 – Antequera 33 – Marbella 138 – Osuna 49.

X **Mesón Los Chopos** *con hab*, carret. N 342 - O : 1 km ✆ 272 27 70, Fax 272 2□
🍂 – ▤ 📺 ☎ 🅿 – 🔏 25/60. 🝅 ⓪ 🗲 *VISA*. ⬥
Comida carta 1500 a 2975 – extract 350 – **11 hab** 3200/6000.

CAMPO DEL HOSPITAL *15359 La Coruña* 🟦🟦🟦 *B 6* – ⬢ *981.*
Madrid 586 – La Coruña/A Coruña 95 – Lugo 82 – Ortigueira 15.

🏨🏨 **Villa de Cedeira**, ✆ 49 91 45, Fax 49 91 45 – 📺 ☎ 🅿
28 hab.

CAMPRODÓN *17867 Gerona* 🟦🟦🟦 *F 37* – *2 188 h. alt. 950* – ⬢ *972.*
🕳 *Club de Golf Camprodón*, ✆ 13 01 25, Fax 13 01 25.
🅸 *pl. d'Espanya 1*, ✆ 74 00 10, Fax 13 03 24.
Madrid 699 – Barcelona 127 – Gerona/Girona 80.

🏨🏨🏨 **Edelweiss** *sin rest*, carret de Sant Joan 28 ✆ 74 06 14, Fax 74 06 05, ≤, « Amb
acogedor » – 🛗 📺 ☎ 🅿 – 🔏 25/50. 🗲 *VISA*
21 hab extract 6500/13500.

🏨🏨 **Güell** *sin rest*, pl. d'Espanya 8 ✆ 74 00 11, Fax 74 11 12 – 🛗 📺 ☎ 🖚. 🝅 ⓪ 🗲
⬥
cerrado 15 dias en junio y 15 dias en noviembre – extract 700 – **39 hab** 5000/7900

🍴 **Sayola**, Josep Morer 4 ✆ 74 01 42 – ⬥
Comida 1500 – extract 500 – **30 hab** 6000.

214

CAN AMAT (Urbanización) Barcelona – ver Martorell.

CAN PASTILLA Baleares – ver Baleares (Mallorca) : Palma.

CAN PICAFORT Baleares – ver Baleares (Mallorca).

Un conseil Michelin :

pour réussir vos voyages, préparez-les à l'avance.

Les cartes et guides Michelin vous donnent toutes indications utiles sur :
itinéraires, visite des curiosités, logement, prix, etc.

ANARIAS (Islas) ★★★ – 1 637 641 h..

GRAN CANARIA

gaete 35480 – 4 777 h. alt. 43 – ۞ 928.
Ver : Valle de Agaete★.
Alred. : Los Berrazales★ SE : 7 km.
Las Palmas 34.

rguineguín 35120 – ۞ 928.
Las Palmas de Gran Canaria 63.

1 la playa de Patalavaca NO : 2 km – ☒ 35120 Arguineguín – ۞ 928 :
Steigenberger La Canaria ⑤, carret. C 812 ♪ 15 04 00, Fax 15 10 03, ≤ mar, ♣ᵹ,
⊿ climatizada, ♠ᵹ, ⚘, ⅏ – ♮ ▤ ▥ ☎ ℗ – ♨ 25/150. ஊ ◑ ⅀ ₥ᵩ. ✥
Coquillage (sólo cena, cerrado domingo y lunes) **Comida** carta 5900 a 7100 - **Cristal** (sólo cena buffet) **Comida** 4400 – **227 hab** ☑ 34000/59000, 17 suites.

rtenara 35350 – 1 057 h. alt. 1 219 – ۞ 928.
Ver : Parador de la Silla ≤★.
Alred. : Carretera de Las Palmas ≤★ a Juncalillo – Pinar de Tamadaba★★ (≤★) NO : 12 km.
Las Palmas de Gran Canaria 48.

ucas 35400 – 25 986 h. – ۞ 928.
Ver : Montaña de Arucas ★.
Las Palmas 17.

1 la montaña de Arucas N : 2,5 – ☒ 35400 Arucas – ۞ 928 :
✗ **Mesón de la Montaña**, ♪ 60 14 75, Fax 60 54 42
℗. ஊ ◑ ⅀ ₥ᵩ. ✥
Comida carta 1750 a 3425.

uz de Tejeda 35328 – 2 361 h. alt. 1 450 – ۞ 928.
Ver : Paraje★★.
Alred. : Pozo de las Nieves ⚛★★ SE : 10 km – Juncalillo : pueblo troglodita ≤★ NO : 5 km.
Las Palmas 42.

spalomas 35100 – ۞ 928 – Playa.
Ver : Playa★.
Alred. : N : Barranco de Fataga★ – San Bartolomé de Tirajana (paraje★) N : 23 km por Fataga.
ြᵦ de Maspalomas ♪ 76 25 81, Fax 76 82 45.
🖪 av. de España, (centro comercial Yumbo), ♪ 77 15 50, Fax 76 78 48.
Las Palmas de Gran Canaria 50.

Planos páginas siguientes

✗✗ **La Aquarela**, av. de Neckerman ♪ 14 01 78, Fax 14 07 90 – ஊ ◑ ⅀ ₥ᵩ. ✥   A e
cerrado martes – **Comida** carta 4575 a 5875.

✗✗ **Amaiur**, av. de Neckerman ♪ 76 44 14, Cocina vasca – ℗. ஊ ◑ ⅀ ₥ᵩ. ✥   A d
cerrado domingo – **Comida** carta 2950 a 4500.

✗ **Mallorca**, Alcalde Santos González 11 - San Fernando ♪ 77 05 16, ⚘, Cocina mallorquina – ▤. ⅀ ₥ᵩ. ✥   AB b
cerrado domingo y 15 días en diciembre – **Comida** carta 2300 a 3200.

215

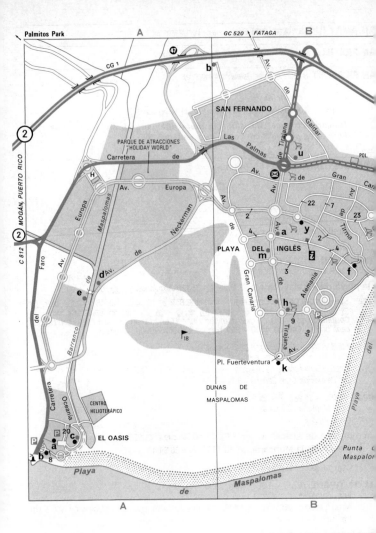

junto al faro – ⊠ *35106 Maspalomas Oeste* – ☎ *928* :

🏨🏨🏨🏨 **Maspalomas Oasis** ⟋, ℰ 14 14 48, Fax 14 11 92, ≤, ☆, « Jardín y gran palmera
🏨🏨🏨🏨 *Grill Le Jardin (sólo cena, cerrado domingo)* **Comida** carta 4800 a 6000
Oasis (sólo cena) **Comida** 4500
Foresta (sólo almuerzo) **Comida** carta 3975 a 4825 – **319 hab** ⌷ 34000/680
15 suites.

🏨🏨🏨🏨 **Palm Beach** ⟋, ℰ 14 08 06, Fax 14 18 08, ≤, ☆, « Amplia terraza con ⤢ cl
tizada. Jardín con palmeras », ƒå, ✕ – ⫤ ▤ ⣿ ☎ ➋ – ⫟ 25/150. ⣍ ⓞ ☰
✻ rest
Comida (ver también rest. *Orangerie*) 5000 – **347 hab** ⌷ 26600/42000.

🏨🏨🏨 **Ifa-Faro Maspalomas** ⟋, ℰ 14 22 14, Fax 14 19 40, ≤, ☆, ⤢ climatizada – ⫤
⣿ ☎ ⣃ – ⫟ 25/60. ⣍ ⓞ ☰ *VISA*. ✻
Tamarona (sólo cena) **Comida** carta aprox. 2900 - *Guatiboa (sólo cena)* **Comida** c
4450 a 6200 - *El Jardín (sólo almuerzo)* **Comida** carta 2400 a 3550 – **183 h**
⌷ 22680/32970, 5 suites.

216

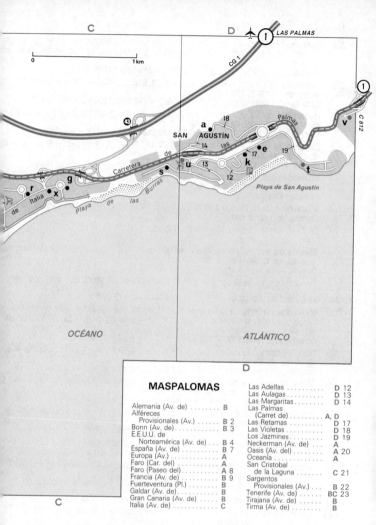

MASPALOMAS

Alemania (Av. de)	B
Alféreces Provisionales (Av.)	B 2
Bonn (Av. de)	B 3
E.E.U.U. de Norteamérica (Av. de)	B 4
España (Av. de)	B 7
Europa (Av.)	A
Faro (Car. del)	A
Faro (Paseo del)	A 8
Francia (Av. de)	B 9
Fuerteventura (Pl.)	B
Galdar (Av. de)	B
Gran Canaria (Av. de)	B
Italia (Av. de)	C
Las Adelfas	D 12
Las Aulagas	D 13
Las Margaritas	D 14
Las Palmas (Carret de)	A, D
Las Retamas	D 17
Las Violetas	D 18
Los Jazmines	D 19
Neckerman (Av. de)	A
Oasis (Av. del)	A 20
Oceanía	A
San Cristobal de la Laguna	C 21
Sargentos Provisionales (Av.)	B 22
Tenerife (Av. de)	BC 23
Tirajana (Av. de)	B
Tirma (Av. de)	B

XXX **Orangerie** - *Hotel Palm Beach*, ℰ 14 08 06, Telex 96365, Fax 14 19 77 – ▤ ℗ ⒜ ⓪
🕸 ℰ *VISA*. 🕸
cerrado domingo, jueves y junio-agosto
A c
Comida (sólo cena) carta 5050 a 7250
Espec. Erizos de mar gratinados y ostras al caviar. Composición de pescados al champagne. Muslo de conejo relleno de corzo.

la playa del Inglés – ⊠ *35100 Maspalomas* – 🕾 *928* :

🏨 Riu Palace, pl. de Fuerteventura ℰ 76 95 00, Telex 95531, Fax 76 98 00, ≤ dunas y mar, « Amplias terrazas con ⊼ climatizada y jardín », *L5*, 🕸 – ⒤ ▤ ▥ ☎ & ℗ – 🔏 25/150
B k
Comida (sólo cena buffet) – **353 hab**, 15 suites.

🏨 Ifa-H. Dunamar, ℰ 77 28 00, Fax 77 34 65, ≤, 🕸, *L5*, ⊼ climatizada – ⒤ ▤ ▥ ☎
210 hab.
B n

🏨 Neptuno, av. Alféreces Provisionales 29 ℰ 77 38 48, Telex 96239, Fax 76 69 65, ⊼ climatizada – ⒤ ▤ ▥ ☎ ℗ – 🔏 25/80
171 hab.
B y

Parque Tropical, av. de Italia 1 ☎ 77 40 12, Telex 96642, Fax 76 81 37, ≤, 🏛
« Edificio de estilo regional. Jardín tropical », ⅃ climatizada, ※ – 🛗 ☎. 🝙 ⓘ 🝗 VISA
🎴 rest
Comida (sólo cena buffet) 2200 – ⌑ 900 – **235 hab** 13475/26950.

Apolo, av. de Estados Unidos 28 ☎ 76 00 58, Fax 76 39 18, ≤, ⅃ climatizada, ※ – 🛗
🖭 🝤 ☎. 🝙 ⓘ 🝗 VISA. 🎴
Comida (sólo cena buffet) 4000 – ⌑ 1000 – **115 hab** 12000/21000 – PA 7650.

Lucana, pl. del Sol ☎ 77 40 40, Fax 77 41 41, ≤, 🏛, ⅃ climatizada, ※ – 🛗 🖭 🝤
🝰 – 🔏 25/100. 🝙 ⓘ 🝗 VISA
Comida (sólo buffet) 2500 – ⌑ 900 – **182 hab** 11440/14560 – PA 4720.

Caserío, av. de Italia 8 ☎ 77 40 50, Fax 77 41 50, ⅃₆, ⅃ climatizada – 🛗 🖭 🝤 🝤
🝙 ⓘ 🝗 VISA. 🎴
Comida 2500 – **124 hab** ⌑ 18000/29000.

Compostela (antigua Casa Gallega), Marcial Franco 14 - bloque 7 ☎ 76 20 92,
Fax 76 33 44 – 🝰. 🝙 ⓘ 🝗 VISA
Comida carta aprox. 6100.

Valentino, av. de Francia 4 ☎ 77 22 50, Fax 14 15 95, Cocina italiana – 🝰. 🝙 ⓘ 🝗 VI-
Comida (sólo cena) carta 2550 a 3750.

La Toja, av. de Tirajana 17 - edificio Barbados II ☎ 76 11 96
– 🝰

Rías Bajas, av. Tirajana - edificio Playa del Sol ☎ 76 40 33, Fax 76 85 48, Cocina galle
– 🝰. 🝙 ⓘ 🝗 VISA. 🎴
Comida carta 3450 a 4900.

Tenderete II, av. de Tirajana 3 - edificio Aloe ☎ 76 14 60, Pescados y mariscos – 🝰 B

en la playa de San Agustín - ✉ 35100 Maspalomas - ☎ 928 :

Meliá Tamarindos, Las Retamas 3 ☎ 77 40 90, Telex 95463, Fax 77 40 91, ≤, «
climatizada rodeada de terrazas y jardín », ※ – 🛗 🝰 🖭 🝤 🝰 – 🔏 25/350. 🝙 ⓘ
VISA. 🎴
Comida (sólo cena) 3000 – **312 hab** ⌑ 11700/16640, 25 suites.

Don Gregory, Las Dalias 11 ☎ 77 38 77, Fax 76 99 96, ≤, ⅃ climatizada, ※ – 🛗
🖭 🝤 🝰. 🝙 ⓘ 🝗 VISA. 🎴 rest
Comida (sólo cena buffet) 4700 – **227 hab** ⌑ 19450/28200, 17 suites.

Gloria Palace, Las Margaritas ☎ 76 83 00, Telex 96052, Fax 76 79 29, ≤, ⅃
⅃ climatizada, ※ – 🛗 🝰 🝤 🝰 – 🔏 40/450
Comida (sólo buffet) Gorbea – **346 hab**, 102 suites.

Costa Canaria, Retama 1 ☎ 76 02 00, Fax 76 14 26, ⅃ climatizada, 🚗, ※ – 🛗
🖭 🝤. 🝙 ⓘ 🝗 VISA. 🎴
Comida (sólo cena buffet) 2200 – **224 hab** ⌑ 12350/16600, 12 suites.

Buganvilla, Los Jazmines 17 ☎ 76 03 16 – 🝰. 🝗 VISA. 🎴
cerrado mayo-septiembre – **Comida** (sólo cena) carta 3350 a 4250.

Anno Domini, centro comercial San Agustín - local 82 a 85 ☎ 76 29 15, Fax 76 08
🏛, Cocina francesa – 🝰. 🝙 ⓘ 🝗 VISA
cerrado domingo, junio y septiembre – **Comida** (sólo cena) carta 3100 a 4300.

en la urbanización Nueva Europa - ✉ 35100 Maspalomas - ☎ 928 :

Chez Mario, Los Pinos 9 ☎ 76 18 17, Cocina italiana – 🝙 ⓘ 🝗 VISA. 🎴
cerrado junio – **Comida** (sólo cena) carta 2605 a 3770.

en la carretera de Las Palmas NE : 7 km - ✉ 35107 Maspalomas - ☎ 928 :

Orquídea �---, playa de Tarajalillo ☎ 77 40 25, Fax 77 41 63, ≤, 🏛, ⅃ climatizada,
※ – 🛗 🝰 rest 🝤 – 🔏 25/150. 🝙 ⓘ 🝗 VISA. 🎴
Comida carta aprox. 2850 – ⌑ 300 – **255 hab** 15000/22000.

Las Palmas de Gran Canaria 35000 ℙ - 360 483 h. - ☎ 928 – Playa.

Ver : Casa de Colón★ CZ B – Paseo Cornisa ☀★ AT.

Alred. : Jardín Canario★ por ② : 10 km.

🏌 de Las Palmas, Bandama por ② : 14 km ☎ 35 10 50, Fax 35 01 10.

✈ de Gran Canaria por ① : 30 km ☎ 57 90 00 – Iberia : (Hotel Sol Iberia) av. Marí
del Norte, ✉ 35003, ☎ 37 08 77, aeropuerto, ☎ 57 95 38 – Aviaco : aeropu
☎ 57 46 72.

🚢 para la Península, Tenerife y La Palma : Cía. Trasmediterránea, Muelle Rivera Oe
✉ 35008, ☎ 26 77 66, Telex 96007 CXY, Fax 22 24 79.

🛈 Parque Santa Catalina, ✉ 35007, ☎ 22 09 47 – **R.A.C.E.** León y Castillo 281, ✉ 35
☎ 23 34 17, Fax 24 06 72.

LAS PALMAS
DE GRAN CANARIA

Juan Rejón	**AS** 36
a Naval	**AS**
lfonso XII	**AU** 2
nsite (Av.)	**AT** 4
ornisa (Paseo)	**AT** 12

Doctor Marañón	**AU** 14
Don Benito (Plaza de)	**AU** 17
Fernando Guanarteme	**AS** 20
Ingeniero Léon y Castillo (Pl.)	**AU** 28
Juan XXIII (Av.)	**AT** 37
León y Castillo	**AT** 40
Lugo (Paseo de)	**AT** 44
Luis Correa Medina	**AU** 46
M. González Martín	**AT** 49
Marítima del Sur (Av.)	**AU** 52

Mata (Carret. de)	**AU** 53
Ortiz de Zárate	**AT** 59
Pérez Muñoz	**AS** 63
Pino Apolinario	**AU** 65
Pío XII	**AT** 66
San José (Paseo)	**AU** 76
Secretario Padilla	**AT** 80
Simancas	**AT** 81
Tecen	**AS** 83
Tomás Morales (Paseo)	**ATU** 85
Zaragoza	**AU** 90

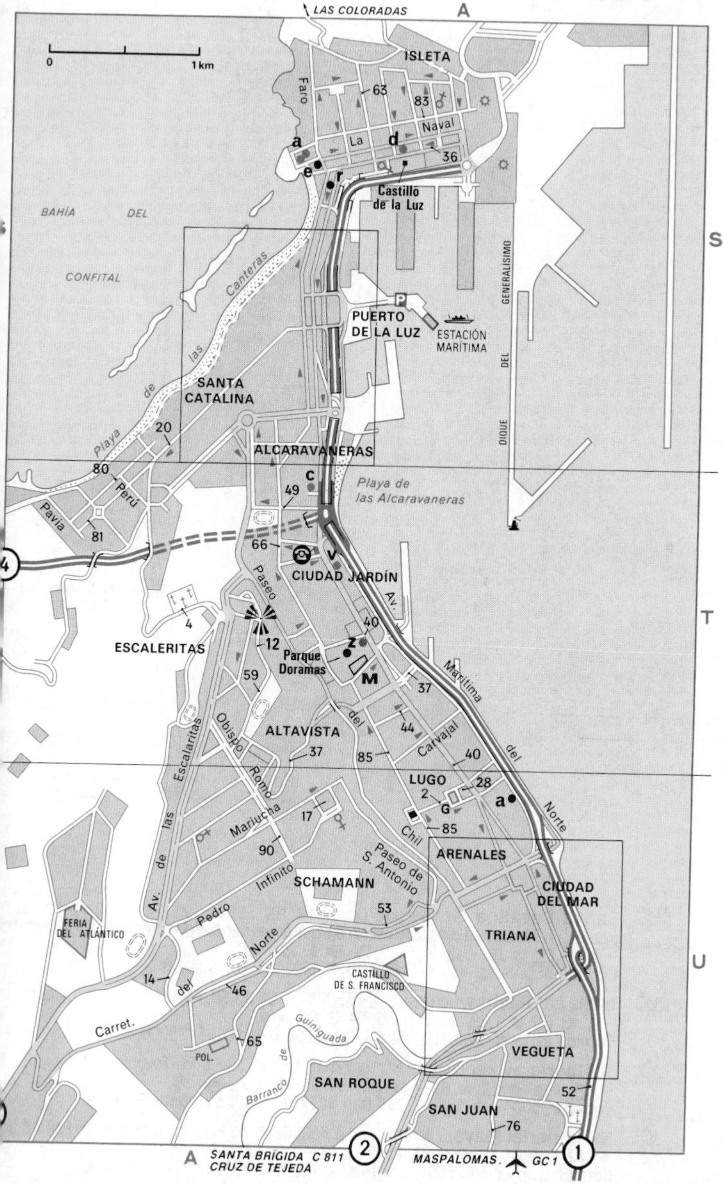

LAS COLORADAS

ISLETA

A

Faro

63

83

La

Naval

a

d

36

e

r

Castillo
de la Luz

BAHÍA   DEL

S

CONFITAL

GENERALISIMO

las Canteras

PUERTO
DE LA LUZ

ESTACIÓN
MARÍTIMA

Playa

de

las

Canteras

SANTA
CATALINA

DIQUE   DEL

ALCARAVANERAS

80

Perú

20

Playa de
las Alcaravaneras

c

49

Pavia

81

66

V

CIUDAD JARDÍN

T

Av.

4

Paseo

40

León y Castillo

ESCALERITAS

12

z

M

Marítima

Av. de las Escaleritas

59

Parque
Doramas

37

Obispo Romo

ALTAVISTA

44

Carvajal

del

37

85

40

LUGO

2

28

G

a

Mariucha

17

85

Chil

Norte

ARENALES

90

Infinito

SCHAMANN

Paseo de
S. Antonio

CIUDAD
DEL MAR

53

Av. de

Pedro

Norte

TRIANA

U

del

FERIA
DEL ATLÁNTICO

14

46

CASTILLO
DE S. FRANCISCO

Carret.

65

POL.

Guiniguada

de

VEGUETA

Barranco

SAN ROQUE

52

SAN JUAN

76

A   SANTA BRÍGIDA C 811
CRUZ DE TEJEDA

2

MASPALOMAS   GC 1

1

PUERTO DE LA LUZ

Albareda CV
Luis Morote CV

Alfredo L. Jones . . . . CV 3

Bernardo de la Torre . . . . . BX 7
Concepción Arenal . . . . . . BX 9
Eduardo Benot . . . . CV 18
España (Pl. de) . . . . BX 19
Galicia . . . . CX 21
General Vives . . . . CVX 25
Grau Bassas . . . . BV 27

José María Durán . . . . BCX 30
Los Martínez de Escobar . CX 43
Menéndez y Pelayo . . . . . . CX 55
Rafael Almeida . . . . BX 6
Ripoche . . . . CV 71
Sagasta . . . . CV 72
29 de Abril . . . . CVX 9

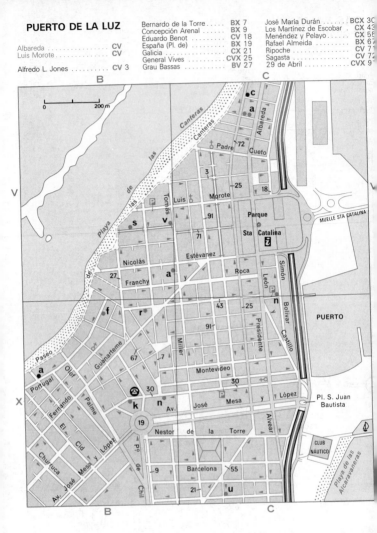

🏨🏨🏨🏨 **Santa Catalina** 🦢, parque Doramas, ⊠ 35005, 𝒫 24 30 40, Telex 960
Fax 24 27 64, 😚, « Edificio de estilo regional en un parque con palmeras », 🛋 climatiz
– 🛗 🗔 📺 ☎ 🅿 – 🅰 25/600. 🖭 ⓪ 🗲 𝗩𝗜𝗦𝗔. 🛠   A
Comida 3500 – 🖵 1150 – **187 hab** 15480/19350, 19 suites.

🏨🏨🏨🏨 **Meliá Las Palmas,** Gomera 6, ⊠ 35008, 𝒫 26 80 50, Fax 26 84 11, ≤, 🛋 climatiz
– 🛗 🗔 📺 ☎ – 🅰 25/350. 🖭 ⓪ 🗲 𝗩𝗜𝗦𝗔 𝗝𝗖𝗕. 🛠   C
Comida carta aprox. 6300 – 🖵 1500 – **266 hab** 18165/23000, 46 suites.

🏨🏨🏨 **Sol Iberia,** av. Marítima del Norte, ⊠ 35003, 𝒫 36 11 33, Telex 95413, Fax 36 13
≤, 🛋 – 🛗 🗔 📺 ☎ 🅿 – 🅰 25/160. 🖭 ⓪ 𝗩𝗜𝗦𝗔 𝗝𝗖𝗕. 🛠   A
Comida 2500 – 🖵 1050 – **298 hab** 11375/13000, 3 suites – PA 6000.

🏨🏨🏨 **NH Imperial Playa,** Ferreras 1, ⊠ 35008, 𝒫 46 88 54, Telex 95340, Fax 46 94
≤, 🔬 – 🛗 🗔 📺 ☎ – 🅰 25/250. 🖭 ⓪ 🗲 𝗩𝗜𝗦𝗔 𝗝𝗖𝗕. 🛠   A
Comida (sólo cena) 2530 – 🖵 1320 – **140 hab** 12320/15400, 2 suites.

ayor de Triana . . . . **CY**

alcones (de los) . . . . **CZ** 5
ano . . . . **CY** 8
octor Chil . . . . **CZ** 13
omingo J. Navarro . . . . . . **BY** 16

General Bravo	**BY** 23
General Mola	**CZ** 24
Juan de Quesada	**CZ** 31
Juan E. Doreste	**CZ** 33
Las Palmas (Muelle de) . . .	**CY** 38
López Botas	**CZ** 41
Luis Millares	**CZ** 47
Malteses	**CZ** 50
Ntra Sra del Pino (Pl.)	**BY** 56

Obispo Codina	**CZ** 57
Pelota	**CZ** 60
Pérez Galdós	**BY** 62
Ramón y Cajal	**BZ** 69
San Antonio (Paseo)	**BY** 73
San Pedro	**CZ** 78
T. Massieu	**CZ** 84
Viera y Clavijo	**BY** 88

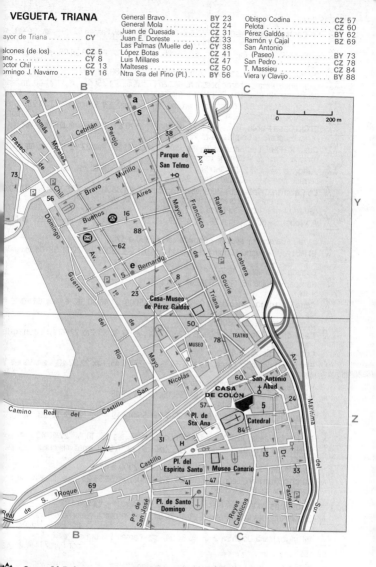

Sansofé Palace, Portugal 68, ☒ 35010, ✆ 22 42 82, Fax 22 48 28, ≼ – 🛗 ▤ rest
📺 ☎ – 🔬 25/225. 🆎 ⓪ 🇪 *VISA*. ⋙
BX a
Comida 2500 – ⌷ 950 – **110 hab** 8975/11675 – PA 5950.

Tenesoya *sin rest*, Sagasta 98, ☒ 35008, ✆ 46 96 08, Fax 46 02 79, ≼ – 🛗 📺 ☎.
🆎 *VISA*. ⋙
AS r
⌷ 350 – **43 hab** 5000/6000.

Amaiur, Pérez Galdós 2, ☒ 35002, ✆ 37 07 17, Fax 36 89 37, Cocina vasca – ▤. 🆎
⓪ 🇪 *VISA*. ⋙
BY e
cerrado domingo y agosto – **Comida** carta 3100 a 4200.

Rías Bajas, Simón Bolívar 3, ☒ 35007, ✆ 27 13 16, Fax 26 28 88 – ▤. 🆎 ⓪ 🇪 *VISA*.
⋙
CVX n
Comida carta 3375 a 5120.

XX **La Casita,** León y Castillo 227, ⊠ 35005, 𝒫 23 46 99, Fax 46 32 89 – 🖳. 🖽 𝘝𝘐𝘚𝘈.
cerrado domingo noche – **Comida** carta 3000 a 5050.   AT

XX **Churchill,** León y Castillo 274, ⊠ 35005, 𝒫 24 91 92, Fax 29 34 08, 🏤 – **P**. 🖽
𝘝𝘐𝘚𝘈.   AT
cerrado domingo y festivos – **Comida** carta 3300 a 4800.

XX Chacalote, Proa 3 - barrio pesquero de San Cristóbal, ⊠ 35016, 𝒫 31 21 40, Imitac
del interior de un barco. Pescados y mariscos – 🖳   por

XX La Sama, Marina 87 - barrio pesquero de San Cristóbal, ⊠ 35016, 𝒫 32 14 28, ≤ n
Pescados y mariscos – 🖳   por

XX **El Cid Casa Pablo,** Tomás Miller 73, ⊠ 35007, 𝒫 26 81 58, 🏤 – 🖳. 🖽 ⓘ 🄴 𝘝𝘐𝘚𝘈. 🛠
cerrado agosto – **Comida** carta 2600 a 3100.   BV

XX **Casa Rafael,** Luis Antúnez 25, ⊠ 35006, 𝒫 24 49 89, Fax 22 92 10 – 🖳. 🖽 ⓘ
cerrado domingo – **Comida** carta aprox. 5100.   AT

XX **Julio,** La Naval 132, ⊠ 35008, 𝒫 46 01 39 – 🖳. 🖽 ⓘ 🄴 𝘝𝘐𝘚𝘈. 🛠   AS
cerrado domingo – **Comida** carta 2400 a 3900.

X **La Cabaña Criolla,** Los Martínez de Escobar 37, ⊠ 35007, 𝒫 27 02 16, Fax 27 70
Carnes a la brasa. Decoración rústica – 🖳. 🖽 ⓘ 🄴 𝘝𝘐𝘚𝘈. 🛠   BX
cerrado lunes – Comida carta 2475 a 3525.

X **A'Vieira,** Sargento Llagas 26, ⊠ 35007, 𝒫 27 99 56, Fax 27 07 56 – 🖳. 🖽 ⓘ 🄴
🛠   BV
cerrado domingo y agosto – **Comida** carta 2800 a 3750.

X **El Pote,** Juan Manuel Durán González 41 (pasaje), ⊠ 35007, 𝒫 27 80 58, Cocina gal
– 🖳. 𝘝𝘐𝘚𝘈. 🛠   BX
Comida carta aprox. 4850.

X Samoa, Valencia 46, ⊠ 35006, 𝒫 24 14 71
– 🖳   CX

X **Casa Carmelo,** paseo de las Canteras 2, ⊠ 35009, 𝒫 46 90 56, ≤ – 🖳. 🖽 ⓘ 🄴
🛠   AS
Comida carta aprox. 3500.

X **Casa de Galicia,** Salvador Cuyás 8, ⊠ 35008, 𝒫 27 98 55, Fax 22 92 10, Cocina gal
– 🖳. 🖽 ⓘ 𝘝𝘐𝘚𝘈   CV
Comida carta aprox. 4250.

X **El Anexo,** Salvador Cuyás 10, ⊠ 35008, 𝒫 27 26 45, Fax 22 92 10 – 🖳. 🖽 ⓘ
🛠   CV
cerrado domingo – **Comida** carta aprox. 4250.

X **Hamburg,** Mary Sánchez 54, ⊠ 35009, 𝒫 46 97 45   AS
Comida carta 2290 a 3445.

X **Asturias,** Capitán Lucena 6, ⊠ 35007, 𝒫 55442 19 – 🖳. 🖽 ⓘ 🄴 𝘝𝘐𝘚𝘈. 🛠 BV
Comida carta 2700 a 3550.

X Mesón la Paella, Juan Manuel Durán González 47, ⊠ 35010, 𝒫 27 16 40 – 🖳 B.

X **El Novillo Precoz,** Portugal 9, ⊠ 35010, 𝒫 22 16 59, Carnes a la brasa – 🖳. 🖽
🄴 𝘝𝘐𝘚𝘈. 🛠   B.
cerrado del 15 al 31 de mayo – **Comida** carta 2900 a 4230.

X **Ca'cho Damián,** León y Castillo 26, ⊠ 35003, 𝒫 36 53 23 – 🖳. 🖽 𝘝𝘐𝘚𝘈. 🛠 BV
Comida carta 1875 a 3200.

en Las Coloradas *zona de La Isleta* – ⊠ *35009 Las Palmas* – 🕾 928 :

X El Padrino, Jesús Nazareno 1 𝒫 46 20 94, 🏤, Pescados y mariscos – 🖳
                                                                                                                                                                          por Pérez Muñoz A

X Pitango, María Dolorosa 2 𝒫 46 64 94, 🏤, Carnes a la brasa – 🖳
                                                                                                                                                                          por Pérez Muñoz A

Santa Brígida *35300 – 12 224 h. alt. 426* – 🕾 *928*.
   Alred. : *Mirador de Bandama*★★ *E : 7 km.*
   Las Palmas 15.

en Las Meleguinas *N : 2 km* – ⊠ *35300 Santa Brígida* – 🕾 *928* :

X **Las Grutas de Artiles,** 𝒫 64 05 75, Fax 64 12 50, 🏤, « Instalado en una gru
🏊, 🛠 – **P**. 🖽 ⓘ 🄴 𝘝𝘐𝘚𝘈. 🛠
Comida carta 2500 a 3300.

en Monte Lentiscal *NE : 4 km* – ⊠ *35310 Monte Lentiscal* – 🕾 *928* :

🏨 **Santa Brígida** *(Hotel escuela)*, Real de Coello 2 𝒫 35 55 11, Fax 35 55 11, 𝐅ₒ, 🛋
– 🛗 🖳 📺 🕾 – 🔥 25/150. 🖽 ⓘ 🄴 𝘝𝘐𝘚𝘈. 🛠
Comida 3025 – 🖵 1100 – **41 hab** 10120/15180 – PA 6078.

en El Madroñal SO : 4,5 km – ✉ 35308 El Madroñal – ☎ 928 :

  ✗ Martell, 𝒫 64 12 83, Interesante bodega. Decoración rústica regional.

en la Caldera de Bandama E : 7 km – ✉ 35300 Santa Brígida – ☎ 928 :

  🏨 **Golf Bandama** ⤬, 𝒫 35 33 54, Fax 35 12 90, ≤ campo de golf, mar y montaña, ⌂,
  ⊠ climatizada, 🏋 – **②**. ☒ **①** 🝙 ꕤ, ⫘
  Comida 2500 – **38 hab** ⊑ 13900/27800.

afira Alta 35017 – alt. 375 – ☎ 928.
    Las Palmas 8.

  ✗ **La Masía de Canarias,** Murillo 36 𝒫 35 01 20, Fax 35 01 20, ⌂ – ☒ **①** 🝙 ꕤ
  Comida carta 4600 a 6100.

  ✗ **Jardín Canario,** Plan de Loreto - carret. de Las Palmas 1 km 𝒫 35 16 45, Fax 31 17 00,
  ≤, Dominando el Jardín Botánico – **②**. ☒ **①** 🝙 ꕤ, ꕤ
  Comida carta aprox. 2750.

elde 35200 – 77 640 h. alt. 130 – ☎ 928.
    Alred. : Gruta de Cuatro Puertas★ S : 6 km.
    Las Palmas 20.

eror 35330 – 10 341 h. alt. 445 – ☎ 928.
    Alred. : Mirador de Zamora ≤★ O : 7 km por carretera de Valleseco.
    Las Palmas 21.

ega de San Mateo 35320 – 6 110 h. – ☎ 928.
    Las Palmas 23.

  ✗✗ **La Veguetilla,** carret. de Las Palmas 𝒫 66 07 64, Fax 66 07 64, ⌂ – **②**. ☒ **①** 🝙 ꕤ
  ꕤ
  cerrado martes y agosto – **Comida** (sólo almuerzo salvo viernes y sábado) carta 2700 a
  4350.

FUERTEVENTURA (Las Palmas)

orralejo 35560 – ☎ 928 – Playa.
    Ver : Puerto y Playas ★.
    Puerto del Rosario 38.

  🏨 Dunapark, av. Generalísimo Franco 𝒫 53 52 51, Fax 53 54 91, ⅃ꜜ, ⊠ climatizada, ꕤ –
  ⫘ ▤ 📺 🝙
  Comida (sólo cena buffet) – **79 hab.**

las playas – ✉ 35660 Corralejo – ☎ 928 :

  🏨 Riu Palace Tres Islas ⤬, SE : 4 Km. 𝒫 53 57 00, Telex 96544, Fax 53 58 58, ≤, ⅃ꜜ,
  ⊠ climatizada, ꜛ, ꕤ – ⫘ ▤ 📺 🝙 **②**
  Comida Tres Islas (sólo cena) Oasis (sólo cena) – **365 hab.**

sta Calma – ✉ 35628 Pájara – ☎ 928 – Playa.
    Puerto del Rosario 70.

  🏨 Taro Beach H. ⤬, urb. Cañada del Río 𝒫 54 70 76, Fax 54 70 98, ≤, ⊠ climatizada –
  ▤ rest 📺 🝙 **②**
  Comida (sólo cena buffet) – **247 apartamentos.**

  🏨 Mónica Beach H. ⤬, urb. Cañada del Río 𝒫 54 72 14, Fax 54 73 18, ≤, ⅃ꜜ,
  ⊠ climatizada, ꕤ – ▤ rest 📺 🝙 **②**
  Comida (sólo cena buffet) – **226 apartamentos.**

orro del Jable 35625 – 1 590 h. – ☎ 928 – Playa.
    Puerto del Rosario 95.

  🏨 **Riu Palace Jandía,** playa de Jandía 𝒫 54 03 68, Fax 54 23 52, ≤, ⊠ climatizada – ⫘
  ▤ 📺 🝙. ☒ **①** 🝙 ꕤ. ꕤ
  Comida (sólo cena) 3500 – **200 hab** ⊑ 31600/54520.

  🏨 Riu Calypso, playa de Jandía 𝒫 54 00 26, Fax 54 07 30, ≤ mar y playa, « Terraza con
  ⊠ climatizada », ꕤ – ⫘ ▤ 📺 🝙 ꛱ **②** – ▵ 25/80
  Comida (sólo cena) – **248 hab.**

Playa Barca – ✉ 35628 Pájara – ✪ 928 – Playa.
Puerto del Rosario 47.

🏨 **Sol Gorriones** ⍟, ℘ 54 70 25, Fax 54 70 00, ≤, « Amplia terraza con ⍩ climatizada
ℐ⅍, ⌨, ℀ – ⌷ rest 📺 🅿. ℀ ⓪ 𝕍𝕀𝕊𝔸. ℀
Comida (sólo cena buffet) 1800 – ⌸ 1000 – **431 hab** 5200/8200 – PA 2800.

Puerto del Rosario 35600 – 16 883 h. – ✪ 928 – Playa.
✈ de Fuerteventura S : 6 km ℘ 86 05 00 – Iberia : 23 de Mayo 11, ℘ 86 05 00.
⚓ para Lanzarote, Gran Canaria y Tenerife : Cía Trasmediterránea, León y Castillo
℘ 85 08 77, Fax 85 24 08.
🛈 av. 1º de Mayo 37, ℘ 85 14 00, Fax 85 18 12.

✕ **Marquesina Puerto,** Pizarro 62 ℘ 53 00 30
🍴 **E** 𝕍𝕀𝕊𝔸. ℀
Comida carta 2725 a 3400.

LANZAROTE (Las Palmas)

Arrecife 35500 – 33 398 h. – ✪ 928 – Playa.
Alred. : *Teguise (castillo de Guanapay* ❋★*) N : 11 km – La Geria*★★ *(de Mozaga a Yai*
NO : 17 km – Cueva de los Verdes★★★ *NE : 27 km por Guatiza – Jameos del Agua*★ *N*
29 km por Guatiza – Mirador del Río★★ *(*❋★★*) NO : 33 km por Guatiza.*
✈ de Lanzarote O : 6 km ℘ 81 14 50 – Iberia : av. Rafael González Negrín 2, ℘ 81 53
⚓ para Gran Canaria, Tenerife, La Palma y la Península : Cía. Trasmediterránea, Jc
Antonio 90 ℘ 81 11 88, Telex 95336, Fax 81 23 63.
🛈 Parque Municipal, ℘ 80 15 17, Fax 81 18 60.

🏨 **Lancelot,** av. Mancomunidad 9 ℘ 80 50 99, Fax 80 50 39, ≤, ⍩ – ⌷ ⌷ rest 📺
– ⚑ 25/100. ℀ ⓪ **E** 𝕍𝕀𝕊𝔸. ℀
Comida 1600 – ⌸ 600 – **110 hab** 5800/7200 – PA 3360.

🏨 **Miramar** sin rest, Coll 2 ℘ 80 15 22, Fax 80 15 33 – ⌷ 📺 ☎. ℀ ⓪ **E** ⮿
℀
⌸ 700 – **90 hab** 4900/6300.

por la carretera del puerto de Naos NE : 2 km – ✉ 35500 Arrecife – ✪ 928 :
✕✕ Castillo de San José, ℘ 81 23 21, Fax 81 23 21, ≤ puerto y mar, Fortaleza del siglo X
Museo de Arte Contemporáneo – ⌷ 🅿.

Costa Teguise 35509 – ✪ 928 – Playa.
🛝 Costa Teguise ℘ 59 05 12, Fax 59 04 90.
Arrecife 7.

🏨 **Meliá Salinas** ⍟, playa de Las Cucharas ℘ 59 00 40, Telex 96320, Fax 59 12 32,
⛲, « Profusión de plantas. Terraza con ⍩ climatizada », ℐ⅍, ⌨, ℀ – ⌷ ⌷ 📺 ☎
– ⚑ 25/275. ℀ ⓪ **E** 𝕍𝕀𝕊𝔸. ℀
- Atlántida (sólo buffet) **Comida** 4500 **- La Graciosa** (sólo cena, cerrado domingo y lur
Comida carta 3850 a 5450 – ⌸ 1650 – **308 hab** 23350/34700, 2 suites.

🏨 **Teguise Playa** ⍟, playa El Jablillo ℘ 59 06 54, Telex 96399, Fax 59 09 79, ≤,
⍩ climatizada, ℀ – ⌷ ⌷ 📺 ☎ & ℀ – ⚑ 25/325. ℀ ⓪ **E** 𝕍𝕀𝕊𝔸. ℀
Comida 3000 – ⌸ 1025 – **303 hab** 13000/16800, 11 suites.

✕✕ **La Jordana,** Los Geranios - Local 10-11 ℘ 59 03 28, ⛲ – ⌷. ℀ **E** 𝕍𝕀𝕊𝔸. ℀
cerrado domingo y septiembre – **Comida** carta 2525 a 4150.

✕✕ **Neptuno,** Península del Jablillo ℘ 59 03 78 – ⌷. ℀ ⓪ **E** 𝕍𝕀𝕊𝔸. ℀
cerrado domingo – **Comida** carta 2500 a 2850.

al Suroeste : 2 km – ✉ 35509 Costa Teguise – ✪ 928 :
🏨 Oasis de Lanzarote ⍟, av. del Mar ℘ 59 04 10, Fax 59 07 91, ≤, ℐ⅍, ⍩ climatiza
⌨, ℀ – ⌷ ⌷ 📺 ☎ & 🅿 – ⚑ 25/550
360 hab, 12 suites.

Haría 35520 – 2 626 h. alt. 270 – ✪ 928.
Alred. : *Mirador* ≤★ *S : 5 km.*
Arrecife 29.

✕ **Casa'l Cura,** Nueva 1 ℘ 83 55 56, Fax 81 60 16
🍴 🅿. ℀ **E** 𝕍𝕀𝕊𝔸. ℀
Comida (sólo almuerzo) carta 2000 a 3150.

ontañas del Fuego - 🕾 928 - *Zona de peaje.*
  Ver : *Montañas del Fuego* ★★★.
  Arrecife 31.

XX El Diablo, Parque Nacional de Timanfaya, ⊠ 35560 Tinajo, ℘ 84 00 57, Fax 84 00 57,
  ❀ montañas volcánicas y mar - ℗ **- Comida** (sólo almuerzo).

aya Blanca de Yaiza - ⊠ 35570 Yaiza - 🕾 928 - *Playa.*
  Alred. : *Punta del Papagayo* ★ ⇜★ *S : 5 km.*
  Arrecife 38.

🏨 **Playa Dorada** ⌕, costa de Papagayo, ℘ 51 71 20, Fax 51 74 32, ⩽, ⌁ climatizada,
  ❤ - 🛗 🗏 🔟 ☎ ℗ - 🛦 25/250. 🖭 ⓞ ℮ 💳. ❀
  Comida (sólo cena buffet) 2500 - **258 hab** ⊇ 10000/16500, 8 suites.

🏨 **Lanzarote Princess** ⌕, costa de Papagayo, ℘ 51 71 08, Telex 96455, Fax 51 70 11,
  ⩽, « Terraza con ⌁ climatizada », ❤ - 🛗 🗏 ☎ ℗ - 🛦 25/200. 🖭 ⓞ ℮ 💳. ❀
  Comida 1900 - **375 hab** ⊇ 8800/13000, 32 suites.

X Casa Pedro, av. Marítima, ℘ 51 70 22, ⩽, 🍴, Pescados
  🗏.

X Casa Salvador, av. Marítima 13, ℘ 51 70 25, ⩽, 🍴, Pescados y mariscos.

erto del Carmen 35510 - 🕾 928 - *Playa.*
  Arrecife 15.

🏨 **Fariones Playa** sin rest, Acatife 2 - urb. Playa Blanca ℘ 51 01 75, Fax 51 02 02, ⩽,
  ⌗, ⌁ climatizada, ❀ - 🛗 🗏 🔟 ☎ ⌖ ⬡ - 🛦 25/150. 🖭 ⓞ ℮ 💳. ❀
  ⊇ 1800 - **231 apartamentos** 15000.

🏨 **Los Fariones,** Roque del Oeste 1 - urb. Playa Blanca ℘ 51 01 75, Fax 51 02 02, 🍴,
  « Terraza y jardín tropical con ⩽ mar », ⌁ climatizada, ❀, ❤ - 🛗 🗏 rest 🔟 ☎ -
  🛦 25/75. 🖭 ⓞ ℮ 💳. ❀
  Comida 3500 - ⊇ 1800 - **231 hab** 12500/16500, 6 suites - PA 7000.

XX **La Cañada,** General Prim 3 ℘ 51 04 15, 🍴 - 🗏. 🖭 ⓞ ℮ 💳. ❀
  Comida carta 2650 a 3450.

la playa de Los Pocillos *E : 3 km* - ⊠ 35519 Los Pocillos - 🕾 928 :

🏨 Riu Palace Lanzarote, Suiza 6 ℘ 51 24 14, Fax 82 55 98, ⩽, ⌁ climatizada, ❤ - 🛗 🗏
  🔟 ☎ ℗ - 🛦 25/100
  Comida (sólo cena) - **253 hab**, 22 suites.

🏨 **La Geria,** ℘ 51 04 41, Fax 51 19 19, ⩽, ⌗, ⌁ climatizada, ❀, ❤ - 🛗 🗏 🔟 ☎ ℗.
  🖭 ⓞ ℮ 💳. ❀
  Comida 3300 - ⊇ 1200 - **242 hab** 10800/15600.

🏨 Riu Paraíso, Suiza 4 ℘ 51 24 00, Telex 95780, Fax 51 24 09, ⩽, ⌗, ⌁ climatizada, ❤
  - 🛗 🗏 🔟 ☎ ℗
  Comida (sólo cena) - **240 hab**, 8 suites.

la urbanización Matagorda *E : 4,5 km* - ⊠ 35510 Matagorda - 🕾 928 :

XX **C. Colón,** centro comercial Matagorda 47 ℘ 51 25 54, Fax 51 25 54 - 🖭 ⓞ ℮ 💳.
  ❀
  Comida carta 3825 a 5000.

za 35570 - 5 125 h. alt. 192 - 🕾 928.
  Alred. : *La Geria* ★★ (de Yaiza a Mozaga) NE : 17 km - *Salinas de Janubio* ★ SO : 6 km - *El
  Golfo* ★ NO : 8 km.
  Arrecife 22.

X La Era, Barranco 3 ℘ 83 00 16, Fax 80 27 65, « Instalado en una casa de campo del siglo
  XVII » - ℗.

TENERIFE

na 38640 - 41 636 h. alt. 610 - 🕾 922.
  Alred. : *Mirador de la Centinela* ★★ SE : 11 km.
  Santa Cruz de Tenerife 72.

La Camella *S : 4,5 km* - ⊠ 38627 La Camella - 🕾 922 :

X **Mesón Las Rejas,** carret. General del Sur 1 ℘ 72 08 94, Espec. en carnes y asados -
  🗏. 🖭 ℮ 💳. ❀
  cerrado domingo y 25 agosto-7 septiembre **- Comida** carta 2850 a 3950.

Candelaria 38530 – 10 655 h. – ☎ 922 – Playa.
Santa Cruz de Tenerife 27.

G.H. Punta del Rey, av. Generalísimo 165 - playa de Las Caletillas ℰ 50 18 !
Telex 91584, Fax 50 00 91, ≤, « Jardines con ⊐ climatizada al borde del mar », ₤ₔ,
– ▮ ≡ ☎ – ♨ 25/200. ஊ ⓞ ⴲ 𝘷𝘴𝘢 jcb. ⴸ
Comida (sólo buffet) 1800 – ⊑ 850 – **422 hab** 9800/12000.

XXX **Sobre El Archete**, Lomo de Aroba 2 - cruce autopista ℰ 50 01 15, Fax 50 03 5∙
≡ ⓟ. ஊ 𝘷𝘴𝘢. ⴸ
cerrado domingo noche – **Comida** carta 3200 a 4300.

Las Cañadas del Teide – alt. 2 200 – ☎ 922 – ⛷1.
Ver : *Parque Nacional de las Cañadas*★★★.
Alred. : *Pico del Teide*★★★ N : 4 km, teleférico y 45 min. a pie – *Boca de Tauce*★★ Տ
7 km.
Excurs. : *Ascenso por La Orotava*★.
Santa Cruz de Tenerife 67.

🏛 **Parador de Las Cañadas del Teide** ⑊, alt 2 200, ⊠ 38380 apartado 15 La Orota
ℰ 38 64 15, Fax 38 64 15, ≤ valle y Teide, « En un paraje volcánico », ⊐, ⴸ – ⴲⴹ
ஊ ⓞ ⴲ 𝘷𝘴𝘢. ⴸ
Comida 3200 – ⊑ 1200 – **23 hab** 14500.

Los Cristianos 38650 – ☎ 922 – Playa.
⛴ Cía. Trasmediterránea, Muelle de los Cristianos, ℰ 79 61 78, Fax 79 61 79.
Santa Cruz de Tenerife 75.

🏨 Arona G.H., av. Marítima ℰ 75 06 78, Telex 91053, Fax 75 02 43, ≤, 🍽, ∙
⊐ climatizada – ▮ ≡ ⴹⴸ ☎ – ♨ 25/250
Comida (sólo cena buffet) El Rincón *(sólo almuerzo)* La Palapa *(sólo almuerzo)* – **399 hab**
suites.

Paradise Park, urb. Oasis del Sur ℰ 79 47 62, Telex 91196, Fax 79 48 59, ∙
⊐ climatizada, ⴸ – ▮ ≡ ⴹⴹ ⓟ – ♨ 25/60. ஊ ⓞ ⴲ 𝘷𝘴𝘢. ⴸ
Comida 2500 - *Strelitzia (sólo cena)* **Comida** carta aprox. 4400 - *Las Cañadas (ϛ
almuerzo)* **Comida** carta 4500 a 7500 – **271 hab** ⊑ 12200/18400, 9 suites, 112 apa∙
mentos.

Oasis Moreque, av. Penetración ℰ 79 03 66, Fax 79 22 60, ≤, ⊐ climatizada, 🍽,
– ▮ ≡ rest ⓟ. ஊ ⓞ ⴲ 𝘷𝘴𝘢. ⴸ
Comida (sólo buffet) 1200 – ⊑ 1100 – **173 hab** 9000/13300.

XX **La Cava**, El Cabezo ℰ 79 04 93, Fax 79 13 16, 🍽, Decoración rústica – ஊ ⓞ ⴲ ∙
ⴸ
cerrado domingo y junio-septiembre – **Comida** (sólo cena) carta 2350 a 3450.

Güimar 38500 – 14 345 h. alt. 290 – ☎ 922.
Alred. : *Mirador de Don Martín*★★ S : 4 km.
Santa Cruz de Tenerife 36.

Icod de los Vinos 38430 – 21 329 h. – ☎ 922.
Ver : *Drago milenario*★.
Alred. : *El Palmar*★★ O : 20 km – *San Juan del Reparo (carretera de Garachico ≤★)*
6 km – *San Juan de la Rambla (plaza de la iglesia*★) NE : 10 km.
Santa Cruz de Tenerife 60.

La Laguna 38200 – 117 718 h. alt. 550 – ☎ 922.
Ver : *Iglesia de la Concepción*★.
Alred. : *Monte de las Mercedes*★★ (*Mirador del Pico del Inglés*★★, *Mirador de Cruz*
Carmen★) NE : 11 km – *Mirador del Pico de las Flores* ⴸ★★ SO : 15 km – *Pinar de*
Esperanza★ SO : 6 km.
🇬 de Tenerife O : 7 km ℰ 63 66 07.
Santa Cruz de Tenerife 9.

🏨 Nivaria *sin rest*, pl. del Adelantado 11, ⊠ 38201, ℰ 26 42 98, Fax 25 96 34 – ▮ ⴹ
⟲ – ♨ 25/65
73 apartamentos.

X **La Hoya del Camello**, carret. General del Norte 128, ⊠ 38293, ℰ 26 20 54 – ⓟ
ⴲ 𝘷𝘴𝘢. ⴸ
cerrado mayo – **Comida** carta 2200 a 3550.

X Casa Maquila, callejón Maquila 4, ⊠ 38202, ℰ 25 70 20.

X La Alacena, Barcelona 3, ⊠ 38204, ℰ 63 20 58.

Masca – ✪ 922.

Ver : *Paisaje★*.

Santa Cruz de Tenerife 90.

El Médano 38612 – ✪ 922 – Playa.

✈ Reina Sofía O : 8 km ✆ 75 90 00.

Santa Cruz de Tenerife 62.

🏨 Atlantic Playa Suite H. ⌂, av. Europa 2 ✆ 17 62 52, Fax 17 61 14, ₤₆, ⴲ – |‡| 🍴 ☎ ⟺ ❷ – 🏛 25/100
Comida (sólo buffet) – **88 hab**, 67 suites.

🏨 Médano, La Playa 2 ✆ 17 70 00, Fax 17 60 48, ⟜ – |‡| ☎
90 hab.

🍴 Avencio, Chasna 6 ✆ 17 60 79 – 🍴.

a Orotava 38300 – 34871 h. alt. 390 – ✪ 922.

Ver : *Calle de San Francisco★* – *Emplazamiento★*.

Alred. : *Mirador Humboldt★★★ NE : 3 km* – *Jardín de Aclimatación de La Orotava★★★ NO : 5 km* – *S : Valle de la Orotava★★★.*

🛈 pl. General Franco 1, ✆ 33 00 50, Fax 33 45 12.

Santa Cruz de Tenerife 36.

Playa de las Américas 38660 – ✪ 922 – Playa.

🏌, ┌₈ Golf del Sur, urb. El Guincho SE : 15 km ✆ 73 10 70.

🛈 av. Litoral (pl. de Troya), ✆ 75 06 33.

Santa Cruz de Tenerife 75.

🏩 **G.H. Bahía del Duque** ⌂, playa del Duque, ⊠ 38670 Adeje, ✆ 74 69 00, Fax 74 69 25, ⟜, 🍽, « Imitando unas villas de época en acogedora armonía con vegetación subtropical en torno a varias ⴲ », ₤₆, ⴲ climatizada, 🌳, 🍴 – |‡| 🍴 📺 ☎ 🛗 ❷ – 🏛 25/100. ₳ᴱ ⓞ 🄴 𝘝𝘐𝘚𝘈 ᴊᴄᴮ. ⴲ
El Duque (sólo cena, cerrado domingo y 26 mayo-15 junio) **Comida** carta aprox. 7500 - *La Brasserie* (sólo cena) **Comida** carta 3800 a 4000 - *La Trattoria* (Cocina italiana, sólo cena) **Comida** carta aprox. 3000 – **324 hab** ⯜ 29000/39000, 38 suites.

🏩 Sir Anthony ⌂, av. Litoral ✆ 79 71 13, Fax 79 36 22, ⟜, « Bonita terraza con césped y ⴲ climatizada », ₤₆, 🍴 – |‡| 🍴 📺 ☎ ⟺ ❷ – 🏛 25/200
67 hab, 5 suites.

🏩 **Gran Tinerfe,** ✆ 79 12 00, Telex 92199, Fax 79 12 65, ⟜, « Terrazas con ⴲ climatizada », 🍴 – |‡| 🍴 📺 ☎ ❷ – 🏛 25/150. ₳ᴱ ⓞ 🄴 𝘝𝘐𝘚𝘈. ⴲ
Comida 2600 – **358 hab** ⯜ 10250/14200.

🏩 Mediterranean Palace, av. Litoral ✆ 79 44 00, Telex 91539, Fax 79 36 22, 🌳, ⴲ, 🍴 – |‡| 🍴 📺 ☎ ⟺ – 🏛 25/700
493 hab, 42 suites.

🏩 **Tenerife Princess,** av. Antonio Domínguez Alfonso ✆ 79 27 51, Fax 79 10 39, ⴲ climatizada, 🍴 – |‡| 🍴 ☎ ❷ – 🏛 25/80. ₳ᴱ ⓞ 𝘝𝘐𝘚𝘈. ⴲ
Comida (sólo buffet) 3500 – ⯜ 1500 – **384 hab** 15400/18300 – PA 5800.

🏨 **Jardín Tropical,** urb. San Eugenio, ⊠ apartado 139, ✆ 75 01 00, Telex 91251, Fax 75 28 44, ⟜, 🌳, « Profusión de plantas y jardines subtropicales en un armonioso conjunto », ₤₆, ⴲ climatizada – |‡| 🍴 📺 ☎ ❷ – 🏛 25/150. ₳ᴱ ⓞ 🄴 𝘝𝘐𝘚𝘈. ⴲ
Comida (ver también rest. *El Patio*) - *Las Mimosas* (sólo buffet) **Comida** 3300 – **421 hab** ⯜ 14250/21500.

🏨 **Gala,** av. Litoral ✆ 79 45 13, Fax 79 64 65 – |‡| 🍴 📺 ☎ ⟺ – 🏛 25/200. ₳ᴱ ⓞ 🄴 𝘝𝘐𝘚𝘈. ⴲ
Comida (sólo buffet) 1900 – **315 hab** ⯜ 15000/20500 – PA 3800.

🏨 **Torviscas Playa,** urb. Torviscas ✆ 71 23 00, Telex 91578, Fax 71 31 55, ⟜, ⴲ climatizada, 🌳, 🍴 – |‡| 🍴 📺 ☎ ❷ – 🏛 25/300. ₳ᴱ ⓞ 🄴 𝘝𝘐𝘚𝘈. ⴲ
Comida (sólo buffet) 2200 – **466 hab** ⯜ 15700/23400, 4 suites.

🏨 **Bitácora,** av. Antonio Domínguez Alfonso 1 ✆ 79 15 40, Telex 91120, Fax 79 66 77, ⴲ climatizada, 🌳, 🍴 – |‡| 🍴 ☎. ₳ᴱ ⓞ 🄴 𝘝𝘐𝘚𝘈. ⴲ
Comida (sólo buffet) 2400 – **314 hab** ⯜ 10600/15200 – PA 4590.

🏨 **La Siesta,** av. Litoral ✆ 79 23 00, Telex 91119, Fax 79 22 20, ⴲ climatizada, 🌳, 🍴 – |‡| 🍴 📺 🛗 – 🏛 25/700. ₳ᴱ ⓞ 🄴 𝘝𝘐𝘚𝘈. ⴲ
Comida (sólo buffet) 2700 – ⯜ 1200 – **280 hab** 11900/14500 – PA 5900.

CANARIAS (Islas)

🏨 **Park H. Troya,** ℰ 79 01 00, Telex 92218, Fax 79 45 72, ⤓ climatizada, ※ – 🕪 ■ ▮
🕿 🅿. 🖭 ⑩ Ε 𝘝𝘐𝘚𝘈. ❀
Comida (sólo buffet) 2500 – **318 hab** ⟳ 9020/14800 – PA 5400.

🏯🏯🏯 **El Patio,** urb. San Eugenio ℰ 75 01 00, Telex 91251, Fax 75 28 44, « Jardín de invierno »
– ■. 🖭 ⑩ Ε 𝘝𝘐𝘚𝘈. ❀
cerrado julio – **Comida** (sólo cena) carta 5100 a 7200.

🏯🏯 **Casa Vasca,** Apartamentos Compostela Beach ℰ 79 40 25, 😤 – 🖭 ⑩ Ε 𝗩𝗜
❀
Comida carta 3500 a 5600.

Puerto de la Cruz 38400 – 39 549 h. – ✆ 922 – Playa.
Ver : *Paseo Marítimo★ (piscinas★)* BZ.
Alred. : *Jardín de aclimatación de La Orotava★★★ por* ① *: 1,5 km – Mirador Humboldt★★*
La Orotava★ por ①.
🖪 *pl. de la Iglesia 3,* ℰ 38 60 00, Fax 38 08 70.
Santa Cruz de Tenerife 36 ①.

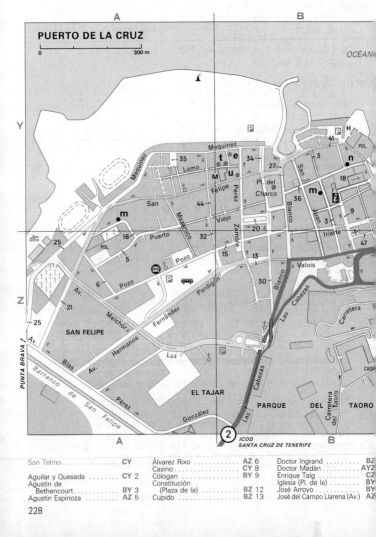

San Telmo	**CY**	Álvarez Rixo	**AZ** 6	Doctor Ingrand	**BZ**
		Casino	**CY** 8	Doctor Madán	**AYZ**
Aguilar y Quesada	**CY** 2	Cólogan	**BY** 9	Enrique Talg	**CZ**
Agustín de		Constitución		Iglesia (Pl. de la)	**BY**
Bethencourt	**BY** 3	(Plaza de la)	**BZ** 12	José Arroyo	**BY**
Agustín Espinoza	**AZ** 5	Cupido	**BZ** 13	José del Campo Llarena (Av.)	**AZ**

Botánico ⚜, Richard J. Yeoward 🕿 38 14 00, Telex 92395, Fax 38 15 04, ≤, 🍴, « Jardines tropicales », ⚱ climatizada, ※ – 🛗 🔲 📺 🕿 🅿 – 🔏 25/220. 🆎 ⓞ Ⓔ 𝕍𝕀𝕊𝔸. ※
Comida 4700 – **273 hab** ⲧ 21900/31600, 9 suites.   DZ h

NH Semiramis, Leopoldo Cólogan Zulueta 12 - urb. La Paz 🕿 37 32 00, Telex 92160, Fax 37 31 93, ≤ mar, ⚱ climatizada, ※ – 🛗 🔲 📺 🕿 – 🔏 25/1000. 🆎 ⓞ Ⓔ 𝕍𝕀𝕊𝔸. ※
Comida 2800 – **285 hab** ⲧ 14200/19000, 3 suites.   DY k

Puerto Palace, Doctor Cobiella (carret. de Las Arenas) 🕿 37 24 60, Fax 37 35 23, ≤, ⚱, 🍴, ⚱, ※ – 🛗 🔲 📺 🕿 🅿 – 🔏 25/100. 🆎 ⓞ Ⓔ 𝕍𝕀𝕊𝔸 𝗝𝗖𝗕. ※   por ②
Comida 2100 – ⲧ 1185 – **290 hab** 11770/15290.

San Felipe, av. de Colón 22 - playa Martiánez 🕿 38 33 11, Telex 92146, Fax 37 37 18, ≤, 🍴, ⚱, ※, ※ – 🛗 🔲 📺 🕿 🅿 – 🔏 25/200   DY u
Comida (sólo cena) – **256 hab**, 4 suites.

Meliá Puerto de la Cruz, av. Marqués de Villanueva del Prado 🕿 38 40 11, Telex 92386, Fax 38 65 59, ≤, ⚱ climatizada, 🐎, ※ – 🛗 🔲 📺 🕿 🅿 – 🔏 25/700. 🆎 ⓞ Ⓔ 𝕍𝕀𝕊𝔸 𝗝𝗖𝗕. ※   DZ f
Comida 2400 – ⲧ 950 – **300 hab** 8000/12600.

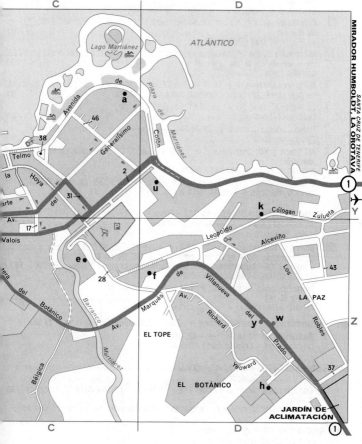

s Pavaggi		O.P. Cáceres (Av.)	**CY** 31	Reyes Católicos (Plaza)	**CY** 38
Paseo)	**AZ** 25	Peñón	**AZ** 32	Santo Domingo	**BY** 41
ina	**BY** 27	Perdomo	**BY** 34	Tabaida	**DZ** 43
tiánez		Pérez Galdós (Plaza)	**AY** 35	Teobaldo Power	**AY** 44
Calzada de)	**CZ** 28	Quintana	**BY** 36	Venezuela (Av.)	**CY** 46
ves Ravelo	**BZ** 30	Retama	**DZ** 37	Virtud	**BZ** 47

CANARIAS (Islas)

El Tope *sin rest*, Calzada de Martiánez 2 ℰ 38 50 52, Fax 38 00 03, ≤, ⚊ climatizad
⨆, ✗ – ⌷ ☐ ☎ ℗ – 🅐 25/250. 🆎 ⓞ ℇ *VISA*. ℀
CZ
⚏ 1650 – **217 hab** 10805/15450.

Atalaya G. H. ⚇, parque del Taoro ℰ 38 44 51, Telex 92380, Fax 38 70 46, ≤, « Jard
con ⚊ climatizada », ✗ – ⌷ ☐ ☐ ☎ ℗. 🆎 ⓞ ℇ *VISA*. ℀
Comida (sólo buffet) 2700 – ⚏ 1200 – **183 hab** 10800/13500.
por carret. del Taoro   BZ

G. H. Tenerife Playa, av. de Colón 16 ℰ 38 32 11, Telex 92135, Fax 38 37 91, ≤, ⚏
⚊ climatizada, ⨆ – ⌷ ☐ rest ☐ ☎ – 🅐 25/80
CY
Comida (sólo buffet) – **337 hab.**

San Telmo, San Telmo 18 ℰ 38 58 53, Fax 38 59 91, ≤, ⚊ climatizada – ⌷ ☎. ℇ *VISA*. ⚇
Comida 1300 – ⚏ 500 – **91 hab** 4500/8000 – PA 2900.
CY

Monopol, Quintana 15 ℰ 38 46 11, Fax 37 03 10, « Patio canario con plantas
⚊ climatizada – ⌷ ☐ rest ☎. 🆎 ⓞ ℇ *VISA* ᴊᴄʙ. ℀ rest
BY
Comida (sólo cena) 1500 – **100 hab** ⚏ 5500/10500.

Don Manolito, Dr. Madán 6 ℰ 38 50 40, Fax 37 08 77, ⚊, ⨆ – ⌷ ☐ ☎. 🆎 ⓞ
VISA. ℀
AY
Comida (sólo cena) 1600 – ⚏ 650 – **79 hab** 7000/8700.

Chimisay *sin rest*, Agustín de Bethencourt 14 ℰ 38 35 52, Fax 38 28 40, ⚊ – ⌷
🆎 *VISA*. ℀
BY
⚏ 600 – **67 hab** 6000/8000.

Magnolia *(Felipe "El Payés catalán")*, av. Marqués de Villanueva del Prado ℰ 38 56
⍾ – ☐. 🆎 ⓞ ℇ *VISA* ᴊᴄʙ. ℀
DZ
Comida carta 2440 a 4550.

Régulo, San Felipe 16 ℰ 38 45 06, Fax 37 04 20, Patio con balcón y plantas – 🆎 ℇ *VISA*.
cerrado domingo y julio – **Comida** carta 1850 a 3125.
BY

La Papaya, Lomo 10 ℰ 38 28 11, Fax 38 77 96, ⍾,
Decoración típica
BY

Patio Canario, Lomo 4 ℰ 38 04 51,
Decoración típica
BY

Mi Vaca y Yo, Cruz Verde 3 ℰ 38 52 47, Fax 37 08 77, Decoración típica – 🆎 ⓞ
VISA ᴊᴄʙ
BY
cerrado junio – **Comida** carta aprox. 3800.

Paco, av. Marqués de Villanueva del Prado 26 ℰ 38 52 53, ⍾ – ⓞ ℇ *VISA*   DZ
cerrado miércoles – **Comida** carta aprox. 2575.

Puerto de Santiago 38683 – ✆ 922 – Playa.

Alred. : *Los Gigantes (acantilado★) N : 2 km.*
Santa Cruz de Tenerife 101.

Barceló Santiago, La Hondura 8 ℰ 10 09 12, Fax 10 08 18, ≤ mar y acantilad
⚊ climatizada, ✗ – ⌷ ☐ ☎ ⇦ – 🅐 25/280. 🆎 ⓞ ℇ *VISA*. ℀
Comida 2700 - *Aubergine* (sólo cena) **Comida** carta aprox. 3375 – ⚏ 1300 – **382 h**
13100/18500, 24 suites – PA 6000.

Pancho, playa de la Arena ℰ 10 13 23, Fax 10 14 74
🆎 ⓞ ℇ *VISA*
cerrado lunes y junio – Comida carta 2300 a 3100.

en el acantilado de Los Gigantes N : 2 km – ⊠ 38680 Guía de Isora – ✆ 922 :

Asturias, ℰ 10 14 23, ⍾ – 🆎 *VISA*
cerrado lunes – **Comida** carta 1925 a 3600.

Los Realejos 38410 – 29 481 h. – ✆ 922.

Santa Cruz de Tenerife 45.

Las Chozas, carret. del Jardín - NE : 1,5 km ℰ 34 20 54, Decoración rústica – 🆎
ℇ *VISA*
cerrado domingo de junio a septiembre – **Comida** (sólo cena) carta 2330 a 2865.

San Andrés 38120 – ✆ 922 – Playa.

Santa Cruz de Tenerife 8.

El Rubí, Dique 19 ℰ 54 96 73, Pescados y mariscos – 🆎 ⓞ ℇ *VISA*
Comida carta aprox. 2850.

Ramón, Dique 23 ℰ 54 93 08, Pescados y mariscos – 🆎 ⓞ ℇ *VISA* ᴊᴄʙ
Comida carta aprox. 2850.

San Isidro 38611 – ✪ 922.
Santa Cruz de Tenerife 61.

🏖 **Ucanca** sin rest y sin ⌕, av. de Santa Cruz 183-2º 🖉 39 07 76, Fax 39 07 63 – 🛗 ☎
22 hab.

✗ **El Jable**, Bentejui 9 🖉 39 06 98, Rest. típico – 🗐. ᴀᴇ ⓞ ᴇ 𝖵𝖨𝖲𝖠. ⋘
cerrado domingo, lunes mediodía, del 15 al 30 de junio y octubre – **Comida** carta aprox.
3450.

San Juan del Reparo 38459 – ✪ 922.
Ver : ≼★ de Garachico.
Santa Cruz de Tenerife 65.

Santa Cruz de Tenerife 38000 ℙ – 202 674 h. – ✪ 922.
Ver : Dique del puerto ≼★ DX – Parque Municipal García Sanabria★ BCX.
Alred. : Carretera de Taganana ≼★★ por el puerto del Bailadero★ por ① : 28 km – Mirador
de Don Martín ≼★★ por Güimar ② : 27 km.
☖₁₈ de Tenerife por ② : 16 km 🖉 63 66 07.
✈ de Tenerife - Los Rodeos por ② : 13 km 🖉 63 58 00, y Tenerife-Sur-Reina Sofía por
② : 60 km 🖉 75 90 00 – Iberia : av. de Anaga 23, ⌖ 38001, 🖉 28 80 00 BZ, y Aviaco :
aeropuerto Norte Los Rodeos, 🖉 63 59 26.
🛳 para La Palma, Gran Canaria, Lanzarote, Fuerteventura, Gomera y la Península : Cía
Trasmediterránea, Muelle Ribera, Est. Marít., ⌖ 38001, 🖉 28 78 50.
🛈 pl. de España, ⌖ 38002, 🖉 60 55 92, Fax 60 57 81 – **R.A.C.E.** av. Anaga (edificio Bahía
Club), ⌖ 38001, 🖉 28 65 06, Fax 28 21 01.

Planos páginas siguientes

🏨🏨🏨 **Mencey**, av. Dr. José Naveiras 38, ⌖ 38004, 🖉 27 67 00, Telex 92034, Fax 28 00 17,
🌳, ⊒ climatizada, ⚒ – 🛗 🗐 🖵 ☎ – 🛦 25/290. ᴀᴇ ⓞ ᴇ 𝖵𝖨𝖲𝖠. ⋘ CX k
Comida carta 3500 a 5000 – ⌕ 1950 – **269 hab** 22000/26500, 24 suites.

🏨🏨 **Contemporáneo**, rambla General Franco 116, ⌖ 38001, 🖉 27 15 71, Fax 27 12 23
– 🛗 🗐 🖵 ☎ – 🛦 25/200. ᴀᴇ ⓞ 𝖵𝖨𝖲𝖠. ⋘ CX e
Comida (cerrado domingo y agosto) 1900 – ⌕ 800 – **124 hab** 8500/12700, 2 suites –
PA 3910.

🏨🏨 **Príncipe Paz** sin rest, Valentín Sanz 33, ⌖ 38002, 🖉 24 99 55, Fax 28 10 65 – 🛗 🗐
🖵 ☎ – 🛦 25/50 CY a
80 hab.

🏨 **Colón Rambla** sin rest, Viera y Clavijo 49, ⌖ 38004, 🖉 27 25 50, Fax 27 27 16, ⊒
– 🛗 🗐 🖵 ☎ ⌂. ᴀᴇ ᴇ 𝖵𝖨𝖲𝖠. ⋘ BX a
⌕ 700 – **40 hab** 9950/12200.

🏨 **Atlántico** sin rest, Castillo 12, ⌖ 38002, 🖉 24 63 75, Fax 24 63 78 – 🛗 🖵 ☎CY b
60 hab.

🏨 **Taburiente** sin rest, Doctor José Naveiras 24 A, ⌖ 38001, 🖉 27 60 00, Fax 27 05 62,
🗗, ⊒ – 🛗 🖵 ☎ ⌂ – 🛦 25/200. ᴀᴇ ᴇ 𝖵𝖨𝖲𝖠. ⋘ CX r
114 hab ⌕ 9400/11500, 2 suites.

🏨 **Océano** sin rest, Castillo 6, ⌖ 38002, 🖉 27 08 00, Fax 24 63 78 – 🛗 🖵 ☎ DY e
28 hab.

🏨 **Tanausú** sin rest, Padre Anchieta 8, ⌖ 38005, 🖉 21 70 00, Fax 21 60 29 – 🛗 🖵 ☎.
ᴀᴇ ⓞ ᴇ 𝖵𝖨𝖲𝖠. ⋘ CY t
⌕ 475 – **18 hab** 3700/5950.

✗ **El Coto de Antonio**, General Goded 13, ⌖ 38006, 🖉 27 21 05, Fax 29 09 22 –
🗐 AY z

✗ **Mesón Los Monjes**, La Marina 7, ⌖ 38002, 🖉 24 65 76 –
🗐 DY s

✗ **Ainara**, La Luna 10, ⌖ 38002, 🖉 27 76 60 – 🗐. ᴀᴇ ᴇ 𝖵𝖨𝖲𝖠. ⋘ CY n
cerrado domingo – **Comida** carta aprox. 3600.

✗ **Los Troncos**, General Goded 17, ⌖ 38006, 🖉 28 41 52 – 🗐. ᴀᴇ ⓞ. ⋘ AY z
🏡 cerrado domingo noche, miércoles y 15 agosto-15 septiembre – **Comida** carta aprox.
3500.

Santa Úrsula 38390 – 8 734 h. – ✪ 922.
Santa Cruz de Tenerife 27.

Cuesta de la Villa por la antigua carretera del Puerto de la Cruz - SO : 2 km – ⌖ 38390
Santa Úrsula – ✪ 922 :
✗✗ **Los Corales**, Cuesta de la Villa 130 🖉 30 22 61, Fax 32 17 27, ≼ – ℗. ᴀᴇ ⓞ ᴇ 𝖵𝖨𝖲𝖠. ⋘
cerrado lunes – **Comida** carta 3200 a 4400.

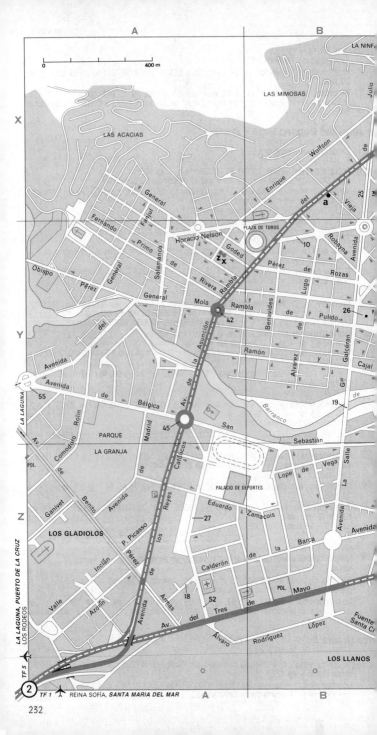

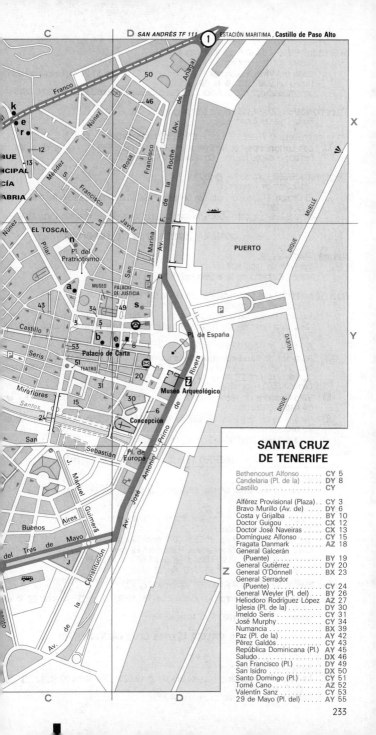

SANTA CRUZ
DE TENERIFE

Bethencourt Alfonso	CY	5
Candelaria (Pl. de la)	DY	8
Castillo	CY	
Alférez Provisional (Plaza)	CY	3
Bravo Murillo (Av. de)	DY	6
Costa y Grijalba	BY	10
Doctor Guigou	CX	12
Doctor José Naveiras	CX	13
Domínguez Alfonso	CY	15
Fragata Danmark	AZ	18
General Galcerán		
(Puente)	BY	19
General Gutiérrez	DY	20
General O'Donnell	BX	23
General Serrador		
(Puente)	CY	24
General Weyler (Pl. del)	BY	26
Heliodoro Rodríguez López	AZ	27
Iglesia (Pl. de la)	DY	30
Imeldo Seris	CY	31
José Murphy	CY	34
Numancia	BX	39
Paz (Pl. de la)	AY	42
Pérez Galdós	CY	43
República Dominicana (Pl.)	AY	45
Saludo	DX	46
San Francisco (Pl.)	DY	49
San Isidro	DX	50
Santo Domingo (Pl.)	CY	51
Tomé Cano	AZ	52
Valentín Sanz	AY	53
29 de Mayo (Pl. del)	AY	55

233

El Sauzal *38360 – 6 610 h. alt. 450 –* ✪ *922.*
  Santa Cruz de Tenerife.
  ✗ **Casa del Vino,** La Baranda - S : 1,5 km ✆ 56 33 88, Fax 57 27 44, Casona del siglo X
    Museo del vino – AE ⓪ E VISA ❋
    cerrado domingo noche, lunes y 15 mayo-15 junio – **Comida** carta 2650 a 4675.

Tacoronte *38350 – 17 161 h. alt. 510 –* ✪ *922.*
  Santa Cruz de Tenerife 24.

en la carretera C 280 *E : 3,5 km –* ✉ *38340 Los Naranjeros –* ✪ *922 :*
  ✗✗ **Los Limoneros,** Los Naranjeros ✆ 63 66 37, Fax 63 69 76 – ▤ ℗. AE E VISA ❋
    cerrado domingo noche – **Comida** carta 3725 a 5625.

Tegueste *38280 – alt. 399 –* ✪ *922.*
  Santa Cruz de Tenerife 17.
  ✗✗ **El Drago,** El Socorro - urb. San Gonzalo ✆ 54 30 01, Fax 54 44 54, Decoración rúst
    – ℗. AE VISA
    cerrado lunes y agosto – **Comida** (sólo almuerzo salvo viernes y sábado) carta 4300 a 67

GOMERA (Santa Cruz de Tenerife)

Arure *38892 –* ✪ *922.*
  Ver : ≤★ *de Taguluche.*
  Alred. : Barranco del Valle Gran Rey★★ *S : 7 km.*

San Sebastián de la Gomera *38800 – 6 337 h. –* ✪ *922 – Playa.*
  Alred. : Valle de Hermigua★★ *NO : 17 km.*
  Excurs. : Parque Nacional Garajonay★★ *O : 15 km – Agulo*★ *NO : 26 km.*
  ⤋ *para Tenerife : Cía Trasmediterránea : Estación Marítima del Puerto,* ✆ *87 13*
    Fax 87 13 24.
  🄱 *Real 4,* ✆ *14 01 47, Fax 14 01 51.*
  🏛 **Parador de San Sebastián de la Gomera** ⬞, Balcón de la Villa y Puerto, ✉ ap
    tado 21, ✆ 87 11 00, Fax 87 11 16, ≤, Decoración elegante. Edificio de estilo regio
    ⬞, ☞ – ▤ rest ⊡ ☎ ℗. AE ⓪ E VISA ❋
    Comida 3500 – ⬱ 1200 – **58 hab** 16500.
  🄽 **Villa Gomera** *sin rest y sin* ⬱, Ruiz de Padrón 68 ✆ 87 00 20, Fax 87 02 35 – ☎.
    16 hab 4000/5200.
  🄽 Garajonay *sin rest y sin* ⬱, Ruiz de Padrón 17 ✆ 87 05 50, Fax 87 05 50 – ▐ ☎
    29 hab.
  ✗ Casa del Mar, Fred Olsen 2 ✆ 87 12 19, ≤.

HIERRO (Santa Cruz de Tenerife)

Sabinosa *38912 –* ✪ *922.*
  Alred. : Camino de La Dehesa ≤★ *del sur de la isla.*

Valverde *38900 – 3 526 h. –* ✪ *922.*
  Alred. : O : 8 km El Golfo★★ *(Mirador de la Peña* ≤★★*).*
  Excurs. : El Pinar (bosque★*) SO : 20 km.*
  ✈ *de Hierro E : 10 km* ✆ *55 37 00 – Iberia : Doctor Quintero 6,* ✆ *55 08 78.*
  ⤋ *para Tenerife, Gran Canaria, Fuerteventura, Lanzarote y la Península : Cía Tras*
    diterránea : Puerto de la Estaca 3, ✆ *55 01 29, Fax 55 01 29.*
  🄱 *Licenciado Bueno 1,* ✆ *55 03 02, Fax 55 10 52.*

en Las Playas *SO : 20 km –* ✉ *38900 Valverde –* ✪ *922 :*
  🏛 **Parador de El Hierro** ⬞, ✆ 55 80 36, Fax 55 80 86, ≤, ⬞ – ▤ rest ⊡ ☎ ℗
    ⓪ E VISA ❋
    Comida 3200 – ⬱ 1200 – **47 hab** 14500.

LA PALMA (Santa Cruz de Tenerife)

Barlovento *38726 – 2 557 h. –* ✪ *922.*
  Santa Cruz de la Palma 41.
  🄷🄷 **La Palma Romántica** ⬞, Las Llanadas ✆ 18 62 21, Fax 18 64 00, ≤, ℔, ⬞, ▩.
    – ℗. E VISA ❋ rest
    Comida 1975 – **41 hab** ⬱ 7600/10400.

reña Alta *38710 – 5 101 h. alt. 350 –* ❸ *922.*
Santa Cruz de la Palma 10.

la carretera TF 812 *N : 2,5 km –* ✉ *38710 Breña Alta –* ❸ *922 :*

Ⅹ **Las Tres Chimeneas,** Buenavista de Arriba 82 ℘ 42 94 70 – **❶. E** *VISA*. ✛
cerrado martes, del 21 al 28 de febrero y 15 agosto-25 septiembre – **Comida** carta 2050
a 3450.

s Llanos de Aridane *38760 – 15 522 h. alt. 350 –* ❸ *922.*
Alred. : *El Time*★★ ✳★★ *O : 12 km – Caldera de Taburiente*★★★ *(La Cumbrecita y El Lomo
de las Chozas* ✳★★★*) NE : 20 km – Fuencaliente (paisaje*★*) SE : 23 km – Volcán de San
Antonio*★ *SE : 25 km – Volcán Teneguía*★.
Santa Cruz de la Palma 37.

🏨 **Valle Aridane** *sin rest,* glorieta Castillo Olivares ℘ 46 26 00, Fax 40 10 19 – 🛗 📺 ☎.
AE ❶ E *VISA*. ✛
➡ 550 – **42 hab** 4800/5900.

🏠 **Edén** *sin rest y sin* ➡, pl. de España 1 ℘ 46 01 04, Fax 46 01 83 – *VISA*. ✛
20 hab 2600/4100.

Ⅹ **San Petronio,** Pino de Santiago 40 ℘ 46 24 03, Fax 46 24 03, ≼, 🍴, Cocina italiana
– 🗄 **❶. E** *VISA*.
cerrado domingo, lunes, mayo y junio – **Comida** carta 2450 a 2800.

erto Naos *38760 –* ❸ *922.*
Santa Cruz de la Palma 40.

🏩 **Sol La Palma** ✎, Punta del Pozo ℘ 40 80 00, Fax 40 80 14, ≼, ♨, 🛝 climatizada,
🍴, ✎ – 🛗 🗄 📺 ☎ ❶ – 🔏 25/100. **AE ❶ E** *VISA*. ✛
Comida 1800 - *El Time (sólo cena, cerrado domingo)* **Comida** carta 2700 a 4300 – **304 hab**
➡ 13500/20400, 4 suites.

nta Cruz de la Palma *38700 – 17 069 h. –* ❸ *922 – Playa.*
Ver : *Iglesia de San Salvador (artesonados*★*).*
Alred. : *Mirador de la Concepción* ≼★ *SO : 9 km – Caldera de Taburiente*★★★ *(La Cumbrecita
y El Lomo de las Chozas* ✳★★★*) O : 33 km – NO : La Galga (barranco*★*), Los Tilos*★*, Roque
de los Muchachos*★★★ *(*✳★★★*) (36 km).*
➹ *de la Palma SO : 8 km* ℘ 41 15 40 – Iberia : Apurón 1, ℘ 41 13 45.
🚢 *para Tenerife, Gran Canaria, Fuerteventura, Lanzarote y la Península : Cía. Trasmediterránea : av. Pérez de Brito 2* ℘ 41 11 21, Fax 41 39 53.
🛈 *O'Daly 22 (Casa Salasar),* ℘ 41 21 06, Fax 41 21 06.

🏛 **Parador de Santa Cruz de la Palma** *(previsto cambio de emplazamiento),* av.
Marítima 34 ℘ 41 23 40, Fax 41 18 56, Decoración regional – 🛗 🗄 rest 📺 ☎. **AE ❶**
E *VISA* **JCB**. ✛
Comida (sólo cena) 2800 – ➡ 1100 – **32 hab** 9000.

🏛 **Marítimo** av. Marítima 75 ℘ 42 02 22, Fax 41 43 02 – 🛗 🗄 rest 📺 ☎. **AE E** *VISA*. ✛
Comida 1500 – ➡ 650 – **69 hab** 6000/7800 – PA 3650.

Ⅹ **El Brasero,** av. Marítima 54-2° ℘ 41 20 33, 🍴, « Decoración rústica » – *VISA*
cerrado lunes, del 12 al 25 de mayo y del 8 al 21 de septiembre – **Comida** (sólo cena) carta
aprox. 3450.

la playa de Los Cancajos *SE : 4,5 km –* ✉ *38712 Los Cancajos –* ❸ *922 :*

🏛 **Hacienda San Jorge,** pl. de Los Cancajos 22 ℘ 18 10 66, Fax 43 45 28, 🍴, « Jardín
con 🛝 », 🛝 – 🛗 🗄 rest 📺 ☎ ⬅ ❶ – 🔏 25/120. **AE ❶ E** *VISA*. ✛
Comida *(cerrado mayo-15 junio)* (sólo cena) 2000 – ➡ 975 – **155 apartamentos**
8800/11000.

Ⅹ La Fontana, urb. Adelfas ℘ 43 47 29.

NDANCHÚ *22889 Huesca* 🟦🟦🟦 *D 18 – alt. 1 560 –* ❸ *974 – Deportes de invierno :* ✘24.
Alred. : *Puerto de Somport*★★ ✳★★ *N : 2 km.*
Madrid 513 – Huesca 123 – Oloron-Ste-Marie 55 – Pamplona/Iruñea 143.

🏨 **Tobazo** ✎, ℘ 37 31 25, Fax 37 31 25, ≼ *alta montaña* – 🛗 ☎ ❶. *VISA*. ✛ rest
diciembre-3 mayo y 15 julio-agosto – **Comida** 1600 – ➡ 500 – **52 hab** 5900/9400 – PA
3145.

CANDÁS 33430 Asturias 441 B 12 – ✪ 98 – Playa.

🛈 Bernardo Alfagene, ℘ 588 48 88, (temp).

Madrid 477 – Avilés 17 – Gijón 14 – Oviedo 42.

🏨 **Marsol**, Astilleros ℘ 587 01 00, Telex 87490, Fax 587 15 62, ≤ – 📶 📺 ☎ 🚗. 🖭 ⑥
E 🚾. ❄
Comida 2000 – ⊇ 700 – **87 hab** 11000/14000.

🏠 **La Parra** sin rest, Tenderina 4 ℘ 587 20 04, Fax 587 08 29 – 📶 📺 ☎. E 🚾. ❄
cerrado enero – ⊇ 600 – **18 hab** 6000/9000.

CANDELARIA Santa Cruz de Tenerife – ver Canarias (Tenerife).

CANDELEDA 05480 Ávila 442 L 14 – 5 539 h. alt. 428 – ✪ 920.

Madrid 163 – Ávila 93 – Plasencia 100 – Talavera de la Reina 64.

🏠 **Los Castañuelos,** Ramón y Cajal 77 ℘ 38 06 84, Fax 38 21 13 – ☰ 📺 ☎. 🖭 ⑥ E 🚾.
Comida 1850 – ⊇ 600 – **14 hab** 4500/5600 – PA 4300.

CANELAS (Playa de) Pontevedra – ver Portonovo.

CANFRANC-ESTACIÓN 22880 Huesca 443 D 28 – 610 h. – ✪ 974.

🛈 av. Fernando el Católico 3, ℘ 37 31 41.

Madrid 504 – Huesca 114 – Pamplona/Iruñea 134.

🏨 Villa de Canfranc, Fernando el Católico 17 ℘ 37 20 12, Fax 37 20 12, ⌁ – 📶 ☎ ⌁
temp – **52 hab.**

🏨 **Villa Anayet,** pl. José Antonio 8 ℘ 37 31 46, Fax 37 33 91, ≤, ⌁ – 📶. 🚾. ❄
diciembre-abril y julio-25 septiembre – **Comida** 1125 – ⊇ 380 – **67 hab** 2760/4770
PA 2230.

🏠 **Montanglassé,** Felipe V-2 ℘ 37 33 11, Fax 37 20 68 – 📺 ☎. 🚾. ❄
Comida 1200 – ⊇ 600 – **26 hab** 5500/6500 – PA 2700.

🎤 **Ara** sin rest, av. Fernando el Católico 1 ℘ 37 30 28, ≤ – 🚗 ⑫. ❄
Navidad-Semana Santa y julio-agosto – ⊇ 475 – **30 hab** 2300/4650.

en la carret N 330 N : 2,5 km – ✉ 22880 Canfranc-Estación – ✪ 974 :

🏨 **Santa Cristina** ♨, ℘ 37 33 00, Fax 37 33 10 – 📶 📺 ☎ – 🔬 25/50. 🖭 ⑥ E 🚾. ❄ r
cerrado 15 octubre-6 diciembre – **Comida** 1500 – ⊇ 525 – **58 hab** 7000/9325 – PA 35

Ver también : **Astún (Valle de)** N : 12,5 km
Candanchú N : 9 km.

CANGAS DE MORRAZO 36940 Pontevedra 441 F 3 – 21 729 h. – ✪ 986 – Playa.

Madrid 629 – Pontevedra 33 – Vigo 24.

🏠 **Las Vegas** sin rest, av. Pontevedra ℘ 30 43 00, Fax 30 49 58, ≤, ⌁ – ☎ ⑫. 🖭
E 🚾. ❄
⊇ 500 – **29 hab** 4500/8000, 4 suites.

🍴 **Casa Simón,** barrio de Balea ℘ 30 00 16, Fax 30 20 00, Pescados y mariscos – ☰
🖭 ⑥ E 🚾 ᴊᴄʙ. ❄
cerrado lunes y 2ª quincena de octubre – **Comida** carta 2100 a 5300.

en la carretera de Bueu por la costa O : 2 km – ✉ 36940 Cangas de Morrazo – ✪ 98

🏨 **Don Hotel** ♨, Tobal Darbo ℘ 30 44 00, Fax 30 44 00, ⌁, 🚁 – ☰ rest 📺 ☎ ⑫
🔬 25/250. E 🚾. ❄
Comida 1150 – ⊇ 400 – **38 hab** 7700/9350, 8 suites – PA 3500.

CANGAS DE ONÍS 33550 Asturias 441 B 14 – 6 484 h. alt. 63 – ✪ 98.

Alred. : Desfiladero de los Beyos★★★ S : 18 km.

🛈 av. de Covadonga (jardines del Ayuntamiento), ℘ 584 80 05.

Madrid 419 – Oviedo 74 – Palencia 193 – Santander 147.

🏨 **Los Lagos,** jardines del Ayuntamiento ℘ 584 92 77, Fax 584 84 05 – 📶 📺 ☎ – 🔬
🖭 ⑥ E 🚾. ❄
Comida 2500 – ⊇ 500 – **45 hab** 8000/10000.

🏨 **Puente Romano** sin rest, Puente Romano ℘ 584 93 39, Fax 594 72 84 – 📺 ☎.
🚾. ❄
cerrado enero y febrero – ⊇ 500 – **27 hab** 8000/9000.

🏠 **Favila,** Calzada de Ponga 16 ℘ 594 71 56, Fax 594 73 76 – 📶 📺. 🖭 E 🚾. ❄
cerrado diciembre y enero – **Comida** 1790 – ⊇ 350 – **33 hab** 6500/8200 – PA 37

n la carretera de Arriondas N : 2,5 km - ⊠ 33550 Cangas de Onís - ❸ 98 :

🏠 **El Capitán,** Vega de Los Caseros ℘ 584 83 57, Fax 594 71 14 - 🛗 📺 ☎ 🅿. 🆎 ⓪
🖹 *VISA*. ॐ
Comida 1500 - ☲ 500 - **28 hab** 8000/10000 - PA 3000.

n la carretera de Covadonga E : 2,5 km - ⊠ 33550 Cangas de Onís - ❸ 98 :

🏠 **Los Acebos,** ℘ 594 00 42, Fax 584 91 53 - 📺 ☎ 🅿. 🆎 ⓪ 🖹 *VISA*. ॐ rest
Comida 1500 - ☲ 500 - **14 hab** 6000/7000 - PA 3000.

XX **La Cabaña,** ℘ 594 00 84 - 🗏 🅿. 🆎 ⓪ 🖹 *VISA*. ॐ
cerrado jueves y febrero - **Comida** carta 2800 a 3300.

ANGAS DEL NARCEA 33800 Asturias 🟦🟦🟦 C 10 - 19 083 h. alt. 376 - ❸ 98.
Madrid 493 - Luarca 83 - Ponferrada 113 - Oviedo 100.

🏠 **El Molinón** sin rest, Uría 36 ℘ 581 29 52, Fax 581 29 53 - 🗏 📺 ☎. 🆎 *VISA*. ॐ
☲ 450 - **16 hab** 4500/7500.

ANIDO 36390 Pontevedra 🟦🟦🟦 F 3 - ❸ 986.
Madrid 612 - Orense/Ourense 108 - Vigo 10.

XX **Cíes y Resid. Estay** con hab, playa ℘ 49 01 01, Fax 49 08 75 - 🗏 rest 📺 ☎. 🆎 🖹
VISA. ॐ
Comida carta 3100 a 4200 - ☲ 400 - **26 hab** 6000/8000.

ANILLO Andorra - ver Andorra (Principado de).

ANTAVIEJA 44140 Teruel 🟦🟦🟦 K 28 - 737 h. alt. 1 200 - ❸ 964.
Madrid 392 - Teruel 91.

🏠 **Balfagón,** av. del Maestrazgo 20 ℘ 18 50 76, Fax 18 50 76, ≼ - 📺 ☎ 🅿. 🆎 ⓪ 🖹
VISA. ॐ
cerrado febrero - **Comida** *(cerrado domingo noche y lunes mediodía salvo festivos y verano)* 1300 - ☲ 550 - **38 hab** 3500/5000 - PA 2750.

ANTERAS 30394 Murcia 🟦🟦🟦 T 27 - ❸ 968.
Madrid 465 - Alicante/Alacant 112 - Cartagena 8 - Lorca 68 - Murcia 66.

X **Sacromonte,** Cooperativa Alcalde Cartagena ℘ 53 53 28 - 🗏. 🆎 🖹 *VISA*. ॐ
cerrado lunes y del 1 al 10 de julio - **Comida** carta 2150 a 3100.

ANTONIGRÒS 08569 Barcelona 🟦🟦🟦 F 37 - ❸ 93.
Madrid 662 - Barcelona 92 - Ripoll 52 - Vic 26.

🏠 Cantonigròs, carret. de Olot ℘ 856 50 47, ≼ - ❷
31 hab.

ANYAMEL Baleares - ver Baleares (Mallorca) : Capdepera.

NYELLES PETITES (Playa de) Gerona - ver Rosas.

S CAÑADAS DEL TEIDE Santa Cruz de Tenerife - ver Canarias (Tenerife).

AÑAMARES 16890 Cuenca 🟦🟦🟦 K 23 - 622 h. alt. 883 - ❸ 969.
Madrid 191 - Cuenca 52 - Sacedón 72 - Teruel 181.

🏠 **Río Escabas,** carret. Cuenca ℘ 31 04 52, Fax 31 03 76 - 📺 ☎ ⌫ 🅿. *VISA*. ॐ rest
Comida 1700 - ☲ 350 - **25 hab** 4800/8000.

CAÑIZA o A CAÑIZA 36880 Pontevedra 🟦🟦🟦 F 5 - 7 387 h. - ❸ 986.
Madrid 548 - Orense/Ourense 49 - Pontevedra 76 - Vigo 57.

🏠 **O'Pozo,** carret. N 120 - E : 1 km ℘ 65 10 50, Fax 65 15 98, 🛋 - 📺 ☎ 🅿. 🆎 🖹 *VISA*.
ॐ
Comida 2300 - ☲ 400 - **20 hab** 3600/5100.

X **Reveca,** Progreso 15 ℘ 65 13 88
🅿. 🖹 *VISA*. ॐ
Comida carta 2200 a 3000.

CAPDEPERA Baleares – ver Baleares (Mallorca).

CAPELLADES 08786 Barcelona **443** H 35 – 5 027 h. – 🕲 93.
Madrid 574 – Barcelona 75 – Lérida/Lleida 105 – Manresa 39.

※ **Tall de Conill** con hab, pl. Àngel Guimerà 11 ☎ 801 01 30, Fax 801 04 04 – 🛗 🗏 r
🔟 🕿. 🖭 ⓪ 🖪 VISA. 🛠
cerrado del 2 al 9 de enero y del 3 al 18 de julio – **Comida** (cerrado domingo noche y lur.
carta 3700 a 5100 – ⤢ 700 – **10 hab** 4000/6500.

CAPILEIRA 18413 Granada **446** V 19 – 576 h. alt. 1 561 – 🕲 958.
Madrid 505 – Granada 76 – Motril 51.

🏠 **Finca Los Llanos** 🕸, carret. de Sierra Nevada ☎ 76 30 71, Fax 76 32 06, ⬍ – 🔟
🅿. 🖭 ⓪ 🖪 VISA. 🛠
Comida (cerrado miércoles) 1500 – ⤢ 500 – **15 apartamentos** 7000/10000 – PA 35

🏊 **Mesón Poqueira** 🕸, Dr. Castilla 1 ☎ 76 30 48, Fax 76 30 48, 🛋 – 🖭 ⓪ 🖪 VISA 』
🛠
Comida (cerrado lunes no festivos en invierno) 1300 – ⤢ 300 – **17 hab** 2000/350
PA 2700.

CARAVACA DE LA CRUZ 30400 Murcia **445** R 24 – 21 238 h. alt. 650 – 🕲 968.
Madrid 386 – Albacete 139 – Lorca 60 – Murcia 70.

🏨 **Central Caravaca** sin rest, Gran Vía 18 ☎ 70 70 55, Fax 70 73 69 – 🗏 🔟 🕿 ⬚
VISA. 🛠
30 hab ⤢ 6000/7500.

※ Cañota, Gran Vía 41 ☎ 70 88 44 – 🗏
Comida (sólo almuerzo).

CARAVIA ALTA 33344 Asturias **441** B 14 – 598 h. – 🕲 985.
Alred. : Mirador del Fito 🌣★★ S : 8 km.
Madrid 508 – Gijón 57 – Oviedo 73 – Santander 140.

CARBALLINO o **CARBALLIÑO** 32500 Orense **441** E 5 – 11 017 h. alt. 397 – 🕲 988 – Balnea
Madrid 528 – Orense/Ourense 29 – Pontevedra 76 – Santiago de Compostela 86.

🏨 **Baccus**, carret. de Pontevedra - O : 1,5 km ☎ 27 32 26, Fax 27 10 25 – 🔟 🕿 🅿
16 hab.

🏨 **Arenteiro** sin rest, Alameda 19 ☎ 27 05 50, Fax 27 31 56 – 🛗. 🖭 ⓪ 🖪 VISA. 🛠
⤢ 500 – **45 hab** 3800/5600.

🏠 **Noroeste** sin rest y sin ⤢, travesía Cerca 2 ☎ 27 09 70 – 🔟. VISA. 🛠
15 hab 3500.

CARBALLO 15100 La Coruña **441** C 3 – 24 898 h. alt. 106 – 🕲 981.
Madrid 636 – La Coruña/A Coruña 35 – Santiago de Compostela 45.

🏨 **Moncarsol** sin rest, av. Finisterre 9 ☎ 70 24 11, Fax 70 25 18 – 🛗 🔟 🕿 ⬚
🍴 25/75. 🖪 VISA. 🛠
⤢ 575 – **32 hab** 8000/9000.

※ **Chochi**, Perú 9 ☎ 70 23 11 – 🗏. 🖭 ⓪ VISA. 🛠
cerrado domingo – **Comida** carta aprox. 3300.

CARCAGENTE o **CARCAIXENT** 46740 Valencia **445** O 28 – 20 062 h. alt. 21 – 🕲 96.
Madrid 381 – Gandía 39 – Valencia 45 – Játiva/Xàtiva 18.

en la carretera C 3320 SO : 3 km – ⊠ 46740 Carcagente – 🕲 96 :
※ **Masía de la Calzada**, Partida de la Marjal 259 ☎ 243 04 33, 🛋, Decoración rús
– 🗏. 🖭 ⓪ 🖪 VISA
cerrado domingo noche salvo vísperas de festivos – **Comida** carta 3000 a 4400.

CARCHUNA 18730 Granada **446** V 19 – 🕲 958 – Playa.
Madrid 506 – Almería 98 – Granada 82.

por la carretera N 340 E : 2 km – ⊠ 18730 Carchuna – 🕲 958 :
🏨 Perla de Andalucía, urb. Perla de Andalucía ☎ 62 42 42, Fax 62 43 62, ⬍, 🛋, 🛋 -
🗏 🔟 🕿 ⬚
57 hab.

238

ARDEDEU 08440 Barcelona 443 H 37 − 9 074 h. alt. 193 − ✆ 93.
Madrid 648 − Barcelona 35 − Gerona/Girona 68 − Manresa 77.

XX **Racó del Santcrist**, Teresa Oller 35 ℘ 846 10 43, Pescados y mariscos − 🍽 ℗. 🆎 ⓞ Ⓔ *VISA*. ✖
cerrado domingo noche, lunes y 7 enero-7 febrero − **Comida** carta 3300 a 4200.

ARDONA 08261 Barcelona 443 G 35 − 6 402 h. alt. 750 − ✆ 93.
Ver : Colegiata★.
🇧 av. Rastrillo, ℘ 869 27 98.
Madrid 596 − Lérida/Lleida 127 − Manresa 32.

🏩 **Parador de Cardona** ⑤, ℘ 869 12 75, Fax 869 16 36, ≤ valle y montaña, « Instalado en un castillo medieval » − 🛗 🍽 📺 ☎ ℗ − 🔏 25/80. 🆎 ⓞ Ⓔ *VISA*. ✖
Comida 3200 − 🍴 1200 − **57 hab** 16500.

X **Perico** con hab, pl. del Valle 18 ℘ 869 10 20, Fax 869 10 20 − Ⓔ *VISA*.
Comida (cerrado viernes, del 23 al 30 de junio y del 15 al 21 de septiembre) carta 2800 a 4400 − 🍴 600 − **14 hab** 3000/5000.

CARLOTA 14100 Córdoba 446 S 15 − 8 843 h. alt. 213 − ✆ 957.
Madrid 428 − Córdoba 30 − Granada 193 − Sevilla 108.

🏨 **Puerto Isla**, autovía N IV - salida 434 ℘ 30 10 57, Fax 30 10 57 − 🛗 🍽 📺 ☎ ℗. Ⓔ *VISA*
Comida (ver rest. *La Isla del Velero*) − 🍴 500 − **34 hab** 5000/8000.

XX **La Isla del Velero**, autovía N IV - salida 434 ℘ 30 11 11, Fax 30 10 57, 🌿 − 🍽 ℗. Ⓔ *VISA*. ✖
Comida carta 2750 a 4550.

la antigua carretera N IV NE : 2 km − ⊠ 14100 La Carlota − ✆ 957 :

🏨 **El Pilar**, ℘ 30 01 67, Fax 30 06 19, ⌁, 🌿 − 🛗 🍽 📺 ☎ ℗ − 🔏 25/700. 🆎 ⓞ Ⓔ *VISA*. ✖
Comida (ver rest. *El Pilar*) − 🍴 425 − **83 hab** 5200/6775.

XX **El Pilar**, ℘ 30 01 67, Fax 30 06 19
⊜ 🍽 ℗. 🆎 ⓞ Ⓔ *VISA*. ✖
Comida carta 2950 a 4000.

ARMONA 41410 Sevilla 446 T 13 − 23 516 h. alt. 248 − ✆ 95.
Ver : Ciudad Vieja★.
Madrid 503 − Córdoba 105 − Sevilla 33.

🏰 **Parador de Carmona** ⑤, ℘ 414 10 10, Telex 72992, Fax 414 17 12, ≤ vega del Corbones, « Conjunto de estilo mudéjar », ⌁ − 🛗 🍽 📺 ☎ ℗ − 🔏 25/250. 🆎 ⓞ Ⓔ *VISA*. ✖
Comida 3500 − 🍴 1200 − **63 hab** 18000.

🏩 **Casa de Carmona**, pl. de Lasso 1 ℘ 414 33 00, Fax 414 37 52, « Instalado en un palacio del siglo XVI. Mobiliario de gran estilo » − 🛗 🍽 📺 ☎ ℗ − 🔏 25/70. 🆎 ⓞ Ⓔ *VISA* 🄹🄲🄱. ✖ rest
Comida carta 3100 a 4400 − 🍴 1500 − **29 hab** 19000/23000, 1 suite.

XX **San Fernando**, Sacramento 3 ℘ 414 35 56 − 🍽. 🆎 Ⓔ *VISA*
cerrado domingo noche, lunes y agosto − **Comida** carta 3800 a 4500.

ARMONA 39554 Cantabria 442 C 16 − ✆ 942.
Madrid 408 − Oviedo 162 − Santander 69.

XX **Venta de Carmona** ⑤ con hab, barrio del Palacio ℘ 72 80 57, ≤, « Elegante palacete del siglo XVII » − ℗. *VISA*. ✖
Comida carta 1650 a 2600 − 🍴 400 − **8 hab** 5280/6600.

CAROLINA 23200 Jaén 446 R 19 − 14 759 h. alt. 205 − ✆ 953.
Madrid 267 − Córdoba 131 − Jaén 66 − Úbeda 50.

🏩 **NH La Perdiz**, carret. N IV ℘ 66 03 00, Fax 68 13 62, « Conjunto de estilo rústico », ⌁, 🌿 − 🍽 📺 ☎ 🍴 ℗ − 🔏 25/400. 🆎 ⓞ Ⓔ *VISA* 🄹🄲🄱. ✖ rest
Comida 3500 − 🍴 1100 − **86 hab** 10000/13000.

🏠 **La Gran Parada** sin rest y sin 🍴, av. Vilches 9 ℘ 66 02 75 − ℗. ✖
24 hab 2500/3500.

en la carretera N IV *NE : 4 km – ✉ 23200 La Carolina – ✆ 953 :*

⌂ Orellana Perdiz, Navas de Tolosa ℘ 66 06 00, Fax 66 03 04, ⛱, 🏊, ✂ – ▤ 📺 ☎ ⇐ Ⓟ – 🎤 25/350
28 hab.

CARRASCOSA DEL CAMPO *16830 Cuenca* 444 *L 21 – 143 h. alt. 898 – ✆ 969.*

Madrid 105 – Cuenca 57 – Guadalajara 128 – Toledo 126.

⌂ El Prado ⛰ *sin rest,* ℘ 12 41 32, Fax 12 43 86 – 📺 ☎ Ⓟ
20 hab.

Pour voyager rapidement, utilisez les cartes Michelin "Grandes Routes" :
970 *Europe,* 976 *République Tchèque-République Slovaque,* 980 *Grèce,*
984 *Allemagne,* 985 *Scandinavie-Finlande,* 986 *Grande-Bretagne-Irlande,*
987 *Allemagne-Autriche-Benelux,* 988 *Italie,* 989 *France,*
990 *Espagne-Portugal,* 991 *Yougoslavie.*

CARRIL *36610 Pontevedra* 441 *E 3 – ✆ 986.*

Madrid 636 – Pontevedra 29 – Santiago de Compostela 38.

✕ ✿ **Loliña,** pl. del Muelle ℘ 50 12 81, ⛱, Pescados y mariscos, « Decoración rúst regional » – AE ⓓ E VISA. ✂
cerrado domingo noche, lunes y noviembre – **Comida** carta 3600 a 5100
Espec. Rape Loliña. Habas con bogavante. Arroz Loliña.

✕ **Casa Bóveda,** La Marina 2 ℘ 51 12 04, Pescados y mariscos – ▤. AE ⓓ VISA. ✂
cerrado domingo noche en invierno y 23 diciembre-20 enero – **Comida** carta 290 5100.

CARRIÓN DE LOS CONDES *34120 Palencia* 442 *E 16 – 2 534 h. alt. 830 – ✆ 979.*

Madrid 282 – Burgos 82 – Palencia 39.

✕✕ **Real Monasterio de San Zoilo** *con hab,* Obispo Souto ℘ 88 00 50, Fax 88 10 « Integrado en el antiguo Real Monasterio Benedictino » – |♦| ▤ rest 📺 ☎ Ⓟ 🎤 25/500. AE VISA
Comida carta aprox. 3910 – **27 hab** ☕ 5000/8000.

CARTAGENA *30200 Murcia* 445 *T 27 – 173 061 h. – ✆ 968.*

ℹ *pl. Ayuntamiento, ✉ 30202, ℘ 50 64 83.*
Madrid 444 ① – Alicante/Alacant 110 ① – Almería 240 ① – Lorca 83 ① – Murcia 49

Plano página siguiente

⌂⌂⌂ **Cartagonova** *sin rest,* Marcos Redondo 3, ✉ 30201, ℘ 50 42 00, Fax 50 59 66 – ▤ 📺 ☎. AE ⓓ E VISA. ✂ A
☕ 1000 – **126 hab** 7000/11700.

⌂⌂ **Alfonso XIII** *sin rest,* paseo Alfonso XIII-40, ✉ 30203, ℘ 52 00 00, Fax 50 05 02 – ▤ 📺 ☎ – 🎤 25/350. AE ⓓ E VISA B
☕ 875 – **216 hab** 6500/8750, 1 suite.

⌂⌂ **Los Habaneros,** San Diego 60, ✉ 30202, ℘ 50 52 50, Fax 50 91 04 – |♦| ▤ 📺 Ⓟ. AE ⓓ E VISA. ✂ B
Comida (ver rest. ***Los Habaneros***) – ☕ 450 – **62 hab** 4800/6000.

✕✕ **Emilio Marín,** Cartagena de Indias 15, ✉ 30203, ℘ 50 00 15, Fax 50 00 15 – ▤ VISA. ✂ A
cerrado domingo y del 15 al 31 de agosto – **Comida** carta 3100 a 4000.

✕✕ **Los Habaneros,** San Diego 60, ✉ 30202, ℘ 50 91 08, Fax 50 91 04 – ▤ Ⓟ. AE E VISA. ✂ B
Comida carta 2600 a 3600.

✕✕ **Tino's,** Escorial 13, ✉ 30201, ℘ 10 10 65 – ▤. AE ⓓ E VISA. ✂ A
Comida carta 2450 a 3425.

en la carretera de La Palma *N : 6 km – ✉ 30300 Barrio de Peral – ✆ 968 :*

✕✕ **Los Sauces,** ℘ 53 07 58, ⛱, « En pleno campo con agradable terraza » – ▤ Ⓟ. ⓓ E VISA. ✂
cerrado sábado y domingo mediodía en julio-agosto y domingo noche resto del añ
Comida carta 3600 a 4400.

CARTAGENA

Almirante Bastarreche (Pl.) .	B	3
América (Av. de)	B	4
Duque	B	6
Isaac Peral	A	7
Jacinto Benavente	B	9
Juan Fernández	A	10
Juan Muñoz Delgado	B	12
Menéndez y Pelayo	A	13
Parque	A	15
Puerta de Murcia	A	16
Ronda	A	18
San Francisco (Pl.)	A	19
Serreta	A	22
Universidad (Pl. de la)	B	24

tro Santos	A
por	A
Fernando	A
ta Florentina	A

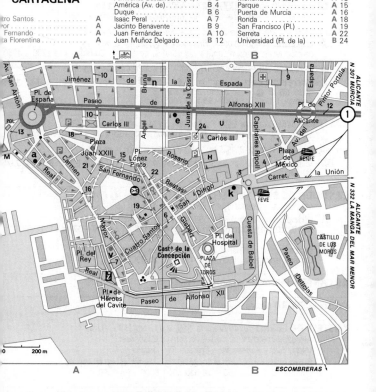

Si vous cherchez un hôtel tranquille,
consultez d'abord les cartes de l'introduction
ou repérez dans le texte les établissements indiqués avec le signe ⑤ ou ⑤.

RVAJAL *Málaga - ver Fuengirola.*

SAS DEL RÍO *46356 Valencia* **445** *O 26 - ☎ 96.*
Madrid 303 - Albacete 129 - Almansa 86 - Valencia 94.

La Noria del Cabriel ⑤, Requena 9 ℘ 230 03 16, Fax 230 03 38 - 🗎 📺 ☎. ⓪ 🇪
VISA. 🛠 rest
cerrado del 15 al 31 de diciembre - **Comida** *(cerrado domingo noche)* 1800 - ☲ 500 -
10 hab 4000/5000.

SCANTE *31520 Navarra* **442** *G 24 - 3312 h. - ☎ 948.*
Madrid 307 - Logroño 104 - Pamplona/Iruñea 94 - Soria 81 - Zaragoza 85.

Mesón Ibarra, *Vicente y Tutor 3* ℘ 85 04 77 - 🗎. 🇪 *VISA.* 🛠
cerrado lunes y del 1 al 15 de septiembre - **Comida** *carta 2235 a 3825.*

SES D'ALCANAR *Tarragona - ver Alcanar.*

SPE *50700 Zaragoza* **443** *I 29 - 7901 h. alt. 152 - ☎ 976.*
Madrid 397 - Lérida/Lleida 116 - Tortosa 95 - Zaragoza 108.

Mar de Aragón *sin rest y sin* ☲, *pl. Estación* ℘ 63 03 13, Fax 63 07 87, ☳ - 🛗 🗎
☎ 🚗. 🇪 *VISA*
40 hab 3300/5700.

CASTALLA 03420 Alicante 445 Q 27 – 7 205 h. alt. 630 – ✿ 96.
Madrid 376 – Albacete 129 – Alicante/Alacant 37 – Valencia 138.

en la carretera de Villena N : 2,5 km – ✉ 03420 Castalla – ✿ 96 :

XX **Izaskun,** ℰ 656 08 08, Cocina vasca – ✿. AE ⓞ E VISA. ✸
cerrado lunes, Semana Santa y del 15 al 31 de enero – **Comida** carta 2200 a 4250.

por la carretera de Petrer SO : 10 km – ✉ 03420 Castalla – ✿ 96 :

🏨 **Xorret del Catí** ✍, Partida del Catí ℰ 556 04 00, Fax 556 04 01, ≼, ┣ᴓ, ⫧, ✸
┣ ▤ TV ☎ ❷ – ⚓ 25/50. AE E VISA. ✸
Comida 1700 – � 500 – **55 hab** 7065/8240.

CASTEJÓN 31590 Navarra 442 F 24 y 25 – 3 114 h. alt. 273 – ✿ 948.
Madrid 324 – Logroño 83 – Pamplona/Iruñea 85 – Soria 97 – Tudela 18.

en la carretera N 232 S : 5,5 km – ✉ 31590 Castejón – ✿ 948 :

🏨 Villa de Castejón, ℰ 84 20 12, Fax 84 20 14, ≼, ⫧ – ┣ ▤ TV ☎ ❷ – ⚓ 25/5
90 hab.

CASTEJÓN DE SOS 22466 Huesca 443 E 31 – 466 h. – ✿ 974.
Madrid 524 – Huesca 134 – Lérida/Lleida 134.

🏠 **Pirineos** ✍, El Real 38 ℰ 55 32 51 – E VISA. ✸
enero-octubre – **Comida** (cerrado domingo) 1650 – ⊕ 400 – **37 hab** 2200/4000 –
3000.

🏯 **Plaza** ✍, pl. del Pilar 2 ℰ 55 30 50 – ⟿. E VISA. ✸
Comida (sólo cena) 1600 – ⊕ 450 – **9 hab** 3900/5400.

ES CASTELL Baleares – ver Menorca.

CASTELL D'ARO Gerona – ver Castillo de Aro.

CASTELL DE FERRO 18740 Granada 446 V 19 – ✿ 958 – Playa.
Alred. : Carretera ★ de Castell de Ferro a Calahonda.
Madrid 528 – Almería 90 – Granada 99 – Málaga 131.

🏯 **Ibérico,** carret. N 340 ℰ 65 60 80, ⫧ – ┣ TV ☎ ❷. E VISA. ✸ rest
Comida 1500 – ⊕ 250 – **16 hab** 3000/6000 – PA 2900.

CASTELLAR DE NUCH o CASTELLAR DE N'HUG 08696 Barcelona 443 F 36 – 162 h.
1395 – ✿ 93.
Madrid 666 – Manresa 89 – Ripoll 39.

🏠 **Les Fonts** ✍, SO : 3 km ℰ 825 70 89, Fax 825 70 89, ≼, ≈, – TV ☎ ❷. AE E ▮
✸ rest
cerrado enero-marzo (salvo fines de semana), del 1 al 10 de julio y del 2 al 10 de noviem.
– **Comida** (cerrado martes) 2100 – ⊕ 700 – **25 hab** 9000.

CASTELLAR DEL VALLÉS 08211 Barcelona 443 H 36 – 13 481 h. – ✿ 93.
Madrid 625 – Barcelona 28 – Sabadell 8.

en la carretera de Terrassa SO : 5 km – ✉ 08211 Castellar del Vallés – ✿ 93 :

XX **Can Font,** ℰ 714 53 77, ⟨⟩, Decoración rústica catalana, ⫧, ✸ – ▤ ❷. AE ⓞ E
cerrado martes y del 4 al 22 de agosto – **Comida** carta 2950 a 5050.

CASTELLAR DE LA FRONTERA 11350 Cádiz 446 X 13 – 2 299 h. alt. 257 – ✿ 956.
Madrid 698 – Algeciras 27 – Cádiz 150 – Gibraltar 27.

🏰 **La Almoraima** ✍, SE : 8 km ℰ 69 30 02, Fax 69 32 14, « Antigua casa-convento
un gran parque », ⫧, ≈, ✸ – ▤ ☎ ❷. AE ⓞ E VISA. ✸ rest
Comida 3000 – ⊕ 750 – **17 hab** 8000/13000 – PA 6000.

CASTELLBISBAL 08755 Barcelona 443 H 35 – 4 969 h. – ✿ 93.
Madrid 605 – Barcelona 27 – Manresa 40 – Tarragona 84.

en la carretera de Martorell a Terrassa C 243 O : 9 km – ✉ 08755 Castellbisbal – ✿

XX **Ca L'Esteve,** ℰ 775 56 90, Fax 774 18 23, ⟨⟩, ✸ – ▤ ❷. AE ⓞ E VISA JCB.
cerrado lunes noche, martes y del 18 al 30 de agosto – **Comida** carta 2865 a 475▮

STELLCIUTAT Lérida – ver Seo de Urgel.

STELLDEFELS 08860 Barcelona **443** I 35 – 33 023 h. – ✆ 93 – Playa.
🛈 pl. de la Iglesia 1, ☏ 665 11 50, Fax 665 77 14.
Madrid 615 – Barcelona 24 – Tarragona 72.

 ⅂ **Cal Mingo**, pl. Pau Casals 2 ☏ 664 49 62, Fax 664 56 26 – 🗐. 🆎 ⓪ 🗲 🆅🆂🅰. ⅏
cerrado domingo noche y Semana Santa – **Comida** carta 3150 a 4250.

 ⅂ **La Buona Tavola**, Mayor 17 ☏ 665 37 55, Cocina italiana – 🗐. 🆎 ⓪ 🗲 🆅🆂🅰 🅹🅲🅱. ⅏
cerrado miércoles y Semana Santa – **Comida** carta 3100 a 4000.

el barrio de la playa :

 🏨 **Rancho H.**, passeig de la Marina 212 ☏ 665 19 00, Fax 636 08 32, 🍽, 🏊 – 📶 🗐 📺
☎ ⅄ ⟵ – 🅰 70/250. 🆎 ⓪ 🗲 🆅🆂🅰
Comida 2700 – **104 hab** ☑ 8000/10000.

 🏨 **Mediterráneo**, passeig Maritim 294 ☏ 665 21 00, Telex 80117, Fax 665 22 50, 🏊 –
📶 🗐 📺 ☎ ⟵ – 🅰 25/200. 🆎 ⓪ 🗲 🆅🆂🅰. ⅏ rest
Comida 2650 – ☑ 1150 – **47 hab** 9600/12700 – PA 5300.

 🏨 **Luna**, passeig de la Marina 155 ☏ 665 21 50, Fax 665 22 12, 🍽, 🏊, 🌴 – 📶 🗐 📺
☎ ⓟ – 🅰 25/60. 🆎 ⓪ 🗲 🆅🆂🅰 🅹🅲🅱. ⅏ rest
Comida 2400 – ☑ 1000 – **30 hab** 8000/10000.

 🏨 **Playafels**, playa Ribera de San Pedro 1-9 ☏ 665 12 50, Fax 664 10 01, ≤, 🏊 – 📶 🗐
📺 ☎ ⓟ. 🆎 ⓪ 🗲 🆅🆂🅰
Comida 2700 – **34 hab** ☑ 10000/12000.

 🏨 **Neptuno**, av. dels Banys 45 ☏ 664 43 63, Fax 665 22 12, 🍽 – 🗐 📺 ☎. 🆎 ⓪ 🗲
🆅🆂🅰
Comida *(cerrado lunes)* 1750 – ☑ 600 – **16 hab** 6000/7500 – PA 3485.

 ⅩⅩ **La Canasta**, passeig Marítim 197 ☏ 665 68 57, Fax 636 02 88, 🍽 – 🗐. 🆎 ⓪ 🗲 🆅🆂🅰.
⅏
cerrado martes – **Comida** carta 4675 a 5450.

 ⅩⅩ **Nautic**, passeig Marítim 374 ☏ 665 01 74, Fax 665 23 54, ≤, Decoración marinera. Pescados y mariscos – 🗐. 🆎 ⓪ 🗲 🆅🆂🅰 🅹🅲🅱
Comida carta aprox. 3600.

 ⅩⅩ **Pepperone**, av. dels Banys 39 ☏ 665 03 66, Fax 865 44 58, 🍽 – 🗐. 🆎 ⓪ 🗲 🆅🆂🅰.
⅏
cerrado 18 enero-17 febrero – **Comida** carta aprox. 4900.

la carretera C 246 – ✉ 08860 Castelldefels – ✆ 93 :

 🏨 **Saratoga**, av. Castelldefels 191 - S : 1,5 km ☏ 636 07 76, Fax 664 16 91, 🏊 – 📶 🗐
📺 ☎ ⓟ. 🆎 ⓪ 🗲 🆅🆂🅰 🅹🅲🅱
Comida carta aprox. 3200 – **14 hab** ☑ 8500/10500, 12 apartamentos.

 🏨 Riviera, E : 2 km ☏ 665 14 00, Fax 665 14 04 – 📺 ⓟ
37 hab.

 ⅂ **Las Botas**, av. Constitución 326 - SO : 2,5 km ☏ 665 18 24, Fax 665 18 24, 🍽,
Decoración típica – ⓟ. 🆎 ⓪ 🗲 🆅🆂🅰. ⅏
cerrado domingo noche en invierno – **Comida** carta 3250 a 3700.

Torre Barona O : 2,5 km – ✉ 08860 Castelldefels – ✆ 93 :

 🏨 G. H. Rey Don Jaime, av del Hotel 22 ☏ 665 13 00, Fax 665 18 01, 🍽, 🎦, 🏊, 🏊, 🌴
– 🗐 📺 ☎ ⟵ ⓟ – 🅰 25/170
240 hab.

STELLÓ DE AMPURIAS o **CASTELLÓ D'EMPÚRIES** 17486 Gerona **443** F 39 – 3 645 h.
alt. 17 – ✆ *972.*
Ver : Iglesia de Santa María (retablo★) – Costa★.
🛈 pl. dels Homes 1, ☏ 15 62 33.
Madrid 753 – Figueras/Figueres 8 – Gerona/Girona 46.

 🏨 **Allioli**, carret. Figueras-Rosas, urb. Castellnou ☏ 25 03 20, Fax 25 03 00, Decoración
rústica catalana – 📶 🗐 📺 ☎ ⟵ ⓟ. 🆎 🗲 🆅🆂🅰
cerrado 20 diciembre-20 febrero – **Comida** 1650 – ☑ 550 – **38 hab** 6000/11000 – PA
3500.

 🏨 **Hostal Canet**, pl. Joc de la Pilota 2 ☏ 25 03 40, Fax 25 06 07, 🍽, 🏊 – 📶 🗐 rest 📺
☎ ⓟ – 🅰 60. 🗲 🆅🆂🅰 🅹🅲🅱. ⅏ rest
cerrado 3 noviembre-3 diciembre – **Comida** *(cerrado lunes en invierno)* 1100 – **21 hab**
☑ 4500/6000.

Emporium, Santa Clara 31 ℘ 25 05 93, Fax 25 06 61, 斎 – 🍽 rest ❷. AE VISA, ⑨
cerrado octubre – **Comida** (cerrado sábado salvo en verano) 1300 – ♀ 600 – **43 ha**
3500/5700 – PA 2750.

Ver también : **Ampuriabrava.**

CASTELLÓN DE LA PLANA o **CASTELLÓ DE LA PLANA** 12000 🅿 445 M 29
138 489 h. alt. 28 – ✆ 964.

🇹 del Mediterráneo, urbanización la Coma N : 3,5 km por ① ℘ 32 12 27 – 🇹 Costa ◉
Azahar, NE : 6 km B ℘ 28 09 79, Fax 28 09 79.

🅱 pl. María Agustina 5, ⊠ 12003, ℘ 22 10 00, Fax 22 77 03 – R.A.C.E. Pintor Orient ◉
⊠ 12001, ℘ 25 38 06.

Madrid 426 ② – Tarragona 183 ① – Teruel 148 ③ – Tortosa 122 ① – Valencia 75 ◉

CASTELLÓ DE LA PLANA		
Enmedio	A	
Arrufat Alonso	A	2
Barrachina	A	3
Benasal	A	4
Buenavista (Pas. de)	B	7
Burriana (Av.)	A	8
Canarias	B	9

Cardenal Costa (Av.)	A
Carmen (Pl. del.)	B
Churruca	B
Doctor Clará (Av.)	A
Espronceda (Av.)	A
Guitarrista Tárrega	A
Joaquín Costa	A
Maestro Ripollés	A
Mar (Av. del)	A
María Augustina (Pl.)	A
Morella (Pas.)	A
Oeste (Parque del)	A
Orfebres Santalínea	A
País Valencià (Pl.)	A
Rafalafena	A
Sanahuja	A
Sebastián Elcano	B
Tarragona	A
Teodoro Llorens	A
Trevalladors del Mar	B
Vinatea (Ronda)	A
Zaragoza	A

Intur Castellón, Herrero 20, ⊠ 12002, ℘ 22 50 00, Fax 23 26 06, 🛴 – 🛗 🚿 📺
◉ – 🏋 25/220. AE ❶ E VISA. 🍴
Comida 2600 – ♀ 1000 – **118 hab** 13000/16300, 5 suites – PA 6000.

NH Mindoro, Moyano 4, ⊠ 12002, ℘ 22 23 00, Fax 23 31 54, 🛴 – 🛗 🚿 📺 ☎ ◉
– 🏋 25/300. AE ❶ E VISA. 🍴
Comida 1800 – ♀ 1000 – **93 hab** 10000/15000, 12 suites.

Jaime I, ronda Mijares 67, ⊠ 12002, ℘ 25 03 00, Fax 20 37 79 – 🛗 🚿 📺 ☎ ◉
🏋 25/200. AE ❶ E VISA. 🍴 rest
Comida 2100 – ♀ 900 – **89 hab** 7700/8800 – PA 4335.

🏨 **Doña Lola,** Lucena 3, ⊠ 12006, 𝒫 21 40 11, Fax 25 22 35 – 🗐 📺 ☎ – 🔏 25/100.
🖭 ⓞ 🖹 𝒱𝒾𝒮𝒜. ⅏
cerrado Semana Santa – **Comida** (cerrado sábado) 1700 – ⊇ 550 – **36 hab** 5135/6740
– PA 3950.
A c

🏨 **Real** sin rest y sin ⊇, pl. del Real 2, ⊠ 12001, 𝒫 21 19 44, Fax 21 19 44 – 🗐 🗐 📺
☎. 🖭 ⓞ 🖹 𝒱𝒾𝒮𝒜.
36 hab 4135/6425.
A s

🏨 **Zaymar** sin rest, Historiador Viciana 6, ⊠ 12006, 𝒫 25 43 81, Fax 21 79 90 – 🗐 🗐 📺
☎. 🖭 ⓞ 🖹 𝒱𝒾𝒮𝒜. ⅏
27 hab ⊇ 4920/6420.
A h

🍴🍴 **Peñalen,** Fola 11, ⊠ 12002, 𝒫 23 41 31 – 🗐. 🖭 🖹 𝒱𝒾𝒮𝒜
cerrado domingo y agosto – **Comida** carta 4100 a 4700.
A x

🍴🍴 **Delmónico,** pl. Cometa Halley 7, ⊠ 12005, 𝒫 26 00 44 – 🗐. 🖭 ⓞ 🖹 𝒱𝒾𝒮𝒜
cerrado domingo, 15 agosto-1 septiembre y Navidades – **Comida** carta 3700 a 5100.
A r

🍴 **Arro, pes,** Benárabe 5, ⊠ 12005, 𝒫 23 76 58
🐟 🗐. 🖭 🖹 𝒱𝒾𝒮𝒜
cerrado lunes y agosto – Comida carta 2700 a 3600.
A u

🍴 **Mesón Navarro II,** Amadeo I-8, ⊠ 12001, 𝒫 25 09 66, Fax 25 09 66 – 🗐. 🖭 🖹 𝒱𝒾𝒮𝒜
cerrado domingo noche, lunes y 10 agosto-10 septiembre – **Comida** carta 2350 a
3800.
A f

🍴 **Eleazar,** Ximénez 14, ⊠ 12001, 𝒫 23 48 61 – 🗐. 🖹 𝒱𝒾𝒮𝒜
cerrado domingo noche, lunes y agosto – **Comida** carta 2350 a 4450.
A a

n el puerto (Grao) E : 5 km – ⊠ 12100 El Grao – ☎ 964 :

🏨 **Turcosa,** Treballadors de la Mar 1 𝒫 28 36 00, Fax 28 47 37, ≤ – 🗐 🗐 📺 ☎ B b
70 hab.

🍴🍴🍴 **Mare Nostrum,** paseo Buenavista 32 𝒫 28 29 29 – 🗐. 🖭 🖹 𝒱𝒾𝒮𝒜. ⅏ B t
cerrado sábado mediodía, domingo y del 13 al 27 de enero – **Comida** carta 4200 a 5400.

🍴🍴 **Rafael,** Churruca 28 𝒫 28 21 85, Pescados y mariscos – 🗐. 🖭 ⓞ 🖹 𝒱𝒾𝒮𝒜 B s
cerrado domingo, festivos, del 1 al 15 de septiembre y 24 diciembre-8 enero – **Comida**
carta 3900 a 4600.

🍴🍴 **Brisamar,** paseo Buenavista 26 𝒫 28 36 64, Fax 28 03 36, 🍽 – 🗐. 🖭 ⓞ 🖹 𝒱𝒾𝒮𝒜. ⅏
cerrado martes y octubre – **Comida** carta 2750 a 3700.
B t

🍴🍴 **Club Náutico,** Escollera Poniente 𝒫 28 24 33, Fax 28 24 33, ≤, 🍽 – 🗐 🅿. 🖭 ⓞ
🖹 𝒱𝒾𝒮𝒜. ⅏
cerrado domingo noche salvo julio-agosto – **Comida** carta 3500 a 5700.
B

🍴 **Tasca del Puerto,** av. del Puerto 13 𝒫 28 44 81, Fax 28 50 33, 🍽 – 🗐. 🖭 ⓞ 🖹
𝒱𝒾𝒮𝒜. ⅏
cerrado domingo noche y lunes en invierno, domingo en verano y del 15 al 31 de enero
– **Comida** carta 3485 a 3915.
B a

🍴 **Casa Falomir,** paseo Buenavista 25 𝒫 28 22 80, Pescados y mariscos – 🗐. ⓞ 𝒱𝒾𝒮𝒜. ⅏
cerrado domingo noche, lunes y Navidades – **Comida** carta 2045 a 5450.
B r

ASTELLVELL Tarragona – ver Reus.

ASTIELLO DE JACA 22710 Huesca 𝟦𝟦𝟥 E 28 – 139 h. alt. 921 – ☎ 974.
Madrid 488 – Huesca 98 – Jaca 7.

🏨 **El Mesón,** carret. de Francia 4 𝒫 35 00 45, Fax 35 00 06, ≤ – 📺 ☎. 🖹 𝒱𝒾𝒮𝒜. ⅏
Comida (cerrado domingo noche) 1500 – ⊇ 450 – **25 hab** 3250/5500.

ASTILLEJA DE LA CUESTA 41950 Sevilla 𝟦𝟦𝟨 T 11 – 15 205 h. alt. 104 – ☎ 95.
Madrid 541 – Huelva 82 – Sevilla 5.

🏨 **Hacienda San Ygnacio,** Real 194 𝒫 416 04 30, Fax 416 14 37, 🍽, « Instalado en
una antigua hacienda », 🏊, 🌳 – 🗐 📺 ☎ 🅿 – 🔏 25/200. 🖭 ⓞ 🖹 𝒱𝒾𝒮𝒜 🃏. ⅏ rest
- **Almazara** (cerrado domingo noche y lunes) **Comida** carta 3100 a 4600 – ⊇ 1100 –
16 hab 14000/19000.

ASTILLO DE ARO o **CASTELL D'ARO** 17853 Gerona 𝟦𝟦𝟥 G 39 – 4 785 h. – ☎ 972.
Madrid 711 – Barcelona 100 – Gerona/Girona 35.

🍴🍴 **Joan Piqué,** barri de Crota 3 𝒫 81 79 25, Fax 82 55 50, 🍽, « Masía del siglo XIV » –
⅏ 🗐 🅿. 🖭 ⓞ 🖹 𝒱𝒾𝒮𝒜. ⅏
cerrado lunes noche y martes (salvo julio-agosto) y noviembre – **Comida** carta 3550 a 5550
Espec. Foie caramelizado con salsa de mango y Oporto. Lasaña de morro de ternera con
butifarra negra. Coulant de chocolate.

CASTILLO DE LA DUQUESA Málaga – ver Manilva.

CASTRIL 18816 Granada 🔢🔢🔢 S 21 – 3 074 h. alt. 959 – 🕾 958.
Madrid 423 – Jaén 154 – Úbeda 100.

⚲ **La Fuente**, carret. de Pozo Alcón 🐾 72 00 30 – ▤ rest. 🅰🅴 ✷
Comida 1200 – ⊡ 300 – **38 hab** 2200/3500 – PA 2500.

CASTRILLO DEL VAL 09193 Burgos 🔢🔢🔢 F 19 – 1612 h. alt. 939 – 🕾 947.
Madrid 243 – Burgos 11 – Logroño 114 – Vitoria/Gasteiz 116.

en la carretera N 120 NE : 3 km – ✉ 09193 Castrillo del Val – 🕾 947 :

🏨 Camino de Santiago 🦑, urb. Los Tomillares 🐾 42 12 93, Fax 42 10 77 – 🛗 📺 ☎ ⇔
🅿 – 🏊 400
Comida (ver rest. Los Braseros) – **40 hab.**

🍴🍴 Los Braseros, urb. Los Tomillares 🐾 42 12 01, Fax 42 10 77 – ▤ 🅿.

CASTRILLO DE LOS POLVAZARES 24718 León 🔢🔢🔢 E 11 – alt. 907 – 🕾 987.
Madrid 339 – León 48 – Ponferrada 61 – Zamora 132.

🏨 **Cuca la Vaina** 🦑, Jardín 🐾 69 10 78, Fax 69 10 78 – 🄴 🆅🅸🆂🅰 ✷ rest
cerrado del 8 al 30 de enero – **Comida** (cerrado lunes) 2500 – **7 hab** ⊡ 600
8000.

CASTRO URDIALES 39700 Cantabria 🔢🔢🔢 B 20 – 13 575 h. – 🕾 942 – Playa.
🔼 pl. del Ayuntamiento, 🐾 86 19 97.
Madrid 430 – Bilbao/Bilbo 34 – Santander 73.

🏨 La Sota sin rest, La Correría 1 🐾 87 11 88, Fax 87 12 84 – 🛗 📺 ☎
19 hab.

🍴🍴 Mesón El Segoviano, La Correría 19 🐾 86 18 59,
🏮.

🍴🍴 **Mesón Marinero**, La Correría 23 🐾 86 00 05, 🏮 – ▤. 🅰🅴 🅾 🄴 🆅🅸🆂🅰
Comida carta 3475 a 4825.

🍴 **El Abra**, Ardigales 48 🐾 87 04 74 – ▤. 🄴 🆅🅸🆂🅰 ✷
cerrado miércoles y enero-5 febrero – **Comida** carta 2800 a 4550.

🍴 **La Marina**, La Plazuela 16 🐾 86 13 45 – 🄴 🆅🅸🆂🅰 ✷
cerrado martes y 23 diciembre-5 enero – **Comida** carta 2400 a 4200.

en la playa – ✉ 39700 Castro Urdiales – 🕾 942 :

🏨 **Las Rocas**, av. de la Playa 🐾 86 04 00, Fax 86 13 82, ≤ – 🛗 📺 ☎ ⇔ – 🏊 25/1
🅰🅴 🅾 🄴 🆅🅸🆂🅰 ✷ rest
Comida (cerrado 20 diciembre-10 enero) 2600 – ⊡ 650 – **60 hab** 7500/13500 – PA 50

🏨 **Miramar**, av. de la Playa 1 🐾 86 02 00, Fax 87 09 42, ≤, 🏮 – 🛗 📺 ☎. 🅰🅴 🅾 🄴 ▮
✷ rest
marzo-octubre – **Comida** 2100 – ⊡ 575 – **34 hab** 7500/9000.

CASTROJERIZ 09110 Burgos 🔢🔢🔢 F 17 – 904 h. alt. 808 – 🕾 947.
Madrid 249 – Burgos 43 – Palencia 48 – Valladolid 99.

🏨 La Posada, Landelino Tardajos 5 🐾 37 86 10, Fax 37 86 11 – 🛗 📺 ☎
Comida (ver rest. El Mesón) – **21 hab.**

🍴 El Mesón con hab, Cordón 1 🐾 37 74 00 – **7 hab.**

CASTROPOL 33760 Asturias 🔢🔢🔢 B 8 – 4 913 h. – 🕾 98 – Playa.
Madrid 589 – La Coruña/A Coruña 173 – Lugo 88 – Oviedo 154.

🏨 **Peña-Mar**, carret. N 640 🐾 563 51 49, Fax 563 54 98 – 🛗 📺 ☎ ⇔ 🅿. 🅰🅴 🄴
✷
Comida (ver rest. **Peña-Mar**) – ⊡ 450 – **24 hab** 8000/9000.

🍴 **Casa Vicente** con hab, carret. N 640 🐾 563 50 51, ≤ – 🅿. 🅰🅴 🅾 🄴 🆅🅸🆂🅰 ✷
cerrado octubre – **Comida** (cerrado martes) carta 3150 a 4600 – ⊡ 350 – **14** ▮
3000/5500.

🍴 **Peña-Mar**, carret. N 640 🐾 563 50 06, Fax 563 54 98, ≤ – 🅿. 🅰🅴 🄴 🆅🅸🆂🅰 ✷
cerrado jueves y noviembre – **Comida** carta 3000 a 4900.

CASTROVERDE DE CAMPOS *49110 Zamora* 441 *G 14 – 468 h. alt. 707 – ☎ 980.*
Madrid 261 – Benavente 34 – León 90 – Palencia 77 – Valladolid 69 – Zamora 69.

X **Mesón del Labrador,** Doctor Corral 27 ✆ 66 46 53, Fax 66 46 53 – ▤. E VISA. ✻
Comida carta 2500 a 3700.

CATARROJA *46470 Valencia* 445 *N 28 – 20 157 h. alt. 16 – ☎ 96.*
Madrid 359 – Valencia 8.

X **Gurugú,** Sant Pere 21 ✆ 126 00 47 – ▤. AE ⓓ E VISA. ✻
cerrado domingo, Semana Santa y agosto – **Comida** (sólo almuerzo salvo fines de semana) carta 2400 a 3550.

La CAVA *Tarragona – ver Deltebre.*

CAZALLA DE LA SIERRA *41370 Sevilla* 446 *S 12 – 5 016 h. alt. 590 – ☎ 95.*
Madrid 493 – Aracena 83 – Écija 102 – Sevilla 95.

Posada del Moro ⛰, paseo del Moro ✆ 488 48 58, Fax 488 48 58, ⛱, ⛱ – ▤ TV. ⓓ VISA. ✻ rest
Comida 2000 – **15 hab** ☕ 4000/7000 – PA 4000.

por la carretera de Constantina *NE : 3 km y desvío a la izquierda 1,5 km – ✉ 41370 Cazalla de la Sierra – ☎ 95 :*

Villa Turística de Cazalla de la Sierra ⛰, ✆ 488 33 08, Fax 488 33 12, ←, ⛱, ⛱, ✂ – ▤ TV ☎ P – 🏛 25/100
13 hab, 26 apartamentos.

CAZORLA *23470 Jaén* 446 *S 20 – 8 885 h. alt. 790 – ☎ 953.*
Alred. : *Sierra de Cazorla★★ (Hornos : emplazamiento★) – Carretera de acceso al Parador★ (← ★★) SE : 25 km.*
ℹ Juan Domingo 2, ✆ 72 01 15, Fax 71 00 68.
Madrid 363 – Jaén 101 – Úbeda 46.

Villa Turística de Cazorla ⛰, Ladera de San Isicio ✆ 71 01 00, Fax 71 01 52, ←, ⛱, ⛱ – ▤ TV ☎ P – 🏛 25. E VISA. ✻
Comida 1400 – ☕ 750 – **32 apartamentos** 7500/10200.

Don Diego *sin rest*, Hilario Marco 163 ✆ 72 05 31, Fax 72 05 45 – ▤ TV ☎ 🚗 P. AE ⓓ E VISA
☕ 500 – **23 hab** 3500/5200.

Peña de los Halcones *sin rest*, travesía Camino de la Iruela ✆ 72 02 11, Fax 72 13 35, ← – |‡| ▤ TV ☎
24 hab.

Andalucía *sin rest*, Martínez Falero 42 ✆ 72 12 68 – ☎ 🚗. AE E VISA. ✻
☕ 390 – **11 hab** 2400/4700.

Parque *sin rest*, Hilario Marco 62 ✆ 72 18 06, Fax 72 18 06 – TV ☎ 🚗. VISA. ✻
☕ 450 – **8 hab** 3200/4600.

Guadalquivir *sin rest*, Nueva 6 ✆ 72 02 68, Fax 72 02 68 – 🚗. E VISA. ✻
☕ 375 – **14 hab** 2850/3750.

X **La Sarga,** pl. del Mercado ✆ 72 15 07, ⛱
▤. VISA. ✻
cerrado martes y septiembre – **Comida** carta 3100 a 3500.

en la Sierra de Cazorla – *✉ 23470 Cazorla – ☎ 953 :*

Parador de Cazorla ⛰, Lugar Sacejo - E : 26 km - alt. 1 400 ✆ 72 70 75, Fax 72 70 77, ← montañas, « En plena Sierra de Cazorla », ⛱, ⛱ – TV ☎ P. AE ⓓ E VISA. ✻
Comida 3200 – ☕ 1200 – **33 hab** 13500.

Noguera de la Sierpe ⛰, carret. del Tranco - NE : 30 km ✆ 71 30 21, Fax 71 31 09, ⛱ – ▤ rest TV ☎ P. VISA
Comida carta 1600 a 3850 – **42 hab** ☕ 6000/8500.

Mirasierra ⛰, carret. del Tranco - NE : 36,3 km ✆ 71 30 44, Fax 71 30 44, ⛱ – ▤ rest P. E VISA. ✻
cerrado 15 enero-15 febrero – **Comida** 1450 – ☕ 500 – **19 hab** 3600/4800 – PA 3400.

CEDEIRA 15350 La Coruña **441** B 5 – 7 450 h. – ✆ 981 – Playa.
Madrid 659 – La Coruña/A Coruña 106 – Ferrol 37.

XX **Avenida** con hab, Cuatro Caminos 66 ✆ 48 09 98, Fax 48 23 89 – 🗏 rest 📺 ✆.
🗉 *VISA*. ⚘
Comida carta aprox. 2750 – � 600 – **11 hab** 5000/8000.

CÉE 15270 La Coruña **441** D 2 – 6 921 h. – ✆ 981 – Playa.
Madrid 710 – La Coruña/A Coruña 97 – Santiago de Compostela 89.

🏠 **La Marina,** av. Fernando Blanco 26 ✆ 74 67 52, Fax 74 65 11 – 📶 📺 ✆. 🖭 🗉 🖗
⚘
Comida 1300 – ⊑ 250 – **29 hab** 4500/6000.

CELADA 24395 León **441** E 11 – ✆ 987.
Madrid 324 – Astorga 4 – León 47 – Ponferrada 66.

🏠 **La Paz,** carret. N VI ✆ 61 52 77, Fax 61 75 03, 🔄, ⚘ – 📺 🚗 🅿. 🖭 🗉 🖗
⚘ rest
Comida 1000 – ⊑ 450 – **38 hab** 3000/4500.

CELANOVA 32800 Orense **441** F 6 – 5 902 h. alt. 519 – ✆ 988.
Ver : *Monasterio (claustro★★).*
Alred. : *Santa Comba de Bande (iglesia★) S : 16 km.*
Madrid 488 – Orense/Ourense 26 – Vigo 99.

🏠 **Betanzos,** Celso Emilio Ferreiro 7 ✆ 45 10 36, Fax 45 10 11 – 📶 🗏 rest 📺 ✆. 🖭
VISA. ⚘
Comida 1600 – ⊑ 300 – **33 hab** 3000/4500 – PA 3400.

CELLERS Lérida – ver Sellés.

CENAJO Murcia **445** Q 24 – ✉ 30440 Moratalla – ✆ 968.
Madrid 333 – Albacete 88 – Lorca 102 – Murcia 115.

🏨 **Cenajo** ⌖, junto al embalse ✆ 72 10 11, Fax 72 06 45, ≼, 🔄, 🔲, 🛥, ⚘ – 🗏
✆ 🅿 – 🔬 25/150. *VISA*. ⚘ rest
Comida 2200 – ⊑ 765 – **77 hab** 4660/7770 – PA 4415.

CENES DE LA VEGA 18190 Granada **446** U 19 – 2 384 h. alt. 741 – ✆ 958.
Madrid 439 – Granada 7.

XXX **Ruta del Veleta,** carret. de Sierra Nevada 136 ✆ 48 61 34, Fax 48 62 93, « Decorac
típica » – 🗏 🅿. 🖭 ⓞ 🗉 *VISA* 🇯🇨🇧. ⚘
cerrado domingo noche – **Comida** carta 3200 a 5850.

La CENIA o **La SÉNIA** 43560 Tarragona **443** K 30 – 4 862 h. alt. 368 – ✆ 977.
Madrid 526 – Castellón de la Plana/Castelló de la Plana 104 – Tarragona 105 – Tortosa

X **El Trull,** Sant Miquel 14 ✆ 71 33 02, Decoración rústica. Carnes – ⓞ 🗉 *VISA*
cerrado lunes, del 1 al 15 de enero y del 1 al 15 de septiembre – **Comida** carta apr
3400.

CERCEDILLA 28470 Madrid **444** J 17 – 3 884 h. alt. 1 188 – ✆ 91.
Madrid 56 – El Escorial 20 – Segovia 39.

🏠 **Longinos El Aribel** sin rest, Emilio Serrano 51 ✆ 852 15 11 – 📺 ✆ 🅿. *VISA*. ⚘
⊑ 225 – **23 hab** 4800/6300.

X **Gómez,** Emilio Serrano 40 ✆ 852 01 46 – 🗏. *VISA*
cerrado lunes – **Comida** carta 2250 a 3600.

CERDANYOLA o **CERDANYOLA DEL VALLÈS** 08290 Barcelona **443** H 36 – 57 410
✆ 93.
Madrid 606 – Barcelona 14 – Mataró 39.

🏩 **Tryp Parc del Vallès** ⌖, dels Artesans 2-8, Parc Tecnològic ✆ 580 85
Fax 580 98 44, ≼, �, 🔞, 🔄 – 📶 🗏 📺 ✆ 🕭 🅿 – 🔬 25/300. 🖭 ⓞ 🗉 *VISA*.
Comida 1300 – ⊑ 900 – **82 hab** 9000/11500 – PA 3500.

Oeste : *3 km –* ✪ *93 :*

🏨🏨 **Bellaterra,** autopista A 7 - área de Bellatera, ✉ 08290, ✆ 692 60 54, Telex 51047, Fax 580 47 68, « Césped con ⌧ », 🛏 – ⬜ 📼 ☎ 🚗 🅿 – 🔥 25/200. 🆎 ⓪ 🇪 📶 VISA. ✸ rest
Comida 1950 – � 900 – **115 hab** 8800/11000.

🏨 **Campus** *(Hotel escuela)***,** Campus de Bellaterra (Vila Universitaria), ✉ 08193, ✆ 580 83 53, Fax 580 89 78 – 🛏 ⬜ 📼 ☎ – 🔥 25/500. 🆎 🇪 📶. ✸ rest
Comida 2500 – ⊙ 600 – **56 hab** 7500/8500 – PA 4600.

EREZO DE ARRIBA 40592 Segovia 🎵🎵🎵 I 19 – 180 h. alt. 1 129 – ✪ 921.
Madrid 100 – Aranda de Duero 59 – El Burgo de Osma 79 – Segovia 62.

🏠 **Casón de la Pinilla** ⌖, Finca La Rinconada ✆ 55 72 01, Fax 55 72 09, 🍽 – 📼 ☎ 🅿. 🆎 ⓪ 📶. ✸
Comida 1850 – ⊙ 900 – **9 hab** 4800/8000 – PA 4400.

ERLER 22449 Huesca 🎵🎵🎵 E 31 – alt. 1 540 – ✪ 974 – Deportes de invierno ✍13.
Madrid 544 – Huesca 154 – Lérida/Lleida 154.

🏨🏨 Monte Alba ⌖, ✆ 55 11 36, Telex 57806, Fax 55 14 48, ≤ alta montaña, ⌧ climatizada – 🛏 🅿
temp – **Comida** (sólo buffet) – **131 hab.**

RRADO DE CALDERON Málaga – ver Málaga – ✪ 95

RVATOS 39213 Cantabria 🎵🎵🎵 D 17 – ✪ 942.
Ver : Colegiata★ : decoración escultórica★.
Madrid 345 – Aguilar de Campóo 23 – Burgos 109 – Santander 74.

XX **Los Corros,** carret. N 611 - N : 1 km ✆ 75 34 21, Fax 75 50 52
🚗 🅿. 🆎 ⓪ 🇪 📶. ✸
Comida carta 2850 a 3550.

RVELLÓ 08758 Barcelona 🎵🎵🎵 H 35 – 5 391 h. alt. 122 – ✪ 93.
Madrid 608 – Barcelona 20 – Manresa 62 – Tarragona 82.

Noroeste : *4,5 km*

🏠 **Can Rafel** ⌖, urb. Can Rafel ✆ 650 10 05, Fax 650 10 05, ≤, ⌧ – ⬜ rest 📼 ☎ 🅿 – 🔥 25. 🇪 📶. ✸ rest
Comida *(cerrado martes en invierno)* 1750 – ⊙ 600 – **29 hab** 5000/7400.

RVERA DE PISUERGA 34840 Palencia 🎵🎵🎵 D 16 – 2 759 h. alt. 900 – ✪ 979.
Madrid 348 – Burgos 118 – Palencia 122 – Santander 129.

X **Peñalabra** con hab, General Mola 72 ✆ 87 00 37 – ⬜ rest 📼 ☎. 📶. ✸
Comida *(cerrado 21 septiembre-6 octubre)* carta 2450 a 3400 – ⊙ 375 – **13 hab** 1800/4600.

la carretera de Resoba NO : 2,5 km – ✉ 34840 Cervera de Pisuerga – ✪ 979 :

🏨🏨🏨 **Parador de Cervera de Pisuerga** ⌖, ✆ 87 00 75, Fax 87 01 05, « Magnífica situación con ≤ montañas y pantano de Ruesga » – 🛏 📼 ☎ 🚗 🅿 – 🔥 25/100. 🆎 ⓪ 🇪 📶. ✸
Comida 3200 – ⊙ 1200 – **80 hab** 14500.

RVO 27888 Lugo 🎵🎵🎵 A 7 – 13 129 h. – ✪ 982.
Madrid 611 – La Coruña/A Coruña 162 – Lugo 105.

la carretera C 642 NO : 5 km – ✉ 27890 San Ciprián – ✪ 982 :
X **O Castelo** con hab, ✆ 59 44 02, Fax 59 44 76, ≤ – 📼 ☎ 🅿. 🆎 📶. ✸
Comida carta aprox. 4300 – ⊙ 500 – **22 hab** 5000/8000.

STONA o ZESTOA 20740 Guipúzcoa 🎵🎵🎵 C 23 – 3 294 h. alt. 72 – ✪ 943 – Balneario.
Madrid 432 – Bilbao/Bilbo 75 – Pamplona/Iruñea 102 – San Sebastián/Donostia 34.

🏨🏨 **Arocena,** paseo San Juan 12 ✆ 14 70 40, Fax 14 79 78, ≤, Ⅰ₆, ⌧, 🍽, ✖ – 🛏 📼 ☎ 🚗 🅿. 🆎 ⓪ 🇪 📶. ✸
cerrado 15 diciembre-15 enero – **Comida** 2400 – ⊙ 750 – **108 hab** 5900/9900.

CEUTA 51700 𝟵𝟱𝟵 ⑤ y ⑩ 𝟵𝟵𝟬 ㉞ – 73 208 h. – ✆ 956 – Playa.

Ver : Monte Hacho★ : Ermita de San Antonio ≤★★.

⏤ para Algeciras : Cía. Trasmediterránea, Muelle Cañonero Dato 6, ℘ 50 94 39, Tele. 78080, Fax 50 95 30, Z.

🇧 Alcalde J. Victori Goñalons, ⊠ 11701, ℘ 51 40 92, Fax 51 51 98 – **R.A.C.E.** Beatriz de Silva 12 - 1º E, ℘ 51 27 22, Fax 51 78 31.

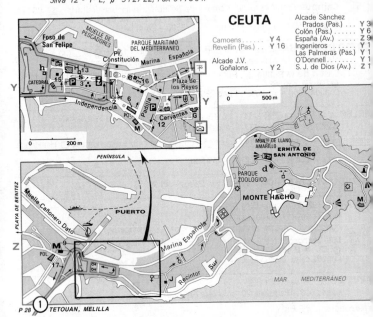

CEUTA

Camoens	Y 4
Revellin (Pas.)	Y 16
Alcade J.V. Goñalons	Y 2
Alcade Sânchez Prados (Pas.)	Y 3
Colón (Pas.)	Y 6
España (Av.)	Z 9
Ingenieros	Y 1
Las Palmeras (Pas.)	Y 1
O'Donnell	Y 1
S. J. de Dios (Av.)	Z 1

P 28 ① TETOUAN, MELILLA

🏨🏨🏨 **La Muralla,** pl. Virgen de África 15, ⊠ 51701, ℘ 51 49 40, Fax 51 49 47, ≤, « Hotel instalado parcialmente en la antigua muralla », 🏊, 🌳 – 📶 🖃 📺 ☎ 🅿 – 🔬 25/15
      🆎 ⓞ 🄴 𝖵𝖨𝖲𝖠 𝖩𝖢𝖡. ⪽
      Comida 3200 – 🖵 1200 – **106 hab** 16500.   Y

🏨🏨 **Meliá Confort Ceuta,** Gran Vía 2, ⊠ 51701, ℘ 51 12 00, Fax 51 15 01, 🎰, 🖃
      📶 🖃 📺 ☎ 🚗 – 🔬 25/300. 🆎 ⓞ 🄴 𝖵𝖨𝖲𝖠. ⪽   Y
      Comida 2600 – 🖵 950 – **128 hab** 11100/14900, 2 suites.

✗ **Vicentino,** Alférez Baytón 3, ⊠ 51701, ℘ 51 40 15, 🌤 – 🖃   Y

en el Monte Hacho E : 4 km – ✆ 956 :

✗ **Mesón de Serafín,** ⊠ 51705, ℘ 51 40 03, ≤ Ceuta, mar, peñón de Gibraltar y costa de la Península   Z

CHANTADA 27500 Lugo 𝟰𝟰𝟭 E 6 – 9 754 h. – ✆ 982.

Alred. : Osera : Monasterio de Santa María la Real★ (sala Capitular★) SO : 15 km.
Madrid 534 – Lugo 55 – Orense/Ourense 42 – Santiago de Compostela 90.

🏨 **Mogay,** Antonio Lorenzana 3 ℘ 44 08 47, Fax 44 08 47 – 📶 📺 ☎ ⟷ – 🔬 25/20
      🆎 ⓞ 🄴 𝖵𝖨𝖲𝖠. ⪽
      Comida (cerrado domingo) 2000 – 🖵 500 – **29 hab** 5000/6000.

en la carretera de Lugo N : 1,5 km – ⊠ 27500 Chantada – ✆ 982 :

⏷ **Las Delicias,** Basán Grande 6 ℘ 44 10 04, Fax 44 17 01 – 📺 ☎ 🅿. 🄴 𝖵𝖨𝖲𝖠. ⪽
      Comida 1400 – 🖵 400 – **20 hab** 2600/4200.

CHAPELA 36320 Pontevedra 𝟰𝟰𝟭 F 3 – ✆ 986.

Madrid 608 – Pontevedra 27 – Redondela 7 – Vigo 7.

✗✗ **El Canario,** av. de Vigo 194 ℘ 45 00 03, Fax 45 40 13 – 🖃. 🆎 ⓞ 𝖵𝖨𝖲𝖠. ⪽
      Comida carta 2200 a 3000.

CHAPINERÍA 28694 Madrid 444 K 17 – 907 h. alt. 680 – © 91.

Madrid 52 – Ávila 79 – Talavera de la Reina 117.

XX **El Chapín de la Reina,** carret. de Colmenar 2 ℰ 865 25 24, 🏤 – 🗐 **P**. 🖭 ⓘ **E**
VISA. ⁂

cerrado martes y septiembre – Comida carta 3200 a 3850.

CHICLANA DE LA FRONTERA 11130 Cádiz 446 W 11 – 46 610 h. alt. 17 – © 956.

🖪 Alameda del Río, ℰ 53 59 69.
Madrid 646 – Algeciras 102 – Arcos de la Frontera 60 – Cádiz 24.

🏠 **Ideal H.** sin rest, pl. de Andalucía 1 ℰ 40 39 06, Fax 40 39 06 – 🛗 🗐 🖵 ☎ **P**. 🖭 VISA.
⁂
🖙 500 – **20 hab** 6800/8500.

en la urbanización Novo Sancti Petri – ⊠ 11130 La Barrosa – © 956 :

🏨 **Royal Andalus Golf** ⑤, playa de La Barrosa - SO : 11 km ℰ 49 41 09, Fax 49 44 90,
≤, 🏤, « Profusión de plantas. Amplia terraza con 🏊 », ʃ₆, 🎾, ʃ₁₈ ʃ₉ – 🛗 🗐 🖵 ☎ 🕭
⌂ **P** – 🕍 30/300. 🖭 ⓘ **E** VISA. ⁂
cerrado noviembre-marzo – Comida (sólo cena buffet) 2600 – 🖙 1250 – **249 hab**
16800/21000, 12 suites.

🏨 **Playa La Barrosa** ⑤, playa de La Barrosa - SO : 10,5 km ℰ 49 48 24, Fax 49 48 60,
≤, 🏤, ʃ₆, 🏊, 🏊, 🎾 – 🛗 🗐 🖵 ☎ 🕭 ⌂ **P** – 🕍 25/150. 🖭 **E** VISA. ⁂
cerrado 15 noviembre-10 enero – Comida (sólo buffet) 2365 – 🖙 1175 – **264 hab**
15000/22500.

🏨 **Tryp Costa Golf** ⑤, SO : 10 km ℰ 49 45 35, Fax 49 46 26, Servicios terapeúticos,
« Jardín con 🏊 junto al campo de golf », ʃ₆, 🏊 – 🗐 🖵 ☎ 🕭 **P** – 🕍 25/325. 🖭
ⓘ **E** VISA. ⁂
Comida 3100 – 🖙 1250 – **195 hab** 15900/19850 – PA 7300.

X **Novo Golf Cachito,** centro comercial - SO : 9,5 km ℰ 49 52 49 – 🗐. 🖭 ⓘ **E** VISA.
⁂
cerrado 15 días en noviembre – Comida carta 2100 a 3700.

CHINCHÓN 28370 Madrid 444 L 19 – 3 994 h. alt. 753 – © 91.

Ver : Plaza Mayor ★★.
Madrid 52 – Aranjuez 26 – Cuenca 131.

🏨 **Parador de Chinchón,** av. Generalísimo 1 ℰ 894 08 36, Fax 894 09 08, Instalado en
un convento del siglo XVII con jardín, 🏊 – 🗐 🖵 ☎ 🕭 – 🕍 25/100. 🖭 ⓘ **E** VISA.
⁂
Comida 3500 – 🖙 1200 – **38 hab** 17000.

XX **Café de la Iberia,** pl. Mayor 17 ℰ 894 09 98, Fax 894 08 47, 🏤, Antiguo café. Balcón
con ≤ – 🗐. 🖭 **E** VISA. ⁂
cerrado miércoles noche y del 1 al 15 de septiembre – Comida carta 3050 a 4500.

XX **La Balconada,** pl. Mayor ℰ 894 13 03, Decoración castellana. Balcón con ≤ – 🗐. 🖭
ⓘ **E** VISA. ⁂
cerrado miércoles – Comida carta 3300 a 4000.

X **Mesón de la Virreina,** pl. Mayor 21 ℰ 894 00 15, Fax 873 14 22, Decoración rústica.
Balcón con ≤ – 🗐. 🖭 ⓘ **E** VISA
Comida carta 3075 a 3950.

X **Mesón Cuevas del Vino,** Benito Hortelano 13 ℰ 894 02 06, Fax 894 09 40, Instalación
rústica en un antiguo molino de aceite – ⁂
cerrado martes y agosto – Comida carta 3045 a 3695.

en la carretera de Titulcia O : 3 km – ⊠ 28370 Chinchón – © 91 :

🏠 **Nuevo Chinchón** ⑤, urb. Nuevo Chinchón ℰ 894 05 44, Fax 893 51 28, 🏤, 🏊 –
🗐 rest 🖵 ☎ **P**. 🖭 **E** VISA. ⁂
Comida 2375 – 🖙 500 – **18 hab** 6600/8600.

CHIPIONA 11550 Cádiz 446 V 10 – 14 455 h. – © 956 – Playa.

Madrid 614 – Cádiz 54 – Jerez de la Frontera 32 – Sevilla 106.

🏨 Cruz del Mar, av. de Sanlúcar 1 ℰ 37 11 00, Fax 37 13 64, ≤, 🏤, « Patio con 🏊 » –
🛗 🗐 hab 🖵 ☎
Comida (sólo cena) – **85 hab,** 14 apartamentos.

🏠 Al Sur de Chipiona, av. de Sevilla 101 ℰ 37 03 00, Fax 37 08 59, 🏊 – 🛗 🗐 rest 🖵
☎ 🕭 – 🕍 25/700
temp – **67 hab.**

🏨 **Brasilia,** av. del Faro 12 ℘ 37 10 54, Fax 37 10 54, ⊃ – 🛋 ☰ 📺 ☎ ⇔. ㏂ ⓞ ᴇ
VISA. ⅏
Comida (sólo cena) 1950 – ⌿ 675 – **44 hab** 6720/8965.

🏨 **La Española,** Isaac Peral 4 ℘ 37 37 71, Fax 37 21 44 – 🛋 ☰ 📺 ☎ ⇔. ㏂ ⓞ ᴇ *VISA*
⅏
Comida 1600 – ⌿ 200 – **24 hab** 4000/7000 – PA 3400.

🏨 **Chipiona,** Dr. Gómez Ulla 19 ℘ 37 02 00, Fax 37 29 49 – 🛋 ☰ hab 📺 ☎ ⓟ. ㏂ ⓞ
ᴇ *VISA*. ⅏ rest
marzo-octubre – **Comida** 1800 – ⌿ 400 – **40 hab** 4200/6700.

🏡 Las Galías *sin rest y sin* ⌿, av. de Sevilla 65 ℘ 37 09 10 – ☰ 📺
10 hab.

CHIVA 46370 Valencia 𝟒𝟒𝟓 N 27 – 7562 h. alt. 240 – 🕾 96.
🏌 *Club de Campo El Bosque SE : 12 km* ℘ 180 41 12.
Madrid 318 – Valencia 30.

en la autovía N III E : 10 km – ⊠ 46370 Chiva – 🕾 96 :

🏨 **Motel La Carreta,** salida 321 ℘ 251 11 00, Fax 251 11 65, ⊃, ⚘, ⅏ – ☰ 📺 ☎
ⓟ – 🔬 25/250. ㏂ ⓞ ᴇ *VISA*. ⅏ rest
Comida 1600 – ⌿ 450 – **80 hab** 5990/7500.

CHULILLA 46167 Valencia 𝟒𝟒𝟓 N 27 – 675 h. alt. 400 – 🕾 96 – Balneario.
Madrid 306 – Cuenca 306 – Requena 43 – Teruel 131 – Valencia 62.

al Sureste : 4,5 km

🏨 Baln. de Chulilla ⅏, Baños de Chulilla ℘ 165 70 13, Fax 165 70 31, Servicios terapé
ticos, 𝐅ᴬ, ⊃ de agua termal, ⅏ – 🛋 ☎ ⓟ
67 hab.

CIÉRVANA o ZIERBENA 48508 Vizcaya 𝟒𝟒𝟐 B 20 – 🕾 94.
Madrid 410 – Bilbao/Bilbo 21 – Santander 80.

✗ **Lazcano,** El Puerto ℘ 636 50 32, ≼, Pescados y mariscos. Vivero propio – ⓟ. ㏂
ᴇ *VISA*. ⅏
cerrado domingo, lunes noche y agosto – **Comida** carta 4000 a 5600.

CINTRUÉNIGO 31592 Navarra 𝟒𝟒𝟐 F 24 – 5080 h. alt. 391 – 🕾 948.
Madrid 308 – Pamplona/Iruñea 87 – Soria 82 – Zaragoza 99.

✗✗ **Maher** *con hab,* Ribera 19 ℘ 81 11 50 – ☰ rest. ㏂ ⓞ ᴇ *VISA*. ⅏ rest
✿ *cerrado 23 diciembre-15 enero* – **Comida** carta aprox. 4600 – ⌿ 450 – **26 hab** 4200/60
Espec. Carpaccio de vieiras y verduritas en base de centollo. Rodaballo con chipirones. Pa
confitado con jugo de centollo.

CIORDIA o ZIORDIA 31809 Navarra 𝟒𝟒𝟐 D 23 – 378 h. alt. 552 – 🕾 948.
Madrid 396 – Pamplona/Iruñea 55 – San Sebastián/Donostia 76 – Vitoria/Gasteiz 41

🏨 **Iturrimurri II,** carret. N I ℘ 56 30 12, Fax 56 25 63, ≼, ⊃ – 🛋 ☰ rest 📺 ☎ ⓟ
🔬 25/40. ㏂ ⓞ ᴇ *VISA*. ⅏
Comida 1750 – ⌿ 800 – **29 hab** 6800/10000 – PA 4200.

CIUDAD REAL 13000 �📍 𝟒𝟒𝟒 P 18 – 60138 h. alt. 635 – 🕾 926.
🛈 *Alarcos 21, ⊠ 13071, ℘ 21 20 03, Fax 21 03 67* – **R.A.C.E.** *General Aguilera 13 - 2°
⊠ 13001, ℘ 22 92 77, Fax 22 92 77.*
*Madrid 204 ② – Albacete 212 ② – Badajoz 324 ④ – Córdoba 196 ④ – Jaén 176 ③
Toledo 121 ①.*

Plano página siguiente

🏨 **Doña Carlota,** Ronda de Toledo 21, ⊠ 13003, ℘ 23 16 10, Fax 23 16 10 – 🛋 ☰
☎ ⇔ ⓟ – 🔬 25/600. ㏂ ⓞ ᴇ *VISA*. ⅏
Comida 1600 – ⌿ 500 – **161 hab** 6000/8000 – PA 3145.

🏨 **NH Ciudad Real,** Alarcos 25, ⊠ 13001, ℘ 21 70 10, Fax 21 71 31 – 🛋 ☰ 📺 ☎ ⇔
– 🔬 25/300. ㏂ ⓞ ᴇ *VISA*. ⅏ rest
Comida carta aprox. 4900 – ⌿ 1200 – **91 hab** 8640/12000.

🏨 **Santa Cecilia,** Tinte 3, ⊠ 13001, ℘ 22 85 45, Fax 22 86 18 – 🛋 ☰ 📺 ☎ ⇔
🔬 25/75. ㏂ *VISA*. ⅏
Comida 2000 - *El Real :* Comida carta 3500 a 4500 – ⌿ 700 – **70 hab** 10600/132

CIUDAD REAL

arcos	Z
rnardo Mulleras	Z 6
latrava	YZ
neral Aguilera	Z 21
ayor (Plaza)	Z
zquez	Z 42
ántara	Z 2

Antonio Blázquez	Z 3
Azucena	YZ 5
Caballeros	YZ 8
Camarín	YZ 10
Cañas	YZ 12
Cardenal Monescillo	Z 13
Corazón de María	YZ 15
Cruz	Z 16
Elisa Cendreros	Y 18
General Rey	Z 23
Infantes	Y 24

Inmaculada Concepción	Y 26
Lanza	Z 27
Lirio	YZ 29
Norte	Y 31
Olivo	Z 32
Ramón y Cajal	Z 34
Refugio	YZ 35
Reyes	YZ 37
Rosa	Y 38
Sancho Rey (Cam.)	Z 39
Tinte	Z 41

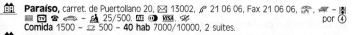

XX **Miami Park,** Ronda de Ciruela 36, ⊠ 13004, 𝒫 22 20 43 – ▤. ◭ ⓞ Ɛ 𝚅𝙸𝚂𝙰. ⅍   Z
cerrado domingo y del 1 al 15 de agosto – **Comida** carta 3800 a 4600.

XX **Coliseo,** Tinte 1, ⊠ 13001, 𝒫 23 21 12, Cocina vasca – ▤. ◭ Ɛ 𝚅𝙸𝚂𝙰. ⅍   Z
cerrado domingo noche y lunes noche – **Comida** carta 3100 a 4300.

X **Gran Mesón,** Ronda de Ciruela 34, ⊠ 13004, 𝒫 22 72 39, Decoración regional – ▤
◭ Ɛ 𝚅𝙸𝚂𝙰. ⅍   Z
cerrado domingo noche y 1ª quincena de agosto – **Comida** carta 3350 a 4350.

X El Peregil, Calatrava 39, ⊠ 13003, 𝒫 22 36 75 – ▤   Y

CIUDAD RODRIGO 37500 Salamanca **441** K 10 – 14 973 h. alt. 650 – ✆ 923.
Ver : Catedral★ (altar★, portada de la Virgen★, claustro★) – Plaza Mayor★.
🄱 pl. de las Amayuelas 6, 𝒫 46 05 61.
Madrid 294 – Cáceres 160 – Castelo Branco 164 – Plasencia 131 – Salamanca 89.

🏛 **Parador de Ciudad Rodrigo** ॐ, pl. del Castillo 1 𝒫 46 01 50, Fax 46 04 04, «
un castillo feudal del siglo XV », 🐎 – ▤ 📺 ☎ 🅿 – 🛗 25/40. ◭ ⓞ Ɛ 𝚅𝙸𝚂𝙰. ⅍
Comida 3200 – ☷ 1200 – **27 hab** 14500.

🏨 **Conde Rodrigo I,** pl. de San Salvador 9 𝒫 46 14 04, Fax 46 14 08 – 🛗 ▤ rest 📺. ⓞ
Ɛ 𝚅𝙸𝚂𝙰. ⅍
Comida 1550 – ☷ 400 – **35 hab** 5000/6200 – PA 2975.

🏨 **Lima,** paseo de la Estación 44 (por carret. de Lumbrales) 𝒫 48 18 19, Fax 48 21 81
🛗 📺 ☎ ⓞ Ɛ 𝚅𝙸𝚂𝙰. ⅍
Comida 1800 – ☷ 450 – **40 hab** 4800/6000 – PA 3615.

X **La Brasa,** carret. N 620 𝒫 46 07 93, Carnes – ▤. ◭ ⓞ Ɛ 𝚅𝙸𝚂𝙰
cerrado noviembre – **Comida** carta 2200 a 3650.

en la carretera de Conejera SO : 3 km – ⊠ 37500 Ciudad Rodrigo – ✆ 923 :

🏛 **Conde Rodrigo II** ॐ, Huerta de las Viñas 𝒫 48 04 48, Fax 46 14 08, « En ple
campo », 🏊, 🐎 – ▤ 📺 ☎ 🅿 – 🛗 25/600. ⓞ Ɛ 𝚅𝙸𝚂𝙰. ⅍
Comida 1550 – ☷ 400 – **43 hab** 5700/6700 – PA 2975.

CIUDADELA o CIUTADELLA Baleares – ver Baleares (Menorca) : Ciudadela.

COCA 40480 Segovia **442** I 16 – 1995 h. alt. 789.
Ver : Castillo★★.
Madrid 137 – Segovia 50 – Valladolid 62.

COCENTAINA 03820 Alicante **445** P 28 – 10 567 h. alt. 445 – ✆ 96.
Madrid 397 – Alicante/Alacant 63 – Valencia 104.

🏨 **Odón,** av. del País Valencià 145 𝒫 559 12 12, Fax 559 23 99 – 🛗 ▤ 📺 ☎ 🅿
🛗 25/200. ⓞ Ɛ 𝚅𝙸𝚂𝙰
Comida (cerrado viernes noche, domingo noche y del 16 al 31 de agosto) 1700 – ☷ 6
– **59 hab** 6000/11000 – PA 3200.

XXX **L'Escaleta,** av. del País Valencià 119 𝒫 559 21 00, Fax 559 21 00 – ▤. ◭ ⓞ Ɛ ▤
𝙹𝙲𝙱
cerrado domingo noche, lunes, Semana Santa y del 15 al 31 de agosto – **Comida** ca
3650 a 4500.

XXX **La Montaña,** Gustavo Pascual 1 y 3 𝒫 559 08 32, Fax 650 03 82 – ▤. ◭ 𝚅𝙸𝚂𝙰
cerrado domingo, lunes noche, del 7 al 10 de enero, Semana Santa y agosto – **Comi**
carta 2900 a 3800.

XX **El Laurel,** Juan María Carbonell 3 𝒫 559 17 38 – ▤. ◭ Ɛ 𝚅𝙸𝚂𝙰
cerrado lunes, Semana Santa y 16 agosto-4 septiembre – **Comida** (sólo almuerzo sa
viernes y sábado) carta 2500 a 3100.

XX Montcabrer, Pujada Estació del Nord 205 𝒫 559 13 59, Fax 559 17 45, ⛲, 🏊, ✄
☎ 🅿.

COFRENTES 46625 Valencia **445** O 26 – 815 h. alt. 437 – ✆ 96 – Balneario.
Madrid 316 – Albacete 93 – Alicante/Alacant 141 – Valencia 106.

en la carretera de Casas Ibáñez O : 4 km – ⊠ 46625 Cofrentes – ✆ 96 :

🏨 Baln. Hervideros de Cofrentes ॐ, 𝒫 189 40 25, Fax 189 40 05, « En un parque
🏊, ✄ – 🛗 📺 ☎ 🅿 – 🛗 25/100
temp – **144 hab.**

COIRÓS 15316 La Coruña 441 C 5 – 1576 h. alt. 219 – ✪ 981.

Madrid 579 – Betanzos 8 – Coruña/A Coruña 32 – Ferrol 46 – Lugo 67 – Santiago de Compostela 72.

✗ **La Penela**, carret. N VI ℘ 79 63 72, ≤, 綿
🍴 **Ɒ**. 🖭 **E** 𝑉𝐼𝑆𝐴. 🛇
Comida (sólo almuerzo) carta 2300 a 3700.

COLERA 17469 Gerona 443 E 39 – 450 h. alt. 10 – ✪ 972 – Playa.

🖪 Labrum 34, ℘ 38 90 50, Fax 38 92 83.
Madrid 756 – Banyuls-sur-Mer 22 – Gerona/Girona 67.

en la carretera de Llansá S : 3 km – ⊠ 17469 Colera – ✪ 972 :

✗ **Garbet**, ℘ 38 90 02, ≤, 綿 – **E** 𝑉𝐼𝑆𝐴
cerrado 15 noviembre-10 febrero – Comida carta 3050 a 5150.

COLINDRES 39750 Cantabria 442 B 19 – 5536 h. – ✪ 942 – Playa.

Madrid 423 – Bilbao/Bilbo 62 – Santander 45.

🏠 **Montecarlo**, Ramón Pelayo 9 ℘ 65 01 63, Fax 65 00 75 – 🗏 rest 🖾 🕾. 𝑉𝐼𝑆𝐴
cerrado 15 septiembre-5 octubre – Comida 1100 – ⊊ 400 – **19 hab** 4500/5900.

---

s COLL D'EN RABASSA Baleares – ver Baleares (Mallorca) : Palma.

COLLADO MEDIANO 28450 Madrid 444 J 17 – 2386 h. alt. 1030 – ✪ 91.

Madrid 40 – Segovia 51.

✗ **Martín**, av. del Generalísimo 84 ℘ 859 85 07, 綿 – 🗏. **E** 𝑉𝐼𝑆𝐴
cerrado lunes (octubre-mayo) y 2ª quincena de septiembre – Comida carta 2600 a 3650.

COLLADO VILLALBA 28400 Madrid 444 K 18 – 26 267 h. alt. 917 – ✪ 91.

Madrid 37 – Ávila 69 – El Escorial 18 – Segovia 50.

en la carretera de Moralzarzal NE : 2 km – ⊠ 28400 Collado Villalba – ✪ 91 :

XXX **Pasarela**, ℘ 851 24 08, Fax 851 24 99, ≤ – 🗏 **Ɒ**. 🖭 ⊙ **E** 𝑉𝐼𝑆𝐴. 🛇
cerrado domingo noche – Comida carta 4175 a 5375.

en el barrio de la estación SO : 2 km – ⊠ 28400 Collado Villalba – ✪ 91 :

🏠 Galaico, antigua carret. de La Coruña ℘ 851 03 04, Fax 850 80 49, ≤ – 🛗 🗏 🖾 🕾 🚗
Ɒ – 🛋 25/80
Comida Agarimo – **50 hab**, 2 suites.

🍴 **Lady Ana**, Ignacio González 51 ℘ 851 63 44 – 🛗 🖾. **E** 𝑉𝐼𝑆𝐴. 🛇
Comida 900 – ⊊ 250 – **18 hab** 4280/5350.

✗ **Casa Arturo**, Real 68 ℘ 850 32 19, Fax 850 74 44, 綿 – 🗏. 🖭 ⊙ **E** 𝑉𝐼𝑆𝐴
Comida carta 2500 a 3000.

COLLSUSPINA 08519 Barcelona 443 G 36 – 214 h. – ✪ 93.

Madrid 627 – Barcelona 64 – Manresa 36.

✗ **Can Xarina**, Major 30 ℘ 830 05 77, Decoración rústica, « Casa del siglo XVI » – **E** 𝑉𝐼𝑆𝐴
cerrado domingo noche, lunes, última semana de junio, 1ª semana de julio y 2ªquincena de noviembre – Comida carta 2700 a 3675.

r la carretera N 141 C NE : 5 km – ⊠ 08519 Collsuspina – ✪ 93 :

XX **Floriac**, ℘ 887 09 91, Casa de campo del siglo XVI – **Ɒ**. 🖭 **E** 𝑉𝐼𝑆𝐴. 🛇
cerrado domingo, lunes noche, martes y 15 días en febrero
Comida carta 1750 a 3300.

COLMENAR VIEJO 28770 Madrid 444 J y K 18 – 39 699 h. alt. 883 – ✪ 91.

Madrid 32.

XX **El Asador de Colmenar**, carret. de Miraflores km 33 ℘ 845 03 26, 綿, Decoración castellana – 🗏 **Ɒ**. 🖭 ⊙ **E** 𝑉𝐼𝑆𝐴. 🛇
cerrado lunes – Comida carta 3200 a 5400.

✗ **Santi Mostacilla**, Zurbarán 2 (carret. de Miraflores) ℘ 845 60 37 – 🗏. 🖭 ⊙ **E** 𝑉𝐼𝑆𝐴. 🛇
cerrado lunes y del 1 al 20 de agosto – Comida carta 3700 a 5000.

COLOMBRES 33590 Asturias 🗺️ B 16 – alt. 110 – 🕿 98 – Playa.
Madrid 436 – Gijón 122 – Oviedo 132 – Santander 79.

en la carretera N 634 – ✉️ 33590 Colombres – 🕿 98 :

🏨 **San Ángel,** NO : 2 km 🕿 541 20 00, Fax 541 20 73, ≤, 🔟, 🚗, 🛎️ – 🛗 📺 🕿 🅿️ 🅰️
🟠 E VISA 🛏️
abril-diciembre – **Comida** 2900 – ☲ 850 – **77 hab** 8570/11660 – PA 4800.

🏨 **Casa Junco,** NO : 1,5 km 🕿 541 22 43, Fax 541 23 55, 🛎️ – 🕿 🅿️ E VISA 🛏️
Comida 1300 – ☲ 700 – **24 hab** 3700/7000 – PA 3300.

La COLONIA Madrid – ver Torrelodones.

COLÒNIA DE SANT JORDI Baleares – ver Baleares (Mallorca).

Las COLORADAS Las Palmas – ver Canarias (Gran Canaria) : Las Palmas de Gran Canaria.

La COMA I La PEDRA 25284 Lérida 🗺️ F 34 – 225 h. alt. 1004 – 🕿 973.
Madrid 610 – Berga 37 – Font Romeu-Odeilo Vía 102 – Lérida/Lleida 151.

🏨 **Fonts del Cardener** 🦽, carret. de Tuixent - N : 1km 🕿 49 23 77, ≤, 🛎️ – 📺
🅿️ 🅰️🟠 E VISA 🛏️
cerrado 3 últimas semanas de mayo y 3 últimas semanas de noviembre – **Comida** 180(
– ☲ 600 – **13 hab** 3500/6500, 3 apartamentos.

COMARRUGA o **COMA-RUGA** 43880 Tarragona 🗺️ I 34 – 🕿 977 – Playa.
🛈 pl. Germán Trillas, 🕿 68 00 10, Fax 68 36 54.
Madrid 567 – Barcelona 81 – Tarragona 24.

🏨 **G. H. Europe,** vía Palfuriana 107 🕿 68 42 00, Fax 68 01 89, ≤, 🏞️, 🔟 climatizada,
– 🛗 🍽️ 📺 🕿 🚗 – 🛎️ 25/50. 🅰️ 🟠 E VISA 🛏️
26 abril-12 octubre – **Comida** 2900 – **148 hab** ☲ 14500/17500.

🏨 **Casa Martí,** Vilafranca 8 🕿 68 01 11, Fax 68 22 77, ≤, 🔟 – 🛗 🍽️ rest 🕿 🅿️ 🅰️
E VISA 🛏️
abril-octubre – **Comida** (sólo buffet) 2400 – **138 hab** ☲ 4400/9500.

🏨 **Gallo Negro,** Santiago Rusiñol 10 🕿 68 03 05, Fax 68 07 01, 🏞️ – 🛗 🍽️ rest 🕿 🅿️
🛎️ 25/50. 🅰️ 🟠 E VISA 🛏️
abril-octubre – **Comida** 2700 – ☲ 475 – **44 hab** 6000/7500.

🍴 **Joila,** av. Generalitat 24 🕿 68 08 27, Fax 68 21 49 – 🍽️ 🅿️ 🅰️ 🟠 E VISA 🛏️
cerrado martes noche, miércoles, del 2 al 16 de enero y del 4 al 21 de noviembre – Com
carta 3250 a 4650.

🍴 Casa Víctor, passeig Marítim 24 🕿 68 14 73, 🏞️ – 🍽️.

COMBARRO 36993 Pontevedra 🗺️ E 3 – 🕿 986 – Playa.
Ver : Pueblo Pesquero★ - Hórreos★.
Madrid 610 – Pontevedra 6 – Santiago de Compostela 63 – Vigo 29.

🏨 **Stella Maris** sin rest, carret. de La Toja 🕿 77 03 66, Fax 77 12 04, ≤ – 🛗 📺 🕿
🅰️ 🟠 E VISA 🛏️
☲ 400 – **27 hab** 4500/7000.

COMILLAS 39520 Cantabria 🗺️ B 17 – 2461 h. – 🕿 942 – Playa.
Ver : Pueblo pintoresco★.
🛈 Aldea 6, 🕿 72 07 68.
Madrid 412 – Burgos 169 – Oviedo 152 – Santander 49.

🍴🍴 **El Capricho de Gaudí,** barrio de Sobrellano 🕿 72 03 65, Fax 72 08 42, « Palac
original del arquitecto Gaudí » – 🍽️ 🅿️ 🅰️ 🟠 E VISA JCB. 🛏️
cerrado domingo noche y lunes (salvo en verano) y 15 enero-15 febrero – **Comida** ca
aprox. 4850.

en Trasvía O : 2 km – ✉️ 39528 Trasvía – 🕿 942 :

🏨 **Dunas de Oyambre** 🦽 sin rest, barrio La Cotera 🕿 72 24 00, Fax 72 24 01, ≤ –
🅿️. VISA 🛏️
Semana Santa-15 octubre – ☲ 500 – **21 hab** 8000/10000.

CONDADO DE SAN JORGE Gerona – ver Playa de Aro.

CONGOSTO 24398 León **441** E 10 – 1948 h. – ✆ 987.
Madrid 381 – León 101 – Ponferrada 12.

en el santuario NE : 2 km – ⊠ 24398 Congosto – ✆ 987 :

🏨 **Virgen de la Peña** ⑤, ℘ 46 70 20, Fax 46 71 02, ≤ valle, pantano y montañas, 🔼, %– 📺 ☎ ②. ஊ 🗉 📭. ※
Comida (ver rest. **Virgen de la Peña**) – ☲ 550 – **44 hab** 5900/8400.

✗ **Virgen de la Peña**, ℘ 46 71 02, Fax 46 71 02, 🏤, « Terraza con ≤ valle, pantano y montañas », 🔼, % – ②. ஊ 🗉 📭. ※
cerrado lunes en invierno y enero – **Comida** carta 3050 a 3550.

CONIL DE LA FRONTERA 11140 Cádiz **446** X 11 – 15 524 h. – ✆ 956 – Playa.
🖪 Carretera, ℘ 44 05 01.
Madrid 657 – Algeciras 87 – Cádiz 40 – Sevilla 149.

🏨 **Espada** sin rest, San Sebastián ℘ 44 07 80, Fax 44 08 93 – 🕴 ☎ ②. ஊ ③ 🗉 📭 🎯
☲ 500 – **62 hab** 4000/7500.

🏨 **Don Pelayo**, carret. del Punto 19 ℘ 44 20 30, Fax 44 50 58 – 🕴 ▤ rest 📺 ☎. ஊ ③ 🗉 📭 ※
Comida 900 – ☲ 250 – **31 hab** 3500/6500 – PA 1900.

🏨 **La Gaviota**, pl. Nuestra Señora de las Virtudes ℘ 44 08 36, Fax 44 09 80 – ⇱. ஊ ③
📭 ※
abril-octubre – **Comida** (cerrado martes y noviembre-enero) (sólo cena) carta 2640 a 3800
– ☲ 650 – **15 apartamentos** 8500/10500.

🏨 **Tres Jotas** sin rest, prolongación San Sebastián ℘ 44 04 50, Fax 44 04 50 – 🕴 📺 ☎
⇱. ஊ ③ 🗉 📭 ※
☲ 375 – **36 hab** 5145/7875.

al Noroeste :

🏨 **Flamenco Conil** ⑤, urb. Fuente del Gallo : 3 km ℘ 44 07 11, Fax 44 05 42, ≤, 🏤, 🔼, 🌅, %– 🕴 ▤ rest ☎ ②. ஊ ③ 🗉 📭 ※
cerrado noviembre-21 marzo – **Comida** carta aprox. 3300 – ☲ 900 – **114 hab** 9200/12200.

🏨 **Diufain** ⑤ sin rest, carret. Fuente del Gallo : 1 km ℘ 44 25 51, Fax 44 30 30 – 📺 ②.
📭
15 marzo-octubre – ☲ 300 – **11 hab** 3000/6500.

ÓRDOBA 14000 🄿 **446** S 15 – 310 488 h. alt. 124 – ✆ 957.
Ver : Mezquita-Catedral★★★ (mihrab★, sillería★★, púlpitos★★) BZ – Judería★★ ABZ – Palacio de Viana★★ BY – Museo arqueológico★ (cervatillo★) BZ **M2** – Alcázar★ (mosaicos★, sarcófago romano★, jardines★) AZ – Iglesias Fernandinas★ (Santa Marina de Aguas Santas BY , San Miguel BY San Lorenzo por calle San Pablo BY) – Torre de la Calahorra : maqueta★.
Alred. : Medina Azahara★ O : 6 km X – Las Ermitas : vistas★ 13 km V.
📷 Los Villares N : 9 km por av. del Brillante (V) ℘ 35 02 08.
🖪 Torrijos 10, ⊠ 14003, ℘ 47 12 35, Fax 20 05 22 y pl. Judá Leví, ⊠ 14003, ℘ 20 05 22, Fax 20 05 22 – R.A.C.E. Niño Perdido 2 - 2º 6, ⊠ 14008, ℘ 47 93 71, Fax 47 52 21.
Madrid 407 ② – Badajoz 278 ① – Granada 166 ③ – Málaga 175 ④ – Sevilla 143 ④.

Planos páginas siguientes

🏨🏨 **Meliá Córdoba**, jardines de la Victoria, ⊠ 14004, ℘ 29 80 66, Fax 29 81 47, 🔼 – 🕴 ▤ 📺 ☎ – 🔬 25/500. ஊ ③ 🗉 📭 📭 ※
Comida 3150 – ☲ 1200 – **142 hab** 12500/16000, 5 suites – PA 6500.
AZ **p**

🏨🏨 **NH Amistad Córdoba** ⑤, pl. de Maimónides 3, ⊠ 14004, ℘ 42 03 35, Fax 42 03 65, 🏤, Junto a la muralla árabe, « Patio mudéjar » – 🕴 ▤ 📺 ☎ ⇱ – 🔬 25/50. ஊ ③
🗉 📭 📭 ※
Comida carta 3400 a 5000 – ☲ 1200 – **69 hab** 12000/15000.
AZ **v**

🏨🏨 **Alfaros**, Alfaros 18, ⊠ 14001, ℘ 49 19 20, Fax 49 22 10, 🏤, 🔼 – 🕴 ▤ 📺 ☎ ੬
⇱ – 🔬 25/300. ஊ ③ 🗉 📭 📭 ※
Comida 2000 - **Alarifes : Comida** carta 3000 a 4700 – ☲ 1100 – **131 hab** 12200/15300, 2 suites – PA 5100.
BY **s**

🏨🏨 **Hesperia Córdoba**, av. de la Confederación, ⊠ 14009, ℘ 42 10 42, Fax 29 99 97, ≤, 🔼 – 🕴 ▤ 📺 ☎ ⇱ – 🔬 25/150. ஊ ③ 🗉 📭 📭 ※
Comida 2300 – ☲ 1000 – **108 hab** 11900/15800, 2 suites – PA 4700.
BZ **b**

🏨🏨 **El Conquistador** sin rest, Magistral González Francés 15, ⊠ 14003, ℘ 48 11 02, Fax 47 46 77 – 🕴 ▤ 📺 ☎ ⇱ – 🔬 25/100. ஊ ③ 🗉 📭 ※
☲ 1000 – **101 hab** 10000/15500.
BZ **w**

257

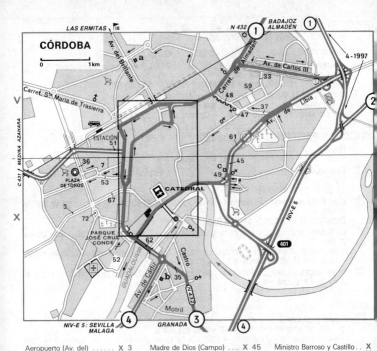

Aeropuerto (Av. del) ...... **X** 3	Madre de Dios (Campo) ... **X** 45	Ministro Barroso y Castillo .. **X**
Antonio Maura .... **X** 7	María (Corazón de) .... **V** 47	Sagunto .... **V**
General Sanjurjo .... **V** 33	Marrubial (R. del) .... **V** 48	San Antón (Campo) .... **V**
Granada (Av. de) .... **X** 35	Mártires (R. de los) ...... **X** 49	San Rafael (Puente de) .... **X**
Gran Vía Parque .... **X** 36	Medina Azahara (Av.) ..... **V** 51	Teniente Gen. Barroso (Av.). **X**
Jesús Rescatado (Av. de) .. **V** 37	Menéndez Pidal (Av.) ..... **X** 52	Vista Alegre (Pl. de) .... **X**

🏨🏨🏨 **Tryp Gran Capitán,** av. de América 5, ⊠ 14008, ℰ 47 02 50, Fax 47 46 43, ᴸᵃ
🕏 🗏 🔟 ☎ ⟿ – 🛦 25/300. 🖭 ⑩ 🖻 𝘝𝘐𝘚𝘈. ⁣⁣ rest   AY
Comida carta aprox. 4350 – **97 hab** ⊇ 13950/18200, 3 suites.

🏨🏨 **Sol Gallos** sin rest. con cafetería, av. Medina Azahara 7, ⊠ 14005, ℰ 23 55
Fax 23 16 36, ♨ – 🕏 🗏 🔟 ☎. 🖭 ⑩ 🖻 𝘝𝘐𝘚𝘈. ⁣⁣   AY
⊇ 890 – **115 hab** 7900/9900.

🏨🏨 **Maimónides** sin rest, Torrijos 4, ⊠ 14003, ℰ 47 15 00, Fax 48 38 03 – 🕏 🗏 🔟
⟿. 🖭 ⑩ 🖻 𝘝𝘐𝘚𝘈   ABZ
⊇ 950 – **83 hab** 8600/14300.

🏨🏨 **El Califa** sin rest. con cafetería, Lope de Hoces 14, ⊠ 14003, ℰ 29 94 00, Fax 29 57
– 🕏 🗏 🔟 ☎ ⟿ – 🛦 25/70   AYZ
64 hab, 2 suites.

🏨🏨 **Averroes,** Campo Madre de Dios 38, ⊠ 14002, ℰ 43 59 78, Fax 43 59 81 – 🕏 🗏
☎ ⟿ – 🛦 25/250   X
52 hab.

🏨🏨 **Selu** sin rest, Eduardo Dato 7, ⊠ 14003, ℰ 47 65 00, Telex 76659, Fax 47 83 76 –
🗏 🔟 ☎ ⟿. 🖭 ⑩ 🖻 𝘝𝘐𝘚𝘈   AY
⊇ 830 – **112 hab** 7650/11140.

🏨🏨 **Cisne** sin rest. con cafetería, av. Cervantes 14, ⊠ 14008, ℰ 48 16 76, Fax 49 05 1⁣
🕏 🗏 🔟 ☎ – 🛦 25/70. 🖭 🖻 𝘝𝘐𝘚𝘈   AY
⊇ 250 – **44 hab** 4500/6500.

🏨 **Serrano** sin rest, Pérez Galdós 6, ⊠ 14001, ℰ 47 01 42, Fax 48 65 13 – 🕏 🗏 🔟
🖭 ⑩ 🖻 𝘝𝘐𝘚𝘈 𝗝𝗖𝗕. ⁣⁣   AY
⊇ 440 – **64 hab** 4400/7645.

🏨 **Albucasis** sin rest, Buen Pastor 11, ⊠ 14003, ℰ 47 86 25, Fax 47 86 25 – 🕏 🗏
⟿. 🖻 𝘝𝘐𝘚𝘈 𝗝𝗖𝗕. ⁣⁣   AZ
cerrado enero-10 febrero y del 1 al 15 de julio – ⊇ 800 – **15 hab** 55⁣
8500.

CÓRDOBA

nde de	
Gondomar	**AY** 20
uz Conde	**ABY**

Amador de los Ríos	**ABZ** 4	Coronel Cascajo	**BZ** 24
Angel Saavedra	**BZ** 6	Diario de Córdoba	**BY** 31
Blanco Belmonte	**BZ** 8	Enrique Redel	**BY** 32
Buen Pastor	**AZ** 12	M. González Francés	**BZ** 46
Calvo Sotelo	**BY** 13	Torrijos	**ABZ** 68
Cardenal González	**BZ** 15	Valladares	**AZ** 70

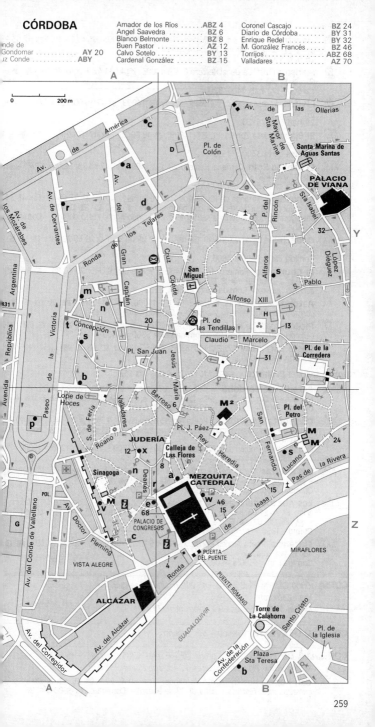

🏨 **Maestre** sin rest y sin ☲, Romero Barros 4, ⊠ 14003, ℰ 47 24 10, Fax 47 53 95
📶 ▤ 📺 ☎ ⟺. ﷼ ⓞ ⋹ 𝘝𝘐𝘚𝘈 𝐉𝗰𝗯. ⚓ BZ
26 hab 3500/6000.

🏨 **Marisa** sin rest, Cardenal Herrero 6, ⊠ 14003, ℰ 47 31 42, Fax 47 41 44 – ▤ ☎ ⟺
﷼ ⓞ ⋹ 𝘝𝘐𝘚𝘈 𝐉𝗰𝗯 BZ
☲ 500 – 28 hab 4400/8200.

🏨 **Riviera** sin rest y sin ☲, pl. Aladreros 5, ⊠ 14008, ℰ 47 30 00, Fax 47 60 18 – 📶
📺 ☎ – 🛗 25/50. ﷼ ⓞ. ⚓ AY
29 hab 3500/6100.

XXX **El Blasón,** José Zorrilla 11, ⊠ 14008, ℰ 48 06 25, Fax 47 47 42 – ▤. ﷼ ⓞ ⋹ 𝘝
𝐉𝗰𝗯. ⚓ AY
Comida carta 3400 a 4550.

XXX **El Caballo Rojo,** Cardenal Herrero 28, ⊠ 14003, ℰ 47 53 75, Fax 47 47 42 – ▤.
ⓞ ⋹ 𝐉𝗰𝗯. ⚓ ABZ
Comida carta 3950 a 4900.

XXX **Almudaina,** jardines de los Santos Mártires 1, ⊠ 14004, ℰ 47 43 42, Fax 48 34
« Conjunto de estilo regional con patio cubierto » – ▤. ﷼ ⓞ ⋹ 𝘝𝘐𝘚𝘈. ⚓ AZ
cerrado domingo de junio a septiembre y domingo noche resto del año – **Comida** ca
3100 a 4600.

XX **Ciro's,** paseo de la Victoria 19, ⊠ 14004, ℰ 29 04 64, Fax 29 30 22 – ▤. ﷼ ⓞ ⋹ 𝘝
⚓ AY
Comida carta 3800 a 4800.

XX **El Churrasco,** Romero 16, ⊠ 14003, ℰ 29 08 19, Fax 29 40 81, 🌤, « Patio
bodega » – ▤. ﷼ ⓞ ⋹ 𝘝𝘐𝘚𝘈 𝐉𝗰𝗯. ⚓ AZ
cerrado agosto – **Comida** carta 4050 a 5250.

XX **Astoria-Casa Matías,** El Nogal 16, ⊠ 14006, ℰ 55476 53 – ▤. ﷼ ⓞ ⋹ 𝘝𝘐𝘚𝘈.
cerrado domingo en julio y agosto – **Comida** carta 3475 a 4775. V

XX **Pic-Nic,** ronda de los Tejares 16, ⊠ 14008, ℰ 48 22 33 – ▤. ﷼ ⓞ ⋹ 𝘝𝘐𝘚𝘈 AY
cerrado domingo y agosto – **Comida** carta 3300 a 4500.

X **Costa Sur,** Huelva 17, ⊠ 14013, ℰ 29 03 74 – ▤. ﷼ ⓞ ⋹ 𝘝𝘐𝘚𝘈 𝐉𝗰𝗯. ⚓ X
Comida carta 3000 a 3950.

por la av. del Brillante V – ⊠ 14012 Córdoba – 🕿 957 :

🏨🏨 **Parador de Córdoba** 🦱, av. de la Arrufafa ℰ 27 59 00, Fax 28 04 09, ≤, « Am
terraza y jardín con 🏊, ⚑ – 📶 ▤ 📺 ☎ ₺ 🅿 – 🛗 25/200. ﷼ ⓞ ⋹ 𝘝𝘐𝘚𝘈 𝐉𝗰𝗯.
Comida 2900 – ☲ 1200 – **90 hab** 16500, 4 suites.

🏨🏨 **Occidental Córdoba** 🦱, Poeta Alonso Bonilla 7 - N : 4,5 km ℰ 40 04 40, Fax 40 04
🌤, « Amplias zonas ajardinadas con 🏊 », ⚑ – 📶 ▤ 📺 ☎ ₺ 🅿 – 🛗 25/500. ﷼
⋹ 𝘝𝘐𝘚𝘈 𝐉𝗰𝗯. ⚓
Comida (ver también rest. **Florencia**) 2700 – ☲ 1200 – **156 hab** 12000/15000, 1 s
– PA 5300.

🏨🏨 **Las Adelfas** 🦱, av. de la Arrufafa - N : 3,5 km ℰ 27 74 20, Fax 27 27 94, 🌤, 🏊,
– 📶 ▤ 📺 ☎ ⟺ 🅿 – 🛗 25/300. ﷼ ⓞ ⋹ 𝘝𝘐𝘚𝘈. ⚓
Comida 2500 – ☲ 1150 – **99 hab** 10800/14900.

🏨🏨 **Los Abetos del Maestre Escuela** 🦱, prolongación av. San José de Calasanz -
6 km ℰ 28 21 05, Fax 28 21 75, « Terraza con palmeras », 🏊, ⚑, 🏋 – 📶 ▤ 📺 ☎
– 🛗 25/80. ﷼ ⓞ ⋹ 𝘝𝘐𝘚𝘈. ⚓ rest
Comida 1850 – ☲ 600 – **36 hab** 8000/10500 – PA 4300.

XXX **Florencia,** Poeta Alonso Bonilla 7 - N : 4,5 km ℰ 40 04 40, Fax 40 04 39 – ▤ 🅿
ⓞ ⋹ 𝘝𝘐𝘚𝘈 𝐉𝗰𝗯. ⚓
Comida carta 3350 a 4500.

CORIA 10800 Cáceres 𝟒𝟒𝟒 M 10 – 11 260 h. alt. 263 – 🕿 927.
Ver : Catedral★.
Madrid 321 – Cáceres 69 – Salamanca 174.

CORINTO (Playa de) Valencia – ver Sagunto.

CORNELLÀ DE TERRI 17844 Gerona 𝟒𝟒𝟑 F 38 – 1 785 h. alt. 96 – 🕿 972.
Madrid 709 – Figueras/Figueres 41 – Gerona/Girona 15.

XX **Can Xapes,** Mossèn Jacinto Verdaguer 5 ℰ 59 40 22 – ▤. ﷼ ⓞ ⋹ 𝘝𝘐𝘚𝘈
cerrado lunes, festivos y del 1 al 20 de agosto – **Comida** carta 3500 a 4500.

CORNELLANA 33850 Asturias **441** B 11 - alt. 50 - ✆ 98.
Madrid 473 - Oviedo 38.

🏠 **La Fuente,** carret. N 634 🖉 583 40 42, Fax 583 40 02, 🏛, 🌳 - 📺 📼. **VISA**
cerrado 2ª quincena de octubre - **Comida** *(cerrado miércoles en invierno)* 1100 - 🍽 500
- **16 hab** 6000.

CORNISA CANTÁBRICA ★★ Vizcaya y Guipúzcoa **442** B 22.

CORRALEJO Las Palmas - ver Canarias (Fuerteventura).

CORTADURA (Playa de) Cádiz - ver Cádiz.

La CORUÑA o A CORUÑA 15000 **P 441** B 4 - 252 694 h. - ✆ 981 - Playa.
Ver : Avenida de la Marina★ ABY.
Alred. : Cambre (Iglesia de Santa María★) 11 km por ②.
🏌 *por ② : 7 km 🖉 28 52 00, Fax 28 03 32.*
✈ *de La Coruña-Alvedro por ② : 10 km 🖉 18 72 00 - Iberia : Teresa Herrera 1,*
🖉 *22 57 96, y Aviaco : aeropuerto Alvedro, 🖉 18 72 54.*
🚢 *🖉 23 82 76.*
🛈 *Dársena de la Marina,* ✉ *15001, 🖉 22 18 22 -* **R.A.C.E.** *pl. de Pontevedra 12 - 1º E,*
✉ *15003, 🖉 22 18 30, Fax 22 03 22.*
Madrid 603 ② - Bilbao/Bilbo 622 ② - Porto 305 ② - Sevilla 950 ② - Vigo 156 ②.

Plano página siguiente

🏨 **Tryp María Pita,** av. Pedro Barrié de la Maza 1, ✉ 15003, 🖉 20 50 00, Fax 20 55 65,
≼ playa, mar y ciudad - 🛗 🗏 📺 ☎ 📶 - 🔏 25/400. 🖭 ➊ 🖪 **VISA**. 🛠 AY **a**
Trueiro : **Comida** carta aprox. 3500 - 🍽 1200 - **164 hab** 13250/16550,
17 suites.

🏨 **Finisterre,** paseo del Parrote 20, ✉ 15001, 🖉 20 54 00, Telex 86086, Fax 20 84 62,
« Magnífica situación con ≼ bahía », **⌨**, 🏊 climatizada, 🎾 - 🛗 🗏 rest 📺 ☎ ➋ -
🔏 25/600. 🖭 ➊ 🖪 **VISA**. 🛠 BZ **n**
Comida 3700 - 🍽 1350 - **117 hab** 13900/17300, 10 suites - PA 7450.

🏨 **Atlántico** sin rest. con cafetería, jardines de Méndez Núñez, ✉ 15006, 🖉 22 65 00,
Telex 86034, Fax 20 10 71 - 🛗 📺 ☎ - 🔏 25/100 AZ **v**
200 hab.

🏨 **Meliá Confort Coruña** sin rest, Ramón y Cajal 53, ✉ 15006, 🖉 24 27 11,
Fax 23 67 28, **⌨** - 🛗 🗏 📺 ☎ - 🔏 25/175. 🖭 ➊ 🖪 **VISA**. 🛠 X **c**
🍽 1150 - **175 hab** 14000/16900, 6 suites.

🏨 **Riazor** sin rest. con cafetería, av. Pedro Barrié de la Maza 29, ✉ 15004, 🖉 25 34 00,
Fax 25 34 04, ≼ - 🛗 📺 ☎ 📶 - 🔏 25/200. 🖭 ➊ 🖪 **VISA**. 🛠 AZ **e**
🍽 750 - **175 hab** 10200/12800.

🏨 **Ciudad de La Coruña,** polígono Adormideras, ✉ 15002, 🖉 21 11 00, Telex 86121,
Fax 22 46 10, ≼, **⌨**, 🏊 - 🛗 🗏 rest 📺 ☎ ➋ - 🔏 25/160 V **a**
122 hab, 9 suites.

🏨 **Avenida** sin rest. con cafetería, av. Alfonso Molina 30, ✉ 15008, 🖉 24 94 66,
Fax 24 94 66 - 📺 ☎ 📶 - 🔏 25/30 X **r**
71 hab.

🏨 **Santa Catalina** sin rest y sin 🍽, travesía Santa Catalina 1, ✉ 15003, 🖉 22 67 04,
Fax 22 85 09 - 🛗 📺 ☎. **VISA**. 🛠 AZ **a**
32 hab 3800/5800.

🏨 **Alborán** sin rest y sin 🍽, Riego de Agua 14, ✉ 15001, 🖉 22 25 62, Fax 22 25 62 -
🛗 📺 ☎. 🛠 BY **a**
30 hab 3800/6000.

🏨 **Almirante** sin rest, paseo de Ronda 54, ✉ 15011, 🖉 25 96 00, Fax 25 96 08 - 📺 ☎.
🖭 **VISA** V **f**
🍽 375 - **20 hab** 4000/5700.

🏨 **Mar del Plata** sin rest. con cafetería, paseo de Ronda 58, ✉ 15011, 🖉 25 79 62,
Fax 25 79 99, ≼ - 📺 ☎ 📶. **VISA**. 🛠 V **f**
🍽 250 - **27 hab** 5700.

🏨 **Mara** sin rest y sin 🍽, Galera 49, ✉ 15001, 🖉 22 18 02, Fax 22 18 02 - 🛗 📺 ☎. **VISA**.
🛠 AY **z**
19 hab 4800/5800.

🏨 **La Provinciana** sin rest y sin 🍽, Nueva 9, ✉ 15003, 🖉 22 04 00, Fax 22 04 40 - 🛗
📺 ☎. 🛠 AZ **x**
19 hab 4400/6500.

A CORUÑA
LA CORUÑA

Cantón Grande . . . . AZ 7
Cantón Pequeño . . . . AZ 8
Real . . . . AY
San Andrés . . . . AYZ

Alcade Alfonso Molina (Av. del) . . . X 2
Arteijo (Av. de) . . . . VX 3
Buenos Aires (Av. de) . . . . V 4
Circunvalación (Carret. de) . . . V 9
Compostela . . . . AZ 13
Damas . . . . BY 14
Ejército (Av. del) . . . . X 15
Ferrol . . . . AZ 18
Finisterre (Av. de) . . . . AZ 19
Gómez Zamalloa . . . . AZ 20
Gran Canaria (Av. de) . . . . V 22
Herrerías . . . . AY 24
Juan Canalejo . . . . AZ 26
Juana de Vega (Av.) . . . . BY 27
Maestranza . . . . BY 28
María Pita (Pl. de) . . . . X 31
Marqués de Figueroa . . . . AZ 32
Padre Feijóo . . . . AZ 36
Payo Gómez . . . . AZ 37
Picavia . . . . AZ 40
Pontevedra (Pl. de) . . . . X 41
Puente del Pasaje (Carret. del) . BY 42
Riego del Aqua . . . . BY 45
Rubine (Av. de) . . . . BY 46
San Agustín . . . . BY 47
San Agustín (Cuesta de) . . . . . AZ 50
Sánchez Bregua . . . . AZ 50
Santa María . . . . BY 51
Santa Catalina . . . . AZ 52
Teresa Herrera . . . . AZ 56
Torre . . . . V 56

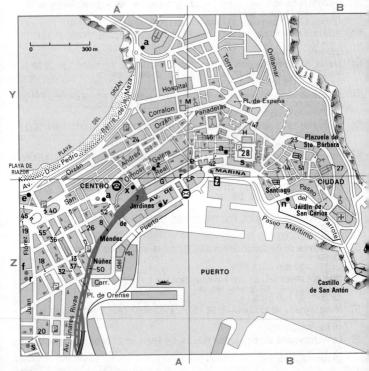

XXX **Pardo,** Novoa Santos 15, ⊠ 15006, 𝒫 28 00 21, Fax 29 61 56 – 🗐. 𝗔𝗘 ⓄⒹ 🗲 𝘝𝘐𝘚𝘈.
🕸 ⊛   X c
cerrado domingo y del 15 al 30 de junio – **Comida** carta 2600 a 4600
Espec. Croquetas de marisco. Caldeirada de rape. Flan de moras al perfume de frambuesas.

XX **A la Brasa,** Juan Florez 38, ⊠ 15004, 𝒫 26 54 57, Fax 26 54 57 – 🗐. 🕸
                                                                                                    AZ f
Comida carta 3310 a 4225.

XX **La Penela,** pl. de María Pita 12, ⊠ 15001, 𝒫 20 92 00
🗐. 𝗔𝗘 🗲 𝘝𝘐𝘚𝘈. 🕸   BY s
cerrado domingo – **Comida** carta 2500 a 4050.

XX **La Viña,** av. del Pasaje 123, ⊠ 15006, 𝒫 28 08 54, Pescados y mariscos – 🗐 ⓟ. 𝗔𝗘
𝘝𝘐𝘚𝘈. 🕸   X x
cerrado domingo y del 1 al 20 de enero – **Comida** carta 2700 a 4700.

XX Asador Castellano, Gómez Zamalloa 5, ⊠ 15005, 𝒫 27 88 72, Fax 27 88 72, Decoración
castellana. Asados – 🗐   AZ s

XX Casa Veiga, Manuel Murguía 34, ⊠ 15004, 𝒫 26 32 55
🗐   V f

XX **Eume,** Río Monelos 44, ⊠ 15006, 𝒫 13 67 08, Fax 13 67 08 – 🗐. 𝗔𝗘 ⓄⒹ 🗲 𝘝𝘐𝘚𝘈. 🕸
cerrado domingo, festivos noche y septiembre – **Comida** carta 2750 a 3900.   X c

XX **Mesón Coral,** callejón de la Estacada 9, ⊠ 15001, 𝒫 20 05 69 – 🗐. 𝗔𝗘 ⓄⒹ 🗲 𝘝𝘐𝘚𝘈 𝗝𝗖𝗕.
🕸   AY r
cerrado domingo noche salvo 15 julio-15 septiembre – **Comida** carta 3200 a 4400.

XX **El Manjar,** Alfredo Vicenti 29, ⊠ 15004, 𝒫 25 18 85, Fax 62 62 01, Decoración estilo
1930 – 🗐. 𝗔𝗘 ⓄⒹ 🗲 𝘝𝘐𝘚𝘈   V r
cerrado domingo noche – **Comida** carta 2650 a 4400.

XX **La Marina,** av. de La Marina 14, ⊠ 15001, 𝒫 22 39 14, 🍽 – 𝗔𝗘 ⓄⒹ 🗲 𝘝𝘐𝘚𝘈 BY e
cerrado domingo noche y lunes – **Comida** carta 2250 a 3050.

XX **Alba,** av. del Pasaje 63, ⊠ 15006, 𝒫 28 33 87, Fax 28 52 20, ≤ bahía y playa de Santa
Cristina, 🍽 – 🗐 ⓟ. 𝗔𝗘 ⓄⒹ 🗲 𝘝𝘐𝘚𝘈. 🕸   X v
cerrado domingo noche, lunes y del 1 al 15 de septiembre – Comida carta 2890 a 3990.

X **Manolito,** Fernández Latorre 116, ⊠ 15006, 𝒫 23 01 02, Fax 23 01 02 – 🗐. 𝗔𝗘 ⓄⒹ
🗲 𝘝𝘐𝘚𝘈. 🕸   X c
cerrado domingo noche – **Comida** carta 2400 a 4700.

X Mundo, Cabo Santiago Gómez 8, ⊠ 15004, 𝒫 14 08 84 – 🗐   AZ r

X **Manolito,** Ramón y Cajal 45, ⊠ 15006, 𝒫 28 20 62 – 🗐. 𝗔𝗘 ⓄⒹ 🗲 𝘝𝘐𝘚𝘈. 🕸 X z
cerrado domingo noche – **Comida** carta 2400 a 4700.

Culleredo *SE : 5 km* – ⊠ 15174 Culleredo – ✆ 981 :

🏠 **Crunia,** av. Fonteculler 58 𝒫 65 00 88, Fax 65 00 89, 🍽 – 🛗 📺 ☎ 🖭 ⓟ – 🔬 25/200
27 hab.   X t

Perillo *SE : 6 km* – ⊠ 15172 Perillo – ✆ 981 :

🏠 **Rías Altas** 🦞, playa de Santa Cristina 𝒫 63 53 00, Fax 63 61 09, ≤ bahía, 𝐿𝑔, 🏊, ⚓,
🍽 – 🛗 📺 ☎ 🖭 – 🔬 25/80. 𝗔𝗘 ⓄⒹ 𝘝𝘐𝘚𝘈. 🕸   X e
Comida 2500 – 😋 950 – **103 hab** 10800/13500 – PA 5050.

XX **El Madrileño,** av. de las Américas 5 𝒫 63 55 16, Fax 63 50 78, ≤, 🍽 – 🗐. 𝗔𝗘 ⓄⒹ 🗲
𝘝𝘐𝘚𝘈. 🕸   X s
cerrado 15 días en octubre – **Comida** carta 3050 a 3850.

X **Orlinda,** carret. de Santa Cruz 61 𝒫 63 50 72, ≤ – ⓄⒹ 𝘝𝘐𝘚𝘈. 🕸   X a
Comida carta 2900 a 4300.

SCAYA *39539 Cantabria* **442** *C 15 – 86 h. alt. 530 –* ✆ *942.*
Alred. : *O : Puerto de Pandetrave★★.*
Madrid 413 – Palencia 187 – Santander 129.

🏠 **Del Oso,** 𝒫 73 30 18, Fax 73 30 36, 🔬, 🍽 – 🛗 ☎ ⓟ. ⓄⒹ 🗲 𝘝𝘐𝘚𝘈. 🕸
cerrado enero-15 febrero – **Comida** carta aprox. 3750 – 😋 575 – **51 hab** 7200/9000.

SLADA *28820 Madrid* **444** *L 20 – 73 844 h. alt. 621 –* ✆ *91.*
Madrid 13 – Guadalajara 43.

X **La Ciaboga** *(previsto traslado),* Venezuela 𝒫 673 59 18 – 🗐. 𝗔𝗘 ⓄⒹ 🗲 𝘝𝘐𝘚𝘈. 🕸
cerrado domingo y agosto – **Comida** carta 3400 a 4500.

COSLADA

en el barrio de la estación *NE : 4,5 km –* ⊠ *28820 Coslada –* 😊 *91 :*

  ⅄   La Fragata, av. San Pablo 14 🖋 673 38 02 – ▦.

   Neumáticos MICHELIN S.A., Sucursal av. José Gárate 7 y 9, ⊠ 288⬛
   🖋 671 80 11 y 673 00 12, Fax 671 91 14

COSTA *– ver a continuación y nombre propio de la costa (Costa Calma, ver Canarias).*

COSTA BLANCA *Alicante y Murcia* ⬛⬛⬛ *P 29-30, Q 29-30.*
   Ver : *Recorrido★.*

COSTA BRAVA *Gerona* ⬛⬛⬛ *E 39, F 39, G 38 y 39.*
   Ver : *Recorrido★★.*

COSTA CALMA *Las Palmas – ver Canarias (Fuerteventura).*

COSTA DE CANTABRIA ⬛⬛⬛ *B 16 al 20.*
   Ver : *Recorrido★.*

COSTA DE LA LUZ *Huelva y Cádiz* ⬛⬛⬛ *U 7 al 10, V 10, W 10-11, X 11 al 13.*

COSTA DE LOS PINOS *Baleares – ver Baleares (Mallorca) : Son Servera.*

COSTA DEL AZAHAR *Castellón y Valencia* ⬛⬛⬛ *K 29 al 32 P 29 al 32.*

LA COSTA DEL MONTSENY *08470 Barcelona* ⬛⬛⬛ *G 37 –* 😊 *93.*
   Madrid 639 – Barcelona 54 – Gerona/Girona 65 – Vic 62.

  ⅄   **De la Costa,** 🖋 847 50 50, ≤ *sierra del Montseny –* 🆅🅸🆂🅰. 🕸
   cerrado jueves y septiembre – **Comida** *carta 3200 a 4050.*

COSTA DEL SOL *Málaga, Granada y Almería* ⬛⬛⬛ *V 16 al 22, W 14 al 16.*
   Ver : *Recorrido★.*

COSTA DORADA *Tarragona y Barcelona* ⬛⬛⬛ *H 32 al 38 J 32 al 38.*

COSTA TEGUISE *Las Palmas – ver Canarias (Lanzarote).*

COSTA VASCA *Guipúzcoa y Vizcaya* ⬛⬛⬛ *B 21 al 24, C 21 al 24.*
   Ver : *Recorrido★★.*

COSTA VERDE *Asturias* ⬛⬛⬛ *B 8 al 15.*
   Ver : *Recorrido★★★.*

COVADONGA *33589 Asturias* ⬛⬛⬛ *B 14 – alt. 260 –* 😊 *98.*
   Ver : *Emplazamiento★★ – Museo (corona★).*
   Alred. : *Mirador de la Reina* ≤★★ *SE : 8 km – Lagos de Enol y de la Ercina★ SE : 12,5*
   🅱 *pl. la Basílica,* 🖋 584 60 35.
   Madrid 429 – Oviedo 84 – Palencia 203 – Santander 157.

  🏨   **Pelayo** 🦪, 🖋 584 60 61, Fax 584 60 54, ≤, 🍽 – 🛗 📺 ☎ 🅿 – 🔏 25/150. 🅰🅴
   🅴 🆅🅸🆂🅰. 🕸
   cerrado 15 diciembre-enero – **Comida** *2000 –* ⊃ *700 –* **43 hab** *10400/13000 –*
   3995.

  🏠   **Auseva** *sin rest,* El Repelao 🖋 584 60 23, Fax 584 61 07 – 📺 ☎. 🅰🅴 🅴 🆅🅸🆂🅰. 🕸
   cerrado 25 enero-febrero – ⊃ *660 –* **12 hab** *6650/8300.*

  ⅄   **Peñalba** *con hab,* La Riera 🖋 584 61 00 – 📺 ☎ 🅿. 🆅🅸🆂🅰. 🕸
   Comida *carta aprox. 2650 –* ⊃ *500 –* **8 hab** *7000.*

  ⅄   **Hospedería del Peregrino,** 🖋 584 60 47, Fax 584 60 51 – 🅿. 🅰🅴 🅴 🆅🅸🆂🅰. 🕸
   cerrado 25 enero-febrero – **Comida** *carta 2600 a 4350.*

COVALEDA 42157 Soria 442 G 21 – 2079 h. alt. 1214 – ☎ 975.
Madrid 233 – Burgos 96 – Soria 50.

🏨 **Pinares de Urbión,** Numancia 4 ℰ 37 05 33, Fax 37 05 33, ⬛ – 🛗 📺 ☎ 🅿 –
🔏 25/105. ⒶⒺ ⓪ Ⓔ 𝚅𝙸𝚂𝙰. ⋘
Comida 1350 – 🖃 700 – **56 hab** 5500/9000 – PA 3400.

COVARRUBIAS 09346 Burgos 442 F 19 – 629 h. alt. 840 – ☎ 947.
Ver : Colegiata★ – Museo (tríptico★).
Excurs. : Quintanilla de las Viñas : Iglesia★ NE : 24 km.
Madrid 228 – Burgos 39 – Palencia 94 – Soria 117.

🏨 **Arlanza** 🦢, Mayor 11 ℰ 40 30 25, Fax 40 63 59, « Estilo castellano » – 🛗 ☎. ⒶⒺ ⓪
Ⓔ 𝚅𝙸𝚂𝙰. ⋘ rest
15 marzo-15 diciembre – **Comida** 1950 – 🖃 650 – **40 hab** 5600/9300 – PA 4100.

XX **De Galo,** Monseñor Vargas 10 ℰ 40 63 93, « En una antigua cuadra » – 🗏. ⒶⒺ Ⓔ 𝚅𝙸𝚂𝙰.
🕭 ⋘
cerrado miércoles no festivos y agosto – **Comida** carta 1950 a 3300.

OVAS 27868 Lugo 441 B 7 – ☎ 982.
Madrid 604 – La Coruña/A Coruña 117 – Lugo 90 – Viveiro 2.

🏨 **Dolusa** sin rest, carret. C 642 ℰ 56 08 66 – 🛗 📺 ☎
15 hab.

LOS CRISTIANOS Santa Cruz de Tenerife – ver Canarias (Tenerife).

EL CRUCERO 33877 Asturias 441 B 10 – alt. 650 – ☎ 98.
Alred. : Tineo ⋇★★ O : 4 km.
Madrid 486 – Gijón 92 – Luarca 50 – Ponferrada 145.

🏨 **Casa Lula** sin 🖃, carret. C 630 ℰ 580 16 00 – 📺 ☎ 🖚 🅿. ⒶⒺ Ⓔ 𝚅𝙸𝚂𝙰. ⋘
Comida (ver rest. *Casa Lula*) – **10 hab** 3500/6000.

XX **Casa Emburria,** carret. C 630 ℰ 580 01 92 – ⒶⒺ ⓪ Ⓔ 𝚅𝙸𝚂𝙰. ⋘
cerrado lunes y 2ª quincena de septiembre – **Comida** carta 2900 a 4000.

X **Casa Lula,** carret. C 630 ℰ 580 02 38 – 🅿. ⒶⒺ ⓪ Ⓔ 𝚅𝙸𝚂𝙰. ⋘
cerrado viernes – **Comida** carta aprox. 2450.

CRUZ DE TEJEDA Las Palmas – ver Canarias (Gran Canaria).

CUBELLAS o CUBELLES 08880 Barcelona 443 I 35 – 3137 h. – ☎ 93 – Playa.
🄳 passeig Narcís Bardají 12, ℰ 895 25 00.
Madrid 584 – Barcelona 54 – Lérida/Lleida 127 – Tarragona 41.

XXX **Llicorella** 🦢 con hab, San Antonio 101 (carret. C 246) ℰ 895 00 44, Fax 895 24 17,
🕭 🏡, Jardín con esculturas contemporáneas, 🌊 – 🗏 hab 📺 ☎ 🅿 – 🔏 25/50. ⒶⒺ ⓪
Ⓔ 𝚅𝙸𝚂𝙰. ⋘ rest
Comida (cerrado domingo noche) carta 3750 a 4700 – 🖃 1100 – **15 hab** 10000/18000
Espec. Terrina de foie de pato al Armagnac. Pasta fresca con albóndigas de corzo sobre
nage de setas. Tarta de chocolate y cerezas Selva Negra.

CUBELLS 25737 Lérida 443 G 32 – 342 h. – ☎ 973.
Madrid 509 – Andorra la Vella 113 – Lérida/Lleida 40.

☝ **Roma,** carret. C 1313 ℰ 45 90 03, Fax 45 90 76 – 🗏 🖚. ⒶⒺ ⓪ Ⓔ 𝚅𝙸𝚂𝙰. ⋘ rest
Comida 1400 – 🖃 550 – **8 hab** 2550/4250 – PA 2680.

CUDILLERO 33150 Asturias 441 B 11 – 6538 h. – ☎ 98.
Ver : Muelle : ⋜★.
Madrid 505 – Gijón 54 – Luarca 53 – Oviedo 61.

en la carretera N 632 :

X **Mariño** con hab, Concha de Artedo - O : 5 km, ⊠ 33155 Concha de Artedo, ℰ 559 11 88,
Fax 559 01 86, ⋜ – 📺 ☎ 🅿. ⒶⒺ ⓪ Ⓔ 𝚅𝙸𝚂𝙰. ⋘
cerrado febrero – **Comida** carta 3400 a 4100 – 🖃 500 – **12 hab** 4500/8000.

X **Casa Fernando 2** con hab, El Rellayo - O : 4 km, ⊠ 33155 El Rellayo, ℰ 559 02 92,
Fax 559 13 82 – 📺 ☎ 🅿. ⒶⒺ ⓪ Ⓔ 𝚅𝙸𝚂𝙰. ⋘
cerrado 19 diciembre-19 enero – **Comida** carta 2700 a 4400 – 🖃 400 – **8 hab** 6500/8500.

CUÉLLAR 40200 Segovia 442 I 16 – 9071 h. alt. 857 – © 921.

Madrid 147 – Aranda de Duero 67 – Salamanca 138 – Segovia 60 – Valladolid 50.

🏛 **San Francisco,** San Francisco 25 ℰ 14 00 09, Fax 14 32 43, � – 🍴 rest 📺 ☎.
⓪ 🗲 *VISA*, 🛇 rest
Comida 1180 – ☲ 350 – **28 hab** 3640/6070.

en la carretera CL 601 S : 3,5 km – ⊠ 40200 Cuéllar – © 921 :

XX **Florida,** ℰ 14 02 75, � – 🍴 ⓟ. ⓪ 🗲 *VISA*, 🛇
cerrado martes noche (salvo festivos de septiembre-mayo) y 15 días en noviembre
Comida carta 2850 a 3750.

CUENCA 16000 🅿 444 L 23 – 46 047 h. alt. 923 – © 969.

Ver : *Emplazamiento*★★ – *Ciudad Antigua*★★ Y : Catedral (portada de la sala capitular
Museo Diocesano★ : díptico bizantino★ **M1**) – Casas Colgadas★ : Museo de Arte Abstrac
Español★★ - Museo de Cuenca★ **M2** – Plaza de las Angustias★ **15** – Puente de San Pa.
≼★ **68**.

Alred. : *Hoz del Huécar : perspectivas*★ Y – Las Torcas★ 20 km por ① – Ciudad Encantad.
NO : 25 km Y.

🏌 *Club de Golf Villar de Olalla por ② : 10,5 km, ℰ 26 71 98.*

🛈 pl. Mayor 1, ⊠ 16001, ℰ 23 21 19 – **R.A.C.E.** Teniente González 2, ℰ 21 14 95,
21 14 95.

Madrid 164 ③ – Albacete 145 ① – Toledo 185 ③ – Valencia 209 ① – Zaragoza 336

Plano página siguiente

🏨 **Parador de Cuenca** ⑤, paseo del Huécar, ⊠ 16001, ℰ 23 23 20, Fax 23 25
« Antiguo convento junto a la Hoz del Huécar con ≼ », 🏊, 🎾 – 🛗 🍴 📺 ☎ ⇦
– 🔏 25/150. 🖭 ⓪ 🗲 *VISA*, 🛇
Comida 3500 – ☲ 1200 – **61 hab** 17000, 2 suites.   Y

🏨 **NH Ciudad de Cuenca,** Ronda de San José 1, ⊠ 16004, ℰ 23 05 02, Fax 23 05 0
🛗 🍴 📺 ☎ 🕭 ⇦ ⓟ – 🔏 25/300   por
74 hab.

🏨 **Torremangana,** San Ignacio de Loyola 9, ⊠ 16002, ℰ 22 33 51, Fax 22 96 71 –
🍴 📺 ☎ ⇦ – 🔏 25/500. 🖭 ⓪ 🗲 *VISA*, 🛇 rest   Y
- **La Cocina :** **Comida** carta 3000 a 3600 – ☲ 1250 – **120 hab** 11000/14300.

🏨 **Leonor de Aquitania** sin rest, San Pedro 60, ⊠ 16001, ℰ 23 10 00, Fax 23 10
≼ – 🛗 📺 ☎ – 🔏 25/100. 🖭 ⓪ 🗲 *VISA*   Y
49 hab ☲ 6000/10000.

🏨 **Alfonso VIII,** parque San Julián 3, ⊠ 16002, ℰ 21 25 12, Fax 21 43 25 – 🛗 🍴 r
📺 ☎ – 🔏 60/500. 🖭 🗲 *VISA*, 🛇 rest   Z
Comida 1600 – ☲ 600 – **44 hab** 6900/9890, 4 suites, 6 apartamentos –
2900.

🏨 **Francabel** sin rest, av. Castilla-La Mancha 7, ⊠ 16003, ℰ 22 62 22, Fax 22 62 22 –
📺 ☎ ⇦. 🗲 *VISA* JCB, 🛇   Z
☲ 500 – **30 hab** 4000/6000.

🏨 **Cortés** sin rest, Ramón y Cajal 49, ⊠ 16004, ℰ 22 04 00, Fax 22 04 06 – 🛗 📺 ☎ ⇦
🖭 *VISA*, 🛇   Z
☲ 225 – **44 hab** 2800/4500.

🏨 **Figón de Pedro** sin ☲, Cervantes 13, ⊠ 16004, ℰ 22 45 11, Fax 23 11 92 – 🛗
☎. 🖭 ⓪ 🗲 *VISA*, 🛇   Z
Comida (ver rest. *Figón de Pedro*) – **28 hab** 4000/6000.

🏨 **Arévalo** sin rest, Ramón y Cajal 29, ⊠ 16001, ℰ 22 39 79 – 🛗 📺 ☎ ⇦. 🖭 ⓪
🛇   Z
☲ 440 – **35 hab** 4000/6000.

🏨 Avenida sin rest, Carretería 39-1º, ⊠ 16002, ℰ 21 43 43, Fax 21 23 35 – 🛗
☎   Z
32 hab.

🏨 **Posada Huécar** sin rest y sin ☲, paseo del Huécar 5, ⊠ 16001, ℰ 21 42 0
🛇
12 hab 3000/5000.

🏨 **Posada de San José** ⑤ sin rest, Julián Romero 4, ⊠ 16001, ℰ 21 13
Fax 23 03 65, ≼, Decoración rústica – 🖭 ⓪ 🗲 *VISA*   Y
☲ 475 – **29 hab** 4500/8800.

🏠 **Castilla** sin rest y sin ☲, Diego Jiménez 4-1º, ⊠ 16004, ℰ 22 53 57 – 📺 ☎.
🛇
15 hab 3500/5000.

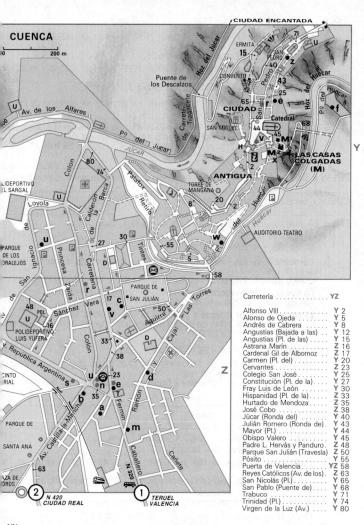

CUENCA

0   200 m

Carretería . . . . **YZ**

Alfonso VIII	**Y** 2
Alonso de Ojeda	**Y** 5
Andrés de Cabrera	**Y** 8
Angustias (Bajada a las) . .	**Y** 12
Angustias (Pl. de las)	**Y** 15
Astrana Marín	**Z** 16
Cardenal Gil de Albornoz . .	**Z** 17
Carmen (Pl. del)	**Y** 20
Cervantes	**Z** 23
Colegio San José	**Y** 25
Constitución (Pl. de la) . . .	**Y** 27
Fray Luis de León	**Y** 30
Hispanidad (Pl. de la)	**Z** 33
Hurtado de Mendoza	**Z** 35
José Cobo	**Z** 38
Júcar (Ronda del)	**Y** 40
Julián Romero (Ronda de) .	**Y** 43
Mayor (Pl.)	**Y** 44
Obispo Valero	**Y** 45
Padre L. Hervás y Panduro .	**Z** 48
Parque San Julián (Travesía)	**Z** 50
Pósito	**Y** 55
Puerta de Valencia	**YZ** 58
Reyes Católicos (Av. de los) .	**Z** 63
San Nicolás (Pl.)	**Y** 65
San Pablo (Puente de)	**Y** 68
Trabuco	**Y** 71
Trinidad (Pl.)	**Y** 74
Virgen de la Luz (Av.)	**Y** 80

XX **Mesón Casas Colgadas,** Canónigos, ⊠ 16001, ℰ 22 35 09, Fax 23 11 92, « Instalado en una de las casas colgadas con ≼ valle del río Huécar » – ▤. ΑΕ ① Ε ᴠɪˢᴀ. ⋘ Y x
cerrado martes noche – **Comida** carta 3500 a 4200.

XX **Figón de Pedro,** Cervantes 13, ⊠ 16004, ℰ 22 68 21, Decoración castellana – ▤. ΑΕ ① Ε ᴠɪˢᴀ. ⋘ Z e
cerrado domingo noche y lunes – **Comida** carta 2700 a 3450.

XX **Casa Marlo,** Colón 59, ⊠ 16002, ℰ 21 11 73, Fax 21 38 60, Decoración regional – ▤. ΑΕ ᴠɪˢᴀ. ⋘ – *cerrado domingo noche* – **Comida** carta 3600 a 4400. Z r

XX **Asador de Antonio,** av. Castilla-La Mancha 3, ⊠ 16003, ℰ 22 20 10 – ▤. ΑΕ ① Ε ᴠɪˢᴀ. ⋘ Z u
cerrado lunes y del 1 al 15 de julio – **Comida** carta aprox. 2700.

X **Rincón de Paco,** Hurtado de Mendoza 3, ⊠ 16002, ℰ 21 34 18 – ▤. ΑΕ ① ᴠɪˢᴀ. ⋘ **Comida** carta aprox. 3550. Z n

X **San Nicolás,** San Pedro 15, ⊠ 16001, ℰ 21 22 05, Fax 23 22 88, 斎 – ▤. ΑΕ ① Ε ᴠɪˢᴀ ᴊᴄʙ. ⋘ Y r
cerrado domingo noche, lunes y enero – **Comida** carta 2800 a 5075.

X **Plaza Mayor,** pl. Mayor 5, ⊠ 16001, ℘ 21 14 96, Decoración castellana – 🍽. 🖭
E *VISA* JCB. ⅏
cerrado miércoles – **Comida** carta 2850 a 3600.

Y

X **Togar,** av. República Argentina 3, ⊠ 16002, ℘ 22 01 62, Fax 22 21 55 – 🍽. 🖭 ⑩
VISA. ⅏
cerrado domingo noche – **Comida** carta 2500 a 3525.

Z

por la carretera de Palomera Y : *6 km y desvío a la izquierda por carretera de Buenac*
1,2 km – ⊠ 16001 Cuenca – 🕾 969 :

🏨 **Cueva del Fraile** ⑤, ℘ 21 15 71, Fax 25 60 47, Edificio del siglo XVI. Decoración cas
llana, 🏊, ⅏ – 📺 🕾 🅿 – 🕍 25/200. 🖭 ⑩ E *VISA* JCB. ⅏
cerrado 10 enero-23 febrero – **Comida** 2200 – �),,775 – **59 hab** 7950/99
1 suite.

CUESTA DE LA VILLA *Santa Cruz de Tenerife* – ver Canarias (Tenerife) : Santa Úrsula.

CUEVA – *ver el nombre propio de la cueva.*

CULLERA 46400 Valencia 🏼🏼🏼 O 25 – 19 984 h. – 🕾 96 – Playa.
🅱 del Riu 38, ℘ 172 09 74.
Madrid 388 – Alicante/Alacant 136 – Valencia 40.

🏨 **Carabela II,** av. País Valencià 61 ℘ 172 40 70 – 📳 🍽 rest 📺 🕾 🚙. 🖭 ⑩ E
JCB. ⅏ rest
Comida *(cerrado domingo en invierno)* 1750 – ☐ 450 – **15 hab** 5200/7300 – PA 33

🏖 **La Reina,** av. País Valencià 73 ℘ 172 05 63 – 🍽 📺. ⑩ E *VISA*. ⅏
Comida 1200 – ☐ 400 – **10 hab** 3500/5300 – PA 2760.

X **L'Entrecôte,** pl. de Mongrell 4 ℘ 172 04 19 – 🍽. 🖭 ⑩ E *VISA* JCB
15 marzo-15 octubre y fines de semana resto del año – **Comida** *(sólo cena salvo sáb*
y domingo) carta 2650 a 3900.

en la zona del faro NE : *4 km* – ⊠ 46400 Cullera – 🕾 96 :

🏨 **Sicania,** playa del Racó ℘ 172 01 43, Fax 173 03 92, ≤, 🍴, 🏊 – 📳 🍽 🕾 🄶
🕍 25/250. 🖭 ⑩ E *VISA*. ⅏ rest
cerrado 15 noviembre-15 diciembre – **Comida** 1850 – ☐ 900 – **110 hab** 7000/10
6 suites – PA 3900.

CULLEREDO *La Coruña* – ver La Coruña.

CUNIT 43881 Tarragona 🏼🏼🏼 I 34 – 2 427 h. – 🕾 977 – Playa.
Madrid 580 – Barcelona 58 – Tarragona 37.

XX **L'Avi Pau,** av. Barcelona 160 ℘ 67 48 61, Fax 67 48 61, 🍴 – 🍽 🅿. 🖭 ⑩
VISA. ⅏
cerrado lunes noche (salvo julio-agosto) y martes – **Comida** carta 3100 a 4800.

CUZCURRITA DE RÍO TIRÓN 26214 La Rioja 🏼🏼🏼 E 21 – 466 h. alt. 519 – 🕾 941.
Madrid 321 – Burgos 78 – Logroño 54 – Vitoria/Gasteiz 58.

X **El Botero** ⑤ *con hab*, San Sebastián 83 ℘ 30 15 00, Fax 30 15 77 – 🍽 rest 📺
🅿. *VISA*. ⅏
Comida carta 1900 a 3000 – ☐ 550 – **12 hab** 3200/4200.

DAIMIEL 13250 Ciudad Real 🏼🏼🏼 O 19 – 16 214 h. alt. 625 – 🕾 926.
Madrid 172 – Ciudad Real 31 – Toledo 122 – Valdepeñas 51.

🏨 **Las Tablas** *sin rest. con cafetería*, Virgen de las Cruces 5 ℘ 85 21 07, Fax 85 21 8
📳 🍽 📺 🕾 🅿 – 🕍 25/100. 🖭 ⑩ E *VISA*. ⅏
☐ 250 – **33 hab** 3250/5750.

X **Las Brujas** *con hab*, antigua carret. de Madrid - NE : 1,7 km ℘ 85 22 89 – 🍽 rest
🕾 🅿. *VISA*. ⅏
Comida carta 1900 a 2900 – ☐ 400 – **14 hab** 2300/3500.

en el cruce de las carreteras N 420 y N 430 SO : *3,5 km* – ⊠ 13250 Daimiel – 🕾

🏨 **Nueva Tierrallana,** ℘ 85 27 63, Fax 85 27 63 – 🍽 📺 🕾 🅿. 🖭 ⑩ E *VISA*. ⅏
Comida 900 – ☐ 300 – **31 hab** 2500/4500 – PA 2000.

DANCHARINEA o DANTXARINEA 31712 Navarra 442 C 25 - ☎ 948.
Madrid 475 - Bayonne 29 - Pamplona/Iruñea 80.

🏠 **Lapitxuri** ⑤ sin rest, ℰ 59 90 19, Fax 59 90 46 - ❷. ஊ ⓿ ౬ 𝘝𝘐𝘚𝘈. ⅏
cerrado octubre - � 400 - **16 hab** 3500.

✗ **Menta**, carret. de Francia ℰ 59 90 20, Fax 59 90 20 - ☰ ❷. ஊ 𝘝𝘐𝘚𝘈. ⅏
cerrado lunes noche y martes de octubre a junio - **Comida** carta 2660 a 4760.

DARNIUS 17722 Gerona 443 E 38 - 506 h. alt. 193 - ☎ 972.
Madrid 759 - Gerona/Girona 52.

🏠 **Darnius** ⑤, carret. de Massanet ℰ 53 51 17 - ❷. ⓿ ౬ 𝘝𝘐𝘚𝘈 𝘫𝘤𝘣. ⅏ rest
cerrado 15 enero-febrero - **Comida** (cerrado jueves) 1100 - ⊑ 450 - **10 hab** 4000 -
PA 2650.

DEBA Guipúzcoa - ver Deva.

DEIÀ Baleares - ver Baleares (Mallorca) : Deyá.

DELTEBRE 43580 Tarragona 443 J 32 - 10 121 h. alt. 26 - ☎ 977.
Madrid 541 - Amposta 15 - Castellón de la Plana/Castelló de la Plana 130 - Tarragona
77 - Tortosa 23.

en La Cava - ✉ 43580 Deltebre - ☎ 977 :
✗ Can Casanova, av. del Canal ℰ 48 11 94 - ☰ ❷.

DENA 36967 Pontevedra 441 E 3 - ☎ 986.
Madrid 620 - Pontevedra 21 - Santiago de Compostela 65.

🏠 Ría Mar sin rest, ℰ 74 41 11, Fax 74 44 01 - |🕼| ☎ ❷
temp - **65 hab**.

DENIA 03700 Alicante 445 P 30 - 25 157 h. - ☎ 96 - Playa.
🛳 para Baleares : Cia Flebasa, Estación Marítima, ℰ 578 41 00, Fax 78 76 06.
🅱 pl. del Oculista Büigues 9, ℰ 642 23 67, Fax 578 09 57.
Madrid 447 - Alicante/Alacant 92 - Valencia 99.

🏨 **Costa Blanca**, Pintor Llorens 3 ℰ 578 03 36, Fax 578 30 27 - |🕼| ☰ ☎. ஊ ⓿ ౬ 𝘝𝘐𝘚𝘈. ⅏
Comida 1815 - ⊑ 525 - **53 hab** 5335/7865 - PA 3520.

XXX **Romano** con hab, av. del Cid 3 (subida al castillo) ℰ 642 17 89, Fax 642 29 58, ☂ -
☰ 🕼 ☎. ஊ ౬ 𝘝𝘐𝘚𝘈. ⅏
Comida (cerrado jueves salvo julio y agosto) carta aprox. 4100 - ⊑ 1500 - **7 hab** 18000.

XX Bitibau, San Vicente del Mar 5 ℰ 642 25 74, « Decoración original » - ☰
Comida (sólo cena en verano).

XX El Asador del Puerto, pl. del Raset 10 ℰ 642 34 82, Fax 642 44 79, ☂ -
☰.

✗ **El Raset**, Bellavista 7 ℰ 578 50 40, Fax 642 44 79, ☂ - ☰. ஊ ⓿ ౬ 𝘝𝘐𝘚𝘈. ⅏
cerrado martes salvo en verano - **Comida** carta 2650 a 3250.

✗ **Drassanes**, Port 15 ℰ 578 11 18 - ☰. ஊ ⓿ ౬ 𝘝𝘐𝘚𝘈
cerrado lunes y noviembre - **Comida** carta aprox. 2500.

✗ **Ticino**, Bellavista 3 ℰ 578 91 03, Fax 642 44 79, ☂ , Cocina italiana - ☰. ஊ ౬ 𝘝𝘐𝘚𝘈. ⅏
cerrado miércoles salvo julio-septiembre - **Comida** carta 1650 a 2250.

✗ **La Barqueta**, Bellavista 10 ℰ 642 16 26, Fax 642 44 79, ☂ - ☰. ஊ ⓿ ౬ 𝘝𝘐𝘚𝘈. ⅏
cerrado jueves salvo julio-septiembre - **Comida** carta 2675 a 3500.

la carretera de Las Rotas - ✉ 03700 Denia - ☎ 96 :
XX Mesón Troya, SE : 1 km ℰ 578 14 31, ☂ , Pescados, mariscos y arroz a banda -
☰.

✗ El Trampoli, playa - SE : 4 km ℰ 578 12 96, ☂ , Pescados, mariscos y arroz a banda - ☰.

la carretera de Las Marinas - ✉ 03700 Denia - ☎ 96 :
🏨 **Rosa** ⑤, Congre 3 - NO : 2 km ℰ 578 15 73, Fax 642 47 74, ☂ , ⊥, ✕ - ☰ rest 🕼
☎ ❷. ౬ 𝘝𝘐𝘚𝘈. ⅏ rest
15 marzo-octubre - **Comida** 1900 - ⊑ 700 - **39 hab** 10000.

🏨 **Los Ángeles** ⑤, NO : 5 km ℰ 578 04 58, Fax 642 09 06, ≤, ✕ - 🕼 ☎ ❷. ⓿ ౬
𝘝𝘐𝘚𝘈 𝘫𝘤𝘣. ⅏ rest
marzo-noviembre - **Comida** 1800 - ⊑ 675 - **60 hab** 7000/9500 - PA 3400.

DENIA

XX **El Poblet,** urb. El Poblet - NO : 3 km ℰ 578 41 79, Fax 578 56 91, 斧 - ▤. ፲⅃ ① E
VISA. ⁕⁕
cerrado lunes salvo en verano – **Comida** carta 3100 a 4650.

X **Paquebote,** playa Almadrava - NO : 9 km ℰ 647 42 70, 斧 - ℗. ፲⅃ E VISA. ⁕⁕
abril-octubre – **Comida** (cerrado lunes) carta 2200 a 3400.

DERIO 48016 Vizcaya 𝟰𝟰𝟮 C 21 – ✪ 94.
Madrid 408 – Bilbao/Bilbo 9 – San Sebastián/Donostia 108.

en la carretera C 6313 N : 3 km – ✉ 48016 Derio – ✪ 94 :

XX **Txakoli Artebakarra,** ℰ 454 12 92, 斧 - ℗. ① E VISA
cerrado lunes noche, martes, 22 días en febrero y 22 días en agosto – **Comida** carta 375
a 5450.

LA DERRASA o **A DERRASA** 32792 Orense 𝟰𝟰𝟭 F 6 – ✪ 988.
Madrid 509 – Pontevedra 110 – Orense/Ourense 10.

X **Roupeiro,** Roupeiro (carret C 536) ℰ 38 00 38, Decoración rústica – ℗. ፲⅃ VISA. ⁕
cerrado domingo y agosto – **Comida** carta 2750 a 3750.

DESFILADERO – ver el nombre propio del desfiladero.

DESIERTO DE LAS PALMAS Castellón – ver Benicasim.

DEVA o **DEBA** 20820 Guipúzcoa 𝟰𝟰𝟮 C 22 – 5 000 h. – ✪ 943 – Playa.
Alred. : Carretera en cornisa ★ de Deva a Lequeitio ≼ ★.
Madrid 459 – Bilbao/Bilbo 66 – San Sebastián/Donostia 41.

X **Urgain,** Arenal 5 ℰ 19 11 01 – ▤. ፲⅃ ① E VISA. ⁕⁕
cerrado martes noche (salvo en verano) y del 20 al 29 de noviembre – **Comida** carta 38♦
a 6900.

X **Txomin,** Puerto 7 ℰ 19 16 60 – ፲⅃ VISA. ⁕⁕
cerrado domingo noche – **Comida** carta 3600 a 4400.

DEYÁ Baleares – ver Baleares (Mallorca).

DON BENITO 06400 Badajoz 𝟰𝟰𝟰 P 12 – 28 601 h. alt. 279 – ✪ 924.
Madrid 311 – Badajoz 113 – Mérida 49.

🏨 **Vegas Altas,** av. Badajoz (carret. C 520) ℰ 81 00 05, Fax 81 10 13, 🛎, ⁕ - 🛗 ▤
🕿 ₠ ⇦ ℗ – 🔬 25/1000. ፲⅃ E VISA
Comida 1735 – 🖙 700 – **77 hab** 8715/10500, 3 suites.

en la carretera de Villanueva E : 2,5 km – ✉ 06400 Don Benito – ✪ 924 :

🏠 Veracruz, ℰ 80 13 62, Fax 80 38 51 – 🛗 ▤ 📺 🕿 ℗
53 hab.

DONAMARÍA 31750 Navarra 𝟰𝟰𝟮 C 25 – 344 h. alt. 175 – ✪ 948.
Madrid 481 – Biarritz 61 – Pamplona/Iruñea 57 – San Sebastián/Donostia 59.

X **Donamaria'ko Benta** con hab, barrio de la Venta - O : 1 km ℰ 45 09 25, Fax 45 07
Decoración rústica en una venta del siglo XIX – ℗. VISA. ⁕⁕ rest
Comida (cerrado lunes) carta aprox. 3350 – 🖙 500 – **5 hab** 7000/8000.

DONOSTIA Guipúzcoa – ver San Sebastián.

DOSBARRIOS 45311 Toledo 𝟰𝟰𝟰 M 19 – 1941 h. alt. 710 – ✪ 925.
Madrid 72 – Alcázar de San Juan 78 – Aranjuez 25 – Toledo 62.

XX **Los Arcos** con hab, autovía N IV ℰ 12 21 29, Fax 12 21 29 – ▤ 📺 🕿 ℗. E VISA.
Comida carta 2850 a 3700 – 🖙 300 – **8 hab** 5750/9500.

EUROPE on a single sheet
Michelin map n° 𝟵𝟳𝟬.

OS HERMANAS *41700 Sevilla* 446 *U 12 – 77 997 h. alt. 42 – 95.*
Madrid 547 – Cádiz 108 – Huelva 111 – Sevilla 22.

La Motilla, carret. N IV - O : 1 km ✆ 566 68 16, Fax 566 68 88, ⛱, ✗ – |♦| ▤ TV ☎ – P – 25/250. AE ⓘ E VISA. ✗
Comida *(cerrado domingo)* 2300 – ☐ 1000 – **101 hab** 12900/16200 – PA 4760.

La Gamba, Marbella 4 ✆ 472 65 59, Pescados y mariscos – ▤. AE ⓘ E VISA JCB. ✗
cerrado domingo y agosto – **Comida** carta 2600 a 4500.

RACH (Cuevas del) *Baleares – ver Baleares (Mallorca).*

A DUQUESA (Puerto de) *Málaga – ver Manilva.*

URANGO *48200 Vizcaya* 442 *C 22 – 22 492 h. alt. 119 – 94.*
Madrid 425 – Bilbao/Bilbo 32 – San Sebastián/Donostia 71 – Vitoria/Gasteiz 40.

Kurutziaga, Kurutziaga 52 ✆ 620 08 64, Fax 620 14 09, – |♦| TV ☎ P. ⓘ E VISA. ✗ rest
Comida *(cerrado domingo noche)* 2100 – ☐ 700 – **18 hab** 7750/13250.

ÚRCAL *18650 Granada* 446 *V 19 – 5 822 h. alt. 830 – 958.*
Madrid 460 – Almería 149 – Granada 30 – Málaga 129.

Mariami *sin rest y sin ☐*, Comandante Lázaro 82 ✆ 78 04 09 – ☎. VISA. ✗
10 hab 3750/4725.

CIJA *41400 Sevilla* 446 *T 14 – 35 727 h. alt. 101 – 95.*
Ver : *Iglesia de Santiago★ (retablo★) - Iglesia de San Juan (torre★).*
pl. de España, ✆ 590 02 40, Fax 590 03 81.
Madrid 458 – Antequera 86 – Cádiz 188 – Córdoba 51 – Granada 183 – Jerez de la Frontera 155 – Ronda 141 – Sevilla 92.

Platería *sin rest y sin ☐*, Garcilópez 1 ✆ 483 50 10, Fax 483 50 10 – |♦| ▤ TV ☎. AE ⓘ E VISA. ✗
18 hab 3600/7000.

Ciudad del Sol *(Casa Pirula)*, av. del Genil ✆ 483 03 00, Fax 483 58 79 – |♦| ▤ TV ☎ P – 25/40. AE ⓘ E VISA. ✗ rest
Comida 1100 – ☐ 250 – **30 hab** 3500/6000.

nto a la autovía N IV *NE : 3 km – ✉ 41400 Écija – 95 :*

Astigi, salida 450 autovía ✆ 483 01 62, Fax 483 57 01 – ▤ TV ☎ P
18 hab.

CHEGÁRATE o ETXEGARATE (Puerto de) *Guipúzcoa* 442 *D 23 – alt. 650 – 943.*
Madrid 409 – Pamplona/Iruñea 48 – San Sebastián/Donostia 63 – Vitoria/Gasteiz 54.

Buenos Aires, carret. N I - alto de Echegárate, ✉ 20213 Idiazábal, ✆ 18 70 82, – P.

GÜÉS *31486 Navarra* 442 *D 25 – 1 267 h. alt. 491 – 948.*
Madrid 395 – Pamplona/Iruñea 10.

Egüés, carret. de Aoiz ✆ 33 00 81, , Asados a la brasa, « Decoración rústica » – ▤ P. AE ⓘ E VISA. ✗
cerrado lunes, Semana Santa, del 15 al 22 de julio y Navidad – **Comida** carta aprox. 3700.

…en Michelin Regional Maps
…in : North West 441 *Northern* 442 *North East* 443
Central 444 *Central and Eastern* 445 *Southern* 446
…rtugal 440
…e localities underlined in red are found in this Guide.

… the Iberian Peninsula
… the Michelin map 990 *Spain and Portugal*
…a scale of 1 inch : 16 miles,
…the Atlas Michelin Spain Portugal (1 inch : 630 miles).

EIBAR 20600 Guipúzcoa **442** C 22 – 32 108 h. alt. 120 – **✆** 943.

Madrid 439 – Bilbao/Bilbo 46 – Pamplona/Iruñea 117 – San Sebastián/Donostia 54.

🏨 **Arrate** sin rest, Ego Gain 5 ℰ 20 72 42, Fax 70 00 74 – 🛗 📺 ☎ – 🔬 25/80. 🆔 ⓔ
E 💳 🖸
☡ 700 – **86 hab** 6800/10500.

XX **Eskarne**, Arragüeta 4 ℰ 12 16 50 – ■. 🆔 ⓞ E 💳
cerrado domingo noche, lunes noche, martes noche y agosto – **Comida** carta 2900 a 450(

EIVISSA Baleares – ver Baleares (Ibiza).

El EJIDO 04700 Almería **446** V 21 – 41 700 h. alt. 140 – **✆** 950.
🏌 Almerimar S : 10 km ℰ 48 02 34, Fax 49 72 33.
Madrid 586 – Almería 32 – Granada 157 – Málaga 189.

🏨 **Ejidohotel**, av. Oasis - carret. N 340 ℰ 48 64 14, Fax 48 64 16, 🏊 – 🛗 ■ 📺 ☎ ⇦
– 🔬 25/100. 🆔 E 💳 ⅏
Comida 1700 – ☡ 700 – **86 hab** 5800/9800 – PA 3400.

en la carretera de Almería NE : 7 km – ⊠ 04700 El Ejido – **✆** 950 :

🏠 **El Edén**, ℰ 58 10 36, Fax 58 05 10 – ■ rest 📺 ☎ ⇦ ⓟ. 🆔 ⓞ E 💳. ⅏ re
Comida 1200 – ☡ 375 – **23 hab** 3500/6000 – PA 2750.

en Almerimar S : 10 km – ⊠ 04700 El Ejido – **✆** 950 :

🏨🏨 **Meliá Almerimar** ⑤, ℰ 49 70 07, Fax 49 71 45, ≼, Ⅰ♠, 🏊, 🏊, ⅏ – 🛗 ■ 📺
⅙ ⓟ – 🔬 25/1000. 🆔 ⓞ E 💳 🖸. ⅏
abril-octubre – - **Español** (cerrado lunes y enero-marzo) **Comida** carta 1925 a 327
Akebono (Rest. japonés, cerrado martes y enero-marzo) **Comida** carta 2075 a 382
☡ 1025 – **275 hab** 10500/17100, 3 suites.

🏨🏨 **Golf H. Almerimar** ⑤, ℰ 49 70 50, Fax 49 70 19, ≼, 🏊, ⅌, ⅏, 🏌 – 🛗 ■ 📺
ⓟ – 🔬 25/300. 🆔 ⓞ E 💳 🖸. ⅏
Comida 2800 – ☡ 1250 – **147 hab** 11200/14000, 2 suites – PA 5800.

XX **Tanabe**, puerto deportivo Dársena 2 - edificio La Estrella ℰ 49 74 22, Rest. japoné
■. 💳. ⅏
cerrado lunes – **Comida** carta 2450 a 3350.

X **El Segoviano**, ℰ 49 75 44, 🏕 – ■. 🆔 E 💳. ⅏
cerrado 24 diciembre-4 enero – **Comida** carta 2800 a 3700.

ELCHE o **ELX** 03200 Alicante **445** R 27 – 187 596 h. alt. 90 – **✆** 96.
Ver : El Palmeral★★ - Huerto del Cura★★ Z - Parque Municipal★ Y.
🛈 passeig de l'Estació, ⊠ 03202, ℰ 545 38 31, Fax 545 78 94.
Madrid 406 ③ – Alicante/Alacant 24 ① – Murcia 57 ②.

Plano página siguiente

🏨🏨 **Huerto del Cura** (Parador colaborador) ⑤, Porta de la Morera 14, ⊠ 032(
ℰ 545 80 40, Fax 542 19 10, 🏕, « Pabellones rodeados de jardines en un palmera
🏊, ⅏ – ■ 📺 ☎ ⇦ ⓟ – 🔬 25/300. 🆔 ⓞ E 💳 🖸. ⅏   Z
Comida 3500 - **Els Capellans** : **Comida** carta 3200 a 4650 – ☡ 1500 – **76 h**
12500/16500, 4 suites.

🏠 **Candilejas** sin rest y sin ☡, Dr. Ferrán 19, ⊠ 03201, ℰ 546 65 12, Fax 546 66 5
🛗 ■ 📺 ☎. 🆔 💳. ⅏   X
cerrado del 16 al 31 de agosto – **24 hab** 5000.

X **Mesón El Granaino**, Josep Maria Buch 40, ⊠ 03201, ℰ 546 01 47, Fax 667 15
Mesón típico – ■. 🆔 ⓞ E 💳. ⅏   Y
cerrado domingo, 2ª y 3ª semanas de agosto – **Comida** carta 3150 a 4300.

X **Enrique**, Empedrat 10, ⊠ 03203, ℰ 545 15 77 – ■. E 💳 🖸. ⅏   Z
Comida carta 2100 a 3300.

en la carretera de Alicante por ① – ⊠ 03200 Elche – **✆** 96 :

XX **La Magrana**, Partida Altabix 41 - 3 km, ⊠ 03291, ℰ 545 82 16, 🏕 – ■ ⓟ. 🆔
💳. ⅏
cerrado domingo noche y lunes – **Comida** carta 2850 a 4200.

XX **La Masía de Chencho**, 4 km ℰ 545 97 47, « Antigua casa de campo » – ■ ⓟ.

por la carretera de El Altet X SE : 4,5 km – ⊠ 03195 El Altet – **✆** 96 :

XX **La Finca**, Partida de Perleta 1-7 ℰ 545 60 07, Fax 545 60 07, 🏕, « Casa de campo
terraza ajardinada » – ■ ⓟ. 🆔 ⓞ E 💳
cerrado domingo noche y 20 días en enero – **Comida** carta 4000 a 5000.

ELX
ELCHE

Reina Victoria . . . . **Z**
orredora . . . . **Z**

Alacant (Av. d')	**X** 2
Alfonso XII	**Z** 3
Almórida	**Z** 4
Antonio Machado (Av. d') . . .	**ZX** 6

Baix (Pl. de)	**Z** 7
Balsa dels Moros (Camí)	**Y** 8
Camí dels Magros . . .	**X** 10
Camino del Gato	**Z** 12
Camino de la Almazara	**Z** 13
Canalejas (Puente de) .	**Z** 15
Conrado del Campo . .	**Z** 16
Diagonal del Palau . . .	**Y** 17
Eres de Santa Llucia . .	**Y** 19
Escultor Capuz	**Z** 20
Estació (Pas. de l') . . .	**Y** 21
Federico García Lorca .	**ZX** 23
Fernanda Santamaría . .	**Z** 24
Fray Luis de León . . .	**X** 25
Jaime García Miralles .	**X** 27
Jiménez Díaz (Doctor) .	**Z** 28
Jorge Juan	**YZ** 29
José María Pemán . . .	**Z** 31
Juan Ramón Jiménez .	**Z** 32
Luis Gonzaga Llorente	**Y** 33
Maestro Albéniz	**Y** 35
Major de la Vila	**Y** 36
Marqués de Asprella .	**Y** 37
Ntra Sra de la Cabeza .	**Y** 39
Pont dels Ortissos . . .	**Y** 40
Porta d'Alacant	**Y** 41
Rector	**Y** 43
Sant Joan (Pl. de) . . .	**Y** 44
Santa Anna	**Y** 45
Santa Teresa (Puente) .	**Y** 47
Santa Pola (Av. de) . .	**YX** 48
Vicente Amorós Candela	**Y** 49
Vicente Blasco Ibáñez .	**YX** 51
Xop ll. Licitá	**Z** 52

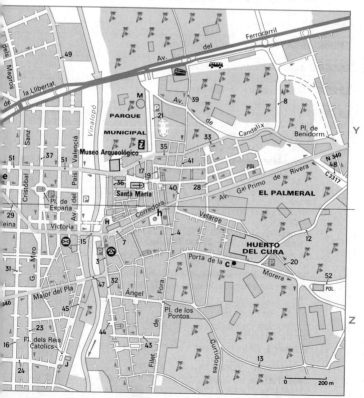

273

ELDA 03600 Alicante 445 Q 27 – 54 010 h. alt. 395 – 🌣 96.

Madrid 381 – Albacete 134 – Alicante/Alacant 37 – Murcia 80.

🏥 **Elda** sin rest, av. Chapí 4 🖉 538 05 56, Fax 538 16 37 – 🗏 🔟 ☎ ⇔. 🖭 ⓘ Ε ⱳ
🛠
🖵 775 – **37 hab** 5100/8300.

🍽 **Fayago**, Colón 19 🖉 538 10 13 – 🗏. 🖭 ⓘ Ε 💯. 🛠
cerrado domingo noche, lunes noche y quince días en agosto – **Comida** carta aprox. 36

ELIZONDO 31700 Navarra 442 C 25 – alt. 196 – 🌣 948.

🚩 Palacio de Arizcunenea, 🖉 58 12 79, (temp).
Madrid 450 – Bayonne 53 – Pamplona/Iruñea 49 – St-Jean-Pied-de-Port 31.

🏨 Baztán, carret. de Pamplona - SO : 1,5 km 🖉 58 00 50, Fax 45 23 23, ≤, 😭, ⚓ –
🗏 rest 🔟 ☎ ⓟ
temp – **84 hab.**

🏥 Saskaitz sin rest, María Azpilikueta 10 🖉 58 04 88, Fax 58 06 15 – 🔟 ☎
24 hab.

🍽 **Galarza**, Santiago 1 🖉 58 01 01 – ⓟ. 🖭 ⓘ 💯
cerrado martes y 22 septiembre-5 octubre – **Comida** carta 2650 a 3700.

🍽 Santxotena, Pedro Axular 🖉 58 02 97, Fax 58 02 97.

ELORRIO 48230 Vizcaya 442 C 22 – 7 309 h. alt. 182 – 🌣 94.

Madrid 395 – Bilbao/Bilbo 40 – San Sebastián/Donostia 73 – Vitoria/Gasteiz 46.

🏨 **Villa de Elorrio** ⚓, barrio San Agustín-carret. de Durango 1 km 🖉 623 15
Fax 623 16 63 – 🛗 🗏 rest 🔟 ☎ ⓟ – 🔬 25/75. 🖭 ⓘ Ε 💯. 🛠
Comida 1500 – 🖵 700 – **19 hab** 8000/13000 – PA 3145.

ELX Alicante – ver Elche.

EMPURIABRAVA Gerona – ver Ampuriabrava.

ENCAMP Andorra – ver Andorra (Principado de).

ERRENTERIA Guipúzcoa – ver Rentería.

La ESCALA o **L'ESCALA** 17130 Gerona 443 F 39 – 5 142 h. – 🌣 972 – Playa.

Alred. : Ampurias★ (ruinas griegas y romanas) - Emplazamiento★ N : 2 km.
🚩 pl. de Les Escoles 1, 🖉 77 06 03, Fax 77 33 85.
Madrid 748 – Barcelona 135 – Gerona/Girona 41.

🏨 **Nieves-Mar**, passeig Marítim 8 🖉 77 36 05, Fax 77 36 05, ≤ mar, ⚓, 💥 – 🛗 🗏
🔟 ☎ ⓟ – 🔬 25/70. 🖭 ⓘ Ε 💯. 🛠 rest
15 marzo-octubre – **Comida** 2830 – 🖵 825 – **80 hab** 5050/9275 – PA 5560.

🏨 **Voramar**, passeig Lluís Albert 2 🖉 77 01 08, Fax 77 03 77, ≤, 😭, ⚓ – 🛗 ☎. 🖭
Ε 💯
cerrado 15 diciembre-15 febrero – **Comida** 2315 – 🖵 660 – **36 hab** 4385/8755 –
4525.

🏥 **El Roser**, Iglesia 7 🖉 77 02 19, Fax 77 45 29 – 🛗 🗏 rest 🔟 ☎ ⓟ. 🖭 ⓘ Ε 💯. 🛠
Comida 1250 – 🖵 550 – **25 hab** 3000/4950 – PA 2500.

🍽🍽 **Els Pescadors**, Port d'en Perris 5 🖉 77 07 28, Fax 77 07 28, ≤ – 🗏. 🖭 ⓘ Ε
🛠
cerrado noviembre – **Comida** carta 2900 a 5100.

🍽🍽 **Miryam** con hab, ronda del Padró 4 🖉 77 02 87, Fax 77 22 02 – 🗏 rest 🔟 ☎ ⓟ
💯
cerrado 9 diciembre-23 enero – **Comida** (cerrado domingo noche) carta 4025 a 59▯
🖵 680 – **14 hab** 5625.

🍽🍽 El Golf Isabel, General Poch 3 🖉 77 00 06 – 🗏
Comida (sólo cena).

🍽🍽 **El Roser 2**, passeig Lluís Albert 1 🖉 77 11 02, Fax 77 45 29, ≤, 😭 – 🗏. 🖭 ⓘ Ε
🛠
cerrado febrero – **Comida** carta 3000 a 5200.

🍽 **L'Avi Freu**, passeig Lluís Albert 7 🖉 77 12 41, ≤, 😭 – 🗏. 🖭 ⓘ Ε 💯 ⱼⱽⱽ
cerrado lunes en invierno y noviembre – **Comida** carta 3150 a 4200.

n Port Escala *E : 2 km –* ⊠ *17130 La Escala –* ☎ *972 :*

XX **Cafè Navili,** Romeu de Corbera ℰ 77 12 01, Fax 77 15 66 – ≣. **E** **VISA**.
cerrado miércoles y noviembre-1 febrero – **Comida** carta 2650 a 4700.

n Sant Martí d'Empúries *NO : 2 km –* ⊠ *17130 La Escala –* ☎ *972 :*

X **Mesón del Conde,** pl. Iglesia 4 ℰ 77 03 06, Fax 10 32 35 – ≣. **AE** **①** **E** **VISA**. ⅋
Comida carta 3100 a 4450.

n la carretera de Figueras *O : 2 km –* ⊠ *17130 La Escala –* ☎ *972 :*

XX El Molí de L'Escala, Camp dels Pilans - Camí de les Corts ℰ 77 47 27, Fax 77 47 25, ⇪,
« Masía con molino del siglo XVI » – **℗**.

SCALANTE *39795 Cantabria* **442** *B 19 – 711 h. alt. 7 –* ☎ *942.*
Madrid 479 – Bilbao/Bilbo 82 – Santander 42.

🏠 **Las Solanas de Escalante** ⌘ *sin rest,* San Juan ℰ 67 78 10, Fax 67 78 22 – **TV** ☎.
AE **VISA**. ⅋
cerrado enero-marzo – ⊇ 400 – **12 hab** 4000/7000.

XXX **San Román de Escalante** ⌘ *con hab,* carret. de Castillo 1,5 km ℰ 67 77 28,
☸ Fax 67 76 43, ≤, « Elegante decoración en una casona montañesa del siglo XVII. Ermita
románica », ⇗ – ≣ **TV** ☎ **℗**. **AE** **①** **E** **VISA**. ⅋ rest
cerrado 23 diciembre-23 enero – **Comida** *(cerrado domingo noche y lunes salvo en festivos, Semana Santa y verano)* carta 4000 a 5200 – ⊇ 1150 – **8 hab** 16500
Espec. Mero con verduritas y crema de chalotas. Filete de pato con costra de sésamo.
Helado de vinagre con coulis de jengibre.

s ESCALDES ENGORDANY *Andorra – ver Andorra (Principado de).*

SCALONA *45910 Toledo* **444** *L 16 – 1763 h. alt. 550 –* ☎ *925.*
Madrid 86 – Ávila 88 – Talavera de la Reina 55 – Toledo 54.

X El Mirador *con hab,* carret. de Ávila 2 ℰ 78 00 26, ≤ – ≣ rest
10 hab.

CORCA *Baleares – ver Baleares (Mallorca).*

ESCORIAL *28280 Madrid* **444** *K 17 – 7026 h. alt. 1030 –* ☎ *91.*
Madrid 55 – Ávila 65 – Segovia 50.

🏠 **Escorial,** Arias Montano 12 ℰ 890 13 61, Fax 896 09 02, ⇪ – ≣. **E** **VISA**. ⅋
Comida 1500 – ⊇ 700 – **32 hab** 5600/7100 – PA 2960.
Ver también : **San Lorenzo de El Escorial** *NO : 3 km.*

CUNHAU *Lérida – ver Viella.*

PASANTE *15339 La Coruña* **441** *A 6 –* ☎ *981.*
Madrid 615 – La Coruña/A Coruña 107 – Lugo 104 – Vivero/Viveiro 28.

X **Planeta,** puerto - N : 1km ℰ 40 83 66, ≤, Pescados y mariscos – **AE** **①** **E** **VISA**. ⅋
cerrado lunes noche (salvo festivos) y del 1 al 15 de noviembre – **Comida** carta 2100 a
4700.

ESPINA *33891 Asturias* **441** *B 10 y 11 – alt. 660 –* ☎ *98.*
Madrid 494 – Oviedo 59.

🏠 **Casa Aurelio,** El Cruce 2 ℰ 583 70 10, Fax 583 73 73 – ≣ rest **TV** ☎ ⇦. **AE** **①** **E**
VISA. ⅋
Comida *(cerrado domingo)* 1350 – ⊇ 400 – **14 hab** 4000/6000 – PA 2700.

ESPINAR *40400 Segovia* **442** *J 17 – 5101 h. alt. 1260 –* ☎ *921.*
Madrid 62 – Ávila 41 – Segovia 30.

🏠 **La Típica,** pl. de España 11 ℰ 18 10 87 – ≣ rest. **AE** **VISA**. ⅋
cerrado 15 días en octubre – **Comida** 1700 – ⊇ 350 – **23 hab** 3500/5300.

🏠 **Casa Marino,** Marqués de Perales 11 ℰ 18 23 39 – ≣ rest **TV**. **AE** **VISA**. ⅋
cerrado 2ª quincena de septiembre – **Comida** *(cerrado domingo noche y lunes noche de octubre a junio)* 2200 – ⊇ 300 – **17 hab** 4000/5000 – PA 4700.

ESPLUGA DE FRANCOLÍ o L'ESPLUGA DE FRANCOLÍ *43440 Tarragona* **443** *H 3.*
3 602 h. alt. 414 – 🕿 *977.*
Madrid 521 – Barcelona 123 – Lérida/Lleida 63 – Tarragona 39.

🏠 **Hostal del Senglar** ⌂, pl. Montserrat Canals 🖉 87 01 21, Fax 87 10 12, « Jardín. R●
típico », 🏊, ❄ – 🛗 🍽 rest 🆚 ☎ 🅿 – 🛗 25/150. 🆎 ⓪ 🅴 🆅🆂🅰 🕸
Comida 2000 – ☷ 525 – **40 hab** 3800/6300.

ESPLUGUES DE LLOBREGAT *Barcelona – ver Barcelona : Alrededores.*

ESPONELLÀ *17832 Gerona* **443** *F 38 – 383 h. –* 🕿 *972.*
Madrid 739 – Figueras/Figueres 19 – Gerona/Girona 30.

✗ **Can Roca,** av. Carlos de Fortuny 1 🖉 59 70 12, 🍴
➲ ▤ 🅿. 🆎 🅴 🆅🆂🅰 🕸
cerrado martes y 15 septiembre-7 octubre – Comida carta 1950 a 3850.

ESPOT *25597 Lérida* **443** *E 33 – 239 h. alt. 1 340 –* 🕿 *973 – Deportes de invierno en Super Esp●*
🎿*4.*
Alred. : *O : Parque Nacional de Aigües Tortes★★.*
🚩 *Prat del Guarda 4,* 🖉 *62 40 36, Fax 62 40 36.*
Madrid 619 – Lérida/Lleida 166.

ESQUEDAS *22810 Huesca* **443** *F 28 – 147 h. alt. 509 –* 🕿 *974.*
Alred. : *Castillo de Loarre★★ (*❊ *★★) NO : 19 km.*
Madrid 404 – Huesca 14 – Pamplona/Iruñea 150.

✗✗ **Venta del Sotón,** carret. A 132 🖉 27 02 41, Fax 27 01 61, « Interior rústico » –
🅿. 🆎 ⓪ 🅴 🆅🆂🅰 🕸
cerrado domingo noche, lunes y febrero – Comida carta aprox. 4800.

S'ESTANYOL (Playa de) *Baleares – ver Baleares (Ibiza) : San Antonio de Portmany.*

ESTARTIT o L'ESTARTIT *17258 Gerona* **443** *F 39 –* 🕿 *972 – Playa.*
🚩 *passeig Marítim 47,* 🖉 *75 89 10, Fax 75 76 19.*
Madrid 745 – Figueras/Figueres 39 – Gerona/Girona 36.

🏠 **Bell Aire,** Església 39 🖉 75 13 02, Fax 75 19 58, 🍴 – 🛗 🆚. 🆎 ⓪ 🅴 🆅🆂🅰. 🕸
27 marzo-5 octubre – Comida 1300 – ☷ 525 – **76 hab** 4900/8100 – PA 2900.

🏠 **Miramar,** av. de Roma 21 🖉 75 86 28, Fax 75 75 00, 🏊, 🌿, ❄ – 🆚 ☎ 🅿. 🅴
🕸 rest
mayo-octubre – Comida 1500 – **64 hab** ☷ 6775/12500.

🏠 **La Masía,** carret. de Torroella - O : 1km 🖉 75 11 78, Fax 75 18 90, 🏊, 🌿, ❄ – 🛗 ▤
🅿. 🆎 ⓪ 🅴 🆅🆂🅰. 🕸 rest
22 marzo-octubre – Comida 1250 – ☷ 650 – **77 hab** 4300/7500 – PA 2650.

✗ **La Gaviota,** passeig Marítim 92 🖉 75 84 19, 🍴 – ▤. 🆎 ⓪ 🅴 🆅🆂🅰. 🕸
cerrado lunes noche y martes noche (salvo verano) y 15 noviembre-15 diciembre – Com●
carta 2050 a 3750.

ESTELLA o LIZARRA *31200 Navarra* **442** *D 23 – 13 569 h. alt. 430 –* 🕿 *948.*
Ver : *Palacio de los Reyes de Navarra★ – Iglesia San Pedro de la Rúa : (portada★, claustr●*
– Iglesia de San Miguel : (fachada★, altorrelieves★★).
Alred. : *Monasterio de Irache★ (iglesia★) S : 3 km – Monasterio de Iranzu (garganta★*
10 km.
🚩 *San Nicolás 1,* 🖉 *55 40 11, Fax 55 40 11.*
Madrid 380 – Logroño 48 – Pamplona/Iruñea 45 – Vitoria/Gasteiz 70.

✗✗ **Navarra,** Gustavo de Maeztu 16 (Los Llanos) 🖉 55 10 69, Decoración navarro-medi●
« Villa rodeada de jardín » – ▤. 🆎 🆅🆂🅰. 🕸
cerrado domingo noche, lunes y 15 diciembre-3 enero – Comida carta 3200 a 480●

✗✗ **Richard,** av. de Yerri 10 🖉 55 13 16 – ▤. 🆎 🆅🆂🅰. 🕸
cerrado lunes y 1ª quincena de septiembre – Comida carta 3900 a 5300.

✗ Rochas, Príncipe de Viana 16 🖉 55 10 40 – ▤.

ESTELLENCHS o ESTELLENCS *Baleares – ver Baleares (Mallorca).*

TEPONA 29680 Málaga **446** W 14 – 36 307 h. – **✆** 95 – Playa.

⛳ El Paraíso NE : 11,5 km por N 340 ℘ 288 38 46 – ⛳ Atalaya Park ℘ 278 18 94.

🛈 av. San Lorenzo 1, ℘ 280 20 02, Fax 279 21 81.

Madrid 640 – Algeciras 51 – Málaga 85.

XX **Robbies,** Jubrique 11 ℘ 280 21 21 – 🗏. **E** 𝗩𝗜𝗦𝗔. ⪕
cerrado lunes, febrero y del 1 al 15 de diciembre – **Comida** (sólo cena) carta 4350 a 6000.

X **Costa del Sol,** San Roque 23 ℘ 280 11 01, Cocina francesa – 🗏. **AE ① E** 𝗩𝗜𝗦𝗔
cerrado domingo mediodía y lunes mediodía – **Comida** carta 1830 a 2700.

el puerto deportivo – ✉ 29680 Estepona – **✆** 95 :

XX **El Cenachero,** ℘ 280 14 42, 🏵 – **AE ① E** 𝗩𝗜𝗦𝗔. ⪕
cerrado martes salvo verano y febrero – **Comida** carta aprox. 2800.

la carretera de Málaga – **✆** 95 :

🏨 **Las Dunas,** urb. La Boladilla Baja - NE : 7,5 km, ✉ 29689, ℘ 279 43 45, Fax 279 48 25, ≼, 🏵, Servicios terapéuticos, 𝕴₆, ⵣ climatizada, 🎴 – 🛗 🗏 📺 ☎ ⅙ ⇐ 🅟. **AE ①**
E 𝗩𝗜𝗦𝗔 𝗷𝗰𝗯. ⪕
Comida carta 5500 a 7100 – 🍽 2600 – **75 hab** 28000/35000.

🏨 **El Paraíso** 🦀, urb. El Paraíso - NE : 11,5 km y desvío 1,5 km, ✉ 29680, ℘ 288 30 00, Fax 288 20 19, ≼ mar y montaña, Servicios terapéuticos, 𝕴₆, ⵣ, 🎾, 🎴, 🕴 – 🛗 🗏 📺 ☎ ⅙ 🅟 – 🏛 25/120. **AE ① E** 𝗩𝗜𝗦𝗔. ⪕
Comida (sólo buffet) 3900 – 🍽 1600 – **182 hab** 15750/24500, 4 suites – PA 8000.

🏨 **Atalaya Park** 🦀, NE : 12,5 km y desvío 1 km, ✉ 29688, ℘ 288 48 01, Fax 288 57 35, ≼, 🏵, « Extenso jardín con arbolado », 𝕴₆, ⵣ, 🎾, 🌊₆, 🕴, ⛳ – 🛗 🗏 📺 ☎ 🅟 – 🏛 25/600. **AE ① E** 𝗩𝗜𝗦𝗔 𝗷𝗰𝗯. ⪕ rest
Comida 2900 - **Don Quijote** (sólo cena) **Comida** carta 3050 a 3650 - **La Torre** (sólo buffet)
Comida carta aprox. 2900 – **416 hab** 🍽 17580/30280, 32 suites.

XX **La Alcaria de Ramos,** urb. El Paraíso - NE : 11,5 km y desvío 1,5 km, ✉ 29680,
@ ℘ 288 61 78, 🏵 – **E** 𝗩𝗜𝗦𝗔. ⪕
cerrado domingo (salvo agosto) y diciembre – **Comida** carta aprox. 3000.

XX Playa Bella, urb. Playa Bella - NE : 7 km ℘ 280 16 45 –
🗏.

X **El Rocío,** NE : 2 km, ✉ 29680, ℘ 280 00 46, 🏵 – 🅟. **AE ① E** 𝗩𝗜𝗦𝗔. ⪕
cerrado mayo – **Comida** carta 2125 a 3050.

TERRI DE ANEU o **ESTERRI D'ÁNEU** 25580 Lérida **443** E 33 – 446 h. alt. 957 –
✆ 973.

🛈 Major 6, ℘ 62 60 05, Fax 62 60 05.

Madrid 624 – Lérida/Lleida 168 – Seo de Urgel/La Seu d'Urgell 84.

🏨 **Esterri Park H.,** Major 69 ℘ 62 63 88, Fax 62 62 79, 🏵 – 🛗 🗏 rest 📺 ☎ 🅟. **E**
𝗩𝗜𝗦𝗔. ⪕
cerrado 13 octubre-diciembre – **Comida** 1500 – 🍽 700 – **24 hab** 4700/8800 – PA 3700.

ESTRADA o **A ESTRADA** 36680 Pontevedra **441** D 4 – 21 947 h. – **✆** 986.

Madrid 599 – Orense/Ourense 100 – Pontevedra 44 – Santiago de Compostela 28.

🏨 **Milano** 🦀, carret. de Cuntis 1 km ℘ 57 35 35, Fax 57 35 10, 🏵, ⵣ, 🎾 – 🛗 📺 ☎
🅟 – 🏛 25/200. **AE ① E** 𝗩𝗜𝗦𝗔. ⪕ rest
Comida 1450 – 🍽 500 – **41 hab** 4850/7875.

X **Nixon,** av. de Puenteareas 14 ℘ 57 02 61, Fax 57 16 00 – 🗏. **AE ① E** 𝗩𝗜𝗦𝗔
cerrado lunes y del 15 al 30 de noviembre – **Comida** carta 2950 a 4150.

XEGARATE (Puerto de) Guipúzcoa – ver Echegárate (Puerto de).

XUI o **EUGI** 31638 Navarra **442** D 25 – alt. 620 – **✆** 948.

Madrid 422 – Pamplona/Iruñea 27 – St-Jean-Pied-de-Port 63.

🏨 **Quinto Real,** carret. N 138 ℘ 30 40 44, Fax 30 40 44, ≼ – 🅟. **AE E** 𝗩𝗜𝗦𝗔. ⪕
cerrado enero – **Comida** 1400 – 🍽 500 – **18 hab** 6500 – PA 2800.

L'EUROPE en une seule feuille
Cartes Michelin nº **970** (routière, pliée) et nº **973** (politique, plastifiée).

EZCARAY 26280 La Rioja 442 F 20 - 1704 h. alt. 813 - ✪ 941 - Deportes de invierno Valdezcaray.

Madrid 316 - Burgos 73 - Logroño 61 - Vitoria/Gasteiz 80.

🏨 **Echaurren**, Héroes del Alcázar 2 ℰ 35 40 47, Fax 42 71 33 - |🛗| 🗐 rest 📺 ☎. 🖭 ⓐ **E** 𝘝𝘐𝘚𝘈. ⋘ rest
cerrado noviembre - Comida (cerrado domingo noche en invierno) carta 2850 a 4460 ⌑ 550 - **26 hab** 4000/7300, 6 apartamentos.

🏨 **Iguareña**, Lamberto F. Muñoz 14 ℰ 35 41 44, Fax 35 41 44 - |🛗| 🗐 rest 📺 𝘝𝘐𝘚𝘈
Comida 1400 - ⌑ 325 - **25 hab** 4000/6400 - PA 2600.

✗ **El Rincón del Vino**, av. Jesús Nazareno 2 ℰ 35 43 75, Exposición y venta de vinos y productos típicos de La Rioja, « Rústico regional » - ⓟ. 🖭 **E** 𝘝𝘐𝘚𝘈
cerrado miércoles salvo en verano - **Comida** carta 2100 a 3700.

FANALS (Playa de) Gerona - ver Lloret de Mar.

FELANITX Baleares - ver Baleares (Mallorca).

FELECHOSA 33688 Asturias 442 C 13 - ✪ 98.

Madrid 467 - Gijón 86 - Mieres 37 - Oviedo 56.

🏖 **Casa El Rápido**, carret. General 6 ℰ 548 70 51 - 📺. ⓞ **E** 𝘝𝘐𝘚𝘈. ⋘
Comida (cerrado lunes) 1000 - ⌑ 400 - **9 hab** 2500/5000 - PA 2600.

LA FELGUERA 33930 Asturias 441 C 13 - ✪ 98.

Madrid 448 - Gijón 40 - Mieres 14 - Oviedo 22.

✗ **El Carbayu**, Jesús Alonso Braga 8 ℰ 567 33 22
🗐. 🖭 **E** 𝘝𝘐𝘚𝘈
cerrado domingo y 25 agosto-12 septiembre - **Comida** carta 2950 a 4550.

FENE 15500 La Coruña 441 B 5 - 14759 h. alt. 30 - ✪ 981.

Madrid 609 - La Coruña/A Coruña 58 - Ferrol 6 - Santiago de Compostela 94.

🏨 **Perlío**, av. de las Pías 25 ℰ 34 20 11, Fax 34 20 59 - 📺 ☎ 🚗. **E** 𝘝𝘐𝘚𝘈. ⋘
Comida (ver rest. **Perlío**) - **29 hab** ⌑ 3500/5700.

✗✗ **Perlío**, av. de las Pías 25 ℰ 34 20 11, Fax 34 20 59 - **E** 𝘝𝘐𝘚𝘈. ⋘
Comida carta aprox. 3300.

por la carretera de San Marcos SE : 4 km - ✉ 15509 Magalofes - ✪ 981 :

✗ Muiño do Vento, Magalofes ℰ 34 09 21, Fax 34 09 21 - 🗐 ⓟ.

FERRERÍAS o **FERRERIES** Baleares - ver Baleares (Menorca).

FERROL 15400 La Coruña 441 B 4 - 85132 h. - ✪ 981 - Playa.

🗓 Magdalena 12, ✉ 15402, ℰ 31 11 79.
Madrid 608 - La Coruña/A Coruña 61 - Gijón 321 - Oviedo 306 - Santiago de Compostela 103.

🏨 **Parador de Ferrol**, Almirante Fernández Martín, ✉ 15401, ℰ 35 67 20, Fax 35 67 21 « Edificio de estilo regional » - 🗐 rest 📺 ☎ - 🛗 25/100. 🖭 ⓞ **E** 𝘝𝘐𝘚𝘈. ⋘
Comida 3200 - ⌑ 1200 - **38 hab** 14500.

🏨 **El Suizo** sin rest. con cafetería, Dolores 67, ✉ 15402, ℰ 30 04 00, Fax 30 03 06
🗐 📺 ☎ 🚗. 🖭 ⓞ **E** 𝘝𝘐𝘚𝘈. ⋘
⌑ 750 - **34 hab** 8650/10800.

🏨 **Almirante**, María 2, ✉ 15402, ℰ 32 53 11, Fax 32 84 49 - |🛗| 📺 ☎ 🚗 - 🛗 25/
🖭 ⓞ **E** 𝘝𝘐𝘚𝘈. ⋘
Comida 1500 - **Gavia** : Comida carta 2600 a 4100 - ⌑ 750 - **117 hab** 4500/7500.

🏨 **Almendra** sin rest, Almendra 4, ✉ 15402, ℰ 35 81 90 - 📺 🚗
40 hab.

🏖 **Ryal** sin rest, Galiano 43, ✉ 15402, ℰ 35 07 99 - |🛗|. 🖭 ⓞ **E** 𝘝𝘐𝘚𝘈. ⋘
⌑ 340 - **40 hab** 3400/5400.

✗✗✗ **Borona**, Dolores 52, ✉ 15402, ℰ 35 50 99 - 🖭 ⓞ **E** 𝘝𝘐𝘚𝘈
cerrado lunes y 15 septiembre-15 octubre - **Comida** carta aprox. 3700.

XX **O'Parrulo,** av. Catabois 401, ⊠ 15405, ℰ 31 86 53, Fax 32 35 31 – 🗐 🅿. 🖭 ⊕ 🖃
VISA. ℅
cerrado del 1 al 15 de agosto y 24 diciembre-8 enero – **Comida** carta aprox. 3550.

XX **O'Xantar,** Real 182, ⊠ 15401, ℰ 35 51 18 – 🗐. 🖭 ⊕ 🖃 *VISA* JCB. ℅
Comida carta 2800 a 4600.

X **Moncho,** Dolores 44, ⊠ 15402, ℰ 35 39 94 – 🖭 ⊕ 🖃 *VISA*. ℅
cerrado domingo (14 julio-22 septiembre) – **Comida** carta 2500 a 4500.

X **Pataquiña,** Dolores 35, ⊠ 15402, ℰ 35 23 11 – 🖭 ⊕ 🖃 *VISA*. ℅
cerrado domingo noche (octubre-julio) – **Comida** carta 2550 a 3900.

X **Casa Rivera,** Galiano 57, ⊠ 15402, ℰ 35 07 59, Fax 35 08 88
🖭 ⊕ *VISA*. ℅
Comida carta aprox. 2900.

X **Txindoki,** Ingeniero A. Comerma 34, ⊠ 15404, ℰ 37 17 52 – 🖭 🖃 *VISA*. ℅
cerrado domingo noche y lunes en invierno, domingo en verano y del 1 al 25 de septiembre
– **Comida** carta 2350 a 3125.

Sieben Michelin-Abschnittskarten :

Spanien : Nordwesten **441** *Norden* **442** *Nordosten* **443** *Zentralspanien* **444**
Zentral- und Ostspanien **445** *Süden* **446**

Portugal **440**

Die auf diesen Karten rot unterstrichenen Orte
sind im vorliegenden Führer erwähnt.

Für die gesamte Iberische Halbinsel benutzen Sie die Michelin-Karte **990**
im Maßstab 1 : 1 000 000,
oder der Atlas Michelin Spanien Portugal im Maßstab 1/400 000.

FIGUERAS 33794 Asturias **441** B 8 – ✪ 98.
Madrid 593 – Lugo 92 – Oviedo 150.

🏯 **Palacete Peñalba** ⤬, El Cotarelo ℰ 563 61 25, Fax 563 62 47, « Palacete de estilo
modernista », � – 🗐 ☎ 🅿. 🖭 🖃 *VISA*. ℅
Comida (ver rest. **Peñalba**) – ☲ 700 – **10 hab** 8000/10500, 2 suites.

XX **Peñalba,** av. Trenor - puerto ℰ 563 61 66, ≼ – 🖭 🖃 *VISA*. ℅
Comida carta 4200 a 5800.

FIGUERAS o FIGUERES 17600 Gerona **443** F 38 – 35 301 h. alt. 30 – ✪ 972.
Ver : Teatre-Museu Dalí★★ BY – Torre Galatea★ BY – Museo de Juguetes (Museu de
Joguets★) BZ – Castell de Sant Ferran ☀★★ AY.
🏌 Torremirona Golf Club, Navata por ④ : 7 km, ℰ 55 37 37.
🖪 pl. del Sol, ℰ 50 31 55, Fax 67 31 66.
Madrid 744 ③ – Gerona/Girona 37 ③ – Perpignan 58 ①

Planos páginas siguientes

🏨 **President,** ronda Firal 33 ℰ 50 17 00, Fax 50 19 97 – 🛗 🗐 📺 ☎ ⟺ 🅿. 🖭 ⊕ 🖃
VISA   BZ a
Comida 2000 – ☲ 650 – **76 hab** 5500/9000 – PA 4650.

🏨 **Duràn,** Lasauca 5 ℰ 50 12 50, Fax 50 26 09 – 🛗 🗐 📺 ☎ ⟺ – 🏛 25/80. 🖭 ⊕
🖃 *VISA*   BZ c
Comida (ver rest. **Duràn**) – ☲ 775 – **65 hab** 5800/8300.

🏨 **Travé,** carret. de Olot ℰ 50 05 91, Fax 67 14 83, 🏊 – 🛗 🗐 📺 ☎ ⟺ 🅿 – 🏛 25/150.
🖭 ⊕ *VISA*. ℅ rest   AZ b
Comida 1800 – ☲ 600 – **72 hab** 3500/7500 – PA 3600.

🏨 **Pirineos,** ronda Barcelona 1 ℰ 50 03 12, Telex 56277, Fax 50 07 66 – 🛗 🗐 rest 📺
☎ ⟺. 🖭 ⊕ 🖃 *VISA*   BZ e
Comida 1700 – ☲ 600 – **53 hab** 5300/6700 – PA 3950.

🏨 **Ronda,** ronda Barcelona 104 ℰ 50 39 11, Fax 50 16 82 – 🛗 🗐 rest 📺 ☎ ⟺ 🅿. 🖭
⊕ 🖃 *VISA*. ℅ rest   por ③
Comida 1400 – ☲ 600 – **45 hab** 3400/5800 – PA 3400.

🏨 **Los Ángeles** sin rest, Barceloneta 10 ℰ 51 06 61, Fax 51 07 00 – ☎ ⟺. 🖭 ⊕ 🖃
VISA   BY f
☲ 545 – **40 hab** 3220/4830.

XX **Duràn,** Lasauca 5 ℰ 50 12 50, Fax 50 26 09, Decoración típica ampurdanesa – 🗐 ⟺.
🖭 ⊕ 🖃 *VISA*   BZ c
Comida carta 2550 a 4775.

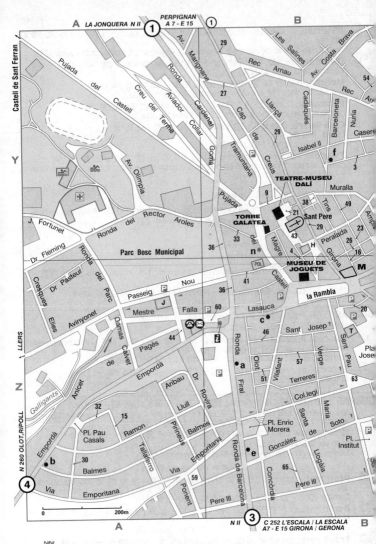

XX **Viarnés,** Pujada del Castell 23 ☏ 50 07 91 – ■. AE ◑ E VISA   BY
     cerrado domingo noche, lunes (en agosto sólo domingo noche), 1ª quincena de junio
     quincena de noviembre – **Comida** carta 2350 a 3550.

en la carretera N II *(antigua carretera de Francia)* por ① – ✉ 17600 Figuera
☏ *972* :

🏯 **Ampurdán,** N : 1,5 km ☏ 50 05 62, Fax 50 93 58, 🍽 – 🛗 ■ TV ☎ 🚗 P. AE
♨ E VISA, ⚘ rest
     Comida 4500 y carta 4740 a 6840 – ⊇ 980 – **39 hab** 7200/11400, 3 suites
     Espec. Brocheta de chipirones plancha a la vinagreta de estragón. Liebre a la Royal
     puré de remolacha (temp). Tarta de pera a la vainilla y lavanda.

🏨 **Bon Retorn,** S : 2,5 km ☏ 50 46 23, Fax 67 39 79, 🏊 – 🛗 ■ rest TV ☎ 🚻 🚗
     AE ◑ E VISA, ⚘ rest
     Comida *(cerrado lunes mediodía)* 2000 – ⊇ 600 – **50 hab** 44
     8000.

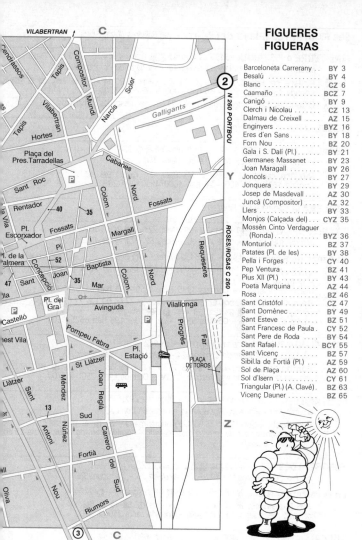

FIGUERES
FIGUERAS

Barceloneta Carrerany	BY 3
Besalú	BY 4
Blanc	CZ 6
Caamaño	BCZ 7
Canigó	BY 9
Clerch i Nicolau	CZ 13
Dalmau de Creixell	AZ 15
Enginyers	BYZ 16
Eres d'en Sans	BY 18
Forn Nou	BZ 20
Gala i S. Dalí (Pl.)	BY 21
Germanes Massanet	BY 23
Joan Maragall	BY 26
Joncols	BY 27
Jonquera	BY 29
Josep de Masdevall	AZ 30
Juncà (Compositor)	AZ 32
Llers	BY 33
Monjos (Calçada del)	CYZ 35
Mossèn Cinto Verdaguer (Ronda)	BYZ 36
Monturiol	BZ 37
Patates (Pl. de les)	BY 38
Pella i Forges	CY 40
Pep Ventura	BZ 41
Píus XII (Pl.)	BY 43
Poeta Marquina	AZ 44
Rosa	BZ 46
Sant Cristófol	CZ 47
Sant Domènec	BY 49
Sant Esteve	BZ 51
Sant Francesc de Paula	CY 52
Sant Pere de Roda	BY 54
Sant Rafael	BCY 55
Sant Vicenç	BZ 57
Sibil.la de Fortià (Pl.)	AZ 59
Sol de Plaça	AZ 60
Sol d'Isern	CY 61
Triangular (Pl.) (A. Clavé)	BZ 63
Vicenç Dauner	BZ 65

la carretera de Olot por ④ : 5 km - ⊠ 17742 Avinyonet de Puigventós - ☎ 972 :

※※※ **Mas Pau** ⑤ con hab, ℘ 54 61 54, Fax 54 63 26, 佘, « Antigua masía con jardin y ☀ »
☆ - 🗏 hab 📺 ☎ 🅿. 🆎 ⓪ 🖪 𝑉𝐼𝑆𝐴
cerrado 8 enero-15 marzo - **Comida** (cerrado lunes mediodía en verano, domingo noche
y lunes resto del año) carta 4600 a 5800 - ☲ 1200 - **6 hab** 11700/13000, 1 suite
Espec. Espárragos con ceps y vinagreta de foie gras (primavera). Manitas de cerdo des-
huesadas rellenas de buey de mar. Tatin de peras con flan de tomillo.

Questa guida non é un repertorio di tutti gli alberghi e ristoranti,
né comprende tutti i buoni alberghi e ristoranti di Spagna e Portogallo.

Nell'intento di tornare utili a tutti i turisti, siamo indotti ad indicare stabilimenti
di tutte le classi ed a citarne soltanto un certo numero di ognuna.

Ses FIGUERETES (Playa de) Baleares – ver Baleares (Ibiza) : Ibiza.

FINISTERRE o FISTERRA 15155 La Coruña **441** D 2 – 4 964 h. – ✆ 981 – Playa.
Madrid 733 – La Coruña/A Coruña 115 – Santiago de Compostela 131.

🏠 **Finisterre,** Federico Ávila 8 ℰ 74 00 00, Fax 74 00 54 – 📺 ☎ 🚗. 🅰🅴 🅴 𝐕𝐈𝐒𝐀. ⟨
Comida 1500 – 🍽 500 – **36 hab** 4000/6000 – PA 3200.

✗ O'Centolo, Bajada del Puerto ℰ 74 04 52, 🛋, Pescados y mariscos.

FIOBRE La Coruña – ver Bergondo.

FISCAL 22373 Huesca **443** E 29 – 249 h. alt. 768 – ✆ 974.
Madrid 534 – Huesca 144 – Lérida/Lleida 160.

🏕 **Río Ara,** carret. de Ordesa ℰ 50 30 20, ≤ – 🅿. 🅰🅴 𝐕𝐈𝐒𝐀. ⁒
Comida 1325 – 🍽 400 – **26 hab** 3600/4950 – PA 2600.

FISTERRA La Coruña – ver Finisterre.

FITERO 31593 Navarra **442** F 24 – 2 109 h. alt. 223 – ✆ 948 – Balneario.
Madrid 308 – Pamplona/Iruñea 93 – Soria 82 – Zaragoza 105.

en Baños de Fitero O : 4 km – ⊠ 31593 Fitero – ✆ 948 :

🏨 **Virrey Palafox** ⟨⟩, Extramuros ℰ 77 62 75, Fax 77 62 25, 🌊 de agua termal, 🐎,
– 📶 📺 🅿. 𝐕𝐈𝐒𝐀. ⁒ rest
marzo-15 diciembre – Comida 3575 – 🍽 1250 – **63 hab** 6675/9500.

🏨 **Baln. G. Adolfo Bécquer** ⟨⟩, Extramuros ℰ 77 61 00, Fax 77 62 25, 🛋, 🌊 de ag
termal, 🐎, 🍽 – 📶 ▤ rest 📺 🚗 🅿. 𝐕𝐈𝐒𝐀. ⁒ rest
marzo-15 diciembre – Comida 3575 – 🍽 1250 – **193 hab** 6675/9500.

FOMBELLIDA 39213 Cantabria **442** D 17 – ✆ 942.
Madrid 338 – Aguilar de Campóo 24 – Burgos 105 – Santander 80.

✗✗ **Fombellida,** carret. N 611 ℰ 75 33 63, « Decoración rústica » – 🅿. 𝐕𝐈𝐒𝐀
cerrado domingo noche y festivos noche – Comida carta 2500 a 3700.

FONTANILLES 17257 Gerona **443** F 39 – 90 h. – ✆ 972.
Madrid 740 – Figueras/Figueres 44 – Gerona/Girona 38.

✗✗ **Can Bech,** Major 12 ℰ 75 93 17, Antigua masía – ▤ 🅿. 🅴 𝐕𝐈𝐒𝐀. ⁒
junio-octubre y fines de semana resto del año – Comida (cerrado 15 diciembre-15 ene
carta 2900 a 3650.

FONTSCALDES 43813 Tarragona **443** I 33 – ✆ 977.
Madrid 540 – Barcelona 100 – Lérida/Lleida 76 – Tarragona 26.

en la carretera N 240 N : 3 km – ⊠ 43813 Fontscaldes – ✆ 977 :
✗ **Les Espelmes,** ℰ 60 10 42, ≤, 🛋 – ▤ 🅿. 🅰🅴 🅾 🅴 𝐕𝐈𝐒𝐀. ⁒
cerrado miércoles y 23 junio-julio – Comida carta 2500 a 4000.

FORCALL 12310 Castellón **445** K 29 – 569 h. alt. 680 – ✆ 964.
Madrid 423 – Castellón de la Plana/Castelló de la Plana 110 – Teruel 122.

🏨 **Palau dels Osset,** pl. Mayor 16 ℰ 17 75 24, Fax 17 75 56, « En un palacio del siglo X
– 📶 ▤ 📺 ☎ 🕭.
20 hab.

🏕 **Aguilar** sin rest y sin 🍽, av. III Centenario 1 ℰ 17 11 06, Fax 17 11 06 – 📺 🅿
15 hab 1600/3100.

✗ **Mesón de la Vila,** pl. Mayor 8 ℰ 17 11 25, Decoración rústica – ▤. 🅰🅴 🅴 𝐕𝐈𝐒𝐀
cerrado domingo noche y noviembre – Comida carta 1700 a 3600.

FORMENTERA Baleares – ver Baleares.

FORMENTOR (Cabo de) Baleares – ver Baleares (Mallorca).

El FORMIGAL Huesca – ver Sallent de Gállego.

ORNELLS Baleares – ver Baleares (Menorca).

ORNELLS DE LA SELVA 17458 Gerona **443** G 38 – 1 160 h. alt. 102 – **۞** 972.
Madrid 693 – Barcelona 91 – Gerona/Girona 8 – San Feliú de Guixols/Sant Feliu de Guíxols 37.

☆ **Mas Busquets**, perllongació carrer Guilleries *₢* 47 67 53, 龠 – 国. 延 ① 医 ☑️. ❄
cerrado domingo noche – **Comida** carta 1975 a 2500.

ORTUNA (Balneario de) 30630 Murcia **445** R 26 – 6 081 h. alt. 240 – **۞** 968 – Balneario.
Madrid 388 – Albacete 141 – Alicante/Alacant 96 – Murcia 25.

🏨 **Victoria** ১, *₢* 68 50 11, Fax 68 50 87, ⚓ de agua termal, 龠, ❄ – ⧉ �📺 🅿️. 延 ᴇ ☑️. ❄
marzo-20 diciembre – **Comida** 2080 – ☑️ 350 – **51 hab** 4780/7380, 1 suite – PA 3800.

🏨 **Balneario** ১, *₢* 68 50 11, Fax 68 50 87, ⚓ de agua termal, 龠, ❄ – ⧉ �📺 🅿️. 延
ᴇ ☑️. ❄
Comida 2180 – ☑️ 500 – **58 hab** 4350/7380 – PA 4100.

🏠 **España** ১, *₢* 68 50 11, Fax 68 50 87, ⚓ de agua termal, 龠, ❄ – ⧉ �📺 🅿️. 延 ᴇ
☑️. ❄
15 febrero-20 diciembre – **Comida** 1390 – ☑️ 290 – **54 hab** 2600/3260 – PA 2600.

ORUA 48393 Vizcaya **442** BC 21 – 962 h. – **۞** 94.
Madrid 430 – Bilbao/Bilbo 37 – San Sebastián/Donostia 85 – Vitoria/Gasteiz 70.

XX **Baserri Maitea**, NO : 1,5 km *₢* 625 34 08, Fax 625 57 88, Caserío del siglo XVIII – 🅿️.
延 ᴇ ☑️. ❄
cerrado las noches de domingo a jueves (noviembre-abril), domingo noche resto del año
y Navidades – **Comida** carta 3500 a 5300.

XX Torre Barri, Torre Barri 4 *₢* 625 25 07 – 国.

FOSCA Gerona – ver Palamós.

OZ 27780 Lugo **441** B 8 – 9 446 h. – **۞** 982.
Alred. : Iglesia de San Martín de Mondoñedo (capiteles★) S : 2,5 km.
🅱 Álvaro Cunqueiro 24, *₢* 14 00 27, Fax 14 16 00.
Madrid 598 – La Coruña/A Coruña 145 – Lugo 94 – Oviedo 194.

AGA 22520 Huesca **443** H 31 – 11 591 h. alt. 118 – **۞** 974.
Madrid 436 – Huesca 108 – Lérida/Lleida 27 – Tarragona 119.

🏨 **Casanova**, av. de Madrid 54 *₢* 47 19 90, Fax 45 37 88, 龠 – ⧉ 国 📺 ☎ 🚗 🅿️ –
🅰 25/200. 延 ① 医 ☑️ ᴊᴄʙ. ❄
Comida 1500 – ☑️ 750 – **89 hab** 9135/15330 – PA 3750.

FRANCA 33590 Asturias **441** B 16 – **۞** 98 – Playa.
Madrid 438 – Gijón 114 – Oviedo 124 – Santander 81.

🏠 **Mirador de la Franca** ১, playa - O : 1,2 km *₢* 541 21 45, Fax 541 21 53, ≼, ❄ –
📺 ☎ 🅿️. 延 ① 医 ☑️. ❄ rest
marzo-octubre – **Comida** 1850 – ☑️ 550 – **52 hab** 8000/9900.

EGENAL DE LA SIERRA 06340 Badajoz **444** R 10 – 5 436 h. alt. 579 – **۞** 924.
Madrid 445 – Aracena 55 – Badajoz 97 – Jerez de los Caballeros 22 – Monesterio 43.

🏨 **Cristina**, El Puerto *₢* 70 00 40, Fax 70 10 33, ⚓ – ⧉ 国 📺 ☎ 🅿️ – 🅰 25/400. 延
① ☑️. ❄
Comida (cerrado lunes) 1000 – ☑️ 350 – **39 hab** 5800/7000.

GILIANA 29788 Málaga **446** V 18 – 2 125 h. alt. 311 – **۞** 95.
Madrid 555 – Granada 126 – Málaga 58.

🏖 **Las Chinas** sin rest y sin ☑️, pl. Capitán Cortés 14 *₢* 253 30 73, ≼ – 📺. ❄
9 hab 2500/4000.

FRÓMISTA 34440 Palencia 442 F 16 – 1013 h. alt. 780 – 979.

Ver : *Iglesia de San Martín★★.*

🗉 *paseo Central,* 🏛 81 01 80 *(Semana Santa-12 octubre).*

Madrid 257 – Burgos 78 – Palencia 31 – Santander 170.

XX **Hostería de los Palmeros,** pl. San Telmo 4 🏛 81 00 67 – 🗉. 🗚 ⓘ ᴇ 🟦. 🌫
cerrado martes salvo en Semana Santa, verano y Navidades – **Comida** *carta 2950 a 500*

FUENCARRAL Madrid – ver Madrid.

FUENGIROLA 29640 Málaga 446 W 16 – 43 048 h. – 95 – Playa.

🗉 *av. Jesús Santos Rein 6,* 🏛 246 74 57, Fax 246 51 00.

Madrid 575 ① – Algeciras 104 ② – Málaga 29 ①.

FUENGIROLA

Condes de San Isidro
(Av. de) 4
Constitución (Pl. de la) . . . 7

Alfonso XIII 2
Ayuntamiento (Pl. del) . . . 3
Don Jacinto 8

Dr. Gálvez
Guinachero . . . .
España . . . .
Hermanos Pinzón . . . .
Héroes de Baler . . . . .
Jacinto Benavente . . .
Los Boliches (Av. de) .
Miguel de Cervantes .
Molino de Viento
(Cam. del) . . . .
Santa Amalia
(Av. de) . . . .
Troncón . . . .

🏛🏛🏛 **Florida,** paseo Marítimo 🏛 247 61 00, Telex 77791, Fax 258 15 29, ≤, 🌊 climatizada, 🌫 – 🛗 🗉 rest 🖵 ☎. 🗚 ⓘ ᴇ 🟦. 🌫   b
Comida 2300 – 🖵 675 – **116 hab** 6800/10800 – PA 4475.

🏛🏛🏛 **Las Pirámides,** Miguel Márquez 🏛 247 06 00, Fax 258 32 97, ≤, 🌊 – 🗉 🖵 ☎ 🚗 – 🔼 25/400. 🗚 ᴇ 🟦. 🌫   s
Comida (sólo cena buffet) 2140 – 🖵 965 – **316 hab** 13910/18725.

🏛 **Italia** *sin rest,* de la Cruz 1 🏛 247 41 93 – 🛗 ☎. 🌫   z
🖵 325 – **35 hab** 3710/6430.

XX **Portofino,** paseo Marítimo 29 🏛 247 06 43, 🍴 – 🗉. 🗚 ⓘ ᴇ 🟦   x
cerrado lunes, del 1 al 15 de febrero y del 1 al de 15 julio – **Comida** (sólo cena en verano) carta 2760 a 4450.

XX **Monopol,** Palangreros 7 🏛 247 44 48, Decoración neo-rústica – 🗚 ⓘ ᴇ 🟦   r
cerrado domingo y agosto – **Comida** (sólo cena) carta 2590 a 4090.

XX **Tomate,** El Troncón 19 🏛 246 35 59, 🍴 – 🗚 ⓘ ᴇ 🟦
Comida carta 3000 a 4100.

XX **Old Swiss House "Mateo",** Marina Nacional 28 🏛 247 26 06, Fax 247 26 06 – 🗉 ᴇ 🟦
cerrado martes – **Comida** carta 2350 a 3950.

X **La Gaviota,** paseo Marítimo 29 🏛 247 36 37, 🍴 – ⓘ ᴇ 🟦. 🌫
cerrado miércoles y 20 diciembre-25 enero – **Comida** (sólo cena julio-agosto) carta 2 a 3350.

X **Taberna del Pescador,** Héroes de Baler 4 🏛 247 41 67, Pescados y mariscos – 🗚 ⓘ ᴇ 🟦. 🌫 – **Comida** carta 2550 a 3800.

en Los Boliches – ⊠ 29640 Fuengirola – 95 :

🏛🏛🏛 **Ángela,** paseo Marítimo 🏛 247 52 00, Telex 77342, Fax 246 20 87, ≤, 🌊 climatiz 🌫 – 🛗 🗉 🖵 ☎. 🗚 ⓘ ᴇ 🟦. 🌫
Comida (sólo cena buffet) 3500 – 🖵 1575 – **260 hab** 9450/14700.

284

Carvajal por ① : 4 km – ⊠ 29640 Fuengirola – ✆ 95 :

XX **El Balandro,** paseo Marítimo ℘ 266 11 29, ≤, 斎, Espec. en carnes y asados – 🗏 ⇦.
AE ① E VISA. ⅏
cerrado domingo y noviembre – **Comida** carta 2825 a 4700.

la urbanización Mijas Golf por la carretera de Coín - NO : 5 km – ⊠ 29640 Fuengirola
– ✆ 95 :

🏨 **Byblos Andaluz** ⑤, ℘ 247 30 50, Telex 79713, Fax 247 67 83, ≤ campo de golf y
montañas, 斎, Servicios de talasoterapia, « Elegante conjunto de estilo andaluz situado
entre dos campos de golf », Ⅰ₅, ⊡, ⊠, ⊸, ※, ⅂₈ ⅂₈ – 🛉 🗏 🖸 ☎ ❷ – 🔬 20/170.
AE ① E VISA. ⅏
- Le Nailhac (sólo cena, cerrado miércoles) **Comida** carta aprox. 7100 - **El Andaluz** (sólo
cena) **Comida** carta aprox. 4600 – ⊆ 2250 – **108 hab** 31500/37500, 36 suites.

FNLABRADA 28940 Madrid 444 L 18 – 144 069 h. alt. 664 – ✆ 91.
Madrid 20 – Aranjuez 37 – El Escorial 59 – Toledo 56.

🏨 Avenida de España, av. de España 18 ℘ 606 22 11, Fax 606 41 29 – 🛉 🗏 🖸 ☎ ⇦
❷ – 🔬 40/400
80 hab.

ENMAYOR 26360 La Rioja 442 E 22 – 2 075 h. alt. 433 – ✆ 941.
Madrid 346 – Logroño 13 – Vitoria/Gasteiz 77.

XX Chuchi, carret. de Vitoria 2 ℘ 45 04 22, Fax 45 06 68 – 🗏.

ENSALIDA 45510 Toledo 444 L 17 – 6 971 h. alt. 593 – ✆ 925.
Madrid 69 – San Martín de Valdeiglesias 61 – Talavera de la Reina 61 – Toledo 31.

🏨 **Fuensalida,** Colón 6 ℘ 78 58 38 – 🗏 🖸 ☎. VISA. ⅏
Comida 1000 – **32 hab** ⊆ 3500/5500 – PA 2000.

FNTE DÉ Cantabria 442 C 15 – alt. 1 070 – ⊠ 39588 Espinama – ✆ 942 – ⚞ 1.
Ver : Paraje★★.
Alred. : Mirador del Cable ⚹★★ estación superior del teleférico.
Madrid 424 – Palencia 198 – Potes 25 – Santander 140.

🏨 **Parador de Fuente Dé** ⑤, alt. 1 005 ℘ 73 66 51, Fax 73 66 54, « Magnífica situación
al pie de los Picos de Europa ≤ valle y montaña » – 🛉 🖸 ☎ ❷. AE ① E VISA. ⅏
Comida 3200 – ⊆ 1200 – **78 hab** 12500.

🏨 **Rebeco** ⑤, alt. 1 005 ℘ 73 66 00, Fax 73 66 00, 斎, « Magnífica situación al pie de
los picos de Europa ≤ valle y montaña » – 🛉 🖸 ☎ ❷. AE E VISA. ⅏
Comida 1500 – ⊆ 500 – **30 hab** 5500/7500 – PA 3500.

FNTE DE PIEDRA 29520 Málaga 446 U 15 – 1 969 h. – ✆ 95.
Madrid 544 – Antequera 23 – Córdoba 137 – Granada 120 – Sevilla 141.

X La Laguna con hab, antigua carret. N 334 ℘ 273 52 92 – 🗏 🖸 ❷
9 hab.

FNTE EL SOL 47494 Valladolid 442 I 15 – 343 h. – ✆ 983.
Madrid 151 – Ávila 77 – Salamanca 81 – Valladolid 65.

X El Buen Yantar, carret. C 610 ℘ 82 42 12 – 🗏 ❷.

FNTE EN SEGURES 12160 Castellón 445 K 29 – alt. 821 – ✆ 964 – Balneario.
Madrid 502 – Castellón de la Plana/Castelló de la Plana 79 – Tortosa 126.

🏨 **Los Pinos** ⑤, ℘ 43 13 11, ≤ – 🛉 ☎ ⇦. VISA. ⅏
15 junio-septiembre – **Comida** 1100 – ⊆ 350 – **48 hab** 2700/5400.

🏨 Fuente En Segures ⑤, av. Dr. Puigvert ℘ 43 10 00 – 🛉 ⇦ ❷
temp – **78 hab.**

FNTEHERIDOS 21292 Huelva 446 S 10 – 639 h. alt. 717 – ✆ 959.
Madrid 492 – Aracena 10 – Huelva 122 – Serpa 98 – Zafra 91.

X La Capellanía, carret. N 433 - NE : 1 km ℘ 12 50 34, 斎.

FUENTERRABÍA u HONDARRIBIA 20280 Guipúzcoa 𝟒𝟒𝟐 B 24 – 13 974 h. – ✆ 943
Playa.

Alred. : Ermita de San Marcial (≤★★) E : 9 km – Cabo Higuer★ (≤★) N : 4 km – Trayecto
de Fuenterrabía a Pasajes de San Juan por el Jaizkibel : capilla de Nuestra Señora de G
dalupe ≤★ – Hostal del Jaizkibel ≤★★, descenso a Pasajes de San Juan ≤★ – Pa
Donibane★.

✈ ℰ 66 85 00 – Iberia y Aviaco : ver San Sebastián.

🛈 Javier Ugarte 6, ℰ 64 54 58, Fax 64 54 66.

Madrid 512 – Pamplona/Iruñea 95 – St-Jean-de-Luz 18 – San Sebastián/Donostia 23

🏨🏨🏨 **Parador de Hondarribia** ⚘ sin rest, pl. de Armas 14 ℰ 64 55 00, Fax 64 21
« Instalado en un castillo medieval » – 🛗 📺 ☎ 🅿. 🅰🅴 ⓞ 🄴 𝚟𝚒𝚜𝚊. ⚘
🖙 1200 – **36 hab** 18000.

🏨🏨🏨 **Río Bidasoa** ⚘, Nafarroa Beherea ℰ 64 54 08, Fax 64 51 70, « Jardín con ⬛ » –
📺 ☎ 🅿 – 🔬 25/70. 🅰🅴 ⓞ 🄴 𝚟𝚒𝚜𝚊. ⚘
cerrado 15 diciembre-15 enero – **Comida** (cerrado domingo y lunes mediodía salvo vera
1800 – 🖙 850 – **37 hab** 10500/14200.

🏨🏨🏨 **Obispo** ⚘ sin rest, pl. del Obispo ℰ 64 54 00, Fax 64 23 86, « Palacio del siglo XI
– 📺 ☎ – 🔬 25. 🅰🅴 ⓞ 🄴 𝚟𝚒𝚜𝚊. ⚘
🖙 900 – **14 hab** 10000/14000.

🏨🏨🏨 **Pampinot** ⚘ sin rest, Mayor 5 ℰ 64 06 00, Fax 64 51 28, « Casa señorial del siglo X
– 📺 ☎. 🅰🅴 ⓞ 🄴 𝚟𝚒𝚜𝚊
🖙 1100 – **8 hab** 10500/14000.

🏨🏨 **Jauregui** sin rest. con cafetería, San Pedro 28 ℰ 64 14 00, Fax 64 44 04 – 🛗 🖥
☎ 🚗 – 🔬 25. 🅰🅴 ⓞ 🄴 𝚟𝚒𝚜𝚊 𝙹𝙲𝙱. ⚘
🖙 850 – **53 hab** 10000/13250.

🏨🏨 **San Nicolás** ⚘ sin rest, pl. de Armas 6 ℰ 64 42 78 – 📺 ☎. 🅰🅴 ⓞ 🄴 𝚟𝚒𝚜𝚊. ⚘
🖙 650 – **12 hab** 6500/7500.

🏨 **Álvarez Quintero** sin rest, Bernat Etxepare 2 ℰ 64 22 99 – 🅰🅴 ⓞ 🄴 𝚟𝚒𝚜𝚊
Semana Santa-5 noviembre – 🖙 500 – **14 hab** 4300/6700.

🏠 **Txoko Goxoa** ⚘ sin rest, Murrua 22 ℰ 64 46 58 – 🅰🅴 🄴 𝚟𝚒𝚜𝚊. ⚘
🖙 475 – **6 hab** 5750.

XXX **Ramón Roteta**, Irún ℰ 64 16 93, Fax 64 58 63 – 🅰🅴 ⓞ 🄴 𝚟𝚒𝚜𝚊 𝙹𝙲𝙱. ⚘
✲ cerrado martes mediodía (en verano), domingo noche y martes resto del año, del 1
28 de febrero y del 15 al 30 de noviembre – **Comida** 5500 y carta 5175 a 6975
Espec. Fideos fritos con verduras a la marinera. Lomos de bacalao al pil-pil de pimien
morrones. Huevos escalfados con foie frito y salsa de trufas.

XX **Sebastián**, Mayor 7 ℰ 64 01 67 – 🅰🅴 ⓞ 🄴 𝚟𝚒𝚜𝚊
cerrado domingo noche, lunes y noviembre – **Comida** carta 3800 a 6800.

XX Arraunlari, paseo Butrón 3 ℰ 64 15 81, 🍴.

X **Zeria**, San Pedro 23 ℰ 64 27 80, Fax 64 12 14, 🍴, Decoración rústica. Pescados y m
cos – 🅰🅴 ⓞ 🄴 𝚟𝚒𝚜𝚊 𝙹𝙲𝙱. ⚘
cerrado domingo noche y jueves (salvo en verano) – **Comida** carta 3400 a 5250.

X Kupela, Zuloaga 4 ℰ 64 40 25, 🍴, Decoración rústica.

X Aquarium, Zuloaga 20 ℰ 64 27 93, 🍴 – 🖥.

X **Alameda**, Alameda 1 ℰ 64 27 89, 🍴, « Terraza bajo un arco con plantas » – 🅰🅴
🄴 𝚟𝚒𝚜𝚊
cerrado domingo noche, jueves, del 26 al 31 de mayo, septiembre y Navidades – **Con**
carta aprox. 4900.

por la carretera de San Sebastián y camino a la derecha SO : 2,5 km – ✉ 20280 F
terrabía – ✆ 943 :

XX **Beko Errota**, barrio de Jaizubia ℰ 64 31 94, 🍴, Caserío vasco – 🅿. 🄴 𝚟𝚒𝚜𝚊. ⚘
cerrado lunes – **Comida** carta aprox. 5000.

FUERTEVENTURA Las Palmas – ver Canarias.

GALAPAGAR 28260 Madrid 𝟒𝟒𝟒 K 17 – 9 237 h. alt. 881 – ✆ 91.
Madrid 36 – El Escorial 13.

al Norte : 6 km – ✉ 28292 Las Zorreras – ✆ 91 :

XX **El Jardín**, Castilla 2 (Colonia España) ℰ 851 02 42, Fax 851 02 42, 🍴 – 🖥. 🅰🅴 🄴
𝚟𝚒𝚜𝚊. ⚘
Comida carta 3700 a 5000.

ALAROZA *21291 Huelva* 446 *S 9 – 1 538 h. alt. 556 – ☎ 959.*
Madrid 485 – Aracena 15 – Huelva 113 – Serpa 89 – Zafra 82.

Galaroza Sierra, carret. N 433 - O : 0,5 km ℘ 12 32 37, Fax 12 32 36, 🏊 – TV ☎ P. D E VISA. ⚘
Comida 1400 – ☕ 500 – **22 hab** 4500/7500 – PA 3000.

ALDÁCANO o GALDAKAO *48960 Vizcaya* 442 *C 21 – 28 885 h. – ☎ 94.*
Madrid 403 – Bilbao/Bilbo 8 – San Sebastián/Donostia 91 – Vitoria/Gasteiz 68.

XX **Andra Mari,** barrio Elexalde 22 ℘ 456 00 05, Fax 456 27 31, ≤ montañas, 🌳, Decoración regional – ▤ P. AE D E VISA JCB. ⚘
cerrado domingo, Semana Santa y agosto – **Comida** carta 4375 a 5225
Espec. Ensalada de anchoas con salmón marinado. Salmonetes con risotto de mejillones. Hojaldre relleno de mousse de coco y queso.

XX **Aretxondo,** barrio Elexalde 20 ℘ 456 76 71, Fax 456 76 72, ≤ – ▤ P. AE E VISA. ⚘
cerrado lunes, 1ª quincena de enero y 1ª quincena de agosto – **Comida** carta 3600 a 5200.

ALVE DE SORBE *19275 Guadalajara* 444 *I 20 – 147 h. alt. 1 364 – ☎ 949.*
Madrid 160 – Aranda de Duero 75 – Guadalajara 96.

Nuestra Señora del Pinar 🐦, Los Talleres ℘ 30 30 29 – P. E VISA. ⚘
Comida 1150 – ☕ 300 – **15 hab** 2500/4000 – PA 2600.

AMA *39790 Cantabria* 442 *B 19 – ☎ 942.*
Madrid 477 – Bilbao/Bilbo 80 – Santander 40.

Corpus, carret. N 634 ℘ 67 00 25, 🌳 – ☎ P
13 hab.

ANDESA *43780 Tarragona* 443 *I 31 – 2 591 h. alt. 368 – ☎ 977.*
ℹ av. Catalunya, (estació d'autobusos), ℘ 42 06 14, Fax 42 03 95.
Madrid 459 – Lérida/Lleida 92 – Tarragona 87 – Tortosa 40.

Piqué, Via Catalunya 68 ℘ 42 00 68, Fax 42 03 29 – ▤ rest ☎ P. E VISA. ⚘
Comida 1300 – ☕ 400 – **48 hab** 1900/3800 – PA 3000.

NDÍA *46700 Valencia* 445 *P 29 – 52 000 h. – ☎ 96 – Playa.*
ℹ Marqués de Campo, ℘ 287 77 88, Fax 287 77 88.
Madrid 416 – Albacete 170 – Alicante/Alacant 109 – Valencia 68.

Plano página siguiente

Borgia, República Argentina 5 ℘ 287 81 09, Fax 287 80 31 – |‡| ▤ TV ☎ – 🏛 25/150. AE D E VISA. ⚘ rest
Comida 2500 – ☕ 600 – **72 hab** 6100/9000.

Ernesto, carret. de Valencia 40 ℘ 286 40 11, Fax 286 41 79 – |‡| ▤ TV ☎
67 hab.

Los Naranjos *sin rest*, av. Pío XI-57 ℘ 287 31 43, Fax 287 31 44 – |‡| ▤ TV. D E VISA
☕ 425 – **35 hab** 2900/4960.

Duque Carlos *sin rest y sin* ☕, Duc Carles de Borja 34 ℘ 287 28 44 – AE D E VISA
28 hab 3000/4000.

el puerto (Grao) *NE : 3 km - ver plano – ✉ 46730 Grao de Gandía – ☎ 96 :*

La Alberca *sin rest*, Cullera 8 ℘ 284 51 63 – |‡| TV ☎. E VISA a
☕ 450 – **17 hab** 3500/5800.

X **Rincón de Ávila,** Príncep 5 ℘ 284 49 54, Espec. en carnes – ▤. AE E VISA. ⚘ s
cerrado domingo y del 1 al 15 de junio – **Comida** carta 2600 a 3450.

la zona de la playa *NE : 4 km - ver plano – ✉ 46730 Grao de Gandía – ☎ 96 :*

Bayren I, passeig Marítim Neptú 62 ℘ 284 03 00, Telex 61549, Fax 284 06 53, « Terraza con ≤ playa », 🏊, 🎾 – |‡| ▤ TV ☎ P – 🏛 25/600 d
Comida La Goleta – **153 hab**, 11 suites.

Don Ximo Club H., Partida de la Redonda ℘ 284 53 93, Fax 284 12 69, 🌳, 🏊, 🌳 – |‡| ▤ TV ☎ P – 🏛 25/500. AE D E VISA. ⚘ rest por ①
Comida 2425 – ☕ 775 – **68 hab** 6900/11400, 2 suites – PA 4650.

Albatros *sin rest*, Grau 11 ℘ 284 56 00, Fax 284 50 00, 🏊 – |‡| ▤ TV ☎ P. AE E VISA. ⚘ c
☕ 550 – **44 hab** 6200/8200, 1 suite.

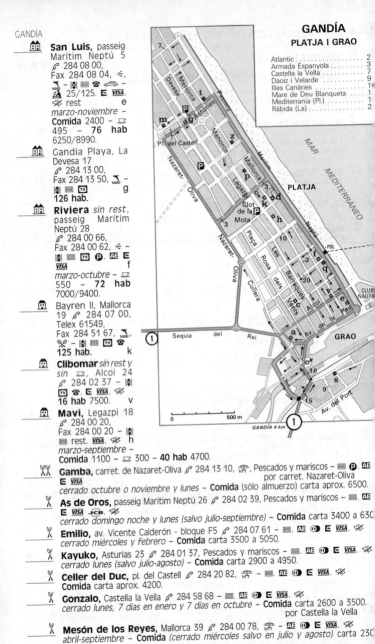

San Luis, passeig Marítim Neptú 5 ℰ 284 08 00, Fax 284 08 04, ≤, 🏊 – 🛗 🗏 ☎ 🚗 – 🖭 25/125. 🗏 🎟. ℛ rest — *marzo-noviembre* – **Comida** 2400 – 🖵 495 – **76 hab** 6250/8990.   e

Gandía Playa, La Devesa 17 ℰ 284 13 00, Fax 284 13 50, 🏊 – 🛗 🗏 📺. **126 hab**.   g

Riviera *sin rest*, passeig Marítim Neptú 28 ℰ 284 00 66, Fax 284 00 62, ≤ – 🛗 🗏 📺 🅿. 🆎 🗏 🎟 — *marzo-octubre* – 🖵 550 – **72 hab** 7000/9400.   f

Bayren II, Mallorca 19 ℰ 284 07 00, Telex 61549, Fax 284 51 67, 🏊, ℛ – 🛗 🗏 📺 ☎ **125 hab**.   k

Clibomar *sin rest y sin* 🖵, Alcoi 24 ℰ 284 02 37 – 🛗 📺 ☎. 🗏 🎟. ℛ **16 hab** 7500.   v

Mavi, Legazpi 18 ℰ 284 00 20, Fax 284 00 20 – 🛗 🗏 rest. 🎟. ℛ — *marzo-septiembre* – **Comida** 1100 – 🖵 300 – **40 hab** 4700.   h

XX **Gamba**, carret. de Nazaret-Oliva ℰ 284 13 10, �ております, Pescados y mariscos – 🗏 🅿. 🆎 🗏 🎟
     por carret. Nazaret-Oliva
cerrado octubre o noviembre y lunes – **Comida** (sólo almuerzo) carta aprox. 6500.

X **As de Oros**, passeig Marítim Neptú 26 ℰ 284 02 39, Pescados y mariscos – 🗏. 🆎 🗏 🎟 🅹🅲🅱. ℛ
cerrado domingo noche y lunes (salvo julio-septiembre) – **Comida** carta 3400 a 630...

X **Emilio**, av. Vicente Calderón - bloque F5 ℰ 284 07 61 – 🗏. 🆎 ⓞ 🗏 🎟. ℛ
cerrado miércoles y febrero – **Comida** carta 3500 a 5050.

X **Kayuko**, Asturias 23 ℰ 284 01 37, Pescados y mariscos – 🗏. 🆎 ⓞ 🗏 🎟. ℛ
cerrado lunes (salvo julio-agosto) – **Comida** carta 2900 a 4950.

X **Celler del Duc**, pl. del Castell ℰ 284 20 82, 🌮 – 🗏. 🆎 ⓞ 🗏 🎟. ℛ
Comida carta aprox. 4200.

X **Gonzalo**, Castella la Vella ℰ 284 58 68 – 🗏. 🆎 ⓞ 🗏 🎟. ℛ
cerrado lunes, 7 días en enero y 7 días en octubre – **Comida** carta 2600 a 3500.
     por Castella la Vella

X **Mesón de los Reyes**, Mallorca 39 ℰ 284 00 78, 🌮 – 🆎 ⓞ 🗏 🎟. ℛ
abril-septiembre – **Comida** (*cerrado miércoles salvo en julio y agosto*) carta 230...
3450.

en la carretera de Bárig O : 7 km – ✉ 46728 Marxuquera – ☎ 96 :

X **Imperio II**, ℰ 287 56 60 – 🗏 🅿. 🗏 🎟. ℛ
cerrado miércoles y 16 octubre-17 noviembre – **Comida** carta 2400 a 3500.
*Ver también : **Villalonga** S : 11 km.*

GANDÍA
PLATJA I GRAO

Atlantic 2
Armada Espanyola 3
Castella la Vella 7
Daoiz i Velarde 9
Illes Canàries 1
Mare de Deu Blanqueta 1
Mediterrània (Pl.) 1
Rábida (La) 2

ARAYOA o GARAIOA *31692 Navarra* 442 *D 26 – 137 h. alt. 777 – ☎ 948.*
Madrid 438 – Bayonne 98 – Pamplona/Iruñea 55.

Arostegui, Chiquirrín 13 ☎ 76 40 44, Fax 76 40 44, ← – TV. VISA.
cerrado noviembre – **Comida** 1600 – ☐ 500 – **18 hab** 3200/5500 – PA 3300.

GARDA *Pontevedra – ver La Guardia.*

ARGANTA – *ver el nombre propio de la garganta.*

ARÓS *Lérida – ver Viella.*

GARRIGA *08530 Barcelona* 443 *G 36 – 9 453 h. alt. 258 – ☎ 93 – Balneario.*
Madrid 650 – Barcelona 37 – Gerona/Girona 84.

Termes La Garriga, Banys 23 ☎ 871 70 86, Fax 871 78 87, Servicios terapéuticos, « Jardín con de agua termal », – TV ☎. AE VISA.
Comida 4100 – ☐ 1500 – **22 hab** 15400/23900.

Baln. Blancafort, Banys 59 ☎ 871 46 00, Fax 871 57 50, de agua termal, – rest TV ☎ – 25/50. E VISA.
Comida 3200 – ☐ 725 – **52 hab** 12500/17000.

Catalonia, carret. de L'Ametlla 68 ☎ 871 56 54, – . AE E VISA.
Comida carta 2375 a 4925.

RRUCHA *04630 Almería* 446 *U 24 – 4 295 h. alt. 24 – ☎ 950 – Playa.*
Madrid 536 – Almería 100 – Murcia 140.

Cervantes *sin rest*, Colón 3 ☎ 46 02 52, Fax 13 20 46 – TV. AE E VISA.
Semana Santa-1 octubre – **19 hab** ☐ 2925/5500.

El Almejero, Explanada del Puerto ☎ 46 04 05, , Pescados y mariscos – .

STEIZ *Álava – ver Vitoria.*

VÀ *08850 Barcelona* 443 *I 36 – 35 167 h. – ☎ 93 – Playa.*
Madrid 620 – Barcelona 18 – Tarragona 77.

la carretera C 246 *S : 4 km – ✉ 08850 Gavà – ☎ 93 :*

La Pineda, ☎ 633 04 42, Fax 633 04 42, – . AE VISA
Comida carta 2640 a 3690.

la zona de la playa *S : 5 km – ✉ 08850 Gavà – ☎ 93 :*

Les Marines, Calafell ☎ 633 18 60, Fax 633 18 31, , « En un pinar » – . AE E VISA JCB
cerrado domingo noche y lunes – **Comida** carta 3975 a 5775
Espec. Terrina de foie. Lomo de merluza al vapor, fondo de escalibada y aceite de tomillo. Entrecotte Les Marines a las hierbas de Provenza en salsa bordalesa.

*WHEN IN **EUROPE** NEVER BE WITHOUT :*

Michelin **Main Road** Maps ;

Michelin **regional** Maps ;

Michelin Red Guides :

Benelux, Deutschland, España Portugal, Europe, France, Great Britain and Ireland, Italia, Switzerland
(Hotels and restaurants listed with symbols ; preliminary pages in English)

Michelin Green Guides :

Austria, Belgium Luxembourg, Brussels, Canada, California, England : The West Country, France, Germany, Great Britain, Greece, Ireland, Italy, London, Mexico, Netherlands, New England, New-York City, Portugal, Québec, Rome, Scandinavia, Scotland, Spain, Switzerland Atlantic, Tuscany, Venice, Wals, Washingthon, Atlantic Coast, Auvergne Rhône Valley, Brittany, Burgundy Jura, Châteaux of the Loire, Dordogne, Flanders Picardy and the Paris region, French Riviera, Normandy, Paris, Provence, Pyrénées Gorges du Tarn.
(Sights and touring programmes described fully in English ; town plans).

GAVILANES 05460 Ávila 🎴 L 15 – 744 h. alt. 677 – ✆ 920.

Madrid 122 – Arenas de San Pedro 26 – Ávila 102 – Talavera de la Reina 60 – To
do 24.

⚐ **Mirador del Tiétar** ⌂, Risquillo 22 ✆ 38 48 67, ≤, 🏊 – ▤ rest 🚘
VISA. 🛇
Comida 1900 – ☲ 400 – **40 hab** 5000/6500 – PA 3300.

GÈNOVA Baleares – ver Baleares (Mallorca) : Palma.

GER 17539 Gerona 🎴 E 35 – 270 h. alt. 1434 – ✆ 972.

Madrid 634 – Ax-les-Thermes 58 – Andorra la Vieja/Andorra la Vella 56 – Gerona/Giro
153 – Puigcerdá 11 – Seo de Urgel/La Seu d'Urgell 38.

✕ **El Rebost de Ger** (conviene reservar), pl. Major 2 ✆ 14 70 55, Fax 14 70 55, Decorac
rústica – ▤. ◭ ◑ ◱ VISA. 🛇
cerrado lunes noche, martes, del 1 al 15 de junio y del 1 al 15 de octubre – **Comida** ca
3300 a 4300.

GERNIKA LUMO Vizcaya – ver Guernica y Luno.

GERONA o **GIRONA** 17000 🅿 🎴 G 38 – 70409 h. alt. 70 – ✆ 972.

Ver : Ciudad antigua (Força Vella)★★ – Catedral★ (nave★★, retablo mayor★, Tesoro★
Beatus★, Tapiz de la Creación★★★, Claustro★) BY – Museu d'Art★★ : retablo de Sant Mi
de Cruïlles★★ BY M1 – Colegiata de Sant Feliu★ : Sarcófago con cacería de leones★
R – Monasterio de Sant Pere de Galligants★ : Museo Arqueológico (sepulcro de
Estaciones★) BY – Baños Árabes★ BY S – El Parque de la Devesa★ AY.

🏌 Club de Golf Girona, Sant Julià de Ramis N : 4 km, ✆ 17 16 41.
🛈 Rambla de la Llibertat 1, ⌂ 17004, ✆ 22 65 75, Fax 22 66 12 – R.A.C.C. carret.
Barcelona 22, ⌂ 17002, ✆ 22 36 62, Fax 22 15 57.
Madrid 708 ② – Barcelona 97 ② – Manresa 134 ② – Mataró 77 ② – Perpignan 9·
– Sabadell 95 ②.

Plano página siguiente

🏨 **Carlemany**, pl. Miquel Santaló 1, ⌂ 17002, ✆ 21 12 12, Fax 21 49 94 – 🛗 ▤ 📺
🚘 – 🛗 25/250. ◭ ◑ ◱ VISA. 🛇   A
Comida (cerrado domingo y agosto) carta aprox. 4500 – ☲ 1200 – **87 hab** 10900/13
3 suites.

🏨 **Meliá Confort Girona**, Barcelona 112, ⌂ 17003, ✆ 40 05 00, Telex 562
Fax 24 32 03 – 🛗 ▤ 📺 ☎ 🕭 🚘 – 🛗 25/500. ◭ ◑ ◱ VISA. 🛇 rest   po
Comida 1600 – ☲ 1100 – **113 hab** 10300/12900, 1 suite.

🏬 **Costabella**, av. de Francia 61, ⌂ 17007, ✆ 20 25 24, Fax 20 22 03 – 🛗 ▤ 📺 🚉
🚘 ⓟ – 🛗 25/30. ◭ ◑ ◱ VISA JCB. 🛇 rest   po
Comida (cerrado domingo) 1500 – ☲ 975 – **44 hab** 8550/11850, 2 suites.

🏬 **Ultonia** sin rest, Gran Via de Jaume I-22, ⌂ 17001, ✆ 20 38 50, Fax 20 33 34 – 🛗
📺 ☎ – 🛗 25/40. ◭ ◑ ◱ VISA   A
☲ 660 – **45 hab** 6000/8000.

🏠 **Condal** sin rest y sin ☲, Joan Maragall 10, ⌂ 17002, ✆ 20 44 62 – 🛗 📺
◱ VISA   A
38 hab 2700/5300.

✕✕✕ **Albereda**, Albereda 7, ⌂ 17004, ✆ 22 60 02, Fax 22 60 02 – ▤. ◭ ◑
VISA. 🛇   B
cerrado domingo, festivos y 15 días en agosto – **Comida** carta 3900 a 4900.

✕✕ **Mar Plaça**, pl. Independència 3, ⌂ 17001, ✆ 20 59 62 – ▤. ◭ ◑
VISA. 🛇   B
cerrado lunes y enero – **Comida** carta 3100 a 5100.

✕ **Edelweiss**, Santa Eugenia 7 (passatge Ensesa), ⌂ 17001, ✆ 20 18 97, Fax 20 5
– ▤. ◭ ◑ ◱ VISA JCB. 🛇   A
cerrado domingo, festivos y del 15 al 31 de agosto – **Comida** carta 29
3320.

✕ **Casa Marieta**, pl. Independència 5, ⌂ 17001, ✆ 20 10 16, 🌡 – ▤. ◭
🐜 VISA. 🛇   B
cerrado domingo noche, lunes y 22 diciembre-23 enero – Comida carta 20
2900.

✕ **La Penyora**, Nou del Teatre 3, ⌂ 17004, ✆ 21 89 48 – ▤. VISA   E
cerrado martes y del 10 al 20 de febrero – **Comida** carta 2770 a 3325.

GIRONA
GERONA

Ciutadans	**BZ** 12	Rei Ferràn el Catòlic	**BY** 33
Cúndaro	**BY** 13	Rei Marti (Pujada del)	**BY** 34
genteria	**BY** 3	Devesa (Pg. de la)	**AY** 14	Reina Isabel la Católica	**BZ** 36
pertat (Rambla de la)	**BZ** 23	Eduard Marquína (Pl. de)	**AZ** 15	Reina Joana (Pg. de la)	**BY** 37
ou	**AZ**	General Fournàs	**BY** 16	Sant Cristófol	**BY** 39
nta Clara	**ABYZ**	General Peralta		Sant Daniel	**BY** 40
		(Pg. del)	**BZ** 17	Sant Domènec (Pl. de)	**BY** 42
arez de Castro	**AZ** 2	Joaquim Vayreda	**AY** 18	Sant Feliu (Pujada de)	**BY** 44
lesteries	**BY** 4	Juli Garreta	**AZ** 19	Sant Francesc (Av. de)	**AZ** 45
laire	**BY** 6	Nou del Teatre	**BZ** 27	Sant Gregori	
nastruc de Porta	**AY** 9	Oliva i Prat	**BY** 26	(Carretera de)	**AY** 47
rme	**BZ** 10	Palafrugell	**BY** 28	Sant Pere (Pl. de)	**BY** 48
		Pedreres (Pujada de les)	**BZ** 29	Santa Eugénia	**AZ** 49
		Ramon Folch (Av.)	**AY** 31	Ultònia	**AZ** 53

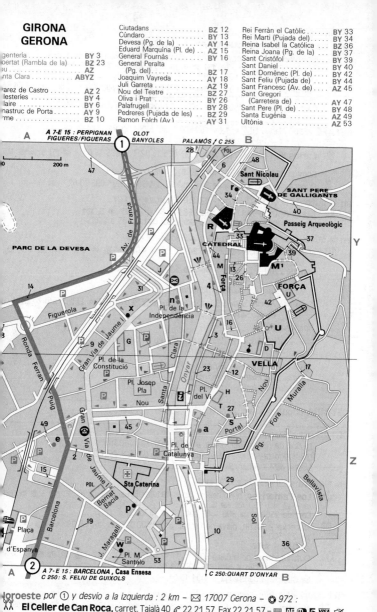

loroeste por ① y desvío a la izquierda : 2 km – ⊠ 17007 Gerona – ✆ 972 :

XX **El Celler de Can Roca,** carret. Taialà 40 ✆ 22 21 57, Fax 22 21 57 – 🗐. 🖭 ⑩ Ε 🚾. ✂
✿ cerrado sábado mediodía, domingo, del 1 al 15 de julio y 25 diciembre-6 enero – **Comida**
4800 y carta 3350 a 4800
Espec. Pie de cerdo con espardeñas y aceite de picada. Caneton confitado con bayas de
enebro y cilantro. Neula de chocolate y naranja con su helado.

la carretera N II por ② : 5 km – ⊠ 17458 Fornells de la Selva – ✆ 972 :

🏨 **Fornells Park,** ✆ 47 61 25, Fax 47 65 79, « Pinar », 🏊, 🎾 – 🛊 🗏 🔟 ☎ 🕭 🕑 –
🏧 25/150. ⑩ Ε 🚾. ✂ rest – **Comida** carta 3600 a 4300 – 🖙 800 – **50 hab** 7150/10300,
3 suites.

en la carretera del aeropuerto *por ② - ☎ 972 :*

Novotel Girona, por A 7 salida 8 : 12 km, ✉ 17457 Riudellots de la Selva, ✆ 47 71 0
Fax 47 72 96, ⛱, 🎾 - ▤ 📺 ☎ ♿ 🅿 - 🏛 25/225. AE ⊙ E VISA
Comida 1925 - ☕ 1500 - **79 hab** 11700/14000, 2 suites.

Vilobí, por A 7 salida 8 : 13 km, ✉ 17185 Vilobí D'Onyar, ✆ 47 31 86, Fax 47 34 63
▤ 📺 ☎ 🅿 - 🏛 25/200. AE ⊙ E VISA. ✂ rest
Comida (sólo cena) 1600 - ☕ 700 - **32 hab** 8000/10000 - PA 3120.

GETAFE *28900 Madrid 444 L 18 - 139 500 h. alt. 623 - ☎ 91.*
Madrid 13 - Aranjuez 38 - Toledo 56.

Carlos III, Velasco 7, ✉ 28901, ✆ 683 13 92, Fax 683 18 03 - ▤ 📺 ☎ 🚗. AE
VISA. ✂
Comida 1500 - ☕ 475 - **44 hab** 6200/7800 - PA 3200.

X Puerta del Sol, Hospital de San José 67, ✉ 28901, ✆ 695 70 62 - ▤.

en la autovía N 401 *SO : 3 km - ✉ 28905 Getafe - ☎ 91 :*

XX **Don Pepín,** ✆ 681 71 87, Fax 683 20 89 - ▤. AE ⊙ E VISA
cerrado sábado - **Comida** (sólo almuerzo) carta 3845 a 5000.

en la autovía N IV *SE : 5,5 km - ✉ 28906 Getafe - ☎ 91 :*

Motel Los Ángeles, ✆ 683 94 00, Fax 684 00 99, ⛱, 🌳, 🎾 - ▤ 📺 🚗 🅿.
E VISA. ✂
Comida 2700 - ☕ 1200 - **46 hab** 10000 - PA 6000.

Siete mapas detallados Michelin :
España : Norte-Oeste 441, Centro-Norte 442, Norte-Este 443, Centro 444, Centro-Este 445, Sur 446.
Portugal 440.
Las localidades subrayadas en rojo en estos mapas aparecen citadas en esta Guía.
Para el conjunto de España y Portugal, adquiera el mapa Michelin 990 1/1 000 000, o el Atlas Michelin España Portugal 1/400 000.

GETARIA *Guipúzcoa - ver Guetaria.*

GETXO *48990 Vizcaya 442 B 22 - 79 517 h. alt. 51 - ☎ 94.*
⛳18 Golf de Neguri, NO : 2 km ✆ 491 02 00, Fax 460 56 11.
ℹ en Algorta : muelle de Ereaga, ✆ 469 38 00, Fax 469 00 48.
Madrid 407 - Bilbao/Bilbo 13 - San Sebastián/Donostia 113.

en Algorta - *✉ 48990 Getxo - ☎ 94 :*

Los Tamarises, playa de Ereaga ✆ 491 00 05, Fax 491 13 10, ←, 🍽 - 🛗 ▤ rest
☎ - 🏛 40/150. AE ⊙ E VISA. ✂
Comida 2500 - ☕ 800 - **42 hab** 11000/17000.

Igeretxe Agustín, playa de Ereaga ✆ 491 00 09, Fax 460 85 99, ← - 🛗 ▤ 📺
🏛 25/300
21 hab, 1 suite.

XXX **Cubita,** carret de la Galea 30 ✆ 491 17 00, Fax 460 21 12 - 🅿. AE ⊙ E VISA JCB
cerrado miércoles y agosto - **Comida** carta 4350 a 5850.

X La Ola, playa de Ereaga ✆ 491 13 01, ← - ▤.

en Neguri - *✉ 48990 Getxo - ☎ 94 :*

Neguri *sin rest*, av. de Algorta 14 ✆ 491 05 09, Fax 491 19 43 - 📺 ☎ 🅿. AE ⊙
VISA. ✂
☕ 900 - **10 hab** 8000/11000.

XXX **Jolastoki,** Leioako Etorbidea 24 ✆ 491 20 31, Fax 469 50 29, 🍽 - ▤ 🅿. AE ⊙
VISA. ✂
cerrado domingo noche, lunes, Semana Santa y del 1 al 15 de agosto - **Comida** carta 5
a 7200.

en Las Arenas (Areeta) - *✉ 48990 Getxo - ☎ 94 :*

XXX El Chalet, Manuel Smith 12 ✆ 463 89 84, Fax 464 99 15, 🍽.

LE GUIDE MICHELIN
DU PNEUMATIQUE

MICHELIN®

Qu'est-ce qu'un pneu ?

Produit de haute technologie, le pneu constitue le seul point de liaison de la voiture avec le sol. Ce contact correspond, pour une roue, à une surface équivalente à celle d'une carte postale. Le pneu doit donc se contenter de ces quelques centimètres carrés de gomme au sol pour remplir un grand nombre de tâches souvent contradictoires :

Porter le véhicule à l'arrêt, mais aussi résister aux transferts de charge considérables à l'accélération et au freinage.

Transmettre la puissance utile du moteur, les efforts au freinage et en courbe.

Rouler régulièrement, plus sûrement, plus longtemps pour un plus grand plaisir de conduire.

Guider le véhicule avec précision, quels que soient l'état du sol et les conditions climatiques.

Amortir les irrégularités de la route, en assurant le confort du conducteur et des passagers ainsi que la longévité du véhicule.

Durer, c'est-à-dire, garder au meilleur niveau ses performances pendant des millions de tours de roue.

Afin de vous permettre d'exploiter au mieux toutes les qualités de vos pneumatiques, nous vous proposons de lire attentivement les informations et les conseils qui suivent.

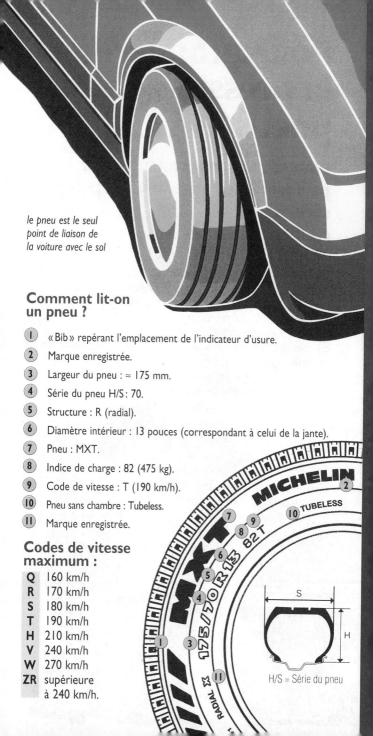

*le pneu est le seul
point de liaison de
la voiture avec le sol*

Comment lit-on
un pneu ?

① « Bib » repérant l'emplacement de l'indicateur d'usure.

② Marque enregistrée.

③ Largeur du pneu : ≈ 175 mm.

④ Série du pneu H/S : 70.

⑤ Structure : R (radial).

⑥ Diamètre intérieur : 13 pouces (correspondant à celui de la jante).

⑦ Pneu : MXT.

⑧ Indice de charge : 82 (475 kg).

⑨ Code de vitesse : T (190 km/h).

⑩ Pneu sans chambre : Tubeless.

⑪ Marque enregistrée.

Codes de vitesse
maximum :

Q	160 km/h
R	170 km/h
S	180 km/h
T	190 km/h
H	210 km/h
V	240 km/h
W	270 km/h
ZR	supérieure à 240 km/h.

H/S = Série du pneu

Pourquoi vérifier la pression de vos pneus ?

Pour exploiter au mieux leurs performances et assurer votre sécurité.

Contrôlez la pression de vos pneus, sans oublier la roue de secours, dans de bonnes conditions :

Un pneu perd régulièrement de la pression. Les pneus doivent être contrôlés, une fois toutes les 2 semaines, à froid, c'est-à-dire une heure au moins après l'arrêt de la voiture ou après avoir parcouru 2 à 3 kilomètres à faible allure.

En roulage, la pression augmente ; ne dégonflez donc jamais un pneu qui vient de rouler : considérez que, pour être correcte, sa pression doit être au moins supérieure de 0,3 bar à celle préconisée à froid.

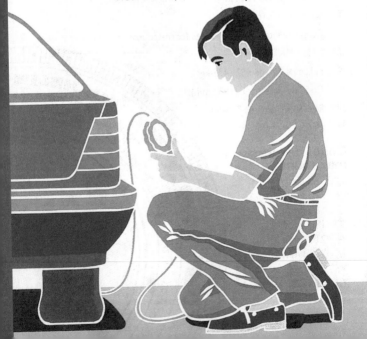

Le surgonflage : si vous devez effectuer un long trajet à vitesse soutenue, ou si la charge de votre voiture est particulièrement importante, il est généralement conseillé de majorer la pression de vos pneus. Attention : l'écart de pression avant-arrière nécessaire à l'équilibre du véhicule doit être impérativement respecté. Consultez les tableaux de gonflage Michelin chez tous les professionnels de l'automobile et chez les spécialistes du pneu, et n'hésitez pas à leur demander conseil.

Le sous-gonflage : lorsque la pression de gonflage est insuffisante, les flancs du pneu travaillent anormalement, ce qui entraîne une fatigue excessive de la carcasse, une élévation de température et une usure anor-

male. Le pneu subit alors des dommages irréversibles qui peuvent entraîner sa destruction immédiate ou future. En cas de perte de pression, il est impératif de consulter un spécialiste qui en recherchera la cause et jugera de la réparation éventuelle à effectuer.

Le bouchon de valve : en apparence, il s'agit d'un détail ; c'est pourtant un élément essentiel de l'étanchéité. Aussi, n'oubliez pas de le remettre en place après vérification de la pression, en vous assurant de sa parfaite propreté.

Voiture tractant caravane, bateau... Dans ce cas particulier, il ne faut jamais oublier que le poids de la remorque accroît la charge du véhicule. Il est donc nécessaire d'augmenter la pression des pneus arrière de votre voiture, en vous conformant aux indications des tableaux de gonflage Michelin. Pour de plus amples renseignements, demandez conseil à votre revendeur de pneumatiques, c'est un véritable spécialiste.

Vérifiez la pression de vos pneus régulièrement et avant chaque voyage.

Comment faire durer vos pneus ?

Afin de préserver longtemps les qualités de vos pneus, il est impératif de les faire contrôler régulièrement, et avant chaque grand voyage. Il faut savoir que la durée de vie d'un pneu peut varier dans un rapport de 1 à 4, et parfois plus, selon son entretien, l'état du véhicule, le style de conduite et l'état des routes ! L'ensemble roue-pneumatique doit être parfaitement équilibré pour éviter les vibrations qui peuvent apparaître à partir d'une certaine vitesse. Pour supprimer ces vibrations et leurs désagréments, vous confierez l'équilibrage à un professionnel du pneumatique car cette opération nécessite un savoir-faire et un outillage très spécialisé.

Les facteurs qui influent sur l'usure et la durée de vie de vos pneumatiques :
les caractéristiques du véhicule (poids, puissance…), le profil des routes (rectilignes, sinueuses), le revêtement (granulométrie : sol lisse ou rugueux), l'état mécanique du véhicule (réglage des trains avant, arrière, état des suspensions et des freins…), le style de conduite (accélérations, freinages, vitesse de passage en courbe…), la vitesse (en ligne droite à 120 km/h un pneu s'use deux fois plus vite qu'à 70 km/h), la pression des pneumatiques (si elle est incorrecte, les pneus s'useront beaucoup plus vite et de manière irrégulière).
D'autres événements de nature accidentelle (chocs contre trottoirs, nids de poule…), en plus du risque de déréglage et de détérioration de certains éléments du véhicule, peuvent provoquer des dommages internes au pneumatique dont les conséquences ne se manifesteront parfois que bien plus tard. Un contrôle régulier de vos pneus vous permettra donc de détecter puis de corriger rapidement les anomalies (usure anormale, perte de pression…). A la moindre alerte, adressez-vous immédiatement à un revendeur spécialiste qui interviendra pour préserver les qualités de vos pneus, votre confort et votre sécurité.

Surveillez l'usure de vos pneumatiques :
comment ? Tout simplement en observant la profondeur
de la sculpture. C'est un facteur de sécurité, en particulier
sur sol mouillé. Tous les pneus possèdent des indicateurs
d'usure de 1,6 mm d'épaisseur. Ces indicateurs sont repé-
rés par un Bibendum situé aux « épaules » des pneus
Michelin. Un examen visuel suffit pour connaître le niveau
d'usure de vos pneumatiques. Attention : même si vos
pneus n'ont pas encore atteint la limite d'usure légale (en
France, la profondeur restante de la sculpture doit être
supérieure à 1,6 mm sur l'ensemble de la bande de roulement), leur capacité à évacuer l'eau aura naturellement
diminué avec l'usure.

*Les chocs contre
les trottoirs, les nids de
poule… peuvent
endommager
gravement vos pneus.*

Comment choisir vos pneus ?

Le type de pneumatique qui équipe d'origine votre véhicule a été déterminé pour optimiser ses performances. Il vous est cependant possible d'effectuer un autre choix en fonction de votre style de conduite, des conditions climatiques, de la nature des routes et des trajets effectués.

Dans tous les cas, il est indispensable de consulter un spécialiste du pneumatique, car lui seul pourra vous aider à trouver la solution la mieux adaptée à votre utilisation dans le respect de la législation.

Montage, démontage, équilibrage du pneu ; c'est l'affaire d'un professionnel :
un mauvais montage ou démontage du pneu peut le détériorer et mettre en cause votre sécurité.

Sauf cas particulier et exception faite de l'utilisation provisoire de la roue de secours, les pneus montés sur un essieu donné doivent être identiques. Il est conseillé de monter les pneus neufs ou les moins usés à l'arrière pour assurer la meilleure tenue de route en situation difficile (freinage d'urgence ou courbe serrée) principalement sur chaussée glissante.

En cas de crevaison, seul un professionnel du pneu saura effectuer les examens nécessaires et décider de son éventuelle réparation.

Il est recommandé de changer la valve ou la chambre à chaque intervention.

Il est déconseillé de monter une chambre à air dans un ensemble tubeless.

L'utilisation de pneus cloutés est strictement réglementée ; il est important de s'informer avant de les faire monter.

Attention : la capacité de vitesse des pneumatiques Hiver « M+S » peut être inférieure à celle des pneus d'origine. Dans ce cas, la vitesse de roulage devra être adaptée à cette limite inférieure. Une étiquette de rappel de cette vitesse sera apposée à l'intérieur du véhicule à un endroit aisément visible du conducteur.

Innover
pour aller plus loin

En 1889, Edouard Michelin prend la direction de l'entreprise qui porte son nom. Peu de temps après, il dépose le brevet du pneumatique démontable pour bicyclette. Tous les efforts de l'entreprise se concentrent alors sur le développement de la technique du pneumatique. C'est ainsi qu'en 1895, pour la première fois au monde, un véhicule baptisé « l'Eclair » roule sur pneumatiques. Testé sur ce véhicule lors de la course Paris-Bordeaux-Paris, le pneumatique démontre immédiatement sa supériorité sur le bandage plein.

Créé en 1898, le Bibendum symbolise l'entreprise qui, de recherche en innovation, du pneu vélocipède au pneu avion, impose le pneumatique à toutes les roues.

En 1946, c'est le dépôt du brevet du pneu radial ceinturé acier, l'une des découvertes majeures du monde du transport.

Cette recherche permanente de progrès a permis la mise au point de nouveaux produits. Ainsi, depuis 1991, le pneu dit « vert » ou « basse résistance au roulement », est devenu une réalité. Ce concept contribue à la protection de l'environnement, en permettant une diminution de la consommation de carburant du véhicule, et le rejet de gaz dans l'atmosphère.

Concevoir les pneus qui font tourner chaque jour 2 milliards de roues sur la terre, faire évoluer sans relâche plus de 3500 types de pneus différents, c'est le combat permanent des 4500 chercheurs Michelin.

Leurs outils : les meilleurs supercalculateurs, des laboratoires à la pointe de l'innovation scientifique, des centres de recherche et d'essais installés sur

6000 hectares en France, en Espagne, aux Etats-Unis et au Japon. Et c'est ainsi que quotidiennement sont parcourus plus d'un million de kilomètres, soit 25 fois le tour du monde.

Leur volonté : écouter, observer puis optimiser chaque fonction du pneumatique, tester sans relâche, et recommencer.

C'est cette volonté permanente de battre demain le pneu d'aujourd'hui pour offrir le meilleur service à l'utilisateur, qui a permis à Michelin de devenir le leader mondial du pneumatique.

Atlas routiers

France
1/200 000

094 - *à spirale*
099 - *relié*

Espagne-Portugal
1/400 000

460 - *à spirale*

Great Britain
1/300 000

1122 - *à spirale*

Italie
1/300 000

465 - *à spirale*

Europe
1/1 000 000
1/3 000 000

130 - *relié*
136 - *à spirale*

IBRALTAR 446 X 13 y 14 – 28 339 h. – ✪ 9567.

Ver : Peñón : ≤★★.

✈ de Gibraltar N : 2,7 km, ☏ 730 26 – G.B. Airways y B. Airways, Cloister Building Irish Town, ☏ 792 00 – Pegasus E. Air and Sea Services LTD. CTHE Tower Marina Bay – Iberia 2 A Main Street, Unit G 10-ed. I.C.C. ☏ 776 66.

🛈 158 Main Street, ☏ 749 82, Fax 408 43 – **R.A.C.E.** 18B, Halifax Road P.O. Box 385, ☏ 790 05, Fax 744 96.

Madrid 673 – Cádiz 144 – Málaga 127.

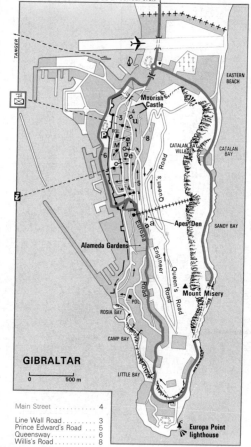

GIBRALTAR

0   500 m

Main Street 4
Line Wall Road 3
Prince Edward's Road . . . 5
Queensway 6
Willis's Road 8

🏨 **The Rock H.,** 3 Europa Road ☏ 730 00, Telex 2238, Fax 735 13, ≤ puerto, estrecho y costa española, « Terraza y jardín con flores », ⌧ – 🛌 🗐 📺 ☏ 🅿 – 🔺 25/120. 🆎 ➀ 🅴 🆅🆂🅰 🇯🇨🇧. ⋘ rest a **Comida** 4100 – **143 hab** ⊇ 12675/19500 – PA 7800.

🏨 **White's H.,** 2 Governor's Parade ☏ 705 00, Telex 2242, Fax 702 43, ⌧ – 🛌 🗐 📺 ☏ 🅿 – 🔺 25/150. e **120 hab.**

🏨 **Continental** sin rest, Enginer Lane (esquina Main Street) ☏ 769 00, Fax 417 02 – 🛌 u 🗐 📺 ☏. 🅴 🆅🆂🅰. ⋘ **18 hab** ⊇ 8400/11000.

X **Strings,** 44 Cornwall's Lane ☏ 788 00, Fax 788 00 – 🗐. 🆎 🅴 🆅🆂🅰. ⋘ r *cerrado domingo, 2ª quincena de agosto y 15 días en septiembre* – **Comida** carta 2600 a 4500.

Wenn Sie an ein Hotel im Ausland schreiben,
fügen Sie Ihrem Brief einen internationalen Antwortschein bei,
(im Postamt erhältlich).

ÓN 33200 Asturias 441 B 13 – 260 267 h. – ✪ 98 – Playa.

🏌 de Castiello SE : 5 km ☏ 536 63 13, Fax 513 18 00 – Iberia : Alfredo Truán 8, AZ ☏ 535 17 90.

⛴ Cia. Trasmediterránea, Claudio Alvargonzález 2, AX ☏ 535 04 00, Fax 34 58 70.

🛈 Marqués de San Esteban 1, ⊠ 33206, ☏ 534 60 46, Fax 534 60 46 – **R.A.C.E.** Marqués de San Esteban 1-1º A, ⊠ 33206, ☏ 535 53 60, Fax 535 53 60.

Madrid 474 ③ – Bilbao/Bilbo 296 ① – La Coruña/A Coruña 341 ③ – Oviedo 29 ③ – Santander 193 ①.

GIJÓN

Constitución (Av. de la) . . AZ 10
Corrida . . . . AY 12
Menéndez Valdes . . . . . AY 32
Moros . . . . AY 33
San Bernardo . . . . AYZ

Alfredo Truán . . . . AZ 2
Álvarez Garaya . . . . AY 3
Asturias . . . . AY 4
Begoña . . . . AYZ 5
Campinos de Begoña (Pl. de los) . . . . AZ 6
Campo Valdés . . . . AX 7
Carmen (Pl. del) . . . . . . AY 8
Claudio Alvargonzález . AX 9
Covadonga . . . . ABYZ 13
Fernández Vallín . . . . . . AY 17
García Bernardo (Av.) . . CY 18
Instituto . . . . AXY 20
Instituto (Pl. del) . . . . . AY 21
José las Clotas . . . . . . AZ 23
Jovellanos . . . . AY 24
Jovellanos (Pl. de) . . . . AX 25
Libertad . . . . AY 28
Marqués de San Esteban AY 29
Mayor (Pl.) . . . . AX 30
Menéndez Pelavo . . . . BYZ 31
Molinón (Av. del) . . . . . CYZ 32
Munuza . . . . AY 34
Muro de San Lorenzo (Pas. de) . . . . AY 35
Oscar Olavarría . . . . . . AX 36
Salle (Av. de la) . . . . . . AX 38
San José (Pas de) . . . . AZ 40
Santa Doradia . . . . BZ 41
Santa Lucía . . . . AY 42
Subida al Cerro . . . . . . AX 43
Villaviciosa (Carret.) . . . CZ 45
6 de Agosto (Pl. del) . . AYZ 46

Parador de Gijón, parque de Isabel la Católica, ✉ 33203, ☎ 537 05 11, Fax 537 02
« Junto al parque » – |$| ▤ TV ☎ P. AE ⦿ E VISA. ✻ por av. del Molinón CY
Comida 3200 – ☕ 1200 – **40 hab** 18000.

Begoña Park *sin rest. con cafetería*, urb. El Rinconín, ✉ 33203, ☎ 513 39
Fax 513 16 02 – |$| ▤ TV ☎ 🚗 – 🏆 25/900. AE ⦿ VISA. ✻ por
☕ 1000 – **98 hab** 12000/15000.

Príncipe de Asturias *sin rest*, Manso 2, ✉ 33203, ☎ 536 71 11, Fax 533 47 41
– |$| TV ☎ – 🏆 25/180. AE ⦿ E VISA. ✻ CY
☕ 900 – **64 hab** 12800/16000, 16 suites.

Hernán Cortés *sin rest*, Fernández Vallín 5, ✉ 33205, ☎ 534 60 00, Fax 535 56
– |$| ▤ TV ☎ 🚗 – 🏆 25/40. AE ⦿ E VISA. ✻ AY
☕ 650 – **33 hab** 8500/11000, 11 suites.

Alcomar *sin rest. con cafetería*, Cabrales 24, ✉ 33201, ☎ 535 70 11, Fax 534 67
← – |$| TV ☎ – 🏆 25/100. AE ⦿ E VISA. ✻ AY
☕ 650 – **45 hab** 9700/12300.

Begoña, av. de la Costa 44, ✉ 33205, ☎ 514 72 11, Fax 539 82 22 – |$| ▤ rest
☎ 🚗 – 🏆 25/300. AE ⦿ VISA. ✻ AZ
Comida 1600 – ☕ 650 – **250 hab** 8200/10400, 11suites – PA 3850.

Don Manuel, Marqués de San Esteban 5, ✉ 33206, ☎ 517 13 13, Fax 517 12 38
▤ rest TV ☎. AE ⦿ E VISA. ✻ AY
Comida 1500 - ***Casa Pachín*** : **Comida** carta 3200 a 4500 – ☕ 750 – **50**
12000/15000.

San Miguel *sin rest. con cafetería*, Marqués de Casa Valdés 8, ⊠ 33202, ℰ 534 00 25, Fax 534 00 37 – 🛗 📺 ☎. 🝰 ⓪ 🗲 𝗩𝗜𝗦𝗔
☲ 350 – **45 hab** 8500/11500.   BY **e**

Agüera *sin rest*, Hermanos Felgueroso 28, ⊠ 33209, ℰ 514 05 00, Fax 538 68 61 – 🛗 📺 ☎. 🝰 ⓪ 🗲 𝗩𝗜𝗦𝗔. 🕸
☲ 850 – **35 hab** 9850/13000.   BZ **w**

Pasaje *sin rest. con cafetería*, Marqués de San Esteban 3, ⊠ 33206, ℰ 534 24 00, Fax 534 25 51, ≼ – 🛗 📺 ☎ – 🝰 25/40. 🝰 ⓪ 🗲 𝗩𝗜𝗦𝗔. 🕸
☲ 750 – **29 hab** 8200/11800.   AY **k**

Pathos *sin rest. con cafetería*, Contracay 5, ⊠ 33201, ℰ 535 25 46, Fax 535 64 84 – 🛗 📺 ☎. 🝰 ⓪ 🗲 𝗩𝗜𝗦𝗔
☲ 600 – **53 hab** 6000/9000, 3 suites.   AX **n**

La Casona de Jovellanos, pl. de Jovellanos 1, ⊠ 33201, ℰ 534 12 64, Fax 535 61 51, Antiguo edificio rehabilitado – 📺 ☎
13 hab, 1 apartamento.   AX **e**

Miramar *sin rest y sin* ☲, Santa Lucía 9, ⊠ 33206, ℰ 535 10 08, Fax 534 09 32 – 🛗 📺 ☎. 🝰 ⓪ 🗲 𝗩𝗜𝗦𝗔
23 hab 7500/10000.   AY **n**

Bahía *sin rest y sin* ☲, av. del Llano 44 ℰ 516 37 00, Fax 516 37 00 – 🛗 📺 ☎ 🚗. 𝗩𝗜𝗦𝗔. 🕸
35 hab 5500/8000.   AZ **v**

Avenida *sin rest y sin* ☲, Robustiana Armiño 4, ⊠ 33207, ℰ 535 28 43, Fax 535 28 44 – 📺 ☎. 🗲 𝗩𝗜𝗦𝗔. 🕸
38 hab 4000/7000.   AY **c**

Castilla *sin rest*, Corrida 50, ⊠ 33206, ℰ 534 62 00, Fax 534 63 64 – 🛗 📺 ☎. 🝰 🗲 𝗩𝗜𝗦𝗔. 🕸 – ☲ 375 – **45 hab** 6500/8000.   AY **r**

Plaza *sin rest y sin* ☲, Decano Prendes Pando 2, ⊠ 33207, ℰ 534 65 62 – 📺. 🕸
20 hab 4700/5500.   AZ **n**

XX **El Puerto,** Claudio Alvargonzález (edificio puerto deportivo), ⊠ 33201, ℰ 534 90 96, Fax 534 90 96, ≼, 🏛 – 🝰 ⓪ 🗲 𝗩𝗜𝗦𝗔. 🕸
cerrado domingo noche y Semana Santa – **Comida** carta 5100 a 5950.   AX **c**

XX **El Retiro,** Begoña 28, ⊠ 33206, ℰ 535 00 30, Fax 535 13 37 – 🗏. 🝰 ⓪ 🗲 𝗩𝗜𝗦𝗔. 🕸
cerrado domingo noche – **Comida** carta 3200 a 4600.   AY **b**

XX **La Zamorana,** Hermanos Felgueroso 38, ⊠ 33209, ℰ 538 06 32, Fax 514 90 70 – 🗏. 🝰 ⓪ 🗲 𝗩𝗜𝗦𝗔
cerrado lunes y 15 octubre-14 noviembre – **Comida** carta 3300 a 4350.

XX **Bella Vista,** av. García Bernardo 8 (El Piles), ⊠ 33203, ℰ 536 73 77, Fax 536 29 36, ≼, 🏛, Pescados y mariscos. Vivero propio – 🗏 🅿. 🝰 ⓪ 🗲 𝗩𝗜𝗦𝗔. 🕸
cerrado lunes – **Comida** carta aprox. 4595.   CY **e**

XX **Casa Víctor,** Carmen 11, ⊠ 33206, ℰ 534 83 10, Fax 532 27 49 – 🗏. 🝰 ⓪ 🗲 𝗩𝗜𝗦𝗔. 🕸
cerrado domingo y noviembre – **Comida** carta 3600 a 4600.   AY **t**

X **El Sueve,** Domingo García de la Fuente 12, ⊠ 33205, ℰ 514 57 03, Carnes a la brasa – 🗏. 🝰 🗲 𝗩𝗜𝗦𝗔. 🕸
cerrado domingo, miércoles noche, 3 semanas en mayo y 3 semanas en noviembre – Comida carta 2750 a 4100.   AZ **s**

X **La Marmita,** Enrique III-2, ⊠ 33206, ℰ 535 49 41, Fax 535 49 68, 🏛 – 🝰 ⓪ 🗲 𝗩𝗜𝗦𝗔. 🕸
cerrado lunes (salvo agosto) y noviembre – **Comida** carta 3525 a 4300.   AY **n**

X **Casa Justo,** Hermanos Felgueroso 50, ⊠ 33209, ℰ 538 63 57, Sidrería típica – 🗏. 🝰 ⓪ 🗲 𝗩𝗜𝗦𝗔. 🕸
cerrado jueves (salvo festivos y vísperas) y 15 mayo-15 junio – **Comida** carta 3650 a 5500.   BZ **z**

X **Calixto,** Trinidad 6, ⊠ 33201, ℰ 535 98 09 – 🗏. 🝰 ⓪ 🗲 𝗩𝗜𝗦𝗔. 🕸
cerrado lunes (salvo agosto) y octubre – **Comida** carta 2800 a 4200.   AX **y**

X **Tino,** Alfredo Truán 9, ⊠ 33205, ℰ 534 13 87 – 🝰 ⓪ 🗲 𝗩𝗜𝗦𝗔. 🕸
cerrado jueves y 20 junio-10 julio – **Comida** carta 2850 a 4625.   AZ **d**

X **Vesubio,** Muelle de Oriente 2, ⊠ 33201, ℰ 534 99 71, Cocina italiana – 🗏   AX **y**

Somió *por* ① – ⊠ 33203 Gijón – 🕲 98 :

XXX **Las Delicias,** barrio Fuejo - 4 km ℰ 536 02 27, Fax 513 00 95, 🏛 – 🗏 🅿. 🝰 ⓪ 🗲 𝗩𝗜𝗦𝗔 𝗝𝗖𝗕. 🕸
cerrado martes (salvo festivos o vísperas) y agosto – **Comida** carta 4000 a 5200.

XX **Llerandi,** camino de la Peñuca - 5 km ℰ 533 06 95, Fax 513 00 49, 🏛 – 🅿.

XX **La Pondala,** av. Dionisio Cifuentes 27 - 3 km ℰ 536 11 60, 🏛 – 🝰 ⓪ 🗲 𝗩𝗜𝗦𝗔. 🕸
cerrado jueves y noviembre – **Comida** carta 2950 a 4450.

en La Providencia *NE : 5 km por av. García Bernardo* CY – ⊠ *33203 Gijón* – ☎ *98 :*

XX **Los Hórreos,** ℰ 537 43 10, Fax 537 43 10 – ℗. ㏂ ① Ε VISA. ⅍
cerrado domingo noche, lunes y del 7 al 25 de enero – **Comida** carta 4300 a 5800.

en Cabueñes *por ① : 5 km* – ⊠ *33394 Cabueñes* – ☎ *98 :*

X **El Llagar de Cabueñes,** *carret. N 632* ℰ 513 36 31, ㎟, Rest. típico en un antig
lagar. Carnes – ℗. ㏂ ① Ε VISA. ⅍
cerrado del 15 al 31 de octubre – **Comida** carta 4000 a 5900.
Ver también : **Prendes por ③ :** 10 km.

GINES *41960 Sevilla* ꗑꗑꗑ *T 11* – *6 354 h. alt. 122* – ☎ *95.*
Madrid 537 – Aracena 94 – Huelva 84 – Sevilla 8.

X El Barco, *carret. N 431* ℰ 471 71 08, Pescados y mariscos – ▤ ℗.

GIRONA *Gerona – ver Gerona.*

GOIÁN *Pontevedra – ver Goyán.*

GOIURIA *Vizcaya – ver Iurreta.*

La GOLA (Playa de) *Gerona – ver Torroella de Montgrí.*

GOMERA *Santa Cruz de Tenerife – ver Canarias.*

GOYÁN o GOIÁN *36750 Pontevedra* ꗑꗑꗑ *G 3* – ☎ *986.*
Madrid 610 – Orense/Ourense 106 – Pontevedra 63 – Viana do Castelo 63 – Vigo

X **Asensio** *con hab, Tollo 2 (carret. C 550)* ℰ 62 01 52 – ℗. VISA. ⅍
cerrado septiembre – **Comida** *(cerrado domingo noche y miércoles)* carta 2250 a 3:
– ⊊ 350 – **4 hab** 4500.

El GRADO *22390 Huesca* ꗑꗑꗑ *F 30* – *589 h.* – ☎ *974.*
Ver : Torreciudad ≤★★ *(NE : 5km).*
Madrid 460 – Huesca 70 – Lérida/Lleida 86.

X **Tres Caminos** *con hab, barrio del Cinca 17 - carret. de Barbastro* ℰ 30 40
Fax 30 41 22, ≤, ㎟ – ▤ rest ℗. Ε VISA. ⅍
Comida carta 2000 a 3200 – ⊊ 350 – **27 hab** 1800/3600.

en la carretera C 139 *SE : 2 km* – ⊠ *22390 El Grado* – ☎ *974 :*

Hostería El Tozal ⤳, ℰ 30 40 00, Fax 30 42 55, ≤, ㎟, ㎙ – ▐ ▤ ⎏ ☎ ℗
① Ε VISA. ⅍ rest
Comida 2300 – ⊊ 680 – **31 hab** 7500/10800.

GRADO *33820 Asturias* ꗑꗑꗑ *B 11* – *12 048 h. alt. 47* – ☎ *98.*
Madrid 461 – Oviedo 26.

XX **Palper,** *San Pelayo 44* ℰ 575 00 39, Fax 575 03 65 – ▤ ℗. ㏂ ① Ε VISA. ⅍
Comida carta 2550 a 3800.

GRANADA *18000* ℙ ꗑꗑꗑ *U 19* – *287 864 h. alt. 682* – ☎ *958 – Deportes de invierno en Si*
Nevada : ⎏17 ⏛2.
Ver : Emplazamiento★★ – Alhambra★★★ CDY *- Palacios Nazaríes★★★ : oratorio Me*
≤★, Salón de Embajadores ≤★★, jardines y torres★★ - Palacio de Carlos V★ : Mu
Hispano-musulmán (jarrón azul★), Museo de Bellas Artes (Cardo y zanahorias★ de Sán
Cotán) - Alcazaba★ (≤★★) – Generalife★★ DX *- Capilla Real★★ (reja★, sepulcros★*
retablo★, Museo : colección de obras de arte★★★) - Catedral★ CX *(Capilla Mayor★, port*
norte de la Capilla Real★) – Cartuja★ : sacristía★★ AX *– Iglesia de San Juan de Dios★*
- Monasterio de San Jerónimo★ (retablo★) AX *– Albaicín★ : terraza de la iglesia de*
Nicolás (≤★★★) – Baños árabes★ CX *– Museo Arqueológico (portada plateresca★)* C*
Excurs. : Sierra Nevada (pico de Veleta★★) SE : 46 km T.
⤴ *de Granada por ④ : 17 km* ℰ 21 37 01 *– Iberia : pl. Isabel la Católica 2,* ⊠ *18(*
ℰ *22 75 92.*
🛈 *pl. de Mariana Pineda 10,* ⊠ *18009,* ℰ *22 66 88, Fax 22 89 16 y Mariana Pineda,* ⊠ *18(*
ℰ *22 59 90 –* **R.A.C.E.** *pl. de la Pescadería 1-4°C,* ⊠ *18001,* ℰ *26 21 50, Fax 26 21 50.*
Madrid 430 ① – Málaga 127 ④ – Murcia 286 ② – Sevilla 261 ④ – Valencia 541 ①

GRANADA

Ancha de Capuchinos ..... S 2
Andaluces (Av. de) .... S 5
Andalucía (Av. de) .... S 6
Bomba (Pas. de la) .... T 7
Cardenal Parrado .... S 14
Cartuja (Pas. de) .... S 18
Casillas del Prats .... S 19

Constitución (Av. de la) .... S 22
Doctor Olóriz (Av. del) .... S 24
Eugenia (Imperatriz) ...... T 27
Fuente Nueva .... T 31
Genil (Ribera del) .... T 34
Martínez de la Rosa ...... T 41
Mendez Nuñez (Av.) ...... T 43
Murcia (Av. de) .... S 45
Obispo Hurtado .... T 49
Picón (Carril del) .... T 52

Pintor Rodríguez Acosta ... T 54
Real de la Cartuja .... S 56
Sacromonte
  (Camino del) .... T 59
San Isidro (Pl. de) .... S 62
Severo Ochoa .... S 70
Sierra Nevada
  (Carretera de la) .... T 71
Solarillo de Gracia .... T 74
Violón (Pas. del) .... T 81

la ciudad :

Saray, paseo de Enrique Tierno Galván 4, ⊠ 18006, ℰ 13 00 09, Telex 78422, Fax 12 91 61, ⌁ – ⭍ ▤ ▣ ☎ ⮑ – ⚿ 25/500. ⒶⒺ ⓘ Ⓔ 𝑽𝑰𝑺𝑨.
T m
Comida 3000 – ⊇ 1250 – **202 hab** 14400/18000, 11 suites.

Granada Center, av. Fuentenueva, ⊠ 18002, ℰ 20 50 00, Fax 28 96 96 – ⭍ ▤ ▣ ☎ ⮑ – ⚿ 25/200. ⒶⒺ ⓘ Ⓔ 𝑽𝑰𝑺𝑨. ⁂
T e
Comida 3500 - **Al-Zagal : Comida** carta 3875 a 5325 – ⊇ 1200 – **171 hab** 14400/18700, 1 suite.

297

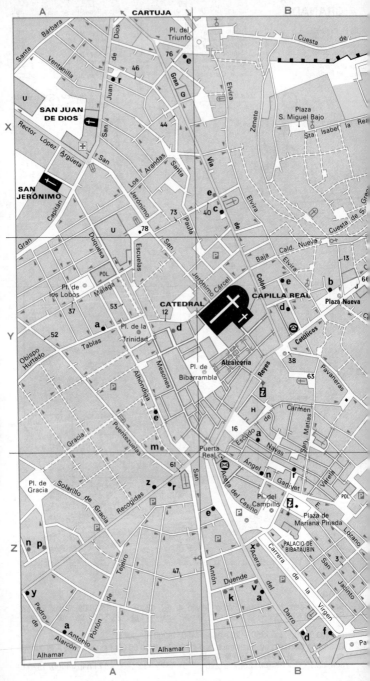

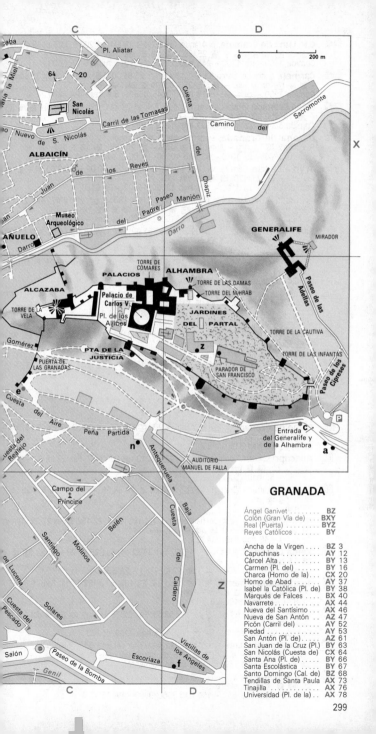

GRANADA

Ángel Ganivet . . . . **BZ**
Colón (Gran Vía de) . . . **BXY**
Real (Puerta) . . . . **BYZ**
Reyes Católicos . . . . . . **BY**

Ancha de la Virgen . . . . **BZ** 3
Capuchinas . . . . **AY** 12
Cárcel Alta . . . . **BY** 13
Carmen (Pl. del) . . . . . **BY** 16
Charca (Horno de la) . . **CX** 20
Horno de Abad . . . . . . **AY** 37
Isabel la Católica (Pl. de) **BY** 38
Marqués de Falces . . . . **BX** 40
Navarrete . . . . **AX** 44
Nueva del Santísimo . . . **AX** 46
Nueva de San Antón . . **AZ** 47
Picón (Carril del) . . . . . **AY** 52
Piedad . . . . **AY** 53
San Antón (Pl. de) . . . . . **AZ** 61
San Juan de la Cruz (Pl.) **BY** 63
San Nicolás (Cuesta de) **CX** 64
Santa Ana (Pl. de) . . . . . **BY** 66
Santa Escolástica . . . . . **BY** 67
Santo Domingo (Cal. de) **BZ** 68
Tendillas de Santa Paula **AX** 73
Tinajilla . . . . **AX** 76
Universidad (Pl. de la) . . **AX** 78

G.H. Luna de Granada, pl. Manuel Cano 2, ⊠ 18004, ℰ 20 10 00, Fax 28 40 52,
– 🛗 ▤ 📺 ☎ ♿ ⇔ – 🍴 25/390. 🆎 ◑ Ɛ 𝒱𝐼𝒮𝒜 𝒥𝒸ʙ. ⁑   T
Comida 3300 – ☟ 1200 – **245 hab** 11500/15500, 8 suites – PA 6600.

Carmen, Acera del Darro 62, ⊠ 18005, ℰ 25 83 00, Telex 78546, Fax 25 64 62,
– 🛗 ▤ 📺 ☎ ♿ ⇔ – 🍴 25/250. 🆎 ◑ Ɛ 𝒱𝐼𝒮𝒜 ⁑ rest   BZ
Comida 1800 – ☟ 1200 – **278 hab** 12645/16820, 5 suites – PA 4800.

Meliá Granada, Ángel Ganivet 7, ⊠ 18009, ℰ 22 74 00, Fax 22 74 03 – 🛗 ▤ 📺
– 🍴 25/250. 🆎 ◑ Ɛ 𝒱𝐼𝒮𝒜 𝒥𝒸ʙ. ⁑   BZ
Comida 3000 – ☟ 1250 – **197 hab** 12950/18625.

Corona de Granada, Pedro Antonio de Alarcón 10, ⊠ 18005, ℰ 52 12
Fax 52 12 78, 🌊, 🔲 – 🛗 ▤ 📺 ☎ ♿ ⇔ – 🍴 25/160. 🆎 ◑ Ɛ 𝒱𝐼𝒮𝒜. ⁑ rest AZ
Comida 1800 – ☟ 1050 – **93 hab** 10500/16000, 2 suites – PA 4150.

Tryp Albayzín, Carrera del Genil 48, ⊠ 18005, ℰ 22 00 02, Fax 22 01 81 – 🛗 ▤
☎ ⇔ – 🍴 25/120. 🆎 ◑ Ɛ 𝒱𝐼𝒮𝒜 𝒥𝒸ʙ. ⁑   BZ
Comida 3250 – ☟ 1100 – **108 hab** 12500/16500 – PA 6460.

Princesa Ana, av. de la Constitución 37, ⊠ 18014, ℰ 28 74 47, Fax 27 39
« Elegante decoración » – 🛗 ▤ 📺 ☎ ⇔. 🆎 ◑ Ɛ 𝒱𝐼𝒮𝒜. ⁑   S
Comida 3500 – ☟ 1300 – **59 hab** 11500/16000, 2 suites – PA 7000.

San Antón, San Antón, ⊠ 18005, ℰ 52 01 00, Fax 52 19 82, �, 🌊 – 🛗 ▤ 📺
♿ ⇔ – 🍴 25/400. 🆎 ◑ Ɛ 𝒱𝐼𝒮𝒜 𝒥𝒸ʙ. ⁑   T
Comida 2500 – ☟ 1000 – **161 hab** 10500/15000, 28 suites.

Cóndor, av. de la Constitución 6, ⊠ 18012, ℰ 28 37 11, Telex 78503, Fax 28 38
– 🛗 ▤ 📺 ☎ ⇔ – 🍴 25/50. 🆎 ◑ Ɛ 𝒱𝐼𝒮𝒜. ⁑   S
Comida 1450 – ☟ 750 – **104 hab** 6500/9800 – PA 3650.

Triunfo Granada, pl. del Triunfo 19, ⊠ 18010, ℰ 20 74 44, Fax 27 90 17 – 🛗 ▤
☎ ⇔ – 🍴 25/150. 🆎 ◑ Ɛ 𝒱𝐼𝒮𝒜. ⁑   AX
Comida 3500 - **Puerta Elvira :** Comida carta 3100 a 4500 – ☟ 1155 – **37 h**
10500/15750 – PA 7230.

Rallye, paseo de Ronda 107, ⊠ 18003, ℰ 27 28 00, Fax 27 28 62 – 🛗 ▤ 📺 ☎
– 🍴 25/200. 🆎 ◑ Ɛ 𝒱𝐼𝒮𝒜. ⁑ rest   T
Comida carta 1900 a 3400 – ☟ 1250 – **79 hab** 11900/14900.

Dauro II sin rest. con cafetería, Navas 5, ⊠ 18009, ℰ 22 15 81, Fax 22 27 32 – 🛗
📺 ☎ – 🍴 25/80. 🆎 ◑ Ɛ 𝒱𝐼𝒮𝒜 𝒥𝒸ʙ. ⁑   BZ
☟ 850 – **48 hab** 8000/11500.

Dauro sin rest, Acera del Darro 19, ⊠ 18005, ℰ 22 21 57, Fax 22 85 19 – 🛗 ▤
☎ ⇔. 🆎 ◑ Ɛ 𝒱𝐼𝒮𝒜 𝒥𝒸ʙ. ⁑   BZ
☟ 900 – **36 hab** 8000/11500.

Reino de Granada sin rest, Recogidas 53, ⊠ 18005, ℰ 26 58 78, Fax 26 36 42
▤ 📺 ☎ ⇔. 🆎 ◑ Ɛ 𝒱𝐼𝒮𝒜   AZ
☟ 800 – **37 hab** 8750/11800.

Anacapri sin rest, Joaquín Costa 7, ⊠ 18010, ℰ 22 74 77, Fax 22 89 09 – 🛗 ▤
☎ ⇔. 🆎 ◑ Ɛ 𝒱𝐼𝒮𝒜. ⁑   BY
☟ 750 – **52 hab** 7500/11000.

Gran Vía Granada, Gran Vía 25, ⊠ 18001, ℰ 28 54 64, Telex 78474, Fax 28 55 9
🛗 ▤ 📺 ☎ ⇔   BX
85 hab.

NH Inglaterra sin rest, Cettie Meriem 4, ⊠ 18010, ℰ 22 15 58, Fax 22 71 00 – 🛗
📺 ☎ ⇔ – 🍴 25/40. 🆎 ◑ Ɛ 𝒱𝐼𝒮𝒜 𝒥𝒸ʙ. ⁑   BY
☟ 1000 – **36 hab** 9100/14000.

Reina Cristina, Tablas 4, ⊠ 18002, ℰ 25 32 11, Fax 25 57 28 – 🛗 ▤ 📺 ☎
🆎 ◑ Ɛ 𝒱𝐼𝒮𝒜   AY
Comida 1600 – ☟ 700 – **40 hab** 6200/9750 – PA 3270.

Juan Miguel sin rest, Acera del Darro 24, ⊠ 18005, ℰ 52 11 11, Fax 25 89 16
▤ 📺 ☎ ⇔. 🆎 Ɛ 𝒱𝐼𝒮𝒜 𝒥𝒸ʙ. ⁑   BZ
☟ 880 – **66 hab** 8400/10500.

Navas, Navas 24, ⊠ 18009, ℰ 22 59 59, Fax 22 75 23 – 🛗 ▤ 📺 ☎. 🆎 ◑ Ɛ
𝒥𝒸ʙ. ⁑ rest   BY
Comida (sólo buffet) 1350 – ☟ 660 – **43 hab** 7200/11400.

Luna Arabial y Luna de Granada II sin rest, Arabial 83, ⊠ 18004, ℰ 27 66
Fax 27 47 59, 🌊 – 🛗 ▤ 📺 ☎ ⇔. 🆎 ◑ Ɛ 𝒱𝐼𝒮𝒜 𝒥𝒸ʙ. ⁑
☟ 1200 – **25 hab** 7500/11500, 95 apartamentos.

Los Ángeles, Escoriaza 17, ⊠ 18008, ℰ 22 14 24, Fax 22 21 25, 🌊 – 🛗 ▤ 📺
🆎 ◑ Ɛ 𝒱𝐼𝒮𝒜 𝒥𝒸ʙ. ⁑ rest   DZ
Comida 1500 – ☟ 650 – **100 hab** 7500/9900 – PA 3650.

🏨 **Palacio de Santa Inés** sin rest, Cuesta de Santa Inés 9, ⊠ 18010, 𝒫 22 23 62, Fax 22 24 65, « Edificio del siglo XVI. Patio » – ▤ 📺 ☎. 𝔸𝔼 𝑉𝐼𝑆𝐴
CX n
⊈ 800 – **3 hab** 10000, 6 apartamentos.

🏨 **Universal** sin rest, Recogidas 16, ⊠ 18002, 𝒫 26 00 16, Fax 26 32 29 – |𝔰| ▤ 📺 ☎ ⇔, 𝔸𝔼 ⓞ 𝔼 𝑉𝐼𝑆𝐴
AZ z
⊈ 550 – **56 hab** 6125/9750.

🏨 **Ana María** sin rest, paseo de Ronda 101, ⊠ 18003, 𝒫 28 99 11, Fax 28 92 15 – ▤ 📺 ☎ ⇔. 𝔸𝔼 𝑉𝐼𝑆𝐴
T v
⊈ 600 – **30 hab** 7600/10500.

🏨 **Reina Ana María** sin rest, Sócrates 10, ⊠ 18002, 𝒫 20 98 61, Fax 27 10 81 – ▤ 📺 ☎ ⇔. 𝔸𝔼 ⓞ 𝔼 𝑉𝐼𝑆𝐴
T c
⊈ 600 – **25 hab** 5600/8800.

🏨 **Aben Humeya** sin rest, av. de Madrid 10, ⊠ 18012, 𝒫 29 50 61, Fax 27 10 84 – |𝔰| ▤ 📺 ☎ - 𝔞 25/40. 𝔸𝔼 ⓞ 𝑉𝐼𝑆𝐴 𝐽𝐶𝐵. ⁇
S a
Comida 1500 – ⊈ 1000 – **171 hab** 7000/10000.

🏨 **Maciá** sin rest, pl. Nueva 4, ⊠ 18010, 𝒫 22 75 36, Telex 78474, Fax 22 75 33 – |𝔰| ▤ 📺 ☎. 𝔸𝔼 ⓞ 𝔼 𝑉𝐼𝑆𝐴. ⁇
BY b
⊈ 580 – **44 hab** 4600/7000.

🏨 **Sacromonte** sin rest y sin ⊈, pl. del Lino 1, ⊠ 18002, 𝒫 26 64 11, Fax 26 67 07 – |𝔰| ▤ 📺 ☎ ⇔. 𝔸𝔼 ⓞ 𝔼 𝑉𝐼𝑆𝐴. ⁇
AY e
33 hab 3500/6500.

🏨 **Los Girasoles** sin rest, Cardenal Mendoza 22, ⊠ 18001, 𝒫 28 07 25 – ⇔. ⁇ AX r
⊈ 475 – **29 hab** 5000/5600.

🏨 **Verona** sin rest y sin ⊈, Recogidas 9-1°, ⊠ 18005, 𝒫 25 55 07 – |𝔰| ▤ 📺 ⇔. 𝑉𝐼𝑆𝐴. ⁇
AZ r
11 hab 3000/4500.

XXX **Bogavante**, Duende 15, ⊠ 18005, 𝒫 25 91 12, Fax 26 76 53 – ▤. 𝔸𝔼 ⓞ 𝑉𝐼𝑆𝐴. ⁇
BZ k
cerrado domingo y agosto – **Comida** carta 3100 a 4000.

XX **Galatino**, Gran Vía 29, ⊠ 18001, 𝒫 80 08 03, Fax 80 08 03, 🍽, Decoración moderna – ▤. 𝔸𝔼 ⓞ 𝔼 𝑉𝐼𝑆𝐴 𝐽𝐶𝐵. ⁇
BX e
Comida carta 3100 a 4400.

XX **Los Santanderinos**, Albahaca 1, ⊠ 18006, 𝒫 12 83 35 – ▤. 𝔸𝔼 𝔼 𝑉𝐼𝑆𝐴. ⁇ T f
cerrado domingo, lunes noche y agosto – **Comida** carta 3900 a 5150.

XX **Diego Morales**, Pedro Antonio de Alarcón 34, ⊠ 18002, 𝒫 52 19 04 – ▤. 𝔸𝔼 𝑉𝐼𝑆𝐴. ⁇
T r
cerrado domingo noche – **Comida** carta 2900 a 3400.

XX **Las Tinajas**, Martínez Campos 17, ⊠ 18002, 𝒫 25 43 93, Fax 25 53 35 – ▤. 𝔸𝔼 ⓞ 𝑉𝐼𝑆𝐴. ⁇
AZ p
cerrado julio – **Comida** carta 2950 a 4100.

XX **Tavares**, Carrera del Genil 4, ⊠ 18005, 𝒫 22 67 69, Fax 22 67 69 – ▤. 𝔸𝔼 ⓞ 𝔼 𝑉𝐼𝑆𝐴. ⁇
BZ x
cerrado domingo y del 1 al 15 de agosto – **Comida** carta 3350 a 4550.

XX **La Curva**, Párraga 9, ⊠ 18002, 𝒫 25 18 36, Pescados y mariscos – ▤. 𝔸𝔼 ⓞ 𝑉𝐼𝑆𝐴. ⁇
AY m
cerrado domingo y agosto – **Comida** carta 2400 a 3900.

XX **Pilar del Toro**, Hospital de Santa Ana 12, ⊠ 18009, 𝒫 22 38 47, Fax 22 15 91, 🍽 – ▤. 𝔸𝔼 𝔼 𝑉𝐼𝑆𝐴. ⁇
BY f
Comida carta aprox. 3700.

XX **Rincón de Miguel**, av. Andaluces 2, ⊠ 18014, 𝒫 29 29 78, Fax 28 58 91 – ▤. 𝔸𝔼 ⓞ 𝔼 𝑉𝐼𝑆𝐴 𝐽𝐶𝐵. ⁇
S d
cerrado sábado noche y domingo (julio-agosto) y domingo noche resto del año – **Comida** carta 2700 a 4000.

XX **Mesón A. Pérez**, Pintor Rodríguez Acosta 1, ⊠ 18002, 𝒫 28 80 79 – ▤. 𝔼 𝑉𝐼𝑆𝐴. ⁇
cerrado sábado y domingo (15 julio-15 septiembre) y domingo noche resto del año – **Comida** carta 2700 a 3250.
T e

X **Cunini**, pl. Pescadería 14, ⊠ 18001, 𝒫 25 07 77, Fax 25 07 77, Pescados y mariscos – ▤. 𝔸𝔼 ⓞ 𝔼 𝑉𝐼𝑆𝐴 𝐽𝐶𝐵. ⁇
AY d
cerrado lunes – **Comida** carta 2975 a 3700.

X **Posada del Duende**, Duende 3, ⊠ 18005, 𝒫 26 66 10, Decoración típica regional – ▤. 𝔸𝔼 𝔼 𝑉𝐼𝑆𝐴. ⁇
BZ v
Comida carta aprox. 3300.

X **La Zarzamora**, paseo de Ronda 98, ⊠ 18004, 𝒫 26 61 42, Pescados y mariscos – ▤. 𝔸𝔼 𝔼 𝑉𝐼𝑆𝐴. ⁇
T a
cerrado domingo noche, lunes y del 1 al 15 de agosto – **Comida** carta 3100 a 4000.

- ✗ **Mariquilla,** Lope de Vega 2, ⊠ 18002, ℘ 52 16 32
  ☒ 🗑 *VISA*. ⅏   AZ
  cerrado domingo noche, lunes y 15 junio-7 septiembre – Comida carta 3325 a 432⁵

- ✗ **China,** Pedro Antonio de Alarcón 23, ⊠ 18004, ℘ 25 02 00, Fax 25 02 00, Rest. ch
  – ☒. 匹 ⑩ 🗲 *VISA* ᴶᶜᴮ. ⅏   T
  Comida carta 1825 a 2450.

- ✗ **Mucho Gusto,** El Guerra 30, ⊠ 18014, ℘ 16 08 29, 🍴 – 🅿. 匹 ⑩ 🗲 *VISA*
  cerrado domingo noche, lunes y agosto – Comida carta 2750 a 3650.   S

en La Alhambra :

- 🏨 **Alhambra Palace,** Peña Partida 2, ⊠ 18009, ℘ 22 14 68, Telex 78400, Fax 22 64 ⁸
  « Edificio de estilo árabe con ≤ Granada y Sierra Nevada » – 📶 ☒ 📺 ☎ – 🔬 25/1
  匹 ⑩ 🗲 *VISA* ᴶᶜᴮ. ⅏ rest   CY
  Comida 4200 – ☲ 1200 – **122 hab** 15000/19000, 13 suites – PA 8400.

- 🏨 **Parador de Granada** ⑬, Alhambra, ⊠ 18009, ℘ 22 14 40, Telex 787⁹
  Fax 22 22 64, 🍴, « Instalado en el antiguo convento de San Francisco (siglo XV). Jardín
  – ☒ 📺 ☎ & 🅿 – 🔬 25/40. 匹 ⑩ 🗲 *VISA*.   DY
  Comida 3700 – ☲ 1300 – **34 hab** 29500, 2 suites.

- 🏨 **Alixares,** av. de los Alixares, ⊠ 18009, ℘ 22 55 75, Telex 78523, Fax 22 41 02, ◢
  📶 ☒ 📺 ☎ ➪ – 🔬 25/150. 匹 ⑩ 🗲 *VISA*. ⅏ rest   DY
  Comida 1450 – ☲ 700 – **176 hab** 8000/11000, 1 suite.

- 🏨 **Guadalupe,** av. de los Alixares, ⊠ 18009, ℘ 22 34 24, Fax 22 37 98 – 📶 ☒ 📺
  匹 ⑩ 🗲 *VISA* ᴶᶜᴮ. ⅏ rest   DY
  Comida 1900 – ☲ 800 – **42 hab** 7300/11500.

- 🏨 **América** ⑬, Real de la Alhambra 53, ⊠ 18009, ℘ 22 74 71, Fax 22 74 70, 🍴 – ☒ 📖
  ☎. 匹 ⑩ 🗲 *VISA*. ⅏   DY
  marzo-9 noviembre – Comida *(cerrado sábado)* 2200 – ☲ 900 – **12 hab** 7500/110⁰
  1 suite – PA 4505.

- ✗✗ **Carmen de San Miguel,** pl. de Torres Bermejas 3, ⊠ 18009, ℘ 22 67
  Fax 46 84 44, ≤ Granada, 🍴 – ☒. 匹 ⑩ 🗲 *VISA*. ⅏   CY
  cerrado domingo – Comida carta 3950 a 4950.

- ✗✗ **Jardines Alberto,** av. de los Alixares, ⊠ 18009, ℘ 22 48 18, Fax 22 48 18, 🍴 –
  匹 🗲 *VISA* ᴶᶜᴮ. ⅏   DY
  cerrado domingo noche y del 15 al 30 de enero – Comida carta aprox. 4250.

en la carretera de Madrid por ① : 3 km – ⊠ 18014 Granada – ✆ 958 :

- 🏠 **Camping Motel Sierra Nevada,** av. de Madrid 107 ℘ 15 00 62, Fax 15 09 54, ⁚
  ◢, ⅏ – ☒ rest 📺 ☎ 🅿. 匹 ⑩ 🗲 *VISA*. ⅏
  marzo-octubre – Comida 950 – ☲ 250 – **23 hab** 3850/5670 – PA 2150.

en la carretera de Málaga por ④ : 5 km – ⊠ 18015 Granada – ✆ 958 :

- 🏨 **Sol Alcano,** ℘ 28 30 50, Fax 29 14 29, 🍴, « Amplio patio con césped y ◢ », ⅏
  ☒ 📺 ☎ 🅿. 匹 ⑩ 🗲 *VISA* ᴶᶜᴮ. ⅏ rest
  Comida 1500 – ☲ 875 – **100 hab** 7800/9800.

Ver también : **Sierra Nevada** *SE : 32 km*
Cenes de la Vega *E : 7 km.*

GRAN CANARIA Las Palmas – ver Canarias.

La GRANJA o SAN ILDEFONSO 40100 Segovia 🄰🄲 J 17 – 4 949 h. alt. 1 192 – ✆ 9.
Ver : Palacio (museo de tapices★★) – Jardines★★ (surtidores★★).
Madrid 74 – Segovia 11.

- 🏠 **Roma,** Guardas 2 ℘ 47 07 52, 🍴 – ☎. 🗲 *VISA*. ⅏
  cerrado noviembre – Comida *(cerrado martes)* 1800 – ☲ 350 – **16 hab** 4000/70⁰

- ✗ **Dólar,** Valenciana 1 ℘ 47 02 69 – 匹 ⑩ 🗲 *VISA*. ⅏
  cerrado miércoles y noviembre – Comida carta 2775 a 3200.

en Pradera de Navalhorno carretera del puerto de Navacerrada - S : 2,5 km – ⊠ 40 Valsaín – ✆ 921 :

- ✗ **Mesón de Miguel,** ℘ 47 19 29, 🍴 – 匹 ⑩ 🗲 *VISA*. ⅏
  cerrado miércoles, 15 días en febrero y 15 días en septiembre – Comida *(sólo almue*
  en invierno y otoño) carta aprox. 3300.

en Valsaín carretera del puerto de Navacerrada - S : 3 km – ⊠ 40109 Valsaín – ✆ 921 :

- ✗ **Hilaria,** ℘ 47 02 92, 🍴 – 匹 ⑩ 🗲 *VISA*. ⅏
  cerrado lunes (salvo agosto), 10 días en junio y noviembre – Comida carta 2800 a 3⁰

GRANOLLERS 08400 Barcelona 443 H 36 - 52 062 h. alt. 148 - ✪ 93.
Madrid 641 - Barcelona 28 - Gerona/Girona 75 - Manresa 70.

🏛 **Ciutat de Granollers** ⑤, Turó Bruguet 2 - carret. de Mataró ℰ 879 62 20, Fax 879 58 46, ≼, ⅙, ⊠ - ⧉ ☰ 📺 ☎ ⟵ 🅿 - ⚿ 30/800. ⚎ ⓪ 🄴 🆅🅸🆂🅰. ⅏ rest
Comida *(cerrado domingo mediodía)* 2000 - **111 hab** ☑ 12000/15000.

🏠 **Iris** *sin rest,* av. Sant Esteve 92 ℰ 879 29 29, Fax 879 20 06 - ⧉ ☰ 📺 ☎ ⟵. ⚎ ⓪
🄴 🆅🅸🆂🅰 🅹🅲🄱.
☑ 700 - **55 hab** 6500/8550.

XX **Europa** *con hab,* Anselm Clavé 1 ℰ 870 03 12, Fax 870 79 01 - ⧉ ☰ 📺 ☎. ⚎ ⓪ 🄴
🆅🅸🆂🅰 🅹🅲🄱. ⅏ rest
Comida carta 2750 a 3950 - **7 hab** ☑ 9000/12000.

XX **L'Amperi,** pl. de la Font Verda ℰ 870 43 45 -
☰ 🅿.

XX **La Taverna d'en Grivé,** Josep María Segarra 98 - carret. de Sant Celoni ℰ 849 57 83
- ☰ 🅿. ⚎ ⓪ 🄴 🆅🅸🆂🅰 🅹🅲🄱.
cerrado domingo noche, lunes y del 12 al 26 de agosto - **Comida** carta 4050 a 4800.

X **Layon,** pl. de la Caserna 2 ℰ 879 40 82 - ☰. 🄴 🆅🅸🆂🅰
cerrado martes y 15 días en septiembre - **Comida** carta 2000 a 3400.

X **La Porxada,** Girona 190 ℰ 849 70 29 - ☰. 🄴 🆅🅸🆂🅰. ⅏
cerrado domingo y agosto - **Comida** carta 2350 a 4900.

X **Les Arcades,** Girona 29 ℰ 879 40 96, Fax 870 91 56 - ☰. ⚎ 🄴 🆅🅸🆂🅰. ⅏
cerrado martes - **Comida** carta 1950 a 2850.

en la carretera de El Masnou - ✪ 93 :

🏛 **Alfa Vallès** ⑤, S : 4,5 km, ⊠ 08410 Vilanova del Vallès, ℰ 845 60 50, Fax 845 60 61, ≼, ⊠, ⅃ - 🅿 - ⚿ 25/200. ⚎ ⓪ 🄴 🆅🅸🆂🅰. ⅏ rest
Comida 2150 - **Gran Mercat : Comida** carta 2750 a 3900 - ☑ 1000 - **102 hab** 11000/13800.

🏨 **Granollers,** av. Francesc Macià 300 - S : 1,8 km, ⊠ 08400 Granollers apartado 148, ℰ 879 51 00, Fax 879 42 55 - ⧉ ☰ 📺 ☎ ⟵ 🅿. ⅏ rest
Comida 1850 - **Xeflis : Comida** carta 2700 a 3700 - ☑ 975 - **72 hab** 8500/10000.

XX **El Trabuc,** S : 2 km, ⊠ 08400 Granollers, ℰ 870 86 57, Fax 879 57 46, ⇪, Antigua casa de campo - ☰ 🅿. ⚎ ⓪ 🄴 🆅🅸🆂🅰 🅹🅲🄱. ⅏
cerrado domingo noche y del 15 al 31 de agosto - **Comida** carta 3300 a 4400.

GRAUS 22430 Huesca 443 F 31 - 3 267 h. alt. 468 - ✪ 974.
Madrid 475 - Huesca 85 - Lérida/Lleida 85.

🏠 **Lleida,** glorieta Joaquín Costa ℰ 54 09 25, Fax 54 07 54 - ☰ 📺 ☎ ⟵ 🅿. ⚎ 🆅🅸🆂🅰
Comida 1550 - ☑ 560 - **27 hab** 3750/6150 - PA 3350.

GRAZALEMA 11610 Cádiz 446 V 13 - 2 325 h. alt. 823 - ✪ 956.
Ver : Pueblo blanco★.
Madrid 567 - Cádiz 136 - Ronda 27 - Sevilla 135.

🏨 **Villa Turística de Grazalema** ⑤, El Olivar ℰ 13 21 36, Fax 13 22 13, ≼, ⅃ - ☰ 📺 ☎ ⅙ 🅿 - ⚿ 25/70. ⚎ 🄴 🆅🅸🆂🅰. ⅏
Comida 2000 - ☑ 500 - **24 hab** 4600/6600, 38 apartamentos - PA 4000.

⯑ **Casa de las Piedras,** Las Piedras 32 ℰ 13 20 14 - 🄴 🆅🅸🆂🅰. ⅏
Comida 1000 - ☑ 225 - **16 hab** 3800/5000.

X **Cádiz el Chico,** pl. de España 8 ℰ 13 20 27 - ☰. 🄴 🆅🅸🆂🅰. ⅏
Comida carta 1600 a 2950.

GREDOS 05132 Ávila 442 K 14 - ✪ 920.
Ver : Sierra★★ - Emplazamiento del Parador★★.
Alred. : Carretera del puerto del Pico★ (≼★) SE : 18 km.
Madrid 169 - Ávila 63 - Béjar 71.

🏛 **Parador de Gredos** ⑤, alt. 1 650 ℰ 34 80 48, Fax 34 82 05, ≼ Sierra de Gredos, , ⅏ - ⧉ 📺 ☎ ⟵ 🅿 - ⚿ 25/100. ⚎ ⓪ 🄴 🆅🅸🆂🅰. ⅏
Comida 3200 - ☑ 1200 - **76 hab** 12500, 1 suite.

EUROPE on a single sheet
Michelin map n° 970

GRIÑÓN 28971 Madrid **444** L 18 – 2 332 h. alt. 670 – ✪ 91.
Madrid 30 – Aranjuez 36 – Toledo 47.

※ **El Mesón de Griñón**, General Primo de Rivera 9 ✆ 814 01 13, Fax 814 05 81, ⇔
■ ℗. Æ ① E 𝘝𝘐𝘚𝘈. ⁂
cerrado lunes y julio – **Comida** carta 4200 a 5400.

※ **El Lechal**, carret. de Navalcarnero - O : 1 km ✆ 814 01 62, ⇔ – ■ ℗. Æ E 𝘝𝘐𝘚𝘈. ⁙
cerrado jueves y agosto – **Comida** carta 2800 a 4400.

El GROVE u **O GROVE** 36980 Pontevedra **441** E 3 – 10 367 h. – ✪ 986 – Playa.
🅱 pl. del Corgo, ✆ 73 14 15, (temp).
Madrid 635 – Pontevedra 31 – Santiago de Compostela 71.

🏨 **Maruxia** sin rest, Luis Casais 14 ✆ 73 27 95, Fax 73 05 07 – |≑| 📺 ☎. Æ E 𝘝𝘐𝘚𝘈. ⁙
⇌ 500 – **40 hab** 4500/6900.

🏨 **Serantes** sin rest. con cafetería, Castelao 40 ✆ 73 22 04, Fax 73 23 91 – |≑| ☎. Æ ① E. ⁙
cerrado 15 diciembre-enero – ⇌ 550 – **32 hab** 5500/7000.

🏨 **Amandi**, Castelao 94 ✆ 73 19 42, Fax 73 16 43 – |≑| 📺 ☎ ⇔. E 𝘝𝘐𝘚𝘈. ⁂
Semana Santa-octubre – **Comida** (ver rest. *O'Piorno*) – ⇌ 600 – **25 hab** 6700/890

🏠 **El Molusco**, Castelao 206 - puente de La Toja ✆ 73 07 61, Fax 73 29 84 – |≑| 📺 ⁙
Æ ① E 𝘝𝘐𝘚𝘈. ⁂
cerrado 20 diciembre-febrero – **Comida** (cerrado domingo noche y lunes) 1900 – ⇌ 5〔
– **29 hab** 5000/8000.

🏠 **Tamanaco**, Castelao 162 ✆ 73 04 46, Fax 73 03 52, ≼ – |≑| 📺 ☎. Æ ① E 𝘝𝘐𝘚𝘈 𝗝ᴄ
⁂ rest
Comida 1950 – ⇌ 500 – **36 hab** 5500/6500 – PA 3520.

※※ **El Crisol**, Hospital 10 ✆ 73 00 29 – ■. Æ E 𝘝𝘐𝘚𝘈
cerrado lunes en invierno – **Comida** carta 2300 a 4100.

※ **La Posada del Mar**, Castelao 202 ✆ 73 01 06 – ■ ℗. Æ ① E 𝘝𝘐𝘚𝘈. ⁂
cerrado domingo noche (salvo agosto) y 10 diciembre-enero – **Comida** carta 3350 a 42〔

※ **Dorna**, Castelao 150 ✆ 73 18 42, Fax 73 32 17 – ■. Æ ① E 𝘝𝘐𝘚𝘈
cerrado 20 octubre-20 noviembre – **Comida** carta 2600 a 3900.

※ **Beiramar**, av. Beiramar 30 ✆ 73 10 81, Pescados y mariscos – ■. Æ ① E 𝘝𝘐𝘚𝘈. ⁙
cerrado lunes (salvo verano) y noviembre – **Comida** carta 2650 a 3450.

※ **Finisterre**, pl. del Corgo 2 ✆ 73 07 48, Pescados y mariscos
⬛ 𝘝𝘐𝘚𝘈. ⁂
cerrado domingo noche y febrero – **Comida** carta 2300 a 3100.

※ **O'Piorno**, av. Castelao 151 ✆ 73 04 94, Fax 73 16 43, Pescados y mariscos – E 𝘝𝘐𝘚𝘈.
Semana Santa-octubre – **Comida** carta aprox. 3200.

※ El Combatiente, pl. del Corgo•10 ✆ 73 07 41, ⇔, Pescados y mariscos.

en la carretera de Pontevedra S : 3 km – ⊠ 36980 El Grove – ✪ 986 :

🏨 **Touris** sin rest, Ardia 175 ✆ 73 02 51, Fax 73 20 00, ≼, ⤢, ⁘ – |≑| 📺 ☎ ℗. Æ
E 𝘝𝘐𝘚𝘈. ⁂
abril-diciembre – ⇌ 950 – **48 hab** 7500/11500.

en San Vicente del Mar – ⊠ 36989 San Vicente del Mar – ✪ 986 :

🏨 **Mar Atlántico** ⬗, S : 8,5 km ✆ 73 80 61, Fax 73 82 99, ⤢ – |≑| 📺 ☎ ℗. Æ ① E 𝘝𝘐𝘚𝘈. ⁙
abril-15 octubre – **Comida** 2400 – ⇌ 1000 – **34 hab** 9300/9900.

※※ **El Pirata**, urb. San Vicente do Mar - praia Farruco SO : 9 km ✆ 73 80 52, ⇔ – Æ
𝘝𝘐𝘚𝘈. ⁂
15 junio-15 septiembre – **Comida** carta 3450 a 4650.

GUADALAJARA 19000 ℙ **444** K 20 – 67 847 h. alt. 679 – ✪ 949.
Ver : Palacio del Infantado★ (fachada★, patio★).
🅱 pl. Mayor 7, ⊠ 19001, ✆ 22 06 98 – **R.A.C.E.** San Juan de Dios 2-1° E, ⊠ 190〔
✆ 21 77 18, Fax 21 77 18.
Madrid 55 – Aranda de Duero 159 – Calatayud 179 – Cuenca 156 – Teruel 245.

🏠 **Infante** sin rest, San Juan de Dios 14, ⊠ 19001, ✆ 22 35 55, Fax 22 35 98 – |≑|
☎ ⇔. Æ ① E 𝘝𝘐𝘚𝘈. ⁂
⇌ 450 – **35 hab** 4680/7000.

※※ **Amparito Roca**, Toledo 19, ⊠ 19002, ✆ 21 46 39, ⇔ – ■. 𝘝𝘐𝘚𝘈. ⁂
cerrado domingo y del 16 al 31 de agosto – **Comida** carta 4150 a 4550.

※※ **Miguel Ángel**, Alfonso López de Haro 4, ⊠ 19001, ✆ 21 22 51, Fax 21 25
Decoración castellana – ■. Æ E 𝘝𝘐𝘚𝘈. ⁂
Comida carta 3600 a 4800.

304

nto a la autovía N II - ✿ *949* :

🏨 **Pax** ⑤, ✉ 19005, ℘ 22 18 00, Fax 22 69 55, ≤, ⑤, 🚗, ❤ - 🛗 ▤ 📺 ☎ 🅿 -
🔏 25/400. ㏂ ⓞ ㏑ 𝗩𝗜𝗦𝗔. ❤
Comida 2200 - ☲ 700 - **61 hab** 9450/11760.

🏨 **Green Alcarria**, Toledo 39, ✉ 19002, ℘ 25 33 00, Fax 25 34 07 - 🛗 ▤ 📺 ☎ -
🔏 25/300. ㏂ ⓞ ㏑ 𝗩𝗜𝗦𝗔. ❤ rest
Comida 1400 - ☲ 800 - **53 hab** 7700/11000 - PA 3600.

✗ **Los Faroles**, ✉ 19004, ℘ 20 23 32, 🍽, Decoración castellana - ▤ 🅿. ㏂ ⓞ ㏑ 𝗩𝗜𝗦𝗔. ❤
cerrado agosto - **Comida** carta 3300 a 4625.

JADALEST 03517 Alicante ㏚㏟ P 29 - 165 h. alt. 995 - ✿ 96.

Ver : Situación ★.

Madrid 441 - Alcoy/Alcoi 36 - Alicante/Alacant 65 - Valencia 145.

✗ **Xorta**, carret. de Callosa d'En Sarrià ℘ 588 51 87, ≤, ⑤, 🍽 - 🅿. ㏂ ⓞ ㏑ 𝗩𝗜𝗦𝗔. ❤
cerrado 15 mayo-15 junio - **Comida** (sólo cena de julio a septiembre) carta 1750 a 3125.

✗ **Nou Salat**, carret. de Callosa d'En Sarrià ℘ 588 50 19, ≤, 🍽 - 🅿. ㏂ ⓞ ㏑ 𝗩𝗜𝗦𝗔. ❤
cerrado miércoles, del 15 al 30 de enero y del 4 al 14 de noviembre - **Comida** carta 3050
a 4900.

JADALUPE 10140 Cáceres ㏚㏟ N 14 - 2 447 h. alt. 640 - ✿ 927.

Ver : Emplazamiento★ - Pueblo viejo★ - Monasterio★★ : Sacristía★★ (cuadros de
Zurbarán★★) camarín★ - Sala Capitular (antifonarios y libros de horas miniados★) – Museo
de bordados (casullas y frontales de altar★★).

Alred. : Carretera★ de Guadalupe a Puerto de San Vicente ≤★.

🏛 pl. Santa María de Guadalupe 1, ℘ 15 41 28.

Madrid 225 - Cáceres 129 - Mérida 129.

🏨 **Parador de Guadalupe** ⑤, Marqués de la Romana 12 ℘ 36 70 75, Fax 36 70 76, ≤,
🍽, « Instalado en un edificio del siglo XVI con jardín », ⑤, ❤ - 🛗 ▤ hab 📺 ☎ 🚗
🅿. ㏂ ⓞ ㏑ 𝗩𝗜𝗦𝗔 ᴊⒸᴮ. ❤
Comida 3200 - ☲ 1200 - **40 hab** 12500.

🏨 **Hospedería del Real Monasterio** ⑤, pl. Juan Carlos I ℘ 36 70 00, Fax 36 71 77,
🍽, « Instalado en el antiguo monasterio » - 🛗 ▤ ☎ 🅿. ㏑ 𝗩𝗜𝗦𝗔. ❤
cerrado 15 enero-15 febrero - **Comida** 2600 - ☲ 800 - **46 hab** 4900/7250, 1 suite -
PA 4800.

🏠 **Hispanidad** sin rest, av. Blas Pérez 1 ℘ 15 42 10, Fax 15 42 11 - ▤ ☎ 🅿. ㏑ 𝗩𝗜𝗦𝗔. ❤
☲ 350 - **40 hab** 4000/6000.

🏠 **Alfonso XI**, Alfonso Onceno 21 ℘ 15 41 84, Fax 15 41 84 - ▤ ☎. 𝗩𝗜𝗦𝗔
Comida 1100 - ☲ 400 - **27 hab** 4500/6500 - PA 2500.

✗ **Cerezo II** con hab, pl. Santa María de Guadalupe 33 ℘ 15 41 77, Fax 36 75 31 - ▤. ㏂
ⓞ ㏑ 𝗩𝗜𝗦𝗔. ❤ rest
Comida carta aprox. 2550 - ☲ 300 - **13 hab** 2600/4000.

✗ **Cerezo** con hab, Gregorio López 20 ℘ 36 73 79, Fax 36 75 31 - ▤ rest. ㏂ ⓞ ㏑ 𝗩𝗜𝗦𝗔.
❤ rest
Comida carta 2000 a 3100 - ☲ 300 - **15 hab** 2600/4000.

✗ **Mesón El Cordero**, Alfonso Onceno 27 ℘ 36 71 31 - ▤. ㏂ ⓞ 𝗩𝗜𝗦𝗔. ❤
cerrado lunes y febrero - **Comida** carta 2250 a 2950.

JADARRAMA 28440 Madrid ㏚㏟ J 17 - 6 950 h. alt. 965 - ✿ 91.

Madrid 48 - Segovia 43.

✗ Sala, carret. de Los Molinos 2 ℘ 854 21 21 - ▤.

✗ **Laciana**, Alfonso Senra ℘ 854 03 37 - ▤. ㏂ ⓞ ㏑ 𝗩𝗜𝗦𝗔. ❤
Comida carta 3600 a 4300.

✗ **Asador Los Caños**, Alfonso Senra 51 ℘ 854 02 69, Fax 854 31 32, Cordero asado -
▤. ㏑ 𝗩𝗜𝗦𝗔
cerrado 16 mayo-12 junio - **Comida** (sólo almuerzo salvo viernes, sábado y verano) carta
3075 a 4250.

la carretera N VI SE : 4,5 km - ✉ 28440 Guadarrama - ✿ 91 :

✗✗ **Miravalle** con hab, ℘ 850 03 00, Fax 851 24 28, 🍽 - ▤ rest ☎ 🅿. ㏑ 𝗩𝗜𝗦𝗔. ❤
cerrado enero - **Comida** (cerrado miércoles) carta aprox. 3700 - ☲ 550 - **12 hab**
5000/8000.

Ver también : **Navacerrada** NE : 12 km.

GUADIX 18500 Granada 446 *U 20 – 19 634 h. alt. 949 –* © *958.*

Ver : *Catedral★ (fachada★) – Barrio troglodita★ – Alcazaba :* ≤★.

Alred. : *Carretera★★ de Guadix a Purullena (pueblo troglodita★) O : 5 km – La Calahorr.. (castillo : patio★★) SE : 17 km.*

🛈 *av. Mariana Pineda,* ℘ *66 26 65, Fax 66 27 54.*

Madrid 436 – Almería 112 – Granada 57 – Murcia 226 – Úbeda 119.

🏬 **Comercio,** Mira de Amezcua 3 ℘ 66 05 00, Fax 66 50 72 – 🗏 rest 📺 ☎. ﷼ ⑩ ▮
   VISA
   Comida 1100 – ⊡ 400 – **20 hab** 3500/5500.

🏬 **Carmen** *sin rest,* av. Mariana Pineda 61 ℘ 66 15 00, Fax 66 01 79 – 📶 🗏 📺 ☎ 🕭 ⟳
   ▤ *VISA.* ⊁
   ⊡ 375 – **38 hab** 3600/5500.

GUALCHOS 18614 Granada 446 *V 19 – 2 914 h. alt. 350 –* © *958.*

Madrid 518 – Almería 94 – Granada 88 – Málaga 113.

💥 **La Posada** ⟿ *con hab,* pl. de la Constitución 3 ℘ 65 60 34, Fax 65 60 34, « *Rincón c estilo regional* » – *VISA.* ⊁ rest
   cerrado diciembre-febrero – **Comida** *(cerrado lunes)* carta aprox. 4050 – **9 hab** ⊡ 1000◀

GUARDAMAR 46711 Valencia 446 *P 29 – 51 h. alt. 11 –* © *96.*

Madrid 422 – Gandía 6 – Valencia 70.

💥 **Arnadí,** Molí 14 ℘ 281 90 57, Terraza-jardín – 🗏. ﷼ ⑩ ▤ *VISA.* ⊁
   cerrado domingo noche y lunes en invierno y noviembre – **Comida** *(sólo cena en veran.. carta* 2475 a 3850.

GUARDAMAR DEL SEGURA 03140 Alicante 446 *R 28 – 7 513 h. –* © *96 – Playa.*

🛈 *pl. de la Constitución 7,* ℘ *572 72 92, Fax 572 72 92.*

Madrid 442 – Alicante/Alacant 36 – Cartagena 74 – Murcia 52.

🏨 **Guardamar,** av. Puerto Rico 11 ℘ 572 96 50, Fax 572 95 30, ≤, ⊐ – 📶 📺 ☎ ⟳
   ﷼ ⑩ ▤ *VISA.* ⊁
   Comida carta aprox. 3400 – ⊡ 700 – **52 hab** 5300/8200.

🏨 **Meridional,** av. de la Libertad 46, urb. Las Dunas – S : 1km ℘ 572 83 40, Fax 572 83 C
   ≤ – 📶 🗏 📺 ☎ 🅿. ﷼ ⑩ ▤ *VISA.* ⊁
   Comida 1800 – ⊡ 800 – **52 hab** 9000/12500.

🏬 **Mediterráneo,** av. Cartagena 26 ℘ 572 94 07, Fax 572 94 07 – 📶 🗏 📺 ☎ ⟳. ▮
   ⑩ ▤ *VISA.* ⊁
   Comida carta 1550 a 2150 – ⊡ 550 – **30 hab** 3800/6100.

🏖 Eden-Mar *sin rest,* Mediterráneo 19 ℘ 572 92 13
   temp – **25 hab.**

💥 **Chez Víctor 2,** av. de Perú 1 – urb. Las Dunas ℘ 572 95 04, ≤, ⌂ – ﷼ ⑩ ▤ *VI..*
   ⊁
   cerrado martes y del 10 al 30 de enero – **Comida** carta 2500 a 3600.

La GUARDIA o **A GARDA** 36780 Pontevedra 441 *G 3 – 9 727 h. alt. 40 –* © *986 – Play..*

Alred. : *Monte de Santa Tecla★ (*≤★★*) S : 3 km.*

Madrid 628 – Orense/Ourense 129 – Pontevedra 72 – Porto 148 – Vigo 53.

🏨 **Convento de San Benito** *sin rest,* pl. de San Benito ℘ 61 11 66, Fax 61 15 17,
   « *Antiguo convento* » – 📺 ☎. ﷼ ⑩ ▤ *VISA.* ⊁
   ⊡ 575 – **24 hab** 5700/8700.

🏬 **Eli-Mar** *sin rest,* Vicente Sobrino 12 ℘ 61 30 00, Fax 61 11 56 – 📺 ☎. ﷼ ⑩ ▤ *VI..*
   ⊁
   ⊡ 400 – **20 hab** 3200/6300, 2 apartamentos.

🏬 **Bruselas** *sin rest,* Orense 7 ℘ 61 11 21 – ⟳. ⊁
   ⊡ 300 – **37 hab** 3500/5000.

💥 **Anduriña,** Calvo Sotelo 48 ℘ 61 11 08, Fax 61 11 56, ≤, ⌂, Pescados y mariscos
   🗏. ﷼ ⑩ ▤ *VISA.* ⊁
   Comida carta 2325 a 3275.

💥 **Marusía,** av. del Puerto 29 ℘ 61 38 09, Pescados y mariscos – ﷼ ⑩ ▤ *V..*
   ⊁
   cerrado martes (salvo festivos y julio-septiembre) y 23 diciembre-23 enero – **Comida** ca.. aprox. 2850.

306

La GUDIÑA o A GUDIÑA 32540 Orense **441** F 8 - 2017 h. alt. 979 - **✆** 988.
Madrid 389 - Benavente 132 - Orense/Ourense 110 - Ponferrada 117 - Verín 39.

🏠 **Relojero 2**, carret. N 525 *ℰ* 42 10 01, Fax 42 11 39 - 📺 🚗 **🅿**. 🆎 **E** 𝚅𝙸𝚂𝙰. ⁓
Comida 1200 - ⬤ 450 - **25 hab** 3000/4300 - PA 2500.

GUERNICA Y LUNO o GERNIKA LUMO 48300 Vizcaya **442** C 21 - 15 999 h. alt. 10 - **✆** 94.
Alred.: N : Carretera de Bermeo ⇐★, Ría de Guernica★ - Cueva de Santimamiñe (formaciones calcáreas★) NE : 5 km - Balcón de Vizcaya ⇐★★ SE : 18 km.
🅱 Artekale 8, *ℰ* 625 58 92, Fax 625 75 42.
Madrid 429 - Bilbao/Bilbo 36 - San Sebastián/Donostia 84 - Vitoria/Gasteiz 69.

🏨 **Gernika** sin rest, Carlos Gangoiti 17 *ℰ* 625 03 50, Fax 625 58 74 - 📺 ☎ **🅿**. 🆎 ① **E** 𝚅𝙸𝚂𝙰. ⁓
cerrado 22 diciembre-4 enero - ⬤ 600 - **24 hab** 5785/8875.

🍴🍴 **Arrien**, Ferial 2 *ℰ* 625 06 41 - 🍴. 🆎 ① **E** 𝚅𝙸𝚂𝙰. ⁓
Comida carta 2750 a 4500.

🍴 **Zallo Barri**, Juan Calzada 79 *ℰ* 625 18 00, Fax 625 18 00 - 🍴. 🆎 ① **E** 𝚅𝙸𝚂𝙰. ⁓
cerrado domingo noche y miércoles noche - **Comida** carta 3600 a 4300.

🍴 **Boliña** con hab, Barrenkalle 3 *ℰ* 625 03 00, Fax 625 03 00 - 🍴 rest 📺 ☎
16 hab.

en la carretera C 6315 S : 2 km - ✉ 48392 Muxika - **✆** 94 :
🍴🍴 **Remenetxe**, barrio Ugarte *ℰ* 625 35 20, Fax 625 57 83, Caserío típico - 🍴 **🅿**. 🆎 ①
E 𝚅𝙸𝚂𝙰 𝙹𝙲𝙱. ⁓
cerrado miércoles y del 1 al 15 de febrero - **Comida** carta 3900 a 4900.

GUETARIA o GETARIA 20808 Guipúzcoa **442** C 23 - 2348 h. - **✆** 943.
Alred.: Carretera en cornisa★★ de Guetaria a Zarauz.
🅱 Gudarien Enparantza, *ℰ* 14 09 57, (temp.)
Madrid 487 - Bilbao/Bilbo 77 - Pamplona/Iruñea 107 - San Sebastián/Donostia 26.

🍴🍴 **Elkano**, Herrerieta 2 *ℰ* 14 06 14, 😋, Pescados y mariscos - 🍴. 🆎 ① **E** 𝚅𝙸𝚂𝙰. ⁓
cerrado 1ª quincena de febrero y 1ª de quincena noviembre - **Comida** carta 3500 a 5200.

🍴🍴 **Kaia Kaipe**, General Arnao 10 *ℰ* 14 05 00, ⇐ puerto pesquero y mar, 😋, Decoración marinera. Pescados y mariscos - 🍴. 🆎 ① **E** 𝚅𝙸𝚂𝙰. ⁓
cerrado del 1 al 15 de marzo y del 16 al 31 de octubre - **Comida** carta 5500 a 6500.

🍴 **Talai-Pe**, Puerto Viejo *ℰ* 14 06 13, Fax 86 11 63, ⇐, Decoración rústica marinera. Pescados y mariscos - 🆎 ① **E** 𝚅𝙸𝚂𝙰. ⁓
cerrado domingo noche y lunes (salvo en verano) y octubre - **Comida** carta 3500 a 5200.

🍴 **Iribar**, Nagusia 38 *ℰ* 14 04 06, Pescados y mariscos - 🍴. 🆎 ① **E** 𝚅𝙸𝚂𝙰. ⁓
cerrado jueves (salvo en verano), 15 días en octubre y 15 días en febrero - **Comida** carta 3000 a 4400.

Suroeste : 2 km por carretera N 634 - ✉ 20808 Guetaria - **✆** 943 :
🍴 **San Prudencio** 😋 con hab de marzo a octubre, *ℰ* 14 04 11, ⇐, 😋 - **🅿**. 𝚅𝙸𝚂𝙰. ⁓
Comida (cerrado diciembre) carta 3200 a 3700 - ⬤ 500 - **12 hab** 5000.

GUIJUELO 37770 Salamanca **441** K 12 - 4755 h. alt. 1010 - **✆** 923.
Madrid 206 - Ávila 99 - Plasencia 83 - Salamanca 49.

🏠 **Torres** sin rest. con cafetería, San Marcos 3 *ℰ* 58 14 51, Fax 58 00 17 - 📳 📺 ☎. 🆎
① **E** 𝚅𝙸𝚂𝙰. ⁓
⬤ 500 - **37 hab** 4750/7500.

GUILLENA 41210 Sevilla **446** T 11 - 7715 h. alt. 23 - **✆** 95.
Madrid 545 - Aracena 71 - Huelva 108 - Sevilla 21.

en la carretera de Burguillos NE : 5 km - ✉ 41210 Guillena - **✆** 95 :
🏩 **Cortijo Águila Real** 😋, *ℰ* 578 50 06, Fax 578 43 30, ⇐, 😋, « Elegante cortijo andaluz con amplio jardín y 🏊 » - 🍴 📺 ☎ **🅿** - 🔏 25/30. 🆎 ① **E** 𝚅𝙸𝚂𝙰. ⁓
Comida 3500 - ⬤ 1500 - **8 hab** 18000, 3 suites - PA 8500.

en Torre de la Reina SE : 7,5 km - ✉ 41210 Guillena - **✆** 95 :
🏨 **Cortijo Torre de la Reina** 😋, paseo de la Alameda *ℰ* 578 01 36, Fax 578 01 22, « Ambiente elegante en una antigua residencia nobiliaria con jardín y 🏊 » - 🍴 📺 ☎ **🅿** - 🔏 25/700. 🆎 **E** 𝚅𝙸𝚂𝙰. ⁓
Comida 3000 - ⬤ 1200 - **6 hab** 18500/23500, 5 suites - PA 7000.

GÜIMAR Santa Cruz de Tenerife – ver Canarias (Tenerife).

GUISSONA 25210 Lérida 🗺️🗺️🗺️ G 33 – 2 594 h. alt. 490 – 🕿 973.
Madrid 526 – Barcelona 114 – Lérida/Lleida 67 – La Seo de Urgel/La Seu d'Urgell 91 –
Tarragona 98.

% **Cal Mines**, Santa Margarida 6 🖉 55 06 12 – 🝙. **E** 𝓥𝓘𝓢𝓐
cerrado domingo noche, lunes y julio – **Comida** carta 1300 a 3000.

HARÍA Las Palmas – ver Canarias (Lanzarote).

HARO 26200 La Rioja 🗺️🗺️🗺️ E 21 – 8 939 h. alt. 479 – 🕿 941.
Alred. : Balcón de La Rioja ✳️★ E : 26 km.
🗓 pl. Monseñor Florentino Rodríguez, 🖉 30 33 66, (temp).
Madrid 330 – Burgos 87 – Logroño 49 – Vitoria/Gasteiz 43.

🏨🏨 **Los Agustinos**, San Agustín 2 🖉 31 13 08, Telex 37161, Fax 30 31 48, « Instalado e
un convento del siglo XIV » – 🛗 🝙 🔟 🕿 – 🔏 25/200. 🖭 ⓿ **E** 𝓥𝓘𝓢𝓐 🇯🇨🇧. 🛠 rest
Comida (cerrado domingo) 3250 – 😐 975 – **60 hab** 10000/12500.

%% **Beethoven II**, Santo Tomás 3 🖉 31 11 81 – 🝙, **E** 𝓥𝓘𝓢𝓐. 🛠
cerrado lunes noche y martes – **Comida** carta 2650 a 3950.

% **Mesón Atamauri**, pl. Juan García Gato 1 🖉 30 32 20 – 🝙. 🖭 ⓿ **E** 𝓥𝓘𝓢𝓐. 🛠
cerrado miércoles (salvo agosto) y 22 diciembre-4 enero – **Comida** carta 3300 a 410(

% **Terete**, Lucrecia Arana 17 🖉 31 00 23, Fax 31 03 93, Rest. típico con bodega. Corder
asado – 🝙. **E** 𝓥𝓘𝓢𝓐. 🛠
cerrado lunes, del 1 al 15 de julio y del 15 al 30 de octubre – **Comida** carta 2400 a 300(

en la carretera N 232 SE : 1 km – ✉ 26200 Haro – 🕿 941 :

🏨🏨 **Iturrimurri**, carret. de circunvalación 🖉 31 12 13, Telex 37021, Fax 31 17 21, ≤, ⬛
– 🛗 🝙 🔟 🕿 🅿 – 🔏 25/100. 🖭 **E** 𝓥𝓘𝓢𝓐. 🛠 rest
Comida 1950 – 😐 975 – **52 hab** 6500/11500.

HECHO 22720 Huesca 🗺️🗺️🗺️ D 27 – alt. 833 – 🕿 974.
Madrid 497 – Huesca 102 – Jaca 49 – Pamplona/Iruñea 122.

🏠 **Lo Foratón** sin 😐, urb. Cruz Alta 🖉 37 52 47 – 🛗 🕿
Comida (ver rest. Lo Foratón) – **28 hab**, 1 suite.

% **Gaby-Casa Blasquico**, pl. Palacio 1 🖉 37 50 07, 🌳 – ⓿ 𝓥𝓘𝓢𝓐. 🛠
Semana Santa, verano, Navidades y fines de semana resto del año – **Comida** (es necesar*
reservar) carta aprox. 3500.

% **Lo Foratón** con hab, urb. Cruz Alta 🖉 37 52 47
10 hab.

en la carretera de Selva de Oza N : 7 km – ✉ 22720 Hecho – 🕿 974 :

🏠 **Usón** 🦊, 🖉 37 53 58, ≤ valle y montañas – 🅿. 𝓥𝓘𝓢𝓐. 🛠
cerrado 8 enero-15 marzo – **Comida** 1600 – 😐 500 – **14 hab** 4500/5500 – PA 335(

HELLÍN 02400 Albacete 🗺️🗺️🗺️ Q 24 – 23 540 h. alt. 566 – 🕿 967.
Madrid 306 – Albacete 59 – Murcia 84 – Valencia 186.

🏨🏨 **Reina Victoria**, Coullaut Valera 3 🖉 30 02 50, Fax 30 02 50 – 🛗 🝙 🔟 🕿 🚗. 🖪
⓿ **E** 𝓥𝓘𝓢𝓐. 🛠
Comida 1600 – 😐 500 – **24 hab** 6000/10000, 1 suite – PA 3000.

🏠 **Modesto**, López de Oro 18 🖉 30 02 50, Fax 30 02 50 – 🝙 rest 🔟. 🖭 ⓿ **E** 𝓥𝓘𝓢𝓐. ⬛
Comida 1300 – 😐 300 – **19 hab** 3000/6000 – PA 3000.

🏠 **Hellín**, carret. de Murcia 31 🖉 30 01 42, Fax 30 28 89 – 🝙 rest 🔟 🕿 🅿. 🖭 ⓿ **E** 𝓥𝓢
🛠
Comida 1400 - **D'on Manuel** : **Comida** carta 1750 a 3000 – 😐 400 – **20 hab** 3600/60(
– PA 2900.

% **Emilio** con hab, carret. de Jaén 23 🖉 30 15 80, Fax 30 47 75 – 🝙 🔟 🕿 🅿. 🖭 ⓿
𝓥𝓘𝓢𝓐. 🛠
Comida carta 2850 a 3950 – 😐 600 – **15 hab** 6000/8000.

ERNANI 20120 Guipúzcoa 442 C 24 - 18524 h. - © 943.

Madrid 452 - Biarritz 56 - Bilbao/Bilbo 103 - San Sebastián/Donostia 8 - Vitoria/Gasteiz 102 - Pamplona/Iruñea 72.

n la carretera de Goizueta SE : 5 km - ⊠ 20120 Hernani - © 943 :

XX **Fagollaga**, barrio Fagollaga ℰ 55 00 31, Fax 33 18 01, 🏤 - 🗏 ❷. 🖭 ☰ VISA. 🛠
🏠 cerrado domingo noche, lunes noche y martes noche en invierno, domingo noche y lunes resto del año - Comida carta 2900 a 5500.

---

a HERRADURA 18697 Granada 446 V 18 - © 958 - Playa.

Alred. : O : Carretera★ De La Herradura a Nerja ≼★★.
Madrid 523 - Almería 138 - Granada 93 - Málaga 66.

🏠 **Tryp Los Fenicios**, paseo Andrés Segovia ℰ 82 79 00, Fax 82 79 10, ≼, 🏤, 🏊 - 🛊
🗏 📺 ☎ ⇐⇒. 🖭 ❶ ☰ VISA. 🛠 rest
Comida 2400 - ☲ 1000 - **43 hab** 11600/14500 - PA 4480.

ERREROS 42145 Soria 442 G 21 - alt. 1118 - © 975.

Madrid 250 - Burgos 121 - Logroño 128 - Soria 24.

🏠 **Casa del Cura** ⑤, Estación ℰ 27 04 64, « Ambiente acogedor en una casa rural con jardín y ≼ montañas » - ☎. VISA. 🛠
cerrado del 15 al 30 de noviembre - Comida (sólo cena) 3000 - ☲ 700 - **12 hab** 5000/8800.

HERRO Santa Cruz de Tenerife - ver Canarias.

A HINOJOSA 16750 Cuenca 444 M 22 - 352 h. - © 967.

Madrid 147 - Alarcón 44 - Albacete 107 - Cuenca 57 - Toledo 165.

X **Los Rosales** con hab, carret. Madrid-Valencia 14 ℰ 29 40 65 - 🗏 📺 ☎. ☰ VISA. 🛠
Comida carta 1675 a 3940 - ☲ 400 - **8 hab** 3160/6320.

ONDARRIBIA Guipúzcoa - ver Fuenterrabía.

ONRUBIA DE LA CUESTA 40541 Segovia 442 H 18 - 107 h. alt. 1001 - © 921.

Madrid 143 - Aranda de Duero 18 - Segovia 97.

n El Miliario S : 4 km - ⊠ 40541 Honrubia de la Cuesta - © 921 :

X **Mesón Las Campanas** con hab, antigua carret. N I ℰ 53 43 65, 🏤, Decoración rústica regional - ☎ ❷. 🖭 ❶ ☰ VISA. 🛠
cerrado febrero - Comida carta 2700 a 3600 - ☲ 250 - **7 hab** 5500.

ORNA Burgos - ver Villarcayo.

ORTIGÜELA 09640 Burgos 442 F 19 - 115 h. alt. 941 - © 947.

Madrid 211 - Burgos 42 - Palencia 113 - Soria 103.

🏠 **Virgen de las Naves**, San Roque ℰ 38 41 96, Fax 38 41 98, 🏋 - 🛊 🗏 rest 📺 ☎.
VISA. 🛠
Comida (cerrado lunes) 1650 - **27 hab** ☲ 4700 a 8025.

OSPITALET DEL INFANTE o L'HOSPITALET DEL INFANT 43890 Tarragona 443 J 32 - 2690 h. - © 977 - Playa.

🏢 Alamanda 2, ℰ 82 33 28, Fax 82 33 28.
Madrid 579 - Castellón de la Plana/Catelló de la Plana 151 - Tarragona 37 - Tortosa 52.

🏠 **Pino Alto** ⑤, urb. Pino Alto - NE : 1 km, ⊠ 43892 Miami Platja, ℰ 81 10 00, Fax 81 09 07, « Terraza », 🏋, 🏊, 🏊, 🐎, 🎾, 🛠 - 🛊 🗏 📺 ☎ ⇐⇒ - 🔬 25/140.
🖭 ❶ ☰ VISA. 🛠
20 marzo-26 octubre - Comida 2400 - **137 hab** ☲ 11600/16800.

🏠 Meridiano Mar, passeig Marítim 31 ℰ 82 39 27, Fax 82 39 74, 🏊 - 🛊 🗏 📺 ☎ 🕭 ❷
85 hab.

🏠 Les Barques ⑤, Les Barques 14 ℰ 82 02 23, Fax 82 02 41, 🏊 - 🛊 🗏 📺 ☎ ⇐⇒
temp - Comida (ver rest. Les Barques) - **40 hab**.

X Les Barques, passeig Marítim 21 ℰ 82 39 61, Fax 82 02 41, ≼, 🏤 - 🗏
temp -.

X **L'Olla**, Via Augusta 58 *ℰ* 82 04 38 – ■. ⓞ **E** *VISA*. ⌖⌖
cerrado domingo noche (julio-agosto), domingo, lunes y martes noche resto del año y 2
diciembre-7 enero – **Comida** carta 2100 a 3500.

X **Mar Blava**, port esportiu *ℰ* 82 02 06 – ■. **E** *VISA*. ⌖⌖
cerrado noche de domingo a martes (salvo en verano), y 20 diciembre-15 marzo – Comi
carta 2400 a 3650.

en la playa de L'Almadrava *SO : 10 km* – ⌂ 43890 Hospitalet del Infante – ☻ 977 :

▥ **Llorca** ⌖, *ℰ* 82 31 09, Fax 82 31 09, ≤, 🍴 – **℗**. **ℼ** ⓞ **E** *VISA*. ⌖⌖
abril-septiembre – **Comida** 1600 – ⌷ 650 – **15 hab** 4600/7100 – PA 3270.

HOSTALETS DE BAS o Els HOSTALETS D'EN BAS 17177 Gerona **ⅢⅢⅢ** F 37 – ☻ 97
Madrid 711 – Gerona/Girona 47 – Olot 10 – Vic 44.

XX **Can Llonga**, Vic 38 *ℰ* 69 03 38 – ■ **℗**. **ℼ** ⓞ **E** *VISA*
cerrado domingo noche y lunes salvo festivos – **Comida** carta 3000 a 4850.

X **L'Hostalet**, Vic 18 *ℰ* 69 00 06 – **℗**. **ℼ** **E** *VISA*. ⌖⌖
cerrado domingo noche, martes (salvo vísperas y festivos) y del 1 al 20 de julio – Comi
carta 1250 a 2550.

La HOYA 30816 Murcia **ⅢⅢⅢ** S 25 – ☻ 968.
Madrid 471 – Cartagena 72 – Murcia 53.

▥ **La Hoya**, autovía N 340 - salida 605 *ℰ* 48 18 06, Fax 48 19 05, 🍴, ⍓ – ■ ☎ ⟵
℗. **ℼ** ⓞ **E** *VISA*. ⌖⌖ rest
Comida (cerrado domingo mediodía) 1200 – ⌷ 400 – **36 hab** 4000/6500
PA 2600.

HOYO DE MANZANARES 28240 Madrid **ⅢⅢⅢ** K 18 – 3 472 h. alt. 1 001 – ☻ 91.
Madrid 40 – El Escorial 28 – Segovia 76.

XX **El Vagón de Beni**, San Macario 6 *ℰ* 856 68 12, 🍴, « Vagón de ambiente acoged
en un armónico conjunto imitando una estación de época » – ■ **℗**. **ℼ** ⓞ **E** *VISA*. ⌖
cerrado domingo noche, lunes y 15 septiembre-15 octubre – **Comida** carta 4450 a 510

HOYOS DEL ESPINO 05634 Ávila **ⅢⅢⅡ** K 14 – 332 h. – ☻ 920.
Alred. : Laguna Grande★ (≤★) S : 12 km.
Madrid 174 – Ávila 68 – Plasencia 107 – Salamanca 130 – Talavera de la Reina 87.

▦▦ **El Milano Real** ⌖, Toleo *ℰ* 34 91 08, Fax 34 91 56, ≤ sierra de Gredos, 🍴
« Ambiente acogedor » – ▮ ⓣⓥ ☎ **℗**. ⓞ **E** *VISA*. ⌖⌖
cerrado del 10 al 30 de noviembre – **Comida** 3000 – ⌷ 1100 – **14 hab** 7200/8000
PA 6500.

X **Mira de Gredos** ⌖ con hab, *ℰ* 34 90 23, ≤ sierra de Gredos – **℗**. *VISA*. ⌖⌖
Comida (cerrado jueves) carta 2000 a 3200 – ⌷ 500 – **16 hab** 6000.

HOZNAYO 39716 Cantabria **ⅢⅢⅡ** B 18 – ☻ 942.
Madrid 399 – Bilbao/Bilbo 86 – Burgos 156 – Santander 21.

▦▦ **Los Pasiegos**, carret. N 634 *ℰ* 52 50 90, Fax 52 51 14 – ▮ ■ rest ⓣⓥ ☎ ⟵ **℗**.
VISA. ⌖⌖ rest
Comida 1400 – ⌷ 500 – **37 hab** 5000/8000.

▦▦ **Adelma**, carret. N 634 *ℰ* 52 40 96, Fax 52 43 72, ≤ – ☎ **℗**. **ℼ** ⓞ **E** *VISA* ⌖⌖
⌖⌖
Comida carta aprox. 4300 – ⌷ 275 – **36 hab** 6000/7000.

HUARTE 31620 Navarra **ⅢⅢⅡ** D 25 – 2 828 h. alt. 441 – ☻ 948.
Madrid 402 – Pamplona/Iruñea 7.

X **Iriguibel**, carret. C 135 *ℰ* 33 14 14, Fax 33 00 69 – ■ **℗**. **ℼ** ⓞ **E** *VISA*. ⌖⌖
cerrado martes y miércoles noche – **Comida** carta 2700 a 3900.

No confundir :

Confort de los hoteles	: ▟▟▟▟ ... ▥, ⌂
Confort de los restaurantes	: XXXXX ... X
Calidad de la comida	: ☺☺☺, ☺☺, ☺

☐ av. de Alemania 12, ⊠ 21001, *ℰ* 25 74 03, Fax 25 74 03.
Madrid 629 ② – *Badajoz 248* ② – *Faro 105* ① – *Mérida 282* ② – *Sevilla 92* ②.

Luz Huelva *sin rest*, av. Sundheim 26, ⊠ 21003, *ℰ* 25 00 11, Telex 75527,
Fax 25 81 10 – **⊟** **▤** **▦** **☎** **⇔** – **⚿** 25/100. **AE** **⊙** **E** **VISA**.
SP   BZ **e**
☲ 1200 – **102 hab** 10890/16335, 5 suites.

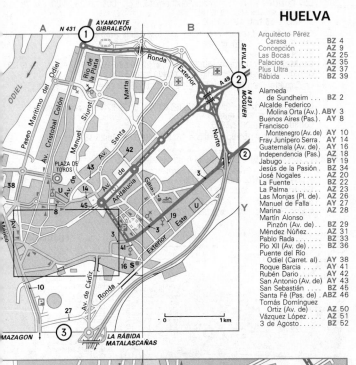

HUELVA

Arquitecto Pérez
  Carasa . . . . **BZ** 4
Concepción . . . . . . **AZ** 9
Las Bocas . . . . **AZ** 25
Palacios . . . . **AZ** 35
Pius Ultra . . . . **AZ** 37
Rábida . . . . **BZ** 39

Alameda
  de Sundheim . . . **BZ** 2
Alcalde Federico
  Molina Orta (Av.) . **ABY** 3
Buenos Aires (Pas.) . **AY** 8
Francisco
  Montenegro (Av. de) **AY** 10
Fray Junípero Serra . **AY** 14
Guatemala (Av. de) . **AY** 16
Independencia (Pas.) **AZ** 18
Jabugo . . . . **BY** 19
Jesús de la Pasión . **BZ** 34
José Nogales . . . . . **AZ** 20
La Fuente . . . . **BZ** 22
La Palma . . . . **AZ** 23
Las Monjas (Pl. de) . **AZ** 26
Manuel de Falla . . . **AY** 27
Marina . . . . **AZ** 28
Martín Alonso
  Pinzón (Av. de) . . **BZ** 29
Méndez Núñez . . . . **AZ** 31
Pablo Rada . . . . **AZ** 33
Pío XII (Av. de) . . . . **BZ** 36
Puente del Río
  Odiel (Carret. al) . **AY** 38
Roque Barcia . . . . . **AY** 41
Rubén Darío . . . . . . **AY** 42
San Antonio (Av. de) **AY** 43
San Sebastián . . . . **BZ** 45
Santa Fé (Pas. de) . **ABZ** 46
Tomás Domínguez
  Ortiz (Av. de) . . . **AZ** 50
Vázquez López . . . . **AZ** 51
3 de Agosto . . . . . . **BZ** 52

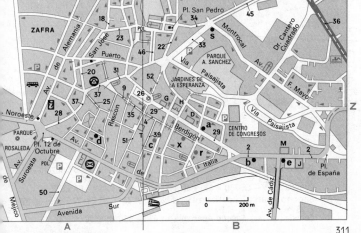

311

🏨 **Monte Conquero** sin rest. con cafetería, Pablo Rada 10, ⊠ 21003, ℰ 28 55 0
Fax 28 39 12 – 📵 🗏 📺 ☎ ᴋ ⇔ – 🛦 25/120. 🖭 ⓪ ⴹ 𝘝𝘐𝘚𝘈. ⁘   BZ
⚏ 750 – **168 hab** 8000/12000.

🏨 **Tartessos**, av. Martín Alonso Pinzón 13, ⊠ 21003, ℰ 28 27 11, Fax 25 06 17 – 📵 🗏
📺 ☎ – 🛦 25/70. 🖭 ⓪ ⴹ 𝘝𝘐𝘚𝘈. ⁘   BZ
Comida 2250 - **El Estero** (cerrado domingo) **Comida** carta 3400 a 4800 – ⚏ 700
108 hab 8000/12000, 3 suites.

🏨 **Los Condes** sin rest, Alameda Sundheim 14, ⊠ 21003, ℰ 28 24 00, Fax 28 50 41
📵 🗏 📺 ☎ ⇔. 🖭 ⓪ ⴹ 𝘝𝘐𝘚𝘈. ⁘   BZ
⚏ 400 – **53 hab** 4200/7500.

🏨 **Costa de la Luz** sin rest y sin ⚏, José María Amo 8, ⊠ 21001, ℰ 25 64 2
Fax 25 64 22 – 📵 📺 ☎. ⁘   AZ
35 hab 3500/6000.

XX **Las Meigas**, av. Guatemala 48, ⊠ 21003, ℰ 27 19 58, Fax 27 19 77 – 🗏. 🖭 ⓪ ⴹ 𝘝𝘐𝘚𝘈. ⁘
cerrado 10 agosto-1 septiembre – **Comida** carta 3200 a 4300.   AY

X La Cazuela, Garci Fernández 5, ⊠ 21003, ℰ 25 80 96 –
🗏   BZ

X **La Marmita**, Miguel Redondo 12, ⊠ 21003, ℰ 26 22 16, Espec. en carnes a la bra
– 🗏. 🖭 ⓪ ⴹ 𝘝𝘐𝘚𝘈 𝘑𝘊𝘉. ⁘   BZ
Comida carta 2800 a 3900.

X La Goleta de Antonio, Berdigón 16, ⊠ 21003, ℰ 26 25 38 – 🗏   BZ

HUESCA 22000 🅿 ⓷⓸⓷ F 28 – 50 085 h. alt. 466 – ✆ 974.

Ver : Catedral★ (retablo de Damián Forment★★) A – Museo Arqueológico Provincial★ (c
ección de primitivos aragoneses★) M1 – Iglesia de San Pedro el Viejo★ (claustro★) B.
Excurs. : Castillo de Loarre★★ ☀★★ NO : 32 km por ③.
🖪 Coso Alto 23, ⊠ 22003, ℰ 22 57 78, Fax 22 57 78.
Madrid 392 ② – Lérida/Lleida 123 ① – Pamplona/Iruñea 164 ③ – Pau 211 ③ – Zaragoza 72 ①

HUESCA

Coso Alto

Ainsa
Ángel de la Guarda
Ballesteros
Castilla
Cortes (Las)
Coso Bajo
Cuatro Reyes
Desengaño
Fueros de Aragón (Pl. de los)
Galicia (Porches de)
General Alsina (Av. del)
General Lasheras
Goya
López Allue (Pl. de)
Luis Buñuel (Pl.)
Misericordia (Ronda)
Monreal (Av.)
Moyá
Mozárabes (Trav.)
Navarra (Pl. de)
Obispo Pintado
Olmo
Palma
Pedro IV
Peligros
Quinto Sertorio
Ramón y Cajal (Pas. de)
San Juan Bosco
San Pedro (Pl. de)
San Salvador
Santo Domingo (Pl. de)
Tarbes
Unidad Nacional (Pl. de la)
Universidad (Pl. de la)
Zaragoza

🏨 **Pedro I de Aragón**, Parque 34, ⊠ 22003, ℰ 22 03 00, Telex 58626, Fax 22 00
⏚ – 📵 🗏 📺 ☎ ⇔ – 🛦 25/500. 🖭 ⓪ ⴹ 𝘝𝘐𝘚𝘈. ⁘ rest
Comida 3025 – ⚏ 750 – **131 hab** 11760/17115, 2 suites – PA 6650.

🏨 **Sancho Abarca**, pl. de Lizana 13, ⊠ 22002, ℰ 22 06 50, Fax 22 51 69 – 📵 📺 ☎ ⇔
– 🛦 40/250. 🖭 ⴹ 𝘝𝘐𝘚𝘈
Comida (ver rest. **Sancho Abarca**) – ⚏ 650 – **35 hab** 6500/11500.

🏛 **San Marcos,** San Orencio 10, ⊠ 22001, 𝒫 22 29 31, Fax 22 29 31 – 🕴 🗐 📺 ☎. 🆎
E 𝚅𝙸𝚂𝙰. ℅
Comida (ver rest. *El Molinero*) – ⊑ 375 – **29 hab** 3400/5775.

⌂ **Lizana** sin rest y sin ⊑, pl. de Lizana 6, ⊠ 22002, 𝒫 22 07 76, Fax 22 07 76 – 📺 🚗.
🆎 ⓞ **E** 𝚅𝙸𝚂𝙰. ℅
34 hab 2600/6000.

⌂ **Rugaca** sin rest, Porches de Galicia 1, ⊠ 22002, 𝒫 22 64 49, Fax 23 08 05 – 🗐 📺 ☎.
ⓞ **E** 𝚅𝙸𝚂𝙰. ℅
⊑ 500 – **24 hab** 3500/6000.

XX **Las Torres,** María Auxiliadora 3, ⊠ 22003, 𝒫 22 82 13, Fax 22 88 79 – 🗐. 🆎 ⓞ **E**
𝚅𝙸𝚂𝙰. ℅
cerrado domingo, Semana Santa y del 16 al 31 de agosto – **Comida** carta 3400 a 4050.

XX **Lillas Pastia,** pl. de Navarra 4, ⊠ 22002, 𝒫 21 16 91, Fax 21 16 91, 🏠, En el antiguo
casino – 🗐. 🆎 **E** 𝚅𝙸𝚂𝙰. ℅
cerrado lunes – **Comida** carta 3500 a 4150.

XX **Sancho Abarca,** pl. de Lizana 13, ⊠ 22002, 𝒫 22 06 50, Fax 22 51 69 – 🗐 🚗. 🆎
E 𝚅𝙸𝚂𝙰
Comida carta 2650 a 3650.

XX **El Molinero,** San Orencio 10, ⊠ 22001, 𝒫 22 29 31, Fax 22 29 31 – 🗐. 🆎 **E** 𝚅𝙸𝚂𝙰. ℅
cerrado domingo y del 15 al 30 de septiembre – **Comida** carta 2500 a 3350.

X **La Albahaca Oscense,** paseo de Ramón y Cajal 44, ⊠ 22006, 𝒫 24 58 26 – 🗐. **E**
🍴 𝚅𝙸𝚂𝙰. ℅
cerrado miércoles y del 1 al 15 de septiembre – **Comida** carta 2400 a 3600.

X **La Campana,** Coso Alto 78, ⊠ 22003, 𝒫 22 95 00 – 🗐. 🆎 ⓞ **E** 𝚅𝙸𝚂𝙰. ℅
cerrado domingo noche y del 1 al 15 de julio – **Comida** carta 2800 a 3600.

X **Parrilla Gombar,** av. Martínez de Velasco 34, ⊠ 22004, 𝒫 21 22 70 – 🗐

X **Casa Vicente,** pl. de Lérida 2, ⊠ 22004, 𝒫 22 98 11 – 🗐. 🆎 ⓞ **E** 𝚅𝙸𝚂𝙰 𝙹𝙲𝙱. ℅
cerrado domingo y septiembre – **Comida** carta 2750 a 3700.

ÚMERA Madrid – ver Pozuelo de Alarcón.

ARRA Guipúzcoa – ver Tolosa.

IZA Baleares – ver Baleares.

OD DE LOS VINOS Santa Cruz de Tenerife – ver Canarias (Tenerife).

IAZÁBAL 20213 Guipúzcoa 🗺 C 23 – 1975 h. alt. 210 – ✆ 943.
Madrid 423 – Pamplona/Iruñea 68 – San Sebastián/Donostia 50 – Vitoria/Gasteiz 66.

en la carretera N I S : 2 km – ⊠ 20213 Idiazábal – ✆ 943 :

X **Gaztelu,** 𝒫 18 71 93, ≼, 🏠 – ❷. 🆎 **E** 𝚅𝙸𝚂𝙰
cerrado lunes noche, martes noche, viernes noche, 15 días en enero y 15 días en septiembre – **Comida** carta 2700 a 4000.

LA IGLESUELA DEL CID 44142 Teruel 🗺 K 29 – 484 h. alt. 1227 – ✆ 964.
Madrid 415 – Morella 37 – Teruel 113.

⌂ **Casa Amada,** Fuentenueva 10 𝒫 44 33 73, Fax 44 33 73 – 🆎 **E** 𝚅𝙸𝚂𝙰
Comida 1300 – ⊑ 375 – **21 hab** 2100/3500 – PA 2900.

ORRE Vizcaya – ver Yurre.

IGUALADA 08700 Barcelona 🗺 H 34 – 32422 h. alt. 315 – ✆ 93.
Madrid 562 – Barcelona 67 – Lérida/Lleida 93 – Tarragona 93.

🏨 **América,** antigua carret. N II 𝒫 803 10 00, Fax 805 00 78, 🏠, ⌖, 🌳 – 🕴 🗐 📺 ☎
❷ – 🔺 25/400. 🆎 ⓞ **E** 𝚅𝙸𝚂𝙰. ℅
cerrado del 1 al 15 de agosto – **Comida** 2400 – ⊑ 850 – **52 hab** 5000/10000.

X **El Jardí de Granja Plá,** Rambla de Sant Isidre 12 𝒫 803 18 64, Fax 805 03 13 – 🗐
❷. 🆎 ⓞ **E** 𝚅𝙸𝚂𝙰
cerrado domingo noche, lunes y 28 julio-17 agosto – **Comida** carta 3275 a 4325.

X **El Mirall,** passeig Verdaguer 6 𝒫 804 25 02 – 🗐. 🆎 ⓞ **E** 𝚅𝙸𝚂𝙰
cerrado domingo, miércoles noche y 1ª quincena de septiembre – **Comida** carta 3150 a 4550.

ILLESCAS *45200 Toledo* 444 *L 18 – 7 942 h. alt. 588 – ☎ 925.*

Madrid 36 – Aranjuez 31 – Ávila 144 – Toledo 34.

XX **El Bohío,** av. Castilla-La Mancha 81 ✆ 51 11 26, Fax 51 11 26 – ▤. AE ⓓ E VISA. ⚘
cerrado domingo y del 15 al 31 de agosto – **Comida** carta 4500 a 6450.

ILLETAS o **ses ILLETES** *Baleares – ver Baleares (Mallorca).*

S'ILLOT *Baleares – ver Baleares (Mallorca).*

INCA *Baleares – ver Baleares (Mallorca).*

INCLES *Andorra – ver Andorra (Principado de) : Soldeu.*

INGLÉS (Playa del) *Las Palmas – ver Canarias (Gran Canaria) : Maspalomas.*

La IRUELA *23476 Jaén* 446 *S 21 – 2 186 h. alt. 932 – ☎ 953.*

Ver : *Carretera de los miradores ≤★★.*

Madrid 365 – Jaén 103 – Úbeda 48.

🏠 **Sierra de Cazorla** ⛰, carret. de la Sierra - NE : 1 km ✆ 72 00 15, Fax 72 00 17,
🏊 – ▤ rest TV ☎ P. AE ⓓ E VISA. ⚘ rest
Comida 1200 – ☕ 400 – **50 hab** 4950/7700, 2 suites.

IRÚN *20300 Guipúzcoa* 442 *B y C 24 – 53 861 h. alt. 20 – ☎ 943.*

Alred. : *Ermita de San Marcial* ✳ ★★ *E : 3 km.*

ℹ *barrio de Behobia,* ✉ *20305,* ✆ *62 26 27.*

Madrid 509 – Bayonne 34 – Pamplona/Iruñea 90 – San Sebastián/Donostia 20.

Lizaso *sin rest y sin* ☕, Aduana 5 ✉ 20302, ✆ 61 16 00 – ⚘
20 hab 3900/5300.

XXX **Mertxe,** Francisco de Gainza 9 - barrio Beraun, ✉ 20302, ✆ 62 46 82, ☂ – AE
VISA
cerrado domingo noche, miércoles y 21 diciembre-2 enero – **Comida** carta 4100
5900.

XX **Romantxo,** pl. Urdanibia ✉ 20304, ✆ 62 09 71, Decoración rústica regional – ▤.
ⓓ E VISA. ⚘
cerrado domingo noche, lunes, 25 agosto-7 septiembre y 24 diciembre-7 enero – **Comi**
carta aprox. 3800.

XX **Larretxipi,** Larretxipi 5 ✉ 20304, ✆ 63 26 59 – AE ⓓ VISA. ⚘
cerrado domingo noche, martes, 2ª quincena de marzo y 2ª quincena de noviembre
Comida carta 3225 a 4400.

X **Labeko-Etxea,** barrio de Olaberria - O : 2 km ✉ 20303, ✆ 63 19 64, Fax 39 46 42, ☂
Antiguo caserío – P. AE ⓓ VISA
cerrado domingo noche, lunes y febrero – **Comida** carta 2400 a 3950.

en Behobia *E : 2 km –* ✉ *20300 Behobia –* ☎ *943 :*

X Enrique, complejo Zaisa ✆ 62 26 29 –
▤.

X Trinquete, Francisco Labandibar 38 ✆ 62 20 20.

en la carretera de Fuenterrabía a San Sebastián – ✉ *20300 Irún –* ☎ *943 :*

Tryp Urdanibia, NO : 5 km ✆ 63 04 40, Fax 63 04 10, 🏊 – |‡| ▤ TV ☎ 🚗 P
🏃 25/700. AE ⓓ E VISA. ⚘ rest
Comida 1850 – ☕ 1000 – **115 hab** 10900/14000 – PA 3500.

XX **Jaizubía,** NO : 4,5 km, ✉ 20305, ✆ 61 80 66 – AE ⓓ E VISA
cerrado lunes y febrero – **Comida** carta aprox. 5500.

IRUÑEA *Navarra – ver Pamplona.*

IRURITA *31730 Navarra* 442 *C 25 – ☎ 948.*

Madrid 448 – Bayonne 57 – Pamplona/Iruñea 53 – St-Jean-Pied-de-Port 40.

X **Olari,** Pedro María Hualde ✆ 45 22 54 – ▤. E VISA. ⚘
cerrado lunes (salvo agosto) y última semana de junio – **Comida** carta 2100 a 3200

SABA 31417 Navarra 442 D 27 – 551 h. alt. 813 – © 948.

Alred. : O : Valle del Roncal★ – SE : Carretera★ del Roncal a Ansó.

Madrid 467 – Huesca 129 – Pamplona/Iruñea 97.

🏨 **Isaba** ⌂, Bormapea 51 ℘ 89 30 00, Fax 89 30 30, ≤ – 🛗 ☎ 🅿 – 🔬 35/60. 🗲 VISA.
※ rest
Comida 1900 – ☲ 750 – **50 hab** 5900/9100 – PA 3640.

🏨 **Lola** ⌂, Mendigacha 17 ℘ 89 30 12, Fax 89 30 12 – 🖭 🗲 VISA. ※
cerrado noviembre – Comida 1500 – ☲ 450 – **15 hab** 3500/5500 – PA 3450.

SLA – ver a continuación y el nombre propio de la isla.

SLA 39195 Cantabria 442 B 19 – © 942 – Playa.

Madrid 426 – Bilbao/Bilbo 81 – Santander 48.

n la playa de La Arena NO : 2 km – ⊠ 39195 Isla – © 942 :

🏨 **Campomar,** ℘ 67 94 32, Fax 67 94 28 – 🛗 ▤ rest 📺 ☎ 🅿. 🖭 ⓞ 🗲 VISA. ※
Comida 1300 – ☲ 600 – **41 hab** 8500/10500.

n la playa de Quejo E : 3 km – ⊠ 39195 Isla – © 942 :

🏨 **Olimpo,** barrio La Barrosa ℘ 67 93 32, Fax 67 94 63, ≤ playa, ↓ᵬ, ⚊, ☞, ※ – 🛗 ▤
📺 ☎ ⇦ 🅿 – 🔬 25/60. 🖭 ⓞ 🗲 VISA. ※
cerrado 18 diciembre-18 enero – Comida 2750 – ☲ 1200 – **68 hab** 13750/18150 – PA
4500.

🏨 **Pelayo,** av. Juan Hormaechea 22 ℘ 67 96 01, Fax 67 96 42 – 🛗 ▤ rest 📺 ☎ 🅿. 🖭
🗲 VISA. ※
Semana Santa y junio-septiembre – Comida 2000 – ☲ 350 – **27 hab** 6500/9500 – PA
3400.

🏨 **Astuy,** av. Juan Hormaechea 1 ℘ 67 95 40, Fax 67 95 88, ≤, ⚊ – 🛗 📺 ☎ 🅿. 🖭 ⓞ
🗲 VISA. ※
Comida 1800 – ☲ 1500 – **53 hab** 7000/9500 – PA 4000.

LA CANELA (playa de) Huelva – ver Ayamonte.

LA CRISTINA 21410 Huelva 446 U 8 – 16 575 h. – © 959 – Playa.

Madrid 672 – Beja 138 – Faro 69 – Huelva 56.

🏨 **Paraíso Playa** ⌂, av. de la playa ℘ 33 18 73, Fax 34 37 45, ☞ – ▤ hab 📺 ☎ 🅿.
🖭 🗲 VISA. ※
cerrado enero – Comida 1500 – ☲ 500 – **34 hab** 5500/8000 – PA 3500.

🏨 **Sol y Mar** ⌂, playa Central ℘ 33 20 50, ≤, ☞ – 📺 ☎ 🅿. ※
Comida 1600 – ☲ 250 – **16 hab** 5500/8000.

n la urbanización Islantilla E : 6,5 km – ⊠ 21410 – © 959 :

🏨 Confortel Islantilla, ℘ 48 60 17, Fax 48 60 70, ≤, ↓ᵬ, ⚊, ※ – 🛗 ▤ 📺 ☎ 🕭 ⇦
– 🔬 25/120
Comida Manhattan (sólo buffet) Titanic – **328 hab**, 16 suites.

LANTILLA (Urbanización) Huelva – ver Isla Cristina.

LARES 39798 Cantabria 442 B 20 – © 942 – Playa.

Madrid 437 – Bilbao/Bilbo 41 – Santander 80.

✗ El Langostero ⌂ con hab, playa de Arenillas ℘ 86 22 12, Fax 86 22 12, ≤, ☞ – 📺
🅿
10 hab.

RRETA 48215 Vizcaya 442 C 22 – 4 874 h. alt. 114 – © 94.

Madrid 390 – Bilbao 32 – San Sebastian/Donostia 74 – Vitoria/Gasteiz 42.

a Goiuria NO : 2,5 km – ⊠ 48215 Iurreta – © 94 :

✗ **Goiuria,** ℘ 681 08 86, Fax 681 08 86, ≤ Durango, valle y montañas – 🅿. 🖭 ⓞ 🗲 VISA.
JCB
cerrado domingo noche, martes noche y agosto – Comida carta 3550 a 5075.

✗ **Ikuspegi,** Goiuria 12 ℘ 681 10 82, ≤ Durango, valle y montañas – 🅿. 🖭 ⓞ 🗲 VISA.
※
cerrado lunes y septiembre – Comida carta 2675 a 4200.

JACA 22700 Huesca **443** E 28 – 14 426 h. alt. 820 – ۞ 974.

Ver : Catedral★ (capiteles historiados★) - Museo Episcopal (frescos★).

Alred. : Monasterio de San Juan de la Peña★★ : paraje★★ - Claustro★ (capiteles★★) 28 km.

🖪 av. Regimiento de Galicia 2, ℘ 36 00 98, Fax 35 51 65.

Madrid 481 - Huesca 91 - Oloron-Ste-Marie 87 - Pamplona/Iruñea 111.

🏨🏨 **Aparthotel Oroel**, av. de Francia 37 ℘ 36 24 11, Fax 36 38 04, ⅀, ※ – 🛗 ≡ r
📺 ☎ ⇦, 🗚 ➀ 🗲 ⅥⅥ. ※
cerrado octubre – **Comida** carta 2500 a 4700 – ☲ 700 – **124 hab** 9700/12200.

🏨🏨 **Gran Hotel**, paseo de la Constitución 1 ℘ 36 09 00, Fax 36 40 61, ⅀ – 🛗 ≡ rest
☎ ➋, 🗚 ➀ 🗲 ⅥⅥ. ※
cerrado noviembre – **Comida** 2300 – ☲ 790 – **164 hab** 8800/11100, 1 suit
PA 4475.

🏨🏨 **Conde Aznar**, paseo de la Constitución 3 ℘ 36 10 50, Fax 36 07 97 – ≡ rest 📺
🗚 🗲 ⅥⅥ. ※ rest
Comida (ver también rest. **La Cocina Aragonesa**) 1990 – ☲ 590 – **24 hab** 5950/8(
– PA 3900.

🏨🏨 **Pradas** sin rest. con cafetería, Obispo 12 ℘ 36 11 50, Fax 36 39 48 – 🛗 ☎, 🗚 ➀ 🗲 ⅥⅥ
cerrado del 15 al 30 de mayo y noviembre – ☲ 400 – **39 hab** 3700/6800.

🏨 **Canfranc**, av. Oroel 23 ℘ 36 31 32, Fax 36 49 79, ⇐ – 🛗 📺 ☎ ➋, 🗚 ➀ 🗲 ⅥⅥ. ※
Comida (sólo cena) 1600 – ☲ 600 – **20 hab** 7000/9500.

🏨 **Mur**, Santa Orosia 1 ℘ 36 01 00, Fax 35 57 55 – 🛗. ※
Comida 1600 – **68 hab** ☲ 4500/7500 – PA 3300.

🏨 **Ramiro I**, Carmen 23 ℘ 36 13 67, Fax 36 13 61 – 🛗 📺 ☎. 🗲 ⅥⅥ. ※
cerrado noviembre – **Comida** 1400 – ☲ 475 – **28 hab** 4500/7500 – PA 3275.

🏨 **Ciudad de Jaca** sin rest, Siete de Febrero 8 ℘ 36 43 11, Fax 36 43 95 – 🛗 📺 ☎.
diciembre-abril y julio-septiembre – ☲ 400 – **18 hab** 3800/5200.

🏨 **Alcetania**, Mayor 45 ℘ 35 62 00, Fax 35 61 00 – 📺 ☎. ⅥⅥ
Comida 1300 – **20 hab** ☲ 3345/7840 – PA 3095.

🏨 **A Boira** sin rest, Valle de Ansó 3 ℘ 36 38 48, Fax 35 52 76 – 🛗 📺 ☎. ⅥⅥ
☲ 500 – **30 hab** 3460/6450.

ХХ **La Cocina Aragonesa**, Cervantes 5 ℘ 36 10 50, Fax 36 07 97, « Decorac
regional » – ≡. 🗚 🗲 ⅥⅥ. ※
Comida carta 2500 a 4300.

Х El Rancho Grande, del Arco 2 ℘ 36 01 72, Decoración rústica –
≡.

Х **Gastón**, av. Primer Viernes de Mayo 14-1° ℘ 36 17 19, Cocina vasco-navarra – ≡.
🗲 ⅥⅥ. ※
cerrado domingo noche, lunes y del 15 al 30 de junio – **Comida** carta aprox. 4200.

Х **José**, av. Domingo Miral 4 ℘ 36 11 12, Fax 36 11 12 – ≡. 🗚 🗲 ⅥⅥ. ※
cerrado lunes (salvo vísperas, festivos, julio-agosto) y noviembre – **Comida** carta apr
4550.

JADRAQUE 19240 Guadalajara **444** J 21 – 1 184 h. alt. 832 – ۞ 949.

Madrid 103 - Guadalajara 48 - Soria 114.

🏨 **El Castillo**, carret. de Soria ℘ 89 02 54, Fax 89 02 54 – ≡ rest ➋. 🗚 ➀ 🗲 ⅥⅥ.
Comida 1000 – ☲ 225 – **19 hab** 2400/4400.

Х **Cuatro Caminos** con hab, Cuatro Caminos 10 ℘ 89 00 21 – ≡ rest 📺. 🗲 ⅥⅥ.
Comida carta 2900 a 3950 – ☲ 350 – **8 hab** 3000/5500.

JAÉN 23000 ℙ **446** S 18 – 107 413 h. alt. 574 – ۞ 953.

Ver : Paisaje de olivares★★ (desde la Alameda de Calvo Sotelo) Museo provincial★ (
ecciones arqueológicas★) AY M – Catedral (sillería★, museo★) AZ E – Capilla de San Anc
(capilla de la Inmaculada★★) AYZ B.

Alred. : Castillo de Santa Catalina (carretera★ ✱✱) O : 4,5 km AZ.

🖪 Arquitecto Bergés 1, ✉ 23007, ℘ 22 27 37, Fax 22 27 37 – **R.A.C.E.** paseo de la Estac
33-A, ✉ 23008, ℘ 25 38 15, Fax 25 38 15.

Madrid 336 ① – Almería 232 ② – Córdoba 107 ③ – Granada 94 ② – Linares 51 ① – Úb
57 ②.

Plano página siguiente

🏨🏨 **Condestable Iranzo**, paseo de la Estación 32, ✉ 23008, ℘ 22 28 00, Fax 26 38
– 🛗 ≡ 📺 ☎ – ⬥ 30/250. 🗚 ⅥⅥ. ※
Comida 2200 – ☲ 500 – **159 hab** 7200/11000 – PA 4000.   BY

316

JAÉN

ernabé Soriano . . . . **BZ** 9
r. Civera Espartería . . . . . **AZ** 13
Maestra . . . . **AZ** 20
irgen de la Capilla . . . . . . **BZ** 36

darves Bajos . . . . **BZ** 2
lamos . . . . **AZ** 3
lféreces
  Provisionales . . . . **AY** 4
lmendros Aguilar . . . . **AZ** 5
ndalucía (Av. de) . . . . **AY** 6
rquitecto Bergés . . . . **AY** 7
atallas (Pl. de Las) . . . . . **ABY** 8
oca de la Piñera (Pl.) . . . . **BZ** 10
onstitución (Pl. de la) . . . . **BZ** 12
ército Español
  (Av. del) . . . . **AY** 14
stación (Paseo de la) . . . **BYZ** 15
ranada (Avenida de) . . . . . **BZ** 16
adre Soledad
  Torres Acosta . . . . **ABZ** 18
adrid (Av. de) . . . . **BYZ** 19
artínez Molina . . . . **AZ** 21
erced Alta . . . . **AZ** 22
uñoz Garnica . . . . **BZ** 24
bispo Estúñiga . . . . **AY** 25
ey Alhamar . . . . **AY** 26
uiz Jiménez (Av. de) . . . . **BY** 27
an Andrés . . . . **AY** 28
an Clemente . . . . **AZ** 29
an Francisco (Pl.) . . . . **AZ** 31
anta María (Pl.) . . . . **AZ** 32
cente Montuno . . . . **BZ** 33
irgen de la Cabeza . . . . . . **BY** 35

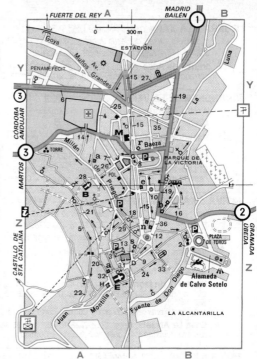

🏛 **Xauen** sin rest, pl. Deán Mazas 3, ⊠ 23001, 𝒫 26 40 12, Fax 26 40 11 – 🛗 🗏 📺 <u>VISA</u>.
� 300 – **35 hab** 5200/7000. **BZ s**

🏛 **Europa** sin rest y sin ⊠, pl. Belén 1, ⊠ 23001, 𝒫 22 27 00, Fax 22 26 92 – 🛗 🗏 📺
☎ ⇔. 🖭 ◉ **E** <u>VISA</u>. **BZ b**
37 hab 4380/6265.

🏛 **Reyes Católicos** sin rest, av. de Granada 1-6°, ⊠ 23001, 𝒫 22 22 50, Fax 22 22 50
– 🛗 🗏 📺 **BZ b**
⊠ 350 – **28 hab** 3800/6000.

XX **Jockey Club,** paseo de la Estación 20, ⊠ 23008, 𝒫 25 10 18 – 🗏. 🖭 ◉ **E** <u>VISA</u>.
⋘ **BY e**
cerrado domingo y agosto – **Comida** carta 2950 a 3775.

XX **Casa Vicente,** Francisco Martín Mora 1, ⊠ 23002, 𝒫 23 28 16 – 🗏. **E** <u>VISA</u>.
⋘ **AZ a**
cerrado domingo noche en verano y domingo resto del año – **Comida** carta aprox. 3500.

XX **La Alacena,** Puerta del Sol 4, ⊠ 23007, 𝒫 26 62 14, Fax 26 62 14 – 🗏. 🖭 <u>VISA</u>.
⋘ **AY a**
cerrado domingo noche – **Comida** carta 2800 a 5000.

X **Mesón Río Chico,** Nueva 12, ⊠ 23001, 𝒫 22 85 02 – 🗏. **E** <u>VISA</u>. ⋘ **BZ n**
cerrado lunes y agosto – **Comida** carta aprox. 2700.

X **Mesón Nuyra,** pasaje Nuyra, ⊠ 23001, 𝒫 27 31 31 – 🗏. 🖭 **E** <u>VISA</u>. ⋘ **BZ n**
cerrado domingo y del 15 al 31 de agosto – **Comida** carta 3300 a 4500.

Oeste : 4,5 km AZ – ⊠ 23001 Jaén – ☻ 953 :

🏛🏛 **Parador de Jaén** ⬙, 𝒫 23 00 00, Fax 23 09 30, « Instalado en un castillo con ≤ Jaén,
olivares y montañas », ⤢ – 🛗 🗏 📺 ☎ 🅟 – 🔬 25/60. 🖭 ◉ **E** <u>VISA</u>. ⋘
Comida 3500 – ⊠ 1200 – **45 hab** 16500.

n **la carretera N 323** por ② : 7,3 km – ☻ 953 :

🏛 **Mistral,** ⊠ 23170 La Guardia de Jaén, 𝒫 25 13 04, Fax 25 67 00, ⤢ – 🗏 📺 ☎ 🅟
– 🔬 25/450. 🖭 **E** <u>VISA</u>. ⋘
Comida 1400 – ⊠ 300 – **16 hab** 4000/5500.

LA JARA o **LA XARA** 03700 Alicante **445** P 30 – ✪ 96.

⌨ *La Sella* carret. de Jesús Pobre S : 4 km, ℰ 645 42 52, Fax 645 42 01.
Madrid 443 – Alicante/Alacant 88 – Valencia 95.

X **Venta de Posa**, partida Fredat 9 ℰ 578 46 72, Arroces y carnes – **🅿**. **AE** **①** **E** 🟰
cerrado lunes y noviembre – **Comida** carta aprox. 2200.

JARANDILLA DE LA VERA 10450 Cáceres **444** L 12 – 3022 h. alt. 660 – ✪ 927.
Alred. : *Monasterio de Yuste*★ SO : 12 km.
Madrid 213 – Cáceres 132 – Plasencia 53.

🏩 **Parador de Jarandilla de la Vera** ⟨⟩, ℰ 56 01 17, Fax 56 00 88, « Instalado
un castillo feudal del siglo XV », ⬜, ✿, ✑ – 🔳 📺 ☎ **🅿**. **AE** **①** **E** 🗺 ✑
Comida 3500 – ⇌ 1200 – 53 hab 16500.

X **El Labrador**, av. Dª Soledad Vega Ortiz 133 ℰ 56 07 91 – 🔳. **E** 🗺 ✑
cerrado martes y 15 septiembre-15 octubre – **Comida** carta aprox. 3700.

JÁTIVA o **XÀTIVA** 46800 Valencia **445** P 28 – 24586 h. alt. 110 – ✪ 96.
Ver : *Ermita de Sant Feliu (pila de agua bendita*★*)*.
🅱 *Alameda Jaume I-50*, ℰ 227 33 46, Fax 228 22 21.
Madrid 379 – Albacete 132 – Alicante/Alacant 108 – Valencia 59.

🏠 **Vernisa** sin rest, Académico Maravall 1 ℰ 227 10 11, Fax 228 13 65 – 🔳 📺 ☎ ✑
AE **①** **E** 🗺
⇌ 600 – 39 hab 6500/9000.

XX **Hostería de Mont Sant** ⟨⟩ *con hab*, carret. del Castillo ℰ 227 50 81, Fax 228 19
✿, « Antigua alquería en un extenso paraje verde », ⬜, ✿ – 🔳 📺 ☎ **🅿**. **AE** **①**
🗺 ✑
cerrado 10 enero-10 febrero – **Comida** carta 4000 a 5500 – 7 hab ⇌ 12500/150

X **Casa La Abuela**, Reina 17 ℰ 228 10 85 – 🔳. **AE** **①** **E** 🗺
cerrado domingo y 2ª quincena de julio – **Comida** carta 2950 a 3800.

JÁVEA o **XÀBIA** 03730 Alicante **445** P 30 – 16603 h. – ✪ 96 – Playa.
Alred. : *Cabo de San Antonio*★ *(*≼★*)* N : 5 km – *Cabo de la Nao*★ *(*≼★*)* SE : 10 km.
⌨ *Jávea* carret. de Benitachell/km 4,5, ℰ 579 25 84, Fax 646 05 54.
🅱 *en el puerto* : pl. Almirante Bastarreche 24, ℰ 579 07 36, Fax 579 51 07 y av. del
136, ℰ 646 06 05.
Madrid 457 – Alicante/Alacant 87 – Valencia 109.

X **Los Pepes**, av. Juan Carlos I-32 ℰ 579 38 05, ✿ – 🔳. 🗺 ✑
abril-octubre – **Comida** *(cerrado lunes) (sólo cena)* carta aprox. 2750.

en el puerto E : 1,5 km – ⊠ 03730 Jávea – ✪ 96 :

🏨 **Jávea**, Pio X-5 ℰ 579 54 61, Fax 579 54 63 – 📱 ☎. **E** 🗺
Comida *(cerrado lunes) (sólo cena)* 1750 – ⇌ 500 – 24 hab 5000/8500.

🏠 **Miramar** sin rest y sin ⇌, pl. Almirante Bastarreche 12 ℰ 579 01 00, Fax 579 01
– 📺 ☎. **AE** **①** **E** 🗺
cerrado 22 diciembre-2 enero – 26 hab 5000/8500.

XX **Oligarum**, Las Barcas 9 ℰ 646 17 14, Fax 579 11 30, ✿ – 🔳. **E** 🗺
cerrado miércoles, jueves mediodía y febrero – **Comida** *(sólo cena en verano)* carta 38
a 4800.

al Sureste *por la carretera del Cabo de la Nao* – ⊠ 03730 Jávea – ✪ 96 :

🏩 **Parador de Jávea** ⟨⟩, playa del Arenal 2 - 4 km ℰ 579 02 00, Fax 579 03 08, ≼, ✑
« Jardín con césped y palmeras », ⬜ – 📱 🔳 📺 ☎ **🅿** – ⚖ 25/200. **AE** **①** **E** 🗺
Comida 3200 – ⇌ 1200 – 65 hab 18500.

🏩 **El Rodat** ⟨⟩, 5,5 km ℰ 647 07 10, Fax 647 15 50, ✿, ⬜ climatizada, ✿, ✑ –
📺 ☎ **🅿**. **AE** **①** **E** 🗺 ✑
Comida 1700 – ⇌ 650 – 25 apartamentos 19200 – PA 3500.

🏨 **Solymar** sin rest, av. del Mediterráneo 83 - 3,5 km ℰ 646 19 19, Fax 646 19 07 –
📺 ☎ **🅿**. **AE** **①** **E** 🗺
⇌ 750 – 38 hab 7200/9875.

XXX **El Negresco**, 3 km ℰ 646 05 52, Fax 646 05 52 – 🔳. **AE** **①** **E** 🗺 **JCB** ✑
cerrado martes de septiembre a mayo, 15 días en febrero y 15 días en noviembre – **Comi**
(sólo cena salvo sábado y domingo de octubre a mayo) carta 2300 a 3800.

XX **Gota de Mar,** Cap Martí 531 - 5,5 km ✆ 577 16 48, Fax 577 16 48, 😤 – 🅿. 🖭 ⓞ
E 𝚅𝙸𝚂𝙰. 🛇
cerrado miércoles (salvo julio-agosto) y 15 noviembre-15 diciembre – **Comida** (sólo cena
salvo domingo en invierno) carta 2850 a 5400.

XX **L'Escut,** 6,5 km ✆ 577 05 07, 😤 – 🅿. ⓞ E 𝚅𝙸𝚂𝙰
cerrado martes (salvo julio-septiembre) y 12 enero-13 febrero – **Comida** (sólo cena) carta
2700 a 3600.

X **Chez Ángel,** Jávea Park - 3 km ✆ 579 27 23 – 🍴. 🖭 E 𝚅𝙸𝚂𝙰. 🛇
cerrado martes (salvo julio-septiembre) y febrero – **Comida** carta 2900 a 4075.

X Asador el Caballero, Jávea Park bl 8, L 10 - 3 km ✆ 579 34 47 – 🍴.

n el camino Cabanes *S : 7 km* – ✉ 03730 *Jávea* – ☺ 96 :

X **La Rústica,** Partida Adsubia 64 ✆ 577 08 55, Fax 577 08 55, 😤 – 🅿. 🖭 ⓞ E 𝚅𝙸𝚂𝙰.
🛇
cerrado lunes y enero – **Comida** (sólo cena julio-agosto) carta 3900 a 6500.

When in a hurry use the Michelin Main Road Maps :

970 *Europe,* **976** *Czech Republic-Slovak Republic,* **980** *Greece,*
984 *Germany,* **985** *Scandinavia-Finland,* **986** *Great Britain and Ireland,*
987 *Germany-Austria-Benelux,* **988** *Italy,* **989** *France,*
990 *Spain-Portugal and* **991** *Yugoslavia.*

AVIER 31411 Navarra **442** *E 26* - 132 h. alt. 475 – ☺ 948.
Madrid 411 – Jaca 68 – Pamplona/Iruñea 51.

🏠 Xavier 🛇, pl. del Santo ✆ 88 40 06, Fax 88 40 78 – |❖| 🍴 rest 📺 ☎
46 hab.

X **El Mesón** 🛇 con hab, Explanada ✆ 88 40 35, Fax 88 42 26, 🐎 – 🅿. 🖭 E 𝚅𝙸𝚂𝙰. 🛇
marzo-15 diciembre – **Comida** carta 2300 a 3550 – 🖙 550 – **8 hab** 4300/5800.

EREZ DE LA FRONTERA 11400 Cádiz **446** *V 11* - 184 364 h. alt. 55 – ☺ 956.
Ver : *Bodegas★* AZ *– Museo de relojes "La Atalaya"★★* AY *– Real Escuela Andaluza de Arte
Ecuestre★ (exhibición★★)* BY.
🛫 *de Jerez, por la carretera N IV* ① *: 11 km* ✆ 15 00 00 *– Aviaco, aeropuerto,*
✆ 15 00 10.
🛈 Larga 39, ✆ 33 11 50, Fax 33 17 31.
Madrid 613 ② *– Antequera 176* ② *– Cádiz 35* ③ *– Écija 155* ② *– Ronda 116* ② *– Sevilla
90* ①.

Plano página siguiente

🏨 **Royal Sherry Park,** av. Alcalde Álvaro Domecq 11 bis, ✉ 11405, ✆ 30 30 11,
Fax 31 13 00, 😤, « Jardín con 🏊 » – |❖| 🍴 📺 ☎ 🅿 – 🔬 25/280. 🖭 ⓞ E 𝚅𝙸𝚂𝙰. 🛇
Comida 3000 - **El Ábaco : Comida** carta 3300 a 4600 – 🖙 1200 – **170 hab** 14000/17500,
3 suites.   BY a

🏨 **NH Avenida Jerez,** av. Alcalde Álvaro Domecq 10, ✉ 11405, ✆ 34 74 11, Fax 33 72 96
– |❖| 🍴 📺 ☎ – 🔬 25/50. 🖭 ⓞ E 𝚅𝙸𝚂𝙰 𝙹𝙲𝙱. 🛇   BY c
Comida 2500 – 🖙 1000 – **95 hab** 11200/14000 – PA 6000.

🏨 **Guadalete,** av. Duque de Abrantes 50, ✉ 11407, ✆ 18 22 88, Fax 18 22 93, 🏊 – |❖|
🍴 📺 ☎ 🅿. 🖭 ⓞ E 𝚅𝙸𝚂𝙰 𝙹𝙲𝙱. 🛇   por av. Duque de Abrantes BY
Comida *(cerrado domingo)* 3500 – 🖙 1200 – **124 hab** 23000/26500, 1 suite.

🏠 **Doña Blanca** sin rest, Bodegas 11, ✉ 11402, ✆ 34 87 61, Fax 34 85 86 – |❖| 🍴 📺
☎ 🚗. 🖭 ⓞ E 𝚅𝙸𝚂𝙰. 🛇   BZ b
🖙 700 – **30 hab** 10000/15000.

🏠 **Serit** sin rest, Higueras 7, ✉ 11402, ✆ 34 07 00, Fax 34 07 16 – |❖| 🍴 📺 ☎ 🚗. 🖭
ⓞ E 𝚅𝙸𝚂𝙰 𝙹𝙲𝙱. 🛇   BZ a
🖙 500 – **29 hab** 6000/8000.

🏠 **El Coloso** sin rest y sin ☎, Pedro Alonso 13, ✉ 11402, ✆ 34 90 08, Fax 34 90 08 –
|❖| 🍴 📺 ☎. 🖭 ⓞ E 𝚅𝙸𝚂𝙰. 🛇   BZ c
28 hab 4000/6600.

XX **Tendido 6,** Circo 10, ✉ 11405, ✆ 34 48 35, Fax 33 03 74, Patio andaluz – 🍴. 🖭 ⓞ
E 𝚅𝙸𝚂𝙰. 🛇   BY e
Comida carta 2500 a 3050.

X **Gaitán,** Gaitán 3, ✉ 11403, ✆ 34 58 59, Fax 34 58 59, Decoración regional – 🍴. 🖭
ⓞ E 𝚅𝙸𝚂𝙰. 🛇   AY z
cerrado domingo noche – **Comida** carta aprox. 3575.

319

JEREZ
DE LA FRONTERA

Algarve . . . . BZ 2
Doña Blanca . . . . BZ 31
Larga . . . . BZ 47

Angustias (Pl. de las) . . . . BZ 5
Arenal (Pl. del) . . . . BZ 8
Armas . . . . ABZ 10
Arroyo (Pl. del) . . . . AZ 12
Asunción (Pl.) . . . . BZ 13
Beato Juan Grande . . . . . . BY 15

Cabezas . . . . AYZ 18
Conde de Bayona . . . . BZ 21
Consistorio . . . . BZ 23
Cordobeses . . . . AY 26
Cristina (Alameda) . . . . . . BY 28
Cruces . . . . AZ 30
Duque de Abrantes (Av.) . BY 32
Eguilaz . . . . BYZ 33
Encarnación (Pl. de la) . . . AZ 35
Gaspar Fernández . . . . . BYZ 40
José Luis Díaz . . . . AZ 42
Lancería . . . . AZ 45
Letrados . . . . ABZ 50
Luis de Isasy . . . . AYZ 52

Manuel María
  González . . . . AZ
Monti (Pl.) . . . . BZ
Nuño de Cañas . . . . BY
Pedro Alonso . . . . BZ
Peones (Pl.) . . . . AZ
Plateros . . . . BZ
Pozuelo . . . . ABZ
Rafael Rivero (Pl.) . . . . . . BY
San Agustín . . . . BZ
San Fernando . . . . AZ
San Lucas (Pl.) . . . . AYZ
Tornería . . . . BY
Vieja (Alameda) . . . . AZ

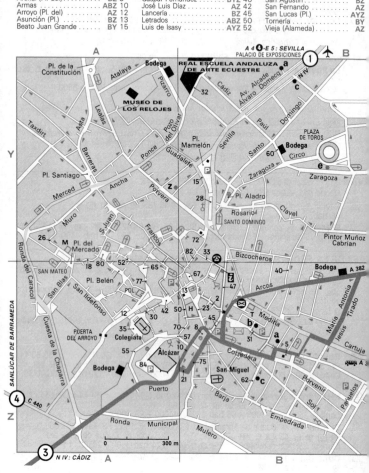

en la carretera N 342 *por* ② – ⊠ *11406 Jerez de la Frontera* – ✆ *956* :

Montecastillo ⑤, 9,8 km y desvío a la derecha 1,5 km, ⊠ apartado 386, ✆ 15 12 0〇
Fax 15 12 09, ≤, 🛁, ⤳, ✵, 🎱 – 📶 ▤ 📺 ☎ 🅿 – 🔏 25/200. 🖭 ⓪ ⋿ 🅥🅐
✺ rest
Comida 3900 – ⊇ 1400 – **119 hab** 17050/20900, 2 suites – PA 9000.

La Cueva Park, 10,5 km, ⊠ apartado 536, ✆ 18 91 20, Fax 18 91 21, ⤳ – 📶 ▤ ▤
☎ ⇔ 🅿 – 🔏 25/400. 🖭 ⓪ ⋿ 🅥🅘🅢🅐. ✺
Comida (ver rest. *Mesón La Cueva*) – ⊇ 1000 – **56 hab** 10000/12000, 2 suites.

Mesón La Cueva, 10,5 km, ⊠ apartado 536, ✆ 18 90 20, Fax 18 90 20, 🛋, ⤳
▤ 🅿. 🖭 ⓪ ⋿ 🅥🅘🅢🅐 🅹🅲🅱, ✺
Comida carta 2350 a 3150.

n la carretera de Sanlúcar de Barrameda por ④ : 6 km – ⊠ 11408 Jerez de la Frontera – ☎ 956 :

XX **Venta Antonio,** ⊠ apartado 618, ℰ 14 05 35, Fax 14 05 35, 🍽 , Pescados y mariscos – 🖃 🅿. 🆎 ◑ 🗲 ▨. ℅
Comida carta 2700 a 4100.

EREZ DE LOS CABALLEROS 06380 Badajoz 🔢 R 9 – 10 295 h. alt. 507 – ☎ 924.
Madrid 444 – Badajoz 75 – Mérida 103 – Zafra 40.

🏨 **Los Templarios,** carret. de Villanueva ℰ 73 16 36, Fax 75 03 38, ≤ dehesa extremeña, ⭐, ⚅ – ❘ 🖃 📺 ☎ 🅿 – 🔬 25/150. 🆎 🗲 ▨. ℅
Comida 1000 – ☲ 800 – **46 hab** 4600/7200, 3 suites – PA 2800.

🏠 **Oasis,** El Campo 18 ℰ 73 12 44, Fax 73 14 53 – 🖃 📺 ☎. 🆎 ◑ 🗲 ▨. ℅
Comida 1000 – ☲ 175 – **30 hab** 3000/5500.

---

a JONQUERA Gerona – ver La Junquera.

JBIA o XUBIA 15570 La Coruña 🔢 B 5 – ☎ 981 – Playa.
Madrid 601 – La Coruña/A Coruña 64 – Ferrol 8 – Lugo 97.

XX **Casa Tomás,** carret. LC 115 ℰ 38 02 40, ≤, Pescados y mariscos – 🅿. ℅
cerrado domingo noche y del 15 al 31 de agosto – Comida carta 3500 a 4800.

---

a JUNQUERA o La JONQUERA 17700 Gerona 🔢 E 38 – 2639 h. alt. 112 – ☎ 972.
🛈 autopista A7 - área servicio Porta Catalana, ℰ 55 43 54, Fax 55 45 80.
Madrid 762 – Figueras/Figueres 21 – Gerona/Girona 55 – Perpignan 36.

n la autopista A 7 S : 2 km – ⊠ 17700 La Junquera – ☎ 972 :

🏨 **Porta Catalana,** ℰ 55 46 40, Fax 55 52 75 – ❘ 🖃 📺 ☎ 🅿. 🆎 ◑ 🗲 ▨. ℅ rest
Comida carta aprox. 4500 – ☲ 900 – **81 hab** 7800/11000.

EXAA Álava – ver Quejana.

ABACOLLA 15820 La Coruña 🔢 D 4 – ☎ 981.
✈ de Santiago de Compostela ℰ 59 74 00.
Madrid 628 – La Coruña/A Coruña 77 – Lugo 97 – Santiago de Compostela 11.

🏨 **Ruta Jacobea,** carret. N 634 ℰ 88 82 11, Fax 89 70 80 – ❘ 🖃 📺 ☎ 🚗 🅿 – 🔬 25/50. 🆎 ◑ 🗲 ▨. ℅
Comida (ver rest. **Ruta Jacobea**) – ☲ 700 – **20 hab** 8600/10800.

🏠 **Garcas,** carret. N 634 ℰ 88 82 25, Fax 88 83 17 – 📺 ☎ 🚗 🅿. 🆎 ◑ 🗲 ▨. ℅
Comida 1600 – ☲ 350 – **69 hab** 6750/7500.

XX **Ruta Jacobea,** carret. N 634 ℰ 88 82 11, Fax 88 84 94 – 🖃 🅿. 🆎 ◑ 🗲 ▨. ℅
Comida carta 3000 a 5500.

AGUARDIA 01300 Álava 🔢 E 22 – 1545 h. alt. 635 – ☎ 941.
🛈 Sancho Abarca, ℰ 10 08 45, Fax 10 08 45.
Madrid 348 – Logroño 17 – Vitoria/Gasteiz 66.

XXX **Posada Mayor de Migueloa** ⌂ con hab, Mayor de Migueloa 20 ℰ 12 11 75, Fax 12 10 22, « En un pueblo amurallado. Palacio del siglo XVII » – 📺 ☎. 🆎 ◑ 🗲 ▨. ℅
cerrado 20 diciembre-20 enero – Comida carta 3500 a 5650 – ☲ 800 – **7 hab** 9000/12000.

XX **Marixa** con hab, Sancho Abarca 8 ℰ 10 01 65, ≤ – 🖃 rest 📺. 🆎 ◑ 🗲 ▨. ℅ rest
cerrado 24 diciembre-15 enero – Comida carta 2800 a 4150 – ☲ 650 – **10 hab** 4500/6250.

LAGUNA Santa Cruz de Tenerife – ver Canarias (Tenerife).

LÍN 36500 Pontevedra 🔢 E 5 – 19 777 h. alt. 552 – ☎ 986.
Madrid 563 – Chantada 37 – Lugo 72 – Orense/Ourense 62 – Pontevedra 74 – Santiago de Compostela 49.

X **Os Arcos,** Dr. D. Wenceslao Calvo Garra 6 ℰ 78 08 99.

LANJARÓN *18420 Granada* 446 *V 19 – 3 954 h. alt. 720 – ☎ 958 – Balneario.*
Madrid 475 – Almería 157 – Granada 46 – Málaga 140.

Miramar, av. de las Alpujarras 10 ✆ 77 01 61, Fax 77 01 61, – ▤ TV ☎. AE E VISA.
marzo-noviembre – **Comida** 2650 – 500 – **57 hab** 5500/8000, 2 suites.

Nuevo Palas, av. de las Alpujarras 24 ✆ 77 00 86, Fax 77 01 11, – ▤ rest ☎. E VISA. rest
cerrado enero-25 febrero – **Comida** 2200 – 400 – **30 hab** 5000/6000.

Paraíso, av. de las Alpujarras 18 ✆ 77 00 12, Fax 77 09 27 – ▤ rest TV ☎
temp – **49 hab.**

La LANZADA (Playa de) *Pontevedra – ver Noalla.*

LANZAROTE *Las Palmas – ver Canarias.*

LARACHA *15145 La Coruña* 441 *C 4 – 10 119 h. alt. 167 – ☎ 981.*
Madrid 622 – Betanzos 43 – La Coruña/A Coruña 29 – Carballo 12 – Santiago de Compostela 57.

en la carretera C 552 *O : 2 km – ✉ 15145 Laracha – ☎ 981 :*

Cerqueiro *con hab*, San Román ✆ 60 66 68 – ▤ rest TV P
14 hab.

LAREDO *39770 Cantabria* 442 *B 19 – 13 019 h. – ☎ 942 – Playa.*
Alred. : *Santuario de Nuestra Señora La Bien Aparecida* ★ *SO : 18 km.*
Alameda de Miramar, ✆ 61 10 96, Fax 60 76 03.
Madrid 427 – Bilbao/Bilbo 58 – Burgos 184 – Santander 49.

Ramona *sin rest y sin* , Alameda José Antonio 4 ✆ 60 71 89 – TV ☎
14 hab 5500/8000.

El Marinero, Zamanillo 6 ✆ 60 60 08, Fax 61 25 54 – ▤. AE E VISA JCB.
Comida carta 3800 a 5450.

Casa Felipe, travesía Comandante Villar 5 ✆ 60 32 12 – ▤. AE E VISA.
cerrado lunes y octubre – **Comida** carta 3100 a 4600.

en el barrio de la playa :

El Ancla , González Gallego 10 ✆ 60 55 00, Fax 61 16 02 – TV ☎. AE E VISA.
Comida 2450 – 775 – **25 hab** 8400/11900.

Camarote, av. Victoria ✆ 60 67 07 – ▤. AE E VISA.
cerrado domingo noche y 7 enero-1 febrero – **Comida** carta 3300 a 4400.

en la antigua carretera de Bilbao *S : 1 km – ✉ 39770 Laredo – ☎ 942 :*

Miramar, alto de Laredo ✆ 61 03 67, Fax 61 16 92, ≤ Laredo y bahía, – TV P. AE E VISA.
Comida 2500 – 470 – **45 hab** 8950/11970 – PA 4650.

LARRABASTERRA *Vizcaya – ver Sopelana.*

LASARTE *20160 Guipúzcoa* 442 *C 23 – 18 165 h. alt. 42 – ☎ 943 – Hipódromo.*
Madrid 491 – Bilbao/Bilbo 98 – San Sebastián/Donostia 9 – Tolosa 22.

Txartel *sin rest y sin* , antigua carret. N I ✆ 36 23 40, Fax 36 48 04 – TV ☎ AE E VISA.
51 hab 7000/9000.

Ibiltze *sin rest*, Antxota 3-4 ✆ 36 56 44, Fax 36 67 46 – TV ☎. AE E VISA.
350 – **36 hab** 6000/9000.

Martín Berasategui, Loidi 4 ✆ 36 64 71, Fax 36 61 07, ≤, – ▤ P. AE E V
cerrado domingo noche, lunes, 15 diciembre - 6 enero y del 9 al 17 de marzo – **Comi**
carta 4600 a 5700
Espec. Milhojas caramelizado de anguila ahumada, foie gras, cebolleta y manzana ver
Arroz cremoso con hongos. Borracho con jugo de hierbas y helado de limón.

Txartel Txoko, antigua carret. N I ✆ 37 01 92 – ▤ P. AE E VISA
cerrado domingo y festivos – **Comida** carta aprox. 3300.

Neumáticos MICHELIN S.A., Sucursal carret Txiki-Erdi, ✉ 20160 ✆ 37 28 11 y 28 00, Fax 36 41 43

ASTRES 33330 Asturias **441** B 14 - 1312 h. alt. 21 - **✿** 98 - Playa.
Madrid 497 - Gijón 46 - Oviedo 62.

🏨 **Palacio de Vallados** ⑤, Pedro Villarta ℰ 585 04 44, Fax 585 05 17, ≤ - 🛗 📺 ☎
⇔ **ₚ**. 🖭 **⑨** **E** **VISA**. ⅌
cerrado febrero - **Comida** 2000 - ⊒ 600 - **29 hab** 8000/10000 - PA 4600.

🏠 **Miramar** sin rest, bajada al puerto ℰ 585 01 20, ≤ - ⅌
abril-octubre - ⊒ 375 - **17 hab** 3600/5000.

✗ **Eutimio** con hab, carret. del puerto ℰ 585 00 12, Fax 585 00 12, ≤, Pescados y mariscos
- 📺 ☎. 🖭 **E** **VISA**. ⅌
cerrado lunes y Navidades - **Comida** carta 2500 a 4100 - ⊒ 500 - **11 hab** 8000.

AUDIO Álava - ver Llodio.

EGUTIANO Álava - ver Villarreal de Álava.

EINTZ-GATZAGA Guipúzcoa - ver Salinas de Leniz.

EIZA o **LEITZA** 31880 Navarra **442** C 24 - 3123 h. alt. 450 - **✿** 948.
Alred. : Santuario de San Miguel de Aralar★ (iglesia : frontal de altar★★) SO : 28 km.
Madrid 446 - Pamplona/Iruñea 51 - San Sebastián/Donostia 47.

n el puerto de Usateguieta NE : 5 km - alt. 695 - ⊠ 31880 Leiza - **✿** 948 :
✗ **Basa Kabi** ⑤, con hab, ℰ 51 01 25, Fax 61 09 65, ≤, **⌐**, - ▤ rest **ₚ**. **VISA**. ⅌
cerrado febrero - **Comida** (de septiembre a mayo sólo almuerzo de lunes a jueves) carta
2850 a 3400 - ⊒ 600 - **21 hab** 3250/5500.

EKEITIO Vizcaya - ver Lequeitio.

EÓN 24000 **ₚ** **441** E 13 - 147625 h. alt. 822 - **✿** 987.
Ver : Catedral★★★ B (vidrieras★★★, trascoro★, Descendimiento★, claustro★) - San
Isidoro★ B (Panteón Real★★ : capiteles★ y frescos★★ - Tesoro★★ : Cáliz de Doña Urraca★,
Arqueta de los marfiles★) - Antiguo Convento de San Marcos ★ (fachada★★, Museo de
León★, Cristo de Carrizo★★★, sacristía★) A.
Excurs. : San Miguel de la Escalada★ (pórtico exterior★, iglesia★) 28 km por ② - Cuevas
de Valporquero★ N : 47 km B.
🛈 pl. de Regla 3, ⊠ 24003, ℰ 23 70 82, Fax 27 33 91 - **R.A.C.E.** Gonzalo de Tapia 4-1º,
⊠ 24008, ℰ 24 71 22, Fax 24 71 22.
Madrid 327 ② - Burgos 192 ② - La Coruña/A Coruña 325 ③ - Salamanca 197 ③ -
Valladolid 139 ② - Vigo 367 ③.

Plano página siguiente

🏩 **San Marcos**, pl. de San Marcos 7, ⊠ 24001, ℰ 23 73 00, Fax 23 34 58, « Lujosa
instalación en un convento del siglo XVI », �─ - 🛗 ▤ rest 📺 ☎ **ₚ** - 🔬 25/500. 🖭
⑨ **E** **VISA**. ⅌
Comida 3700 - ⊒ 1300 - **185 hab** 20500, 15 suites.
A

🏨 **Alfonso V**, Padre Isla 1, ⊠ 24002, ℰ 22 09 00, Fax 22 12 44, Decoración moderna -
🛗 ▤ 📺 ☎. 🖭 **⑨** **E** **VISA**. ⅌
Comida 2500 - ⊒ 1100 - **57 hab** 10500/15750, 5 suites - PA 5100.
B v

🏨 **Conde Luna**, av. de la Independencia 7, ⊠ 24003, ℰ 20 66 00, Fax 21 27 52, 🔲 - 🛗
▤ rest 📺 ☎ ⇔ - 🔬 45/270. 🖭 **⑨** **E** **VISA**. ⅌
El Mesón : Comida carta 2400 a 3700 - ⊒ 1000 - **151 hab** 8400/13650, 3 suites.
B a

🏨 **Quindós**, av. José Antonio 24, ⊠ 24002, ℰ 23 62 00, Fax 24 22 01, Decoración
moderna - 🛗 ▤ rest 📺 ☎. 🖭 **⑨** **E** **VISA**. ⅌
Comida (cerrado domingo) (ver también rest. **Formela**) 2000 - ⊒ 660 - **96 hab**
6600/9400.
A e

🏨 **Riosol** sin rest, con cafetería, av. de Palencia 3, ⊠ 24009, ℰ 21 66 50, Fax 21 69 97
- 🛗 📺 ☎ - 🔬 25/300. 🖭 **⑨** **E** **VISA**. ⅌
⊒ 850 - **141 hab** 7500/11500.
A s

🏠 **París**, Generalísimo Franco 18, ⊠ 24003, ℰ 23 86 00, Fax 27 15 72 - 🛗 📺 ☎ -
🔬 25/200. 🖭 **⑨** **E** **VISA**. ⅌ rest
Comida 1150 - ⊒ 250 - **32 hab** 5600/8500 - PA 2300.
B f

✗✗✗ **Formela**, av. José Antonio 24, ⊠ 24002, ℰ 22 45 34, Fax 24 22 01, Decoración
moderna - ▤. 🖭 **⑨** **E** **VISA**. ⅌
cerrado domingo - **Comida** carta 3050 a 3750.
A e

LEÓN

Generalísimo Franco . . . . . . B 20
Ordoño II . . . . A
Padre Isla (Av. del) . . . . . . AB
Rúa . . . . B

Alcalde Miguel Castaño . . . B 2
Almirante Martín-Granizo
(Av. del) . . . . A 3

Calvo Sotelo (Pl. de) . . . . . . A 5
Caño Badillo . . . . B 8
Espolón (Pl. de) . . . . B 12
Facultad (Paseo de la) . . . . A 15
General Sanjurjo (Av.) . . . . A 17
Guzmán el Bueno
(Glorieta de) . . . . A 23
Independencia . . . . B 25
Mariano Andrés (Av. de) . . . B 28
Murias de Paredes . . . . B 30
Papalaguinda (Paseo de) . . A 33

Puerta Obispo . . . . B
Quevedo (Av. de) . . . . A
Ramiro Valbuena . . . . A
Sáez de Miera (Paseo de) . A
San Francisco
(Paseo) . . . . B
San Isidoro (Pl. de) . . . . . . B
San Marcelo (Pl.) . . . . B
San Marcos (Pl. de) . . . . . . A
Santo Domingo (Pl. de) . . . B
Santo Martino (Pl. de) . . . . B

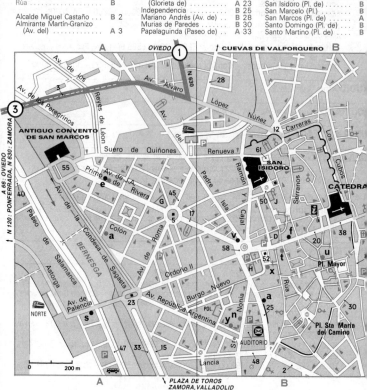

XXX **Bitácora,** García I-8, ⊠ 24006, ℰ 21 27 58, Pescados y mariscos. Decoración inter
de un barco – ▤. Ⅻ ⓞ Ɛ 𝘝𝘐𝘚𝘈. ⅍
B
cerrado domingo – **Comida** carta aprox. 3700.

XX **Adonías,** Santa Nonia 16, ⊠ 24003, ℰ 20 67 68 – ▤. Ⅻ ⓞ Ɛ 𝘝𝘐𝘚𝘈. ⅍
B
cerrado domingo – **Comida** carta 3650 a 5100.

XX Albina, Condesa de Sagasta 24, ⊠ 24001, ℰ 22 19 12 –
A

XX **Vivaldi,** Platerías 4, ⊠ 24003, ℰ 26 07 60 – ▤. Ⅻ ⓞ Ɛ 𝘝𝘐𝘚𝘈. ⅍
B
cerrado domingo noche, lunes y del 7 al 20 de abril – **Comida** carta 3200 a 4050.

XX **Bodega Regia,** General Mola 5, ⊠ 24003, ℰ 21 31 73, Fax 21 30 31, ⅋, Decoraci
castellana – ▤. Ⅻ ⓞ Ɛ 𝘝𝘐𝘚𝘈. ⅍
B
cerrado domingo, 2ª quincena de febrero y 1ª quincena de septiembre – **Comida** car
2700 a 3900.

XX **Casa Pozo,** pl. San Marcelo 15, ⊠ 24003, ℰ 22 30 39, Fax 23 71 03 – ▤. Ⅻ ⓞ Ɛ 𝘝𝘐𝘚𝘈,
cerrado domingo en verano y domingo noche resto del año – **Comida** carta 2610 a 42

en la carretera N 630 *por* ① *: 4 km* – ⊠ *24008 León* – ✿ *987 :*

🏨🏨 **Cortes de León** ⅍, ℰ 27 24 22, Fax 27 00 30, ⟨, ⅃, ⅋ – ⅏ ▤ ▥ ☎ ⟳ ⑨
🅐 25/1000. Ⅻ ⓞ Ɛ 𝘝𝘐𝘚𝘈. ⅍
Comida *(cerrado domingo noche)* 2000 – ⏘ 900 – **118 hab** 9000/14000, 4 suites – PA 42

Ver también : **San Andrés del Rabanedo** *por* ③ *: 4 km*
Villabalter *por av. de los Peregrinos : 6 km* A

EPE 21440 Huelva **446** U 8 – 16 562 h. alt. 28 – ۞ 959.
Madrid 657 – Faro 72 – Huelva 41 – Sevilla 121.

🏛 **La Noria** sin rest, av. Diputación 🖉 38 31 93, Fax 38 22 82 – 🗐 📺 ☎. 🖭 ⓞ 🖿 ⓥ�. ℅
cerrado del 15 al 30 de diciembre – **18 hab** ⇆ 3500/7000.

🏛 **Tamara** sin rest, Río Segre 19 🖉 38 35 48, Fax 38 35 49 – 🗐 📺 ☎. 🖿 ⓥ�
⇆ 400 – **20 hab** 5000/8000.

en la carretera N 431 NE : 1,5 km – ⊠ 21440 Lepe – ۞ 959 :

🏛 **Camelot** sin rest, 🖉 38 07 02, Fax 38 07 02 – 🗐 📺 ☎. ⓥ�
cerrado Navidades – ⇆ 375 – **14 hab** 3500/5500.

EQUEITIO o LEKEITIO 48280 Vizcaya **442** B 22 – 6 780 h. – ۞ 94.
Alred. : Carretera en cornisa★ de Lequeitio a Deva ⩽★.
Madrid 452 – Bilbao/Bilbo 59 – San Sebastián/Donostia 61 – Vitoria/Gasteiz 82.

🏨 **Beitia**, av. Pascual Abaroa 25 🖉 684 01 11, Fax 684 21 65, ㄓ – 🛗. 🖭 🖿 ⓥ�. ℅
abril-15 octubre – **Comida** 2000 – ⇆ 800 – **30 hab** 5500/8800.

⚲ **Piñupe** sin rest, av. Pascual Abaroa 10 🖉 684 29 84, Fax 684 07 72 – 📺 ☎. 🖭 🖿 ⓥ�
cerrado octubre – ⇆ 500 – **12 hab** 6000/7500.

🍴🍴 **Egaña**, Antiguako Ama 2 🖉 684 01 03 – 🗐. 🖭 ⓞ 🖿 ⓥ�
cerrado lunes – **Comida** carta aprox. 4200.

🍴 **Arropain**, carret. de Marquina - S : 1 km 🖉 684 03 13, Decoración rústica – ⓟ. 🖭 ⓞ
🖿 ⓥ�
cerrado miércoles y 25 diciembre-25 enero – **Comida** carta 3200 a 4400.

ÉRIDA o LLEIDA 25000 ℗ **443** H 31 – 119 380 h. alt. 151 – ۞ 973.
Ver : La Seu Vella★★ - Situación★ - Iglesia (capiteles★★), claustro★ (capiteles★) Y – Iglesia
de Sant Llorenç★ Z.
🏌 Raimat Golf Club por ⑤ : 9 km 🖉 73 75 39.
🗓 av. de Madrid 36, ⊠ 25002, 🖉 27 09 97, Fax 27 09 49 – R.A.C.C. av. del Segre 6, ⊠
25007, 🖉 24 12 45, Fax 23 08 23.
Madrid 470 ④ – Barcelona 169 ③ – Huesca 123 ⑤ – Pamplona/Iruñea 314 ⑤ – Perpignan
340 ⑤ – Tarbes 276 ① – Tarragona 97 ② – Toulouse 323 ① – Valencia 350 ④ – Zaragoza
150 ④.

Plano página siguiente

🏩 **NH Pirineos**, Gran Passeig de Ronda 63, ⊠ 25006, 🖉 27 31 99, Fax 26 20 43 – 🛗 🗐
📺 ☎ ⇔ – 🔬 25/180. 🖭 ⓞ 🖿 ⓥ�. ℅ rest   Y c
Comida 3300 – ⇆ 1000 – **92 hab** 9760/12200.

🏨 **Sansi Park H. y Camparan Suites H.**, av. Alcalde Porqueras 4, ⊠ 25008,
🖉 24 40 00, Fax 24 31 38, Cocina regional – 🛗 🗐 📺 ☎ ⇔ – 🔬 25/400. 🖭 ⓞ 🖿
ⓥ�. ℅ rest   Y a
Comida 1750 - *La Llosa* (cerrado domingo) **Comida** carta 2275 a 3700 – ⇆ 850 – **120 hab**
7600/8950, 70 apartamentos – PA 3850

🏨 **Real** sin rest, av. de Blondel 22, ⊠ 25002, 🖉 23 94 05, Fax 23 94 07 – 🛗 🗐 📺 ☎ –
🔬 25/40. 🖭 ⓞ 🖿 ⓥ�. ℅   Z d
⇆ 550 – **41 hab** 4800/7600.

🏨 **Tryp Segrià** sin rest, II passeig de Ronda 23, ⊠ 25004, 🖉 23 89 89, Fax 23 36 07 – 🛗
🗐 📺 ☎ ⇔ – **49 hab**.   Y h

🏛 **Principal** sin rest, pl. Paeria 7, ⊠ 25007, 🖉 23 08 00, Fax 23 08 03 – 🛗 🗐 📺 ☎
52 hab.   Z n

🏛 **Ramón Berenguer IV** sin rest, pl. de Ramón Berenguer IV-2, ⊠ 25007, 🖉 23 73 45,
Fax 23 95 41 – 🛗 🗐 📺. 🖭 ⓞ 🖿 ⓥ�   Y z
⇆ 400 – **52 hab** 4000/5000.

🍴🍴🍴 **Sheyton**, av. Prat de la Riba 39, ⊠ 25008, 🖉 23 81 97, « Interior de estilo inglés » –
🗐. 🖭 ⓞ 🖿 ⓥ�. ℅   Y f
cerrado sábado y 15 días en Semana Santa – **Comida** carta 3250 a 4200.

🍴🍴🍴 La Mercè, av. Navarra 1, ⊠ 25006, 🖉 24 84 41, Fax 23 77 02, ㄓ –
🗐   Y e

🍴🍴🍴 **Forn del Nastasi**, Salmerón 10, ⊠ 25004, 🖉 23 45 10, Fax 23 45 10 – 🗐. 🖭 ⓞ 🖿
ⓥ�. ℅   Y s
cerrado domingo noche, lunes y del 1 al 15 de agosto – **Comida** carta aprox. 4400.

🍴🍴 **La Pérgola**, Gran Passeig de Ronda 123, ⊠ 25006, 🖉 23 82 37 – 🗐. 🖭 ⓞ 🖿 ⓥ�. ℅ Y d
cerrado domingo en verano y domingo noche en invierno – **Comida** carta 4500 a 5000.

🍴🍴 **L'Antull**, Cristóbal de Boleda 1, ⊠ 25006, 🖉 26 96 36 – 🗐. ⓞ 🖿 ⓥ�   Y v
cerrado miércoles noche, festivos y del 1 al 15 de agosto – **Comida** carta 3150 a 4200.

LLEIDA
LÉRIDA

Carme . . . . Y 9
Magdalena . . . . Y 24
Major . . . . Z
Paeria (Pl.) . . . . Z 29
Sal (Pl.) . . . . Y 36
Sant Antoni . . . . Z
Sant Joan . . . . YZ 42

Almadi Vell . . . . Z 3
Bisbe Messeguer . . . . YZ 5
Canyeret . . . . YZ 8
Catedral (Pl.) . . . . Z 10
Comtes d'Urgell . . . . Y 12
Exèrcit (Av.) . . . . Z 14
Exèrcit (Pl.) . . . . Z 15
Francesc Macià . . . . Y 16
Gov. Montcada . . . . Z 18
Missions (Pl.) . . . . Y 26
Mossèn Jacint Verdaguer
  (Pl.) . . . . Y 27

Pallars . . . . Y
Pau (Pl.) . . . . YZ
Ramon Berenguer IV (Pl.) . . Y
República del Paraguai . . . . Z
Ricard Vinyes (Pl.) . . . . Y
Sant Andreu . . . . YZ
Sant Crist . . . . Z
Sant Josep (Pl.) . . . . Z
Sant Llorenç (Pl.) . . . . Z
Sant Martí (Ronda) . . . . Y
Saragossa . . . . YZ
Valcallent . . . . Y

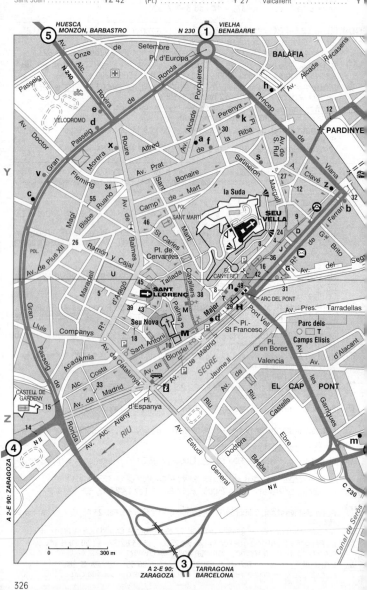

XX **Racó d'Anna,** Camí Mariola 48, ⊠ 25192, 𝒫 26 19 00, Fax 26 19 43, 🍴, Cocina regional – ☰ 🅿. 🄰🄴 ⓞ ᴇ 𝘝𝘐𝘚𝘈. 🌼   por av. de Píus XII   YZ
cerrado domingo noche, lunes y del 15 al 31 de julio – **Comida** carta aprox. 4500.

XX **El Petit Català,** Alfred Perenya 64, ⊠ 25004, 𝒫 23 07 95 – ☰. 🄰🄴 ⓞ ᴇ 𝘝𝘐𝘚𝘈 Y k
cerrado Semana Santa – **Comida** carta 3000 a 4000.

X **La Huerta,** av. Tortosa 9, ⊠ 25005, 𝒫 24 24 13, Fax 22 09 76 – ☰. 🄰🄴 ⓞ 𝘝𝘐𝘚𝘈. 🌼
Comida carta 2750 a 3600.   por av. del Segre   Y

X **Casa Lluís,** pl. de Ramón Berenguer IV-8, ⊠ 25007, 𝒫 24 00 26 – ☰. ⓞ 𝘝𝘐𝘚𝘈 Y b
cerrado sábado – **Comida** carta 2900 a 3550.

X **Xalet Suís,** Alcalde Rovira Roure 9, ⊠ 25006, 𝒫 23 55 67, Fax 22 09 76 – ☰. 🄰🄴 ⓞ
ᴇ 𝘝𝘐𝘚𝘈. 🌼   Y x
cerrado del 15 al 31 de enero y del 15 al 31 de agosto – **Comida** carta 3140 a 5000.

▮ **la carretera N II** – ⊠ 25001 Lleida – ⓼ 973 :

🏨 **Sol Condes de Urgel,** av. de Barcelona 21 𝒫 20 23 00, Fax 20 24 04 – 🛗 ☰ 📺 ☎
🅿 – 🅐 25/300. 🄰🄴 ⓞ ᴇ 𝘝𝘐𝘚𝘈 ᴊᴄʙ. 🌼   Z m
- **El Sauce :** Comida carta 3100 a 4400 – ⊑ 900 – **105 hab** 9350/12300.

🏨 **Ilerda,** por ② : 1,5 km 𝒫 20 07 50, Fax 20 08 78 – 🛗 ☰ 📺 ☎ 🅿 – 🅐 25/300. 🄰🄴
ⓞ ᴇ 𝘝𝘐𝘚𝘈. 🌼
Comida 1500 – ⊑ 525 – **106 hab** 4500/7500 – PA 3000.

▮ **la autopista A2** por ③ : 10 km al Sur – ⊠ 25161 Alfés – ⓼ 973 :

🏨 **Lleida** sin rest, área de Lleida 𝒫 13 60 23, Fax 13 60 25, ≤ – 🛗 ☰ 📺 ☎ 🕭 🚗 🅿
– 🅐 25/100. 🄰🄴 ⓞ ᴇ 𝘝𝘐𝘚𝘈
⊑ 900 – **75 hab** 8800/11000.

▮ **la carretera N 240** por ⑤ : 3 km – ⊠ 25001 Lleida – ⓼ 973 :

XX **Fonda del Nastasi,** 𝒫 24 92 22, Fax 24 76 92, 🍴, Interesante bodega – ☰ 🅿. 🄰🄴
ⓞ ᴇ 𝘝𝘐𝘚𝘈
cerrado domingo noche y lunes – **Comida** carta 3415 a 4850.

RMA 09340 Burgos 🄷🄸🄹 F 18 – 2417 h. alt. 844 – ⓼ 947.
Madrid 206 – Burgos 37 – Palencia 72.

🏨 **Alisa,** antigua carret. N I 𝒫 17 02 50, Fax 17 11 60, 🍴 – 📺 ☎ 🚗 🅿 – 🅐 25/300.
🄰🄴 ⓞ ᴇ 𝘝𝘐𝘚𝘈. 🌼
Comida 2375 – ⊑ 550 – **30 hab** 5200/7900 – PA 4770.

🏠 **Docar** sin rest, Santa Teresa de Jesús 18 𝒫 17 10 73 – 📺 🅿. 🄰🄴 ⓞ ᴇ 𝘝𝘐𝘚𝘈
⊑ 300 – **15 hab** 3600/5050.

X **Lis 2,** antigua carret. N I 𝒫 17 01 26 – ☰. 🄰🄴 ⓞ ᴇ 𝘝𝘐𝘚𝘈
Comida carta 2800 a 4450.

S 25540 Lérida 🄷🄸🄹 D 32 – 648 h. alt. 630 – ⓼ 973.
🄱 pl. de l'Ajuntament 1, 𝒫 64 73 03.
Madrid 616 – Bagnères-de-Luchon 23 – Lérida/Lleida 184.

🏨 **Del Ysard,** Sant Jaume 20 𝒫 64 80 00, ≤ – 🛗
Navidades, Semana Santa y junio-septiembre – **Comida** 1680 – ⊑ 425 – **29 hab**
4500/5200.

🏠 **Talabart,** Baños 1 𝒫 64 80 11 – 🅿. 🄰🄴 ⓞ ᴇ 𝘝𝘐𝘚𝘈 ᴊᴄʙ. 🌼
cerrado noviembre – **Comida** 1700 – ⊑ 500 – **24 hab** 3200/5200.

SACA o LESAKA 31770 Navarra 🄷🄸🄹 C 24 – 2687 h. alt. 77 – ⓼ 948.
Madrid 482 – Biarritz 41 – Pamplona/Iruñea 71 – San Sebastián/Donostia 39.

X **Casino,** pl. Vieja 23 𝒫 63 71 52, 🍴 – 🄰🄴 ⓞ ᴇ 𝘝𝘐𝘚𝘈
cerrado lunes noche salvo festivos o vísperas – **Comida** carta 2400 a 3900.

:VANTE (Playa de) Valencia – ver Valencia.

:YRE (Monasterio de) 31410 Navarra 🄷🄸🄹 E 26 – alt. 750 – ⓼ 948.
Ver : 🌤★★ – Monasterio★★ (iglesia★★ : cripta★★, interior★, portada oeste★).
Alred. : Hoz de Lumbier★ (O : 14 km), Hoz de Arbayún★ (mirador : ≤★★) N : 31 km.
Madrid 419 – Jaca 68 – Pamplona/Iruñea 51.

🏨 Hospedería 🐾, 𝒫 88 41 00, Fax 88 41 37 – ☰ rest ☎ 🅿
29 hab.

LIBRILLA 30892 Murcia **445** S 25 – 3 735 h. alt. 167 – ✪ 968.
Madrid 411 – Cartagena 59 – Lorca 46 – Murcia 29.

en la autovía N 340 NE : 5 km – ✉ 30892 Librilla – ✪ 968 :

🏨 Espuña, ℘ 65 91 10, Fax 65 91 10 – 🗏 📺 ☎ ⇔ 🅿
60 hab, 2 suites.

LIÉDENA 31487 Navarra **442** E 26 – 282 h. alt. 450 – ✪ 948.
Madrid 402 – Jaca 71 – Pamplona/Iruñea 40 – Tafalla 49 – Zaragoza 144.

🏨 **Latorre**, carret. N 240 ℘ 87 06 10, Fax 87 11 11, ≼, ℤ, ℀ – 🛗 🗏 rest 📺 ☎ ⇔
🅿 – 🔬 25/200. 🖭 𝖵𝖨𝖲𝖠. ℀
Comida 1350 – ☲ 700 – **48 hab** 3900/5800 – PA 2900.

LILLA o **L'ILLA** 43414 Tarragona **443** H 33 – ✪ 977.
Madrid 533 – Barcelona 107 – Lérida/Lleida 69 – Tarragona 33.

✕ **Les Fonts de Lilla**, carret. N 240 - NE : 1,8 km ℘ 86 03 03, Fax 86 30 18, ≼, Decoraci
rústica. Carnes – 🗏 🅿, 🖭 🖿 𝖵𝖨𝖲𝖠. ℀
cerrado martes y 24 junio-15 julio – **Comida** carta aprox. 3350.

LINARES 23700 Jaén **446** R 19 – 58 417 h. alt. 418 – ✪ 953.
Madrid 297 – Ciudad Real 154 – Córdoba 122 – Jaén 51 – Úbeda 27 – Valdepeñas 9

🏨 **Sol Inn Aníbal**, Cid Campeador 11 ℘ 65 04 00, Fax 65 22 04 – 🛗 🗏 📺 ☎ ⇔
🔬 30/600. 🖭 ⓞ 🖿 𝖵𝖨𝖲𝖠. ℀
Comida 1950 – ☲ 600 – **126 hab** 7500/10000.

🏨 **Victoria** sin rest y sin ☲, Cervantes 7 ℘ 69 25 04, Fax 69 25 00 – 🛗 🗏 📺 ☎ ⇔, 🖭 𝖵𝖨𝖲
56 hab 4200/6200.

LINAS DE BROTO 22378 Huesca **443** E 29 – alt. 1215 – ✪ 974.
Madrid 475 – Huesca 85 – Jaca 47.

🛖 **Jal** sin rest, carret. de Ordesa 31 ℘ 48 61 06, ≼ – ℀
abril-septiembre – ☲ 500 – **18 hab** 4500.

La LÍNEA DE LA CONCEPCIÓN 11300 Cádiz **446** X 13 y 14 – 58 646 h. – ✪ 956 – Pla
🚹 av. 20 de Abril, ℘ 76 99 50, Fax 76 72 64.
Madrid 673 – Algeciras 20 – Cádiz 144 – Málaga 127.

🏨 Aparthotel Tryp Rocamar, av. de España 170 ℘ 17 69 23, Fax 17 30 19, ≼ – 🛗 🗏 re
📺 ☎ 🅿 – 🔬 25/50
110 hab.

🏨 **Almadraba**, Los Caireles 2 ℘ 17 55 66, Fax 17 15 63, ℤ – 🛗 🗏 📺 ☎ ⇔. 🖭 ⓞ
🖿 𝖵𝖨𝖲𝖠. ℀ rest
Comida 1200 – ☲ 600 – **84 hab** 7260/11450.

LIZARRA Navarra – ver Estella.

LIZARZA o **LIZARTZA** 20490 Guipúzcoa **442** C 23 – 690 h. alt. 141 – ✪ 943.
Madrid 454 – Pamplona/Iruñea 59 – San Sebastián 35 – Tolosa 8 – Vitoria/Gasteiz 9

✕ **Garaicoechea**, carret. N 130 ℘ 68 21 20
cerrado domingo noche, jueves noche y 20 septiembre-20 octubre – Comida carta 22
a 3400.

LLADÓ 17745 Gerona **443** J 30 – 481 h. – ✪ 972.
Madrid 757 – Figueras/Figueres 13 – Gerona/Girona 50.

✕ **Can Kiku**, pl. Major 1 ℘ 56 51 04 – 🗏. 🖿 𝖵𝖨𝖲𝖠. ℀
cerrado lunes y 24 diciembre-15 enero – **Comida** carta 2800 a 4100.

LLAFRANCH o **LLAFRANC** 17211 Gerona **443** G 39 – ✪ 972 – Playa.
Madrid 726 – Gerona/Girona 42 – Palafrugell 5 – Palamós 16.

🏨 **Terramar** sin rest. con cafetería, passeig de Cipsela 1 ℘ 30 02 00, Fax 30 06 26, ≼
🛗 📺 ☎. 🖭 ⓞ 🖿 𝖵𝖨𝖲𝖠. ℀
Semana Santa-septiembre – ☲ 950 – **56 hab** 9000/13000.

🏨 El Paraíso ⑤, Paratge de Farena 3 ℘ 30 04 50, Fax 61 01 66, ℤ, ℀ – 🛗 ☎ 🅿
temp – **54 hab**.

🏨 **Llevant,** Francesc de Blanes 5 ℰ 30 03 66, Fax 30 03 45, 🍽 – 📲 🗐 📺 ☎ 24 hab.

🏨 **Casamar** ⑤, Nero 3 ℰ 30 01 04, Fax 61 06 51, 🍽, « Terraza con ≤ » – 📺 ☎. 🆎 ᴇ 𝑉𝐼𝑆𝐴. ⁓ rest
5 mayo-15 octubre – **Comida** 1500 – 🖙 600 – **20 hab** 6000/8900 – PA 2900.

Ⅹ **L'Espasa,** Fra Bernat Boil 14 ℰ 61 50 32, 🍽 – ⓞ ᴇ 𝑉𝐼𝑆𝐴
abril-septiembre – **Comida** carta 1950 a 3150.

LAGOSTERA 17240 Gerona 𝟒𝟒𝟑 G 38 – 5 381 h. – ☻ 972.
Madrid 699 – Barcelona 86 – Gerona/Girona 20.

en la carretera de Sant Feliu de Guíxols E : 5 km – ⊠ 17240 Llagostera – ☻ 972 :

ⅩⅩ **Els Tinars,** ℰ 83 06 26, Fax 83 12 77, 🍽, Decoración rústica – 🗐 🅿. 🆎 ⓞ ᴇ 𝑉𝐼𝑆𝐴
cerrado martes (octubre-mayo) y 20 enero-13 febrero – **Comida** carta 2375 a 4335.

LANARS 17869 Gerona 𝟒𝟒𝟑 F 37 – 388 h. – ☻ 972.
Madrid 701 – Barcelona 129 – Gerona/Girona 82.

🏰 **Grèvol** ⑤, carret. de Camprodón ℰ 74 10 13, Fax 74 10 87, ≤, « Chalet de montaña decorado con elegancia », 🔲 – 📲 📺 ☎ 🅿 – 🔏 25/60. 🆎 ⓞ ᴇ 𝑉𝐼𝑆𝐴. ⁓
Comida 3550 – 🖙 1350 – **36 hab** 16745 – PA 7600.

LÁNAVES DE LA REINA 24912 León 𝟒𝟒𝟏 C 15 – ☻ 987.
Madrid 373 – León 118 – Oviedo 133 – Santander 147.

🏰 **San Glorio** ⑤, carret. N 621 ℰ 74 04 18, Fax 74 04 61 – 📲 🗐 📺 ☎. 🆎 ᴇ 𝑉𝐼𝑆𝐴. ⁓
Comida (ver también rest. ***Mesón Llánaves***) 2100 – 🖙 700 – **26 hab** 4800/6950 – PA 4165.

Ⅹ **Mesón Llánaves,** carret. N 621 ℰ 74 04 18, Fax 74 04 61 – 🆎 ᴇ 𝑉𝐼𝑆𝐴. ⁓
Semana Santa y verano – **Comida** carta aprox. 2700.

LANÇÀ Gerona – ver Llansá.

LANES 33500 Asturias 𝟒𝟒𝟏 B 15 – 13 382 h. – ☻ 98 – Playa.
🄱 Nemesio Sobrino, ℰ 540 01 64.
Madrid 453 – Gijón 103 – Oviedo 113 – Santander 96.

🏨 **Don Paco,** Posada Herrera 1 ℰ 540 01 50, Fax 540 26 81 – 📲 ᴇ 𝑉𝐼𝑆𝐴. ⁓
junio-septiembre – **Comida** 2800 – 🖙 900 – **42 hab** 7800/10800 – PA 4900.

🏨 **G. H. Paraíso** sin rest, Pidal 2 ℰ 540 19 71, Fax 540 25 90 – 📲 🗐 📺 ☎ 🚙. 🆎 ⓞ ᴇ 𝑉𝐼𝑆𝐴. ⁓
15 marzo-1 octubre – 🖙 700 – **22 hab** 8900.

🏨 **Montemar** sin rest. con cafetería, Genaro Riestra 8 ℰ 540 01 00, Fax 540 26 81, ≤ – 📲 📺 ☎ 🅿. 🆎 ᴇ 𝑉𝐼𝑆𝐴. ⁓
🖙 900 – **41 hab** 7800/10800.

🏨 **Miraolas,** paseo de San Antón 14 ℰ 540 08 28, Fax 540 27 74, ≤ – 📲 📺 ☎ 🚙 🅿. ᴇ 𝑉𝐼𝑆𝐴. ⁓
cerrado febrero – **Comida** 1500 – 🖙 600 – **37 hab** 7000/9500 – PA 3600.

🏨 **Las Rocas** sin rest, Marqués de Canillejas 3 ℰ 540 24 31, Fax 540 24 34 – 📲 📺 ☎ 🅿. 🆎 ᴇ 𝑉𝐼𝑆𝐴. ⁓
abril-15 octubre – 🖙 700 – **33 hab** 7000/10000.

🏨 **Sablon's,** Playa del Sablón 1 ℰ 540 19 87, Fax 540 19 88, ≤ – 📺 ☎ 🚙. 🆎 ⓞ ᴇ 𝑉𝐼𝑆𝐴
marzo-noviembre – **Comida** (ver rest. ***Sablon's***) – 🖙 500 – **16 hab** 5500/7500, 9 apartamentos.

🏨 **Peñablanca** sin rest, Pidal 1 ℰ 540 01 66, Fax 540 14 45 – ☎. ᴇ 𝑉𝐼𝑆𝐴
15 junio-15 septiembre – 🖙 500 – **31 hab** 5000/7800.

ⅩⅩ **Sablon's,** playa del Sablón 1 ℰ 540 00 62, Fax 540 19 88, 🍽 – 🆎 ⓞ ᴇ 𝑉𝐼𝑆𝐴. ⁓
marzo-octubre – **Comida** carta 2100 a 3500.

la playa de Toró O : 1 km – ⊠ 33500 Llanes – ☻ 98 :

Ⅹ **Mirador de Toró,** ℰ 540 08 82, ≤, 🍽 – 🅿. 🆎 ⓞ ᴇ 𝑉𝐼𝑆𝐴. ⁓
Comida carta 2600 a 4100.

en La Arquera – ⊠ *33500 Llanes* – 🕾 *98* :

🏠 Las Brisas, S : 2 km ℰ 540 17 26, Fax 540 13 82 – 📳 📺 ☎ 🅿
36 hab.

🏠 La Arquera *sin rest*, S : 2 km ℰ 540 24 24, Fax 540 01 75, ≤, « Antigua casona co
mobiliario de estilo » – 📺 ☎ ⇦ 🅿. 🛇 E *VISA*. ⋇
≏ 800 – **13 hab** 8000/10000.

✗ **Prau Riu** ⊗ *con hab*, carret. de Parres - S : 2,5 km ℰ 540 11 54, Fax 540 11 54, 🛱
– 🅿. 🖭 ⓞ *VISA*. ⋇
Comida carta 2600 a 4500 – ≏ 500 – **6 hab** 7000.

en San Roque *carretera N 634 - SE : 4 km* – ⊠ *33596 San Roque* – 🕾 *98* :

🏡 Europa, San Roque 29 ℰ 541 70 45, Fax 541 70 45 – 📺 ☎ 🅿
24 hab.

en La Pereda *S : 4 km* – ⊠ *33509 La Pereda* – 🕾 *98* :

✗✗ **La Posada de Babel** ⊗ *con hab*, ℰ 540 25 25, Fax 540 25 25, « Amplia zona c
césped con árboles » – 📺 ☎ 🅿. 🖭 ⓞ E *VISA*. ⋇ rest
cerrado febrero – **Comida** *(sólo fines de semana de 15 octubre-15 abril)* (abril-15 octubr
sólo cena salvo domingo y agosto) carta aprox. 3300 – ≏ 850 – **8 hab** 8200/1070(

Los LLANOS DE ARIDANE Santa Cruz de Tenerife – ver Canarias (La Palma).

LLANSÁ o LLANÇÀ 17490 Gerona 🔳🔳🔳 E 39 – 3500 h. – 🕾 972 – Playa.
Alred. : San Pedro de Roda★★ (paraje★★) S : 15 km.
🖪 av. de Europa 37, ℰ 38 08 55, Fax 38 12 55.
Madrid 767 – Banyuls 31 – Gerona/Girona 60.

🏠 **Beri**, La Creu 16 ℰ 38 01 98, ∑ – 📳 🍽 rest 🅿. 🖭 ⓞ E *VISA*
Semana Santa-octubre – ≏ 600 – **60 hab** 3000/5000 – PA 2500.

🏠 **Carbonell**, Mayor 19 ℰ 38 02 09 – 🍽 rest 🅿. 🖭 E *VISA*. ⋇ rest
Semana Santa y 15 junio-septiembre – **Comida** 1700 – ≏ 400 – **31 hab** 2250/4500
PA 3500.

en la carretera de Port-Bou *N : 1 km* – ⊠ *17490 Llançà* – 🕾 *972* :

🏠 **Gri-Mar**, ℰ 38 01 67, Fax 38 12 00, ≤, ∑, 🛱, ⋇ – ☎ ⇦ 🅿 – 🛦 25. 🖭 ⓞ E 🎽
Semana Santa-septiembre – **Comida** 2500 – ≏ 700 – **39 hab** 6600/9400.

en el puerto *NE : 1,5 km* – ⊠ *17490 Llançà* – 🕾 *972* :

🏠 Berna, passeig Marítim 13 ℰ 38 01 50, Fax 12 15 09, ≤, 🛱
temp – **38 hab.**

🏠 **La Goleta**, Pintor Terruella 22 ℰ 38 01 25, Fax 12 06 86 – 📳 🍽 rest 📺 ☎ 🅿. 🖭
E *VISA*. ⋇
cerrado noviembre – **Comida** 1750 – ≏ 550 – **30 hab** 6000/7000 – PA 3650.

✗ **El Vaixell**, Canigó 18 ℰ 38 02 95, Pescados y mariscos – 🍽 🅿. 🖭 ⓞ E *VISA*. ⋇
Comida carta 3050 a 4500.

✗ **La Vela**, Pintor Martínez Lozano 3 ℰ 38 04 75 – 🍽. 🖭 ⓞ E *VISA* 🅹🅲🅱
cerrado lunes en invierno y 15 octubre-15 noviembre – **Comida** carta 2300 a 3600

✗ **Can Quim**, Verge del Carme 5 ℰ 38 05 37 – 🍽. 🖭 E *VISA*
cerrado miércoles y noviembre – **Comida** carta 3550 a 4200.

✗ **La Brasa**, pl. Catalunya 6 ℰ 38 02 02, 🛱 – 🍽. 🖭 ⓞ E *VISA*
cerrado martes (salvo en verano) y 15 diciembre-1 marzo – **Comida** carta 2750 a 38

LLEIDA – ver Lérida.

LLESSUY o LLESSUI 25567 Lérida 🔳🔳🔳 E 33 – alt. 1400 – 🕾 973.
Ver : Valle de Llessui★★.
Madrid 603 – Lérida/Lleida 150 – Seo de Urgel/La Seu d'Urgell 66.

en Bernui *carretera de Sort - E : 3 km* – ⊠ *25560 Sort* – 🕾 *973* :
✗ Can Joana, ℰ 62 17 58 – 🅿.

en Altrón *E : 7,5 km* – ⊠ *25560 Sort* – 🕾 *973* :

🏡 **Vall d'Assua** ⊗, carret. de Llessuy ℰ 62 17 38, ≤ – 🍽 rest 🅿. ⋇
cerrado noviembre – **Comida** 1880 – ≏ 550 – **12 hab** 3600 – PA 3500.

LIVIA 17527 Gerona **443** E 35 – 901 h. alt. 1 224 – **972**.

🛈 Forns, *⌀ 89 63 13*.

Madrid 658 – Gerona/Girona 156 – Puigcerdá 6.

🏛 **Llivia** ⑤, av. de Catalunya *⌀ 14 60 00*, Fax *14 60 00*, <, 🏊, 🎠, ✕ – 🛗 📺 ☎ ⇔ **🅿** – 🔥 25/150. 🆎 ⓞ 🅴 **VISA**. ✕ rest
cerrado noviembre – **Comida** 2700 – **63 hab** ⲯ 6800/10300.

🏠 **L'Esquirol** ⑤, av. de Catalunya *⌀ 89 63 03*, Fax *89 63 03*, < – 📺 ☎ **🅿** 20 hab.

✕✕ **Can Ventura,** pl. Major 1 *⌀ 89 61 78*, Fax *89 61 78*, Decoración rústica en un edificio del siglo XVIII. Cocina regional – 🆎 🅴 **VISA**. ✕
cerrado lunes noche, martes y octubre – **Comida** carta aprox. 3600.

✕ **La Ginesta** (Casa David), av. de Catalunya *⌀ 89 62 87*, Fax *14 63 59* – 🆎 ⓞ 🅴 **VISA**
cerrado lunes – **Comida** carta aprox. 3900.

LODIO o LAUDIO 01400 Álava **442** C 21 – 20 251 h. – **94**.

Madrid 385 – Bilbao/Bilbo 21 – Burgos 142 – Vitoria/Gasteiz 49.

✕ **Martina,** Zubiaur 1 *⌀ 672 22 68* – 🍽. 🆎 ⓞ 🅴 **VISA**. ✕
Comida carta 2750 a 3900.

n Areta E : 3 km – ✉ 01400 Llodio – **94** :

✕✕✕ **Palacio de Anuncibai,** ✉ apartado 106, *⌀ 672 61 88*, Fax *672 61 79* – 🍽 **🅿**. 🆎 ⓞ 🅴 **VISA**. ✕
cerrado Semana Santa y del 5 al 24 de agosto – **Comida** carta 4100 a 4800.

LOFRIU 17124 Gerona **443** G 39 – **972**.

Madrid 724 – Gerona/Girona 36 – Palafrugell 3.

✕ **La Resclosa,** Estación 6 (carret. C 255) *⌀ 30 29 68*, 🍽, Decoración regional – 🍽 **🅿**. 🆎 🅴 **VISA**
cerrado jueves y octubre – **Comida** carta 2800 a 4150.

LORET DE MAR 17310 Gerona **443** G 38 – 22 504 h. – **972** – Playa.

🛈 pl. de la Vila 1, *⌀ 36 47 35*, Fax *36 77 50* y Estación de Autobuses, *⌀ 36 57 88*, Fax *37 13 95*.

Madrid 695 ② – Barcelona 67 ② – Gerona/Girona 39 ③.

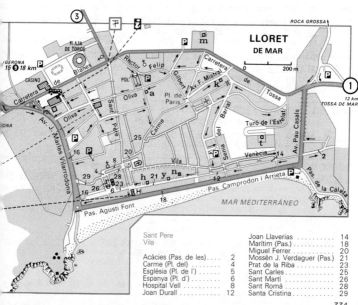

Sant Pere Vila		Joan Llaverias	14
		Marítim (Pas.)	18
		Miguel Ferrer	20
Acàcies (Pas. de les)	2	Mossèn J. Verdaguer (Pas.)	21
Carme (Pl. del)	4	Prat de la Riba	23
Església (Pl. de l')	5	Sant Carles	25
Espanya (Pl. d')	6	Sant Martí	26
Hospital Vell	8	Sant Romà	28
Joan Durall	12	Santa Cristina	29

Roger de Flor ⑤, Turó de l'Estelat, ⊠ apartado 66, ℘ 36 48 00, Fax 37 16 37, ≤
« Grandes terrazas con ≤ », ⽿, ♒, ℀ – ≣ rest �📺 ☎ ⇌ ℗ – 🏄 25/120. 🆎
🖻 ᵛⁱˢᵃ. ℀
marzo-noviembre – **Comida** 4200 – ⊒ 2000 – **87 hab** 10000/17000, 6 suites – PA 88

G. H. Monterrey, carret. de Tossa de Mar ℘ 36 40 50, Fax 36 35 12, ㎡, Servici
de talasoterapia, « Amplio jardín », ⽿, ▨, ℀ – |🛗| ≣ 📺 ☎ ♿ ℗ – 🏄 25/425. 🆎
🖻 ᵛⁱˢᵃ. ℀ rest
abril-noviembre – **Comida** 2650 – ⊒ 1000 – **223 hab** 8700/16000 – PA 5000.

Marsol, passeig Mossèn J. Verdaguer 7 ℘ 36 57 54, Fax 37 22 05, ⽿, ▨ – |🛗| ≣
☎ – 🏄 25/75. 🆎 ⓞ 🖻 ᵛⁱˢᵃ. ℀
Comida 1500 - *Els Dofins :* **Comida** carta 2075 a 3700 – **100 hab** ⊒ 8800/11200

Mercedes, av. F. Mistral 32 ℘ 36 43 12, Fax 36 49 53, ㎡, ⽿ – |🛗| 📺. 🆎 ⓞ 🖻 ᵛ
℀
abril-octubre y Navidades – **Comida** 1500 – ⊒ 800 – **88 hab** 6000/10000 – PA 28

Excelsior, passeig Mossèn J. Verdaguer 16 ℘ 36 61 76, Telex 97061, Fax 37 16 5◄
|🛗| ≣ rest 📺 ☎. 🆎 ⓞ 🖻 ᵛⁱˢᵃ. ℀ rest
abril-octubre – **Comida** *(cerrado lunes salvo julio-agosto)* 1850 – ⊒ 550 – **45 h**
5250/10200.

Santa Ana sin rest, Sénia del Rabic 26 ℘ 37 32 66, Fax 37 32 66 – |🛗|. 🖻 ᵛⁱˢᵃ. ℀
junio-septiembre – **48 hab** ⊒ 6500.

Ⅹ **Can Bolet**, Sant Mateu 6 ℘ 37 12 37, Pescados y mariscos – ≣. ⓞ 🖻 ᵛⁱˢᵃ
cerrado domingo noche y lunes salvo abril-15 noviembre – **Comida** carta 1600 a 48

Ⅹ **Can Tarradas**, pl. d'Espanya 7 ℘ 36 61 21, Fax 36 80 71, ㎡ – ≣. 🆎 ⓞ 🖻 ᵛⁱˢᵃ.
Comida carta 3000 a 4400.

Ⅹ **Taverna del Mar**, Pescadors 5 ℘ 36 40 90, ㎡ – 🆎 ⓞ 🖻 ᵛⁱˢᵃ
Semana Santa-noviembre – **Comida** carta 2475 a 3900.

en la carretera de Blanes *por* ② : *1,5 km* – ⊠ 17310 Lloret de Mar – 🕾 972 :

Fanals, ℘ 36 41 12, Fax 37 03 29, ⽿, ▨, ⽿ – |🛗| ☎ ℗ – 🏄 25/80. ⓞ 🖻 ᵛⁱˢᵃ. ℀ r
30 marzo-15 noviembre y 20 diciembre-2 enero – **Comida** 2300 – **82 hab** ⊒ 5830/96

en la playa de Fanals *por* ② : *2 km* – ⊠ 17310 Lloret de Mar – 🕾 972 :

Rigat Park ⑤, ℘ 36 52 00, Fax 37 04 11, ≤, ㎡, « Parque con arbolado », ⽿,
℀ – |🛗| ≣ 📺 ☎ ℗ – 🏄 25/650. 🆎 ⓞ 🖻 ᵛⁱˢᵃ. ℀ rest
febrero-noviembre – **Comida** *(cerrado noviembre-10 febrero)* 4400 – ⊒ 1600 – **87 h**
15000/19000, 17 suites.

en la playa de Santa Cristina *por* ② : *3 km* – ⊠ 17310 Lloret de Mar – 🕾 972 :

Santa Marta ⑤, ℘ 36 49 04, Fax 36 92 80, ≤, « Gran pinar », ⽿, ⽿, ℀ – |🛗|
📺 ☎ ℗ – 🏄 25/120. 🆎 ⓞ 🖻 ᵛⁱˢᵃ ᴶᶜᴮ. ℀ rest
cerrado 15 diciembre-enero – **Comida** 6000 – ⊒ 1600 – **76 hab** 17850/28350, 2 sui

en la urbanización Playa Canyelles *por* ① : *3 km* – ⊠ 17310 Lloret de Mar – 🕾 97

ⅩⅩ **El Trull**, ⊠ apartado 429, ℘ 36 49 28, Fax 37 13 08, ㎡, Decoración rústica, ⽿,
– ≣ ℗. 🆎 ⓞ 🖻 ᵛⁱˢᵃ
Comida carta 3175 a 4100.

LODOSA 31580 Navarra �4🇪2 E 23 – 4 483 h. alt. 320 – 🕾 948.
Madrid 334 – Logroño 34 – Pamplona/Iruñea 81 – Zaragoza 152.

Marzo, Ancha 24 ℘ 69 30 52, Fax 69 40 38 – |🛗| ≣ rest 📺 ☎. ᵛⁱˢᵃ. ℀
Comida 1590 – ⊒ 550 – **14 hab** 2800/5000 – PA 3170.

LOGROÑO 26000 🅿 La Rioja �4🇪2 E 22 – 128 331 h. alt. 384 – 🕾 941.
Excurs. : *Valle del Iregua*★ (contrafuertes de la sierra de Cameros★) *50 km por* ③.
🔒 Miguel Villanueva 10, ⊠ 26001, ℘ 29 12 60, Fax 25 60 45 – **R.A.C.E.** Huesca 3, b
⊠ 26002, ℘ 24 82 91, Fax 24 83 06.
Madrid 331 ③ – Burgos 144 ④ – Pamplona/Iruñea 92 ① – Vitoria/Gasteiz 93 ④ – Zarag
175 ③.

Plano página siguiente

NH Herencia Rioja, Marqués de Murrieta 14, ⊠ 26005, ℘ 21 02 22, Fax 21 02
– |🛗| ≣ 📺 ☎ ⇌ – 🏄 25/120. 🆎 ⓞ 🖻 ᵛⁱˢᵃ. ℀
Comida 1700 – ⊒ 1050 – **81 hab** 11250/14150, 2 suites.

Carlton Rioja sin rest. con cafetería, Gran Vía del Rey Juan Carlos I-5, ⊠ 26C
℘ 24 21 00, Fax 24 35 02 – |🛗| ≣ 📺 ☎ ⇌ – 🏄 25/150. 🆎 ⓞ 🖻 ᵛⁱˢᵃ ᴶᶜᴮ.
⊒ 1050 – **120 hab** 9450/15225.

LOGROÑO

tales	AB	32

Daniel Trevijano	A	9	Miguel Villanueva	A	27
Depósitos	A	10	Navarra (Av. de)	B	28
Doce Ligero			Navarra (Carret. de)	B	29
de Artillería (Av. del) . .	B	12	Once de Junio	A	30
Duquesa de la Victoria . . .	B	13	Pío XII (Av. de)	B	31
España (Av. de)	B	14	Portugal (Av. de)	A	33
Fausto Elhuyar	A	15	Rioja (Av. de la)	A	34
Francisco de la Mata (Muro)	B	16	Rodríguez Paterna	B	35
Ingenieros Pino y Amorena	B	19	Sagasta	A	36
Juan XXIII (Av. de)	B	22	Teniente Coronel		
Marqués de Murrieta	A	23	Santos Ascarza	B	40
Marqués de San Nicolás . .	AB	25	Tricio (Av. de)	B	41
Mercado (Pl. del)	B	26	Viana (Av. de)	B	42

érez Provisional (Pl. del) . . A 2
tonomía
(Av. de la) . . . . B 3
tón de los Herreros . . . . A 4
oitán Gaona . . . . B 5
rmen (Muro del) . . . . . . B 6
rvantes (Muro de) . . . . B 7
mandancia . . . . A 8

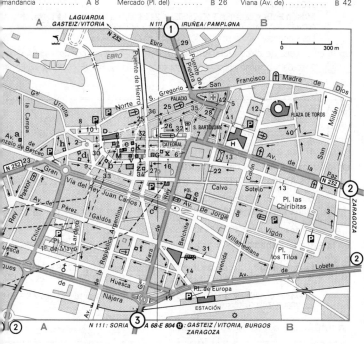

Sol Bracos *sin rest. con cafetería*, Bretón de los Herreros 29, ⊠ 26001, ℰ 22 66 08, Telex 37126, Fax 22 67 54 – 🛗 ▯ 🖵 ☎ ⟵⟶ – 🔬 25/60. 🖭 ⓞ ⋿ ▨ ⒿⒸⒷ. ⋇ A   b
⫘ 1100 – **72 hab** 12250/15000.

Ciudad de Logroño *sin rest*, Menéndez Pelayo 7, ⊠ 26002, ℰ 25 02 44, Fax 25 43 90
– 🛗 ▤ 🖵 ☎ ⟵⟶ – 🔬 25/70. 🖭 ⓞ ⋿ ▨. ⋇   A   f
⫘ 950 – **95 hab** 8820/11130.

Murrieta *sin rest. con cafetería*, av. Marqués de Murrieta 1, ⊠ 26005, ℰ 22 41 50,
Fax 22 32 13 – 🛗 ▤ 🖵 ☎ ⟵⟶ – 🔬 25/140. 🖭 ⋿ ▨. ⋇   A   d
⫘ 775 – **113 hab** 7560/9765.

Green Condes de Haro *sin rest*, Saturnino Ulargui 6, ⊠ 26001, ℰ 20 85 00,
Fax 20 87 96 – 🛗 ▤ 🖵 ☎ ⟵⟶. 🖭 ⓞ ▨   A   d
⫘ 550 – **44 hab** 8400/10500.

Marqués de Vallejo *sin rest*, Marqués de Vallejo 8, ⊠ 26001, ℰ 24 83 33,
Fax 24 02 88 – 🛗 🖵 ☎. 🖭 ⓞ ⋿ ▨   B   x
⫘ 600 – **30 hab** 5700/8100.

Niza *sin rest y sin* ⫘, Capitán Gallarza 13, ⊠ 26001, ℰ 20 60 44 – 🛗 ▤ 🖵 ☎. ▨.
⋇   A   k
16 hab 4500/6200.

París *sin rest y sin* ⫘, av. de La Rioja 8, ⊠ 26001, ℰ 22 87 50 – 🛗 ☎   A   z
36 hab.

Isasa *sin rest y sin* ⫘, Doctores Castroviejo 13-1º, ⊠ 26003, ℰ 25 65 99, Fax 25 65 99
– 🛗 🖵 ☎. 🖭 ▨. ⋇   B   e
cerrado Navidades – **30 hab** 4500/7000.

XX **Cachetero,** Laurel 3, ⊠ 26001, 𝒸 22 84 63, Fax 22 84 63 – 🗏. ⓘ 🖪 *VISA*. 🛠 A
cerrado domingo, miércoles noche y 15 julio-15 agosto – **Comida** carta aprox. 3800.

X **Los Gabrieles,** Bretón de los Herreros 8, ⊠ 26001, 𝒸 22 00 43 – 🗏. 🆎 🖪 *VISA*
cerrado domingo noche, miércoles, julio y 23 diciembre-7 enero – **Comida** carta 2175
3675.
A

X **Zubillaga,** San Agustín 3, ⊠ 26001, 𝒸 22 00 76, Fax 22 00 76 – 🗏. 🆎 ⓘ 🖪 *VISA*. 🛠
cerrado martes noche y miércoles (salvo festivos) y del 7 al 30 de enero – **Comida** cart
2500 a 4100.
A

X **Mesón Egües,** La Campa 3, ⊠ 26005, 𝒸 22 86 03, Asados – 🗏. 🆎 ⓘ 🖪 *VISA*. 🛠 A
cerrado domingo, Semana Santa y Navidades – **Comida** carta 2950 a 3950.

X Las Cubanas, San Agustín 17, ⊠ 26001, 𝒸 22 00 50 – 🗏
A

en la carretera de circunvalación por ① : 4 km – ⊠ 26006 Logroño – 🕾 941 :

🏨 Soto Galo, polígono industrial de Cantabria 𝒸 25 91 22, Fax 25 73 89 – 🛗 🗏 📺 🕾 ⏴
– 🛓 25/300
44 hab.

LOJA 18300 Granada 🅐🅑🅖 U 17 – 20 321 h. alt. 475 – 🕾 958.
Madrid 484 – Antequera 43 – Granada 55 – Málaga 71.

🏨 Del Manzanil, carret. de Granada - E : 1,5 km 𝒸 32 17 11, Fax 32 18 50, 🍽 – 🛗 🗏 ⏴
🕾 ❷
47 hab, 2 apartamentos.

en la autovía A 92 S : 5 km – ⊠ 18300 Loja – 🕾 958 :

🏨 **Los Abades,** 𝒸 32 38 00, Fax 32 38 04, ≤ – 🛗 🗏 📺 🕾 ⏴ ❷ – 🛓 25/100.
ⓘ 🖪 *VISA*
Comida 1600 – **76 hab** ⚏ 4500/5900.

🏨 **Manzanil Área,** 𝒸 32 32 00, Fax 32 34 80, ≤ – 🛗 🗏 📺 🕾 ⏴ ❷ – 🛓 25/60.
VISA. 🛠 rest
Comida 1500 – ⚏ 400 – **76 hab** 3500/6000.

en la Finca La Bobadilla por la autovía A 92 - O : 18 km y desvío 3 km – ⊠ 18300 Loja
🕾 958 :

🏨🏨🏨 La Bobadilla 🌫, por salida a V. de Tapia, ⊠ apartado 144, 𝒸 32 18 61, Fax 32 18 ⏴
≤, « Elegante cortijo andaluz », 🐾, 🏊, 🏊, 🐎, 🛠 – 🛗 🗏 📺 🕾 ❷ – 🛓 25/120.
ⓘ 🖪 *VISA*
La Finca : Comida carta 5100 a 7400 - **EL Cortijo : Comida** carta 3800 a 5600 – **50 h**
⚏ 26800/34800, 10 suites.

Lo PAGÁN Murcia – ver San Pedro del Pinatar.

LORCA 30800 Murcia 🅐🅑🅕 S 24 – 67 024 h. alt. 331 – 🕾 968.
🚩 Lope Gisbert (Palacio de Guevara), 𝒸 46 61 57.
Madrid 460 – Almería 157 – Cartagena 83 – Granada 221 – Murcia 64.

🏨 **Alameda** sin rest, Musso Valiente 8 𝒸 40 66 00, Fax 40 66 44 – 🛗 🗏 📺 🕾. 🆎 🖪 ⏴
⚏ 400 – **40 hab** 5000/7000.

XX **El Teatro,** pl. Colón 12 𝒸 46 99 09 – 🗏. 🆎 🖪 *VISA*. 🛠
cerrado domingo y agosto – **Comida** carta 2250 a 2800.

X **Rincón de los Valientes,** Rincón de los Valientes 3 𝒸 44 12 63 – 🗏. *VISA*. 🛠
Comida carta 1950 a 2600.

en la antigua carretera de Granada SO : 3 km – ⊠ 30800 Lorca – 🕾 968 :

🏨🏨 **Amaltea,** polígono Los Peñones 𝒸 40 65 65, Fax 40 69 89, 🍽, « Jardín con 🏊 »,
– 🛗 🗏 📺 🕾 ⏴ ❷ – 🛓 25/800. 🆎 ⓘ 🖪 *VISA*. 🛠
Comida (cerrado domingo en julio y agosto) 1900 – ⚏ 950 – **58 hab** 11500/144 ⏴

LOREDO 39140 Cantabria 🅐🅑🅑 B 18 – 🕾 942 – Playa.
Madrid 409 – Bilbao/Bilbo 96 – Santander 26.

🏨 **El Encinar** 🌫 sin rest, callejo de los Beatos-Latas, ⊠ 39140 Somo, 𝒸 50 40 ⏴
Fax 50 02 44 – ❷. 🛠
15 julio-agosto – ⚏ 400 – **19 hab** 6500/8500.

X **Latas,** barrio de Latas 𝒸 50 42 33, Fax 50 92 36, 🍽 – 🗏 ❷. ⓘ 🖪 *VISA*. 🛠
cerrado domingo noche, del 15 al 30 de septiembre y del 15 al 31 de diciembre – **Com**
carta aprox. 3300.

LOURIDO (Playa de) Pontevedra – ver Pontevedra.

LOYOLA Guipúzcoa – ver Azpeitia.

LUANCO 33440 Asturias **441** B 12 – ❀ 98 – Playa.
Ver : Cabo de Peñas★.
Madrid 478 – Gijón 15 – Oviedo 43.

🏬 Aramar, Gijón 10 ✆ 588 00 25, Fax 588 00 25 – 🛗 ☎
31 hab.

✗ **Casa Néstor,** Conde Real Agrado 6 ✆ 588 03 15
🌣 AE E VISA. ✻
cerrado lunes noche y del 1 al 15 de octubre – Comida carta aprox. 4500.

Se cercate un albergo tranquillo,
oltre a consultare le carte dell'introduzione,
rintracciate nell'elenco degli stabilimenti quelli con il simbolo 🕭 o 🕭

LUARCA 33700 Asturias **441** B 10 – 19 920 h. – ❀ 98 – Playa.
Ver : Emplazamiento★ (≼★).
Excurs. : SO, Valle del Navia : recorrido de Navia a Grandas de Salime (※★★ Embalse de
Arbón, Vivedro ※★★, confluencia★★ de los ríos Navia y Frío).
🛈 Olabarrieta, ✆ 564 00 83.
Madrid 536 – La Coruña/A Coruña 226 – Gijón 97 – Oviedo 101.

🏨 **Gayoso,** paseo de Gómez 4 ✆ 564 00 50, Fax 547 02 71 – 🛗 📺 ☎. AE ① E VISA
Comida 1200 – 🖵 500 – **33 hab** 6500/13000.

🏬 **Báltico** sin rest y sin 🖵, paseo del muelle 1 ✆ 564 09 91, ≼ – 📺. AE ① E VISA. ✻
15 hab 10000.

🏬 **Rico** sin rest, pl. Alfonso X el Sabio 6 ✆ 547 05 59 – 📺 ☎. E VISA. ✻
🖵 1000 – **15 hab** 8000.

🏠 Oria sin rest, Crucero 7 ✆ 564 03 85
temp – **14 hab.**

✗✗ **Villa Blanca,** av. de Galicia 25 ✆ 564 10 79, Fax 564 10 79 – 🍽. AE ① E VISA. ✻
Comida carta 1950 a 3450.

✗ **Sport,** Rivero 8 ✆ 564 10 78, Fax 564 16 93 – AE ① E VISA. ✻
cerrado jueves noche (salvo verano y festivos) y del 15 al 31 de octubre – Comida carta
2850 a 4350.

✗ **Brasas,** Aurelio Martínez 4 ✆ 564 02 89 – AE VISA. ✻
cerrado martes (salvo julio-agosto) y noviembre – Comida carta 2450 a 3100.

▮ **Otur** O : 6 km – ⊠ 33792 Otur – ❀ 98 :

🏨 **Casa Consuelo,** carret. N 634 ✆ 547 07 67, Fax 564 16 42, ≼ – 🛗 📺 ☎ 🅿. AE ①
E VISA. ✻
Comida (ver rest. **Casa Consuelo**) – 🖵 500 – **37 hab** 5000/6500.

✗✗ **Casa Consuelo,** carret. N 634 ✆ 564 18 09, Fax 564 16 42 – 🍽 🅿. AE ① E VISA. ✻
cerrado lunes salvo agosto y festivos – Comida carta 3500 a 5500.

LUCENA 14900 Córdoba **446** T 16 – 32 054 h. alt. 485 – ❀ 957.
Madrid 471 – Antequera 57 – Córdoba 73 – Granada 150.

🏬 **Baltanás** sin rest y sin 🖵, av. del Parque 10 ✆ 50 05 24, Fax 50 12 72 – 🍽 📺 ☎ 🚗.
AE E VISA. ✻
39 hab 4000/6000.

▮ **la carretera N 331** SO : 2,5 km – ⊠ 14900 Lucena – ❀ 957

✗✗ **Asador Los Bronces,** ✆ 50 09 12, Fax 50 09 12, 🍴, Espec. en asados – 🍽 🅿. AE
① E VISA. ✻
Comida carta 3250 a 4100.

LUGO 27000 ℗ **441** C 7 – 87 605 h. alt. 485 – ❀ 982.
Ver : Murallas★★ – Catedral★ (portada Norte : Cristo en Majestad★) Z **A**.
🛈 pr. Maior 27 (galerías), ⊠ 27001, ✆ 23 13 61 – R.A.C.E. Das Hermanitas 1, entlo., ⊠
27002, ✆ 25 07 11.
Madrid 506 ② – La Coruña/A Coruña 97 ④ – Orense/Ourense 96 ③ – Oviedo 255 ① –
Santiago de Compostela 107 ③.

LUGO

Conde Pallarés ...... Z 15
Doctor Castro ...... Z 27
Praza Maior .... Z 45
Progreso .... Y 47
Ouiroga Ballesteros .. Y 50
Raiña .... Y 53
San Marcos .... Y 68
San Pedro .... Z 71
Santo Domingo (Pr. de) YZ 77
Xeneral Franco ...... Y 85

Ánxel López Pérez (Av.) Z 2
Bispo Aguirre .... Z 3
Bolaño Rivadeneira ... Y 5
Campo (Pr. del) ..... Z 8
Comandante Manso
   (Pr.) .... Z 12
Coruña (Av. de la) .... Y 21
Cruz .... Z 23
Dezaoito de Xullo
   (Av. del) .... Y 24
Montero Ríos (Av.) ... Z 37
Paxariños .... Z 39
Pío XII (Pr. de) ..... Z 43
Ramón Ferreiro ..... Z 56
Rodríguez Mourelo (Av.) Z 62
San Fernando .... Y 65
Santa María (Pr. de) .. Z 74
Teniente Coronel
   Teijeiro .... YZ 78
Tinería .... Z 80
Vilalba .... Z 83

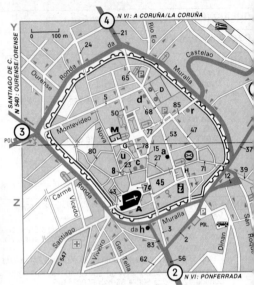

G.H. Lugo, av. Ramón Ferreiro 21, ⊠ 27002, 🖉 22 41 52, Fax 24 16 60, ⌁ – 🗎 🖩 ▤ ▯
🕾 🖪 🅿 – 🔬 25/350. ⸍⸝ 🅞 🅔 𝘝𝘐𝘚𝘈 𝘑𝘤𝘣. ⅍   por av. Ramón Ferreiro   Z
Os Marisqueiros (cerrado domingo) **Comida** carta 3300 a 3800 – � 1200 – **156 ha**
11600/14600, 12 suites.

Méndez Núñez sin rest, Raiña 1, ⊠ 27001, 🖉 23 07 11, Fax 22 97 38 – 🗎 📺 🕾
🔬 25/100. ⸍⸝ 🅔 𝘝𝘐𝘚𝘈   Z
⊆ 500 – **86 hab** 6500/8500.

España sin rest y sin ⊆, Vilalba 2 bis, ⊠ 27002, 🖉 23 15 40 – 📺 🕾. ⅍   Z
17 hab 3000/4700.

La Barra, San Marcos 27, ⊠ 27001, 🖉 25 29 20, Fax 25 30 22 – ▤. ⸍⸝ 🅞 🅔 𝘝𝘐𝘚𝘈, ⸞
cerrado domingo – **Comida** carta 3750 a 5050.   Y

Alberto, Cruz 4, ⊠ 27001, 🖉 22 83 10, Fax 25 13 58 – ▤. ⸍⸝ 🅞 🅔 𝘝𝘐𝘚𝘈 𝘑𝘤𝘣. ⸞
cerrado domingo – **Comida** carta aprox. 3600.   Z

Antonio, av. das Américas 87, ⊠ 27004, 🖉 21 64 70, Fax 21 63 13 – ▤ 🅿. ⸍⸝
🅔 𝘝𝘐𝘚𝘈 𝘑𝘤𝘣. ⅍   por ①
Comida carta 2900 a 3900.

España, Xeneral Franco 10, ⊠ 27001, 🖉 22 60 16 – ▤. ⸍⸝ 🅞 🅔 𝘝𝘐𝘚𝘈. ⅍   Y
cerrado domingo – **Comida** carta aprox. 2950.

Verruga, Cruz 12, ⊠ 27001, 🖉 22 98 55, Fax 22 98 18 – ▤. ⸍⸝ 🅞 🅔 𝘝𝘐𝘚𝘈. ⅍Z
cerrado lunes – **Comida** carta 3200 a 4675.

Campos, Nova 4, ⊠ 27001, 🖉 22 97 43 – ▤   Z
cerrado del 15 al 30 de octubre – **Comida** carta 2675 a 4800.

en la carretera N 640 *por ①* : 4 km – ⊠ 27192 Muja – 🕲 982 :

Jorge I, La Campiña 🖉 22 34 55, Fax 25 01 07 – ▤ rest 📺 🕾 🖚 🅿. ⸍⸝ 🅞 🅔 𝘝𝘐𝘚𝘈 𝘑
⅍
Comida 1200 – ⊆ 450 – **30 hab** 5400/6700.

en la carretera N VI – 🕲 982 :

Los Olmos sin rest, por ④ : 3 km, ⊠ 27298 Bocamaos, 🖉 20 00 32, Fax 21 59 1
🗎 📺 🕾 🖚 🅿. ⸍⸝ 🅞 🅔 𝘝𝘐𝘚𝘈. ⅍
⊆ 400 – **70 hab** 3500/6000.

Torre de Nuñez, Conturiz - por ② : 4,5 km, ⊠ 27160 Conturiz, 🖉 30 40
Fax 30 43 93 – 🗎 ▤ rest 📺 🕾 🖚 🅿. ⸍⸝ 🅔 𝘝𝘐𝘚𝘈. ⅍
Comida 1100 – ⊆ 350 – **129 hab** 3400/4950.

O Muiño, por ② o ③ : 2 km, ⊠ 27294 Lugo, 🖉 23 05 50, Fax 25 04 42, 🕭 , Decorac
rústica, « Terrazas al borde del río » – ▤ 🅿. ⸍⸝ 🅞 𝘝𝘐𝘚𝘈. ⅍
cerrado lunes – **Comida** carta aprox. 3700.

en la carretera N 540 por ③ : 4,5 km – ⊠ 27294 Esperante – ✪ 982 :

🏛 **Santiago,** ✆ 25 03 18, Fax 25 26 00, ⤶, ❤ – ▮ ▤ 📺 ☎ ⇌ 🅿 – 🏛 25/700. 🆎
⑩ 🇪 <u>VISA</u>. ⁂
Comida 1300 – ⇆ 500 – **60 hab** 7000/9000.

MACAEL 04867 Almería 🔢🔢🔢 U 23 – 5 961 h. alt. 535 – ✪ 950.
Madrid 531 – Almería 113 – Murcia 145.

🏠 **Villa de Macael** sin rest, av. de Andalucía ✆ 44 55 13, ⤶, ❤ – ▤ 📺 ☎ 🅿. 🆎 ⑩
🇪 <u>VISA</u>
⇆ 500 – **12 hab** 4240/6360.

MAÇANET DE CABRENYS Gerona – ver Massanet de Cabrenys.

MADREMAÑA o MADREMANYA 17462 Gerona 🔢🔢🔢 G 38 – 179 h. alt. 177 – ✪ 972.
Madrid 717 – Barcelona 115 – Gerona/Girona 19 – Figueras/Figueres 49 – Palafrugell 21.
🍴 **La Plaça,** Sant Esteve 17 ✆ 49 04 87, ⸙, Decoración moderna en un marco rústico
– ▤. 🆎 ⑩ 🇪 <u>VISA</u>
cerrado de domingo noche a jueves mediodía (en invierno) y febrero – **Comida** (sólo cena
en verano salvo fines de semana) carta 3380 a 4700.

MADRID

28000 P 444 K 19 – 3 084 673 h. alt. 646 – ✪ 91.

Barcelona 627 ② *– Bilbao/Bilbo 397* ① *– La Coruña/A Coruña 603* ⑦ *– Lisboa 653*
⑥ *– Málaga 548* ④ *– Paris 1310* ① *– Porto 599* ⑦ *– Sevilla 550* ④ *– Valencia 351*
③ *– Zaragoza 322* ②.

Planos de Madrid	
Aglomeración	p. 4 y 5
Zona Norte	p. 7
General	p. 8 y 9
Centro	p. 10 y 11
Índice de calles de los planos	p. 5 y 6
Lista alfabética de hoteles y restaurantes	p. 12
Lista alfabética de establecimientos con ❀, ❀❀	p. 16
Lista de restaurantes especializados	p. 17
Clasificación de hoteles y restaurantes por zonas	p. 20

OFICINAS DE TURISMO

🛈 *Princesa 1,* ✉ *28008,* ☎ *541 23 25.*

🛈 *Duque de Medinaceli 2,* ✉ *28014,* ☎ *429 49 51.*

🛈 *Pl. Mayor 3,* ✉ *28012,* ☎ *366 54 77.*

🛈 *Estación de Chamartín,* ✉ *28036,* ☎ *315 99 76.*

🛈 *Aeropuerto de Madrid-Barajas,* ☎ *305 86 56.*

INFORMACIONES PRÁCTICAS

BANCOS Y OFICINAS DE CAMBIO

Principales bancos :
invierno (abiertos de lunes a viernes de 8.30 a 14 h. y sábados de 8.30 a 14 h. salvo festivos).
verano (abiertos de lunes a viernes de 8.30 a 14 h. salvo festivos).
En las zonas turísticas suele haber oficinas de cambio no oficiales.

TRANSPORTES

Taxi : *cartel visible indicando LIBRE durante el día y luz verde por la noche. Compañías de radio-taxi.*

Metro y Autobuses : *Una completa red de metro y autobuses enlaza las diferentes zonas de Madrid. Para el aeropuerto existe línea de autobuses con su terminal urbana en Pl. de Colón (parking subterráneo).*

Aeropuerto y Compañías Aéreas :
✈ *Aeropuerto de Madrid-Barajas por* ② *: 13 km,* ☎ *393 60 00.*
Iberia, Velázquez 130, ✉ *28006,* ☎ *329 57 67 HV.*
Aviaco, Maudes 51, ✉ *28003,* ☎ *534 42 00 FV.*

ESTACIONES DE TREN

Chamartín, 🚆 ☎ *733 11 22 HR.*
Atocha, ☎ *328 90 20 GZY.*

RACE *(Real Automóvil Club de España)*
José Abascal 10, ✉ *28003,* ☎ *447 32 00, Fax 593 20 64 BL.*

HÍPICA Y CAMPOS DE GOLF

Hipódromo de la Zarzuela, ☎ 307 01 40 AL.

📉₁₈, 📉₁₈ *Puerta de Hierro* ☎ 316 17 45 AL

📉₉, 📉₁₈ *Club de Campo* ☎ 357 21 32 AL

📉₁₈ *La Moraleja por ① : 11 km* ☎ 650 07 00

📉₉ *Club Barberán por ⑤ : 10 km* ☎ 509 11 40

📉₁₈ *Las Lomas – El Bosque por ⑤ : 18 km* ☎ 616 75 00

📉₁₈ *Real Automóvil Club de España por ① : 28 km* ☎ 657 00 11

📉₁₈ *Nuevo Club de Madrid, Las Matas por ⑦ : 26 km* ☎ 630 08 20

📉₉ *de Somosaguas O : 10 km por Casa de Campo* ☎ 352 16 47 AM

📉₉ *Club Olivar de la Hinojosa, por M-40* ☎ 721 18 89 CL.

ALQUILER DE COCHES

AVIS, ☎ 348 03 48 – *EUROPCAR,* ☎ 556 15 00 – *HERTZ,* ☎ 542 10 00 – *BUDGET,* ☎ 402 14 80 – *EURODOLLAR ATESA,* ☎ 571 32 94.

CURIOSIDADES

PANORÁMICAS DE MADRID

Faro de Madrid : ☀ ★★ DV – *Edificio España :* ≤ ★ KV.

MUSEOS

Museo del Prado★★★ NY – *Museo Thyssen Bornemisza*★★★ MY **M⁶** – *Palacio Real*★★ KX (*Palacio*★ *: Salón del trono*★, *Real Amería*★★, *Museo de Carruajes Reales*★ DY **M¹**) – *Museo Arqueológico Nacional*★★ (*Dama de Elche*★★★) NV – *Museo Lázaro Galdiano*★★ (*colección de esmaltes y marfiles*★★★) HV **M⁴** – *Casón del Buen Retiro*★ NY – *Museo Nacional Centro de Arte Reina Sofía*★ (*El Guernica*★★) MZ – *Museo del Ejército*★ NY – *Museo de América*★ (*Tesoro de los Quimbayas*★, *Códice Trocortesiano*★★★) DV – *Real Academia de Bellas Artes de San Fernando*★ LX **M²** – *Museo Cerralbo*★ KV – *Museo Sorolla*★ GV **M⁵** – *Museo de la Ciudad (maquetas*★*)* HU – *Museo de Cera*★ NV.

IGLESIAS Y MONASTERIOS

Monasterio de las Descalzas Reales★★ KLX – *Iglesia de San Francisco el Grande (sillería*★, *sillería de la sacristía*★*)* KZ – *Real Monasterio de la Encarnación*★ KX – *Iglesia de San Antonio de la Florida (frescos*★★*)* DX

BARRIOS HISTÓRICOS

Barrio de Oriente★★ KVXY – *El Madrid de los Borbones*★★ MNXYZ – *El Viejo Madrid*★ KYZ

LUGARES PINTORESCOS

Plaza Mayor★★ KY – *Parque del Buen Retiro*★★ NYZ – *Zoo*★★ AM – *Plaza de la Villa*★ KY – *Jardines de las Vistillas (*☀ ★*)* KYZ – *Campo del Moro*★ DY – *Ciudad Universitaria*★ DV – *Casa de Campo*★ DX – *Plaza de la Cibeles*★ MNX – *Paseo del Prado*★ MNXYZ – *Puerta de Alcalá*★ NX – *Plaza Monumental de las Ventas*★ JV **B** – *Parque del Oeste*★ DV

COMPRAS

Grandes almacenes : *calles Preciados, Carmen, Goya, Serrano, Arapiles, Princesa, Raimundo Fernández Villaverde.*

Centros comerciales : *El Jardín de Serrano, ABC, La Galería del Prado, La Vaguada.*

Comercios de lujo : *calles Serrano, Velázquez, Goya, Ortega y Gasset.*

Antigüedades : *calle del Prado, barrio de Las Cortes, barrio Salamanca, calle Ribera de Curtidores (El Rastro).*

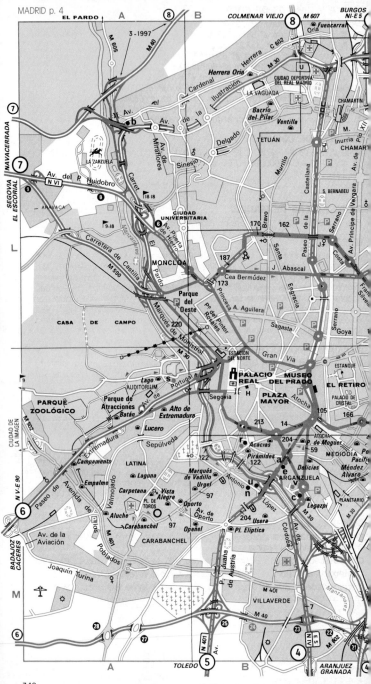

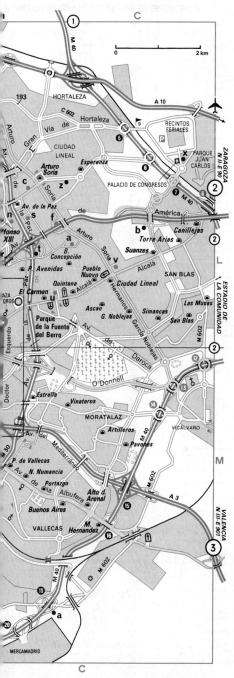

REPERTORIO DE CALLES
DEL PLANO DE MADRID

Alcalá . . . . p. 11 MX
Arenal . . . . p. 10 KY
Carmen . . . . p. 10 LX
Fuencarral . . . . p. 10 LV
Gran Vía . . . . p. 10 LX
Hortaleza . . . . p. 10 LX
Mayor (Calle) . . . . . . p. 10 KY
Mayor (Plaza) . . . . . . p. 10 KY
Montera . . . . p. 10 LX
Preciados . . . . p. 10 LX 155
Puerta del Sol (Pl.) . . . p. 10 LY
San Jerónimo
(Carrera de) . . . . . . p. 10 LY 191

Agustín de Foxá . . . . p. 7 HR
Alberto Aguilera . . . . p. 8 EV
Alberto Alcocer (Av. de) p. 7 HS
Albufera (Av. de la) . . p. 5 CM
Alcalá . . . . p. 11 MX
Alcalde Sainz
de Baranda . . . . . . p. 9 HY
Alfonso XI . . . . p. 11 NX
Alfonso XII . . . . p. 11 NX
Alfonso XIII (Av. de) . . p. 7 HS
Almagro . . . . p. 9 GV
Almirante . . . . p. 11 MV
Alonso Cano . . . . p. 7 FU
Alonso Martínez (Pl.) . p. 11 MV
Álvarez Gato . . . . p. 10 LY 6
Amaniel . . . . p. 10 KV
América (Av. de) . . . . p. 5 CL
Andalucía (Av. de) . . . p. 4 BM 7
Antonio López . . . . . . p. 4 BM
Antonio Maura . . . . . p. 11 NY
Apodaca . . . . p. 10 LV
Arapiles . . . . p. 8 EV
Arco de la Victoria (Av.) p. 6 DV
Arenal . . . . p. 10 KY
Argensola . . . . p. 11 MV
Argumosa . . . . p. 10 LZ
Arrieta . . . . p. 10 KX 13
Arturo Soria . . . . p. 5 CL
Atocha . . . . p. 10 LY
Atocha (Ronda de) . . . p. 8 FZ 14
Ave María . . . . p. 10 LZ
Aviación (Av. de la) . . . p. 4 AM
Ávila . . . . p. 7 FT
Ayala . . . . p. 11 NV 18
Bailén . . . . p. 10 KY
Bárbara de Braganza . p. 11 NV 19
Barceló . . . . p. 10 LV
Barco . . . . p. 10 LV
Barquillo . . . . p. 11 MX
Bilbao (Glorieta de) . . p. 10 LV
Blasco de Garay . . . . p. 8 EV
Bola . . . . p. 10 KX
Bravo Murillo . . . . . . p. 7 FT
Burgos (Av. de) . . . . . p. 7 HR
Caídos de la
División Azul . . . . . p. 7 HS 21
Callao (Pl. de) . . . . . . p. 10 LX 22
Canalejas (Pl. de) . . . . p. 10 LY
Cánovas
Capitán Blanco
Argibay . . . . p. 7 FS
Capitán Haya . . . . . . p. 7 GS 25
Card. Herrera Oria . . . p. 4 BL
Carmen . . . . p. 10 LX
Carranza . . . . p. 8 FV
Carretas . . . . p. 10 LY
Cartagena . . . . p. 9 HV
Cascorro (Pl. de) . . . . p. 10 LZ
Castellana (Paseo) . . . p. 11 NV
Castilla (Carret. de) . . p. 4 AL
Castilla (Pl. de) . . . . . p. 7 GS
Cava Alta . . . . p. 10 KZ 35
Cava Baja . . . . p. 10 KZ 36
Cava de San Miguel . . p. 10 KY 39
Cea Bermúdez . . . . . . p. 8 EV
Cebada (Pl. de la) . . . p. 10 KZ
Cibeles (Pl. de) . . . . . p. 11 MX
Cinca . . . . p. 7 HT
Ciudad
Claudio Moyano . . . . p. 11 NZ
Colegiata . . . . p. 10 LZ
Colón . . . . p. 10 LV

Continuación Madrid p. 6

Colón (Pl. de) . . . . p. 11 **NV 44**
Comandante Zorita . . p. 7 **FT 45**
Complutense (Av. de) . . p. 8 **DU**
Concepción Jerónima . . p. 10 **LY 48**
Concha Espina . . . . . p. 7 **HT**
Conde de Casal (Pl.) . . p. 9 **JZ**
Conde de Peñalver . . . p. 9 **NV**
Conde de Romanones . p. 10 **LY 51**
Conde Duque . . . . . . p. 10 **KV**
Córdoba (Av. de) . . . . p. 4 **BM**
Corredera Baja
  de San Pablo . . . . . p. 10 **LV**
Cortes (Pl. de las) . . . p. 11 **MY 53**
Costa Rica (Av. de) . . p. 7 **HS 55**
Cruz . . . . p. 10 **LY**
Cuatro Caminos (Glta.) p. 7 **FU 56**
Cuchilleros . . . . p. 10 **KY 58**
Cuzco (Pl. de) . . . . . . p. 7 **GS**
Daroca (Av. de) . . . . . p. 5 **CM**
Delicias (Pas. de las) . . p. 4 **BM 59**
Diego de León . . . . . . p. 9 **HV**
Divino Pastor . . . . p. 10 **LV**
Dr Arce (Av. del) . . . . p. 7 **HU 62**
Dr Esquerdo . . . . p. 9 **JX**
Dr Fleming . . . . p. 7 **GT 63**
Donoso Cortés . . . . . . p. 8 **EV**
Don Pedro . . . . p. 10 **KZ**
Don Ramón de la Cruz . p. 9 **HV**
Dos de Mayo (Pl.) . . . . p. 10 **LV**
Dulcinea . . . . p. 7 **FT**
Duque de Alba . . . . . . p. 10 **LZ 65**
Echegaray . . . . p. 10 **LY 66**
Eduardo Dato . . . . . . p. 9 **GV**
Eloy Gonzalo . . . . p. 8 **FV**
El Pardo (Carret. de) . . p. 4 **AL**
Embajadores . . . . p. 10 **LZ**
Embajadores (Glta.) . . p. 8 **FZ**
Emilio Castelar (Pl.) . . p. 9 **HV**
Emperador Carlos V
  (Plaza) . . . . p. 11 **NV**
Enrique Larreta . . . . . p. 7 **HS 76**
Espalter . . . . p. 11 **NZ**
España (Pl. de) . . . . . p. 10 **KV**
Espíritu Santo . . . . . . p. 10 **LV**
Espoz y Mina . . . . p. 10 **LY 79**
Estébanez Calderón . . p. 7 **GS 80**
Estudios . . . . p. 10 **KY 82**
Extremadura (Pas de) . p. 4 **AM**
Felipe IV . . . . p. 11 **NY**
Félix Boix . . . . p. 7 **HS**
Fernando el Católico . . p. 8 **EV**
Fernando el Santo . . . p. 11 **NV 85**
Fernando VI . . . . p. 11 **MV**
Ferraz . . . . p. 8 **DX**
Filipinas (Av.) . . . . . . p. 8 **EV**
Florida (Pas. de la) . . . p. 8 **DX 88**
Francisco Gervás . . . . p. 7 **GS**
Francisco Silvela . . . . p. 9 **HV**
Francisco Suárez . . . . p. 7 **HS**
Fray Bernardino
  Sahagún . . . . p. 7 **HS 90**
Fuencarral . . . . p. 10 **LV**
García de Paredes . . . p. 9 **GV**
Gen. Ibáñez de Ibero . . p. 8 **EU**
Gen. López Pozas . . . p. 7 **HS 92**
Gen. M. Campos . . . . . p. 9 **GV**
Gen. Moscardó . . . . . . p. 7 **FT 95**
Gen. Perón (Av.) . . . . . p. 7 **GT**
Gen. Ricardos . . . . . . p. 4 **BM 97**
Gen. Vara de Rey (Pl.) . p. 10 **KZ 99**
Gen. Yagüe . . . . p. 7 **GT**
Génova . . . . p. 11 **NV**
Goya . . . . p. 11 **NV 100**
Gran Vía . . . . p. 10 **LX**
Gran Vía de Hortaleza . p. 3 **CL**
Guzmán el Bueno . . . p. 8 **EV**
Habana (Pas. de la) . . p. 7 **HT**
Hermanos García
  Noblejas . . . . p. 5 **CL**
Hermosilla . . . . p. 11 **NV**
Hernani . . . . p. 7 **FT**
Hortaleza . . . . p. 10 **LX**
Huertas . . . . p. 11 **MZ**
Ibiza . . . . p. 9 **HY**
Ilustración (Av. de la) . p. 4 **BL**
Imperial (Paseo) . . . . p. 8 **DZ**
Independencia (Pl.) . . p. 11 **NX 103**
Infanta Isabel (Pas.) . . p. 11 **NZ 105**
Infanta Mercedes . . . . p. 7 **FS**
Infantas . . . . p. 10 **LX**
Isaac Peral . . . . p. 8 **DV**
Isabel II (Pl. de) . . . . p. 10 **KX**
Jacinto Benavente (Pl.) p. 10 **LY**

Jerez . . . . p. 7 **HS 107**
Joaquín Costa . . . . . . p. 7 **HU**
Joaquín Turina . . . . . p. 4 **AM**
Jorge Juan . . . . p. 9 **HX**
José Abascal . . . . p. 8 **FV**
J. Ortega y Gasset . . . p. 9 **HV**
Juan Bravo . . . . p. 9 **HV**
Juan Duque . . . . p. 8 **DY**
Juan Ramón Jiménez . p. 7 **HS**
Lagasca . . . . p. 10 **LZ**
Lavapiés . . . . p. 11 **NY**
Lealtad (Pl. de la) . . . p. 11 **NY**
Leganitos . . . . p. 10 **KX**
Libreros . . . . p. 10 **KX 119**
Lima (Pl. de) . . . . p. 7 **GT**
López de Hoyos . . . . . p. 9 **HV**
López de Hoyos (Glta.) p. 9 **HV**
Luchana . . . . p. 8 **FV**
Luna . . . . p. 10 **KV**
Madrazo (Los) . . . . . . p. 11 **MY 121**
Madre de Dios . . . . . . p. 7 **HS**
Magdalena . . . . p. 10 **LZ**
Manuel Becerra (Pl. de) p. 9 **JX**
Manzanares (Av. del) . p. 4 **AM 122**
Marcenado . . . . p. 7 **HT**
María de Molina . . . . . p. 9 **HV**
Mariano de Cavia (Pl.). p. 9 **HY**
Marqués de Monistrol . p. 4 **AL**
M. de Salamanca (Pl.) . p. 9 **HV 125**
Marqués de Urquijo . . p. 8 **DV 126**
Marqués de Viana . . . p. 7 **FS**
Marqués de Zafra (Pas.) p. 9 **JX**
Mateo Inurria . . . . . . p. 7 **HS**
Maudes . . . . p. 7 **FU**
Mauricio Legendre . . . p. 7 **HR**
Mayor (Calle) . . . . . . p. 10 **KY**
Mayor (Plaza) . . . . . . p. 10 **KY**
Mediterráneo (Av. del). p. 5 **CM**
Mejía Lequerica . . . . . p. 10 **LV 132**
Meléndez Valdés . . . . p. 8 **EV**
Menéndez
  y Pelayo (Av.) . . . . . p. 9 **HY**
Mesón de Paredes . . . p. 10 **LZ**
Miguel Ángel . . . . p. 9 **GV 136**
Miraflores (Av. de) . . . p. 4 **AL**
Modesto Lafuente . . . p. 8 **FV**
Moncloa (Pl. de la) . . . p. 8 **DV**
Montalbán . . . . p. 11 **NX**
Montera . . . . p. 10 **LX**
Montserrat . . . . p. 10 **KV**
Moratín . . . . p. 11 **MZ**
Moret (Paseo de) . . . . p. 8 **DV**
Moreto . . . . p. 11 **NY**
Murillo (Pl. de) . . . . . p. 11 **NZ**
Narváez . . . . p. 9 **HX**
Nicasio Gallego . . . . . p. 8 **FV 138**
Núñez de Arce . . . . . p. 10 **LY 140**
O'Donnell . . . . p. 9 **HX**
Oporto (Av. de) . . . . . p. 4 **BM**
Orense . . . . p. 7 **GS**
Oriente (Pl. de) . . . . . p. 10 **KX**
Pablo Iglesias (Av.) . . p. 8 **EU 142**
Padre Damián . . . . . . p. 7 **HS**
Padre Huidobro
  (Av. del) . . . . p. 4 **AL**
Paja (Pl. de la) . . . . . p. 10 **KZ**
Palma . . . . p. 10 **KV**
Paraguay . . . . p. 7 **HS**
Paz (Av. de la) . . . . . . p. 5 **CL**
Pedro Teixeira . . . . . . p. 7 **GT 145**
Pez . . . . p. 10 **LV**
Pinos Alta . . . . p. 7 **FS 146**
Pintor Juan Gris . . . . p. 7 **FS 148**
Pintor Rosales
  (Paseo) . . . . p. 8 **DX**
Pío XII (Av. de) . . . . . p. 7 **HS**
Poblados (Av.) . . . . . . p. 4 **AM**
Portugal (Av. de) . . . . p. 4 **AM**
Pradillo . . . . p. 7 **HT**
Prado . . . . p. 11 **MY**
Prado (Pas. del) . . . . . p. 11 **NZ**
Preciados . . . . p. 10 **LX 155**
Presidente Carmona . . p. 7 **FT 157**
Princesa . . . . p. 10 **KV**
Princesa Juana
  de Austria (Av.) . . . . p. 4 **BM**
Príncipe . . . . p. 10 **LY**
Príncipe de Vergara . . p. 9 **HV**
Puerta Cerrada (Pl.) . . p. 10 **KY 159**
Puerta de Hierro (Av.) . p. 4 **AL**
Puerta de Moros (Pl.) . p. 10 **KZ 161**
Puerta del Sol (Pl.) . . . p. 10 **LY**
Puerta de Toledo (Glta). p. 8 **EZ**

R. Fernández
  Villaverde . . . . p. 7 **FU 1**
Ramón y Cajal (Av.) . . p. 7 **HT**
Recoletos . . . . p. 11 **NX 1**
Recoletos (Paseo) . . . p. 11 **NV**
Reina Cristina (Pas.) . . p. 9 **HZ 1**
Reina Mercedes . . . . p. 7 **FT 1**
Reina Victoria (Av.) . . p. 8 **EU 1**
República
  Argentina (Pl.) . . . . . p. 7 **HU**
República
  Dominicana (Pl.) . . . p. 7 **HS 1**
Reyes . . . . p. 10 **KV**
Reyes Católicos (Av.) . p. 8 **DV 1**
Ribera de Curtidores . . p. 10 **KZ**
Ríos Rosas . . . . p. 8 **FV**
Rodríguez Marín . . . . p. 7 **HT**
Rosa de Silva . . . . . . p. 7 **FS 1**
Rosario Pino . . . . p. 7 **GS 1**
Ruiz Jiménez (Glta) . . p. 8 **EV 1**
Sacramento . . . . p. 10 **KY**
Sagasta . . . . p. 10 **LV**
Sagrados Corazones
  (Plaza) . . . . p. 7 **HT**
Salvador Dalí (Pl.) . . . p. 9 **HX**
San Amaro (Pl.) . . . . . p. 7 **FT 1**
San Bernardino . . . . . p. 10 **KV**
San Bernardo . . . . . . p. 10 **KV**
San Enrique . . . . p. 7 **FT**
San Francisco
  (Carrera de) . . . . . . p. 10 **KZ 1**
San Francisco
  (Gran Vía) . . . . p. 10 **KZ**
San Francisco de
  Sales (Pas.) . . . . . . p. 8 **DV 1**
San Jerónimo
  (Carrera de) . . . . . . p. 10 **LY 1**
San Juan
  de la Cruz (Pl.) . . . . p. 9 **GV**
San Justo . . . . p. 10 **KY 1**
San Luis (Av. de) . . . . p. 5 **CL**
San Marcos . . . . p. 11 **MX**
San Mateo . . . . p. 10 **LV**
San Millán . . . . p. 10 **KZ**
San Vicente
  (Cuesta de) . . . . p. 8 **DX**
Santa Bárbara (Pl.) . . p. 11 **MV**
Santa Engracia . . . . . p. 11 **MV 2**
Santa Isabel . . . . p. 11 **MZ**
Santa María de
  la Cabeza (Pas.) . . . p. 4 **BM 2**
Santo Domingo
  (Cuesta Pl. de) . . . . p. 10 **KX 2**
Segovia . . . . p. 10 **KY**
Segovia (Ronda) . . . . p. 8 **EY**
Segre . . . . p. 4 **AM**
Sepúlveda . . . . p. 7 **HT 2**
Serrano . . . . p. 7 **HU**
Sevilla . . . . p. 10 **LY 2**
Sinesio Delgado . . . . p. 7 **GR 2**
Sor Ángela de la Cruz . p. 7 **GS 2**
Teruel . . . . p. 7 **FT**
Tirso de Molina (Pl.) . . p. 10 **LZ**
Toledo . . . . p. 10 **KZ**
Toledo (Ronda de) . . . p. 8 **EZ**
Toreros (Av. de los) . . p. 9 **JV**
Torija . . . . p. 10 **KX**
Tudescos . . . . p. 10 **LX**
Uruguay . . . . p. 7 **HT**
Valencia . . . . p. 8 **FZ**
Valencia (Ronda) . . . . p. 8 **FZ**
Valladolid (Av. de) . . . p. 4 **AL**
Valle (Av. del) . . . . . . p. 8 **DU**
Vallehermoso . . . . . . p. 8 **EV**
Valmojado . . . . p. 4 **AM**
Valverde . . . . p. 10 **LV**
Velázquez . . . . p. 9 **HX**
Ventura Rodríguez . . . p. 10 **KV**
Ventura de la Vega . . . p. 10 **LY**
Vergara . . . . p. 10 **KY**
Víctor Andrés
  Belaunde . . . . p. 7 **HT**
Víctor de la Serna . . . p. 7 **HT**
Villa (Pl. de la) . . . . . p. 10 **KY**
Villa de París (Pl.) . . . p. 11 **NV**
Villanueva . . . . p. 11 **NV**
Virgen de los
  Peligros . . . . p. 10 **LX**
Virgen del Puerto
  (Pas. de la) . . . . p. 8 **DY**
Viriato . . . . p. 8 **FV**
Zurbano . . . . p. 9 **GV**
Zurbarán . . . . p. 9 **GV**

MADRID

dos de la División
azul . . . . HS 21
pitán Haya . . . . GS 25
mandante Zorita . . . FT 45
sta Rica (Av. de) . . . HS 55
atro Caminos
Glorieta de) . . . . FU 56
ctor Arce (Av. del) . . HU 62
ctor Fleming . . . . . GT 63
que Larreta . . . . . . HS 76
ébanez Calderón . . . GS 80
y Bernardino
ahagún . . . . HS 90
. López Pozas . . . . . HS 92
n. Moscardó . . . . . . FT 95
ez . . . . HS 107
ro Teixeira . . . . GT 145
os Alta . . . . FS 146
or Juan Gris . . . . . FS 148
sidente Carmona . . FT 157
mundo Fernández
Villaverde . . . . FU 162
na Mercedes . . . . . FT 168
ública Dominicana
Pl.) . . . . HS 172
sa de Silva . . . . . . FS 177
sario Pino . . . . GS 179
a Amaro (Pl.) . . . . . FT 183
re . . . . HT 206
esio Delgado . . . . . GR 209
Ángela de la Cruz . . GS 210
uel . . . . FT 211
tor Andrés
elaunde . . . . HT 229
tor de la Serna . . . HT 231

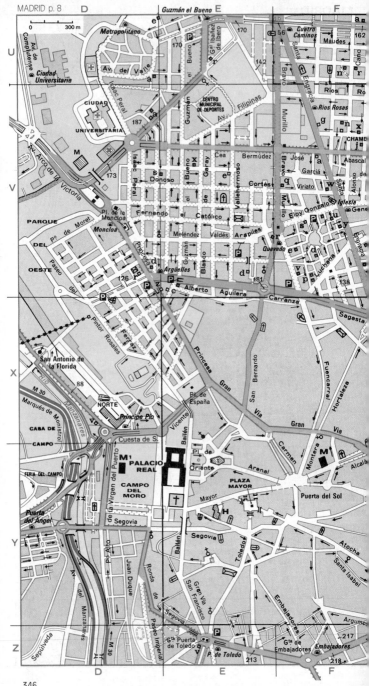

MADRID

Atocha (Ronda de) . . **FZ** 14
Florida (Paseo de la) . **DX** 88
Lagasca . . . . **HVX** 116
Marqués de
  Salamanca (Pl.) . . . **HV** 125
Marqués de Urquijo . **DV** 126
Miguel Ángel . . . . . . **GV** 136
Reina Cristina
  (Paseo) . . . . **HZ** 166
Reina Victoria (Av.) . . **EU** 170
Reyes Católicos (Av.) . **DV** 173
Ruiz Jiménez
  (Glorieta) . . . . **EV** 181
San Francisco
  de Sales (Pas.) . . . **DV** 187
Toledo (Ronda de) . . **EZ** 213
Valencia . . . . **FZ** 217
Valencia (Ronda de) . **FZ** 218

Repertorio de calles
ver Madrid p. 5 y p. 6

347

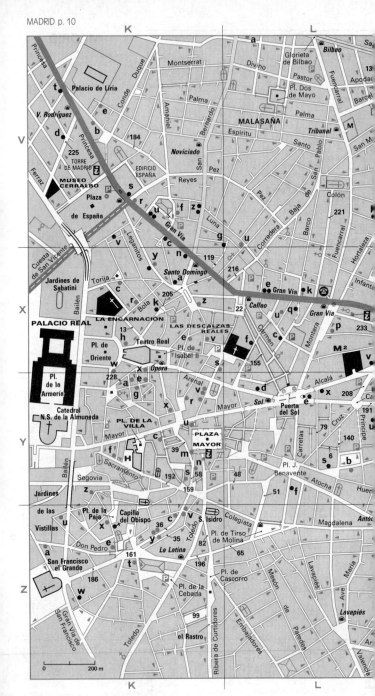

MADRID

Alcalá	**LMXY**
Arenal	**KY**
Carmen	**LX**
Fuencarral	**LV**
Gran Vía	**KLX**
Hortaleza	**LVX**
Mayor	**KLY**
Mayor (Plaza)	**KY**
Montera	**LX**
Preciados	**LX** 155
Puerta del Sol (Pl.)	**LY**
San Jerónimo (Carrera de)	**LMY** 191

Álvarez Gato	**LY**	6
Arrieta	**KX**	13
Ayala	**NV**	18
Bárbara de Braganza	**NV**	19
Callao (Pl. de)	**LX**	22
Cava Alta	**KZ**	35
Cava Baja	**KZ**	36
Cava de San Miguel	**KY**	39
Ciudad de Barcelona (Av.)	**NZ**	41
Colón (Pl. de)	**NV**	44
Concepción Jerónima	**LY**	48
Conde de Romanones	**LY**	51
Cortes (Pl. de las)	**MY**	53
Cuchilleros	**KY**	58
Duque de Alba	**LZ**	65
Echegaray	**LY**	66
Espoz y Mina	**LY**	79
Estudios	**KZ**	82
Fernando el Santo	**NV**	85
Gen. Vara de Rey (Pl.)	**KZ**	99
Goya	**NV**	100
Independencia (Pl. de la)	**NX**	103
Infanta Isabel (Pas.)	**NZ**	105
Libreros	**KX**	119
Madrazo (Los)	**MY**	121
Mejía Lequerica	**LMV**	132
Núñez de Arce	**LY**	140
Puerta Cerrada (Pl.)	**KY**	159
Puerta de Moros (Pl.)	**KZ**	161
Recoletos	**NX**	163
San Bernardino	**KV**	184
San Francisco (Carrera de)	**KZ**	186
San Justo	**KY**	192
San Millán	**KZ**	196
Santa Engracia	**MV**	203
Santo Domingo (Cuesta, Pl. de)	**KX**	205
Sevilla	**LY**	208
Tudescos	**LX**	216
Valverde	**LV**	221
Ventura Rodríguez	**KV**	225
Ventura de la Vega	**LY**	227
Vergara	**KY**	228
Villa de París (Pl.)	**NV**	232
Virgen de los Peligros	**LX**	233

Michelin
pone sus mapas
constantemente al día.
Llévelos en su coche
y no tendrá Vd. sorpresas
desagradables
en carretera.

Lista alfabética de hoteles y restaurantes
Lista alfabética de hotéis e restaurantes
Liste alphabétique des hôtels et restaurants
Elenco alfabetico degli alberghi e ristoranti
Alphabetisches Hotel- und Restaurantverzeichnis
Alphabetical list of hotels and restaurants

A

26 Abeba
27 Abuelita (La)
25 Agumar
22 Ainhoa
27 Al Mounia
23 Alamillo de los Austrias (El)
33 Albufera (L')
34 Aldaba
21 Alexandra
28 Alkalde
30 Alsace (L')
26 Amparo (El)
35 Ancha (La)
30 Annapurna
28 Aramo
22 Arce
23 Arcón (El)
32 Aristos
20 Arosa
35 Asador Ansorena
35 Asador Castillo de Javier
22 Asador de Aranda (El) Preciados 44
27 Asador de Aranda (El)
  Diego de León 9
35 Asador de Aranda (El)
  pl. de Castilla 3
35 Asador de Roa
34 Asador Errota-Zar
34 Asador Frontón II
36 Asador Los Condes
28 Asador Velate
31 Asquiniña
21 Atlántico
32 Augusta Club 143
28 Auto

B

31 Babel
22 Bajamar

31 Balear
26 Balzac
21 Barajas
35 Barlovento
23 Barraca (La)
32 Bene
28 Betelu
32 Biergarten
33 Blanca de Navarra
33 Bodegón (El)
33 Bogavante
24 Bola (La)
24 Bolivar
26 Borbollón (El)
36 Borrachos de Velázquez (Los)
35 Botella de Pepe (La)
23 Botín
23 Bóveda del Teatro (La)
35 Broche (La)
24 Buey II (El)

C

24 Cabo Finisterre
33 Cabo Mayor
22 Café de Oriente
21 California
21 Carlos V
28 Carlton
34 Carta Marina
30 Casa Arturo
36 Casa Benigna
27 Casa d'a Troya
27 Casa Domingo
31 Casa Félix
23 Casa Gallega Bordadores 11
22 Casa Gallega pl. de San Miguel 8
30 Casa Hilda
28 Casa Julián
23 Casa Lucio
24 Casa Marta

24 Casa Paco
23 Casa Parrondo
36 Casa Pedro
28 Casa Portal
27 Casa Quinta
24 Casa Vallejo
29 Casiña A'
21 Casón del Tormes
29 Castellana Intercontinental
26 Castelló 9
32 Castilla Plaza
30 Cava Real (La)
21 Centro Sol
35 Chaflán (El)
32 Chamartín
27 Chiscón de Castelló (El)
31 Chulia
24 Ciao Madrid Argensola 7
24 Ciao Madrid Apodaca 20
29 Cigarrales (Los)
25 Claridge
26 Club 31
25 Colón (G.H.)
20 Coloso (El)
34 Combarro
25 Conde de Orgaz
29 Conde Duque (G.H.)
21 Condes (Los)
25 Convención
31 Corcho (El)
23 Corral de la Morería
21 Cortezo
35 Cota 13
30 Cuatro Estaciones (Las)
23 Cuevas de Luis Candelas (Las)
36 Cumbres (Las)
29 Currito
32 Cuzco

D – E

32 Despensa (La)
28 Diana Plus
24 Dómine Cabra
22 Don Pelayo
31 Don Sancho
27 Don Víctor
24 Donzoko
27 Dynasty
20 Emperador
25 Emperatriz
35 Endavant
22 Errota-Zar

30 Esculptor
22 Espejo (El)
24 Esquina del Real (La)
23 Esteban
32 Eurobuilding

F

35 Fass
35 Ferreiro
29 Florida Norte
26 Fogón (El)
27 Fonda (La) Lagasca 11
34 Fonda (La)
    Príncipe de Vergara 211
34 Foque (El)
32 Foxá 25
32 Foxá 32
33 Fragata (La)
31 Fuente Quince (La)
34 Funy (De)

G

31 Gala
26 Gamella (La)
34 Ganges
22 Gastroteca de Stéphane y Arturo (La)
20 Gaudí
36 Gaztelubide
34 Gaztelupe
27 Gerardo Don Ramón de la Cruz 86
29 Gerardo Alberto Alcocer 46 bis
28 Giralda III (La) Maldonado 4
31 Giralda II (La) Hartzenbuch 12
28 Giralda IV (La) Claudio Coello 24
33 Goizeko Kabi
32 Gran Atlanta (El)
26 Gran Chambelán (El)
31 Gran Tasca (La)
30 Gran Versalles
21 Green El Prado
28 Grelo (O') Menorca 39
31 Grelo (O') Gaztambide 50
24 Grill de la Ópera (El)
27 Guisando
23 Gure–Etxea

H

27 Hang Zhou
27 Hoja (La)
32 Holiday Inn
20 Holiday Inn Crowne Plaza

29 Hontoria
31 Horno de Juan
22 Horno de Santa Teresa
35 House of Ming

I – J

35 Inés Villanueva
24 Ingenio (El)
21 Inglés
21 Italia
34 Jai-Alai
32 Jardin (El)
31 Jeromín
30 Jockey
33 José Luis
27 Jota Cinco
23 Joya de Jardines (La)
22 Julián de Tolosa

K – L

30 Kulixka
21 Landó (El)
27 Laray
20 Liabeny
26 Lucca
30 Lur Maitea
34 Lutecia

M

28 Magerit
33 Máquina (La)
34 De María
20 Mayorazgo
25 Meliá Avenida América
32 Meliá Castilla
25 Meliá Confort
     Los Galgos
29 Meliá Madrid
22 Mentidero
     de la Villa (El)
21 Mercator
36 Mesón (El)
29 Mesón Auto
31 Mesón del Cid
23 Mesón Gregorio III
24 Mi Pueblo
29 Miguel Ángel
29 Mindanao
34 Mirasierra
27 Misión (La)

22 Moaña
21 Moderno
35 Molino (El) Conde de Serrallo 1
36 Molino (El) Orense 70
20 Moncloa Garden

N

25 NH Alcalá
30 NH Argüelles
25 NH Balboa
30 NH Bretón
30 NH Embajada
32 NH La Habana
25 NH Lagasca
25 NH Parque Avenidas
32 NH Práctico
25 NH Príncipe de Vergara
30 NH Prisma
29 NH Santo Mauro
25 NH Sanvy
26 NH Sur
30 NH Zurbano
22 Nicola (Da) pl. de los Mostenses 11
35 Nicola (Da) Orense 4
27 Nicolás
33 Nicolasa
25 Novotel Madrid
25 Novotel Madrid-Campo
     de las Naciones

O – P

33 Olivo (El)
23 Ópera de Madrid (La)
28 Orbayo
32 Orense 38
26 Oter
35 Ox's
20 Palace
26 Paloma (La)
34 Paparazzi
26 Paradis Casa América
21 Paradis Madrid
21 París
31 Parra (La)
35 Parrilla de Madrid (La)
23 Pato Mudo (El)
33 Pazo (O')
23 Pazo de Gondomar
34 Pedralbes
26 Pedro Larumbe
31 Pedrusco de Aldealcorvo (El)

28 Pelotari
28 Pescador (El)
31 Pinocchio
25 Pintor
22 Platerías
31 Plaza de Chamberí (La)
31 Polizón
26 Ponteareas
30 Porto Alegre 2
36 Portonovo
22 Posada de la Villa
28 Praga
20 Princesa
33 Príncipe de Viana
33 Príncipe y Serrano
35 Prost
28 Puerta de Toledo (Hl.)
29 Puerta de Toledo (Rte)
26 Puertochico

Q – R

31 Quattrocento
24 Quinta del Sordo (La)
24 Quintana (La)
29 Quo Venus
27 Rafa
28 Rafael Pirámides
36 Rancho Texano
21 Regina
20 Reina Victoria (G.H.)
36 Remos (Los)
30 Reses (Las)
33 Residencia de El Viso (La)
21 Reyes Católicos
36 Rianxo Raimundo F. Villaverde 49
35 Rianxo Oruro 11
29 Ribadas
23 Rincón de Esteban (El)
22 Rioja (La)
24 Ritz
23 Robata
34 Rugantino

S

35 Sacha
29 Sal Gorda
27 Salotto (II)
20 Santo Domingo
24 Schotis (El)
33 Señorío de Alcocer
33 Señorío de Bertiz

34 Serramar
25 Serrano
28 Sixto
22 Sixto Gran Mesón
25 Sofitel-Madrid-Aeropuerto
29 Sofitel-Plaza de España
30 Sol Alondras
30 Solchaga
26 Sorolla
27 St. James
20 Suecia
21 Suite Prado
26 Suntory

T

24 Taberna Carmencita
24 Taberna del Alabardero
22 Taberna de Liria (La)
34 Tahona (La)
35 Tándem
34 Tattaglia
27 Teatriz
34 Telégrafo (El)
29 Tirol
22 Toja (La)
30 Trafalgar
28 Trainera (La)
27 Tristana
20 Tryp Ambassador
25 Tryp Fénix
20 Tryp Menfis
29 Tryp Monte Real
32 Tryp Togumar
21 Tryp Washington

V – W – X – Z

24 Vaca Verónica (La)
23 Valle (Del)
31 Vatel
23 Vegamar
23 Viejo Madrid
36 Villa (La)
31 Villa de Foz
24 Villa Magna
20 Villa Real
26 Villa y Corte de Madrid
26 Viridiana
25 Wellington
31 Xeito (O')
36 Zacarías de Santander
33 Zalacaín

Establecimientos con estrellas
Estabelecimentos com estrelas
Les établissements à étoiles
Gli esercizi con stelle
Die Stern-Restaurants
Starred establishments

33 **Zalacaín**

26 **Amparo (El)**
27 **Casa d'a Troya**
30 **Cuatro Estaciones (Las)**
33 **Goizeko Kabi**
29 **Hontoria**
30 **Jockey**

33 **Olivo (El)**
26 **Paloma (La)**
28 **Pescador (El)**
33 **Príncipe de Viana**
28 **Trainera (La)**
26 **Viridiana**

Restaurantes especializados
Restaurants classés suivant leur genre
Ristoranti classificati secondo il loro genere
Restaurants nach Art geordnet
Restaurants classified according to type

Andaluces

36 Borrachos de Velázquez (Los)
36 Cumbres (Las)
28 Giralda III (La) Maldonado 4

31 Giralda II (La) Hartzenbuch 12
28 Giralda IV (La) Claudio Coello 24

Arroces

33 Albufera (L')
31 Balear
23 Barraca (La)

23 Pato Mudo (El)
27 St. James

Asturianos

28 Casa Portal
23 Casa Parrondo

35 Ferreiro
27 Hoja (La)

Bacalaos

34 Foque (El)

Carnes y asados

22 Asador de Aranda (El) Preciados 44
27 Asador de Aranda (El)
   Diego de León 9
35 Asador de Aranda (El) pl. de Castilla 3
36 Asador Las Condes
31 Babel
34 De María
24 Grill de la Ópéra (El)

22 Julián de Tolosa
35 Molino (El) Conde de Serrallo 1
36 Molino (El) Orense 70
35 Ox's
36 Rancho Texano
30 Reses (Las)
34 Tahona (La)

Catalanes

35 Endavant
27 Fonda (La) Lagasca 11

34 Fonda (La)
   Príncipe de Vergara 211

Cocido

24 Bola (La)

Gallegos

31 Asquiniña
24 Cabo Finisterre
27 Casa d'a Troya
23 Casa Gallega Bordadores 11
22 Casa Gallega pl. de San Miguel 8
28 Grelo (O') Menorca 39
31 Grelo (O') Gaztambide 50
22 Moaña

23 Pazo de Gondomar
26 Ponteareas
36 Portonovo
36 Rianxo Raimundo F. Villaverde 49
35 Rianxo Oruro 11
29 Ribadas
22 Toja (La)

Pescados y mariscos

22 Bajamar
33 Bogavante
34 Combarro
30 Kulixka
33 Pazo (O')
28 Pescador (El)
31 Polizón

36 Remos (Los)
34 Serramar
34 Telégrafo (El)
28 Trainera (La)
23 Vegamar
31 Xeito (O')

Tablao flamenco

23 Corral de la Morería

Vascos y navarros

22 Ainhoa
23 Alamillo de los Austrias (El)
28 Asador Velate
29 Currito
36 Gaztelubide
34 Gaztelupe
33 Goizeko-Kabi

23 Gure-Etxea
34 Jai-Alai
30 Lur Maitea
26 Oter
33 Príncipe de Viana
24 Taberna del Alabardero

Alemanes

35 Fass

Chinos

27 Dynasty
27 Hang Zhou

35 House of Ming

Escandinavos

20 Bellman – H. Suecia

Franceses

22 Gastroteca de Stéphane y Arturo (La)

Hindúes

30 Annapurna

34 Ganges

Italianos

24 **Ciao Madrid** Argensola 7
24 **Ciao Madrid** Apodaca 20
20 **Cupola (La)** – H. Palace
26 **Lucca**
22 **Nicola (Da)** pl. de los Mostenses 11
35 **Nicola (Da)** Orense 4
34 **Paparazzi**

31 **Pinocchio**
31 **Quattrocento**
34 **Rugantino**
27 **Salotto (II)**
34 **Tattaglia**
27 **Teatriz**

Japoneses

24 **Donzoko**
23 **Robata**

26 **Suntory**

Libaneses

34 **Funy (De)**

Maghrebíes

27 **Al Mounia**

MAPAS Y GUÍAS MICHELIN
Oficina de Información
Doctor Esquerdo 157, 28007 Madrid - ℰ 409 09 40
Abierto de lunes a viernes de 8 h. a 16 h. 30

Centro : Paseo del Prado, Puerta del Sol, Gran Vía, Alcalá, Paseo de Recoletos, Plaza Ma⁴ (planos p. 10 y 11)

Palace, pl. de las Cortes 7, ⊠ 28014, ℰ 429 75 51, Telex 23903, Fax 429 82 66 – 📺 🅿 🔊 🌣 📶 ↔ – 🔏 25/600. 🖭 ⓞ 🄴 *VISA* ᴊᴄʙ. 🛇 rest　　　　MY
Comida 4450 - *La Cupola (Cocina italiana, cerrado sábado mediodía, domingo medioc y agosto)* Comida carta 5900 a 7000 – ⟂ 2750 – **436 hab** 38500/46000, 20 suite

Princesa, Princesa 40, ⊠ 28008, ℰ 542 21 00, 🖰, 🔲 – 🛗 📖 📺 🍽 🅿 🔊 ↔
🔏 25/825. 🖭 ⓞ 🄴 *VISA* ᴊᴄʙ. 🛇　　　　plano p. 6 DEV
Comida 2950 – ⟂ 1950 – **263 hab** 24900/31200, 12 suites.

Villa Real, pl. de las Cortes 10, ⊠ 28014, ℰ 420 37 67, Fax 420 25 47, « Decorac elegante » – 🛗 📖 📺 🍽 🅿 – 🔏 35/100. 🖭 ⓞ 🄴 *VISA*. 🛇　　　　MY
Comida carta aprox. 5500 – ⟂ 1700 – **96 hab** 26400/33000, 19 suites.

Holiday Inn Crowne Plaza, pl. de España, ⊠ 28013, ℰ 547 12 00, Telex 273 Fax 548 23 89, ← – 🛗 📖 📺 🅿 🔊 🌣 – 🔏 25/350. 🖭 ⓞ 🄴 *VISA* ᴊᴄʙ. 🛇　　KV
Comida 4200 – ⟂ 1650 – **295 hab** 26500/29500, 11 suites.

Tryp Ambassador, Cuesta de Santo Domingo 5, ⊠ 28013, ℰ 541 67 00, Telex 495 Fax 559 10 40 – 🛗 📖 📺 🅿 – 🔏 25/280. 🖭 ⓞ 🄴 *VISA* ᴊᴄʙ. 🛇　　　　KX
Comida 2600 – ⟂ 1200 – **163 hab** 17475/21900, 18 suites – PA 5200.

Liabeny, Salud 3, ⊠ 28013, ℰ 531 90 00, Telex 49024, Fax 532 74 21 – 🛗 📖 📺 ↔ – 🔏 25/125. 🖭 ⓞ 🄴 *VISA*. 🛇　　　　Lℵ
Comida 3000 – ⟂ 1500 – **224 hab** 12000/17500, 5 suites – PA 6000.

Moncloa Garden *sin rest*, Serrano Jover 1, ⊠ 28015, ℰ 542 45 82, Fax 542 71 – 🛗 📖 📺 🍽. 🖭 ⓞ 🄴 *VISA* ᴊᴄʙ. 🛇　　　　EV
⟂ 925 – **102 hab** 13200/16400, 19 suites.

Emperador *sin rest*, Gran Vía 53, ⊠ 28013, ℰ 547 28 00, Telex 46261, Fax 547 28 🔧 – 🛗 📖 📺 🍽 – 🔏 25/150. 🖭 ⓞ 🄴 *VISA* ᴊᴄʙ. 🛇　　　　KX
⟂ 1575 – **232 hab** 16280/20350.

Arosa *sin rest. con cafetería*, Salud 21, ⊠ 28013, ℰ 532 16 00, Telex 436 Fax 531 31 27 – 🛗 📖 📺 🍽 🅿 ↔ – 🔏 25/60. 🖭 ⓞ 🄴 *VISA* ᴊᴄʙ　　　　Lℵ
⟂ 1250 – **139 hab** 12125/18745.

G.H. Reina Victoria, pl. de Santa Ana 14, ⊠ 28012, ℰ 531 45 00, Telex 47⁵ Fax 522 03 07 – 🛗 📖 📺 🍽 🅿 ↔ – 🔏 25/350. 🖭 ⓞ 🄴 *VISA* ᴊᴄʙ. 🛇　　Lℵ
Comida 3625 – ⟂ 1300 – **195 hab** 17475/21900, 6 suites.

Santo Domingo, pl. de Santo Domingo 13, ⊠ 28013, ℰ 547 98 00, Fax 547 5⁹ – 🛗 📖 📺 🍽 – 🔏 25/60. 🖭 ⓞ 🄴 *VISA* ᴊᴄʙ. 🛇　　　　KX
Comida 3475 – ⟂ 1350 – **120 hab** 15175/21350.

Mayorazgo, Flor Baja 3, ⊠ 28013, ℰ 547 26 00, Telex 45647, Fax 541 24 85 – 🛗 📺 🍽 ↔ – 🔏 25/250. 🖭 ⓞ 🄴 *VISA* ᴊᴄʙ. 🛇　　　　Kℵ
Comida 2200 – ⟂ 1200 – **200 hab** 12500/16500 – PA 5600.

El Coloso, Leganitos 13, ⊠ 28013, ℰ 559 76 00, Telex 47017, Fax 547 49 68 – 🛗 📺 🍽 ↔ – 🔏 25/200. 🖭 ⓞ 🄴 *VISA* ᴊᴄʙ. 🛇　　　　Kℵ
Comida 2990 – ⟂ 1300 – **84 hab** 15100/18850.

Suecia, Marqués de Casa Riera 4, ⊠ 28014, ℰ 531 69 00, Telex 22313, Fax 521 7 – 🛗 📖 📺 🍽 – 🔏 25/150. 🖭 ⓞ 🄴 *VISA*. 🛇　　　　Mℵ
Comida 3500 - *Bellman (Cocina escandinava)* Comida carta 3005 a 3875 – ⟂ 15
119 hab 18400/23000, 9 suites – PA 8550.

Gaudí, Gran Vía 9, ⊠ 28013, ℰ 531 22 22, Fax 531 54 69, 🖰 – 🛗 📖 📺 🔏 25/120. 🖭 ⓞ 🄴 *VISA* ᴊᴄʙ. 🛇　　　　L
Comida 2500 – ⟂ 1250 – **88 hab** 15750/18600 – PA 5000.

Tryp Menfis, Gran Vía 74, ⊠ 28013, ℰ 547 09 00, Telex 48773, Fax 547 51 99 📖 📺 🍽. 🖭 ⓞ 🄴 *VISA*. 🛇　　　　Kℵ
Comida 1800 – ⟂ 925 – **115 hab** 13875/17400 – PA 3600.

🏛 **Regina** sin rest, Alcalá 19, ⌂ 28014, ℰ 521 47 25, Telex 27500, Fax 521 47 25 – 📳
▤ 📺 ☎. 🆎 ⑩ 🗲 💳. 🛠
⌂ 750 – **142 hab** 9500/12500.
LX v

🏛 **Casón del Tormes** sin rest, Río 7, ⌂ 28013, ℰ 541 97 46, Fax 541 18 52 – 📳 ▤
📺 ☎. 🗲 💳.
⌂ 650 – **63 hab** 8500/12500.
KV v

🏛 **Green El Prado,** Prado 11, ⌂ 28014, ℰ 369 02 34, Fax 429 28 29 – 📳 ▤ 📺 ☎ –
🔬 25/50. 🆎 ⑩ 🗲 💳. 🛠
Comida (cerrado domingo noche) 1500 – ⌂ 500 – **47 hab** 11500/18375 – PA 3500.
LY a

🏛 **Suite Prado** sin rest, Manuel Fernández y González 10, ⌂ 28014, ℰ 420 23 18,
Fax 420 05 59 – 📳 ▤ 📺 ☎. 🆎 ⑩ 🗲 💳. 🛠
⌂ 600 – **18 hab** 15600/19500.
LY a

🏛 **Mercator** sin rest. con cafetería, Atocha 123, ⌂ 28012, ℰ 429 05 00, Telex 46129,
Fax 369 12 52 – 📳 📺 ☎ 🅿. 🆎 ⑩ 🗲 💳
⌂ 850 – **89 hab** 8550/11900.
NZ b

🏛 **Carlos V** sin rest, Maestro Vitoria 5, ⌂ 28013, ℰ 531 41 00, Telex 48547, Fax 531 37 61
– 📳 ▤ 📺 ☎. 🆎 🗲 💳 🎴. 🛠
67 hab ⌂ 10300/12960.
LX f

🏛 **Cortezo** sin rest. con cafetería, Dr. Cortezo 3, ⌂ 28012, ℰ 369 01 01, Telex 48704,
Fax 369 37 74 – 📳 ▤ 📺 ☎ 🖚. 🆎 🗲 💳
⌂ 800 – **90 hab** 8350/11950.
LY f

🏛 **Atlántico** sin rest, Gran Vía 38-3°, ⌂ 28013, ℰ 522 64 80, Telex 43142, Fax 531 02 10
– 📳 ▤ 📺 ☎. 🆎 ⑩ 🗲 💳 🎴. 🛠
⌂ 750 – **80 hab** 9960/12920.
LX e

🏛 **París,** Alcalá 2, ⌂ 28014, ℰ 521 64 96, Telex 43448, Fax 531 01 88 – 📳 📺 ☎. 🆎 ⑩
🗲 💳. 🛠
Comida 2700 – ⌂ 450 – **120 hab** 8200/11100.
LY x

🏛 **Tryp Washington,** Gran Vía 72, ⌂ 28013, ℰ 541 72 27, Telex 48773, Fax 547 51 99
– 📳 ▤ 📺 ☎. 🆎 ⑩ 🗲 💳. 🛠
Comida (en el hotel **Tryp Menfis**) – ⌂ 925 – **120 hab** 11800/14800.
KV u

🏛 **Los Condes** sin rest, Los Libreros 7, ⌂ 28004, ℰ 521 54 55, Telex 42730,
Fax 521 78 82 – 📳 ▤ 📺 ☎. 🆎 ⑩ 🗲 💳 🎴. 🛠
⌂ 600 – **68 hab** 7900/9900.
KLV g

🏛 **Reyes Católicos** sin rest, Ángel 18, ⌂ 28005, ℰ 365 86 00, Fax 365 98 67 – 📳 ▤
📺 ☎ 🖚. 🆎 ⑩ 🗲 💳. 🛠
⌂ 825 – **38 hab** 7900/12300.
KZ w

🏛 **Italia,** Gonzalo Jiménez de Quesada 2-2°, ⌂ 28004, ℰ 522 47 90, Fax 521 28 91 – 📳
▤ rest 📺 ☎. 🆎 ⑩ 🗲 💳. 🛠
Comida 1300 – ⌂ 5600/7000 – PA 2600.
LX k

🏛 **Moderno** sin rest, Arenal 2, ⌂ 28013, ℰ 531 09 00, Fax 531 35 50 – 📳 ▤ 📺 ☎. 🆎
⑩ 🗲 💳 🎴. 🛠
⌂ 750 – **98 hab** 7100/10750.
LY d

🏛 **Inglés** sin rest, Echegaray 8, ⌂ 28014, ℰ 429 65 51, Fax 420 24 23 – 📳 📺 ☎ 🖚.
🆎 ⑩ 🗲 💳. 🛠
⌂ 550 – **58 hab** 7500/10500.
LY u

🏛 **California** sin rest, Gran Vía 38, ⌂ 28013, ℰ 522 47 03, Fax 531 61 01 – 📳 ▤ 📺 ☎.
🆎 ⑩ 🗲 💳. 🛠
⌂ 350 – **26 hab** 6700/8900.
LX e

🏛 **Alexandra** sin rest, San Bernardo 29, ⌂ 28015, ℰ 542 04 00, Fax 559 28 25 – 📳 ▤
📺 ☎. 🆎 ⑩ 🗲 💳 🎴. 🛠
⌂ 775 – **78 hab** 7490/9630.
KV z

🏛 **Centro Sol** sin rest y sin ⌂, Carrera de San Jerónimo 5-2°, ⌂ 28014, ℰ 522 15 82,
Fax 522 57 78 – 📳 ▤ 📺 ☎. 💳. 🛠
22 hab 4500/6000.
LY e

🏛 **Barajas** sin rest y sin ⌂, Augusto Figueroa 17 - 2°, ⌂ 28004, ℰ 532 40 78,
Fax 531 02 09 – 📳 ▤ 📺 ☎. 🆎 🗲 💳. 🛠
17 hab 4895/5995.
LV k

𝕏𝕏 **Paradis Madrid,** Marqués de Cubas 14, ⌂ 28014, ℰ 429 73 03, Fax 429 32 95 – ▤.
🆎 ⑩ 🗲 💳. 🛠
cerrado sábado mediodía, domingo, festivos, Semana Santa y agosto – **Comida** carta 4325
a 5450.
MY v

𝕏𝕏 **El Landó,** pl. Gabriel Miró 8, ⌂ 28005, ℰ 366 76 81, Fax 366 76 81, Decoración elegante
– ▤. 🆎 ⑩ 🗲 💳. 🛠
cerrado domingo, festivos y agosto – **Comida** carta 3900 a 5900.
KZ a

XXX **Moaña,** Hileras 4, ⊠ 28013, ℰ 548 29 14, Fax 541 65 98, Cocina gallega – 🍴 ⟵
🄰🄴 🄴 𝘝𝘐𝘚𝘈 𝙅𝘾𝗕. ⚘
cerrado domingo – **Comida** carta 3440 a 5600.
KY

XXX **Bajamar,** Gran Vía 78, ⊠ 28013, ℰ 548 48 18, Fax 559 13 26, Pescados y marisco
🍴. 🄰🄴 🄾 🄴 𝘝𝘐𝘚𝘈 𝙅𝘾𝗕. ⚘
Comida carta 4600 a 6800.
KV

XX **El Espejo,** paseo de Recoletos 31, ⊠ 28004, ℰ 308 23 47, Fax 593 22 23, « Evocac
de un antiguo café parisino » – 🍴. 🄰🄴 🄾 🄴 𝘝𝘐𝘚𝘈. ⚘
cerrado sábado mediodía – **Comida** carta aprox. 4750.
NV

XX **Errota-Zar,** Jovellanos 3-1º, ⊠ 28014, ℰ 531 25 64, Fax 531 25 64 – 🍴. 🄰🄴 🄾 🄴 𝘝𝘐𝘚𝘈
⚘
cerrado domingo y Semana Santa – **Comida** carta 3700 a 4150.
MY

XX **Ainhoa,** Bárbara de Braganza 12, ⊠ 28004, ℰ 308 27 26, Cocina vasca – 🍴. 🄰🄴 🄴
⚘
cerrado domingo y agosto – **Comida** carta 4400 a 5500.
NV

XX **Horno de Santa Teresa,** Santa Teresa 12, ⊠ 28004, ℰ 308 66 98 – 🍴. 🄴 𝘝𝘐𝘚𝘈
Comida carta 3350 a 3875.
MV

XX **Café de Oriente,** pl. de Oriente 2, ⊠ 28013, ℰ 541 39 74, Fax 547 77 07, En
bodega – 🍴. 🄰🄴 🄾 🄴 𝘝𝘐𝘚𝘈. ⚘
Comida carta aprox. 5550.
KXV

XX **Posada de la Villa,** Cava Baja 9, ⊠ 28005, ℰ 366 18 80, Fax 366 18 80, « Ant
posada de estilo castellano » – 🍴. 🄾 🄴 𝘝𝘐𝘚𝘈. ⚘
cerrado domingo noche y agosto – **Comida** carta 3275 a 5125.
KZ

XX **La Gastroteca de Stéphane y Arturo,** pl. de Chueca 8, ⊠ 28004, ℰ 532 25
Cocina francesa – 🍴. 🄰🄴 🄾 🄴 𝘝𝘐𝘚𝘈. ⚘
cerrado sábado mediodía, domingo y agosto – **Comida** carta 4300 a 5840.
MV

XX **Don Pelayo,** Alcalá 33, ⊠ 28014, ℰ 531 00 31, Fax 531 00 31 – 🍴. 🄰🄴 🄾 🄴 𝘝𝘐𝘚𝘈
⚘
cerrado domingo – **Comida** carta 3550 a 5400.
MX

XX **Platerías,** pl. de Santa Ana 11, ⊠ 28012, ℰ 429 70 48, Evocación de un café de ι
cipio de siglo – 🍴. 🄰🄴 🄾 🄴 𝘝𝘐𝘚𝘈. ⚘
cerrado sábado mediodía, domingo, Semana Santa y agosto – **Comida** carta aprox. 4
L

XX **Da Nicola,** pl. de los Mostenses 11, ⊠ 28015, ℰ 542 25 74, Fax 547 89 82, Cc
italiana – 🍴. 🄰🄴 🄾 🄴 𝘝𝘐𝘚𝘈 𝙅𝘾𝗕. ⚘
Comida carta aprox. 2470.
K

XX **El Asador de Aranda,** Preciados 44, ⊠ 28013, ℰ 547 21 56, Cordero as
« Decoración castellana » – 🍴. 🄰🄴 🄾 🄴 𝘝𝘐𝘚𝘈. ⚘
cerrado lunes noche y 20 julio-20 agosto – Comida carta aprox. 3875.
K

XX **Arce,** Augusto Figueroa 32, ⊠ 28004, ℰ 522 04 40, Fax 522 59 13 – 🍴. 🄰🄴 🄾
𝘝𝘐𝘚𝘈
cerrado sábado mediodía, domingo y 2ª quincena de agosto – **Comida** carta 5255 a 6
M

XX **La Rioja,** Las Negras 8, ⊠ 28015, ℰ 548 04 97, Fax 542 56 37, Decoración rú
medieval – 🍴 🄿. 🄰🄴 🄾 🄴 𝘝𝘐𝘚𝘈 𝙅𝘾𝗕. ⚘
cerrado domingo salvo en mayo – **Comida** carta 3270 a 4725.
K

XX **El Mentidero de la Villa,** Santo Tomé 6, ⊠ 28004, ℰ 308 12 85, Fax 319 8
« Decoración original » – 🍴. 🄰🄴 🄾 🄴 𝘝𝘐𝘚𝘈. ⚘
cerrado sábado mediodía y 2ª quincena de agosto – **Comida** carta aprox. 4500.
M

XX **Julián de Tolosa,** Cava Baja 18, ⊠ 28005, ℰ 365 82 10, Decoración neorústica. Ca
a la brasa – 🍴. 🄰🄴 🄾 𝘝𝘐𝘚𝘈 𝙅𝘾𝗕
cerrado domingo – **Comida** carta aprox. 4600.
H

XX **La Taberna de Liria,** Duque de Liria 9, ⊠ 28015, ℰ 541 45 19 – 🍴. 🄰🄴 🄾 🄴
⚘
cerrado sábado mediodía, domingo, festivos y 3 últimas semanas de agosto – **Comida**
4275 a 5675.
H

XX **Sixto Gran Mesón,** Cervantes 28, ⊠ 28014, ℰ 429 22 55, Fax 523 31 74, Decor
castellana – 🍴. 🄰🄴 🄾 🄴 𝘝𝘐𝘚𝘈. ⚘
cerrado domingo noche – **Comida** carta aprox. 3450.
N

XX **Casa Gallega,** pl. de San Miguel 8, ⊠ 28005, ℰ 547 30 55, Cocina gallega – 🍴. 🄰
🄴 𝘝𝘐𝘚𝘈 𝙅𝘾𝗕
Comida carta 3650 a 5600.
H

XX **La Toja,** Siete de Julio 3, ⊠ 28012, ℰ 366 46 64, Fax 366 52 30, Cocina gallega
🄰🄴 🄾 🄴 𝘝𝘐𝘚𝘈. ⚘
cerrado julio – **Comida** carta aprox. 5100.
H

XX **Casa Gallega,** Bordadores 11, ⌂ 28013, ℰ 541 90 55, Cocina gallega – 🍽. 🄰🄴 ⓞ 🄴
🆅🅸🅂🄰 🄹🄲🄱. ⋙
Comida carta 3650 a 5600.
KY v

XX **Vegamar,** Serrano Jover 6, ⌂ 28004, ℰ 542 73 32, Pescados y mariscos – 🍽. 🄰🄴 ⓞ
🄴 🆅🅸🅂🄰. plano p. 6 EV c
cerrado domingo y agosto – **Comida** carta aprox. 3500.

XX **La Joya de Jardines,** Jardines 3, ⌂ 28013, ℰ 521 22 17, Telex 43618, Fax 531 31 27
– 🍽. 🄰🄴 ⓞ 🄴 🆅🅸🅂🄰 🄹🄲🄱.
cerrado agosto – **Comida** carta 3150 a 4350.
LX p

XX **Gure-Etxea,** pl. de la Paja 12, ⌂ 28005, ℰ 365 61 49, Cocina vasca – 🍽. 🄰🄴 ⓞ 🄴
🆅🅸🅂🄰. ⋙
cerrado domingo, lunes mediodía y agosto – **Comida** carta 4000 a 5200.
KZ x

XX **La Ópera de Madrid,** Amnistía 5, ⌂ 28013, ℰ 559 50 92 – 🍽. 🄰🄴 ⓞ 🄴 🆅🅸🅂🄰. ⋙
cerrado domingo, festivos y agosto – **Comida** carta 3200 a 4125.
KY g

XX **Botín,** Cuchilleros 17, ⌂ 28005, ℰ 366 42 17, Fax 366 84 94, Decoración viejo Madrid.
Bodega típica – 🍽. 🄰🄴 ⓞ 🄴 🆅🅸🅂🄰 🄹🄲🄱. ⋙
Comida carta 2915 a 3860.
KY n

XX **Esteban,** Cava Baja 36, ⌂ 28005, ℰ 365 90 91, Fax 366 93 91 – 🍽. 🄰🄴 ⓞ 🄴 🆅🅸🅂🄰
cerrado domingo y 2ª quincena de julio – **Comida** carta 4340 a 5000.
KZ y

XX **El Alamillo de los Austrias,** pl. del Alamillo, ⌂ 28005, ℰ 364 07 33, 🍴, Cocina vasca
– 🍽. 🆅🅸🅂🄰. ⋙
Comida (sólo cena salvo viernes, sábado y domingo) carta aprox. 3800.
KY z

XX **Casa Parrondo,** Trujillos 4, ⌂ 28013, ℰ 522 62 34, Cocina asturiana – 🍽. 🄰🄴 ⓞ 🄴
🆅🅸🅂🄰
Comida carta 5800 a 6100.
KX v

XX **El Rincón de Esteban,** Santa Catalina 3, ⌂ 28014, ℰ 429 25 16, Fax 365 87 70 –
🍽. 🄰🄴 ⓞ 🄴 🆅🅸🅂🄰. ⋙
cerrado domingo noche y agosto – **Comida** carta 3950 a 5800.
MY a

XX **El Pato Mudo,** Costanilla de los Angeles 8, ⌂ 28013, ℰ 559 48 40, Arroces – 🍽. 🄰🄴
ⓞ 🄴 🆅🅸🅂🄰
KX e
cerrado 15 días en agosto – **Comida** (sólo almuerzo de domingo a miércoles salvo vísperas
de festivos) carta aprox. 2500.

X **La Barraca,** Reina 29, ⌂ 28004, ℰ 532 71 54, Fax 521 58 96, Arroces – 🍽. 🄰🄴 ⓞ
🄴 🆅🅸🅂🄰 🄹🄲🄱. ⋙
Comida carta 3200 a 5200.
LX a

X **Casa Lucio,** Cava Baja 35, ⌂ 28005, ℰ 365 32 52, Fax 366 48 66, Decoración castellana
– 🍽. 🄰🄴 ⓞ 🄴 🆅🅸🅂🄰. ⋙
cerrado sábado mediodía y agosto – **Comida** carta aprox. 5500.
KZ y

X **Robata,** Reina 31, ⌂ 28004, ℰ 521 85 28, Fax 531 30 63, Rest. japonés – 🍽. 🄰🄴 ⓞ
🆅🅸🅂🄰 🄹🄲🄱. ⋙
cerrado martes y Navidades – **Comida** carta 2000 a 4000.
LX a

X **Mesón Gregorio III,** Bordadores 5, ⌂ 28013, ℰ 542 59 56 – 🍽. 🄰🄴 ⓞ 🄴 🆅🅸🅂🄰. ⋙
cerrado miércoles – **Comida** carta 3200 a 4200.
KY v

X **Las Cuevas de Luis Candelas,** Cuchilleros 1, ⌂ 28005, ℰ 366 54 28, Fax 366 18 80,
Decoración viejo Madrid. Camareros vestidos como los antiguos bandoleros – 🍽. ⓞ 🄴
🆅🅸🅂🄰. ⋙
Comida carta 3275 a 5125.
KY m

X **Pazo de Gondomar,** San Martín 2, ⌂ 28013, ℰ 532 31 63, Cocina gallega – 🍽. 🄰🄴
ⓞ 🄴 🆅🅸🅂🄰 🄹🄲🄱. ⋙
Comida carta 3100 a 5400.
KXY s

X **Del Valle,** Humilladero 4, ⌂ 28005, ℰ 366 90 25 – 🆅🅸🅂🄰. ⋙
cerrado domingo, lunes noche y Semana Santa – **Comida** carta aprox. 3500.
KZ t

X **Corral de la Morería,** Morería 17, ⌂ 28005, ℰ 365 84 46, Fax 364 12 19, Tablao
flamenco – 🍽. 🄰🄴 ⓞ 🄴 🆅🅸🅂🄰. ⋙
KZ u
Comida (sólo cena-suplemento espectáculo) carta aprox. 8925.

X **El Arcón,** Silva 25, ⌂ 28004, ℰ 522 60 05 – 🍽. 🄰🄴 ⓞ 🄴 🆅🅸🅂🄰. ⋙
cerrado domingo noche y agosto – **Comida** carta 3250 a 5100.
LV u

X **Viejo Madrid,** Cava Baja 32, ⌂ 28005, ℰ 366 38 38, Fax 366 48 66 – 🍽. 🄰🄴 ⓞ 🄴
🆅🅸🅂🄰. ⋙
cerrado domingo noche, lunes y julio – **Comida** carta aprox. 5500.
KZ y

X **La Bóveda del Teatro,** Prim 5, ⌂ 28004, ℰ 531 17 97, En una bodega – 🍽. 🄰🄴 ⓞ
🄴 🆅🅸🅂🄰. ⋙
cerrado sábado mediodía, domingo, 25 diciembre-1 enero y agosto – **Comida** carta 2725
a 4300.
MV n

X **El Schotis,** Cava Baja 11, ⊠ 28005, ℰ 365 32 30 – 🗐. 🖭 ⓪ 🗧 𝚅𝙸𝚂𝘼 𝙹𝙲𝙱. ⅏KZ
cerrado domingo noche – **Comida** carta 3600 a 4900.

X **Taberna del Alabardero,** Felipe V-6, ⊠ 28013, ℰ 547 25 77, Fax 547 77 0'
Taberna típica. Cocina vasca – 🗐. 🖭 ⓪ 🗧 𝚅𝙸𝚂𝘼 𝙹𝙲𝙱. ⅏   KX
Comida carta 3600 a 5150.

X **La Quintana,** Bordadores 7, ⊠ 28013, ℰ 542 04 88, Fax 542 04 88 – 🗐. 🖭 ⓪
𝚅𝙸𝚂𝘼. ⅏   KY
Comida carta 3200 a 4850.

X **Dómine Cabra,** Huertas 54, ⊠ 28014, ℰ 429 43 65 – 🗐. 🖭 ⓪ 🗧 𝚅𝙸𝚂𝘼. ⅏MZ
cerrado domingo noche y del 11 al 24 de agosto – **Comida** carta aprox. 3400.

X **Casa Vallejo,** San Lorenzo 9 ℰ 308 61 58
🗐. 🖭 🗧 𝚅𝙸𝚂𝘼. ⅏   LV
cerrado domingo, lunes noche, festivos y agosto – Comida carta aprox. 3500.

X **Bolívar,** Manuela Malasaña 28, ⊠ 28004, ℰ 445 12 74 – 🗐. 🖭 ⓪ 🗧 𝚅𝙸𝚂𝘼. ⅏LV
cerrado domingo, martes noche, Semana Santa y agosto – **Comida** carta 2600 a 390(

X **Cabo Finisterre,** Chinchilla 7, ⊠ 28013, ℰ 523 37 79, Cocina gallega – 🗐. 🖭 ⓪ 𝚅𝙸𝚂𝘼. '
cerrado domingo – **Comida** carta 2950 a 4450.   LX

X **La Vaca Verónica,** Jesús 7, ⊠ 28014, ℰ 429 78 27
🗐. 🖭 ⓪ 🗧 𝚅𝙸𝚂𝘼   MZ
cerrado sábado mediodía y domingo – Comida carta 3200 a 4300.

X **Ciao Madrid,** Argensola 7, ⊠ 28004, ℰ 308 25 19, Cocina italiana – 🗐. 🖭 ⓪ 🗧 𝗘
𝙹𝙲𝙱. ⅏   MV
cerrado sábado mediodía, domingo y agosto – Comida carta 3100 a 4000.

X **La Bola,** Bola 5, ⊠ 28013, ℰ 547 69 30, Fax 547 04 63, Cocido madrileño –
⅏   KX
cerrado sábado noche (julio-agosto) y domingo – Comida carta 3350 a 4050.

X **Casa Paco,** Puerta Cerrada 11, ⊠ 28005, ℰ 366 31 66 – 🗐. ⓪. ⅏   KY
cerrado domingo y agosto – **Comida** carta 3800 a 5800.

X **El Buey II,** pl. de la Marina Española 1, ⊠ 28013, ℰ 541 30 41, Fax 577 95 80 –
🖭 𝚅𝙸𝚂𝘼. ⅏   KX
Comida carta 2925 a 3475.

X **Taberna Carmencita,** Libertad 16, ⊠ 28004, ℰ 531 66 12, Taberna típica – 🗐.
⓪ 🗧 𝚅𝙸𝚂𝘼. ⅏   MX
cerrado sábado mediodía, domingo y 10 agosto-10 septiembre – Comida carta 310(
4200.

X **Donzoko,** Echegaray 3, ⊠ 28014, ℰ 429 57 20, Fax 429 57 20, Rest. japonés – 🗐.
⓪ 🗧 𝚅𝙸𝚂𝘼 𝙹𝙲𝙱. ⅏   LV
cerrado domingo – **Comida** carta 2950 a 6100.

X **La Quinta del Sordo,** Sacramento 10, ⊠ 28005, ℰ 548 18 52 – 🗐. 🖭 ⓪ 🗧
⅏   KV
cerrado domingo en verano y domingo noche resto del año – **Comida** carta 2530 a 3'

X **Casa Marta,** Santa Clara 10, ⊠ 28013, ℰ 548 28 25 – 🗐. 🖭 ⓪ 🗧 𝚅𝙸𝚂𝘼. ⅏KV
cerrado domingo y agosto – **Comida** carta 2075 a 2650.

X **La Esquina del Real,** Amnistía 2, ⊠ 28013, ℰ 559 43 09 – 🗐. 🖭 🗧 𝚅𝙸𝚂𝘼. ⅏KV
cerrado sábado mediodía, domingo y del 11 al 24 de agosto – **Comida** carta 4300 a 4

X **Ciao Madrid,** Apodaca 20, ⊠ 28004, ℰ 447 00 36, Cocina italiana – 🗐. 🖭 ⓪ 🗧
⅏   L
cerrado sábado mediodía, domingo y septiembre – Comida carta 3400 a 3950.

X **Mi Pueblo,** Costanilla de Santiago 2, ⊠ 28013, ℰ 548 20 73 – 🗐. 𝚅𝙸𝚂𝘼. ⅏   K
cerrado domingo noche y lunes – **Comida** carta 1950 a 3150.

X **El Ingenio,** Leganitos 10, ⊠ 28013, ℰ 541 91 33, Fax 547 35 34 – 🗐. 🖭 ⓪ 🗧
𝙹𝙲𝙱. ⅏   K
cerrado domingo y festivos – Comida carta 2200 a 3350.

X **El Grill de la Ópera,** Vergara 3, ⊠ 28013, ℰ 548 18 05, Carnes – 🗐. 🖭 🗧 𝚅𝙸𝚂𝘼
cerrado sábado mediodía, domingo y agosto – **Comida** carta 3395 a 4650.   K

Retiro, Salamanca, Ciudad Lineal : Paseo de la Castellana, Velázquez, Serrano, (
Príncipe de Vergara, Narváez, Don Ramón de la Cruz (plano p. 7 salvo mención esp

🏨🏨🏨 **Ritz,** pl. de la Lealtad 5, ⊠ 28014, ℰ 521 28 57, Telex 43986, Fax 532 87 76, 🏛
– 🛗 🗐 📺 ☎ – 🕿 25/280. 🖭 ⓪ 🗧 𝚅𝙸𝚂𝘼 𝙹𝙲𝙱. ⅏   plano p. 9 N
Comida carta 6400 a 7900 – 😐 2750 – **127 hab** 42900/49500, 29 suites.

🏨🏨🏨 **Villa Magna,** paseo de la Castellana 22, ⊠ 28046, ℰ 587 12 34, Telex 22
Fax 575 31 58, 𝐿₅ – 🛗 🗐 📺 ☎ 🚗 – 🕿 25/250. 🖭 ⓪ 🗧 𝚅𝙸𝚂𝘼 𝙹𝙲𝙱. ⅏ rest(
- **Berceo :** Comida carta 5100 a 8450 – 😐 2750 – **164 hab** 38000/42000, 18 s

Wellington, Velázquez 8, ⊠ 28001, 𝓟 575 44 00, Telex 22700, Fax 576 41 64, ⌿ –
🕸 ▤ 📺 ☎ ⇦ – 🛦 25/300. 𝔸𝔼 ⓞ 𝖤 𝒱𝐼𝒮𝒜. ⌇
Comida (ver rest. *El Fogón*) – ⌗ 2200 – **198 hab** 20750/33250, 25 suites.
HX t

Meliá Confort Los Galgos, Claudio Coello 139, ⊠ 28006, 𝓟 562 66 00, Telex 43957,
Fax 561 76 62 – 🕸 ▤ 📺 ☎ ⇦ – 🛦 25/300. 𝔸𝔼 ⓞ 𝖤 𝒱𝐼𝒮𝒜 𝒿𝒸ℬ. ⌇
HV a
- *Diábolo* (cerrado agosto) **Comida** carta 3225 a 4975 – ⌗ 1450 – **358 hab** 16120/27300.

Tryp Fénix, Hermosilla 2, ⊠ 28001, 𝓟 431 67 00, Fax 576 06 61 – 🕸 ▤ 📺 ☎ ⇦
– 🛦 25/100. 𝔸𝔼 ⓞ 𝖤 𝒱𝐼𝒮𝒜 𝒿𝒸ℬ. ⌇
plano p. 9 NV c
Comida 2500 – ⌗ 1700 – **213 hab** 22950/28750, 13 suites.

Meliá Avenida América, Juan Ignacio Luca de Tena 36, ⊠ 28027, 𝓟 320 30 30,
Fax 320 14 40, ⌿ – 🕸 ▤ 📺 ☎ ⅋ ⇦ – 🛦 25/1200. 𝔸𝔼 ⓞ 𝖤 𝒱𝐼𝒮𝒜 𝒿𝒸ℬ. ⌇CL b
Comida carta 4100 a 5450 – ⌗ 1650 – **210 hab** 20800/25600, 18 suites.

Sofitel Madrid-Aeropuerto, Campo de las Naciones, ⊠ 28042, 𝓟 721 00 70,
Telex 45008, Fax 721 05 15, ⌿ – 🕸 ▤ 📺 ☎ ⅋ ⇦ – 🛦 50/120. 𝔸𝔼 ⓞ 𝖤 𝒱𝐼𝒮𝒜CL x
Comida carta 4600 a 5750 – ⌗ 1870 – **175 hab** 24610/27820, 3 suites.

NH Príncipe de Vergara, Príncipe de Vergara 92, ⊠ 28006, 𝓟 563 26 95,
Fax 563 72 53 – 🕸 ▤ 📺 ☎ ⇦ – 🛦 25/300. 𝔸𝔼 ⓞ 𝖤 𝒱𝐼𝒮𝒜 𝒿𝒸ℬ. ⌇
HV c
Comida 3150 – ⌗ 1900 – **167 hab** 20450/28440, 3 suites.

Emperatriz, López de Hoyos 4, ⊠ 28006, 𝓟 563 80 88, Fax 563 98 04 – 🕸 ▤ 📺
☎ – 🛦 25/150. 𝔸𝔼 ⓞ 𝖤 𝒱𝐼𝒮𝒜 𝒿𝒸ℬ. ⌇
GV z
Comida 2500 – ⌗ 1400 – **155 hab** 22000/26000, 3 suites.

NH Sanvy, Goya 3, ⊠ 28001, 𝓟 576 08 00, Fax 575 24 43 – 🕸 ▤ 📺 ☎ – 🛦 25/150.
𝔸𝔼 ⓞ 𝖤 𝒱𝐼𝒮𝒜 𝒿𝒸ℬ. ⌇
plano p. 9 NV r
Comida (ver rest. *Sorolla*) – ⌗ 1900 – **144 hab** 20450/28440, 15 suites.

Agumar sin rest. con cafetería, paseo Reina Cristina 7, ⊠ 28014, 𝓟 552 69 00,
Telex 22814, Fax 433 60 95 – 🕸 ▤ 📺 ☎ ⇦ – 🛦 25/150. 𝔸𝔼 ⓞ 𝖤 𝒱𝐼𝒮𝒜 𝒿𝒸ℬ. ⌇
HZ a
⌗ 1400 – **245 hab** 14750/18500.

Novotel Madrid, Albacete 1, ⊠ 28027, 𝓟 405 46 00, Fax 404 11 05, ⌇, ⌿ – 🕸
▤ 📺 ☎ ⅋ ⇦ ℗ – 🛦 25/250. 𝔸𝔼 ⓞ 𝖤 𝒱𝐼𝒮𝒜
plano p. 3 CL t
Comida carta 2900 a 4500 – ⌗ 1475 – **236 hab** 17655/19100.

Pintor, Goya 79, ⊠ 28001, 𝓟 435 75 45, Telex 23281, Fax 576 81 57 – 🕸 ▤ 📺 ☎
⇦ – 🛦 25/350. 𝔸𝔼 ⓞ 𝖤 𝒱𝐼𝒮𝒜. ⌇
HX c
Comida 1900 – ⌗ 1590 – **174 hab** 15460/20500, 2 suites.

Conde de Orgaz, av. Moscatelar 24, ⊠ 28043, 𝓟 388 40 99, Fax 388 00 09 – 🕸
📺 ☎ – 🛦 25/100. 𝔸𝔼 ⓞ 𝖤 𝒱𝐼𝒮𝒜. ⌇
plano p. 3 CL z
Comida 2500 – ⌗ 1150 – **89 hab** 14200/17800 – PA 5225.

NH Parque Avenidas, Biarritz 2, ⊠ 28028, 𝓟 361 02 88, Fax 361 21 38, ⌇ – 🕸
📺 ☎ ⅋ ⇦ – 🛦 25/400. 𝔸𝔼 ⓞ 𝖤 𝒱𝐼𝒮𝒜 𝒿𝒸ℬ. ⌇
JV a
Comida 3600 – ⌗ 1800 – **198 hab** 20875/26100, 1 suite.

NH Lagasca, Lagasca 64, ⊠ 28001, 𝓟 575 46 06, Fax 575 16 94 – 🕸 ▤ 📺 ☎ –
🛦 25/60. 𝔸𝔼 ⓞ 𝖤 𝒱𝐼𝒮𝒜. ⌇ rest
HX k
Comida (cerrado sábado, domingo y agosto) 1700 – ⌗ 1500 – **100 hab** 17950/24940.

NH Alcalá, Alcalá 66, ⊠ 28009, 𝓟 435 10 60, Telex 48094, Fax 435 11 05 – 🕸 ▤ 📺
☎ ⇦ – 🛦 25/100. 𝔸𝔼 ⓞ 𝖤 𝒱𝐼𝒮𝒜. ⌇
HX w
Comida 2500 – ⌗ 1900 – **153 hab** 18800/26100 – PA 5100.

G. H. Colón, Pez Volador 11, ⊠ 28007, 𝓟 573 59 00, Telex 22984, Fax 573 08 09, ⇶
– 🕸 ▤ 📺 ☎ ⇦ – 🛦 25/250. 𝔸𝔼 ⓞ 𝖤 𝒱𝐼𝒮𝒜 𝒿𝒸ℬ. ⌇
JY x
Comida carta aprox. 4900 – ⌗ 1100 – **389 hab** 12100/17600.

Novotel Madrid-Campo de las Naciones, Campo de las Naciones, ⊠ 28042,
𝓟 721 18 18, Fax 721 11 22, ⌇, ⌿ – 🕸 ▤ 📺 ☎ ⅋ ⇦ – 🛦 25/400. 𝔸𝔼 ⓞ 𝖤 𝒱𝐼𝒮𝒜
𝒿𝒸ℬ
CL x
Comida 2300 – ⌗ 1440 – **240 hab** 16800/17850, 6 suites.

Convención sin rest. con cafetería, O'Donnell 53, ⊠ 28009, 𝓟 574 84 00, Telex 23944,
Fax 574 56 01 – 🕸 ▤ 📺 ☎ – 🛦 25/800. 𝔸𝔼 ⓞ 𝖤 𝒱𝐼𝒮𝒜 𝒿𝒸ℬ. ⌇
JX a
⌗ 1300 – **739 hab** 11200/14000, 51 suites.

Claridge, pl. Conde de Casal 6, ⊠ 28007, 𝓟 551 94 00, Telex 44970, Fax 501 03 85
– 🕸 ▤ 📺 ☎. 𝔸𝔼 ⓞ 𝖤 𝒱𝐼𝒮𝒜. ⌇
JZ a
Comida 1350 – ⌗ 800 – **150 hab** 9950/12990.

Serrano sin rest, Marqués de Villamejor 8, ⊠ 28006, 𝓟 435 52 00, Fax 435 48 49 –
🕸 ▤ 📺 ☎. 𝔸𝔼 ⓞ 𝖤 𝒱𝐼𝒮𝒜 𝒿𝒸ℬ. ⌇
GHV k
⌗ 1000 – **30 hab** 12500/15500, 4 suites.

NH Balboa, Núñez de Balboa 112, ⊠ 28006, 𝓟 563 03 24, Fax 562 69 80 – 🕸 ▤ 📺
☎ – 🛦 25/30. 𝔸𝔼 ⓞ 𝖤 𝒱𝐼𝒮𝒜 𝒿𝒸ℬ. ⌇
HV n
Comida 2000 – ⌗ 1500 – **122 hab** 15200/18700 – PA 5500.

NH Sur sin rest, paseo Infanta Isabel 9, ⌧ 28014, ℰ 539 94 00, Fax 467 09 96 – ▯
🆚 ☎ – 🔬 25/30. 🖭 ⓞ 🄴 𝘝𝘐𝘚𝘈. ✻
plano p. 9 NZ
⌷ 1300 – **68 hab** 15600/21720.

Abeba sin rest, Alcántara 63, ⌧ 28006, ℰ 401 16 50, Fax 402 75 91 – ▯ 🖭
⊜. 🖭 ⓞ 🄴 𝘝𝘐𝘚𝘈. ✻
HV
⌷ 650 – **90 hab** 8500/10500.

Club 31, Alcalá 58, ⌧ 28014, ℰ 531 00 92 – ▤. 🖭 ⓞ 🄴 𝘝𝘐𝘚𝘈. ✻plano p. 9 NX
cerrado festivos y agosto – **Comida** carta aprox. 8300.

El Amparo, Puigcerdá 8, ⌧ 28001, ℰ 431 64 56, Fax 575 54 91, « Decorac
original » – ▤. 🖭 𝘝𝘐𝘚𝘈. ✻
HX
cerrado sábado mediodía, domingo y del 11 al 17 de agosto – **Comida** carta 7550 a 88
Espec. Mousse de ventresca de bonito con bogavante. Rabo de buey guisado al vino tir
Soufflé caliente de chocolate con crema helada.

El Fogón, Villanueva 34, ⌧ 28001, ℰ 575 44 00, Telex 22700, Fax 576 41 64 – ▤.
ⓞ 🄴 𝘝𝘐𝘚𝘈. ✻
HX
cerrado agosto – **Comida** carta 5900 a 6900.

Sorolla, Hermosilla 4, ⌧ 28001, ℰ 431 27 15, Telex 44994, Fax 575 24 43 – ▤. 🖭
🄴 𝘝𝘐𝘚𝘈 𝗷𝗰ʙ. ✻
plano p. 9 NV
cerrado domingo – **Comida** carta aprox. 4800.

Suntory, paseo de la Castellana 36, ⌧ 28046, ℰ 577 37 34, Fax 577 44 55, Rest. ja
nés – ▤ ⊜. 🖭 ⓞ 🄴 𝘝𝘐𝘚𝘈 𝗷𝗰ʙ. ✻
GV
cerrado domingo y festivos – **Comida** carta aprox. 6450.

Villa y Corte de Madrid, Serrano 110, ⌧ 28006, ℰ 564 50 19, Fax 564 50
Decoración elegante – ▤. 🖭 ⓞ 🄴 𝘝𝘐𝘚𝘈. ✻
HV
cerrado domingo y agosto – **Comida** carta 3125 a 4550.

El Gran Chambelán, Ayala 46, ⌧ 28001, ℰ 431 77 45 – ▤. 🖭 ⓞ 𝘝𝘐𝘚𝘈. ✻HX
cerrado domingo – **Comida** carta 3200 a 3900.

Balzac, Moreto 7, ⌧ 28014, ℰ 420 01 77, Fax 429 83 70 – ▤. 🖭 ⓞ 🄴 𝘝𝘐𝘚𝘈. ✻
cerrado domingo y agosto – **Comida** carta 4800 a 5700.
plano p. 9 NY

Pedro Larumbe, Serrano 61 - ático, ⌧ 28006, ℰ 575 11 12, Fax 562 16 09 – ▯
🖭 ⓞ 🄴 𝘝𝘐𝘚𝘈. ✻
HV
cerrado sábado mediodía, domingo y una semana en agosto – **Comida** carta aprox. 59

Paradis Casa América, paseo de Recoletos 2, ⌧ 28001, ℰ 575 45 40, Fax 576 02
⊜ – ▤. 🖭 ⓞ 🄴 𝘝𝘐𝘚𝘈. ✻
NX
cerrado sábado mediodía y domingo – **Comida** carta aprox. 5500.

Ponteareas, Claudio Coello 96, ⌧ 28006, ℰ 575 58 73, Fax 541 65 98, Cocina gal
– ▤ ⊜. 🖭 🄴 𝘝𝘐𝘚𝘈 𝗷𝗰ʙ. ✻
HV
cerrado domingo, festivos y agosto – **Comida** carta 3440 a 5795.

Castelló 9, Castelló 9, ⌧ 28001, ℰ 435 00 67, Fax 435 91 34 – ▤. 🖭 ⓞ 🄴 𝘝𝘐𝘚𝘈
cerrado domingo y festivos – **Comida** carta 3550 a 5050.
HX

La Paloma, Jorge Juan 39, ⌧ 28001, ℰ 576 86 92 – ▤. 🖭 🄴 𝘝𝘐𝘚𝘈. ✻
HX
cerrado domingo, festivos, Semana Santa y agosto – **Comida** carta 4050 a 6250
Espec. Lasagña de txangurro y espinacas. Pichón de Las Landas relleno de foie. Tarta
de hojaldre con manzana.

Viridiana, Juan de Mena 14, ⌧ 28014, ℰ 523 44 78, Fax 532 42 74 – ▤. 🖭 𝘝
cerrado domingo, Semana Santa, Navidades y agosto – **Comida** carta 5200 a 7300
plano p. 9 N
Espec. Arenque marinado y sardina ahumada sobre blinis de trigo. Salteado de aves
a la hierbabuena. Papaya rellena de flores de naranjo en salsa de almendras.

La Gamella, Alfonso XII-4, ⌧ 28014, ℰ 532 45 09, Fax 523 11 84 – ▤. 🖭 ⓞ 🄴
✻
plano p. 9 N
cerrado sábado mediodía, domingo, 15 días en Semana Santa y 15 días en agosto – **Co**
carta aprox. 4050.

El Borbollón, Recoletos 7, ⌧ 28001, ℰ 431 41 34 – ▤. 🖭 ⓞ 🄴 𝘝𝘐𝘚𝘈 𝗷𝗰ʙ. ✻
cerrado domingo, festivos y agosto – **Comida** carta 3845 a 5595. plano p. 9 N

Puertochico, Pio Baroja (edificio Casa Cantabria), ⌧ 28009, ℰ 504 44
Fax 504 34 07, Vivero propio – ▤ ⊜. 🄴 𝘝𝘐𝘚𝘈. ✻
H
cerrado domingo noche y agosto – **Comida** carta aprox. 5500.

Lucca, José Ortega y Gasset 29, ⌧ 28006, ℰ 576 01 44, Cocina italiana – ▤. 🖭
🄴 𝘝𝘐𝘚𝘈 𝗷𝗰ʙ. ✻
H
Comida carta 3540 a 4050.

Oter, Claudio Coello 71, ⌧ 28001, ℰ 431 67 71, Fax 401 34 43, Cocina vasco-na
– ▤. 🖭 ⓞ 🄴 𝘝𝘐𝘚𝘈. ✻
H
cerrado domingo y 2ª quincena de agosto – **Comida** carta aprox. 5500.

XX **La Abuelita,** av. de Badajoz 25, ✉ 28027, ℘ 405 49 94 – ■. ⒶⒺ ⓞ ⲴⲒⲊⲀ. ⲴⲒⲊⲀ.
cerrado domingo y agosto – **Comida** carta 3530 a 5140. plano p. 3 CL a

XX **Al Mounia,** Recoletos 5, ✉ 28001, ℘ 435 08 28, Cocina maghrebí, « Ambiente oriental » – ■. ⒶⒺ ⓞ ⲴⲒⲊⲀ plano p. 9 NV u
cerrado domingo, lunes y agosto – **Comida** carta 4300 a 4800.

XX **Gerardo,** D. Ramón de la Cruz 86, ✉ 28006, ℘ 401 89 46, Fax 401 34 43 – ■. ⒶⒺ ⓞ Ⲋ ⲴⲒⲊⲀ. JX s
Comida carta aprox. 4500.

XX **Teatriz,** Hermosilla 15, ✉ 28001, ℘ 577 53 79, Fax 577 53 79, Cocina italiana. Instalado en un antiguo teatro – ■. ⒶⒺ ⓞ Ⲋ ⲴⲒⲊⲀ ⱼⲥⲃ. ⲴⲒⲊⲀ HX u
cerrado agosto – **Comida** carta 3850 a 4250.

XX **Tristana,** Montalbán 9, ✉ 28014, ℘ 532 82 88 – ■. ⒶⒺ ⓞ ⲴⲒⲊⲀ plano p. 9 NX a
cerrado sábado mediodía, domingo, festivos y tres últimas semanas de agosto – **Comida** carta 3100 a 4000.

XX **Laray,** Hermanos Bécquer 6, ✉ 28006, ℘ 564 01 75 – ■. ⒶⒺ ⓞ Ⲋ ⲴⲒⲊⲀ. ⲴⲒⲊⲀ HV b
cerrado del 10 al 24 de agosto – **Comida** carta 4050 a 5650.

XX **La Fonda,** Lagasca 11, ✉ 28001, ℘ 577 79 24, Cocina catalana – ■. ⒶⒺ ⓞ Ⲋ ⲴⲒⲊⲀ. HX f
Comida carta aprox. 4400.

XX **El Chiscón de Castelló,** Castelló 3, ✉ 28001, ℘ 575 56 62, « Ambiente acogedor » – ■. ⒶⒺ Ⲋ ⲴⲒⲊⲀ. HX e
cerrado domingo, festivos y agosto – **Comida** carta 3150 a 4575.

XX **Rafa,** Narváez 68, ✉ 28009, ℘ 573 10 87, ⲁ – ■. ⒶⒺ ⓞ Ⲋ ⲴⲒⲊⲀ. ⲴⲒⲊⲀ HY a
Comida carta 4300 a 6350.

XX **La Misión,** José Silva 22, ✉ 28043, ℘ 519 24 63, Fax 416 26 93, ⲁ, « Evocación de una antigua misión americana » – ■. ⒶⒺ ⓞ Ⲋ ⲴⲒⲊⲀ. ⲴⲒⲊⲀ plano p. 3 CL c
cerrado sábado mediodía, domingo, Semana Santa y agosto – **Comida** carta 3975 a 4875.

XX **Casa d'a Troya,** Emiliano Barral 14, ✉ 28043, ℘ 416 44 55, Cocina gallega – ■. Ⲋ ⲴⲒⲊⲀ. plano p. 3 CL s
✿ *cerrado domingo, festivos y 15 julio-1 septiembre* – **Comida** (es necesario reservar) carta aprox. 4850
Espec. Pulpo a la gallega. Merluza a la gallega. Tarta de Santiago.

XX **El Asador de Aranda,** Diego de León 9, ✉ 28006, ℘ 563 02 46, Cordero asado – ■. ⒶⒺ ⓞ Ⲋ ⲴⲒⲊⲀ. ⲴⲒⲊⲀ HV s
cerrado domingo noche y agosto – **Comida** carta aprox. 4250.

XX **Guisando,** Núñez de Balboa 75, ✉ 28006, ℘ 575 10 10 – ■. ⒶⒺ ⓞ Ⲋ ⲴⲒⲊⲀ. ⲴⲒⲊⲀ HV f
cerrado sábado mediodía, domingo, Semana Santa y del 11 al 24 de agosto – **Comida** carta 2500 a 3950.

XX **Dynasty,** O'Donnell 31, ✉ 28009, ℘ 431 08 47, Rest. chino – ■. ⒶⒺ Ⲋ ⲴⲒⲊⲀ. ⲴⲒⲊⲀ HX a
Comida carta 2250 a 3550.

XX **St. James,** Juan Bravo 26, ✉ 28006, ℘ 575 00 69, ⲁ, Arroces – ■. ⒶⒺ ⲴⲒⲊⲀ. ⲴⲒⲊⲀ HV t
cerrado domingo – **Comida** carta 5000 a 6000.

XX **Casa Quinta,** Padilla 3, ✉ 28006, ℘ 576 74 18 – ■. ⒶⒺ ⓞ Ⲋ ⲴⲒⲊⲀ ⱼⲥⲃ HV m
cerrado domingo y agosto – **Comida** carta aprox. 4025.

XX **Casa Domingo,** Alcalá 99, ✉ 28009, ℘ 576 01 37, Fax 575 78 62, ⲁ – ■. ⒶⒺ Ⲋ ⲴⲒⲊⲀ. ⲴⲒⲊⲀ HX d
Comida carta 3425 a 4950.

XX **Nicolás,** Villalar 4, ✉ 28001, ℘ 431 77 37, Fax 431 77 37 – ■. ⒶⒺ ⓞ Ⲋ ⲴⲒⲊⲀ NX t
cerrado domingo, lunes, Semana Santa y agosto – **Comida** carta 3500 a 4300.

XX **Jota Cinco,** Alcalá 423, ✉ 28027, ℘ 742 93 85, Fax 742 62 09 – ■ ⲁ. ⒶⒺ Ⲋ ⲴⲒⲊⲀ. ⲴⲒⲊⲀ plano p. 3 CL v
cerrado domingo noche, festivos noche y agosto – **Comida** carta 4100 a 6100.

XX **Il Salotto,** Velázquez 61, ✉ 28001, ℘ 577 27 09, Cocina italiana – ■. ⒶⒺ ⓞ Ⲋ ⲴⲒⲊⲀ. ⲴⲒⲊⲀ HV j
cerrado domingo – **Comida** carta aprox. 3600.

XX **La Hoja,** Doctor Castelo 48, ✉ 28009, ℘ 409 25 22, Fax 574 14 78, Cocina asturiana – ■. ⒶⒺ Ⲋ ⲴⲒⲊⲀ. ⲴⲒⲊⲀ HJX y
cerrado domingo, miércoles noche y agosto – **Comida** carta 3900 a 5100.

XX **Don Víctor,** Emilio Vargas 18, ✉ 28043, ℘ 415 47 47 – ■. ⒶⒺ ⓞ Ⲋ ⲴⲒⲊⲀ. ⲴⲒⲊⲀ
cerrado sábado mediodía, domingo, Semana Santa y agosto – **Comida** carta 4700 a 6800. plano p. 3 CL f

XX **Hang Zhou,** López de Hoyos 14, ✉ 28006, ℘ 563 11 72, Rest. chino – ■. ⒶⒺ ⓞ Ⲋ ⲴⲒⲊⲀ. ⲴⲒⲊⲀ HV u
Comida carta aprox. 1900.

X **Alkalde,** Jorge Juan 10, ✉ 28001, ☎ 576 33 59, Fax 576 33 59 – ▤. AE ⓓ E V JCB. ✻ HX
cerrado sábado y domingo en julio-agosto – **Comida** carta 3720 a 5620.

X **O'Grelo,** Menorca 39, ✉ 28009, ☎ 409 72 04, Cocina gallega – ▤. AE ⓓ E VISA HX
cerrado domingo noche – **Comida** carta aprox. 5000.

X **La Giralda IV,** Claudio Coello 24, ✉ 28001, ☎ 576 40 69, Rest. andaluz – ▤. AE (E VISA. ✻ HX
cerrado domingo en verano, y del 15 al 31 de agosto – **Comida** carta aprox. 5100.

X **La Giralda III,** Maldonado 4, ✉ 28006, ☎ 577 77 62, Rest. andaluz – ▤. AE ⓓ E V
cerrado domingo noche y del 1 al 15 de agosto – **Comida** carta 3650 a 5250. HV

X **Asador Velate,** Jorge Juan 91, ✉ 28009, ☎ 435 10 24, Cocina vasca – ▤. AE ⓓ VISA. ✻ HJX
cerrado domingo y agosto – **Comida** carta 4000 a 5800.

X **Casa Portal,** Doctor Castelo 26, ✉ 28009, ☎ 574 20 26, Cocina asturiana – ▤. E V JCB. ✻ HX
cerrado domingo, lunes noche, festivos y agosto – **Comida** carta aprox. 4800.

X **Pelotari,** Recoletos 3, ✉ 28001, ☎ 578 24 97, Fax 431 60 04 – ▤. AE ⓓ E VISA NV
cerrado domingo y 15 días en agosto – **Comida** carta aprox. 4600.

X **Sixto,** José Ortega y Gasset 83, ✉ 28006, ☎ 402 15 83, Fax 523 31 74 – ▤. AE E VISA. ✻ JV
cerrado domingo noche – **Comida** carta aprox. 3300.

X ✿ **La Trainera,** Lagasca 60, ✉ 28001, ☎ 576 05 75, Fax 575 06 31, Pescados y maris – ▤. AE E VISA. ✻ HX
cerrado domingo y agosto – **Comida** carta 4300 a 5600
Espec. Salpicón de mariscos. Delicias de merluza con angulas. Langosta a la americar

X ✿ **El Pescador,** José Ortega y Gasset 75, ✉ 28006, ☎ 402 12 90, Pescados y maris – ▤. E VISA. ✻ JV
cerrado domingo, Semana Santa y agosto – **Comida** carta 4550 a 5750
Espec. Angulas de Aguinaga. Lenguado Evaristo. Bogavante a la americana.

X **Betelu,** Florencio Llorente 27, ✉ 28027, ☎ 326 50 87 – ▤. AE E VISA. ✻ CL
cerrado domingo noche, lunes y agosto – **Comida** carta 3490 a 4000.

X **Orbayo,** Claudio Coello 4, ✉ 28001, ☎ 576 41 86 – ▤. AE E VISA. ✻ HX
cerrado festivos noche, Semana Santa y agosto – **Comida** carta 2850 a 4100.

X **Casa Julián,** Don Ramón de la Cruz 10, ✉ 28001, ☎ 431 35 35 – ▤. AE ⓓ VISA. HX
cerrado domingo y festivos noche – **Comida** carta aprox. 2600.

X **Magerit,** Doctor Esquerdo 140, ✉ 28007, ☎ 501 28 84 – ▤. AE ⓓ E VISA. ✻ JZ
cerrado sábado, domingo noche y agosto – **Comida** carta aprox. 4550.

Arganzuela-Carabanchel-Villaverde : Antonio López, Paseo de Las Delicias, Pa de Santa María de la Cabeza (plano p. 4 salvo mención especial)

Rafael Pirámides, paseo de las Acacias 40, ✉ 28005, ☎ 517 18 28, Fax 517 00 – |\$| ▤ TV ☎ ♿ ⇔. AE ⓓ E VISA. ✻ rest BM
Comida *(cerrado sábado, domingo y agosto)* 4500 – ☕ 1100 – **84 hab** 11500/142 9 suites.

Carlton, paseo de las Delicias 26, ✉ 28045, ☎ 539 71 00, Telex 44571, Fax 527 85 – |\$| ▤ TV ☎. AE ⓓ E VISA. ✻ plano p. 7 GZ
Comida 3150 – ☕ 1400 – **112 hab** 13125/16400 – PA 6160.

Praga *sin rest. con cafetería*, Antonio López 65, ✉ 28019, ☎ 469 06 00, Telex 228 Fax 469 83 25 – |\$| ▤ TV ☎ ⇔ – 🎤 25/350. AE ⓓ E VISA JCB. ✻ BM
☕ 850 – **428 hab** 10100/12800.

Diana Plus, autopista M-40, salida 19-B, ✉ 28018, ☎ 507 20 40, Fax 507 14 22 – ▤ TV ☎ ⇔ – 🎤 25/200. AE ⓓ E VISA. ✻ rest CM
Comida 2300 - ***Asador San Isidro :*** **Comida** carta 3500 a 5200 – ☕ 800 – **103** 11900/14900, 1 suite.

Aramo, paseo Santa María de la Cabeza 73, ✉ 28045, ☎ 473 91 11, Telex 458 Fax 473 92 14 – |\$| ▤ TV ☎ ⇔. AE ⓓ E VISA. ✻ rest BM
Comida 1500 – ☕ 1000 – **105 hab** 9600/12000 – PA 4000.

Puerta de Toledo, glorieta Puerta de Toledo 4, ✉ 28005, ☎ 474 71 00, Telex 22 Fax 474 07 47 – |\$| ▤ TV ☎ ⇔ – 🎤 25/30. AE ⓓ E VISA JCB. ✻ plano p. 6 E
Comida (ver rest. ***Puerta de Toledo***) – ☕ 880 – **152 hab** 7500/11400.

Auto *sin* ☕, paseo de la Chopera 69, ✉ 28045, ☎ 539 66 00, Fax 530 67 03 – |\$| TV ☎ ⇔. AE ⓓ E VISA. ✻ BM
Comida (ver rest. ***Mesón Auto***) – ☕ 250 – **110 hab** 6000/10000.

XX Hontoria, pl. del General Maroto 2, ⊠ 28045, ℰ 473 04 25, Decoración rústica – ▤.
☼ ◪ E ₥ₛₐ. ⨯
BM v
cerrado domingo, festivos y agosto – **Comida** carta 3650 a 5300
Espec. Ensalada de sardinas (mayo-octubre). Salteado de mollejas de ternera con puré de espinacas. Biscuit glacé de nueces con salsa de turrón.

XX Puerta de Toledo, glorieta Puerta de Toledo 4, ⊠ 28005, ℰ 474 76 75,
Fax 474 30 35 – ▤. ◑ ₥ₛₐ
plano p. 6 EZ v
Comida carta 2150 a 3775.

XX Los Cigarrales, Antonio López 52, ⊠ 28019, ℰ 469 74 52, Fax 569 30 48 – ▤ ◇.
◪ ◑ E ₥ₛₐ ₐᴄₐ. ⨯
BM n
cerrado domingo noche – **Comida** carta aprox. 4600.

XX Ribadas, paseo de las Acacias 50, ⊠ 28005, ℰ 517 22 44, Cocina gallega – ▤. ◪ ◑
E ₥ₛₐ. ⨯
BM r
Comida carta 2200 a 4500.

X Mesón Auto, paseo de la Chopera 71, ⊠ 28045, ℰ 467 23 49, Fax 530 67 03,
Decoración rústica – ▤ ◐. ◪ ◑ E ₥ₛₐ
BM c
Comida carta 1950 a 2700.

X Quo Venus, Jaime el Conquistador 1, ⊠ 28045, ℰ 474 09 83 – ▤. ◪ ◑ E ₥ₛₐ. ⨯
cerrado domingo noche – **Comida** carta 3575 a 5075.
BM a

Moncloa : Princesa, Paseo del Pintor Rosales, Paseo de la Florida, Casa de Campo (planos p. 4, 8 y 10)

🏨🏨🏨 Meliá Madrid, Princesa 27, ⊠ 28008, ℰ 541 82 00, Telex 22537, Fax 541 19 88, ⅃ₛ
– ▯ ▤ ▣ ☎ – ☘ 25/200. ◪ ◑ E ₥ₛₐ ₐᴄₐ. ⨯
plano p. 8 KV t
Comida 3800 – ☷ 2000 – **253 hab** 27500/30900, 23 suites.

🏨🏨 Tryp Monte Real ⑳, Arroyofresno 17, ⊠ 28035, ℰ 316 21 40, Fax 316 39 34,
« Jardín », ⅃ – ▯ ▤ ▣ ☎ ◇ ◐ – ☘ 25/250. ◪ ◑ E ₥ₛₐ ₐᴄₐ.plano p. 2 AL b
Comida carta aprox. 4450 – ☷ 1600 – **76 hab** 17475/21900, 4 suites.

🏨🏨 Florida Norte, paseo de la Florida 5, ⊠ 28008, ℰ 542 83 00, Telex 23675,
Fax 547 78 33 – ▯ ▤ ▣ ☎ ◇. ◪ ◑ E ₥ₛₐ ₐᴄₐ. ⨯
plano p. 6 DX v
Comida 2600 – ☷ 900 – **399 hab** 12000/17000.

🏨🏨 Sofitel-Plaza de España *sin rest*, Tutor 1, ⊠ 28008, ℰ 541 98 80, Telex 43190,
Fax 542 57 36 – ▯ ▤ ▣ ☎. ◪ ◑ E ₥ₛₐ ₐᴄₐ
plano p. 8 KV d
☷ 1700 – **99 hab** 23500/28000.

🏨 Tirol *sin rest. con cafetería*, Marqués de Urquijo 4, ⊠ 28008, ℰ 548 19 00,
Fax 541 39 58 – ▯ ▤ ▣ ☎. E ₥ₛₐ. ⨯
DV r
☷ 750 – **89 hab** 8950/11285, 6 suites.

XX Sal Gorda, Beatriz de Bobadilla 9, ⊠ 28040, ℰ 553 95 06 – ▤. ◪ ◑ E ₥ₛₐ. ⨯DU e
cerrado domingo y agosto – **Comida** carta 3490 a 3900.

X Currito, Casa de Campo - Pabellón de Vizcaya, ⊠ 28011, ℰ 464 57 04, Fax 479 72 54,
🌲, Cocina vasca – ▤ ◐. ◪ ◑ E ₥ₛₐ. ⨯
plano p. 2 AM s
cerrado domingo noche – **Comida** carta aprox. 6000.

X A'Casiña, Casa de Campo - Pabellón de Pontevedra, ⊠ 28011, ℰ 526 34 25,
Fax 526 37 13, 🌲 – ▤. ◪ ◑ E ₥ₛₐ. ⨯
plano p. 2 AM s
cerrado domingo noche – **Comida** carta 3500 a 5300.

Chamberí : San Bernardo, Fuencarral, Alberto Aguilera, Santa Engracia (planos p. 8 a 11)

🏨🏨🏨 NH Santo Mauro, Zurbano 36, ⊠ 28010, ℰ 319 69 00, Fax 308 54 77, 🌲, « Elegante
palacete con jardín », ⬚ – ▯ ▤ ▣ ☎ ◇ – ☘ 25/70. ◪ ◑ E ₥ₛₐ ₐᴄₐ. ⨯GV e
Belagua : **Comida** carta aprox. 5000 – ☷ 2100 – **33 hab** 35000/44000, 4 suites.

🏨🏨 Miguel Ángel, Miguel Ángel 31, ⊠ 28010, ℰ 442 00 22, Telex 44235, Fax 442 53 20,
🌲, ⅃ₛ, ⬚ – ▯ ▤ ▣ ☎ ◇ – ☘ 25/300. ◪ ◑ E ₥ₛₐ. ⨯
GV c
Comida 3300 – ☷ 2000 – **251 hab** 28500/35700, 20 suites.

🏨🏨 Castellana Inter-Continental, paseo de la Castellana 49, ⊠ 28046, ℰ 310 02 00,
Telex 27686, Fax 319 58 53, 🌲, « Terraza-jardín », ⅃ₛ – ▯ ▤ ▣ ☎ ◇ – ☘ 25/550.
◪ ◑ E ₥ₛₐ ₐᴄₐ. ⨯
GV a
Comida carta 3520 a 6600 – ☷ 2500 – **278 hab** 34600/41800, 27 suites.

🏨🏨 Mindanao, San Francisco de Sales 15, ⊠ 28003, ℰ 549 55 00, Telex 22631,
Fax 544 55 96, ⅃, ⬚ – ▯ ▤ ▣ ☎ ◇ – ☘ 25/200. ◪ ◑ E ₥ₛₐ ₐᴄₐ. ⨯DV a
Comida *(cerrado agosto)* 3750 – ☷ 1600 – **272 hab** 16500/21000, 9 suites – PA 7450.

🏨🏨 G.H. Conde Duque *sin rest. con cafetería*, pl. Conde Valle de Suchil 5, ⊠ 28015,
ℰ 447 70 00, Telex 22058, Fax 448 35 69 – ▯ ▤ ▣ ☎ – ☘ 25/100. ◪ ◑ E ₥ₛₐ
ₐᴄₐ.
EV d
☷ 1500 – **142 hab** 16600/25000, 1 suite.

Gran Versalles sin rest., Covarrubias 4, ⊠ 28010, ℰ 447 57 00, Telex 491
Fax 446 39 87 – |‡| ≣ ⊡ ☎ – ⚐ 25/120. ⏃ ⓪ ⏃ 𝖵𝖨𝖲𝖠. ⊰⊱ MV
⊊ 975 – **143 hab** 15250/21600, 2 suites.

NH Zurbano, Zurbano 79, ⊠ 28003, ℰ 441 45 00, Telex 27578, Fax 441 32 24 –
≣ ⊡ ☎ ⊜. ⚐ 25/100. ⏃ ⓪ ⏃ 𝖵𝖨𝖲𝖠 𝖩𝖢𝖡. GV
Comida carta aprox. 4100 – ⊊ 1575 – **263 hab** 18850/26200, 1 suite.

NH Embajada, Santa Engracia 5, ⊠ 28010, ℰ 594 02 13, Fax 447 33 12, Bonito edifi
de estilo español – |‡| ≣ ⊡ ☎ – ⚐ 25/45. ⏃ ⓪ ⏃ 𝖵𝖨𝖲𝖠. ⊰⊱ MV
Comida – ⊊ 1400 – **101 hab** 15950.

NH Prisma, Santa Engracia 120, ⊠ 28003, ℰ 441 93 77, Fax 442 58 51 – |‡| ≣
☎ – ⚐ 25/70. ⏃ ⓪ ⏃ 𝖵𝖨𝖲𝖠. ⊰⊱ FV
Comida carta aprox. 3600 – ⊊ 1900 – **103 suites** 17600.

NH Argüelles, sin rest. con cafetería, Vallehermoso 65, ⊠ 28015, ℰ 593 97
Fax 594 27 39 – ≣ ⊡ ☎ ⊜. ⏃ ⓪ ⏃ 𝖵𝖨𝖲𝖠 𝖩𝖢𝖡. ⊰⊱ EV
⊊ 1000 – **75 hab** 17375/21720.

Escultor, Miguel Ángel 3, ⊠ 28010, ℰ 310 42 03, Telex 44285, Fax 319 25 84 –
≣ ⊡ ☎ – ⚐ 25/150. ⏃ ⓪ ⏃ 𝖵𝖨𝖲𝖠. ⊰⊱ GV
Comida carta aprox. 3700 – ⊊ 1350 – **79 hab** 14000/23000, 3 suites.

NH Bretón sin rest., Bretón de los Herreros 29, ⊠ 28003, ℰ 442 83 00, Fax 441 38
– |‡| ≣ ⊡ ☎. ⏃ ⓪ ⏃ 𝖵𝖨𝖲𝖠 𝖩𝖢𝖡. ⊰⊱ FV
⊊ 1200 – **56 hab** 15600/21720.

Sol Alondras sin rest. con cafetería, José Abascal 8, ⊠ 28003, ℰ 447 40
Telex 49454, Fax 593 88 00 – |‡| ≣ ⊡ ☎. ⏃ ⓪ ⏃ 𝖵𝖨𝖲𝖠 𝖩𝖢𝖡. ⊰⊱ FV
⊊ 1020 – **72 hab** 15800/19100.

Trafalgar sin rest. con cafetería, Trafalgar 35, ⊠ 28010, ℰ 445 62 00, Fax 446 64
– |‡| ≣ ⊡ ☎. ⏃ ⓪ ⏃ 𝖵𝖨𝖲𝖠. ⊰⊱ FV
48 hab ⊊ 8300/10900.

XXXX **Jockey,** Amador de los Ríos 6, ⊠ 28010, ℰ 319 24 35, Fax 319 24 35 – ≣. ⏃ ⓪
£₃ 𝖵𝖨𝖲𝖠. ⊰⊱ NV
cerrado sábado mediodía, domingo, festivos y agosto – **Comida** carta 7500 a 9600
Espec. Ensalada de atún marinado a la pimienta verde (mayo a octubre). Langostinos fr
con verduras y salsa de soja. Costillar de cordero a la provenzal.

XXXX **Las Cuatro Estaciones,** General Ibáñez de Íbero 5, ⊠ 28003, ℰ 553 63
£₃ Fax 553 32 98, Decoración moderna – ≣. ⏃ ⓪ ⏃ 𝖵𝖨𝖲𝖠 𝖩𝖢𝖡. ⊰⊱ EV
cerrado domingo, sábado (abril-septiembre), sábado mediodía (resto del año) y agos
Comida 4500 y carta 4260 a 5830
Espec. Gazpacho con bogavante (primavera-verano). Arroz negro con chipirones. Foie
liente a las uvas y Pedro Ximénez.

XXX **Lur Maitea,** Fernando el Santo 4, ⊠ 28010, ℰ 308 03 50, Fax 308 03 93, Cocina v
– ≣. ⏃ ⓪ ⏃ 𝖵𝖨𝖲𝖠. ⊰⊱ MV
cerrado sábado mediodía, domingo, festivos y agosto – **Comida** carta 4800 a 585X

XXX **Annapurna,** Zurbano 5, ⊠ 28010, ℰ 308 32 49, Cocina hindú – ≣. ⏃ ⓪ ⏃ 𝖵𝖨𝖲𝖠 M
cerrado sábado mediodía, domingo y festivos – **Comida** carta 3000 a 4775.

XX **Las Reses,** Orfila 3, ⊠ 28010, ℰ 308 03 82, Carnes – ≣. ⏃ ⏃ 𝖵𝖨𝖲𝖠. ⊰⊱ NV
cerrado sábado mediodía y domingo – **Comida** carta 3200 a 5925.

XX **Solchaga,** pl. Alonso Martínez 2, ⊠ 28004, ℰ 447 14 96, Fax 593 22 23 – ≣. ⏃
⏃ 𝖵𝖨𝖲𝖠. ⊰⊱ MV
cerrado sábado mediodía, domingo y agosto – **Comida** carta 4100 a 5500.

XX **La Cava Real,** Espronceda 34, ⊠ 28003, ℰ 442 54 32, Fax 442 34 04 – ≣. ⏃ ⓪
𝖵𝖨𝖲𝖠. ⊰⊱ F
cerrado domingo, festivos y agosto – **Comida** carta aprox. 5200.

XX **Casa Arturo,** Sagasta 29, ⊠ 28004, ℰ 445 55 43 – ≣. ⏃ ⓪ ⏃ 𝖵𝖨𝖲𝖠. ⊰⊱ M
Comida carta 3500 a 4500.

XX **L'Alsace,** Doménico Scarlatti 5, ⊠ 28003, ℰ 544 40 75, Fax 544 75 92, « Decora
alsaciana » – ≣. ⏃ ⓪ 𝖵𝖨𝖲𝖠. ⊰⊱ D
Comida carta aprox. 5400.

XX **Kulixka,** Fuencarral 124, ⊠ 28010, ℰ 447 25 38, Pescados y mariscos – ≣. ⏃ ⓪
𝖵𝖨𝖲𝖠. ⊰⊱ F
cerrado domingo y agosto – **Comida** carta 4100 a 7300.

XX **Porto Alegre 2,** Trafalgar 15, ⊠ 28010, ℰ 445 19 74 – ≣ ⓟ. ⏃ ⓪ ⏃ 𝖵𝖨𝖲𝖠. ⊰⊱ F
cerrado domingo noche y agosto – **Comida** carta 3400 a 3950.

XX **Casa Hilda,** Bravo Murillo 24, ⊠ 28015, ℰ 446 35 69 – ≣. ⏃ ⓪ ⏃ 𝖵𝖨𝖲𝖠 F
cerrado domingo noche, lunes noche y agosto – **Comida** carta 3500 a 4900.

XX **Jeromín,** San Bernardo 115, ✉ 28015, ℘ 448 98 43, Fax 446 44 81, Terraza en verano
– ⃒⃒. 🝙 ⓪ ◪. ⌖ EFV r
cerrado domingo noche y lunes noche – **Comida** carta 3200 a 4975.

XX **Polizón,** Viriato 39, ✉ 28010, ℘ 593 39 19, Pescados y mariscos – 🝙. 🝙 ⓪ 🝙 ◪
 🝙. ⌖ FV w
cerrado domingo en verano, domingo noche resto del año y agosto – **Comida** carta 3325
a 4250.

XX **La Plaza de Chamberí,** pl. de Chamberí 10, ✉ 28010, ℘ 446 06 97 – 🝙. 🝙 ⓪ 🝙
 ◪ 🝙. ⌖ FV k
cerrado domingo – **Comida** carta aprox. 4525.

XX **La Fuente Quince,** Modesto Lafuente 15, ✉ 28003, ℘ 442 34 53, Fax 441 90 24 –
🝙. 🝙 ⓪ 🝙 ◪. ⌖ FV j
cerrado sábado mediodía, domingo y agosto – Comida carta 2600 a 3500.

XX **O'Grelo,** Gaztambide 50, ✉ 28015, ℘ 543 13 01, Cocina gallega – 🝙 🝙. 🝙 ⓪ 🝙
◪. ⌖ DEV s
cerrado domingo noche, lunes y agosto – **Comida** carta aprox. 4500.

XX **Chuliá,** María de Guzmán 36, ✉ 28003, ℘ 535 31 23, Fax 535 10 10 – 🝙. 🝙 ⓪ 🝙
◪. ⌖ FU n
cerrado sábado mediodía, domingo, festivos y agosto – **Comida** carta 3175 a 5475.

XX **Mesón del Cid,** Fernández de la Hoz 57, ✉ 28003, ℘ 442 07 55, Fax 442 96 47 – 🝙.
🝙 ⓪ 🝙 ◪. ⌖ GV r
cerrado domingo, Semana Santa y Navidades – **Comida** carta aprox. 4650.

XX **Gala,** Espronceda 14, ✉ 28003, ℘ 441 95 48 – 🝙. 🝙 ⓪ 🝙 ◪. ⌖ FV n
cerrado domingo y festivos – **Comida** carta aprox. 4500.

XX **El Corcho,** Zurbano 4, ✉ 28010, ℘ 308 01 36, Fax 310 32 55 – 🝙. 🝙 ⓪ 🝙 ◪. ⌖ NV d
cerrado sábado mediodía, domingo y agosto – **Comida** carta 3380 a 4850.

XX **O'Xeito,** paseo de la Castellana 49, ✉ 28046, ℘ 308 23 83, Fax 308 35 94, Decoración
de estilo gallego. Pescados y mariscos – 🝙. 🝙 🝙 ◪ GV a
cerrado sábado mediodía, domingo y agosto – **Comida** carta 4200 a 5200.

XX **Vatel,** Rafael Calvo 40, ✉ 28010, ℘ 310 00 74 – 🝙. 🝙 🝙 ◪ GV n
cerrado domingo, festivos y agosto – **Comida** carta 2950 a 4425.

XX **Babel,** Alonso Cano 60, ✉ 28003, ℘ 553 08 27, Carnes – 🝙. 🝙 ⓪ ◪. ⌖ FU r
cerrado sábado mediodía, domingo, festivos y agosto – **Comida** carta 4000 a 5500.

XX **Asquiniña,** Modesto Lafuente 88, ✉ 28003, ℘ 553 17 95, Fax 554 91 51, Cocina
gallega – 🝙. 🝙 ◪. ⌖ FU c
cerrado domingo noche, lunes noche y agosto – **Comida** carta 3200 a 3900.

X **Horno de Juan,** Joaquín María López 30, ✉ 28015, ℘ 543 30 43 – 🝙. 🝙 🝙 ◪. ⌖
cerrado del 15 al 30 de agosto – **Comida** carta aprox. 3600. EV x

X **La Parra,** Monte Esquinza 34, ✉ 28010, ℘ 319 54 98 – 🝙. 🝙 🝙 ◪ GV v
cerrado sábado mediodía, domingo y agosto – **Comida** carta 3800 a 4550.

X **Pinocchio,** Orfila 2, ✉ 28010, ℘ 308 16 47, Fax 766 98 04, Cocina italiana – 🝙. 🝙
⓪ 🝙 ◪. ⌖ NV d
cerrado sábado mediodía, domingo y agosto – **Comida** carta 2925 a 3790.

X **Quattrocento,** General Ampudia 18, ✉ 28003, ℘ 534 49 11, Cocina italiana – 🝙. 🝙
⓪ 🝙 ◪. ⌖ DU a
cerrado domingo – **Comida** carta aprox. 3100.

X **El Pedrusco de Aldealcorvo,** Juan de Austria 27, ✉ 28010, ℘ 446 88 33,
Decoración castellana – 🝙. 🝙 ⓪ 🝙 ◪. ⌖ FV f
cerrado sábado, domingo noche y agosto – **Comida** carta 2950 a 4150.

X **Balear,** Sagunto 18, ✉ 28010, ℘ 447 91 15, Arroces – 🝙. 🝙 🝙 ◪. ⌖ FV y
cerrado domingo noche y lunes noche – **Comida** carta aprox. 3500.

X **La Gran Tasca,** Santa Engracia 24, ✉ 28010, ℘ 448 77 79, Decoración castellana –
🝙. 🝙 ⓪ ◪ FV c
cerrado domingo – **Comida** carta 3800 a 4400.

X **Casa Félix,** Bretón de los Herreros 39, ✉ 28003, ℘ 441 24 79 – 🝙 ⓟ. 🝙 🝙 ◪. ⌖
Comida carta aprox. 3650. FV x

X **Don Sancho,** Bretón de los Herreros 58, ✉ 28003, ℘ 441 37 94 – 🝙. 🝙 ⓪ 🝙 ◪.
⌖ GV u
cerrado domingo, lunes noche, festivos y agosto – **Comida** carta 3050 a 4050.

X **La Giralda II,** Hartzenbuch 12, ✉ 28010, ℘ 445 77 79, Fax 445 17 43, Rest. andaluz
– 🝙. 🝙 ⓪ 🝙 ◪. ⌖ FV p
cerrado domingo y julio – **Comida** carta aprox. 4200.

X **Villa de Foz,** Gonzalo de Córdoba 10, ✉ 28010, ℘ 446 89 93 – 🝙. 🝙 ◪. ⌖ FV e
cerrado domingo y agosto – **Comida** carta 3400 a 4600.

✗ **Biergarten,** Gaztambide 3, ⊠ 28015, ℰ 543 06 49, Fax 766 98 04, Cervecería báva – ▤. 🖭 ◑ 🖪 *VISA*. ✹   DV
cerrado domingo noche y lunes – **Comida** carta aprox. 3050.

✗ **Bene,** Castillo 19, ⊠ 28010, ℰ 448 08 78 – ▤. 🖭 ◑ 🖪 *VISA*. ✹   FV
cerrado domingo y agosto – **Comida** carta 2850 a 3850.

✗ **La Despensa,** Cardenal Cisneros 6, ⊠ 28010, ℰ 446 17 94 – ▤. 🖭 ◑ 🖪 *VISA*
🍴 *cerrado lunes en verano, domingo noche y lunes resto del año y septiembre* – Com
carta 2450 a 2950.   FV

Chamartín, Tetuán : Paseo de la Castellana, Capitán Haya, Orense, Alberto Alcoc
Paseo de la Habana (plano p. 7 salvo mención especial)

🏨 **Meliá Castilla,** Capitán Haya 43, ⊠ 28020, ℰ 567 50 00, Telex 23142, Fax 567 50
🍸 – ⧼ ▤ 🖭 ☎ ₺ ᇾ – 🛣 25/800. 🖭 ◑ 🖪 *VISA* ᴶᶜᴮ. ✹   GS
Comida (ver rest *L'Albufera* y rest *La Fragata*) – ⌷ 2300 – **896 hab** 26900/309
14 suites.

🏨 **Holiday Inn,** pl. Carlos Trías Beltrán 4 (acceso por Orense 22-24), ⊠ 280.
ℰ 456 80 00, Telex 44709, Fax 456 80 01, 𝑳ᵬ, 🍸 – ⧼ ▤ 🖭 ☎ ₺ – 🛣 25/400.
◑ 🖪 *VISA* ᴶᶜᴮ. ✹ rest   GT
La Terraza : **Comida** carta 3450 a 6425 - *La Tasca (sólo buffet, cerrado sábado, domir
y agosto)* **Comida** 3200 – ⌷ 2050 – **282 hab** 25650/28650, 31 suites.

🏨 **Eurobuilding,** Padre Damián 23, ⊠ 28036, ℰ 345 45 00, Telex 22548, Fax 345 45
🏠, « Jardín y terraza con 🍸 », 𝑳ᵬ – ⧼ ▤ 🖭 ☎ ᇾ – 🛣 25/900. 🖭 ◑ 🖪 *VISA* ᴶ
✹   HS
La Taberna **Comida** carta 4200 a 5500 - *Le Relais* **Comida** carta 3025 a 4100 – ⌷ 19
– **416 hab** 24500/29950, 84 suites.

🏨 **Cuzco** *sin rest. con cafetería*, paseo de la Castellana 133, ⊠ 28046, ℰ 556 06
Telex 22464, Fax 556 03 72, 𝑳ᵬ – ⧼ ▤ 🖭 ☎ ᇾ 🅿 – 🛣 25/450. 🖭 ◑ 🖪 *VISA*.
⌷ 1190 – **320 hab** 18500/22500, 8 suites.   GS

🏨 **Augusta Club 143,** López de Hoyos 143, ⊠ 28002, ℰ 519 91 91, Fax 519 67 7
⧼ ▤ 🖭 ☎ ᇾ – 🛣 25/80. 🖭 🖪 *VISA*. ✹   CL
Comida 1800 – ⌷ 1200 – **120 apartamentos** 13500/16000 – PA 4600.

🏨 **Chamartín,** estación de Chamartín, ⊠ 28036, ℰ 323 18 33, Telex 492
Fax 733 02 14 – ⧼ ▤ 🖭 ☎ – 🛣 25/500. 🖭 ◑ *VISA*. ✹   HP
Comida (ver rest *Cota 13*) – ⌷ 1200 – **360 hab** 14300/16600, 18 suites.

🏨 **NH La Habana,** paseo de la Habana 73, ⊠ 28036, ℰ 345 82 84, Fax 457 75 79 –
▤ 🖭 ☎ ᇾ – 🛣 25/250. 🖭 ◑ 🖪 *VISA* ᴶᶜᴮ. ✹   HT
Comida 3700 – ⌷ 1900 – **157 hab** 18800/26100.

🏨 **Orense 38,** Pedro Teixeira 5, ⊠ 28020, ℰ 597 15 68, Fax 597 12 95, 𝑳ᵬ – ⧼ ▤
☎ ᇾ. 🖭 ◑ 🖪 *VISA*. ✹   GT
Comida carta 2900 a 4800 – ⌷ 1100 – **140 hab** 15520/18700 – PA 5000.

🏨 **Foxá 32,** Agustín de Foxá 32, ⊠ 28036, ℰ 733 10 60, Fax 314 11 65 – ⧼ ▤ 🖭
ᇾ – 🛣 25/250. 🖭 ◑ 🖪 *VISA*. ✹   HP
Comida 1500 – ⌷ 1100 – **63 hab** 12500, 98 suites – PA 3300.

🏨 **Foxá 25,** Agustín de Foxá 25, ⊠ 28036, ℰ 323 11 19, Fax 314 53 11 – ⧼ ▤ 🖭
ᇾ. 🖭 ◑ 🖪 *VISA*. ✹   HP
Comida 1500 – ⌷ 1100 – **121 suites** 12500 – PA 3300.

🏨 **Castilla Plaza,** paseo de la Castellana 220, ⊠ 28046, ℰ 323 11 86, Fax 315 54 C
⧼ ▤ 🖭 ☎ ᇾ – 🛣 25/150. 🖭 ◑ *VISA*   GS
Comida 2000 – ⌷ 1450 – **147 hab** 17700/19700.

🏨 **El Gran Atlanta** *sin rest*, Comandante Zorita 34, ⊠ 28020, ℰ 553 59
Fax 533 08 58, 𝑳ᵬ – ⧼ ▤ 🖭 ☎ ᇾ – 🛣 25/120. 🖭 ◑ 🖪 *VISA*. ✹   F
⌷ 1200 – **180 hab** 16250/22500.

🏨 **El Jardín** *sin rest*, carret. N I-km 5'7 (entrada por M 40-vía de servicio), ⊠ 28C
ℰ 302 83 36, Fax 766 86 91, 🍸, 🏕, ✱ – ⧼ ▤ 🖭 ☎ ᇾ 🅿. 🖭 ◑ 🖪 *VISA*. ᴺ
41 **apartamentos** ⌷ 11000/12500.   plano p. 2 Cl

🏨 **Tryp Togumar** *sin rest*, Canillas 59, ⊠ 28002, ℰ 519 00 51, Fax 519 48 45 – ⧼
🖭 ☎ ᇾ. 🖭 *VISA*. ✹   HU
⌷ 525 – **62 hab** 10800.

🏨 **Aristos,** av. Pío XII-34, ⊠ 28016, ℰ 345 04 50, Fax 345 10 23 – ⧼ ▤ 🖭 ☎.
🖪 *VISA*. ✹   HS
Comida (ver rest *El Chaflán*) – ⌷ 900 – **24 hab** 14250/19000, 1 suite.

🏨 **NH Práctico** *sin rest*, Bravo Murillo 304, ⊠ 28020, ℰ 571 28 80, Fax 571 56 31
▤ 🖭 ☎ ᇾ – 🛣 25/40. 🖭 ◑ *VISA* ᴶᶜᴮ. ✹   FS
⌷ 1000 – **35 hab** 12100/13900.

La Residencia de El Viso ⟪sin rest⟫, Nervión 8, ☒ 28002, ✆ 564 03 70, Fax 564 19 65 – 🔊 ☰ ㄸ ☎. ㏂ ⓞ ㄷ 𝚟𝚒𝚜𝚊. ⟪
HU c
⟾ 750 – **12 hab** 9000/14000.

Zalacaín, Álvarez de Baena 4, ☒ 28006, ✆ 561 48 40, Fax 561 47 32, 🌣 – ☰. ㏂ ⓞ ㄷ 𝚟𝚒𝚜𝚊 𝙹𝙲𝙱. ⟪
plano p. 7 GV b
cerrado sábado mediodía, domingo, festivos, Semana Santa y agosto – **Comida** 6950 y carta 6200 a 9200
Espec. Ensalada de bogavante. Merluza a la flor de tomillo. Crujiente de chocolate con piña templada.

Príncipe y Serrano, Serrano 240, ☒ 28016, ✆ 458 62 31, Fax 458 86 76 – ☰ 🚗. ㏂ ⓞ ㄷ 𝚟𝚒𝚜𝚊. ⟪
HT a
cerrado sábado mediodía, domingo, festivos y agosto – **Comida** carta 5200 a 5400

La Máquina, Sor Ángela de la Cruz 22, ☒ 28020, ✆ 572 33 18, Fax 570 13 04 – ☰. ㏂ ⓞ 𝚟𝚒𝚜𝚊. ⟪
FS e
cerrado domingo – **Comida** carta 4200 a 5050.

El Bodegón, Pinar 15, ☒ 28006, ✆ 562 88 44 – ☰. ㏂ ⓞ ㄷ 𝚟𝚒𝚜𝚊. ⟪
cerrado sábado mediodía, domingo, festivos y agosto – **Comida** carta 5850 a 7950.
plano p. 7 GV q

Príncipe de Viana, Manuel de Falla 5, ☒ 28036, ✆ 457 15 49, Fax 457 52 83, 🌣, Cocina vasco-navarra – ☰. ㏂ ⓞ ㄷ 𝚟𝚒𝚜𝚊 𝙹𝙲𝙱. ⟪
GT c
cerrado sábado mediodía, domingo, festivos, Semana Santa y agosto – **Comida** carta 4950 a 5875
Espec. Crema montada de bacalao y ventresca en ensalada. Salmonetes a la vinagreta de trufas. Pichón guisado al jengibre.

Nicolasa, Velázquez 150, ☒ 28002, ✆ 563 17 35, Fax 564 32 75 – ☰. ㏂ ⓞ ㄷ 𝚟𝚒𝚜𝚊. ⟪
HU a
cerrado Semana Santa y agosto – **Comida** carta 4150 a 6050.

O'Pazo, Reina Mercedes 20, ☒ 28020, ✆ 553 23 33, Fax 554 90 72, Pescados y mariscos – ☰. ㄷ 𝚟𝚒𝚜𝚊. ⟪
FT p
cerrado domingo y agosto – **Comida** carta 4550 a 5650.

L'Albufera, Capitán Haya 43, ☒ 28020, ✆ 567 51 97, Fax 567 50 51, Arroces – ☰ 🚗. ㏂ ⓞ ㄷ 𝚟𝚒𝚜𝚊 𝙹𝙲𝙱. ⟪
GS c
Comida carta 4500 a 5650.

La Fragata, Capitán Haya 43, ☒ 28020, ✆ 567 51 96 – ☰ 🚗. ㏂ ⓞ ㄷ 𝚟𝚒𝚜𝚊. ⟪
GS c
cerrado agosto – **Comida** carta aprox. 5500.

José Luis, Rafael Salgado 11, ☒ 28036, ✆ 457 50 36, Fax 344 18 37 – ☰. ㏂ ⓞ ㄷ 𝚟𝚒𝚜𝚊. ⟪
GT m
cerrado domingo y agosto – **Comida** carta aprox. 6000.

Señorío de Bertiz, Comandante Zorita 6, ☒ 28020, ✆ 533 27 57, Fax 534 50 90 – ☰. ㏂ ⓞ ㄷ 𝚟𝚒𝚜𝚊. ⟪
FTU s
Comida carta aprox. 6500.

Bogavante, Capitán Haya 20, ☒ 28020, ✆ 556 21 14, Fax 597 00 79, Pescados y mariscos – ☰. ㏂ ⓞ ㄷ 𝚟𝚒𝚜𝚊 𝙹𝙲𝙱. ⟪
GT d
cerrado domingo noche – **Comida** carta 3100 a 7400.

Señorío de Alcocer, Alberto Alcocer 1, ☒ 28036, ✆ 345 16 96 – ☰. ㏂ ⓞ ㄷ 𝚟𝚒𝚜𝚊. ⟪
GS e
cerrado sábado mediodía, domingo, festivos y agosto – **Comida** carta aprox. 6500.

El Olivo, General Gallegos 1, ☒ 28036, ✆ 359 15 35, Fax 345 91 83 – ☰. ㏂ ⓞ ㄷ 𝚟𝚒𝚜𝚊 𝙹𝙲𝙱. ⟪
HS c
cerrado domingo, lunes y del 15 al 30 de agosto – **Comida** 5600 y carta 4650 a 5900
Espec. Milhojas de emperador con vinagreta y verduras. Foie caliente con salsa de Pedro Ximénez. Bonito asado sobre compota de tomate y cebolla confitada (temp).

Goizeko Kabi, Comandante Zorita 37, ☒ 28020, ✆ 533 01 85, Fax 533 02 14, Cocina vasca – ☰. ㏂ ⓞ ㄷ 𝚟𝚒𝚜𝚊. ⟪
FT a
cerrado sábado mediodía (15 junio-15 septiembre) y domingo – **Comida** carta 5750 a 6900
Espec. Parrillada de trigueros y xixas (abril-junio). Talos de bacalao. Becada asada al viejo brandy (noviembre-marzo).

Cabo Mayor, Juan Ramón Jiménez 37, ☒ 28036, ✆ 350 87 76, Fax 359 16 21 – ☰. ㏂ ⓞ ㄷ 𝚟𝚒𝚜𝚊. ⟪
GHS r
cerrado sábado mediodía, domingo, Semana Santa y del 15 al 31 de agosto – **Comida** carta 5900 a 7700.

Blanca de Navarra, av. de Brasil 13, ☒ 28020, ✆ 555 10 29 – ☰. ㏂ ⓞ ㄷ 𝚟𝚒𝚜𝚊 GT q
cerrado domingo y agosto – **Comida** carta aprox. 6000.

XXX **Lutecia,** Corazón de María 78, ⊠ 28002, ℰ 519 34 15 – ▤. 匪 ⓞ Ε 𝘝𝘐𝘚𝘈. ⅋
cerrado sábado mediodía, domingo, festivos y agosto – **Comida** carta 2950 a 3550.
plano p. 3 CL

XXX **Aldaba,** Alberto Alcocer 5, ⊠ 28036, ℰ 345 21 93 – ▤. 匪 ⓞ Ε 𝘝𝘐𝘚𝘈. ⅋ GS
cerrado sábado mediodía, domingo y agosto – **Comida** carta 4350 a 6025.

XXX **El Foque,** Suero de Quiñones 22, ⊠ 28002, ℰ 519 25 72, Fax 519 52 61, Espec. bacalaos – ▤. 匪 ⓞ Ε 𝘝𝘐𝘚𝘈. ⅋ HU
cerrado domingo – **Comida** carta 4450 a 5150.

XX **Ganges,** Bolivia 11, ⊠ 28016, ℰ 457 27 29, Cocina hindú – ▤. 匪 ⓞ Ε 𝘝𝘐𝘚𝘈. ⅋HST
Comida carta aprox. 4500.

XX **Combarro,** Reina Mercedes 12, ⊠ 28020, ℰ 554 77 84, Fax 534 25 01, Pescado mariscos – ▤. 匪 ⓞ Ε 𝘝𝘐𝘚𝘈 𝐉𝐂𝐁. ⅋ FT
cerrado domingo noche y agosto – **Comida** carta 4650 a 7955.

XX **La Tahona,** Capitán Haya 21 (lateral), ⊠ 28020, ℰ 555 04 41, Cordero asa « Decoración castellano-medieval » – ▤. 匪 ⓞ Ε 𝘝𝘐𝘚𝘈. ⅋ GT
cerrado domingo noche y agosto – **Comida** carta 3400 a 3975.

XX **De Funy,** Serrano 213, ⊠ 28016, ℰ 457 95 22, Fax 458 85 84, 🍽, Rest. libanés – 匪 ⓞ Ε 𝘝𝘐𝘚𝘈. ⅋ HT
Comida carta 3600 a 4150.

XX **La Fonda,** Príncipe de Vergara 211, ⊠ 28002, ℰ 563 46 42, Cocina catalana – ▤. ⓞ Ε 𝘝𝘐𝘚𝘈. ⅋ HT
Comida carta aprox. 4400.

XX **Gaztelupe,** Comandante Zorita 32, ⊠ 28020, ℰ 534 90 28, Cocina vasca – ▤. 匪 Ε 𝘝𝘐𝘚𝘈. ⅋ FT
cerrado domingo (15 junio-15 septiembre) y domingo noche resto del año – **Comida** ca 4600 a 5100.

XX **Mirasierra,** Peña Auseba 5 (Colonia Mirasierra), ⊠ 28034, ℰ 735 03 78, Fax 734 48 « Terraza con arbolado » – ▤. 匪 ⓞ Ε 𝘝𝘐𝘚𝘈. ⅋ por
cerrado sábado, domingo, Semana Santa y agosto – **Comida** carta 3350 a 4500.

XX **Jai-Alai,** Balbina Valverde 2, ⊠ 28002, ℰ 561 27 42, Fax 561 38 46, 🍽, Cocina va – ▤. 匪 ⓞ Ε 𝘝𝘐𝘚𝘈 𝐉𝐂𝐁. GL
cerrado lunes – **Comida** carta 3385 a 4985.

XX **Pedralbes,** Basílica 15, ⊠ 28020, ℰ 555 30 27, 🍽 – ▤. 匪 ⓞ Ε 𝘝𝘐𝘚𝘈. ⅋ FT
cerrado domingo noche – **Comida** carta aprox. 4500.

XX **Asador Errota-Zar,** Corazón de María 32, ⊠ 28002, ℰ 413 52 24, Fax 519 30 8 ▤. 匪 ⓞ Ε 𝘝𝘐𝘚𝘈. ⅋ CL
cerrado domingo, Semana Santa y agosto – **Comida** carta aprox. 4700.

XX **Asador Frontón II,** Pedro Muguruza 8, ⊠ 28036, ℰ 345 36 96 – ▤. 匪 ⓞ Ε
⅋ HS
cerrado domingo noche en invierno – **Comida** carta aprox. 5000.

XX **Gerardo,** Alberto Alcocer 46 bis, ⊠ 28016, ℰ 457 94 59 – ▤. 匪 ⓞ Ε 𝘝𝘐𝘚𝘈. ⅋HS
cerrado domingo y del 14 al 31 de agosto – **Comida** carta aprox. 5200.

XX **Carta Marina,** Padre Damián 40, ⊠ 28036, ℰ 458 68 26, Fax 350 78 83 – ▤. 匪 Ε 𝘝𝘐𝘚𝘈. ⅋ HS
cerrado domingo, Semana Santa y agosto – **Comida** carta 3850 a 5650.

XX **El Telégrafo,** Padre Damián 44, ⊠ 28036, ℰ 350 61 19, Imitando el interior de barco. Pescados y mariscos – ▤. 匪 ⓞ Ε 𝘝𝘐𝘚𝘈. ⅋ HS
Comida carta aprox. 6000.

XX **Rugantino,** Velázquez 136, ⊠ 28006, ℰ 561 02 22, Cocina italiana – ▤. 匪 ⓞ Ε 𝐉𝐂𝐁. ⅋ plano p. 7 HV
Comida carta 3540 a 4050.

XX **Serramar,** Rosario Pino 12, ⊠ 28020, ℰ 570 07 90, Fax 570 48 09, Pescados y maris – ▤. 匪 ⓞ Ε 𝘝𝘐𝘚𝘈 GS
cerrado domingo – **Comida** carta 3800 a 4900.

XX De María, Félix Boix 5, ⊠ 28036, ℰ 359 65 07, Fax 345 22 94, Pescados y carnes brasa – ▤ GS

XX **Tattaglia,** paseo de la Habana 17, ⊠ 28036, ℰ 562 85 90, Cocina italiana – ▤. 匪 Ε 𝘝𝘐𝘚𝘈 𝐉𝐂𝐁. ⅋ G
Comida carta 3540 a 4100.

XX **Paparazzi,** Sor Ángela de la Cruz 22, ⊠ 28020, ℰ 579 67 67, Cocina italiana – ▤ ⓞ Ε 𝘝𝘐𝘚𝘈 𝐉𝐂𝐁. ⅋ FGS
Comida carta 2590 a 3500.

XX **Ox's**, Juan Ramón Jiménez 11, ⊠ 28036, 𝒫 458 19 03, Carnes a la brasa – ≣. 𝗔𝗘 ⓞ
E 𝘝𝘐𝘚𝘈   GHS t
cerrado domingo y agosto – **Comida** carta 3700 a 4750.

XX **Barlovento**, paseo de la Habana 84, ⊠ 28016, 𝒫 344 14 79 – ≣. 𝗔𝗘 ⓞ 𝘝𝘐𝘚𝘈. 𝒮𝒮HT x
cerrado domingo noche y del 15 al 31 de agosto – **Comida** carta 3800 a 5100.

XX **Ferreiro**, Comandante Zorita 32, ⊠ 28020, 𝒫 553 93 42, Cocina asturiana – ≣. 𝗔𝗘 ⓞ
E 𝘝𝘐𝘚𝘈   FT p
Comida carta 3350 a 4225.

XX **Inés Villanueva**, López de Hoyos 42, ⊠ 28006, 𝒫 563 14 85, Fax 563 15 44 – ≣.
𝗔𝗘 ⓞ E 𝘝𝘐𝘚𝘈   HV v
cerrado domingo y agosto – **Comida** carta aprox. 5500.

XX **Endavant**, Velázquez 160, ⊠ 28002, 𝒫 561 27 38, 🌫, Cocina catalana – ≣. 𝗔𝗘 ⓞ
E 𝘝𝘐𝘚𝘈. 𝒮𝒮   HU e
cerrado domingo – **Comida** carta 3700 a 4900.

XX **Fass**, Rodríguez Marín 84, ⊠ 28002, 𝒫 563 60 83, Fax 563 74 53, Decoración estilo
bávaro. Cocina alemana – ≣. 𝗔𝗘 ⓞ E 𝘝𝘐𝘚𝘈   HT t
Comida carta 3000 a 4700.

XX **Asador Castillo de Javier**, Capitán Haya 19, ⊠ 28020, 𝒫 556 87 97 – ≣. 𝗔𝗘 ⓞ
E 𝘝𝘐𝘚𝘈. 𝒮𝒮   GT u
cerrado sábado mediodía y 7 días en agosto – **Comida** carta aprox. 4500.

XX **La Parrilla de Madrid**, Capitán Haya 19 (posterior), ⊠ 28020, 𝒫 555 12 83,
Fax 597 29 18 – ≣. 𝗔𝗘 ⓞ E 𝘝𝘐𝘚𝘈. 𝒮𝒮   GT u
cerrado domingo y del 15 al 31 de agosto – **Comida** carta 2900 a 4550.

XX **La Botella de Pepe**, Padre Damián 47, ⊠ 28016, 𝒫 350 72 55, 🌫 – ≣. 𝗔𝗘 ⓞ 𝘝𝘐𝘚𝘈
cerrado sábado mediodía y domingo – **Comida** carta aprox. 4300.   HS x

XX **Sacha**, Juan Hurtado de Mendoza 11 (posterior), ⊠ 28036, 𝒫 345 59 52, 🌫 – ≣. 𝗔𝗘
ⓞ E 𝘝𝘐𝘚𝘈. 𝒮𝒮   GHS r
cerrado domingo, festivos, Semana Santa y del 10 al 31 de agosto – **Comida** carta aprox.
5000.

XX **Rianxo**, Oruro 11, ⊠ 28016, 𝒫 457 10 06, Cocina gallega – ≣. 𝗔𝗘 ⓞ E 𝘝𝘐𝘚𝘈. 𝒮𝒮HT h
cerrado domingo noche – **Comida** carta 4100 a 6300.

XX **El Chaflán**, av. Pío XII-34, ⊠ 28016, 𝒫 350 61 93, Fax 345 10 23, 🌫 – ≣. 𝗔𝗘 ⓞ E
𝘝𝘐𝘚𝘈. 𝒮𝒮   HS d
cerrado domingo noche y Semana Santa – **Comida** carta 4075 a 4925.

XX **Tándem**, Pedro Muguruza 5, ⊠ 28036, 𝒫 350 30 47 – ≣. 𝗔𝗘 ⓞ E 𝘝𝘐𝘚𝘈   HS x
cerrado sábado mediodía y domingo – **Comida** carta aprox. 4050.

XX **Cota 13**, estación de Chamartín, ⊠ 28036, 𝒫 314 95 00, Fax 733 02 14 – ≣. 𝗔𝗘 ⓞ
𝘝𝘐𝘚𝘈. 𝒮𝒮   HR
Comida carta 2500 a 4650.

XX **La Broche**, Dr. Fleming 36, ⊠ 28036, 𝒫 457 99 60 – ≣. 𝗔𝗘 ⓞ E 𝘝𝘐𝘚𝘈. 𝒮𝒮 GT z
cerrado sábado mediodía, domingo, Semana Santa y agosto – **Comida** carta 3550 a 4075.

XX **Asador de Roa**, Pintor Juan Gris 5, ⊠ 28020, 𝒫 555 39 28, Fax 555 78 13 – ≣. 𝗔𝗘
ⓞ E 𝘝𝘐𝘚𝘈   GT d
Comida carta aprox. 3500.

XX **House of Ming**, paseo de la Castellana 74, ⊠ 28046, 𝒫 561 10 13, Fax 561 98 27,
Rest. chino – ≣. 𝗔𝗘 ⓞ E 𝘝𝘐𝘚𝘈. 𝒮𝒮   plano p. 7 GV f
Comida carta 2805 a 3565.

X **El Molino**, Conde de Serrallo 1, ⊠ 28020, 𝒫 571 24 09, Decoración castellana. Asados
– ≣. 𝗔𝗘 ⓞ E 𝘝𝘐𝘚𝘈   GS w
Comida carta 3350 a 4650.

X **La Ancha**, Príncipe de Vergara 204, ⊠ 28002, 𝒫 563 89 77, 🌫 – ≣. 𝗔𝗘 ⓞ E 𝘝𝘐𝘚𝘈.
𝒮𝒮   HT r
cerrado domingo, festivos, Semana Santa y Navidades – **Comida** carta 3400 a 4900.

X **El Asador de Aranda**, pl. de Castilla 3, ⊠ 28046, 𝒫 733 87 02, Cordero asado.
Decoración castellana – ≣. 𝗔𝗘 ⓞ E 𝘝𝘐𝘚𝘈. 𝒮𝒮   GS b
cerrado domingo noche y 15 agosto-10 septiembre – **Comida** carta aprox. 4250.

X **Prost**, Orense 6, ⊠ 28020, 𝒫 555 28 94 – ≣. 𝗔𝗘 ⓞ 𝘝𝘐𝘚𝘈. 𝒮𝒮   FT c
cerrado domingo y festivos – **Comida** carta 2600 a 3475.

X **Da Nicola**, Orense 4, ⊠ 28020, 𝒫 555 77 53, Fax 556 68 17, Cocina italiana – ≣. 𝗔𝗘
ⓞ E 𝘝𝘐𝘚𝘈 𝗝𝗖𝗕. 𝒮𝒮   FTU c
Comida carta aprox. 2470.

X **Asador Ansorena**, Capitán Haya 55 (interior), ⊠ 28020, 𝒫 579 64 51 – ≣. 𝗔𝗘 ⓞ
E 𝘝𝘐𝘚𝘈. 𝒮𝒮   GS n
cerrado domingo y agosto – **Comida** carta 4500 a 5150.

✗ **Rianxo,** Raimundo Fernández Villaverde 49, ⊠ 28003, ☎ 534 88 32, Cocina gallega
≡. ⒶⒺ ⓄⒹ Ⓔ 𝘝𝘐𝘚𝘈. ⌘ FU
cerrado domingo y agosto – **Comida** carta 4150 a 6050.

✗ **El Molino,** Orense 70, ⊠ 28020, ☎ 571 38 34, Fax 653 59 83, Decoración castella
Asados – ≡. ⒶⒺ ⓄⒹ Ⓔ 𝘝𝘐𝘚𝘈 GS
Comida carta 3650 a 5100.

✗ **Zacarías de Santander,** Rosario Pino 17, ⊠ 28020, ☎ 571 28 86, 🏤 – ≡. ⒶⒺ Ⓞ
Ⓔ 𝘝𝘐𝘚𝘈. ⌘ GS
Comida carta 5150 a 7400.

✗ **Casa Benigna,** Benigno Soto 9, ⊠ 28002, ☎ 413 33 56, Fax 416 93 57 – ≡. ⒶⒺ
Ⓔ 𝘝𝘐𝘚𝘈 HT
Comida carta 3650 a 4950.

✗ **La Villa,** Leizarán 19, ⊠ 28002, ☎ 563 55 99, Fax 435 62 30 – ≡. ⒶⒺ ⓄⒹ Ⓔ 𝘝𝘐𝘚𝘈.
cerrado sábado mediodía, domingo, festivos y agosto – **Comida** carta 3100 a 3725.
HT

✗ **Los Borrachos de Velázquez,** Príncipe de Vergara 205, ⊠ 28002, ☎ 564 04
Fax 563 93 35, Rest. andaluz – ≡. ⒶⒺ ⓄⒹ Ⓔ 𝘝𝘐𝘚𝘈. ⌘ HT
cerrado domingo – **Comida** carta 4350 a 5100.

✗ **Las Cumbres,** Alberto Alcocer 32, ⊠ 28036, ☎ 458 76 92, Fax 457 04 81, Taber
andaluza – ≡. ⒶⒺ ⓄⒹ Ⓔ 𝘝𝘐𝘚𝘈. ⌘ HS
Comida carta 2875 a 4400.

Alrededores

por la salida ② : *N II y acceso carretera Coslada - San Fernando E : 12 km* – ⊠ 28022 Mad
– ☎ 91 :

✗✗ **Rancho Texano,** av. Aragón 364 ☎ 747 47 36, Fax 747 94 68, 🏤, Carnes a la bra
« Terraza » – ≡ Ⓟ. ⒶⒺ ⓄⒹ Ⓔ 𝘝𝘐𝘚𝘈 ᴊᴄʙ. ⌘
cerrado domingo noche – **Comida** carta 3900 a 4845.

por la salida ⑦ – ⊠ 28023 Madrid – ☎ 91 :

✗✗✗ **Gaztelubide,** Sopelana 13 - La Florida : 12,8 km ☎ 372 85 44, Fax 372 84 19, 🏤, Coc
vasca – 🍴 ≡ Ⓟ. ⒶⒺ ⓄⒹ Ⓔ 𝘝𝘐𝘚𝘈. ⌘
cerrado domingo noche – **Comida** carta aprox. 5000.

✗✗ **Portonovo,** 10,5 km salida 11 autopista ☎ 307 01 73, Fax 307 02 86, 🏤, Coc
gallega – ≡ Ⓟ. ⒶⒺ ⓄⒹ Ⓔ 𝘝𝘐𝘚𝘈 ᴊᴄʙ. ⌘
cerrado domingo noche – **Comida** carta 3395 a 5395.

✗✗ **Los Remos,** La Florida : 13 km ☎ 307 72 30, Fax 372 84 35, Pescados y mariscos –
Ⓟ. ⒶⒺ Ⓔ 𝘝𝘐𝘚𝘈
Comida carta 4500 a 5700.

✗✗ **Asador Los Condes,** av. de la Victoria 7 - La Florida : 12,5 km, ⊠ 28023, ☎ 307 73
Fax 307 79 69, Espec. en asados – ≡. ⒶⒺ ⓄⒹ Ⓔ 𝘝𝘐𝘚𝘈. ⌘
cerrado domingo noche – **Comida** carta 3050 a 4250.

por la salida ⑧ : *en Fuencarral : 9 km* – ⊠ 28034 Madrid – ☎ 91 :

✗✗ **Casa Pedro,** Nuestra Señora de Valverde 119 ☎ 734 02 01, Fax 358 40 89,
Decoración castellana – ≡. ⒶⒺ ⓄⒹ Ⓔ 𝘝𝘐𝘚𝘈. ⌘
Comida carta 2950 a 4500.

por la salida ⑧ : *14,5 km* – ⊠ 28049 Madrid – ☎ 91 :

✗✗ **El Mesón,** carret. M 607 ☎ 734 10 19, Fax 734 05 77, 🏤, Decoración rústica en
casa de campo castellana – ≡ Ⓟ. ⒶⒺ ⓄⒹ Ⓔ 𝘝𝘐𝘚𝘈 ᴊᴄʙ. ⌘
cerrado domingo noche – **Comida** carta 3725 a 4700.
Ver también : **Barajas** *por ② : 14 km*
Alcobendas *por ① : 16 km.*

Neumáticos MICHELIN S.A., División Comercial Dr. Esguerdo 157, ⊠ 28007
☎ 409 09 40, Fax 409 31 11

Neumáticos MICHELIN S.A., Sucursal av. José Gárate 7, COSLADA por ②, ⊠ 288
☎ 671 80 11 y 673 00 12, Fax 671 91 14

This Guide is not a comprehensive list of all hotels and restaurants,
nor even of all good hotels and restaurants in Spain and Portugal.

Since our aim is to be of service to all motorists,
we must show establishments in all categories and space permits the inclusion
of only some in each.

ADRIDEJOS 45710 Toledo 🔢🔢🔢 N 19 – 10 332 h. alt. 688 – ✪ 925.
Madrid 120 – Alcázar de San Juan 29 – Ciudad Real 84 – Toledo 74 – Valdepeñas 81.

la autovía N IV N : 6 km – ✉ 45710 Madridejos – ✪ 925 :

XX **Un Alto en el Camino**, 𝒫 46 00 00, Fax 46 35 41 – 🍽 🅿. 𝓥𝓘𝓢𝓐. ✺
cerrado sábado y del 8 al 14 de septiembre – **Comida** (sólo almuerzo) carta 3150 a 3800.

ADRIGALEJO DEL MONTE 09330 Burgos 🔢🔢🔢 F 18 – 192 h. alt. 893 – ✪ 947.
Madrid 210 – Aranda de Duero 57 – Burgos 25 – Palencia 89.

🏠 **La Venta**, autovía N I 𝒫 17 30 02 – 📺 ☎ 🚗 🅿
7 hab.

ADRONA 40154 Segovia 🔢🔢🔢 J 17 – alt. 1.088 – ✪ 921.
Madrid 90 – Ávila 58 – Segovia 9.

🏡 **Sotopalacio** sin rest, Segovia 15 𝒫 48 51 00, Fax 48 52 24 – 📺 ☎. 🅰🅴 𝓥𝓘𝓢𝓐. ✺
⊐ 400 – **12 hab** 3500/6500.

MADROÑAL Las Palmas – ver Canarias (Gran Canaria) : Santa Brígida.

AGALUF Baleares – ver Baleares (Mallorca).

AGAZ 34220 Palencia 🔢🔢🔢 G 16 – 782 h. alt. 728 – ✪ 979.
Madrid 237 – Burgos 79 – León 137 – Palencia 9 – Valladolid 49.

🏨 **Europa Centro** ⑤, urb. Castillo de Magaz - carret. de Palencia O : 1 km 𝒫 78 40 00,
Fax 78 41 85, ≼ – 🛗 🍽 📺 ☎ 🚗 🅿 – 🔬 25/500. 🅰🅴 ⓞ 🄴 𝓥𝓘𝓢𝓐. ✺ rest
Comida 2600 – ⊐ 1000 – **122 hab** 7000/9000 – PA 5000.

AHÓN Baleares – ver Baleares (Menorca).

AJADAHONDA 28220 Madrid 🔢🔢🔢 K 18 – 33 426 h. – ✪ 91.
Madrid 18.

🏨 **Majadahonda Club**, El Carralero - carret. de Boadilla S : 1,5 km 𝒫 634 02 56,
Fax 634 01 29, ⨼, ▥ – 🛗 🍽 📺 ☎ 🚗 🅿 – 🔬 25/300. 🅰🅴 ⓞ 🄴 𝓥𝓘𝓢𝓐. ✺
Comida 4500 – ⊐ 750 – **41 hab** 14850/18700 – PA 9000.

X **Peñalba**, av. Doctor Calero 𝒫 639 10 29 – 🍽. 🅰🅴 𝓥𝓘𝓢𝓐. ✺
cerrado domingo, miércoles noche y agosto – **Comida** carta 3900 a 5050.

ÁLAGA 29000 🅿 🔢🔢🔢 V 16 – 534 683 h. – ✪ 95 – Playa.
Ver : Gibralfaro : ≼** DY - Alcazaba★ (museo★) DY.
Alred. : Finca de la Concepción★ 7 km por ④.
🟦 Club de Campo de Málaga por ② : 9 km 𝒫 237 66 77, Fax 237 66 12 – 🟥 de El Candado
por ① : 5 km 𝒫 229 93 40, Fax 229 08 45.
✈ de Málaga por ② : 9 km 𝒫 204 84 84 – Iberia : Molina Larios 13, ✉ 29015,
𝒫 213 61 47 CY y Aviaco : aeropuerto, 𝒫 223 08 63.
🚗 𝒫 231 13 96.
🚢 para Melilla : Cía. Trasmediterránea, Estación Marítima, Local E-1, ✉ 29016 CZ,
𝒫 222 43 91, Fax 222 48 83.
🛈 pasaje de Chinitas, 4 ✉ 29015, 𝒫 221 34 45, Fax 222 94 21 – **R.A.C.E.** Calderería 1-5º
(galerías Goya), ✉ 29008, 𝒫 221 42 60, Fax 221 20 32.
Madrid 548 ④ – Algeciras 133 ② – Córdoba 175 ④ – Sevilla 217 ④ – Valencia 651 ④.
Planos páginas siguientes

🏨 **Parador de Málaga-Gibralfaro** ⑤, Castillo de Gibralfaro, ✉ 29016, 𝒫 222 19 02,
Fax 222 19 04, « Magnífica situación con ≼ Málaga y mar », ▥ – 🛗 🍽 📺 ☎ 🅿 –
🔬 25/60. 🅰🅴 ⓞ 🄴 𝓥𝓘𝓢𝓐 🅹🅲🅱. ✺   DY
Comida 3500 – ⊐ 1200 – **38 hab** 18000.

🏨 **Málaga Palacio** sin rest, av. Cortina del Muelle 1, ✉ 29015, 𝒫 221 51 85,
Fax 221 51 85, ≼, ▥ – 🛗 🍽 📺 ☎ – 🔬 25/300. 🅰🅴 ⓞ 🄴 𝓥𝓘𝓢𝓐. ✺   CZ b
⊐ 1000 – **221 hab** 17850/25500.

🏨 **Larios** sin rest. con cafetería, Marqués de Larios 2, ✉ 29005, 𝒫 222 22 00,
Fax 222 24 07 – 🛗 🍽 📺 ☎ – 🔬 25/150. 🅰🅴 ⓞ 🄴 𝓥𝓘𝓢𝓐. ✺   CY s
⊐ 1250 – **39 hab** 13500/17000.

375

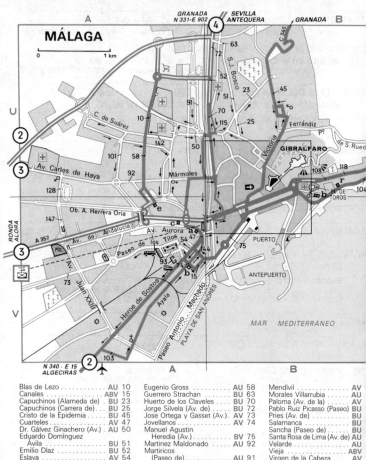

Blas de Lezo	AU	10
Canales	ABV	15
Capuchinos (Alameda de)	BU	23
Capuchinos (Carrera de)	BU	25
Cristo de la Epidemia	BU	45
Cuarteles	AV	47
Dr. Gálvez Ginachero (Av.)	AU	50
Eduardo Domínguez Ávila	BU	51
Emilio Díaz	BU	52
Eslava	AV	54
Eugenio Gross	AU	58
Guerrero Strachan	BU	63
Huerto de los Claveles	BU	70
Jorge Silvela (Av. de)	BU	72
Jose Ortega y Gasset (Av.)	AU	73
Jovellanos	AV	74
Manuel Agustin Heredia (Av.)	BV	75
Martinez Maldonado	AU	92
Martiricos (Paseo de)	AU	91
Mendívil	AV	
Morales Villarrubia	AU	
Paloma (Av. de la)	AV	
Pablo Ruiz Picasso (Paseo)	BU	
Pries (Av. de)	BU	
Salamanca	BU	
Sancha (Paseo de)	BU	
Santa Rosa de Lima (Av. de)	AU	
Velarde	AU	
Vieja	ABV	
Virgen de la Cabeza	AV	

🏨 **Don Curro** *sin rest. con cafetería*, Sancha de Lara 7, ☒ 29015, ℰ 222 72 Fax 221 59 46 – 劇 ☰ 📺 ☎ 🅰🅴 ① 🅴 🆅🅸🆂🅰 �🅹🅲🅱 CZ
☲ 625 – **103 hab** 9100/13300.

🏨 **Los Naranjos** *sin rest*, paseo de Sancha 35, ☒ 29016, ℰ 222 43 19, Fax 222 59 – 劇 ☰ 📺 ☎ 🚗. 🅰🅴 ① 🅴 🆅🅸🆂🅰. 🗭 BU
☲ 900 – **40 hab** 10800/14800, 1 suite.

🏨 **Don Paco** *sin rest*, Salitre 53, ☒ 29002, ℰ 231 90 08, Fax 231 90 62 – 劇 ☰ 📺 🚗. 🅰🅴 🅴 🆅🅸🆂🅰. 🗭 AV
☲ 375 – **25 hab** 6300/8000.

🏨 **Venecia** *sin rest y sin* ☲, Alameda Principal 9, ☒ 29001, ℰ 221 36 36 – 劇 📺 ☎ ① 🅴 🆅🅸🆂🅰. 🗭 CZ
40 hab 4500/7500.

🍴 **Café de París,** Vélez Málaga 8, ☒ 29016, ℰ 222 50 43, Fax 260 38 64 – ☰. 🅴 🆅🅸🆂🅰 �🅹🅲🅱. 🗭 DZ
cerrado domingo y 15 junio-15 julio – **Comida** carta 2475 a 4400.

🍴 **Adolfo,** paseo Marítimo Pablo Ruiz Picasso 12, ☒ 29016, ℰ 260 19 14 – ☰. 🅰🅴 ① 🆅🅸🆂🅰. 🗭 BU
cerrado domingo – Comida carta 2800 a 4800.

🍴 **Doña Pepa,** Vélez Málaga 6, ☒ 29016, ℰ 260 34 89 – ☰. 🅰🅴 ① 🅴 🆅🅸🆂🅰. 🗭 DZ
cerrado domingo – **Comida** carta 3100 a 4500.

376

MÁLAGA

onstitución . . . . **CY** 40
ranada . . . . **CDY**
arqués de Larios . . . . . . **CYZ** 84
ueva . . . . **CYZ**
anta Lucía . . . . **CY** 123

duana (Pl. de la) . . . . . . **DY** 2
riola (Pl. de la) . . . . **CZ** 5
ocha (Pasillo) . . . . **CZ** 8

Calderería . . . . **CY** 13
Cánovas del Castillo (Pas.) . **DZ** 18
Cárcer . . . . **CY** 27
Casapalma . . . . **CY** 30
Colón (Alameda de) . . . . **CZ** 32
Comandante Benítez
   (Av. del) . . . . **CZ** 35
Compañía . . . . **CY** 37
Cortina del Muelle . . . . . **CY** 42
Especerías . . . . **CY** 56
Frailes . . . . **CDY** 61
Huerto del Conde . . . . . **DY** 67

Mariblanca . . . . **CY** 77
Martínez . . . . **CZ** 86
Molina Larios . . . .**CYZ** 95
Postigo de los Abades . . **CDZ** 106
Reding (Paseo de) . . . . . **DY** 110
Santa Isabel (Pasillo de) .**CYZ** 120
Santa María . . . . **CY** 125
Sebastián Souvirón . . . . **CZ** 130
Strachan . . . . **CZ** 133
Teatro (Pl. del) . . . . **CY** 135
Tejón y Rodríguez . . . . . **CY** 138
Tetuán (Puente de) . . . . . **CZ** 140

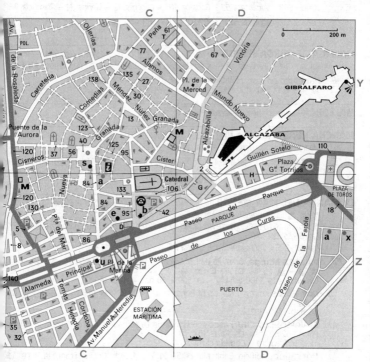

XX **El Ermitaño,** Medellín 2, ⊠ 29002, ℰ 231 84 87, Fax 251 40 58 – 🗐. 🖭 ⋿ 𝘝𝘐𝘚𝘈.
⋙
AV a
cerrado domingo y del 15 al 31 de agosto – **Comida** carta aprox. 4000.

X **Refectorium,** Cervantes 8, ⊠ 29016, ℰ 221 89 90 – 🗐. 🖭 ⓞ ⋿ 𝘝𝘐𝘚𝘈   BUV b
cerrado domingo y del 15 al 30 de junio – **Comida** carta aprox. 4200.

X **Figón de Juan,** pasaje Esperanto 3, ⊠ 29007, ℰ 228 75 47 – 🗐. 🖭 ⓞ ⋿ 𝘝𝘐𝘚𝘈.
AV e
cerrado domingo y del 4 al 25 de agosto – **Comida** carta 2250 a 3600.

X **Calycanto,** Maestranza 8, ⊠ 29016, ℰ 221 22 22 – 🗐. ⋿ 𝘝𝘐𝘚𝘈   BUV b
cerrado domingo noche – **Comida** carta 2925 a 3600.

X **Cueva del Camborio,** av. de la Aurora 18, ⊠ 29006, ℰ 234 78 16 – 🗐. 🖭 ⋿ 𝘝𝘐𝘚𝘈.
⋙
AV c
cerrado domingo – **Comida** carta aprox. 3500.

X **El Chinitas,** Moreno Monroy 4, ⊠ 29015, ℰ 221 09 72, Fax 222 00 31, 🏤 – 🗐. 🖭
ⓞ ⋿ 𝘝𝘐𝘚𝘈 𝗝𝗖𝗕
CYZ a
Comida carta 3075 a 3575.

Cerrado de Calderón *por* ① : *6 km* – ⊠ *29018 Málaga* – ✆ *95* :
XX **El Refectorium del Campanario,** paseo de la Sierra 36 ℰ 220 24 48, 🏤 ,
« *Magnífica situación con* ≤ *bahía de Málaga* » – 🗐. 🖭 ⓞ ⋿ 𝘝𝘐𝘚𝘈. ⋙
cerrado lunes – **Comida** carta aprox. 4200.

en la playa de El Palo por ① : 6 km – ⊠ 29017 Málaga – ☎ 95 :

XX **Casa Pedro,** Quitapenas 121 ℰ 229 00 13, Fax 229 00 03, ≤ – 劇 ≣. 歴 ◑ ㄷ 蹴
※
cerrado lunes noche – **Comida** carta 2500 a 3350.
Ver también : **Torremolinos** por ② : 14 km.

MALPARTIDA DE CÁCERES 10910 Cáceres 𝟦𝟦𝟦 N 10 – 3 747 h. alt. 371 – ☎ 927.
Madrid 308 – Alcántara 52 – Badajoz 103 – Cáceres 12 – Mérida 81 – Plasencia 94.

⚲ Peña Cruz, carret. N 521 ℰ 27 62 92 – ≣ 🆃🆅 ⇔ ℗
12 hab.

MALPICA DE BERGANTIÑOS 15113 La Coruña 𝟦𝟦𝟣 C 3 – 7 434 h. – ☎ 981 – Playa.
Madrid 651 – Carballo 18 – La Coruña/A Coruña 58 – Santiago de Compostela 63.

⚲ **Panchito** sin rest, pl. Villar Amigo 6 ℰ 72 03 07 – 🆃🆅. 𝘝𝘐𝘚𝘈. ※
⊡ 400 – **11 hab** 4500/5000.

MALLORCA Baleares – ver Baleares.

MANCHA REAL 23100 Jaén 𝟦𝟦𝟨 S 19 – 8 409 h. alt. 760 – ☎ 953.
Madrid 355 – Córdoba 118 – Granada 92 – Jaén 19.

🏠 **La Zambra,** La Zambra 47 ℰ 35 11 93, Fax 35 11 93 – 劇 ≣ 🆃🆅 ☎. 歴 ㄷ 蹴
※
Comida 1300 – ⊡ 350 – **11 hab** 3500/5500.

La MANGA DEL MAR MENOR 30380 Murcia 𝟦𝟦𝟧 T 27 – ☎ 968 – Playa.
🏌 , 🏌 🏌 La Manga SO : 11 km ℰ 56 45 11, Fax 56 48 09.
🛈 urb. Castillo de Mar - Torre Norte, ℰ 14 18 12, Fax 14 21 72 y Gran Vía km 0, ℰ 56 33 .
Fax 56 35 32.
Madrid 473 – Cartagena 34 – Murcia 83.

🏨 **Villas La Manga,** Gran Vía de La Manga ℰ 14 52 22, Fax 14 53 23, ⤵, 🐾₆ – ≣
☎ ℗ – 🔬 25/80. 歴 ◑ ㄷ 𝘝𝘐𝘚𝘈. ※
Comida carta 3400 a 4400 – ⊡ 500 – **60 hab** 10100/15000.

🏠 **Dos Mares** sin rest y sin ⊡, pl. Bohemia ℰ 14 00 93, Fax 14 03 22 – ≣ 🆃🆅 ☎. 歴
ㄷ 𝘝𝘐𝘚𝘈. ※
28 hab 5350/8025.

XX **El Velero-Los Churrascos,** Gran Vía de La Manga - urb. Los Snipes ℰ 14 05 ◑
Fax 13 62 30 – ≣. 歴 ◑ ㄷ 𝘝𝘐𝘚𝘈. ※
junio-septiembre – **Comida** carta 2500 a 3600.

XX **Borsalino,** edificio Babilonia ℰ 56 31 30, ≤, 🍴, Cocina francesa – 歴 ◑
𝘝𝘐𝘚𝘈
cerrado martes en invierno y 8 enero-12 febrero – **Comida** carta 2850 a 4400.

X **San Remo,** Hacienda Dos Mares ℰ 14 08 13, Fax 14 07 14, 🍴 – ≣. 歴 ◑
𝘝𝘐𝘚𝘈
Comida carta 1845 a 2765.

X **Michel,** edificio Babilonia ℰ 56 30 02, ≤, 🍴, Cocina francesa – ◑ ㄷ 𝘝𝘐𝘚𝘈
Comida carta 2250 a 4650.

MANILVA 29691 Málaga 𝟦𝟦𝟨 W 14 – 4 902 h. – ☎ 95 – Playa.
Madrid 643 – Algeciras 40 – Málaga 97 – Ronda 61.

en el Puerto de la Duquesa SE : 4 km – ⊠ 29692 Puerto de la Duquesa – ☎ 95 :

XX **Macues,** ℰ 289 03 39, ≤, 🍴 – 歴 ◑ ㄷ 𝘝𝘐𝘚𝘈. ※
cerrado lunes y febrero – **Comida** (sólo cena salvo fines de semana) carta 3200 a 45

en la carretera de Cádiz SE : 4,5 km – ⊠ 29691 Manilva – ☎ 95 :

🏨 La Duquesa, ℰ 289 12 11, Fax 289 16 30, 🏌₅, ⤵, 🏊, ※, 🏌 – 劇 ≣ 🆃🆅 ☎ ℗
93 hab.

en Castillo de la Duquesa SE : 4,8 km – ⊠ 29691 Manilva – ☎ 95 :

X **Mesón del Castillo,** pl. Mayor ℰ 289 07 66 – ≣. 歴 ◑ ㄷ 𝘝𝘐𝘚𝘈. ※
cerrado lunes – **Comida** carta 2700 a 3975.

ANISES 46940 Valencia 445 N 28 – 24 453 h. alt. 52 – 🔾 96.

🏌9 de Manises, carret. de Ribaroja NO : 2,5 km 🖉 152 38 04.

🛬 de Valencia-Manises, 🖉 152 11 44.

Madrid 346 – Castellón de la Plana/Castelló de la Plana 78 – Requena 64 – Valencia 9,5.

🏨 **Meliá Confort Azafata**, autopista del aeropuerto 15 🖉 154 61 00, Fax 153 20 19 – 📳 🗏 📺 ☎ 🚓 🄿 – 🕍 25/300. 🝂 ⓸ Ε 𝚅𝚂𝙰. ⅏ rest
Comida 2580 – 🖙 1150 – **126 hab** 12100/15100, 4 suites – PA 5800.

ANLLEU 08560 Barcelona 443 F 36 – 16 242 h. alt. 461 – 🔾 93.

Madrid 649 – Barcelona 78 – Gerona/Girona 104 – Vic 9.

🏠 **Torres**, passeig de Sant Joan 42 🖉 850 61 88, Fax 850 63 13 – 🗏 rest 📺 ☎ 🚓. 🝂 ⓸ Ε 𝚅𝚂𝙰. ⅏
cerrado 19 diciembre-6 enero - **Torres Petit** (cerrado domingo) **Comida** carta 3025 a 4400 – 🖙 575 – **17 hab** 4000/6600.

🍴 **La Cabanya**, Vía Ausetania 1 🖉 851 33 19, Fax 851 33 19, Mariscos – 🗏. Ε 𝚅𝚂𝙰
cerrado del 7 al 20 de enero – **Comida** carta 3800 a 5600.

Europe	If the name of the hotel is not in bold type, on arrival ask the hotelier his prices.

ANRESA 08240 Barcelona 443 G 35 – 66 879 h. alt. 205 – 🔾 93.

🄱 pl. Major 1, 🖉 878 23 00, Fax 878 23 03.

Madrid 591 – Barcelona 67 – Lérida/Lleida 122 – Perpignan 239 – Tarragona 115 – Sabadell 67.

🏨 **Pere III**, Muralla Sant Francesc 49 🖉 872 40 00, Fax 875 05 06 – 📳 🗏 📺 ☎ 🄿 – 🕍 25/600. Ε 𝚅𝚂𝙰. ⅏ rest
Comida 1700 – 🖙 500 – **113 hab** 6000/8000 – PA 3200.

🍴🍴 **Catalonia**, Pompeu Fabra 13-1° 🖉 872 08 44, Fax 875 13 81 – 🗏. 𝚅𝚂𝙰. ⅏
cerrado lunes noche, martes y agosto – **Comida** carta 3000 a 4800.

🍴🍴 **La Cuina**, Alfons XII-18 🖉 872 89 69, Fax 872 89 69 – 🗏. 🝂 ⓸ Ε 𝚅𝚂𝙰 ᴊᴄʙ
cerrado jueves – **Comida** carta 2850 a 4450.

🍴🍴 Aligué, barriada El Guix 8 - carret. de Vic 🖉 873 25 62 – 🗏 🄿.

ANZANARES 13200 Ciudad Real 444 O 19 – 18 326 h. alt. 645 – 🔾 926.

Madrid 173 – Alcázar de San Juan 63 – Ciudad Real 52 – Jaén 159.

🏨 **Parador de Manzanares**, autovía N IV 🖉 61 04 00, Fax 61 09 35, 🔼 – 📳 🗏 📺 ☎ 🚓 🄿 – 🕍 25/300. 🝂 ⓸ Ε 𝚅𝚂𝙰. ⅏
Comida 3000 – 🖙 1200 – **50 hab** 11500.

🏨 **El Cruce**, autovía N IV 🖉 61 19 00, Fax 61 19 12, 🍴, « Amplio jardín con césped y 🔼 » – 🗏 📺 ☎ 🄿 – 🕍 25/200. 🝂 ⓸ Ε 𝚅𝚂𝙰. ⅏
Comida 2600 – 🖙 575 – **37 hab** 5000/9350.

ANZANARES EL REAL 28410 Madrid 444 J 18 – 2 334 h. alt. 908 – 🔾 91.

Ver : Castillo★.

Madrid 53 – Ávila 85 – El Escorial 34 – Segovia 51.

🏠 **Parque Real**, Padre Damián 4 🖉 853 99 12, Fax 853 99 60, 🍴 – 📳 🗏 📺 ☎ 🚓 – 🕍 25/100. 🝂 Ε 𝚅𝚂𝙰. ⅏
Comida 2250 – 🖙 750 – **24 hab** 6600/8600.

ANZANERA 44420 Teruel 445 L 27 – 465 h. alt. 700 – 🔾 978 – Balneario.

Madrid 352 – Teruel 51 – Valencia 120.

▪ la carretera de Abejuela – ✉ 44420 Manzanera – 🔾 978 :

🏠 **Baln. El Paraíso** 🐾, SO : 4 km 🖉 78 18 18, Telex 62025, Fax 78 18 18, 🔼, ⅏ – 🄿. Ε 𝚅𝚂𝙰. ⅏
junio-septiembre – **Comida** 2100 – 🖙 580 – **64 hab** 5460/8400 – PA 4050.

🏠 **Alta Montaña Los Cerezos**, Los Cerezos - SO : 3,5 km 🖉 78 19 64 – 📺 ☎ 🚓. 𝚅𝚂𝙰. ⅏
Comida 1500 – **15 hab** 🖙 3000/6000.

AÓ Baleares – ver Baleares (Menorca) : Mahón.

MARANGES o **MERANGES** 17539 Gerona 443 E 35 – 61 h. – ✪ 972.

Madrid 652 – Gerona/Girona 166 – Puigcerdá 18 – Seo de Urgel/La Seu d'Urgell 50.

✗ **Can Borrell** ⟨⟩ con hab, Retorn 3 ℰ 88 00 33, Fax 88 01 44, ≼, 綜, Cocina regio
Decoración rústica, « En un típico pueblo de montaña » – ℗. ℰ *VISA*. 彩 rest
cerrado de enero a Semana Santa salvo fines de semana – **Comida** (cerrado lunes noc
y martes) carta 3500 a 4300 – 🖙 800 – **8 hab** 6000/8000.

MARBELLA 29600 Málaga 446 W 15 – 84 410 h. – ✪ 95 – Playa.

↟₈ Río Real-Los Monteros por ① : 5 km ℰ 277 95 09, Fax 277 21 40 – ↟₈ Los Naranjos
② : 7 km ℰ 281 24 28 – ↟₈ Aloha Golf, urb.Aloha por ② : 8 km ℰ 281 23 88 – ↟₈ (
Las Brisas, Nueva Andalucía por ② : 11 km ℰ 281 08 75.

🖪 glorieta de la Fontanilla, ℰ 277 14 42, Fax 277 94 57 y pl. de los Naranjos ℰ 282 35
Fax 277 36 21.

Madrid 602 ① – Algeciras 77 ② – Cádiz 201 ② – Málaga 56 ①.

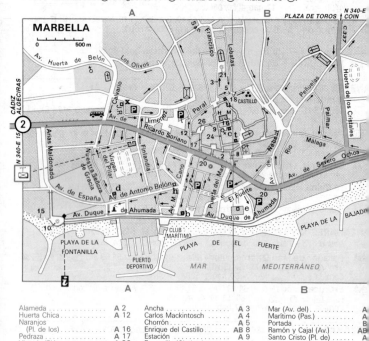

Alameda	A 2	Ancha	A 3	Mar (Av. del)	A
Huerta Chica	A 12	Carlos Mackintosch	A 4	Marítimo (Pas.)	A
Naranjos		Chorrón	A 5	Portada	B
(Pl. de los)	A 16	Enrique del Castillo	AB 8	Ramón y Cajal (Av.)	AB
Pedraza	A 17	Estación	A 9	Santo Cristo (Pl. de)	A
Victoria (Pl.)	A 26	Fontanilla (Glorieta)	A 10	Valdés	A

🏨🏨🏨 **Gran Meliá Don Pepe** ⟨⟩, José Meliá ℰ 277 03 00, Telex 77055, Fax 277 99 54
mar y montaña, 綜, « Césped con vegetación subtropical », ₆, ⅀, ⌧, 綜, 彩 – ▮
🖵 ☎ ℗ – 🏛 25/300. 🖭 ⓞ ℰ *VISA* JCB. 彩 rest   por ②
Comida 5600 - *Grill La Farola* (sólo cena) **Comida** carta 6300 a 7800 – 🖙 2300 – **198**
24400/36500, 6 suites – PA 10600.

🏨🏨🏨 **El Fuerte**, av. del Fuerte ℰ 286 15 00, Telex 77523, Fax 282 44 11, ≼, 綜, « Terra
con jardín y palmeras », ₆, ⅀, ⌧, ₆, 彩 – ▮ ☰ 🖵 ☎ 🕭 ☎ ℗ – 🏛 25/5
🖭 ⓞ ℰ *VISA*. 彩 rest   AB
Comida 3800 – 🖙 1500 – **244 hab** 10900/19800, 19 suites.

🏨🏨 **Marbella Inn** sin rest, Jacinto Benavente - bloque 6 ℰ 282 54 87, Fax 282 54
⅀ climatizada – ▮ ☰ 🖵 ☎ ☎. 🖭 ⓞ ℰ *VISA* JCB. 彩
🖙 700 – **40 apartamentos** 9100/11350.

🏨 **Lima** sin rest, av. Antonio Belón 2 ℰ 277 05 00, Fax 286 30 91 – ▮ ☰ ☎. 🖭 ⓞ ℰ *VISA*. 彩
🖙 495 – **64 hab** 7160/8950.

XXX **Santiago**, av. Duque de Ahumada 5 ℰ 277 43 39, Fax 282 45 03, 綜, Pescados y ma
cos – ☰. 🖭 ⓞ ℰ *VISA* JCB. 彩
cerrado noviembre – **Comida** carta 4200 a 5700.

XXX **Triana,** Gloria 11 ℰ 277 99 62, Espec. en arroces – 🍽, 🆎 ⓪ 🄴 𝚅𝙸𝚂𝙰. ⁒
cerrado lunes y 12 enero-5 marzo – **Comida** carta 2800 a 3750.

XX **Cenicienta,** av. Cánovas del Castillo 52 (circunvalación) ℰ 277 43 18, 🍴 – 🆎 🄴 𝚅𝙸𝚂𝙰
cerrado enero – **Comida** (sólo cena) carta 2950 a 4250.
por ②

XX **Mena,** pl. de los Naranjos 10 ℰ 277 15 97, Fax 277 80 10, 🍴 – 🆎 ⓪ 🄴 𝚅𝙸𝚂𝙰. ⁒
cerrado domingo y enero-febrero – **Comida** carta 2950 a 4900.
A c

X **Mamma Angela,** Virgen del Pilar 17 ℰ 277 68 99, 🍴, Cocina italiana – 🍽. 🆎 🄴 𝚅𝙸𝚂𝙰.
⁒
A d
cerrado martes y 10 noviembre-10 diciembre – **Comida** (sólo cena) carta 2950 a 3550.

X **El Balcón de la Virgen,** Remedios 2 ℰ 277 60 92, Fax 277 60 92, 🍴, Edificio del
siglo XVI – 🆎 🄴 𝚅𝙸𝚂𝙰
A u
Comida (sólo cena) carta 1770 a 2970.

n la carretera de Málaga *por ①* – ⊠ *29600 Marbella* – ✪ *95* :

🏨 **Don Carlos** ⌖, 10 km ℰ 283 11 40, Telex 77015, Fax 283 34 29, ≤, 🍴, « Amplio
jardín », 🏖, ⍭, ⍭ climatizada, 🐾, 🎾, ⚘ – 🛗 🍴 ⓟ – 🕍 25/1200. 🆎 ⓪ 🄴 𝚅𝙸𝚂𝙰. ⁒
Comida 4700 - *Los Naranjos (sólo cena)* **Comida** carta 4495 a 9250 – ⊆ 1400 – **223 hab**
27000/32000, 15 suites.

🏨 **Artola** *sin rest*, 12,5 km ℰ 283 13 90, Fax 283 04 50, ≤, « En un campo de golf », ⍭,
🍴, 🎾 – 🛗 🍴 🄿 🆎 🄴 𝚅𝙸𝚂𝙰. ⁒
⊆ 900 – **29 hab** 7000/11000, 2 suites.

XXX **La Hacienda,** 11,5 km y desvío 1,5 km ℰ 283 12 67, Fax 283 33 28, 🍴, « Decoración
rústica. Terraza » – ⓟ. 🆎 ⓪ 🄴 𝚅𝙸𝚂𝙰 🄹🄲🄱. ⁒
cerrado lunes (salvo agosto), martes (salvo julio-agosto) y 15 noviembre-15 diciembre –
Comida (sólo cena en agosto) carta 5425 a 7895.

XX **Las Banderas,** 9,5 km y desvío 0,5 km ℰ 283 18 19, 🍴 – 🆎 🄴 𝚅𝙸𝚂𝙰
cerrado miércoles – **Comida** carta 2600 a 3800.

X **La Hostería,** urb. Los Pinos - 8 km ℰ 283 11 35, 🍴 – ⓟ. 🄴 𝚅𝙸𝚂𝙰
cerrado martes y febrero – **Comida** carta 2050 a 3100.

X **La Reserva Dos Pinos,** urb. Los Pinos - 8 km ℰ 283 87 93 – 🍽. 🆎 🄴 𝚅𝙸𝚂𝙰. ⁒
cerrado martes y junio o julio – **Comida** carta aprox. 3700.

n la carretera de Cádiz *por ②* – ⊠ *29600 Marbella* – ✪ *95* :

🏨 **Marbella Club** ⌖, 3 km ℰ 282 22 11, Telex 77319, Fax 282 98 84, 🍴, ⍭ climatizada,
🐾, 🎾, – 🛗 🍴 🍴 ⓟ – 🕍 25/180. 🆎 🄴 𝚅𝙸𝚂𝙰. ⁒
Comida 5600 – ⊆ 2300 – **83 hab** 34000/42000, 46 suites.

🏨 **Puente Romano** ⌖, 3,5 km ℰ 282 09 00, Telex 77399, Fax 277 57 66, 🍴,
« Elegante conjunto de estilo andaluz en un magnífico jardín », ⍭ climatizada, 🐾, 🎾
– 🛗 🍴 🍴 ⓟ – 🕍 25/170. 🆎 🄴 𝚅𝙸𝚂𝙰
Comida 5800 - *La Plaza (sólo cena)* **Comida** carta aprox. 5725 – ⊆ 1900 – **142 hab**
33000/45000, 77 suites.

🏨 **Coral Beach,** 5 km ℰ 282 45 00, Telex 79816, Fax 282 62 57, 🏖, ⍭, 🐾 – 🛗 🍽
🍴 ⚘ ⌨ ⓟ – 🕍 25/200. 🆎 ⓪ 🄴 𝚅𝙸𝚂𝙰. ⁒
15 marzo-octubre - - Florencia (sólo cena) **Comida** carta aprox. 6400 – ⊆ 1800 –
148 hab 26000/31000, 22 suites.

🏨 **Rincón Andaluz,** 8 km, ⊠ 29660 Nueva Andalucía, ℰ 281 15 17, Fax 281 41 80,
« Imitación de un pueblo andaluz », ⍭ climatizada, 🐾, 🎾 – 🍽 🍴 ⚘ ⓟ – 🕍 25/100.
🆎 ⓪ 🄴 𝚅𝙸𝚂𝙰. ⁒
15 marzo-octubre – **Comida** 3200 – ⊆ 1300 – **222 hab** 17500/29500 – PA 7700.

🏨 **Tryp Marbella Dinamar,** 6 km, ⊠ 29660 Nueva Andalucía, ℰ 281 05 00,
Fax 281 23 46, ≤, 🍴, « Jardín con ⍭ », ⍓, 🎾 – 🛗 🍽 🍴 ⚘ ⓟ – 🕍 25/150. 🆎 ⓪
🄴 𝚅𝙸𝚂𝙰. ⁒
Comida 3200 – **116 hab** ⊆ 19200/25000.

XXX **La Meridiana,** camino de la Cruz - 3,5 km ℰ 277 61 90, Fax 282 60 24, ≤, 🍴, « Terraza
con jardín » – 🍽 ⓟ. 🆎 ⓪ 🄴 𝚅𝙸𝚂𝙰. ⁒
cerrado lunes, martes mediodía y 7 enero-febrero – **Comida** (sólo cena en verano) carta
6100 a 7200.

XXX **Villa Tiberio,** 2,5 km ℰ 277 17 99, Fax 282 47 72, 🍴, Cocina italiana,
« Terraza-jardín » – ⓟ. 🆎 ⓪ 🄴 𝚅𝙸𝚂𝙰. ⁒
cerrado domingo – **Comida** (sólo cena) carta 4600 a 5500.

XX **El Portalón,** 3 km ℰ 282 78 80, Fax 277 71 04, Espec. en carnes y asados – 🍽 ⓟ. 🆎
⓪ 🄴 𝚅𝙸𝚂𝙰. ⁒
Comida carta 4400 a 6200.

Ver también : **Puerto Banús** *por ② : 8 km*
San Pedro de Alcántara *por ② : 13 km.*

MARCILLA 31340 Navarra **442** F 24 – 2 237 h. alt. 290 – **②** 948.
  Madrid 345 – Logroño 65 – Pamplona/Iruñea 63 – Tudela 38 – Zaragoza 123:
XX **Villa Marcilla**, carret. Estación - NE : 2 km *&* 71 37 37, 佘, « Casa señorial con jardín
  – 国. AE VISA. ※
  Comida (sólo almuerzo salvo fines de semana) carta aprox. 4000.

MARGOLLES 33547 Asturias **441** B 14 – **②** 98.
  Madrid 491 – Gijón 80 – Oviedo 73 – Ribadesella 11.
血 **La Tiendona**, carret. N 634 *&* 584 04 74, Fax 584 13 16, « Casona del siglo XIX
  TV ☎ ❷. ⓞ E VISA. ※
  Comida 1700 – 亞 600 – **18 hab** 7000/10000 – PA 4000.

La MARINA o **La MARINA DEL PINET** 03194 Alicante **445** R 28 – **②** 96 – Playa.
  Madrid 437 – Alicante/Alacant 31 – Cartagena 79 – Murcia 57.
血 **Marina** sin rest. con cafetería, av. de la Alegría 30 *&* 541 94 50, Fax 541 94 25 – 濠
  ☎. AE ⓞ E VISA. ※
  亞 425 – **20 hab** 2800/5000.

MARQUINA o **MARKINA - XEMEIN** 48270 Vizcaya **442** C 22 – 4 847 h. alt. 85 – **②**
  Alred. : Balcón de Vizcaya★★ SO : 15 km.
  Madrid 443 – Bilbao/Bilbo 50 – San Sebastián/Donostia 58 – Vitoria/Gasteiz 60.
XX Itsas-Lur, San Agustín 4 *&* 616 78 09, Decoración regional – 国.

MARTINET 25724 Lérida **443** E 35 – alt. 980 – **②** 973.
  Madrid 626 – Lérida/Lleida 157 – Puigcerdá 26 – Seo de Urgel/La Seu d'Urgell 24.
XXX **Boix**, carret. N 260 *&* 51 50 50, Fax 51 50 65, 佘 – 国 ❷. AE ⓞ E VISA
  cerrado martes salvo festivos – **Comida** carta 3800 a 5300.

MARTORELL 08760 Barcelona **443** H 35 – 16 793 h. – **②** 93.
  Madrid 598 – Barcelona 32 – Manresa 37 – Lérida/Lleida 141 – Tarragona 80.
X **Manel** con hab, Pedro Puig 74 *&* 775 23 87, Fax 775 23 87 – 濠 国 TV ☎
  🅰 25/35. AE ⓞ E VISA
  Comida carta 3350 a 4150 – 亞 800 – **29 hab** 5500/6600.

en la urbanización Can Amat por la carretera N II - NO : 6 km – ⊠ 08760 Martorell – **②**
XX **Paradis Can Amat**, *&* 771 40 27, Fax 771 47 03 – 国 ❷. AE ⓞ VISA. ※
  Comida carta 3225 a 4525.

MASCA Santa Cruz de Tenerife – ver Canarias (Tenerife).

MASIAS DE VOLTREGÁ o **Les MASIES DE VOLTREGÀ** 08519 Barcelona **443** F 3
  2 423 h. – **②** 93.
  Madrid 649 – Barcelona 78 – Gerona/Girona 104 – Vic 12.
X **Cal Peyu**, carret. N 152 *&* 850 25 35 – 国 ❷. AE ⓞ E VISA. ※
  cerrado martes noche, miércoles, y del 1 al 15 de agosto – **Comida** carta 2300 a 43

MAS NOU (Urbanización) Gerona – ver Playa de Aro.

MASPALOMAS Las Palmas – ver Canarias (Gran Canaria).

La MASSANA Andorra – ver Andorra (Principado de).

MASSANET DE CABRENYS o **MAÇANET DE CABRENYS** 17720 Gerona **443** E 3
  690 h. – **②** 972.
  Madrid 769 – Figueras/Figueres 28 – Gerona/Girona 62.
血 **Els Caçadors** ⊗, urb. Casanova *&* 54 41 36, ≤, 🏊, 🌳, 🎾 – 濠 国 rest TV ❷
  VISA. ※
  Comida 1600 – 亞 650 – **18 hab** 4000/8000 – PA 3355.
血 **Pirineos** ⊗, Burriana 10 *&* 54 40 00, Fax 54 40 00 – ❷. E VISA
  cerrado 7 enero-25 febrero – **Comida** (cerrado domingo noche) 1000 – 亞 500 – **30 h**
  3500/7000.

MATADEPERA 08230 Barcelona 443 H 36 – 4 734 h. – ⊕ 93.
Madrid 617 – Barcelona 32 – Lérida/Lleida 160 – Manresa 38.

XX **El Celler,** Gaudí 2 ℘ 787 08 57, Fax 730 03 61 – ▤. AE E VISA
☺ cerrado domingo noche, miércoles, 1ª quincena de agosto y 2ª quincena de noviembre
Comida carta 3100 a 5100
Espec. Alcachofas con calamarcitos y cigalas. Pichón crujiente en salsa de especies. Chaud-
froid de peras con su praliné y helado de canela.

n Plà de Sant Llorenç N : 2,5 km – ⊠ 08230 Matadepera – ⊕ 93 :

XX **Masía Can Solà del Plà,** ℘ 787 08 07, Fax 730 03 12, Espec. en bacalaos – ▤ ₽.
AE ① E VISA. ⋘
cerrado martes y agosto – Comida carta 2775 a 3925.

ATAELPINO 28492 Madrid 444 J 18 – ⊕ 91.
Madrid 51 – Segovia 43.

XX **Azaya,** Muñoz Grandes 7 ℘ 857 33 95, Fax 857 33 95, ≤, 😤 – ▤ ₽. AE ① E VISA.
⋘
Comida carta 3700 a 5050.

ATAGORDA (Urbanización) Las Palmas – ver Canarias (Lanzarote) : Puerto del Carmen.

ATALEBRERAS 42113 Soria 442 G 23 – 119 h. alt. 1 200 – ⊕ 975.
Madrid 262 – Logroño 134 – Pamplona/Iruñea 133 – Soria 36 – Zaragoza 122.

🏠 **Mari Carmen,** carret. N 122 ℘ 38 30 68, Fax (976) 64 67 24 – ▤ rest ☎ ₽. ① E
VISA. ⋘
Comida 970 – ⌑ 475 – 30 hab 2750/3850.

ATAMOROSA 39200 Cantabria 442 D 17 – ⊕ 942.
Madrid 346 – Aguilar de Campóo 31 – Reinosa 3 – Santander 71.

X **Mesón Las Lanzas,** Real 85 ℘ 75 19 57, Fax 75 53 43 – ₽. AE ① E VISA.
⋘
Comida carta aprox. 3945.

ATARÓ 08300 Barcelona 443 H 37 – 101 479 h. – ⊕ 93 – Playa.
🗉 La Riera 48 (Ajuntament) ⊠ 08301, ℘ 758 21 21, Fax 758 21 22.
Madrid 661 – Barcelona 28 – Gerona/Girona 72 – Sabadell 47.

🏨 **NH Ciutat de Mataró,** Camí Real 648, ⊠ 08302, ℘ 757 55 22, Fax 757 57 26 – 🛗
▤ �📺 ☎ க ⟺ – 🔬 25/600. AE ① E VISA JCB. ⋘ rest
Comida 2500 – ⌑ 1100 – 105 hab 9250/12750 – PA 4900.

🏠 **Colón** sin rest, con cafetería, Colón 6, ⊠ 08301, ℘ 790 58 04, Fax 790 62 86 – 🛗 ▤
📺 ☎. AE ① E VISA
⌑ 720 – 52 hab 5000/8250.

XX **El Nou Cents,** El Torrent 21, ⊠ 08302, ℘ 799 37 51 – ▤. AE ① E VISA
cerrado domingo noche, Semana Santa y agosto – Comida carta 3000 a 4700.

X **Gumer's,** Nou de les Caputxines 10, ⊠ 08301, ℘ 796 23 61 – ▤. E VISA. ⋘
cerrado domingo noche, lunes y del 1 al 15 de agosto – Comida carta 3100 a 5250.

X **Magí,** Argentona 43, ⊠ 08302, ℘ 799 71 95 – ▤. AE ① E VISA. ⋘
cerrado domingo noche y lunes – Comida carta 2250 a 4300.

AZAGÓN 21130 Huelva 446 U 9 – ⊕ 959 – Playa.
🗉 av. de los Descubridores, ℘ 37 63 00, Fax 37 60 44.
Madrid 638 – Huelva 23 – Sevilla 102.

r la carretera de Matalascañas – ⊠ 21130 Mazagón – ⊕ 959 :

🏨 **Parador de Mazagón** ⑤, SE : 6,5 km ℘ 53 63 00, Fax 53 62 28, ≤ mar, « Jardín
con ♨ », 🏋, ⋙ – ▤ 📺 ☎ ₽ – 🔬 25/180. AE ① E VISA. ⋘
Comida 3500 – ⌑ 1200 – 42 hab 18000, 1 suite.

🏠 **Albaida,** SE : 1 km ℘ 37 60 29, Fax 37 61 08, 😤 – ▤ 📺 ☎ ₽ – 🔬 25/45. AE ①
E VISA. ⋘
Comida 1750 – ⌑ 500 – 24 hab 6000/9000 – PA 4000.

MÉDANO Santa Cruz de Tenerife – ver Canarias (Tenerife).

MEDINA DE POMAR 09500 Burgos **442** D 19 – 5584 h. alt. 607 – ✆ 947.
Madrid 329 – Bilbao/Bilbo 81 – Burgos 86 – Santander 108.

✗ **San Francisco,** Juan de Ortega 3 ℘ 19 00 33 – ✑
cerrado lunes noche y 23 diciembre-25 enero – **Comida** carta 1900 a 3750.

✗ **El Olvido,** av. de Burgos ℘ 19 00 01 – ▤. _VISA_. ✑
cerrado octubre – **Comida** carta 2600 a 3800.

MEDINA DE RIOSECO 47800 Valladolid **442** G 14 – 4945 h. alt. 735 – ✆ 983.
Ver : Iglesia de Santa María (capilla de los Benavente★).
Madrid 223 – León 94 – Palencia 50 – Valladolid 41 – Zamora 80.

✗✗ **Pasos,** Lázaro Alonso 44 ℘ 70 10 02, « Decoración castellana » – ▤. 월 ① **E** _VISA_.
cerrado lunes y del 15 al 30 de octubre – **Comida** carta 2900 a 3800.

✗✗ **La Rua,** San Juan 25 ℘ 70 05 19, 🛱
⊜ ▤. 월 ① **E** _VISA_ _JCB_. ✑
cerrado jueves noche y del 10 al 30 de septiembre – Comida carta 2250 a 3500.

MEDINA DEL CAMPO 47400 Valladolid **442** I 15 – 20499 h. alt. 721 – ✆ 983.
Ver : Castillo de la Mota★.
🗗 pl. Mayor de la Hispanidad 27- 1º (Casa del Peso), ℘ 81 13 57.
Madrid 154 – Salamanca 81 – Valladolid 43.

🏨 **La Mota** sin rest y sin ☲, Fernando el Católico 4 ℘ 80 04 50, Fax 80 36 30 – 🛗 ☎
Ⓟ. 월 **E** _VISA_
40 hab 3200/4900.

🎏 **El Orensano,** Claudio Moyano 20 ℘ 80 03 41 – ⇦. _VISA_. ✑
Comida 1100 – ☲ 250 – 24 hab 2500/3800 – PA 2200.

✗✗ **Don Pepe,** Claudio Moyano 1 ℘ 80 18 95 – ▤. 월 ① **E** _VISA_. ✑
Comida carta aprox. 3500.

✗✗ **Mónaco,** pl. de España 26 ℘ 81 02 95 – ▤. ① _VISA_. ✑
cerrado del 15 al 21 de septiembre – **Comida** carta 2900 a 4350.

MEDINA SIDONIA 11170 Cádiz **446** W 12 – 15877 h. alt. 304 – ✆ 956.
Ver : Iglesia de Santa María (retablo★).
Madrid 620 – Algeciras 73 – Arcos de la Frontera 42 – Cádiz 42 – Jerez de la Frontera 37.

en la carretera C 346 S : 4 km – ⊠ 11170 Medina Sidonia – ✆ 956 :

✗ **Medina Park** con hab, ℘ 23 30 55, Fax 41 20 30 – ▤ ☎ **Ⓟ**. ① **E** _VISA_. ✑ res
Comida carta 2150 a 3425 – ☲ 325 – 11 hab 4000/6000.

MEDINACELI 42240 Soria **442** I 22 – 775 h. alt. 1201 – ✆ 975.
Madrid 154 – Soria 76 – Zaragoza 178.

✗ **Arco Romano y Resid. Medinaceli** ⧉ con hab y sin ☲, Portillo 1 ℘ 32 61 30
– **E** _VISA_. ✑
cerrado noviembre – **Comida** carta 2000 a 3100 – 7 hab 3000/4500.

✗ **Las Llaves,** pl. Mayor 13 ℘ 32 63 51, Decoración rústica – 월 **E** _VISA_. ✑
cerrado lunes, martes y 15 enero-15 febrero – **Comida** (cenas con reserva en invier
carta 2300 a 4050.

en la antigua carretera N II SE : 3,5 km – ⊠ 42240 Medinaceli – ✆ 975 :

🏨 **Nico-H. 70,** ℘ 32 60 11, Fax 32 64 72, ⅀ – ▤ rest ☎ ☎ ⇦ **Ⓟ**. 월 ① **E** _VISA_.
Comida 2000 – ☲ 550 – 22 hab 5800/7500.

🏠 **Duque de Medinaceli,** ℘ 32 61 11, Fax 32 64 72 – ☎ ☎ ⇦. 월 ① **E** _VISA_.
Comida 1550 – ☲ 475 – 12 hab 3760/6600 – PA 3575.

Las MELEGUINAS Las Palmas – ver Canarias (Gran Canaria) : Santa Brígida.

MELILLA 52800 **959** ⑥ y ⑪ – 63670 h. – ✆ 95 – Playa.
Ver : Ciudad vieja★ : Terraza Museo Municipal ✳★.
✈ de Melilla, carret. de Yasinen por av. de la Duquesa Victoria 4 km AY ℘ 26986
– Iberia : Cándido Lobera 2, ℘ 267 38 00.
🛥 para Almería y Málaga : Cía. Trasmediterránea : General Marina 1 ℘ 268 12 45, Te
77084 AY, Fax 268 25 72.
🗗 av. General Aizpuru 20, ⊠ 29804, ℘ 267 40 13 – **R.A.C.E.** Pablo Vallescá, 8-2º (edifi
Ánfora), ℘ 268 17 13, Fax 268 17 13.

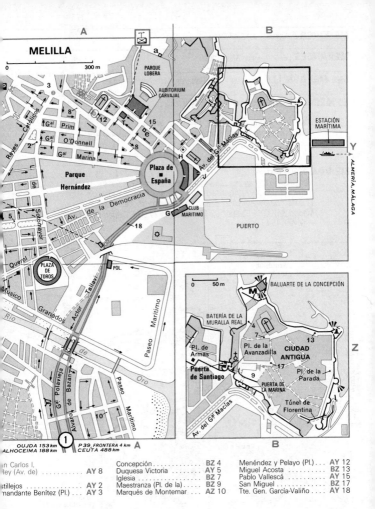

MELILLA

n Carlos I,		Concepción	BZ 4	Menéndez y Pelayo (Pl.)	AY 12
Rey (Av. de)	AY 8	Duquesa Victoria	AY 5	Miguel Acosta	BZ 13
		Iglesia	BZ 7	Pablo Vallescá	AY 15
stillejos	AY 2	Maestranza (Pl. de la)	BZ 9	San Miguel	BZ 17
mandante Benítez (Pl.)	AY 3	Marqués de Montemar	AZ 10	Tte. Gen. García-Valiño	AY 18

🏩 **Parador de Melilla** ⑤, av. Cándido Lobera, ⊠ 52801, ℰ 268 49 40, Fax 268 34 86, ≤, ⑤, ⊶ – 🛗 🗐 📺 ☎ 🅿. 🗚 ⑩ 🗲 𝖵𝖨𝖲𝖠. ⁒
AY a
Comida 3500 – ⊇ 1200 – **40 hab** 14500.

🏦 **Rusadir,** Pablo Vallescá 5, ⊠ 52801, ℰ 268 12 40, Fax 267 05 27 – 🛗 🗐 📺 ☎ –
🔬 25/100. 🗚 ⑩ 🗲 𝖵𝖨𝖲𝖠
AY e
Comida 2100 – ⊇ 800 – **36 hab** 13100/17500 – PA 5000.

🍴 Granada, Marqués de Montemar 36, ⊠ 52806, ℰ 267 30 26 – 🗐
por av. Marqués de Montemar   AZ

🍴 **Los Salazones,** Conde Alcaudete 15, ⊠ 52806, ℰ 267 36 52, Fax 267 15 15, Pescados y mariscos – 🗐. 🗚 ⑩ 🗲 𝖵𝖨𝖲𝖠. ⁒   por av. Marqués de Montemar   AZ
cerrado lunes y 20 septiembre-10 octubre – **Comida** carta 2650 a 4500.

🍴 **Mesón La Choza,** av. Alférez Guerrero Romero, ⊠ 52806, ℰ 268 16 29, Carnes – 🗐.
🗲 𝖵𝖨𝖲𝖠. ⁒   por av. General Mola   AY
cerrado domingo noche, martes y 29 julio-30 agosto – **Comida** carta aprox. 3525.

EUROPA en una sola hoja Mapa Michelin nº **970**.

MENORCA Baleares – ver Baleares.

MERANGES Gerona – ver Maranges.

Ses MERAVELLES Baleares – ver Baleares (Mallorca) : Palma.

Es MERCADAL Baleares – ver Baleares (Menorca).

*Nuestras guías de hoteles, nuestras guías turísticas
y nuestros mapas de carreteras son complementarios.*

Utilícelos conjuntamente.

MÉRIDA 06800 Badajoz **444** P 10 Y 11 – 51 135 h. alt. 221 – ✆ 924.
Ver : *Mérida romana*★★ : *Museo Nacional de Arte Romano*★★, *Mosaicos*★ BYZ **M1** – *Tea
romano*★★ BZ – *Anfiteatro romano*★ BZ – *Puente romano*★ BZ.
🛈 paseo de José Alvárez Sáenz de Buruaga, ✆ 31 53 53.
Madrid 347 ② – Badajoz 62 ③ – Cáceres 71 ① – Ciudad Real 252 ② – Córdoba 254
– Sevilla 194 ③.

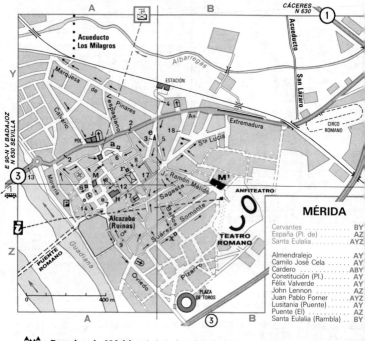

MÉRIDA

Cervantes	BY
España (Pl. de)	AZ
Santa Eulalia	AYZ
Almendralejo	AY
Camilo José Cela	AY
Cardero	ABY
Constitución (Pl.)	AY
Félix Valverde	AY
John Lennon	AZ
Juan Pablo Forner	AYZ
Lusitania (Puente)	AY
Puente (El)	AZ
Santa Eulalia (Rambla)	BY

🏨🏨 **Parador de Mérida,** pl. de la Constitución 3 ✆ 31 38 00, Fax 31 92 08, « Instala
en un antiguo convento », 🛋 – 📶 🗐 📺 ☎ ⟵⟶ 🅿 – 🕍 25/150. 🆎 ⑩ 🅴 🆅🆂🅰 J⊶
🕸
Comida 3500 – � 1200 – **80 hab** 16500, 2 suites.　　　　　　　　　　　　　AY

🏨 Nova Roma, Suárez Somonte 42 ✆ 31 12 61, Fax 30 01 60 – 📶 🗐 📺 ☎ 🅿 – 🕍 25/2
55 hab.　　　　　　　　　　　　　　　　　　　　　　　　　　　　　　　　　BZ

🏨 **Cervantes,** Camilo José Cela 10 ✆ 31 49 01, Fax 31 13 42 – 📶 🗐 📺 ☎ ⟵⟶. 🆎 ⑩
🕸　　　　　　　　　　　　　　　　　　　　　　　　　　　　　　　　　　　AY
Comida 1800 – ⊇ 500 – **30 hab** 5000/8000.

XX **Nicolás,** Félix Valverde Lillo 13 ✆ 31 96 10 – 🗐. 🆎 ⑩ 🅴 🆅🆂🅰. 🕸　　　　　　　AY
cerrado domingo y del 9 al 22 de septiembre – **Comida** carta aprox. 4500.

X **Rufino,** pl. de Santa Clara 2 ✆ 30 19 30, 🌡 – 🗐. 🆎 ⑩ 🆅🆂🅰. 🕸　　　　　　　　AZ
cerrado domingo y del 10 al 30 de septiembre – **Comida** carta 3400 a 5000.

la antigua carretera N V – ⊠ 06800 Mérida – ✿ 924 :

🏨🏨 **Tryp Medea**, av. de Portugal - por ③ : 3 km ℰ 37 24 00, Fax 37 30 20, 𝐼₆, ⚋, ⬜
– 🛗 🖳 📺 ☎ 🚗 – 🛆 25/350. 🖭 ⓞ 𝐄 𝘝𝘐𝘚𝘈. ⚘
Comida 3500 – ⚌ 1100 – **126 hab** 10400/13000.

🏨🏨 **Las Lomas**, por ② : 3 km ℰ 31 10 11, Telex 28840, Fax 30 08 41, ⚋ – 🛗 🖳 📺 ☎
Ⓟ – 🛆 25/800. 🖭 ⓞ 𝐄 𝘝𝘐𝘚𝘈. ⚘
Comida 2100 – ⚌ 750 – **134 hab** 11200/14000 – PA 4700.

✗ **Bahía Nirri**, centro comercial El Foro - por ③ : 3 km ℰ 37 20 01, Pescados y mariscos
– 🗐, 🖭 ⓞ 𝐄 𝘝𝘐𝘚𝘈 𝖩𝖢𝖡. ⚘
Comida carta 2600 a 3800.

RZA 36580 Pontevedra 𝟒𝟒𝟏 D 5 – ✿ 986.
Madrid 581 – Lugo 97 – Orense/Ourense 85 – Pontevedra 88 – Santiago de Compostela
36.

Sureste : 2 km – ✿ 986 :

🏠 **Baln. Baños da Brea** ⚘, Paradela 4 ℰ 58 36 14, Fax 58 36 19, ≤, ⚘, Servicios
terapéuticos – 📺 ☎ Ⓟ. 🖭 𝘝𝘐𝘚𝘈. ⚘
cerrado 10 enero-20 febrero – **Comida** 1500 – **21 hab** ⚌ 4350/5995 – PA 2720.

AJADAS 10100 Cáceres 𝟒𝟒𝟒 O 12 – 9619 h. alt. 297 – ✿ 927.
Madrid 291 – Cáceres 60 – Mérida 52.

🏠 **El Cortijo**, carret. de Don Benito - S : 1 km ℰ 34 79 95, Fax 34 79 95 – 🗐 📺 ☎ Ⓟ.
𝐄 𝘝𝘐𝘚𝘈. ⚘
cerrado 2ª quincena de junio – **Comida** 1300 – ⚌ 250 – **20 hab** 2500/4500.

la antigua carretera N V SO : 2 km – ⊠ 10100 Miajadas – ✿ 927 :

🏠 La Torre, ℰ 34 78 55, Fax 34 78 55 – 🗐 📺 ☎ Ⓟ
31 hab.

AMI PLAYA o **MIAMI PLATJA** 43892 Tarragona 𝟒𝟒𝟑 I 32 – 1438 h. – ✿ 977 – Playa.
Madrid 532 – Tarragona 33 – Tortosa 53.

🏠 **Tropicana**, carret. N 340 ℰ 81 03 40, Fax 81 05 18, ⚘, ⚋ – 🗐 📺 ☎ Ⓟ. 𝐄 𝘝𝘐𝘚𝘈.
⚘ rest
Comida 1500 – ⚌ 600 – **34 hab** 3800/6600 – PA 3100.

ERES 33600 Asturias 𝟒𝟒𝟏 C 12 – 53170 h. alt. 209 – ✿ 98.
Madrid 426 – Gijón 48 – León 102 – Oviedo 19.

✗✗ **Casa Óscar**, La Vega 39 ℰ 546 68 88, Pescados y mariscos – 🗐. 🖭 𝐄 𝘝𝘐𝘚𝘈. ⚘
cerrado domingo y agosto – **Comida** carta 2700 a 4500.

✗ **L'Albar**, Teodoro Cuesta 1 ℰ 546 84 45 – 🗐. 🖭 𝐄 𝘝𝘐𝘚𝘈
cerrado lunes – **Comida** carta 2850 a 4400.

MIGJORN GRAN Baleares – ver Baleares (Menorca).

JAS 29650 Málaga 𝟒𝟒𝟔 W 16 – 32835 h. alt. 475 – ✿ 95.
Ver : Pueblo★.
🏌 🏌 Golf Mijas S : 5 km ℰ 247 68 43, Fax 246 79 43.
Madrid 585 – Algeciras 115 – Málaga 30.

🏨🏨 **Mijas**, urb. Tamisa 2 ℰ 248 58 00, Fax 248 58 25, ≤ montañas, Fuengirola y mar, ⚘,
« Conjunto de estilo andaluz », ⚋, ⚘, ⚘ – 🗐 rest 📺 ☎ Ⓟ – 🛆 25/70. 🖭 ⓞ 𝐄
𝘝𝘐𝘚𝘈 𝖩𝖢𝖡. ⚘
Comida 2800 – ⚌ 1350 – **95 hab** 12000/14000, 3 suites – PA 6950.

✗ **El Capricho**, Los Caños 5-1º ℰ 248 51 11, ⚘, Terraza con ≤ – 🗐. 🖭 ⓞ 𝐄 𝘝𝘐𝘚𝘈 𝖩𝖢𝖡.
⚘
cerrado miércoles y 15 noviembre-15 diciembre – **Comida** carta 2800 a 3550.

✗ **El Olivar**, av. Virgen de la Peña - edificio El Rosario ℰ 248 61 96, ≤, ⚘ – 🖭 ⓞ 𝐄 𝘝𝘐𝘚𝘈. ⚘
cerrado sábado y febrero – **Comida** carta 2050 a 3100.

la carretera de Fuengirola S : 4 km – ⊠ 29650 Mijas – ✿ 95 :

✗✗ **Valparaíso**, ℰ 248 59 75, Fax 248 59 96, ≤ Fuengirola y mar, ⚘, ⚋ – Ⓟ. 🖭 ⓞ 𝐄
𝘝𝘐𝘚𝘈 𝖩𝖢𝖡. ⚘
cerrado domingo – **Comida** (sólo cena) carta aprox. 3300.

MIJAS GOLF (Urbanización) *Málaga – ver Fuengirola.*

El MILIARIO *Segovia – ver Honrubia de la Cuesta.*

MIRAFLORES DE LA SIERRA *28792 Madrid 444 J 18 – 2 649 h. alt. 1 150 – ☎ 91.*
Madrid 52 – El Escorial 50.

X **Mesón Maito,** General Sanjurjo 2 ☎ 844 35 67, Fax 844 37 52, ☂, Decoración ca llana – ▤. AE ⓓ E VISA. ✻
Comida carta 3150 a 4500.

X **Llerja,** Norte 5 ☎ 844 37 86 – ▤. AE ⓓ E VISA. ✻
Comida carta 2300 a 3600.

X Asador La Fuente, Mayor 12 ☎ 844 42 16, ☂, Asados – ▤.

X Las Llaves, Calvo Sotelo 4 ☎ 844 40 57 – ▤.

MIRAMBEL *44141 Teruel 443 K 28 – 138 h. alt. 993 – ☎ 964.*
Madrid 420 – Morella 24 – Teruel 120.

Fonda Guimerá, Agustín Pastor 28 ☎ 17 82 69, Fax 17 82 93
16 hab.

MIRANDA DE EBRO *09200 Burgos 442 D 21 – 37 197 h. alt. 463 – ☎ 947.*
Madrid 322 – Bilbao/Bilbo 84 – Burgos 79 – Logroño 71 – Vitoria/Gasteiz 33.

Hospedería El Convento ☼, San Francisco 15 (casco antiguo) ☎ 33 27 Fax 33 26 52, En un convento con claustro, « Amplio jardín con arboleda » – |‡| ▣ Ⓟ – 🏃 25/150. AE ⓓ VISA. ✻
Comida *(cerrado domingo noche)* 3000 – ☕ 630 – **36 hab** 4710/7850.

Tudanca, carret. N I ☎ 31 18 43, Telex 39442, Fax 31 18 48 – |‡| ▤ rest TV ☎ Ⓟ ⓓ E VISA. ✻
Comida 2500 - ***Horno de San Juan :*** **Comida** carta 2500 a 3900 – ☕ 550 – **120** 5070/7415.

XXX **Neguri,** Estación 80 ☎ 32 25 12 – ▤. AE ⓓ E VISA JCB. ✻
cerrado domingo noche, lunes y del 1 al 15 de agosto – **Comida** carta 3550 a 422

MOCEJÓN *45270 Toledo 444 M 18 – 4 005 h. alt. 480 – ☎ 925.*
Madrid 62 – Aranjuez 38 – Toledo 13.

Guindanao, av. Castilla-La Mancha 31 ☎ 27 04 00, Fax 27 04 00 – |‡| ▤ TV ☎ ⇔ E VISA. ✻
Comida 1200 – ☕ 450 – **14 hab** 3800/6200 – PA 2500.

MOGRO *39310 Cantabria 442 B 18 – ☎ 942.*
Madrid 394 – Santander 15 – Torrelavega 12.

El Desierto *sin rest*, junto estación ferrocarril ☎ 57 66 47, ←, « Antigua casona ☎ Ⓟ. AE VISA. ✻
Semana Santa y 20 junio-15 septiembre – ☕ 425 – **11 hab** 4600/7200.

MOGUER *21800 Huelva 446 U 9 – 12 193 h. alt. 50 – ☎ 959.*
Ver : *Iglesia del convento de Santa Clara (sepulcros★).*
Madrid 618 – Huelva 19 – Sevilla 82.

Platero *sin rest y sin* ☕, Aceña 4 ☎ 37 21 59 – TV. ✻
18 hab 1715/3210.

MOIÀ *Barcelona – ver Moyá.*

Gli alberghi o ristoranti ameni sono indicati nella guida con un simbolo rosso.
Contribuite a mantenere la guida aggiornata segnalandoci gli alberghi e ristoranti dove avete soggiornato piacevolmente.

⌂⌂⌂⌂ ... ⌂
XXXXX ... X

MOJÁCAR 04638 Almería **446** U 24 – 4 305 h. alt. 175 – ✪ 950 – Playa.

Ver : Paraje★.

🐂 Club Cortijo Grande (Turre) ✆ 47 91 76.

🛈 pl. Nueva, ✆ 47 51 62, Fax 47 51 62.

Madrid 527 – Almería 95 – Murcia 141.

en la playa :

🏨🏨 **Parador de Mojácar**, carret. de Carboneras - SE : 2,5 km ✆ 47 82 50, Fax 47 81 83, ≼, 🎄, ㉿, ㈜, ✗ – 🗏 📺 ☎ 🅿 – 🔏 25/300. 🝙 🕥 🗉 🗺. ✗
Comida 3500 – ☲ 1200 – **98 hab** 14500.

🏨🏨 **El Puntazo**, carret. de Carboneras - SE : 4,5 km ✆ 47 82 29, Fax 47 82 85, ≼, ㈜, ㉿ – 🗏 📺 ☎ ⟺ 🅿 – 🔏 25/150. 🝙 🗉 🗺. ✗
Comida 1530 – **36 hab** ☲ 5000/9715 – PA 2870.

🏨 **Continental**, carret. de Garrucha - NE : 4 km ✆ 47 81 64, Fax 47 51 36, ≼, ㈜, ㉿, ✗ – 🗏 hab 📺 ☎ 🅿. 🕥 🗉 🗺. ✗
Comida 2500 – ☲ 600 – **23 hab** 9000/11000.

el MOLAR 28710 Madrid **444** J 19 – 2 755 h. alt. 817 – ✪ 91.

Madrid 44 – Aranda de Duero 115 – Guadalajara 63.

🏨 **Azul** sin rest, av. José Antonio 57 ✆ 841 02 53, Fax 841 02 55 – 🗏 📺 ☎ 🅿. 🗉 🗺
☲ 400 – **29 hab** 5500/6500.

en la autovía N I S : 5 Km – ⊠ 28710 El Molar – ✪ 91 :

🖇🖇 **Le Normandie**, ✆ 841 00 53, Fax 522 19 93, ㈜, « Hostería rústica en un verde paraje », ㈜ – 🅿. 🝙 🗺. ✗
cerrado domingo noche, lunes y agosto – **Comida** carta 4365 a 5935.

la MOLINA 17537 Gerona **443** E 35 – alt. 1 300 – ✪ 972 – Deportes de invierno ⚡15.

🛈 av. Supermolina, ✆ 89 20 31, Fax 14 50 48.

Madrid 651 – Barcelona 148 – Gerona/Girona 131 – Lérida/Lleida 180.

🏨🏨 **Roc Blanc** ⑤, alt. 1 450 ✆ 14 50 00, Fax 14 50 02, ≼, ㉿, ㈜ – 🛗 📺 ☎ 🅿. 🝙 🕥 🗉 rest
diciembre-15 abril y julio-11 septiembre – **Comida** 2000 – ☲ 660 – **52 hab** 5565/9220 – PA 4660.

🏨🏨 **Adserá** ⑤, alt. 1 600 ✆ 89 20 01, Fax 89 20 25, ≼, ㉿ – 🛗 ☎ 🅿. 🝙 🕥 🗺. ✗ rest
diciembre-10 abril y julio-10 septiembre – **Comida** (sólo buffet) 2000 – ☲ 700 – **41 hab** 6400/9600.

MOLINA DE ARAGÓN 19300 Guadalajara **444** J 24 – 3 656 h. alt. 1 050 – ✪ 949.

Madrid 197 – Guadalajara 141 – Teruel 104 – Zaragoza 144.

🏨 Rosanz, paseo de los Adarves 12 ✆ 83 23 36
33 hab.

MOLINASECA 24413 León **441** E 10 – 744 h. alt. 585 – ✪ 987.

Madrid 383 – León 103 – Lugo 125 – Oviedo 213 – Ponferrada 6,5.

🖇 **Casa Ramón**, Jardines Ángeles Balboa 2 ✆ 45 31 53 – 🗏. 🝙 🕥 🗉 🗺. ✗
cerrado lunes y 25 septiembre-15 octubre – **Comida** carta 2950 a 4600.

MOLINAR Baleares – ver Baleares (Mallorca) : Palma.

los MOLINOS 28460 Madrid **444** J 17 – 2 530 h. alt. 1 045 – ✪ 91.

Madrid 55 – Ávila 71 – Segovia 57.

🖇 **Asador Paco**, Pradillos 11 ✆ 855 17 52, Asados y carnes – 🗏
cerrado martes y del 16 al 31 de septiembre – **Comida** (sólo almuerzo salvo en verano) carta aprox. 4000.

MOLINOS DE DUERO 42156 Soria **442** G 21 – 189 h. alt. 1 323 – ✪ 975.

Madrid 232 – Burgos 110 – Logroño 75 – Soria 38.

🏨 **San Martín**, pl. San Martín Ximénez 3 ✆ 37 84 42, Fax 37 84 77 – 📺 ☎. 🗉 🗺. ✗
Comida 1300 – ☲ 400 – **16 hab** 3200/4200 – PA 2800.

MOLLET o **MOLLET DEL VALLÈS** 08100 Barcelona 443 H 36 – 40 947 h. alt. 65 – ✪
Madrid 631 – Barcelona 17 – Gerona/Girona 80 – Sabadell 25.

🏨 **Catalán,** Can Flaquer 10 - Can Pantiquet ℰ 570 64 34, Fax 570 56 06 – 🛗 🗏 📺
👍 ⇦ – 🛎 50/70. 🆎 𝘝𝘐𝘚𝘈. ⅏ rest
Comida 1250 – ⥂ 750 – **65 hab** 9500/11500 – PA 3100.

MOLLINA 29532 Málaga 446 U 16 – 3 067 h. alt. 477 – ✪ 95.
Madrid 473 – Antequera 16 – Córdoba 114 – Granada 101 – Sevilla 157.

en la antigua carretera N 334 SE : 3 km – ✉ 29532 Mollina – ✪ 95 :

🏨 **Molino de Saydo,** salida 142 autovía ℰ 274 04 75, Fax 274 04 66, ⤳ – 🗏 📺 ☎
🆎 🄴 𝘝𝘐𝘚𝘈. ⅏
Comida 1100 – ⥂ 400 – **48 hab** 4500/6000.

MOLLÓ 17868 Gerona 443 E 37 – 333 h. – ✪ 972.
Madrid 707 – Barcelona 135 – Gerona/Girona 88 – Prats de Mollo 24.

🏨 François ⑤, carret. de Camprodón ℰ 13 00 29, Fax 13 00 34, ≼ montaña y valle del río Tort, ⤳ – 🛗 📺 ☎ 🅿
28 hab.

🏨 **Calitxó** ⑤, passatge El Serrat ℰ 74 03 86, Fax 74 03 86, ≼ montañas, Pista polideportiva – 🛗 🅿. 🄴 𝘝𝘐𝘚𝘈. ⅏
Comida (cerrado lunes y 15 enero-15 febrero) 2500 – ⥂ 950 – **25 hab** 7000.

MOMBUEY 49310 Zamora 441 F 11 – 530 h. – ✪ 980.
Madrid 320 – León 124 – Orense/Ourense 181 – Valladolid 138 – Zamora 86.

⑳ **La Ruta,** carret. N 525 - SE : 1 km ℰ 64 27 30, ≼ – 🅿. 𝘝𝘐𝘚𝘈. ⅏
Comida 1200 – ⥂ 350 – **14 hab** 1800/4000.

MONASTERIO – ver el nombre propio del monasterio.

MONDA 29110 Málaga 446 W 15 – 1 664 h. alt. 377 – ✪ 95.
Madrid 567 – Algeciras 96 – Málaga 40 – Marbella 17 – Ronda 76.

🏰 **El Castillo de Monda** ⑤, ℰ 245 71 42, Fax 245 73 36, ≼ serranía de Ronda y pue
« Instalado en un castillo árabe », ⤳ – 🗏 📺 ☎ – 🛎 25/80. 🆎 🄴 𝘝𝘐𝘚𝘈. ⅏
Comida 2500 – ⥂ 1250 – **23 hab** 12000/20000.

MONDARIZ-BALNEARIO 36878 Pontevedra 441 F 4 – 662 h. alt. 70 – ✪ 986 – Balnea
Madrid 575 – Orense/Ourense 70 – Pontevedra 51 – Vigo 34.

🏨 **Tryp Mondariz** ⑤, av. Enrique Peinador ℰ 65 61 56, Fax 65 61 86, Servicios te
péuticos, 🎣, ⤳, 🏊, 🎾, ⇦ – 🛗 🗏 📺 ☎ ⇦ – 🛎 25/300. 🆎 ⓪ 🄴 𝘝𝘐𝘚𝘈. ⅏
Comida 2600 – ⥂ 1150 – **83 hab** 12075/15225 – PA 5500.

MONDRAGÓN o **ARRASATE** 20500 Guipúzcoa 442 C 22 – 25 213 h. alt. 211 – ✪ 943
Madrid 390 – San Sebastián/Donostia 79 – Vergara/Bergara 9 – Vitoria/Gasteiz 34.

🏨 **Arrasate** sin rest y sin ⥂, Biteri 1 ℰ 79 73 22, Fax 79 14 16 – 📺 ☎. 🆎 ⓪ 🄴
12 hab 6000/8500.

MONESTERIO 06260 Badajoz 444 R 11 – 5 202 h. alt. 755 – ✪ 924.
Madrid 444 – Badajoz 126 – Cáceres 150 – Córdoba 197 – Mérida 82 – Sevilla 97.

🏨 **Moya,** paseo de Extremadura 278 ℰ 51 61 36, Fax 51 63 24 – 🗏 📺 ☎ 🅿. 🆎 ⓪
𝘝𝘐𝘚𝘈 𝖩𝖢𝖡. ⅏
Comida 1000 – ⥂ 200 – **36 hab** 5000.

MONFORTE DE LEMOS 27400 Lugo 441 E 7 – 20 510 h. alt. 298 – ✪ 982.
Madrid 501 – Lugo 65 – Orense/Ourense 49 – Ponferrada 112.

⑳ **Puente Romano** (anexo 🏨) sin rest, pl. Doctor Goyanes 6 ℰ 41 11 68, Fax 40 35
– 🛗 📺 ☎ ⇦. 🆎 ⓪ 🄴 𝘝𝘐𝘚𝘈
⥂ 250 – **27 hab** 3000/5000.

XX **La Fortaleza,** Campo de la Virgen (subida al Castillo) ℰ 40 06 04 – 🆎 🄴 𝘝𝘐𝘚𝘈. ⅏
Comida carta 1500 a 2950.

XX **O Grelo,** Chantada 16 ℰ 40 47 01 – 🗏. 🆎 ⓪ 🄴 𝘝𝘐𝘚𝘈 𝖩𝖢𝖡. ⅏
cerrado domingo noche – **Comida** carta 2300 a 3600.

ONNEGRE o MONTNEGRE 03115 Alicante **445** Q 28 – ✪ 96.
Madrid 435 – Alicante/Alacant 18 – Valencia 176.

🏨 **Valle del Sol** ⤳, *ℰ* 595 09 73, Fax 595 08 85, 🔟, 🖼, ※ – **☯**. 🆅🆂🆁 ⋘ rest
Comida 1600 – **24 hab** ⊆ 5400/7800.

ONREAL DEL CAMPO 44300 Teruel **443** J 25 – 2 318 h. alt. 939 – ✪ 978.
Madrid 245 – Teruel 56 – Zaragoza 126.

🏨 **El Botero**, av. de Madrid 2 *ℰ* 86 31 66, Fax 86 34 96 – |‡| ▤ rest 🔟 ☎ ⟨⟩ **☯**. 🄴
🆅🆂🆁. ⋘
Comida 1250 – ⊆ 350 – **30 hab** 2450/4400 – PA 2500.

Per i grandi viaggi d'affari o di turismo,
Guida MICHELIN rossa : EUROPE.

ONTANEJOS 12448 Castellón **445** L 28 – 422 h. alt. 369 – ✪ 964.
Madrid 408 – Castellón de la Plana/Castelló de la Plana 62 – Teruel 106 – Valencia 95.

🏨 **Rosaleda del Mijares** ⤳, carret. de Tales 28 *ℰ* 13 10 79, Fax 13 14 66 – |‡| ▤ rest
🔟 ☎ **☯**. 🄴 ⋘
cerrado del 20 al 27 de diciembre – **Comida** 1400 – ⊆ 550 – **57 hab** 3400/4500 – PA
3000.

🏨 **Xauen** ⤳, av. Fuente de los Baños 26 *ℰ* 13 11 51, Fax 13 13 75 – |‡| ☎. 🄰🄴 🆅🆂🆁.
15 marzo-15 octubre – **Comida** 1600 – ⊆ 500 – **48 hab** 3000/5000 – PA 3060.

ONTAÑAS DEL FUEGO Las Palmas – ver Canarias (Lanzarote).

ONTBLANC 43400 Tarragona **443** H 33 – 5 612 h. alt. 350 – ✪ 977.
🅱 Muralla de Sta. Tecla 18, *ℰ* 86 12 32, Fax 86 24 24.
Madrid 518 – Barcelona 112 – Lérida/Lleida 61 – Tarragona 36.

🍴 **Ducal**, Francesc Macià 11 *ℰ* 86 00 25, Fax 86 21 31 – ▤ rest ☎ **☯** – 🕍 25/50. 🄰🄴
🄾 🄴 🆅🆂🆁
Comida 1100 – ⊆ 500 – **41 hab** 3500/6000.

✗ **El Molí del Mallol**, Muralla Santa Anna 2 *ℰ* 86 05 91, Fax 86 26 83 – ▤ **☯**. 🄰🄴 🄾
🄴 🆅🆂🆁. ⋘
cerrado domingo noche y lunes noche – **Comida** carta 2325 a 4125.

ONTBRIÓ DEL CAMP 43340 Tarragona **443** I 33 – 1 393 h. – ✪ 977.
Madrid 554 – Barcelona 126 – Lérida/Lleida 97 – Tarragona 21.

🏩 **Termes Montbrió** ⤳, Nou 38 *ℰ* 81 41 00, Fax 82 62 51, 🌡, Servicios terapéuticos,
« En una antigua finca con un extenso y bonito jardín », 🛌, 🔟, 🔲 – |‡| ▤ 🔟 ☎ க
☯ – 🕍 40/450. 🄰🄴 🄾 🄴 🆅🆂🆁. ⋘
Comida 3200 – ⊆ 1200 – **150 hab** 13000/17000 – PA 7600.

✗ **Torre dels Cavallers**, carret. de Cambrils *ℰ* 82 60 53, Fax 82 60 53, �, Decoración
rústica – **☯**. 🄰🄴 🄾 🄴 🆅🆂🆁. ⋘
cerrado martes – **Comida** carta 2450 a 3650.

ONTE – ver el nombre propio del monte.

ONTE HACHO Ceuta – ver Ceuta.

ONTE LENTISCAL Las Palmas – ver Canarias (Gran Canaria) : Santa Brígida.

ONTEAGUDO 30160 Murcia **445** R 26 – ✪ 968.
Madrid 400 – Alicante/Alacant 77 – Murcia 5.

✗✗ **Monteagudo**, av. Constitución 93 *ℰ* 85 00 64 – ▤ **☯**. 🄰🄴 🄾 🄴 🆅🆂🆁. ⋘
cerrado domingo noche – **Comida** carta 3300 a 4200.

ONTEMAYOR 14530 Córdoba **446** T 15 – 3 629 h. alt. 387 – ✪ 957.
Madrid 433 – Córdoba 33 – Jaén 117 – Lucena 37.

🏨 **Castillo de Montemayor**, carret. N 331 *ℰ* 38 42 00, Fax 38 43 06, �, 🔟 – |‡| ▤
🔟 ☎ க **☯** – 🕍 25/800. 🄰🄴 🄾 🆅🆂🆁. ⋘
Comida carta aprox. 3200 – ⊆ 400 – **54 hab** 3200/6000.

MONTFERRER o **MONTFERRER I CASTELLBÒ** 25711 Lérida 443 E 34 – 681 h. – ☺ 97

   Madrid 599 – Lérida/Lleida 130 – Seo de Urgel/La Seu d'Urgell 3.

   ⚹ **La Masía,** carret. N 260 ℰ 35 24 45 – 🗏 **℗. ⓞ 🗲 VISA.** ℅⅍
   cerrado martes noche, miércoles y 25 junio-25 julio – **Comida** carta 2400 a 3900.

MONTILLA 14550 Córdoba 446 T 16 – 21 607 h. alt. 400 – ☺ 957.

   Madrid 443 – Córdoba 45 – Jaén 117 – Lucena 28.

   ※※ **Las Camachas,** antigua carret. N 331 ℰ 65 00 04, Fax 65 03 32, 🈸 – 🗏 **℗. Æ ⓞ**
   🗲 VISA. ℅⅍
   Comida carta aprox. 3400.

en la carretera N 331 – ✉ 14550 Montilla – ☺ 957 :

   🏨 **Don Gonzalo,** SO : 3 km ℰ 65 06 58, Fax 65 06 66, 🈸, 🏊, 🐴, ℁ – 🛗 🗏 📺
   ℗ – 🛪 25/70. **Æ ⓞ 🗲 VISA.** ℅⅍
   Comida 1575 – ☲ 525 – **29 hab** 6400/8400 – PA 3675.

   🏨 **Alfar,** NO : 5 km ℰ 65 11 11, Fax 65 11 20 – 🗏 📺 ☎ **℗. Æ 🗲 VISA.** ℅⅍
   Comida carta aprox. 2500 – ☲ 300 – **32 hab** 3500/5500.

MONTMELÓ 08160 Barcelona 443 H 36 – 7470 h. alt. 72 – ☺ 93.

   Madrid 627 – Barcelona 18 – Gerona/Girona 80 – Manresa 54.

   ※※ Florenza, av. Pompeu Fabra 24 ℰ 568 17 45, Fax 572 15 06 – 🗏.

MONTNEGRE Alicante – ver Monnegre.

MONTRÁS o **MONT-RAS** 17253 Gerona 443 G 39 – 1372 h. alt. 88 – ☺ 972.

   Madrid 718 – Gerona/Girona 38 – Palafrugell 3 – Palamós 8.

   ⚹ **Madame Zozo,** av. de Cataluña 6 (carret. C 255) ℰ 30 01 17, 🈸, Decoración regio⫶
   – 🗏 **℗. Æ ⓞ 🗲 VISA** JCB
   abril-octubre – **Comida** carta 2750 a 4600.

MONTSENY 08460 Barcelona 443 G 37 – 277 h. alt. 522 – ☺ 93.

   Alred. : Sierra de Montseny★.

   Madrid 673 – Barcelona 60 – Gerona/Girona 68 – Vic 36.

   ※※ **Can Barrina** ⑳ **con hab,** carret. de Palautordera - S : 1,2 km ℰ 847 30 6⫶
   Fax 847 31 84, 🈸, Antigua casa de campo, « Césped con 🏊. Terraza y ≤ sierra
   Montseny » – 📺 ☎ **℗. Æ ⓞ 🗲 VISA.** ℅⅍
   Comida carta 2800 a 3800 – ☲ 1300 – **11 hab** 7200/9800.

MONTSERRAT 08691 Barcelona 443 H 35 – alt. 725 – ☺ 93.

   Ver : Lugar★★★ – La Moreneta★.

   Alred. : Carretera de acceso por el oeste ≤★★.

   Madrid 594 – Barcelona 53 – Lérida/Lleida 125 – Manresa 22.

   🏨 Abat Cisneros ⑳, pl. Monestir ℰ 835 02 01, Fax 828 40 06 – 🛗 🗏 rest 📺 ☎
   41 hab.

   🏨 Monestir ⑳ **sin rest y sin** ☲, pl. Monestir ℰ 835 02 01, Fax 828 40 06 – 🛗 ⫶
   ☎
   temp – **34 hab.**

MONZÓN 22400 Huesca 443 G 30 – 14405 h. alt. 368 – ☺ 974.

   🅑 pl. Aragón, ℰ 40 48 54.

   Madrid 463 – Huesca 70 – Lérida/Lleida 50.

   🏨 **Vianetto,** av. de Lérida 25 ℰ 40 19 00, Fax 40 45 40 – 🛗 🗏 rest 📺 ☎. Æ ⓞ
   VISA
   Comida 1500 – ☲ 550 – **84 hab** 3800/6500 – PA 3000.

   🏨 **Bellomonte,** av. de Lérida 87 ℰ 40 20 44 – 🗏 📺 ☎ **℗. Æ ⓞ 🗲 VISA** J⫶
   ℅⅍
   Comida (cerrado domingo y del 15 al 30 de agosto) 1050 – ☲ 300 – **16 hab** 1950/39⫶
   – PA 2400.

   ※※ **Piscis,** pl. de Aragón 1 ℰ 40 00 48 – 🗏. **Æ ⓞ 🗲 VISA.** ℅⅍
   Comida carta 2000 a 2850.

MONZÓN DE CAMPOS 34410 Palencia **442** F 16 – 876 h. alt. 750 – © 979.

Madrid 237 – Burgos 95 – Palencia 11 – Santander 190.

XX Castillo de Monzón ⑤ con hab, ℰ 80 80 75, Fax 80 83 03, « Instalado en un castillo medieval dominando la Tierra de Campos » – 📺 ☎ ➋
10 hab.

MORA 45400 Toledo **444** M 18 – 9 244 h. alt. 717 – © 925.

Madrid 100 – Ciudad Real 92 – Toledo 31.

☼ Agripino, pl. Príncipe de Asturias 8 ℰ 30 00 00 – |≢| ➌ 📺 ☎ ➋
20 hab.

X **Los Conejos** con hab, Cánovas del Castillo 14 ℰ 30 15 04 – ➌ 📺 ☎. ஊ ➀ ⋿ 𝑉𝐼𝑆𝐴.
❀
cerrado 23 junio-10 julio – **Comida** (cerrado viernes noche) carta 2550 a 3500 – ⌑ 400
– **5 hab** 3500/6000.

MORA DE RUBIELOS 44400 Teruel **443** L 27 – 1 313 h. alt. 1 035 – © 978.

Madrid 341 – Castellón de la Plana/Castelló de la Plana 92 – Teruel 40 – Valencia 129.

🏛 **Jaime I**, pl. de la Villa ℰ 80 00 92, Fax 80 00 92 – |≢| 📺 ☎. ஊ ➀ ⋿ 𝑉𝐼𝑆𝐴.
❀ rest
Comida 3025 – ⌑ 750 – **39 hab** 6950/10400.

MORAIRA 03724 Alicante **445** P 30 – 757 h. – © 96 – Playa.

🗉 Edificio del Castillo, ℰ 574 51 68, Fax 574 51 68.
Madrid 483 – Alicante/Alacant 75 – Gandia 65.

🏛 **Don Pedro** ⑤ sin rest y sin ⌑, Mar del Norte 20 ℰ 649 03 51, Fax 649 03 50, ⤓ –
➌ 📺 ☎ ➋. ஊ ➀ ⋿ 𝑉𝐼𝑆𝐴. ❀
15 apartamentos 12000.

XX **La Sort**, av. de Madrid 1 ℰ 574 51 35, Fax 574 51 35, ⇡ – ➌. ஊ ⋿ 𝑉𝐼𝑆𝐴.
❀
cerrado domingo en invierno, del 1 al 15 de marzo y del 15 al 30 de noviembre – **Comida**
carta 4300 a 5900.

X **Casa Dorita**, Iglesia 6 ℰ 574 48 61, Fax 574 48 61, ⇡ – ➌. ⋿ 𝑉𝐼𝑆𝐴 𝐽𝐶𝐵. ❀
cerrado lunes, 2ª quincena de enero y 2ª quincena de octubre – **Comida** carta aprox. 4500.

por la carretera de Calpe – ✉ 03724 Moraira – © 96 :

🏛🏛 **Swiss Moraira** ⑤ sin rest, O : 2,5 km ℰ 574 71 04, Telex 63855, Fax 574 70 74, ⤓,
❀ – ➌ 📺 ☎ ➋ – ▲ 30/100. ஊ ➀ ⋿ 𝑉𝐼𝑆𝐴
cerrado 2 enero-2 febrero – ⌑ 1250 – **24 hab** 14000/17000, 1 suite.

🏛 **Gema H.** ⑤, Estaca de Bares 11 - SO : 2,5 km, ✉ apartado 330, ℰ 574 71 88,
Fax 574 71 88, <, ⤓, 🌺, ❀ – |≢| ☎ ➋. ஊ ⋿ 𝑉𝐼𝑆𝐴. ❀ rest
cerrado del 4 al 30 de noviembre – **Comida** (cerrado octubre-marzo) 1300 – ⌑ 500 –
39 hab 4750/6950 – PA 2635.

🏛 **Moradix** ⑤ sin rest, Moncayo 1 - O : 1,5 km ℰ 574 40 56, Fax 574 45 25, < – |≢| ☎
➋. ⋿ 𝑉𝐼𝑆𝐴
⌑ 500 – **30 hab** 5000/6000.

XXX **Girasol**, SO : 1,5 km ℰ 574 43 73, Fax 649 05 45, ⇡, « Villa acondicionada con
❀❀ elegancia » – ➌ ➋. ஊ ➀ ⋿ 𝑉𝐼𝑆𝐴 𝐽𝐶𝐵
cerrado lunes (salvo julio-agosto) y noviembre – **Comida** (sólo cena en verano salvo domingo) carta 6250 a 9350
Espec. Gambas con vinagreta de albahaca (verano). Carré de cordero al vinagre balsámico
y gnocchi de aceitunas. Soufflé de dos chocolates con salsa de azafrán.

XX **La Bona Taula**, SO : 1,5 km ℰ 649 02 06, < mar, ⇡ – ➌ ➋. ஊ ➀ ⋿ 𝑉𝐼𝑆𝐴.
❀
Comida carta aprox. 4100.

en El Portet NE : 1,5 km – ✉ 03724 Moraira – © 96 :

XXX **Le Dauphin**, ✉ apartado 324 Moraira, ℰ 649 04 32, Fax 649 04 32, ⇡, « Villa
mediterránea con terraza y < peñón de Ifach, Calpe y mar » – ➌. ஊ ➀ ⋿ 𝑉𝐼𝑆𝐴.
cerrado lunes, 10 noviembre-10 diciembre y 15 febrero-12 marzo – **Comida** (sólo cena
mayo-noviembre) carta 4600 a 5300.

MORALEJA Madrid – ver Alcobendas.

MORALZARZAL 28411 Madrid **444** J 18 – 2 248 h. alt. 979 – 🕸 91.
Madrid 42 – Ávila 77 – Segovia 57.

XXX **El Cenador de Salvador,** av. de España 30   857 77 22, Fax 857 77 80,
🕸 « Terraza-jardín » – 🗏 **👤**. 🖭 **⓪** 🖪 *VISA*. 🛠
cerrado domingo noche, lunes y del 15 al 31 de octubre – **Comida** carta 6000 a 8⁻
Espec. Foie macerado al vino de Oporto con láminas de manzana. Solomillo de rape "c⟨
de feu" en nabiza. Breseado de carrillera de buey con patatas revolcona.

MOREDA DE ALLER 33670 Asturias **441** C 12 – 🕸 98.
Madrid 436 – Gijón 60 – León 103 – Oviedo 30.

🐾 **Collainos,** av. Tartiere 44   548 10 40 – 🛗 🖭 ☎. *VISA*. 🛠
Comida 1000 – 🖵 400 – **8 hab** 4000/6000 – PA 2000.

MORELLA 12300 Castellón **445** K 29 – 2 717 h. alt. 1 004 – 🕸 964.
Ver : *Emplazamiento*★ – *Basílica de Santa María la Mayor*★ – *Castillo* ⩽★.
🅱 pl. de San Miguel 2,   17 30 32, Fax 16 07 62.
Madrid 440 – Castellón de la Plana/Castelló de la Plana 98 – Teruel 139.

🏨 **Rey Don Jaime,** Juan Giner 6   16 09 11, Fax 16 09 11 – 🛗 🗏 rest 🖭 ☎ – 🔬 25/2
🖭 🖪 *VISA*. 🛠
Comida 1300 – 🖵 500 – **44 hab** 4500/7500 – PA 2600.

🏨 **Cardenal Ram,** Cuesta Suñer 1   17 30 85, Fax 17 32 18 – 🗏 rest 🖭 ☎. *VISA*
Comida 1500 – 🖵 500 – **17 hab** 4000/6500, 2 suites – PA 3500.

X **Meson del Pastor,** Cuesta Jovaní 7   16 02 49, Fax 16 02 49 – 🗏. 🖪 *VISA*. 🛠
cerrado miércoles salvo festivos – **Comida** (sólo almuerzo salvo Semana Santa y vera
carta aprox. 2125.

X **Casa Roque,** Segura Barreda 8   16 03 36, Fax 16 02 00 – 🖭 **⓪** 🖪 *VISA* **JCB**.
cerrado lunes no festivos y del 15 al 28 de febrero – **Comida** carta 2100 a 3850.

en la carretera CS 840 O : 4,5 km – ✉ 12300 Morella – 🕸 964 :

🏨 Fábrica de Giner,   17 31 42, Fax 17 75 56 – 🛗 🗏 🖭 ☎ 🕭 **👤**
24 hab.

MORRO DEL JABLE Las Palmas – ver Canarias (Fuerteventura).

MÓSTOLES 28930 Madrid **444** L 18 – 193 056 h. – 🕸 91.
Madrid 19 – Toledo 64.

X **Mesón Gregorio I,** Reyes Católicos 16, ✉ 28938,   613 22 75, Decoración típic
🗏. 🖪 *VISA*. 🛠
Comida carta 3300 a 4200.

en la autovía N V SO : 5,5 km – ✉ 28935 Móstoles – 🕸 91 :

XX **La Fuencisla,**   647 22 89, « Decoración rústica » – 🗏 **👤**. 🖪 *VISA*. 🛠
Comida carta 4500 a 5500.

MOTA DEL CUERVO 16630 Cuenca **444** N 21 – 5 568 h. alt. 750 – 🕸 967.
Madrid 139 – Albacete 108 – Alcázar de San Juan 36 – Cuenca 113.

🏨 **Mesón de Don Quijote,** carret. N 301   18 02 00, Fax 18 07 11, Decoración regio
⅃ – 🗏 🖭 ☎ 🕭 **👤**. *VISA*. 🛠
Comida 1500 – 🖵 500 – **36 hab** 4700/6750 – PA 3000.

MOTILLA DEL PALANCAR 16200 Cuenca **444** N 24 – 4 744 h. alt. 900 – 🕸 969.
Madrid 202 – Cuenca 68 – Valencia 146.

🏨 **Del Sol,** carret. N III   33 10 25, Fax 33 10 30 – 🗏 rest 🖭 ☎ 🕭 **👤**. 🖭 **⓪** 🖪 🎗
🛠
Comida 2000 – 🖵 450 – **38 hab** 3500/6000.

XX **Seto** *con hab,* carret. N III - O : 1,5 km   33 32 28 – 🗏 rest 🖭 ☎ 🕭 **👤**. 🖭 **⓪**
VISA. 🛠
Comida carta 2250 a 3600 – 🖵 400 – **21 hab** 4000/6900.

Dieser Führer ist kein vollständiges Hotel- und Restaurantverzeichnis.
Um den Ansprüchen aller Touristen gerecht zu werden,
haben wir uns auf eine Auswahl in jeder Kategorie beschränkt.

MOTRICO o **MUTRIKU** 20830 Guipúzcoa **442** C 22 – 4 466 h. – ✆ 943 – Playa.
Ver : Emplazamiento★ (miradores : ≤★).
Madrid 464 – Bilbao/Bilbo 75 – San Sebastián/Donostia 46.

XX **Jarri-Toki**, carret. de Deva - E : 1 km ℘ 60 32 39, ≤ mar, 龠 – **⊕**. 囧 **E** 娜. 彩
cerrado domingo noche y lunes (septiembre-mayo) – **Comida** carta 3400 a 4500.

X **Mendixa**, pl. Churruca 13 ℘ 60 34 94, Fax 60 38 01, 龠, Pescados y mariscos – 囧 ◍
E 娜
cerrado lunes y 20 diciembre-3 abril – **Comida** carta 3200 a 4100.

MOTRIL 18600 Granada **446** V 19 – 45 880 h. alt. 65 – ✆ 958.
⌐₉ Los Moriscos, carret. de Bailén : 8 km ℘ 82 55 27.
Madrid 501 – Almería 112 – Antequera 147 – Granada 71 – Málaga 96.

🏦 **Costa Nevada**, Martín Cuevas 31 ℘ 60 05 00, Fax 82 16 08, ⌐, – ⫷ ≡ ⊡ ☎ ⇔ –
🏠 25/80
65 hab.

🏠 **Tropical** sin ⇌, Rodríguez Acosta 23 ℘ 60 04 50, Fax 60 04 50 – ⫷ ≡ ⊡ ☎. 囧 ◍
E 娜. 彩
Comida (cerrado domingo) 1350 – **21 hab** 4500/7000.

MOYÁ o **MOIÀ** Barcelona **443** G 38 – 3303 h. alt. 776 – ✆ 93.
Alred. : Estany (iglesia : capiteles del claustro★★) N : 8 km.
Madrid 611 – Barcelona 72 – Manresa 26.

MOZÁRBEZ 37183 Salamanca **441** J 13 – 324 h. alt. 871 – ✆ 923.
Madrid 219 – Béjar 64 – Peñaranda de Bracamonte 53 – Salamanca 14.

🏠 **Mozárbez**, carret. N 630 ℘ 30 82 91, Fax 30 82 91 – ≡ rest ⊡ ☎ ⇔ **⊕**. 囧 ◍
E 娜. 彩
Comida 2000 – ⇌ 650 – **28 hab** 4500/7500 – PA 3955.

MUCHAVISTA (Playa) Alicante – ver Campello.

MUNDACA o **MUNDAKA** 48360 Vizcaya **442** B 21 – 1639 h. – ✆ 94 – Playa.
Madrid 436 – Bilbao/Bilbo 35 – San Sebastián/Donostia 105.

🏦 **Atalaya** sin rest, paseo de Txorrokopunta 2 ℘ 617 70 00, Fax 687 68 99 – ⫷ ⊡ ☎
⊕ – 🏠 25. 囧 ◍ **E** 娜
⇌ 900 – **15 hab** 7900/11900.

🏦 **El Puerto** sin rest, Portu 1 ℘ 687 67 25, Fax 687 67 26, ≤ – ⊡ ☎ ⇔. 囧 ◍ **E** 娜
⇌ 900 – **11 hab** 7500/9500.

X **La Fonda**, pl. Olazábal ℘ 687 65 43 – 囧 ◍ **E** 娜 ⌐ᴄᴮ. 彩
cerrado lunes y enero – **Comida** carta aprox. 2600.

MUNGUÍA o **MUNGIA** 48100 Vizcaya **442** B 21 – 12 995 h. alt. 20 – ✆ 94.
Madrid 449 – Bermeo 17 – Bilbao/Bilbo 16 – San Sebastián/Donostia 114.

🏠 **Lauaxeta**, Lauaxeta 4 ℘ 674 43 80, Fax 674 43 79 – ≡ rest ⊡ ☎
17 hab.

MURCIA 30000 **P** **445** S 26 – 338 250 h. alt. 43 – ✆ 968.
Ver : Catedral★ (fachada★, Capilla de los Vélez★, Museo : San Jerónimo★, campanario : ≤★)
DY – Museo Salzillo★ CY – calle de la Trapería★.
⇌ de Murcia-San Javier por ② : 50 km ℘ 17 20 00 – Iberia : av. Libertad 3, ℘ 28 50 52.
🛈 Alejandro Séiquer 4, ✉ 30001, ℘ 21 37 16, Fax 21 01 53 – R.A.C.E. av. de la Libertad
2, (entlo.), ✉ 30009, ℘ 23 02 66, Fax 23 05 17.
Madrid 395 ① – Albacete 146 ① – Alicante/Alacant 81 ① – Cartagena 49 ② – Lorca 64
③ – Valencia 256 ①.

Plano página siguiente

🏨 **Meliá 7 Coronas**, paseo de Garay 5, ✉ 30003, ℘ 21 77 72, Fax 22 12 94, 龠,
« Terraza-jardín » – ⫷ ≡ ⊡ ☎ ⇔ – 🏠 25/400. 囧 ◍ **E** 娜 ⌐ᴄᴮ. 彩   X x
Comida (ver rest. **Las Coronas**) 3200 – ⇌ 1400 – **155 hab** 14500/18200, 1 suite – PA
6630.

🏦 **Rincón de Pepe**, pl. Apóstoles 34, ✉ 30001, ℘ 21 22 39, Telex 67116, Fax 22 17 44
– ⫷ ≡ ⊡ ☎ ⇔ – 🏠 25/600. 囧 ◍ **E** 娜. 彩   DY r
Comida (ver rest. **Rincón de Pepe**) – ⇌ 1250 – **158 hab** 13750/17600, 4 suites.

MURCIA

Colón (Alameda de) .... **DZ**
Floridablanca .... **DZ, X** 18
Isidoro de la Cierva ... **DY** 40
Platería .... **DY**
Trapería .... **DY**

Alfonso x el Sabio
  (Gran Vía) .... **DY, X** 2
Cardenal Belluga (Pl.) ... **DY** 5
Ciudad
  de Almería (Av.) ..... **X** 7
Constitución (Av. de la) . **X** 9
Emilio Díez de
  Revenga (Plaza) ..... **X** 12
España (Glorieta de) .... **DZ** 15
Garay (Paseo de) ...... **DZ** 20
General Primo de
  Rivera (Av.) .... **X** 22
General Yagüe .... **X** 25
Gómez Cortina .... **CY** 28
Industria .... **X** 30
Infante Juan Manuel
  (Avenida) .... **DZ** 33
Intendente Jorge
  Palacio (Av.) .... **X** 35
Isaac Albéniz .... **X** 37
Jaime I
  el Conquistador ..... **X** 42
José Antonio Ponzoa ... **DY** 44
Juan Carlos I (Av. de) ... **X** 46
Juan XXIII (Plaza de) ... **X** 48
Levante (Ronda de) .... **X** 50
Libertad (Av. de la) .... **X** 53
Licenciado Cascales .... **DY** 56
Luis Fontes Pagán ..... **X** 58
Marcos Redondo ...... **CY** 60
Mariano Vergara .... **X** 61

Marqués de Corvera (Paseo) . **X** 63
Martínez Tornel (Pl.) ...... **DZ** 65
Miguel de Cervantes (Av.) .. **X** 67
Norte (Ronda) .... **X** 69
Obispo Frutos .... **X** 71
Perea (Av.) .... **X** 73

Proclamación .... **DZ** 7
San Francisco
  (Plano de) ....**CYZ** 7
Sociedad .... **DY** 8
Teniente Flomesta (Av.) .... **DZ** 8
Vistabella (Puente de) ..... **X** 8

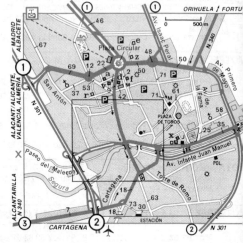

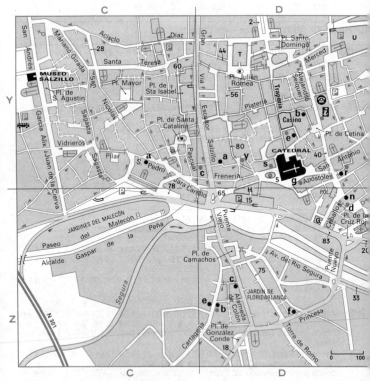

396

NH Amistad Murcia, Condestable 1, ⊠ 30009, ℘ 28 29 29, Fax 28 08 28 – 🛗 🗏
📺 ☎ ⇔ – 🏄 25/600. 🕮 ⑩ ⓔ 𝑉𝐼𝑆𝐴 𝐽𝐶𝐵. ⚭   X r
Comida 2750 – 立 1000 – **143 hab** 11000/16000, 5 suites.

Arco de San Juan, pl. de Ceballos 10, ⊠ 30003, ℘ 21 04 55, Fax 22 08 09 – 🛗 🗏
📺 ☎ ⇔ – 🏄 25/80. 🕮 ⑩ ⓔ 𝑉𝐼𝑆𝐴 𝐽𝐶𝐵. ⚭   DZ n
Comida (ver rest. **Del Arco**) – 立 1250 – **112 hab** 12000/16500, 3 suites.

Conde de Floridablanca, Princesa 18, ⊠ 30002, ℘ 21 46 26, Fax 21 32 15 – 🛗 🗏
📺 ☎ ⇔. 🕮 ⑩ ⓔ 𝑉𝐼𝑆𝐴. ⚭   DZ f
Comida (cerrado sábado y domingo) carta aprox. 3500 – 立 900 – **80 hab** 8000/9300,
5 suites.

Hispano 2, Radio Murcia 3, ⊠ 30001, ℘ 21 61 52, Fax 21 68 59 – 🛗 🗏 📺 ☎ ⇔
– 🏄 25/100. 🕮 ⑩ ⓔ 𝑉𝐼𝑆𝐴. ⚭   DY e
Comida (ver rest. **Hispano**) – 立 900 – **35 hab** 6000/7000.

Churra-Vistalegre con cafetería, Arquitecto Juan J. Belmonte 4, ⊠ 30007,
℘ 20 17 50, Fax 20 17 95 – 🛗 🗏 📺 ☎ ⇔ – 🏄 25/100. 🕮 ⑩ ⓔ 𝑉𝐼𝑆𝐴. ⚭ X e
Comida (ver rest. **El Churra**) – 立 600 – **57 hab** 6500/8500.

Fontoria sin rest, Madre de Dios 4, ⊠ 30004, ℘ 21 77 89, Fax 21 07 41 – 🛗 📺
☎ ⇔ – 🏄 25/120. 🕮 ⑩ ⓔ 𝑉𝐼𝑆𝐴 𝐽𝐶𝐵. ⚭   DY a
立 900 – **120 hab** 8200/11900.

Pacoche Murcia, Cartagena 30, ⊠ 30002, ℘ 21 33 85, Fax 21 33 85 – 🛗 🗏 📺 ☎
♿ ⇔. 🕮 ⑩ ⓔ 𝑉𝐼𝑆𝐴. ⚭   DZ e
Comida (ver rest. **Universal Pacoche**) – 立 450 – **72 hab** 6000/9000.

La Huertanica, Infantes 5, ⊠ 30001, ℘ 21 76 69, Fax 21 25 04 – 🛗 🗏 📺 ☎ ⇔.
🕮 ⑩ ⓔ 𝑉𝐼𝑆𝐴. ⚭   DY b
Comida carta 2950 a 4800 – 立 750 – **31 hab** 5500/7500.

El Churra, Obispo Sancho Dávila 1, ⊠ 30007, ℘ 23 84 00, Fax 23 77 93 – 🛗 🗏 📺
☎ ⇔. 🕮 ⑩ ⓔ 𝑉𝐼𝑆𝐴. ⚭   X z
Comida (ver rest. **El Churra**) – 立 400 – **96 hab** 5000/7500, 1 suite.

Casa Emilio sin rest. con cafetería, Alameda de Colón 9, ⊠ 30002, ℘ 22 06 31,
Fax 21 30 29 – 🛗 🗏 📺 ☎   DZ c
42 hab.

Majesty sin rest. con cafetería, pl. San Pedro 5, ⊠ 30004, ℘ 21 47 42, Fax 21 67 65
– 🛗 🗏 📺 ☎. 🕮 ⑩ 𝑉𝐼𝑆𝐴   CY a
67 hab 立 5100/8200.

Universal Pacoche sin 立, Cartagena 21, ⊠ 30002, ℘ 21 76 05, Fax 21 76 05 – 🛗
🗏 📺 ☎. 🕮 ⑩ ⓔ 𝑉𝐼𝑆𝐴. ⚭   DZ b
Comida (ver rest. **Universal Pacoche**) – **47 hab** 3500/5500.

Rincón de Pepe, pl. Apóstoles 34, ⊠ 30001, ℘ 21 22 39, Telex 67116, Fax 22 17 44
– 🗏 ⇔. 🕮 ⑩ ⓔ 𝑉𝐼𝑆𝐴. ⚭   DY r
cerrado domingo (junio-julio), domingo noche resto del año y agosto – **Comida** carta 3900
a 5900.

Alfonso X, av. Alfonso X el Sabio 8, ⊠ 30008, ℘ 23 10 66, Fax 24 26 26, Decoración
moderna – 🗏. 🕮 ⑩ 𝑉𝐼𝑆𝐴. ⚭   X f
cerrado domingo en julio y agosto – **Comida** carta 3000 a 3800.

Del Arco, pl. de San Juan 1, ⊠ 30003, ℘ 21 04 55, Fax 22 08 09, 🏤 – 🗏 ⇔. 🕮
⑩ ⓔ 𝑉𝐼𝑆𝐴 𝐽𝐶𝐵. ⚭   DZ d
cerrado domingo y agosto – **Comida** carta 3150 a 4900.

Baltasar, Apóstoles 10, ⊠ 30001, ℘ 22 09 24, Fax 21 68 59 – 🗏. ⚭   DY g
cerrado domingo y del 10 al 26 de agosto – **Comida** carta 3100 a 3950.

Rocío, Batalla de las Flores, ⊠ 30008, ℘ 24 29 30, Fax 23 76 61 –
🗏   X a

La Onda, Bando de la Huerta 8, ⊠ 30008, ℘ 24 78 82 – 🗏. 🕮 ⑩ ⓔ 𝑉𝐼𝑆𝐴. ⚭
cerrado domingo – **Comida** carta aprox. 3100.   X v

Las Coronas, paseo de Garay 5, ⊠ 30003, ℘ 21 77 72, Fax 22 12 94 – 🗏 ⇔. 🕮
⑩ ⓔ 𝑉𝐼𝑆𝐴 𝐽𝐶𝐵. ⚭   X x
Comida carta aprox. 4500.

Hispano, Arquitecto Cerdá 7, ⊠ 30001, ℘ 21 61 52, Fax 21 68 59 – 🗏. 🕮 ⑩ ⓔ 𝑉𝐼𝑆𝐴. ⚭
cerrado sábado en julio y agosto – **Comida** carta 2525 a 4100.   DY e

Pacopepe, Madre de Dios 14, ⊠ 30004, ℘ 21 95 87 – 🗏. 🕮 ⑩ ⓔ 𝑉𝐼𝑆𝐴. ⚭ DY c
cerrado domingo – **Comida** carta 2650 a 3400.

Acuario, pl. Puxmarina 3, ⊠ 30004, ℘ 21 99 55 – 🗏. 🕮 ⑩ ⓔ 𝑉𝐼𝑆𝐴. ⚭   DY y
cerrado domingo y del 15 al 30 de agosto – **Comida** carta 2600 a 3375.

El Churra, av. Marqués de los Vélez 12, ⊠ 30008, ℘ 23 84 00, Fax 23 77 93 – 🗏. 🕮
⑩ ⓔ 𝑉𝐼𝑆𝐴. ⚭ – **Comida** carta aprox. 3700.   X z

X **Las Cocinas del Cardenal,** pl. del Cardenal Belluga 7, ⊠ 30001, ℘ 21 13 10, 🍽
⌂ ▤ ◚ ⓪ ᴠɪ̵sᴀ DY
cerrado lunes y 10 días en agosto – **Comida** carta 2250 a 3350.

X **Morales,** av. de la Constitución 12, ⊠ 30008, ℘ 23 10 26 – ▤. ◚ ⓪ ᴇ ᴠɪ̵sᴀ. ℅
cerrado sábado noche y domingo – **Comida** carta 2800 a 4000. X

X **Universal Pacoche,** Cartagena 25, ⊠ 30002, ℘ 21 13 38 – ▤. ◚ ⓪ ᴇ ᴠɪ̵sᴀ
Comida carta aprox. 2550. DZ

X **Torro's,** Jerónimo Yáñez de Alcalá, ⊠ 30003, ℘ 21 02 62 – ▤. ◚ ⓪ ᴇ ᴠɪ̵sᴀ. ℅
cerrado domingo y del 15 al 30 de agosto – **Comida** carta 2100 a 3200. X

MURGUÍA 01130 Álava **442** D 21 – alt. 620 – ✆ 945.
🏌 Zuia Club de Golf ℘ 40 31 72.
Madrid 362 – Bilbao/Bilbo 45 – Vitoria/Gasteiz 19.

🏨 **La Casa del Patrón** ⤸, San Martín 2 ℘ 46 25 28, Fax 46 24 80 – |🛗| ▤ 📺 ☎ ⟷
◚ ⓪ ᴇ ᴠɪ̵sᴀ. ℅ rest
Comida *(cerrado domingo noche)* 1000 – ⌷ 500 – **14 hab** 4500/7500 – PA 2500.

🏨 **Zuya,** Domingo Sautu 30 ℘ 43 03 00, Fax 43 00 27 – 📺 ☎ ⓟ – 🔬 25. ◚ ⓪ ᴇ ᴠɪ̵
℅ rest
Comida 1700 – ⌷ 700 – **15 hab** 5000/7000 – PA 4000.

en Sarria N : 1,5 km – ⊠ 01139 Sarria – ✆ 945 :

X Arlobi, Elizalde 21 ℘ 43 02 12 – ▤ ⓟ.

en la autopista A 68 NO : 5 km – ⊠ 01130 Murguía – ✆ 945 :

🏨 **Motel Altube,** ℘ 43 01 50, Fax 43 02 51 – ▤ rest ⓟ. ◚ ⓪ ᴇ ᴠɪ̵sᴀ. ℅
Comida 1625 – ⌷ 695 – **20 hab** 9885.

🏨 **Altube,** ℘ 43 01 73, Fax 43 02 51 – ▤ rest ⓟ. ◚ ⓪ ᴇ ᴠɪ̵sᴀ. ℅
Comida 1625 – ⌷ 695 – **20 hab** 6160/7740.

MURIEDAS 39600 Cantabria **442** B 18 – ✆ 942.
Madrid 392 – Bilbao/Bilbo 102 – Burgos 149 – Santander 7.

🏨 Parayas *sin rest. con cafetería,* av. de la Concordia 6 ℘ 25 13 00 – |🛗| 📺 ☎ ⟷
22 hab.

MURO (Playa de) Baleares – ver Baleares (Mallorca) : Puerto de Alcúdia.

MUROS 15250 La Coruña **441** D 2 – 10 178 h. – ✆ 981 – Playa.
Madrid 674 – Pontevedra 97 – Santiago de Compostela 72.

🏨 **Muradana,** av. Castelao ℘ 82 68 85 – |🛗| ☎. ᴠɪ̵sᴀ. ℅
Comida 1300 – ⌷ 350 – **16 hab** 4000/7000 – PA 2950.

X **A Esmorga,** paseo del Bombé ℘ 82 65 28, ≤ – ◚ ᴇ ᴠɪ̵sᴀ. ℅
Comida carta 2075 a 3300.

MUTRIKU Guipúzcoa – ver Motrico.

NÁJERA 26300 La Rioja **442** E 21 – 6 901 h. – ✆ 941.
Ver : Monasterio de Santa María la Real★ *(claustro★★, iglesia : panteón real★, sepulcro
Blanca de Navarra★, coro alto : sillería★).*
Madrid 324 – Burgos 85 – Logroño 28 – Vitoria/Gasteiz 84.

X Mesón Duque Forte, San Julián 13 ℘ 36 37 84.

NAVA 33520 Asturias **441** B 13 – 5 564 h. – ✆ 98.
Madrid 463 – Gijón 41 – Oviedo 32 – Santander 173.

🏨 **Villa de Nava** ⤸, carret. de Santander ℘ 571 80 70, Fax 571 80 83 – ▤ rest 📺
ⓟ. ⓪ ᴇ ᴠɪ̵sᴀ. ℅
Comida 1000 – ⌷ 500 – **39 hab** 8000/12500, 1 suite – PA 2500.

en la carretera N 634 E : 7 km – ⊠ 33582 Ceceda – ✆ 98 :

🏨 La Cueva de Narciso, ℘ 570 41 37, Fax 570 42 02 – ☎ ⟷ ⓟ
30 hab.

NAVACERRADA 28491 Madrid 444 J 17 – 1597 h. alt. 1203 – ✪ 91 – Deportes de invierno en el Puerto de Navacerrada ⚲8.

Madrid 50 – El Escorial 21 – Segovia 35.

XX **Ricardo**, Audiencia ✆ 853 11 23 – 🗐. ⓪ 🖪 𝘝𝘐𝘚𝘈. ✼
cerrado lunes salvo vísperas de festivos y del 15 al 30 de septiembre – **Comida** carta 3000 a 3400.

XX La Galería, Iglesia 9 ✆ 856 05 79 – 🗐.

XX **Felipe**, av. de Madrid 2 ✆ 856 08 34, Fax 856 08 34 – 🗐. 🝇 ⓪ 🖪 𝘝𝘐𝘚𝘈. ✼
Comida carta 3225 a 5100.

XX **Asador Felipe**, del Mayo 3 ✆ 853 10 41, Fax 854 08 34, 🏠, Decoración castellana – 🝇 ⓪ 🖪 𝘝𝘐𝘚𝘈. ✼
cerrado en invierno de lunes a jueves – **Comida** carta 3225 a 4650.

X **Espinosa**, Santísimo 6 ✆ 856 08 02 – 🝇 ⓪ 🖪 𝘝𝘐𝘚𝘈. ✼
cerrado noviembre – **Comida** carta 3100 a 4000.

X **La Cocina del Obispo**, Doctor Villasante 7 ✆ 856 09 36, 🏠 – 🝇 ⓪ 🖪 𝘝𝘐𝘚𝘈. ✼
Comida carta 3350 a 5100.

n la carretera M 601 – ⊠ 28491 Navacerrada – ✪ 91 :

🏰 **Arcipreste de Hita**, NO : 1,5 km ✆ 856 01 25, Fax 856 02 70, ≤ pantano y montañas, 🍴, 🏊, 🏊 – 🛗 🗐 rest 🺧 ☎ 🅿 – 🕋 25/60. 🝇 ⓪ 🖪 𝘝𝘐𝘚𝘈. ✼
Comida 3000 – 🖵 800 – **40 hab** 10000/12000 – PA 6000.

XXX **La Fonda Real**, NO : 2 km ✆ 856 03 05, Fax 856 03 52, « Decoración castellana del siglo XVIII » – 🅿. 🝇 🖪 𝘝𝘐𝘚𝘈. ✼
Comida carta 4250 a 5250.

XX **Las Postas** con hab, SO : 1,5 km ✆ 856 02 50, Fax 853 11 51, ≤, 🏠 – 🗐 rest 🺧 ☎ 🅿 – 🕋 25/60. 🝇 🖪 𝘝𝘐𝘚𝘈. ✼
Comida (cerrado lunes) carta 2900 a 3850 – 🖵 500 – **20 hab** 5000/8000.

n el valle de La Barranca NE : 3,5 km – ⊠ 28491 Navacerrada – ✪ 91 :

🏰 **La Barranca** ⑤, pinar de La Barranca - alt. 1470 ✆ 856 00 00, Fax 856 03 52, ≤, 🍴, ✕ – 🛗 🺧 ☎ 🅿 – 🕋 25/35. 🖪 𝘝𝘐𝘚𝘈. ✼ rest
Comida 3150 – 🖵 900 – **42 hab** 8200/10300, 2 suites – PA 6300.

NAVACERRADA (Puerto de) 28470 Madrid-Segovia 444 J 17 – alt. 1860 – ✪ 91 – Deportes de invierno : ⚲8.

Ver : Puerto★ (≤★).

Madrid 57 – El Escorial 28 – Segovia 28.

🏠 **Pasadoiro**, carret. N 601 ✆ 852 14 27, Fax 852 35 29, ≤ – 🅿. 🝇 🖪 𝘝𝘐𝘚𝘈. ✼ rest
Comida 2250 – 🖵 375 – **36 hab** 5000/7000 – PA 4250.

NAVAJAS 12470 Castellón 445 M 28 – 457 h. alt. 750 – ✪ 964.

Madrid 399 – Castellón de la Plana/Castelló de la Plana 64 – Sagunto/Sagunt 38 – Teruel 82.

🏠 **Navas Altas**, Rodríguez Fornos 3 ✆ 71 09 66, Fax 71 00 98, 🍴 – 🛗 🺧 ☎ 🚗. 🖪 𝘝𝘐𝘚𝘈. ✼
Comida 1500 – 🖵 600 – **30 hab** 4300/5750 – PA 3550.

NAVAL 22320 Huesca 443 F 30 – 303 h. alt. 637 – ✪ 974.

Madrid 471 – Huesca 81 – Lérida/Lleida 108.

🏠 **Olivera** ⑤, San Miguel ✆ 30 03 01, Fax 30 03 01, ≤, ✕ – 🗐 rest 🅿. 🖪 𝘝𝘐𝘚𝘈. ✼ hab
Comida 1400 – 🖵 450 – **30 hab** 2900/4500.

NAVALCARNERO 28600 Madrid 444 L 17 – 10294 h. alt. 671 – ✪ 91.

Madrid 32 – El Escorial 42 – Talavera de la Reina 85.

🏰 **Real Villa de Navalcarnero**, paseo San Damián 3 ✆ 811 24 93, Fax 811 11 42, ≤, 🍴 – 🛗 🗐 🺧 ☎ 🚗 🅿 – 🕋 25/300. 🝇 ⓪ 🖪 𝘝𝘐𝘚𝘈. ✼
Comida 1750 – 🖵 450 – **36 hab** 7000/8500 – PA 3500.

XX Hostería de las Monjas, pl. de la Iglesia 1 ✆ 811 18 19, 🏠, Decoración castellana – 🗐.

n la autovía N V – ⊠ 28600 Navalcarnero – ✪ 91 :

🏰 **El Labrador G.H.**, SO : 5 km ✆ 813 94 20, Fax 813 94 44, 🏠, 🍴 – 🗐 🺧 ☎ 🅿. 🝇 ⓪ 🖪 𝘝𝘐𝘚𝘈. ✼
Comida 1350 – **82 hab** 🖵 4800/7000.

XX Felipe IV, E : 3 km ✆ 811 09 13, 🏠 – 🗐 🅿.

NAVALENO 42149 Soria **442** G 20 – 973 h. alt. 1 200 – **©** 975.
  Madrid 219 – Burgos 97 – Logroño 108 – Soria 48.

X **El Maño,** Calleja del Barrio 5 *&* 37 42 61
  ■. *VISA*. ⅋
  cerrado 2ª quincena de enero – Comida carta 2500 a 3300.

NAVALMORAL DE LA MATA 10300 Cáceres **444** M 13 – 15 211 h. alt. 514 – **©** 927.
  Madrid 180 – Cáceres 121 – Plasencia 69.

🏠 **Brasilia,** antigua carret. N V *&* 53 07 50, Fax 53 07 54, **⚄** – ■ **TV** **℗**. *VISA*. ⅋
  Comida 2100 – �);– **43 hab** 4375/6975 – PA 4675.

X **Los Arcos de Baram,** Regimiento Argel 6 *&* 53 30 60 – ■. **E** *VISA*. ⅋
  Comida carta 2300 a 3800.

Las NAVAS DEL MARQUÉS 05230 Ávila **442** K 17 – 4 087 h. alt. 1 318 – **©** 91.
  Madrid 81 – Ávila 40 – El Escorial 26.

X Montecarlo, García del Real 22 *&* 897 06 49 – ■.

NAVIA 33710 Asturias **441** B 9 – 8 914 h. – **©** 98 – Playa.
  🛈 El Muelle 3, *&* 563 00 94, (temp).
  Madrid 565 – La Coruña/A Coruña 203 – Gijón 118 – Oviedo 122.

🏠🏠 **Palacio Arias** sin rest, av. José Antonio 11 *&* 547 36 75, Fax 547 36 83, « Antiguo
  palacete » – |🛗| **TV** **☎** ⟸ **℗**. **Æ** *VISA*. ⅋
  15 hab ☲ 7000/14000.

🏠 **Blanco** ⍲, La Colorada - N : 1 km *&* 563 07 75, Fax 547 32 01 – |🛗| ■ rest **TV** **☎** ◗
  – **🔬** 25/300. **Æ** **◐** **E** *VISA*. ⅋
  Comida 1200 – ☲ 500 – **38 hab** 4000/6800 – PA 2900.

🏠 **Palacio Arias II,** av. José Antonio 11 *&* 547 36 75, Fax 547 36 83 – |🛗| **TV** **☎** ⟸ ◗
  Æ *VISA*. ⅋ rest
  Comida 1000 – ☲ 500 – **29 hab** 3700/7400, 4 apartamentos – PA 2500.

X **El Sotanillo,** Mariano Luiña 24 *&* 563 08 84 – **Æ** **◐** **E** *VISA*. ⅋
  Comida carta 3800 a 4800.

NA XAMENA (Urbanización) Baleares – ver Baleares (Ibiza) : San Miguel.

NEGREIRA 15830 La Coruña **441** D 3 – 6 265 h. alt. 183 – **©** 981.
  Madrid 633 – La Coruña/A Coruña 92 – Santiago de Compostela 20.

🏠 Tamara, carret. de Santiago *&* 88 52 01, Fax 88 58 13 – |🛗| **☎** **℗**
  40 hab, 20 apartamentos.

NEGURI Vizcaya – ver Getxo.

NERJA 29780 Málaga **446** V 18 – 14 334 h. – **©** 95 – Playa.
  Alred. : Cuevas de Nerja★★ NE : 4 km – Carretera★ de Nerja a La Herradura ≼★★.
  🛈 Puerta del Mar 2, *&* 252 15 31.
  Madrid 549 – Almería 169 – Granada 120 – Málaga 52.

🏠🏠 **Parador de Nerja,** playa de Burriana - Tablazo *&* 252 00 50, Fax 252 19 97, ≼ mar,
  « Césped frente al mar », **⚄**, ⅋ – |🛗| ■ **TV** **☎** **℗** – **🔬** 25/80. **Æ** **◐** **E** *VISA*. ⅋
  Comida 3500 – ☲ 1200 – **73 hab** 18000.

🏠🏠 **Perla Marina,** Mérida 7 *&* 252 33 50, Fax 252 40 83, ≼, **⚄** – |🛗| ■ **TV** **☎** **ᵺ** ⟸
  – **🔬** 25/180. **Æ** **◐** **E** *VISA*
  Comida (sólo buffet) 2200 – ☲ 700 – **106 hab** 8500/14000.

🏠🏠 **Plaza Cavana,** pl. Cavana 10 *&* 252 40 00, Fax 252 40 08, **⚄** – |🛗| ■ **TV** **☎** ⟸
  🔬 25/175. **Æ** **◐** **E** *VISA*. ⅋
  Comida (sólo cena) 1500 – ☲ 700 – **22 hab** 9200/12800.

🏠🏠 **Balcón de Europa,** paseo Balcón de Europa 1 *&* 252 08 00, Fax 252 44 90, ≼,
  – |🛗| ■ **TV** **☎** – **🔬** 25/100. **Æ** **◐** **E** *VISA*. ⅋ rest
  Comida 2600 – ☲ 800 – **105 hab** 10700/14800 – PA 4800.

♗ **Don Peque** sin rest, Diputación Provincial 13-1º *&* 252 13 18 – ■. **Æ** **◐** **E** *VISA*.
  ⅋
  ☲ 350 – **10 hab** 4800.

⚓ **Estrella del Mar,** Bella Vista 5 *&* 252 04 61, 🍴
marzo-octubre – **Comida** 975 – ⌑ 350 – **12 hab** 3600/4500 – PA 1900.

XX **De Miguel,** Pintada 2 *&* 252 29 96 – ▤. **E** 𝗩𝗜𝗦𝗔. ⅍
cerrado febrero – **Comida** (sólo cena) carta aprox. 4200.

X **Pepe Rico,** Almirante Ferrándiz 28 *&* 252 02 47, Fax 252 44 98, 🍴 – ⑩ **E** 𝗩𝗜𝗦𝗔. ⅍
cerrado martes, del 15 al 30 de enero y del 5 al 20 de diciembre – **Comida** carta aprox.
3800.

X Verano Azul, Almirante Ferrándiz 31 *&* 252 18 95, 🍴.

en la carretera N 340 *E : 1,5 km* – ⊠ *29780 Nerja* – 🕿 *95 :*

🏨 Nerja Club, *&* 252 01 00, Fax 252 26 08, ≼, 🍴, 🏊, ⅍ – 🛗 ▤ 📺 ☎ 🅿
67 hab.

NIGRÁN *36209 Pontevedra* **441** *F 3* – 🕿 *986.*
Madrid 619 – Orense/Ourense 108 – Pontevedra 44 – Vigo 17.

XX **Los Abetos,** av. Val Niñor 89 (carret. C 550) *&* 36 81 47, Fax 36 55 67, 🍴 – ▤ 🅿.
AE ⑩ **E** 𝗩𝗜𝗦𝗔
Comida carta 2100 a 3450.

LOS NOGALES o **AS NOGAIS** *27677 Lugo* **441** *D 8* – *1 867 h.* – 🕿 *982.*
Madrid 451 – Lugo 53 – Ponferrada 69.

🏠 Fonfría, carret. N VI *&* 36 40 44 – ☎ ⇌ 🅿
27 hab.

NOALLA *36990 Pontevedra* **441** *E 3* – 🕿 *986 – Playa.*
Madrid 633 – Pontevedra 27 – Santiago de Compostela 79.

en la playa de La Lanzada *O : 1,3 km* – ⊠ *36990 Noalla* – 🕿 *986 :*

🏠 **Delfín Azul,** *&* 74 51 66, Fax 74 48 09, ≼ – 🛗 ☎ ⇌ 🅿. **E** 𝗩𝗜𝗦𝗔. ⅍
Comida 2000 – **87 hab** ⌑ 5600/8100.

🏠 **Marola** ⅍, *&* 74 32 44, Fax 74 30 58, ≼, ⅍ – 🅿. **E** 𝗩𝗜𝗦𝗔. ⅍
abril-octubre – **Comida** 2250 – ⌑ 500 – **58 hab** 5800/6800 – PA 4250.

NOIA *La Coruña* – ver Noya.

NOJA *39180 Cantabria* **442** *B 19* – *1 562 h.* – 🕿 *942 – Playa.*
Madrid 422 – Bilbao/Bilbo 79 – Santander 44.

en la playa de Ris *NO : 2 km* – ⊠ *39184 Ris* – 🕿 *942 :*

🏨 **Torre Cristina** ⅍, La Sierra 9 *&* 67 54 20, Fax 63 10 24, ≼, 🏊 – 🛗 ▤ rest 📺 ☎
🅿. 𝗩𝗜𝗦𝗔. ⅍
Semana Santa y 15 junio-15 septiembre – **Comida** 1300 – ⌑ 400 – **49 hab** 6600/9800.

🏠 **Las Dunas,** paseo Marítimo 4 *&* 63 01 23, Fax 63 01 08, ≼, 🏊 – 🛗 📺 ☎ 🅿. ⅍
Semana Santa-octubre – **Comida** 1300 – ⌑ 400 – **72 hab** 7000/8500.

🏠 **Montemar** ⅍ *sin rest*, Arenal 21 *&* 63 03 20, ⅍ – 🛗 ☎ 🅿. **E** 𝗩𝗜𝗦𝗔. ⅍
15 junio-15 septiembre – ⌑ 700 – **59 hab** 4900/7850.

🏠 **La Encina,** av. de Ris 75 *&* 63 01 41, Fax 63 01 41, ≼ – 🛗 ☎ 🅿. **AE** 𝗩𝗜𝗦𝗔. ⅍
abril-octubre – **Comida** 1700 – ⌑ 550 – **47 hab** 5830/9350.

🏠 Los Nogales, av. de Ris 21 *&* 63 02 65 – 🅿
temp – **27 hab.**

OREÑA *33180 Asturias* **441** *B 12* – *4 193 h.* – 🕿 *98.*
Madrid 447 – Oviedo 12.

🏠 **Doña Nieves** *sin* ⌑, Pío XII-4 *&* 574 02 74, Fax 574 12 71 – 🛗 📺 ☎. **AE** ⑩ **E** 𝗩𝗜𝗦𝗔.
⅍
Comida (en el hotel *Cabeza*) – **27 hab** 5900/7500.

🏠 **Cabeza,** Javier Lauzurica 4 *&* 574 02 74, Fax 574 12 71 – 🛗 📺 ☎ ⇌. **AE** ⑩ **E** 𝗩𝗜𝗦𝗔.
⅍
Comida (*cerrado domingo*) 1700 – ⌑ 525 – **48 hab** 5900/7500.

NOVO SANCTI PETRI (Urbanización) *Cádiz* – ver Chiclana de la Frontera.

NOYA o **NOIA** 15200 La Coruña **441** D 3 – 14 082 h. – **✆** 981.

Ver : *Iglesia de San Martín*★.

Alred. : *O : Rías de Muros y Noya*★★.

Madrid 639 – La Coruña/A Coruña 109 – Pontevedra 62 – Santiago de Compostela 3:

🏨 **Park** ⌂, carret. de Muros-Barro *✆* 82 37 29, Fax 82 31 33, ≤, ⌖ – 📺 ☎ 🅿. 🗲 𝖵𝖨𝖲
      ⚹⚹
      Comida 1500 – 🖙 500 – **35 hab** 5000/7500 – PA 2800.

🍴 **Ceboleiro** con hab, Galicia 15 *✆* 82 05 31, Fax 82 44 97 – 🗏 rest 📺 ☎. 🝆 ⑩ 🗲 𝖵𝖨𝖲
      ⚹⚹
      cerrado Navidades – **Comida** carta aprox. 3200 – 🖙 300 – **13 hab** 4000/8000.

La NUCÍA o **La NUCIA** 03530 Alicante **445** Q 29 – 6 106 h. alt. 85 – **✆** 96.

Madrid 450 – Alicante/Alacant 56 – Gandía 64.

en la carretera de Benidorm – ⌧ 03530 La Nucía – **✆** 96 :

🍴🍴 Nuevo Alcázar, S : 5 km *✆* 587 32 08, Fax 587 32 08, ⌖, « Bonita terraza evocan∂
      el patio de los Leones de la Alhambra granadina » – 🅿.

🍴 **Kaskade I**, urb. Panorama III - S : 4,5 km y desvío a la derecha 1 km *✆* 587 31 4
      Fax 587 34 48, ⌖, ⌖ – 🗲 𝖵𝖨𝖲. ⚹⚹
      cerrado del 1 al 15 de diciembre – **Comida** carta 1600 a 2770.

🍴 Kaskade II, urb. Panorama I - S : 5 km y desvío a la derecha 0,3 km *✆* 587 33 37, ⌖
      ⌖ – 🅿.

NUESTRA SEÑORA DE LA SALUT (Santuario de) Gerona **443** F 37 – ⌧ 17174 Sa
      Feliu de Pallerols – **✆** 972.

Madrid 706 – Barcelona 122 – Gerona/Girona 59 – Vic 37.

🏠 **La Salut** ⌂, *✆* 44 40 06, Fax 44 44 87, « Magnífica situación con ≤ montañas y valle
      – ⧉ 📺 ☎ ⌖ 🅿. 🝆 ⑩ 𝖵𝖨𝖲. ⚹⚹
      Comida 1250 – 🖙 550 – **30 hab** 3150/6300 – PA 2500.

NUEVA DE LLANES 33592 Asturias **441** B 15 – **✆** 98.

Madrid 495 – Cangas de Onís 31 – Gijón 77 – Llanes 20 – Oviedo 92 – Ribadesella 1

🏠 **Cuevas del Mar** sin rest, pl. de Laverde Ruiz *✆* 541 03 77 – ⧉ 📺 ☎. 🝆 ⑩
      𝖵𝖨𝖲
      12 hab 🖙 6350/8700.

NUEVA EUROPA (Urbanización) Las Palmas – ver Canarias (Gran Canaria) : Maspalom

NULES 12520 Castellón **445** M 29 – 11 510 h. alt. 15 – **✆** 964.

*Madrid 402 – Castellón de la Plana/Castelló de la Plana 19 – Teruel 125 – Vale
      cia 54.*

🍴 **Barbacoa**, carret. de Burriana *✆* 67 05 04 – 🗏 🅿. 🝆 ⑩ 𝖵𝖨𝖲. ⚹⚹
      cerrado domingo noche, lunes noche y agosto – **Comida** carta 2300 a 3000.

OCHAGAVÍA 31680 Navarra **442** D 26 – 591 h. alt. 765 – **✆** 948.

Madrid 472 – Bayonne 119 – Pamplona/Iruñea 75 – Tudela 165.

🍴 **Auñamendi**, pl. Gurpide 1 *✆* 89 01 89, Fax 89 01 89 – 🗏 rest ☎. 🗲 𝖵𝖨𝖲. ⚹⚹
      cerrado del 15 al 30 de septiembre – **Comida** 1500 – 🖙 475 – **11 hab** 520
      PA 3000.

OCHANDIANO u **OTXANDIO** 48210 Vizcaya **442** C 22 – **✆** 945.

Madrid 377 – Bilbao/Bilbo 50 – Vitoria/Gasteiz 23.

🍴 **María Jesús**, pl. Nagusia 15 *✆* 45 00 28 – 🝆 ⑩ 🗲 𝖵𝖨𝖲. ⚹⚹
      cerrado lunes y del 15 al 31 de agosto – **Comida** carta 4000 a 6000.

OIARTZUN Guipúzcoa – ver Oyarzun.

OIEREGI Navarra – ver Oyeregui.

OION Álava – ver Oyón.

)JEDO 39585 Cantabria 442 C 16 – ☎ 942.

Madrid 398 – Aguilar de Campóo 81 – Santander 111.

🏨 **Infantado**, carret. N 621 ℰ 73 09 39, Fax 73 05 78, ⚂ – 🛗 🗏 rest 📺 ☎ ⟺ 🅿.
🖭 🗉 🎽 ᴊᴄʙ. ⋙
Comida 2000 – ⌸ 500 – **46 hab** 6100/9100, 2 suites – PA 4500.

🏨 **Peña Sagra**, cruce carret. N 621 y N 627 ℰ 73 07 92, Fax 73 07 96 – 📺 ☎ 🅿. 🗉 🎽.
⋙
Comida 1200 – **25 hab** ⌸ 5950/8700 – PA 2400.

🍽 **Martín**, carret. N 621 ℰ 73 02 33, Fax 73 02 33, ⟨ – 🖭 🎽. ⋙
cerrado 10 diciembre-10 febrero – **Comida** carta aprox. 2500.

)JÉN 29610 Málaga 446 W 15 – 1976 h. alt. 780 – ☎ 95.

Madrid 610 – Algeciras 85 – Málaga 64 – Marbella 8.

n la Sierra Blanca NO : 10 km por C 337 y carretera particular – ⊠ 29610 Ojén – ☎ 95 :

🏨 **Refugio de Juanar** ⌂, ℰ 288 10 00, Fax 288 10 01, « Refugio de caza », ⚂, 🐎,
⋙ – 📺 ☎ 🅿. 🖭 🗉 🎽 ᴊᴄʙ. ⋙
Comida 2900 – ⌸ 875 – **25 hab** 7700/9800 – PA 5900.

LABERRÍA 20212 Guipúzcoa 442 C 23 – 1078 h. alt. 332 – ☎ 943.

Madrid 419 – Pamplona/Iruñea 65 – San Sebastián/Donostia 42 – Vitoria/Gasteiz 72.

n la carretera N I NO : 2,4 km – ⊠ 20212 Olaberría – ☎ 943 :

🏨 **Castillo**, ℰ 88 19 58, Fax 88 34 60 – 🛗 🗏 rest 📺 ☎ ⟺ 🅿. 🖭 🗉 🎽. ⋙
cerrado del 4 al 24 de agosto y 25 diciembre-1 enero – **Comida** (cerrado domingo noche)
1500 – ⌸ 750 – **28 hab** 5060/8030 – PA 3750.

LAVE u OLABE 31799 Navarra 442 D 25 – ☎ 948.

Madrid 411 – Bayonne 106 – Pamplona/Iruñea 12.

🍽 **Sarasate**, carret. N 121 ℰ 33 08 20 – 🅿. 🎽. ⋙
cerrado domingo noche, lunes y Semana Santa – **Comida** carta 2550 a 3650.

LEIROS 15173 La Coruña 441 B 5 – 18727 h. alt. 79 – ☎ 981.

Madrid 580 – La Coruña/A Coruña 8 – Ferrol 24 – Santiago de Compostela 78.

🍽🍽 **El Refugio**, pl. de Galicia 11 ℰ 61 08 03, Fax 63 14 80 – 🗏. 🖭 🗉 🎽. ⋙
cerrado domingo noche y 15 días en octubre – **Comida** carta aprox. 3100.

LITE 31390 Navarra 442 E 25 – 3049 h. alt. 380 – ☎ 948.

Ver : Castillo de los Reyes de Navarra★ – Iglesia de Santa María la Real (fachada★).

🗓 pl. Carlos III el Noble, ℰ 71 24 34, Fax 71 24 34.

Madrid 370 – Pamplona/Iruñea 43 – Soria 140 – Zaragoza 140.

🏨 **Parador de Olite** ⌂, pl. de los Teobaldos 2 ℰ 74 00 00, Fax 74 02 01, « Instalado
parcialmente en el antiguo castillo de los Reyes de Navarra » – 🛗 🗏 📺 ☎ – 🔬 25/110.
🖭 🗉 🎽. ⋙
Comida 3200 – ⌸ 1200 – **43 hab** 16500.

🏨 **Carlos III el Noble**, Rua de Medios 1 ℰ 74 06 44 – 📺 ☎. 🖭 🗉 🎽. ⋙
Comida 1300 – ⌸ 500 – **13 hab** 5000/7000.

🍽🍽 **Casa Zanito** con hab, Mayor 16 ℰ 74 00 02, Fax 71 20 87 – 🛗 🗏 📺 ☎. 🖭 🗉 🎽.
⋙
cerrado 23 diciembre-6 enero – **Comida** carta 4250 a 5350 – **15 hab** ⌸ 6500/9000.

IVA 46780 Valencia 445 P 29 – 20311 h. – ☎ 96 – Playa.

Madrid 424 – Alicante/Alacant 101 – Gandía 8 – Valencia 76.

la playa E : 2 km – ⊠ 46780 Oliva – ☎ 96 :

🔋 **Pau-Pi** sin rest, Roger de Lauria 2 ℰ 285 12 02, Fax 285 10 49 – ☎ 🅿. 🗉 🎽
15 marzo-15 octubre – ⌸ 525 – **38 hab** 3200/6280.

OLIVA (Monasterio de) 31310 Navarra 442 E 25.

Ver : Monasterio★ (iglesia★★, claustro★).

Madrid 366 – Pamplona/Iruñea 73 – Zaragoza 117.

OLOST u **OLOST DE LLUÇANÉS** 08519 Barcelona 443 G 36 – 960 h. alt. 669 – ✆ 93.
Madrid 618 – Barcelona 85 – Gerona/Girona 98 – Manresa 71.

  ✗ **Sala** con hab, pl. Major 17 ✆ 888 01 06, Fax 812 90 68 – 📼 rest 📺. 🖭 ⓞ 🖻 ꭩꬰ.
  ❀ cerrado del 1 al 15 de septiembre y Navidades – **Comida** (cerrado domingo noche) ca
    3250 a 5000 – ☐ 600 – **12 hab** 2500/5000
    Espec. Parmentier con caviar de Beluga. Salteado de vieiras con alcachofas naturales
    vinagre balsámico. Becada en salmis (noviembre-febrero).

OLOT 17800 Gerona 443 F 37 – 26 613 h. alt. 443 – ✆ 972.
  🖪 Lorenzana 15, ✆ 26 01 41, Fax 27 00 56.
  Madrid 700 – Barcelona 130 – Gerona/Girona 55.

  🏨 **Riu Olot** sin rest, carret. de Santa Pau ✆ 26 94 44, Fax 26 67 03, ← – 🛗 📼 📺 ☎ ⇦
    🅿 – 🚗 25/40. 🖭 🖻 ꭩꬰ. ✲
    32 hab ☐ 8000/10200.

  🏨 **Borrell** sin rest, Nónit Escubós 8 ✆ 26 92 75, Fax 27 04 08 – 🛗 📼 📺 ☎ ⇦. 🖭
    ꭩꬰ. ✲
    ☐ 775 – **24 hab** 4575/7800.

  🏨 **Perla d'Olot**, av. Santa Coloma 97 ✆ 26 23 26, Fax 27 07 74 – 🛗 📼 📺 ☎ ⇦.
    ⓞ 🖻 ꭩꬰ. ✲ rest
    Comida (cerrado junio) 1120 – ☐ 490 – **30 apartamentos** 3900/6100 – PA 2150

  🏠 **La Perla**, carret. La Deu 9 ✆ 26 23 26, Fax 27 07 74 – 🛗 📼 rest 📺 ☎ ⇦. 🖭
    🖻 ꭩꬰ. ✲
    Comida (cerrado junio) 1120 – ☐ 490 – **30 hab** 2100/4100 – PA 2150.

  ✗✗ **Les Cols**, Mas Les Cols - carret. de La Canya ✆ 26 92 09, � – 📼. 🖭 ⓞ 🖻 🔳
  ❀ 🔳cꬰ
    cerrado domingo, festivos y 24 julio-14 agosto – **Comida** carta 2625 a 4450.

  ✗✗ **Ramón**, pl. Clarà 10 ✆ 26 10 01 – 📼. 🖭 🖻 ꭩꬰ. ✲
    cerrado jueves, 2ª quincena de mayo y 2ª quincena de octubre – **Comida** carta aprox. 32

  ✗ **La Deu**, carret. La Deu - S : 2 km por carret. de Vic ✆ 26 10 04, Fax 26 64 36, �
    📼 🅿. 🖭 ⓞ ꭩꬰ. ✲
    Comida carta 2800 a 3475.

OLULA DEL RÍO 04860 Almería 446 T 23 – 5 695 h. alt. 487 – ✆ 950.
  Madrid 528 – Almería 116 – Murcia 142.

  🏨 **La Tejera**, antigua carret. N 336 ✆ 44 22 12, Fax 44 15 12, � – 📼 📺 ☎ 🅿. 🖭
    ꭩꬰ. ✲
    Comida 1000 – **36 hab** ☐ 3750/6000.

ONDARA 03760 Alicante 445 P 30 – 4 776 h. alt. 35 – ✆ 96.
  Madrid 431 – Alcoy/Alcoi 88 – Alicante/Alacant 84 – Denia 10 – Jávea/Xàbia 16 – Valencia

  ✗ **Casa Pepa**, Pla de la Font 87 - SO : 1,5 km ✆ 576 66 06, �, Típica casa de cam
    – 🅿. 🖻 ꭩꬰ. ✲
    cerrado lunes y febrero – **Comida** carta 3350 a 4700.

ONDÁRROA 48700 Vizcaya 442 C 22 – 10 265 h. – ✆ 94 – Playa.
  Ver : Pueblo típico★.
  Alred. : Carretera en cornisa★ de Ondárroa a Lequeitio ≤★.
  Madrid 427 – Bilbao/Bilbo 61 – San Sebastián/Donostia 49 – Vitoria/Gasteiz 72.

ONTENIENTE u **ONTINYENT** 46870 Valencia 445 P 28 – 29 511 h. alt. 400 – ✆ 96.
  Madrid 369 – Albacete 122 – Alicante/Alacant 91 – Valencia 84.

  ✗ **Rincón de Pepe**, av. de Valencia 1 ✆ 238 32 10, Fax 238 32 10 – 📼. 🖭 ⓞ 🖻 ꭩꬰ. ✲
    cerrado domingo, Semana Santa y del 1 al 15 de agosto – **Comida** carta 2950 a 37

OÑATE u **OÑATI** 20560 Guipúzcoa 442 C 22 – 10 264 h. alt. 231 – ✆ 943.
  Alred. : Carretera★ a Arantzazu.
  🖪 Foruen Enparantza 4, ✆ 78 34 53, Fax 78 30 69.
  Madrid 401 – San Sebastián/Donostia 74 – Vitoria/Gasteiz 45.

  ✗ **Iturritxo**, Atzeko 32 ✆ 71 60 78
  ❀ 📼. 🖭 ⓞ ꭩꬰ
    cerrado lunes noche – **Comida** carta 2850 a 3800.

or la carretera de Mondragón O : 1,5 km – ✉ 20560 Oñate – ☎ 943 :

XX **Etxe-Aundi** con hab, Torre Auzo 9 🖉 78 19 56, Edificio de estilo regional – 🍴 📺 ☎ 🅿. 🖭 ⓸ 🖪 VISA. ⚘
Comida carta aprox. 3400 – ☞ 450 – **12 hab** 6500/8000.

n la carretera de Aránzazu – ✉ 20560 Oñate – ☎ 943 :

🏨 **Soraluze** ⚲, SO : 2 km 🖉 71 61 79, Fax 71 60 70, ≼ – 🍴 rest 📺 ☎ 🚗 🅿. 🖭 🖪 VISA. ⚘ rest
Comida (cerrado domingo noche) 1400 – ☞ 500 – **12 hab** 5775/7200.

X Urtiagain, SO : 4 km 🖉 78 08 14 – 🍴 🅿.

Per l'inscrizione nelle sue Guide,
Michelin non accetta
nè favori, nè denaro !

RDENES u ORDES 15680 La Coruña 🅯🅰🅱 C 4 – 11 693 h. – ☎ 981.
Madrid 599 – La Coruña/A Coruña 29 – Santiago de Compostela 27.

🏨 **Nogallas,** Alfonso Senra 110 🖉 68 01 55, Fax 68 01 31 – 🛗 📺 ☎. 🖭 🖪 VISA. ⚘
Comida 1500 – ☞ 400 – **38 hab** 3000/5800 – PA 2900.

RDESA Y MONTE PERDIDO (Parque Nacional de) Huesca 🅯🅰🅱 E 29 y 30 – alt. 1 320.
Ver : Parque Nacional★★★.
Madrid 490 – Huesca 100 – Jaca 62.
Hoteles y restaurantes ver : **Torla** SO : 8 km.

RDINO Andorra – ver Andorra (Principado de).

RDICIA u ORDIZIA 20240 Guipúzcoa 🅯🅰🅱 C 23 – 8 966 h. – ☎ 943.
Madrid 421 – Beasain 2 – Pamplona/Iruñea 68 – San Sebastián/Donostia 40 – Vitoria/Gasteiz 71.

X **Martínez,** Santa María 10 🖉 88 06 41 – 🍴. 🖪 VISA. ⚘
cerrado lunes y agosto – **Comida** carta 2450 a 3850.

RDUÑA 48460 Vizcaya 🅯🅰🅱 D 20 – 4 194 h. alt. 283 – ☎ 945.
Alred. : S : Carretera del Puerto de Orduña ⚘★.
Madrid 357 – Bilbao/Bilbo 41 – Burgos 111 – Vitoria/Gasteiz 40.

RENSE u OURENSE 32000 🅿 🅯🅰🅱 E 6 – 108 382 h. alt. 125 – ☎ 988.
Ver : Catedral★ (Pórtico del Paraíso★★) AY B – Museo Arqueológico y de Bellas Artes (Camino del Calvario★) AZ M – Claustro de San Francisco★ AY.
Excurs. : Ribas de Sil (Monasterio de San Esteban : paraje★) 27 km por ② - Gargantas del Sil★ 26 km por ②.
🗗 Curros Enríquez 1, (Torre de Orense), 🖉 37 20 20 – **R.A.C.E.** Valle Inclán 5 (galerias Xesta), ✉ 32003, 🖉 23 25 27, Fax 23 25 27.
Madrid 499 ④ – Ferrol 198 ① – La Coruña/A Coruña 183 ① – Santiago de Compostela 111 ① – Vigo 101 ⑤.

Plano página siguiente

🏨 **G. H. San Martín** sin rest. con cafetería, Curros Enríquez 1, ✉ 32003, 🖉 37 18 11, Fax 37 21 38 – 🛗 🍴 📺 ☎ 🚗 – 🔬 25/250. 🖭 ⓸ 🖪 VISA. ⚘
☞ 1200 – **89 hab** 9500/14900, 1 suite. AY a

🏨 Francisco II sin rest, Bedoya 17, ✉ 32003, 🖉 24 20 95, Fax 24 24 16 – 🛗 🍴 📺 ☎ 🚗 – 🔬 25/100
80 hab. AY e

🏨 **Padre Feijóo** sin rest, Cruz Vermella 2, ✉ 32005, 🖉 22 31 04, Fax 22 31 00 – 🛗 📺 ☎. ⓸ 🖪 VISA. ⚘ AY p
☞ 675 – **71 hab** 4000/6200.

🏨 **Altiana** sin rest. con cafetería, Ervedelo 14, ✉ 32002, 🖉 37 09 52, Fax 37 01 28 – 🛗 📺 ☎ – 🔬 25/40. 🖭 ⓸ VISA. ⚘ AY u
☞ 500 – **32 hab** 3400/5000.

XX **Sanmiguel,** San Miguel 12, ✉ 32005, 🖉 22 12 45, Fax 24 27 49 – 🍴 🚗. 🖭 ⓸ 🖪 VISA JCB AY s
cerrado del 9 al 31 de enero – **Comida** carta 3050 a 5350.

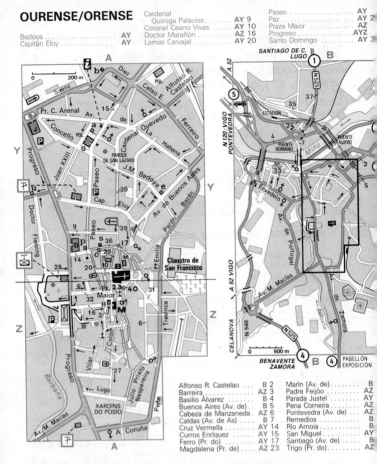

OURENSE/ORENSE

Bedoya .... AY
Capitán Eloy .... AY

Cardenal
  Quiroga Palacios .... AY 9
Coronel Ceano Vivas ..... AY 10
Doctor Marañón .... AZ 16
Lamas Carvajal .... AY 20

Paseo .... AY
Paz .... AY 2
Praza Maior .... AZ
Progreso .... AYZ
Santo Domingo .... AY 3

Alfonso R. Castelao ... B 2
Barreira .... AZ 3
Basilio Álvarez .... B 4
Buenos Aires (Av. de). B 5
Cabeza de Manzaneda . AZ 6
Caldas (Av. de As) .... B 7
Cruz Vermella .... AY 14
Curros Enríquez .... AY 15
Ferro (Pr. do) .... AY 17
Magdalena (Pr. do) .... AZ 23

Marín (Av. de) .... B
Padre Feijóo .... AZ
Parada Justel .... AY
Pena Corneira .... AZ
Pontevedra (Av. de) ... AZ
Remedios .... B
Río Arnoia .... B
San Miguel .... AY
Santiago (Av. do) ...... B
Trigo (Pr. do) .... AZ

XX **Martín Fierro,** Sáenz Díez 17, ⊠ 32003, ℰ 37 26 43, Fax 37 22 63 – 🗐 🅿. 🖭
   🗉 𝚅𝙸𝚂𝙰 𝙹𝙲𝙱. ⁂   AY
   cerrado domingo – **Comida** carta aprox. 4025.

X **Zarampallo** con hab, Hermanos Villar 29, ⊠ 32005, ℰ 23 00 08, Fax 23 00 08 –
   🗐 rest 🖭 ☎. 🖭 ⓞ 🗉 𝚅𝙸𝚂𝙰. ⁂   AY
   Comida (cerrado domingo) carta 2450 a 3150 – ☲ 500 – **14 hab** 3500/5500.

ORGAÑA u ORGANYÀ 25794 Lérida 👊👊👊 F 33 – 1049 h. alt. 558 – ☎ 973.
   Alred. : Grau de la Granta ★ S : 6 km.
   🛈 pl. Homilies, ℰ 38 20 02, Fax 38 35 36, (temp).
   Madrid 579 – Lérida/Lleida 110 – Seo de Urgel/La Seu d'Urgell 23.

ÓRGIVA 18400 Granada 👊👊👊 V 19 – 4994 h. alt. 450 – ☎ 958.
   Madrid 485 – Almería 121 – Granada 55 – Málaga 121.

🏨 **Taray Alpujarra** ⪢, carret. C 333 - S : 1 km ℰ 78 45 25, Fax 78 45 31, ⅃ – 🗐
   🅿. 🖭 ⓞ 🗉 𝚅𝙸𝚂𝙰. ⁂ – **Comida** 1600 – **15 hab** ☲ 6000/7800.

🏠 **Alpujarras,** El Empalme ℰ 78 55 49, Fax 78 43 90 – 🛗 🗐 rest ☎ ⇔ 🅿. 𝚅𝙸𝚂𝙰.
   Comida 1000 – ☲ 250 – **22 hab** 3000/5000 – PA 2250.

🏠 **Mirasol,** av. González Robles 5 ℰ 78 51 08 – 🛗 🖭 ☎. 𝚅𝙸𝚂𝙰. ⁂ rest
   Comida 1100 – ☲ 490 – **19 hab** 3000/6000 – PA 2500.

ORIENT Baleares – ver Baleares (Mallorca).

ORIO 20810 Guipúzcoa 442 C 23 – 4247 h. – © 943 – Playa.
Alred. : Carretera de Zarauz ≤★.
Madrid 479 – Bilbao/Bilbo 85 – Pamplona/Iruñea 100 – San Sebastián/Donostia 20.

XXX **Itsas-Ondo**, Kaia 7 ℰ 13 11 79 – ▤. 亜 E VISA. ℘
cerrado martes y 20 octubre-20 noviembre – **Comida** carta aprox. 4700.

X Aitzondo, carret. N 634 ℰ 83 27 00 – **Θ**.

OROPESA 45460 Toledo 444 M 14 – 2911 h. alt. 420 – © 925.
Ver : Castillo★.
Madrid 155 – Ávila 122 – Talavera de la Reina 33.

⛪ **Parador de Oropesa**, pl. del Palacio 1 ℰ 43 00 00, Fax 43 07 77, « Instalado en un
palacio feudal », ⅀, 🐴 – 👤 ▤ TV ☎ **Θ** – 🔬 25/45. 亜 ① E VISA. ℘
Comida 3500 – ⇔ 1200 – **44 hab** 14500, 4 suites.

OROPESA DEL MAR u **ORPESA** 12594 Castellón 445 L 30 – 2451 h. alt. 16 – © 964 – Playa.
🛈 av. de la Plana 4, ℰ 31 00 20.
Madrid 447 – Castellón de la Plana/Castelló de la Plana 22 – Tortosa 100.

en la zona de la playa – ✉ 12594 Oropesa del Mar – © 964 :

🏨 **Neptuno Playa** sin rest, paseo Marítimo La Concha 1 ℰ 31 00 40, Fax 31 00 75, ≤ –
👤 ▤ TV ☎ 🚗. 亜 E VISA
abril-septiembre – ⇔ 600 – **88 hab** 5500/9500.

🏨 **Marina**, paseo Marítimo La Concha 12 ℰ 31 00 99, Fax 31 00 99, ≤ – 👤 ▤ rest TV ☎.
亜 ① E VISA. ℘
cerrado del 4 al 30 de noviembre – **Comida** 1300 – ⇔ 475 – **17 hab** 3750/6700 – PA
2615.

🏨 **Oropesa Sol** ℘ sin rest, av. de Madrid 11 ℰ 31 01 50 – 👤 **Θ**. ℘
marzo-septiembre – ⇔ 190 – **50 hab** 3315/4715.

XX Blasori, carret. del Faro 66 ℰ 31 00 81 – ▤.

en Las Playetas carretera de Benicasim por la costa - S : 5 km – ✉ 12594 Oropesa del Mar
– © 964 :

🏨 **El Cid**, ℰ 30 07 00, Fax 30 48 78, ⅀, 🐴, ℘ – 👤 ▤ TV ☎ **Θ**. ① E VISA. ℘
marzo-septiembre – **Comida** 1900 – **52 hab** ⇔ 8500/9500 – PA 3800.

la OROTAVA Santa Cruz de Tenerife – ver Canarias (Tenerife).

ORREAGA Navarra – ver Roncesvalles.

ORRIOLS 17468 Gerona 443 F 38 – © 972.
Madrid 730 – Figueras/Figueres 21 – Gerona/Girona 20.

XXX **Castell Palau d'Orriols**, av. del Castell 6 ℰ 56 04 18, Fax 56 04 18, 🏦, « Palacio de
estilo renacentista » – ▤. E VISA
cerrado lunes, martes y miércoles en invierno, domingo noche y lunes en verano – **Comida**
carta aprox. 5100.

ORTIGOSA DEL MONTE 40421 Segovia 442 J 17 – 290 h. – © 921.
Madrid 72 – Ávila 56 – Segovia 15.

en la carretera N 603 – ✉ 40421 Ortigosa del Monte – © 921 :

X **Venta Vieja**, E : 2,5 km ℰ 48 91 64, Fax 48 90 61, 🏦, Decoración rústica – **Θ**. 亜
VISA. ℘
Comida carta aprox. 3500.

X Becea, E : 2,3 km ℰ 48 90 49, 🏦 – **Θ**.

OSEJA DE SAJAMBRE 24916 León 441 C 14 – 345 h. alt. 760.
Alred. : Mirador★★ ≤★★ N : 2 km – Desfiladero de los Beyos★★★ NO : 5 km – Puerto del
Pontón★ (≤★★) S : 11 km – Puerto de Panderruedas★ (mirador de Piedrafitas ≤★★ 15
mn. a pie) SE : 17 km.
Madrid 385 – León 122 – Oviedo 108 – Palencia 159.

OSORNO LA MAYOR 34460 Palencia 442 E 16 – 1 786 h. alt. 800 – 🕿 979.
　　Madrid 277 – Burgos 58 – Palencia 51 – Santander 150.

　🏨　**Tierra de Campos,** La Fuente ♪ 81 72 16 – 🛗 ☎ ℗. E VISA. ⋘
　　cerrado febrero – **Comida** 2000 – ☎ 500 – **30 hab** 4500/6000 – PA 4000.

OSUNA 41640 Sevilla 446 U 14 – 16 240 h. alt. 328 – 🕿 95.
　　Ver : Zona monumental★ – Colegiata (lienzos de Ribera★, Sepulcro Ducal★) – Calle S
　　Pedro★.
　　Madrid 489 – Córdoba 85 – Granada 169 – Málaga 123 – Sevilla 92.

　🏨　**Villa Ducal,** área de servicio - salida 84 autovía ♪ 582 02 72, Fax 582 02 80 – 🗐
　　☎. 🖭 E VISA. ⋘
　　Comida 1200 – ☎ 400 – **23 hab** 4000/6500.
　🍴　**Doña Guadalupe,** pl. de Guadalupe 6 ♪ 481 05 58 – 🗐. 🖭 ⓞ E VISA. ⋘
　　cerrado lujosa martes y del 1 al 15 de agosto – **Comida** carta 2900 a 3700.

OTUR Asturias – ver Luarca.

OURENSE – ver Orense.

OVIEDO 33000 🅿 Asturias 441 B 12 – 204 276 h. alt. 236 – 🕿 98.
　　Ver : Catedral★ (retablo mayor★, Cámara Santa : estatuas-columnas★★, tesoro★★) B
　　– Antiguo Hospital del Principado (escudo★) AY P.
　　Alred. : Santuarios del Monte Naranco★ (Santa María del Naranco★★, San Miguel de Lillo
　　jambas★★) NO : 4 km por av. de los Monumentos AY.
　　Excurs. : Iglesia de Santa Cristina de Lena★ ≤★ 34 km por ② – Teverga ≤★ de Pe
　　Juntas - Desfiladero de Teverga★ 43 km por ③.
　　📍 Club Deportivo La Barganiza : 12 km ♪ 74 24 68, Fax 74 24 68.
　　✈ de Asturias por ① : 47 km ♪ 512 75 00 – Iberia : Ventura Rodríguez 6, ♪ 524 24
　　🚂 pl. Alfonso-II el Casto 6, ✉ 33003, ♪ 521 33 85, Fax 522 84 59 – R.A.C.E. pl. Longo
　　Carbajal 3-1º, ✉ 33004, ♪ 522 31 06, Fax 522 76 68.
　　Madrid 445 ② – Bilbao/Bilbo 306 ① – La Coruña/A Coruña 326 ③ – Gijón 29 ① – Le
　　121 ② – Santander 203 ②.

　　　　　　　　Plano página siguiente

　🏨🏨🏨🏨　**De la Reconquista,** Gil de Jaz 16, ✉ 33004, ♪ 524 11 00, Telex 84328, Fax 524 11
　　« Lujosa instalación en un magnífico edificio del siglo XVIII » – 🛗 🗐 📺 ☎ ⟷
　　🛗 25/800. 🖭 ⓞ E VISA. ⋘　　　　　　　　　　　　　　　　　　　　　AY
　　Comida carta 4950 a 6200 – ☎ 1900 – **132 hab** 22500/28250, 10 suites.

　🏨🏨🏨　**G. H. España** sin rest, Jovellanos 2, ✉ 33003, ♪ 522 05 96, Fax 522 05 96 – 🛗 🗐
　　☎ ⟷ – 🛗 25/200. 🖭 ⓞ E VISA　　　　　　　　　　　　　　　　　BY
　　☎ 900 – **86 hab** 12800/16000, 3 suites.

　🏨🏨🏨　**Regente** sin rest, Jovellanos 31, ✉ 33003, ♪ 522 23 43, Fax 522 93 31 – 🛗 📺
　　℗ – 🛗 25/220. 🖭 ⓞ E VISA　　　　　　　　　　　　　　　　　　BY
　　☎ 900 – **126 hab** 12800/16000.

　🏨🏨🏨　**NH Principado,** San Francisco 6, ✉ 33003, ♪ 521 77 92, Fax 521 39 46 – 🛗 🗐 r
　　📺 ☎ – 🛗 25/200. 🖭 ⓞ E VISA JCB. ⋘　　　　　　　　　　　　　AZ
　　Comida 2500 – ☎ 1000 – **62 hab** 10000/14000, 4 suites – PA 5400.

　🏨🏨🏨　**Ciudad de Oviedo** sin rest. con cafetería, Gascona 21, ✉ 33001, ♪ 522 22
　　Fax 522 15 99 – 🛗 🗐 📺 ☎ ⟷. 🖭 ⓞ E VISA. ⋘　　　　　　　　BY
　　☎ 900 – **58 hab** 9800/13600.

　🏨🏨🏨　**Clarín** sin rest. con cafetería, Caveda 23, ✉ 33002, ♪ 522 72 72, Fax 522 80 18 –
　　📺 ☎ – 🛗 25/60. 🖭 ⓞ E VISA. ⋘　　　　　　　　　　　　　　　AY
　　☎ 900 – **47 hab** 9800/13600.

　🏨🏨🏨　**Ramiro I** sin rest. con cafetería, av. Calvo Sotelo 13, ✉ 33007, ♪ 523 28
　　Fax 523 63 29 – 🛗 📺 ☎ ⟷ – 🛗 25/30. 🖭 ⓞ E VISA. ⋘　　　　AZ
　　83 hab ☎ 10080/14490.

　🏨🏨🏨　**La Gruta,** alto de Buenavista, ✉ 33006, ♪ 523 24 50, Fax 525 31 41, ≤ – 🛗
　　☎ ℗ – 🛗 25/600. 🖭 ⓞ E VISA. ⋘　　　　　　　　　　　　　por ③
　　Comida (ver rest. **La Gruta**) – ☎ 850 – **101 hab** 7000/10900, 4 suites.

　🍴🍴🍴　**Del Arco,** pl. de América, ✉ 33005, ♪ 525 55 22, Fax 527 58 79 – 🗐. 🖭 ⓞ E 🝛
　　⋘　　　　　　　　　　　　　　　　　　　　　　　　　　　　　　AZ
　　cerrado domingo y agosto – **Comida** carta 4300 a 5700.

　🍴🍴🍴　**Casa Fermín,** San Francisco 8, ✉ 33003, ♪ 521 64 52, Fax 522 92 12 – 🗐. 🖭
　　E VISA. ⋘　　　　　　　　　　　　　　　　　　　　　　　　　AZ
　　cerrado domingo – **Comida** carta 3700 a 5200.

OVIEDO

acio Valdés .... **AY** 28
ayo .... **AYZ** 30
a .... **AY** 45

elantado de la Florida . **BY** 2
alde G. Conde .... **BY** 3
onso II (Plaza) .... **BY** 4
güelles .... **ABY** 5
robispo Guisasola ...... **BZ** 6
bo Noval .... **AZ** 7

Campos de los Patos (Pl.) . **BY** 8
Canóniga .... **BZ** 9
Cimadevilla .... **BZ** 10
Constitución
(Plaza de la) .... **BZ** 12
Covadonga .... **AY** 13
Daoiz y Velarde (Pl. de) ... **AY** 14
División Azul .... **AZ** 15
Fruela .... **ABZ** 17
Ingeniero Marquina ...... **AY** 18
Marqués de Gastañaga . **BZ** 20
Marqués de Santa Cruz . **AZ** 21
Martínez Marina .... **ABZ** 22

Martínez Vigil .... **BY** 23
Melquíades Álvarez ...... **AY** 25
Monumentos
(Av. de los) .... **AY** 27
Porlier (Plaza de) .... **BZ** 32
Postigo Alto .... **BZ** 33
Riego (Plaza) .... **BZ** 34
San Antonio .... **BZ** 36
San Francisco .... **ABZ** 37
San José .... **BZ** 38
San Vicente .... **BYZ** 39
Tenderina (La) .... **BY** 42
Teniente Alfonso Martínez . **BY** 44

La Gruta, alto de Buenavista, ⊠ 33006, ℰ 523 24 50, Fax 525 31 41, ≤, Vivero propio
– 🗐 ℗. 🕮 ⓪ 🄴 *VISA*. ℁   por ③
Comida carta 3850 a 5400.

Marchica, Dr. Casal 10, ⊠ 33004, ℰ 521 30 27, Fax 521 19 58 – 🗐. 🕮 ⓪ 🄴 *VISA*. ℁
Comida carta 3900 a 5100.   AY t

Meraxko, av. de Los Monumentos 21, ⊠ 33012, ℰ 529 55 76 – 🗐 ℗. 🕮 ⓪ 🄴 *VISA*.
℁   por carret. del Monte Naranco AY
cerrado domingo y agosto – **Comida** carta 3850 a 5050.

Casa Lobato, av. de los Monumentos 67, ⊠ 33012, ℰ 529 77 45, Fax 511 18 25, ≤,
🍴 – ℗. 🕮 ⓪ 🄴 *VISA*. ℁   por carret. del Monte Naranco AY
cerrado martes – **Comida** carta 3050 a 4450.

Casa Conrado, Argüelles 1, ⊠ 33003, ℰ 522 39 19, Fax 521 26 09 – 🗐. 🕮 ⓪ 🄴
VISA. ℁ – *cerrado domingo y agosto* – **Comida** carta 3525 a 4575.   BY h

La Goleta, Covadonga 32, ⊠ 33002, ℰ 522 07 73, Fax 521 26 09 – 🗐. 🕮 ⓪ 🄴 *VISA*. ℁
cerrado domingo y julio – **Comida** carta 3525 a 4575.   AY b

Pelayo, Pelayo 15, ⊠ 33003, ℰ 521 26 52, 🍴 –
🖻   AY v

Logos, San Francisco 10, ⊠ 33003, ℰ 521 20 70 – 🗐. 🕮 ⓪ 🄴 *VISA* 🄙🄲🄱. ℁
cerrado domingo en julio y agosto – **Comida** carta 2950 a 4850.   AZ c

La Querencia, av. del Cristo 29, ⊠ 33006, ℰ 525 73 70, Carnes a la brasa –
🖻   AZ f

El Raitán y El Chigre, pl. de Trascorrales 6, ⊠ 33009, ℰ 521 42 18, Fax 522 83 21,
Cocina regional, « Decoración rústica regional » – 🗐. 🕮 🄴 *VISA*. ℁   BZ a
cerrado domingo – **Comida** carta 2900 a 4900.

X **Cabo Peñas,** Melquíades Álvarez 24, ✉ 33002, ☎ 522 03 20, Rest. típico – ▤. AE E VISA AY
cerrado lunes – **Comida** carta 2800 a 4500.

X **La Campana,** San Bernabé 7, ✉ 33002, ☎ 522 49 32 – VISA. ✗ AY
cerrado domingo y agosto – **Comida** carta 2450 a 4150.

en la carretera de Santander *por La Tenderina* BY – ✉ *33010 Cerdeño* – ☎ *98* :

Las Lomas, ☎ 528 22 61, Fax 529 96 95 – |‡| TV ☎ P – 25/300
102 hab.

en Santa Ana de Abuli *por La Tenderina* BY *cruce de Limanes y desvío 1 km* – ✉ *33010 Sa*
Ana de Abuli – ☎ *98* :

XX **Botas,** Monterrey 28 ☎ 511 08 47, ⛱ – AE ⊙ E VISA. ✗
cerrado domingo noche, lunes, Semana Santa y del 1 al 15 de noviembre – **Comida** ca
aprox. 4200.

OYARZUN u **OIARTZUN** *20180 Guipúzcoa* 442 *C 24* – *8 393 h. alt. 81* – ☎ *943.*
Madrid 481 – Bayonne 42 – Pamplona/Iruñea 98 – San Sebastián/Donostia 13.

XXX ✿✿ **Zuberoa,** barrio Iturriotz 8 ☎ 49 12 28, Fax 49 26 79, ⛱, « Rústico elegante en caserío del siglo XV con bonita terraza y ≤ » – ▤ P. AE ⊙ E VISA
cerrado domingo noche, lunes, del 1 al 15 de enero, del 15 al 31 de mayo y del 15 al de octubre – **Comida** 9000 y carta 6050 a 8150
Espec. Bogavante con salsa de perejil y caramelo de naranja. Carrillera de ternera vinagreta de lentejas. Galleta de avellana y chocolate con helado de yogur.

XX ✿ **Matteo,** barrio Ugaldetxo 11 ☎ 49 11 94 – ▤. AE ⊙ E VISA
cerrado domingo noche, lunes y Navidades – **Comida** 5000 y carta 4550 a 5850
Espec. Ensalada templada de cigalitas con morros de ternera. Marmitako de bogava
Postre de manzana y crema de arroz con leche caramelizada.

X **Kazkazuri,** Kazkazuri ☎ 49 32 26, Fax 49 32 29, ⛱ – ⊙ E VISA
cerrado domingo noche – **Comida** carta aprox. 3050.

X **Albistur,** pl. Martintxo 38 (barrio de Alcibar) ☎ 49 07 11, ⛱ – ⊙ E VISA. ✗
cerrado domingo noche, martes y 15 junio-15 julio – **Comida** carta 3500 a 4300.

en la carretera de Irún *NE : 2 km* – ✉ *20180 Oyarzun* – ☎ *943* :

XXX **Gurutze-Berri** *con hab,* ☎ 49 06 25, Fax 49 37 23 – ▤ rest TV ☎ P. AE ⊙
VISA. ✗
cerrado febrero – **Comida** *(cerrado domingo noche y lunes)* carta 3200 a 4500 – ☕
– **18 hab** 4300/6500.

OYEREGUI u **OIEREGI** *31720 Navarra* 442 *C 25* – ☎ *948.*
Alred. : *NO : Valle del Bidasoa*★.
Madrid 449 – Bayonne 68 – Pamplona/Iruñea 50.

Mugaire, ☎ 59 20 50, Fax 59 20 50 – ▤ rest ☎ P. AE E VISA. ✗
Comida *(cerrado martes de noviembre-abril)* 1200 – ☕ 450 – **14 hab** 3750/6600.

OYÓN u **OION** *01320 Álava* 442 *E 22* – *2 192 h. alt. 440* – ☎ *941.*
Madrid 339 – Logroño 4 – Pamplona/Iruñea 90 – Vitoria/Gasteiz 89.

Felipe IV, av. Navarra 28 ☎ 10 10 56, Fax 10 14 00, 🏊 – TV ☎ 🚗 P. E VISA.
cerrado 16 diciembre-7 enero – **Comida** 1650 – ☕ 500 – **30 hab** 5000/8500.

XX **Mesón la Cueva,** Concepción 15 ☎ 10 10 22, « Instalado en una antigua bodega
▤. E VISA. ✗
Comida carta 2350 a 2900.

PADRÓN *15900 La Coruña* 441 *D 4* – *10 147 h. alt. 5* – ☎ *981.*
Madrid 634 – La Coruña/A Coruña 94 – Orense/Ourense 135 – Pontevedra 37 – Santi de Compostela 20.

XX **Chef Rivera** *con hab,* enlace Parque 7 ☎ 81 04 13, Fax 81 14 54 – |‡| ▤ rest TV
🚗. AE ⊙ E VISA. ✗
Comida *(cerrado domingo noche en invierno)* carta 2900 a 4700 – ☕ 550 – **20**
4000/5350.

en la carretera N 550 *N : 2 km* – ✉ *15900 Padrón* – ☎ *981* :

Scala, ☎ 81 13 12, Fax 81 15 00, ≤ – |‡| ▤ rest TV ☎ P. VISA. ✗
Comida 1300 – ☕ 275 – **194 hab** 6000/9000 – PA 2875.

AGUERA Baleares – ver Baleares (Mallorca).

AJARES (Puerto de) 33693 Asturias **441** C 12 – alt. 1364 – ☻ 98 – Deportes de invierno :
✺13.
Ver : Puerto★★ – Carretera del puerto★★.
Madrid 378 – León 59 – Oviedo 59.

OS PALACIOS Y VILLAFRANCA 41720 Sevilla **446** U 12 – 29417 h. alt. 12 – ☻ 95.
Madrid 529 – Cádiz 94 – Huelva 120 – Sevilla 32.

X **Casa Manolo** con hab, av. de Sevilla 29 ℰ 581 10 86, Fax 581 11 52 – 🗏 📺 ☎ ⟵.
🖭 ◉ 🄴 *VISA*. ✷
cerrado del 4 al 10 de agosto – **Comida** carta 2100 a 3600 – ⅏ 500 – **25 hab** 5000/
7000.

ALAFRUGELL 17200 Gerona **443** G 39 – 17343 h. alt. 87 – ☻ 972 – Playas : Calella, Llafranch
y Tamariu.
Alred. : Cap Roig : Jar-
dín Botánico★ (≼★★)
SE : 5 km.
🄱 Carrilet 2,
ℰ 300228,
Fax 611261.
Madrid 736 ② –
Barcelona 123 ② –
Gerona/Girona 39 ① –
Portbou 108 ①.

XX **La Xicra,** Estret 17
ℰ 30 56 30,
Fax 30 56 30 – 🗏. 🖭
◉ 🄴 *VISA*. ✷   e
cerrado martes
noche, miércoles
(salvo en agosto) y
noviembre – **Comida**
carta 3175 a 4375.

X **La Casona,** paraje
La Sauleda 4
ℰ 30 36 61 – 🗏 🄿.
🄴 *VISA*   c
cerrado domingo
noche, lunes y 3
noviembre-15
diciembre – **Comida**
carta 1900 a 3000.

Ver también : **Llo-
friu** por ① : 2,5 km
Montràs por ② :
2 km
**Calella de
Palafrugell** SE :
3,5 km
Llafranch SE : 3,5 km
Tamariu E : 4,5 km

Cavallers 3
Bruc 2
Cementiri 4
Cervantes 5
Dels Valls 6
Església (Pl. de l') 8
Nova (Pl.) 12
Quatre Cases 13
Sant Antoni 14
Sant Martí 15
Santa Margarida 17

ALAMÓS 17230 Gerona **443** G 39 – 13258 h. – ☻ 972 – Playa.
🄱 passeig del Mar, ℰ 600550, Fax 600550.
Madrid 726 – Barcelona 109 – Gerona/Girona 49.

🏨 **Trias,** passeig del Mar ℰ 60 18 00, Fax 60 18 19, ≼, 🌊 climatizada – 🛗 🗏 ☎ ⟵ 🄿.
🖭 ◉ 🄴 *VISA*. ✷ rest
26 marzo-5 octubre – **Comida** 3500 – ⅏ 1100 – **70 hab** 8000/17000 – PA
5500.

🏨 **Marina,** av. 11 de Setembre 48 ℰ 31 42 50, Telex 57077, Fax 60 00 24 – 🛗 🗏 rest
📺 ☎. 🖭 🄴 *VISA* 🄹🄲🄱. ✷ rest
Comida 1575 – ⅏ 675 – **62 hab** 6250/7950.

🏨 **Vostra Llar,** av. President Macià 12 ℰ 31 42 62, Fax 31 43 07, 🏤 – 🛗 🗏 rest.
🄴 *VISA*
abril-octubre – **Comida** 890 – ⅏ 400 – **45 hab** 8500.

XX **La Gamba,** pl. Sant Pere 1 *&* 31 46 33, Fax 31 85 26, 斎, Pescados y mariscos –
AE ① E VISA
cerrado miércoles (salvo junio-septiembre) y noviembre – **Comida** carta 3725 a 459●

XX **Plaça Murada,** pl. Murada 5 *&* 31 53 76, ← – ■. AE ① E VISA
Comida carta 2700 a 4025.

X **La Menta,** Tauler i Servià 1 *&* 31 47 09 – ■. AE ① E VISA. ℅
cerrado miércoles y noviembre – **Comida** carta 3450 a 4800.

X **María de Cadaqués,** Notaries 39 *&* 31 40 09, Pescados y mariscos – ■. AE ①
VISA
cerrado lunes y 15 diciembre-enero – **Comida** carta 3200 a 4500.

X **L' Arcada,** Pagès Ortiz 49 *&* 31 51 69 – ■. E VISA
cerrado domingo noche, lunes (en verano sólo lunes mediodía) y del 6 al 25 de enero
Comida carta aprox. 5200.

X **L'Art,** passeig del Mar 7 *&* 31 55 32 – ■. AE ① E VISA
cerrado jueves noche, domingo noche (en invierno) y enero – **Comida** carta 3400 a 51

en La Fosca *NE : 2 km –* ☎ *972 :*

🏨 **Áncora** ♠, Josep Plà, ⊠ 17230 apartado 242 Palamós, *&* 31 48 58, Fax 60 24 70,
ℑ, ℅ – ■ TV ☎ ℗. AE E VISA. ℅ rest
cerrado enero – **Comida** 2500 – ⊡ 725 – **44 hab** 6900/9640.

en Plà de Vall-Llobregà *carretera de Palafrugell C 255 - N : 3,5 km –* ⊠ *17253 Vall Llobre*
– ☎ *972 :*

XX **Mas dels Arcs,** ⊠ 17230 apartado 115 Palamós, *&* 31 51 35, Fax 60 01 12 – ■
① E VISA
cerrado jueves en invierno y 15 enero-febrero – **Comida** carta 3125 a 4875.

PALAU-SATOR *17256 Gerona* 443 *G 39 – 291 h. alt. 20 –* ☎ *972.*
Madrid 732 – Gerona/Girona 37 – Figueras/Figueres 51 – Palafrugell 17 – Palamós

X **Mas Pou,** Extramurs 8 *&* 63 41 25, Fax 63 41 25 – ■ ℗. AE ① E VISA. ℅
cerrado lunes y 23 diciembre-1 febrero – **Comida** carta 1875 a 2700.

PALAU-SAVERDERA *17495 Gerona* 443 *F 39 – 682 h. –* ☎ *972.*
Madrid 763 – Figueras/Figueres 17 – Gerona/Girona 56.

X Terra Nostra, San Onofre 12 *&* 53 03 04, ←, 斎 –
℗.

X **El Tinell,** av. de Catalunya 2 *&* 53 00 82, ←, 斎 – ℗. AE E VISA
cerrado martes y febrero – **Comida** carta 2700 a 3050.

PALENCIA *34000* P 442 *F 16 – 81 988 h. alt. 781 –* ☎ *979.*
Ver : *Catedral*★★ *(interior*★★ *: tríptico*★ *- Museo*★ *: tapices*★*).*
Alred. : *Baños de Cerrato (Basílica de San Juan Bautista*★*) 14 km por* ②*.*
🅱 *Mayor 105,* ⊠ *34001,* *&* *74 00 68, Fax 70 08 22 –* **R.A.C.E.** *av. Casado del Alisal*
⊠ *34001,* *&* *74 69 50, Fax 70 19 74.*
Madrid 235 ② *– Burgos 88* ② *– León 128* ③ *– Santander 203* ① *– Valladolid 47 (*
Plano página siguiente

🏨 **Castilla Vieja,** av. Casado del Alisal 26, ⊠ 34001, *&* 74 90 44, Fax 74 75 77 – |₿| ■ r
TV ☎ ⟵⟶ – 🔬 25/250. AE ① E VISA. ℅ rest
Comida carta aprox. 4200 – ⊡ 700 – **85 hab** 6800/9500, 2 suites.

🏨 **Rey Sancho,** av. Ponce de León, ⊠ 34005, *&* 72 53 00, Fax 71 03 34, 斎, ℑ, ℅
|₿| ■ rest TV ☎ ⟵⟶ ℗ – 🔬 25/550. AE ① E VISA. ℅
Comida 1750 – ⊡ 750 – **100 hab** 6000/9500 – PA 3500.

🏨 **Monclús** *sin rest,* Menéndez Pelayo 3, ⊠ 34001, *&* 74 43 00, Fax 74 44 90 – |₿| TV
AE ① E VISA JCB
⊡ 375 – **40 hab** 4200/6400.

🏨 **Colón 27** *sin rest y sin* ⊡, Colón 27, ⊠ 34002, *&* 74 07 00, Fax 74 07 20 – |₿| TV
① VISA
22 hab 3500/5000.

🏨 **Ávila** *sin rest,* Conde Vallellano 5, ⊠ 34002, *&* 71 19 10, Fax 71 19 10 – TV ☎ ←
AE ① E VISA. ℅
⊡ 475 – **20 hab** 3700/5800.

XX **Casa Lucio,** Don Sancho 2, ⊠ 34001, *&* 74 81 90, Fax 74 81 90 – ■. AE ① E VISA
cerrado domingo y del 1 al 20 de julio – **Comida** carta 3600 a 4100.

PALENCIA

Mayor
Mayor (Pl.) 24

sturias (Av. de) 2
arrio y Mier 3
ardenal Almaraz 4
ardenal Cisneros (Av.) . . 5
ervantes (Pl.) 8
on Sancho 10
duardo Dato 14
spaña (Pl. de) 15
eneral Franco 16
nacio Martínez
 de Azcoitia 20
orge Manrique 21
osé Antonio Primo
 de Rivera (Av.) 22
layor (Puente) 26
liguel Primo
 de Rivera (Av.) 27
adre Faustino
 Calvo (Pas. del) 28
epública Argentina (Av.) . 32
alvino Sierra 33
an Marcos 34
antander (Av. de) 38

*os nombres de
s principales
alles
omerciales
guran en rojo
l principio del
dice de calles
e los planos
e ciudades.*

XX **La Fragata,** Pedro Fernández del Pulgar 6, ✉ 34005, ✆ 75 01 29 – 🖭 🖭 ⓞ E 𝚅𝙸𝚂𝙰.
⅜   e
   cerrado del 1 al 15 de agosto – **Comida** carta aprox. 4000.

XX **Isabel,** Valentín Calderón 6, ✉ 34001, ✆ 74 99 98 – 🖭 🖭 ⓞ E 𝚅𝙸𝚂𝙰. ⅜   b
   cerrado lunes y 23 junio-6 julio – **Comida** carta 2075 a 2875.

XX **Lorenzo,** av. Casado del Alisal 10, ✉ 34001, ✆ 74 35 45 – 🖭 🖭 ⓞ E 𝚅𝙸𝚂𝙰   h
   cerrado domingo y 10 septiembre-5 octubre – **Comida** carta 3100 a 4300.

X **Asador La Encina,** Casañé 2, ✉ 34002, ✆ 71 09 36, Decoración rústica – 🖭 🖭 ⓞ
   E 𝚅𝙸𝚂𝙰. ⅜   m
   cerrado del 1 al 15 de agosto – **Comida** carta aprox. 3900.

X **Casa Damián,** Ignacio Martínez de Azcoitia 9, ✉ 34001, ✆ 74 46 28 – 🖭 🖭 ⓞ E
   𝚅𝙸𝚂𝙰. ⅜   r
   cerrado lunes, 25 julio-25 agosto y 24 diciembre-5 enero – **Comida** carta 4000 a 4550.
   Ver también : **Magaz** *por* ② *: 10 km.*

ALLEJÀ *08780 Barcelona* 🎵🎵🎵 *H 35* – *6 595 h.* – ✪ *93.*
   Madrid 606 – Barcelona 20 – Manresa 48 – Tarragona 89.

XX **Pallejà Paradis,** av. Prat de la Riba 119 ✆ 663 00 96, Fax 663 00 97, Decoración rústica
   en una antigua casa señorial – 🖬 🅿. 🖭 ⓞ E 𝚅𝙸𝚂𝙰
   Comida carta 5000 a 6150.

PALMA *Santa Cruz de Tenerife* – *ver Canarias.*

ALMANOVA *Baleares* – *ver Baleares (Mallorca).*

ALMA *Baleares* – *ver Baleares (Mallorca).*

Ne voyagez pas aujourd'hui avec une carte d'hier.

413

PALMA DEL RÍO 14700 Córdoba 🔢🔢🔢 S 14 – 17 978 h. alt. 54 – 🟤 957.
Madrid 462 – Córdoba 55 – Sevilla 92.

🏛 **Castillo,** Portada 47 🖉 64 57 10, Fax 64 57 40 – 📶 🍴 📺 ☎ 🅿. 🆎 ⓞ Ɇ 🎦
🍽 rest
Comida (cerrado miércoles) 900 – ⚏ 300 – **38 hab** 4500/6500 – PA 2100.

🍴🍴 Hospedería de San Francisco con hab, av. Pío XII-35 🖉 71 01 83, Fax 71 01 83, Antig
convento – 🍴 📺 ☎ 🛋
22 hab.

El PALMAR 46012 Valencia 🔢🔢🔢 O 29 – 🟤 96.
Madrid 368 – Gandia 48 – Valencia 20.

🍴 Racó de l'Olla, carret. de El Saler - N : 1,5 km 🖉 161 00 72, Fax 162 70 68, ≼, 🍸, «
un paraje verde junto a la Albufera » – 🍴 🅿
Comida (sólo almuerzo salvo en verano).

Las PALMAS DE GRAN CANARIA Las Palmas – ver Canarias (Gran Canaria).

PALMONES 11379 Cádiz 🔢🔢🔢 X 13 – 🟤 956 – Playa.
Madrid 661 – Algeciras 8 – Cádiz 125 – Málaga 133.

🍴🍴 **Mesón El Copo,** Trasmayo 2 🖉 67 77 10, Fax 67 77 86, Pescados y mariscos – 🍴.
ⓞ Ɇ 🆚. 🍽
cerrado domingo – **Comida** carta aprox. 4275.

El PALO (Playa de) Málaga – ver Málaga.

PALOS DE LA FRONTERA 21810 Huelva 🔢🔢🔢 U 9 – 7 335 h. alt. 26 – 🟤 959.
Madrid 623 – Huelva 12 – Sevilla 93.

🏛 **La Pinta,** Rábida 79 🖉 35 05 11, Fax 53 01 64 – 🍴 📺 ☎ 🛋. 🆎 ⓞ🕸
🆚. 🍽
Comida 1400 – ⚏ 400 – **30 hab** 6000/10000.

PALS 17256 Gerona 🔢🔢🔢 G 39 – 1675 h. – 🟤 972.
Ver : Pueblo medieval★.
🏌 de Pals 🖉 63 60 06, Fax 63 70 09.
🖪 Aniceta Figueras 6, 🖉 66 78 57, Fax 66 78 18, (temp.).
Madrid 744 – Gerona/Girona 41 – Palafrugell 8.

🍴🍴 **Alfred,** La Font 7 🖉 63 62 74 – 🍴 🅿. 🆎 Ɇ 🆚. 🍽
cerrado domingo noche y lunes (salvo en verano) y 15 octubre-15 noviembre – **Com**
carta 2700 a 4050.

en la playa – ✉ 17256 Pals – 🟤 972 :

🏨 **La Costa** 🏖, E : 8 km 🖉 66 77 40, Fax 66 77 36, ≼, 🍸, « Gran 🏊 junto a un pina
🏌, 🍴, 🏌 🛎 – 📶 🍴 📺 ☎ 🛋 🅿 – 🔬 25/70. 🆎 ⓞ Ɇ 🆚. 🍽
22 marzo-26 octubre – **Comida** 3750 – **120 hab** ⚏ 17500/23000.

🍴🍴🍴 **Sa Punta** (Hotel 🏨) 🏖 con hab, E : 6 km 🖉 66 73 76, Fax 66 73 15, « 🏊
🍽 terrazas ajardinadas » – 📶 🍴 📺 ☎ 🛋 🅿 – 🔬 25/60. 🆎 ⓞ Ɇ 🆚
🍽
Comida 4700 y carta 4390 a 5890 – ⚏ 1250 – **22 hab** 14000/18000, 3 suites
Espec. Parrillada de verduras al aceite de oliva. Arrosejat de arroz de Pals con gambas
Palamós. Mató con helado de miel e higos confitados.

PAMPLONA o IRUÑEA 31000 🅿 Navarra 🔢🔢🔢 D 25 – 191 197 h. alt. 415 – 🟤 948.
Ver : Catedral★ (sepulcro★, claustro★) BY – Museo de Navarra★ (mosaicos★, capitele
pinturas murales★, arqueta hispano-árabe★) AY **M.**
🏌 de Ulzama por ① : 21 km 🖉 30 51 62, Fax 30 54 71.
✈ de Pamplona por ③ : 7 km 🖉 16 87 00 – LAN (Líneas Aéreas Navarras) : aeropue
🖉 16 87 58, y Aviaco : aeropuerto, ✉ 31003, 🖉 31 71 82.
🖪 Duque de Ahumada 3, ✉ 31002, 🖉 22 07 41, Fax 21 20 59 – **R.A.C.V.N.** av. Sanch
Fuerte 29, 🖉 31007, 🖉 26 65 62, Fax 17 68 83.
Madrid 385 ③ – Barcelona 471 ③ – Bayonne 118 ① – Bilbao/Bilbo 157 ⑤ –
Sebastián/Donostia 94 ⑤ – Zaragoza 169 ③.

Biurdana	VX 14		Mendigorría	V 42	
Buenaventura Iñiguez	X 15		Monasterio Irache	X 45	
ejeras	X 3	Enamorados	V 23	Monasterio Velate	X 46
ca	V 7	Ermitagaña	X 24	Pío XII (Av.)	X 53
a Navarra (Av.)	X 8	Fuente de la Teja		Río Queiles	V 58
añáin (Av. de)	X 10	(Camino)	X 28	San Cristóbal	V 62
ona (Av.)	V 13	Julián Gayarre	X 34	San Pedro	
		Landaben (Av.)	X 35	(Puente de)	V 68
		Lezkairu (Camino)	X 37	Tajonar	X 75
		Magdalena	V 39	Valle de Aranguren	X 76

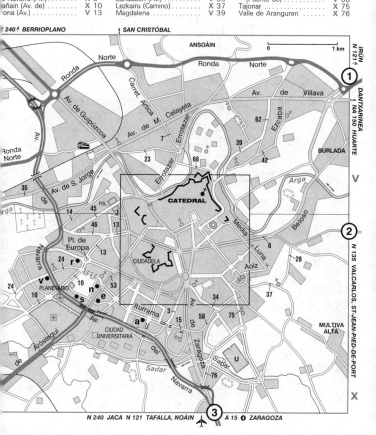

240 A BERRIOPLANO — SAN CRISTÓBAL

N 240 JACA N 121 TAFALLA, NOÁIN — A 15 ☉ ZARAGOZA

Iruña Park H., Arcadio María Larraona 1, ☒ 31008, ℘ 17 32 00, Telex 37948, Fax 17 23 87 – 🛗 🗐 📺 ☎ 🕹 🖇 – 🔥 25/1000. 🇦🇪 ① 🗲 𝗩𝗜𝗦𝗔 𝗝𝗖𝗕. ⚄   X r
Comida 2800 – ⊈ 1500 – **219 hab** 15540/19425, 6 suites.

Tres Reyes, jardines de la Taconera, ☒ 31001, ℘ 22 66 00, Telex 37720, Fax 22 29 30, ⅃⅌, ⅌ climatizada – 🛗 🗐 📺 ☎ 🖇 🅿 – 🔥 25/400. 🇦🇪 ① 🗲 𝗩𝗜𝗦𝗔. ⚄ rest AY x
Comida 4600 – ⊈ 1600 – **160 hab** 15550/19550, 8 suites.

Blanca de Navarra, Av. Pío XII-43, ☒ 31008, ℘ 17 10 10, Telex 37888, Fax 17 54 14 – 🛗 🗐 📺 ☎ 🖇 – 🔥 25/400. 🇦🇪 ① 🗲 𝗩𝗜𝗦𝗔. ⚄   X e
Comida 2800 – ⊈ 1200 – **100 hab** 12300/15400, 2 suites.

NH Ciudad de Pamplona, Iturrama 21, ☒ 31007, ℘ 26 60 11, Fax 17 36 26 – 🛗 🗐 📺 ☎ 🖇 – 🔥 25/80. 🇦🇪 ① 🗲 𝗩𝗜𝗦𝗔 𝗝𝗖𝗕. ⚄   X a
Comida 2250 – ⊈ 950 – **115 hab** 17000/24900, 2 suites – PA 4500.

Reino de Navarra sin rest. con cafetería, Acella 1, ☒ 31008, ℘ 17 75 75, Fax 17 77 78 – 🛗 🗐 📺 ☎ 🖇 – 🔥 25. 🇦🇪 ① 🗲 𝗩𝗜𝗦𝗔. ⚄   X n
⊈ 1000 – **83 hab** 12100/15300.

Maisonnave, Nueva 20, ☒ 31001, ℘ 22 26 00, Telex 37994, Fax 22 01 66 – 🛗 🗐 📺 ☎ 🖇 – 🔥 25/60. 🇦🇪 ① 🗲 𝗩𝗜𝗦𝗔. ⚄ rest AY e
Comida carta 2600 a 3900 – ⊈ 1200 – **152 hab** 9400/13500.

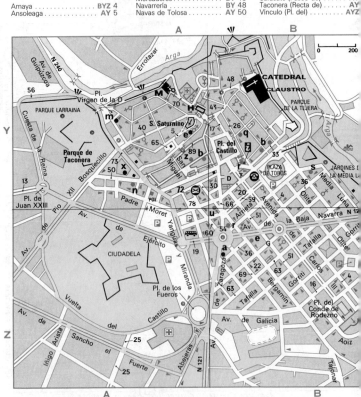

IRUÑEA
PAMPLONA

Carlos III (Av. de) .... **BYZ**
Chapitela .... **BY 17**
García Castañón .... **ABY 30**
San Ignacio (Av. de) ...... **BYZ 66**
Zapatería .... **AY 89**

Amaya .... **BYZ 4**
Ansoleaga .... **AY 5**

Bayona (Av. de) .... **AY 13**
Castillo de Maya .... **BZ 16**
Conde Oliveto (Av. del) ... **AZ 19**
Cortes de Navarra .... **BY 20**
Cruz (Pl. de la) .... **BZ 22**
Esquiroz .... **AZ 25**
Estafeta .... **BY 26**
Juan de Labrit .... **BY 33**
Leyre .... **BYZ 36**
Mayor .... **AY 40**
Mercaderes .... **BY 43**
Navarrería .... **BY 48**
Navas de Tolosa .... **AY 50**

Paulino Caballero .... **BZ**
Príncipe
  de Viana (Pl. del) ...... **BZ**
Reina (Cuesta de la) ...... **AY**
Roncesvalles (Av. de) ..... **BY**
Sancho el Mayor .... **ABZ**
San Fermín .... **BZ**
San Francisco (Pl. de) .... **AY**
Sangüesa .... **BZ**
Santo Domingo .... **AY**
Sarasate (Paseo de) ...... **AY**
Taconera (Recta de) ...... **AY**
Vínculo (Pl. del) .... **AYZ**

🏨 **Tryp Sancho Ramírez,** Sancho Ramírez 11, ⊠ 31008, 𝄐 27 17 12, Fax 17 11 4
    📶 🔲 📺 ☎ 🚗 – 🔬 25/120. 🆎 ⓞ 🗲 *VISA*
    Comida 2000 – ⯑ 700 – **86 hab** 18000/22000 – PA 4700.

🏨 **Albret** *sin rest. con cafetería,* Ermitagaña 3, ⊠ 31008, 𝄐 17 22 33, Fax 17 83 84
    🔲 📺 ☎ 🔥 🚗 – 🔬 60/150. 🆎 ⓞ 🗲 *VISA*. ⁕
    ⯑ 1100 – **108 hab** 12100/14900, 2 suites.

🏨 **Avenida,** av. de Zaragoza 5, ⊠ 31003, 𝄐 24 54 54, Fax 23 23 23 – 📶 🔲 📺 ☎ ⇐
    🆎 ⓞ 🗲 *VISA* 🇯🇨🇧. ⁕
    Comida 2250 - *Leyre (cerrado domingo noche)* **Comida** carta 3000 a 3700 – ⯑ 90
    24 hab 8900/14500.

🏨 **Eslava** ⁕ *sin rest,* Recoletas 20, ⊠ 31001, 𝄐 22 22 70, Fax 22 51 57 – 📶 📺 ☎
    ⓞ 🗲 *VISA*. ⁕
    ⯑ 500 – **28 hab** 4500/8500.

🏵🏵🏵🏵 **Josetxo,** pl. Príncipe de Viana 1, ⊠ 31002, 𝄐 22 20 97, Fax 22 41 57, « Decora
    elegante » – 🔲 🆎 ⓞ 🗲 *VISA*. ⁕
    cerrado domingo y agosto – **Comida** carta 6375 a 7950
    Espec. Hojaldre de hongos de la Ulzama (octubre-abril). Muslo de pichón de Bresse rel
    de trufa y foie. Repostería de la casa.

XXX **Rodero**, Arrieta 3, ⊠ 31002, ℰ 22 80 35, Fax 21 12 17 – ▤. ⌷ **E**. ⌷ BY s
cerrado domingo y del 1 al 15 de agosto – **Comida** carta 4600 a 5400.

XXX **Europa** con hab, Espoz y Mina 11-1º, ⊠ 31002, ℰ 22 18 00, Fax 22 92 35 – ▥ ▤ ⌷
ꕤ ☎. ⌷ ⌷ **E** ⌷. ⌷ BY r
Comida *(cerrado domingo)* 2925 y carta 5050 a 5975 – ⌷ 900 – **25 hab** 7150/13850
Espec. Canelones rellenos de begi-aundi con vinagreta de tomate. Rape asado con crema
de ajos y puerros. Torrijas con dados de manzana reineta y helado.

XXX **Alhambra**, Francisco Bergamín 7, ⊠ 31003, ℰ 24 50 07, Fax 24 09 19 – ▤. ⌷ ⌷
E ⌷ BZ e
cerrado domingo – **Comida** carta 4500 a 5700.

XXX **Hartza**, Juan de Labrit 19, ⊠ 31001, ℰ 22 45 68, « Decoración rústica elegante » –
ꕤ ▤ ⌷ ⌷ **E** ⌷ ⌷ BY b
cerrado domingo noche, lunes, 30 julio-24 agosto y 24 diciembre-4 enero – **Comida** carta
5100 a 6600
Espec. Hongos con foie fritos (invierno). Lomo de merluza gratinada con fondo de patata.
Muslito de oca con jugo de trufa en manzana.

XX **Don Pablo**, Navas de Tolosa 19, ⊠ 31002, ℰ 22 52 99, Fax 22 52 99 – ▤. ⌷ ⌷ **E**
⌷. ⌷ AY n
cerrado domingo noche, lunes y 15 julio-15 agosto – **Comida** carta 4000 a 4650.

XX **La Chistera**, San Nicolás 40, ⊠ 31001, ℰ 21 05 12 – ▤. ⌷ ⌷ **E** ⌷ AY z
Comida carta 3350 a 4700.

XX **Otano**, San Nicolás 5-1º, ⊠ 31001, ℰ 22 70 36, Fax 21 20 12, Decoración regional –
AY b

XX **Casa Manolo**, García Castañón 12-1º, ⊠ 31002, ℰ 22 51 02 – ▤. ⌷ ⌷ **E** ⌷. ⌷ BYZ u
cerrado domingo noche y del 12 al 24 de agosto – **Comida** carta 3600 a 4350. BYZ u

XX **Juan de Labrit**, Juan de Labrit 29, ⊠ 31001, ℰ 22 90 92 – ▤. ⌷ ⌷ **E** ⌷. ⌷
cerrado domingo noche y agosto – **Comida** carta 3100 a 5150. BY b

X **Castillo de Javier**, bajada de Javier 2-1º, ⊠ 31001, ℰ 22 18 94, Fax 22 05 28 – ▤.
⌷ ⌷ **E** ⌷ ⌷ BY q
cerrado lunes noche salvo en julio y agosto – **Comida** carta 2900 a 3750.

▣ **PANADELLA** 08289 Barcelona 四四三 H 34 – ꕤ 93.
Madrid 539 – Barcelona 90 – Lérida/Lleida 70.

▥ **Bayona**, carret. N II, ⊠ 08289 Montmaneu, ℰ 809 20 11, Fax 809 21 75 – ▤ rest ⌷.
⌷ ⌷ **E** ⌷. ⌷
Comida 1350 – ⌷ 600 – **64 hab** 3500/6000.

ANCORBO 09280 Burgos 四四二 E 20 – 598 h. alt. 635 – ꕤ 947.
Madrid 308 – Bilbao/Bilbo 99 – Burgos 65 – Vitoria/Gasteiz 49.

▥ **Pancorbo**, carret. N I ℰ 35 40 00, Fax 35 42 90 – ☎ ⌷ ⌷. ⌷ ⌷ **E** ⌷
Comida 1750 – ⌷ 450 – **30 hab** 3200/4800.

ANES 33570 Asturias 四四一 C 16 – alt. 50 – ꕤ 98.
*Alred. : Desfiladero de La Hermida★★ SO : 12 km – O, Gargantas del Cares★★ : carretera
de Poncebos (desfiladero★).*
🛈 Mayor, ℰ 541 42 97.
Madrid 427 – Oviedo 128 – Santander 89.

▥ Tres Palacios, Mayor ℰ 541 40 32, Fax 541 44 63 – ▥ ⌷ ☎ ⌷
29 hab.

X **Covadonga** con hab, Virgilio Linares ℰ 541 40 35, 🏖 – ⌷ ☎. ⌷. ⌷
Comida carta aprox. 3000 – ⌷ 250 – **10 hab** 3000/6000.

la carretera de Cangas de Onís – ꕤ 98 :

▥ **La Molinuca**, O : 6 km, ⊠ 33578 Peñamellera Alta, ℰ 541 40 30, Fax 541 43 97, ≤,
🏖 – ⌷ ☎ ⌷. **E** ⌷. ⌷
marzo-3 noviembre – **Comida** 1200 – ⌷ 500 – **18 hab** 5200/7000 – PA 2720.

XX **Casa Julián** 🏖 con hab, O : 9 km, ⊠ 33578 Niserias, ℰ 541 57 97, Fax 541 57 79,
≤, « Al borde del río Cares » – ⌷ ☎ ⌷. ⌷ **E** ⌷. ⌷
cerrado 15 diciembre-febrero – **Comida** carta 2900 a 3900 – ⌷ 400 – **4 hab** 7490/8560.

Alles por la carretera de Cangas de Onís - O : 10,5 km – ⊠ 33578 Alles – ꕤ 98 :

▥ **La Tahona de Besnes** 🏖, Besnes ℰ 541 57 49, Fax 541 57 49, 🏖, « Rústico
regional » – ⌷ ☎ ⌷. ⌷ ⌷ **E** ⌷. ⌷
Comida 1800 – ⌷ 800 – **19 hab** 6500/8700 – PA 4000.

PANTICOSA 22661 Huesca 443 D 29 – 1 005 h. alt. 1 185 – 🏨 974 – Balneario – Deportes invierno : ≰7.
Alred.: Balneario de Panticosa★ – N : Garganta del Escalar★★.
Madrid 481 – Huesca 86.

🏨 **Sabocos** 🦢, acceso telesilla ℘ 48 75 11, Fax 48 74 17, ≼ – 🛗 📺 ☎ ☻ ⊕. ⊕ 🄴 VISA. ℀
cerrado noviembre – **Comida** 1600 – ⊃ 650 – **18 hab** 5500/6500 – PA 3370.

🏨 **Escalar** 🦢, La Cruz ℘ 48 70 08, Fax 48 70 03, ≼, ⌁ climatizada – 📺 ☎ ⇔. 🄴 VISA. ℀
diciembre-abril y 15 junio-septiembre – **Comida** 1400 – ⊃ 500 – **32 hab** 5000/55⸾

🏨 **Arruebo** 🦢, La Cruz 8 ℘ 48 70 52, Fax 48 70 52, ≼ – 📺 ☎. 🄰🄴 ⊕ 🄴 VISA. ℀
Comida 1700 – ⊃ 600 – **18 hab** 5500/7000 – PA 3500.

🏨 **Morlans** 🦢, San Miguel ℘ 48 70 57, Fax 48 73 86 – 🍽 rest 📺 ☎ ☻. 🄰🄴 🄴 VISA
diciembre-abril y 20 junio-15 septiembre – **Comida** (cerrado 10 mayo-10 junio) 160⸾
⊃ 800 – **25 hab** 5000/7000 – PA 3000.

🏨 **Panticosa** 🦢, La Cruz ℘ 48 70 00, Fax 48 70 01 – 📺 ☎ ☻. VISA. ℀
23 diciembre-15 abril y julio-15 septiembre – **Comida** 1350 – ⊃ 500 – **30 hab** 4000/55

🏨 **Valle de Tena** 🦢, La Cruz ℘ 48 70 73, Fax 48 70 92 – 📺 ☎ ☻. 🄴 VISA. ℀
diciembre-abril y junio-septiembre – **Comida** 1350 – ⊃ 500 – **28 hab** 4200/5800 –
2500.

El PARDO 28048 Madrid 444 K 18 – 🏨 91.
Ver : Palacio Real★ (tapices★) – Convento de Capuchinos : Cristo yacente★.
Madrid 13 – Segovia 93.

🍴 **Pedro's**, av. de La Guardia ℘ 376 08 83, 🏕 – 🍽. 🄰🄴 ⊕ VISA. ℀
Comida carta 2700 a 4100.

🍴 **Menéndez**, av. de La Guardia 25 ℘ 376 15 56, 🏕 – 🍽. 🄰🄴 ⊕ 🄴 VISA. ℀
Comida carta 3000 a 3900.

PAREDES Pontevedra – ver Vilaboa.

PARETS o **PARETS DEL VALLÈS** 08150 Barcelona 443 H 36 – 10 928 h. alt. 94 – 🏨
Madrid 637 – Barcelona 26 – Gerona/Girona 81 – Manresa 64.

🍴🍴 **El Jardí**, Major 1 ℘ 573 02 97, 🏕, « Terraza » – 🍽. 🄰🄴 ⊕ 🄴 VISA. ℀
cerrado martes, Semana Santa y agosto – **Comida** carta 3650 a 4600.

PAS DE LA CASA Andorra – ver Andorra (Principado de).

PASAJES DE SAN JUAN o **PASAI DONIBANE** 20110 Guipúzcoa 442 B 24 – 1820.
– 🏨 943.
Ver : Localidad pintoresca★.
Alred.: Trayecto★★ de Pasajes de San Juan a Fuenterrabía por el Jaizkíbel.
Madrid 477 – Pamplona/Iruñea 100 – St-Jean-de-Luz 27 – San Sebastián/Donostia

🍴🍴 **Casa Cámara**, San Juan 79 ℘ 52 36 99, ≼, Pescados y mariscos – 🄴 VISA. ℀
cerrado domingo noche y lunes – **Comida** carta 3050 a 4050.

🍴 **Nicolasa**, San Juan 59 ℘ 51 54 69, ≼ – 🄰🄴 🄴 VISA. ℀
cerrado domingo noche, lunes y 15 diciembre-15 enero – **Comida** carta 1800 a 35

🍴 **Txulotxo**, San Juan 71 ℘ 52 39 52, ≼, Pescados y mariscos – 🄰🄴 ⊕ 🄴 VISA JCB.
cerrado domingo noche, martes y 15 diciembre-15 enero – **Comida** carta 2500 a 3⸾

PASAJES DE SAN PEDRO o **PASAI SAN PEDRO** 20110 Guipúzcoa 442 C 24 – 18 20
– 🏨 943.
Madrid 458 – Bayonne 50 – Pamplona/Iruñea 84 – San Sebastián/Donostia 5.

en Trintxerpe : – ⊠ 20110 Trintxerpe – 🏨 943 :
🍴🍴 **Izkiña**, Euskadi Etorbidea 19 ℘ 39 90 43, Fax 39 90 43, Pescados y mariscos – 🍽
🄴 VISA
cerrado domingo noche y lunes – **Comida** carta 3200 a 4900.

PASTRANA 19100 Guadalajara 444 K 21 – 1 092 h. alt. 759 – 🏨 949.
Ver : Colegiata (tapices★).
Madrid 101 – Guadalajara 46 – Sacedón 39 – Tarancón 59.

🏨🏨 **Hospedería Real de Pastrana** 🦢, Convento del Carmen - S : 1,5 km ℘ 37 1⸾
Fax 37 10 60, Instalado en un convento – 🛗 🍽 rest 📺 ☎ ☻ – 🛴 25/30. 🄰🄴 ⊕ 🄴
Comida 2100 – ⊃ 550 – **25 hab** 6600/8250, 2 suites – PA 4035.

ATALAVACA (Playa de) Las Palmas – ver Canarias (Gran Canaria) : Arguineguín.

ATONES 28189 Madrid 444 J 19 – 339 h. alt. 832 – ۞ 91.
　　Madrid 76 – Guadalajara 55 – Segovia 116.

■ Patones de Arriba : – ⊠ 28189 Patones – ۞ 91 :

🏨🏨 **El Tiempo Perdido** ⑤, travesía del Ayuntamiento 7 ℘ 843 21 52, Fax 843 21 48,
　　« Ambiente acogedor » – 🗐 📺 ☎. ﾑ E 𝘝𝘐𝘚𝘈
　　sólo fines de semana y festivos (cerrado 15 julio-30 agosto) – **Comida** (ver rest. *El Poleo*)
　　– ☑ 1500 – **5 hab** 18200/22600.

XX **El Poleo,** travesía del Arroyo 3 ℘ 843 21 01, Fax 843 21 48, « Rústico elegante » – 🗐.
　　ﾑ E 𝘝𝘐𝘚𝘈
　　fines de semana y festivos – **Comida** (cerrado 15 julio-15 agosto) carta 3550 a
　　4950.

AU 17494 Gerona 443 F 39 – 363 h. – ۞ 972.
　　Madrid 760 – Figueras/Figueres 14 – Gerona/Girona 53.

XX **L'Olivar d'en Norat,** carret. de Rosas - E : 1 km ℘ 53 03 00, 😤, Cocina vasca – 🗐
　　℗. ﾑ E 𝘝𝘐𝘚𝘈. ⚘
　　cerrado lunes – **Comida** carta 2800 a 4750.

PAULAR (Monasterio de) 28741 Madrid 444 J 18 – alt. 1073 – ۞ 91.
　　Ver : Monasterio★ (retablo★★).
　　Madrid 76 – Segovia 55.
　　Hoteles y restaurantes ver : **Rascafría** N : 1,5 km.

XARIÑAS (Playa de) Pontevedra – ver Portonovo.

CHINA 04259 Almería 446 V 22 – 2 166 h. alt. 98 – ۞ 950 – Balneario.
　　Madrid 566 – Almería 12 – Guadix 102.

Noreste : 8 km :

🏨 **Baln. de Sierra Alhamilla** ⑤, Los Baños ℘ 31 74 13, Fax 16 02 57, ≼ sierra, valle
　　y mar, 😤, « Antiguas albercas », 🛁 de agua termal – 📺 ☎. ① E 𝘝𝘐𝘚𝘈. ⚘
　　Comida 2000 – ☑ 700 – **22 hab** 6000/9500.

CHÓN 39594 Cantabria 442 B 16 – ۞ 942 – Playa.
　　Madrid 417 – Gijón 116 – Oviedo 128 – Santander 68.

🏨 **Don Pablo** ⑤ sin rest, El Cruce ℘ 71 95 00, Fax 71 95 00 – 📺 ☎ ⇔. ①
　　E 𝘝𝘐𝘚𝘈
　　☑ 500 – **18 hab** 6900/7900.

DRAZA DE LA SIERRA 40172 Segovia 442 I 18 – 448 h. alt. 1073 – ۞ 921.
　　Ver : Pueblo histórico★★.
　　Madrid 126 – Aranda de Duero 85 – Segovia 35.

🏨🏨 **El Hotel de la Villa** ⑤, Calzada ℘ 50 86 51, Fax 50 86 53, « Ambiente acogedor.
　　Decoración elegante » – 🗐 ☎ – 🛓 25/50. ﾑ ① E 𝘝𝘐𝘚𝘈. ⚘
　　Comida 3700 – ☑ 750 – **22 hab** 11000/12500, 2 suites.

🏨 **La Posada de Don Mariano** ⑤, Mayor 14 ℘ 50 98 86, Fax 50 98 86, « Elegante
　　decoración interior » – 📺 ☎. ﾑ ① E 𝘝𝘐𝘚𝘈. ⚘
　　Comida (cerrado domingo noche, lunes, 15 enero-1 febrero y 15 junio-1 julio) 2950 – ☑
　　950 – **18 hab** 9000/11000.

X **La Olma,** pl. del Ganado 1 ℘ 50 99 81, Fax 50 99 35 – ﾑ ① E 𝘝𝘐𝘚𝘈. ⚘
　　cerrado martes y del 15 al 30 de septiembre – **Comida** carta 3100 a 4200.

X El Corral de Joaquina, Íscar 3 ℘ 50 98 19, Fax 50 98 19.

DREZUELA 28723 Madrid 444 J 19 – 798 h. – ۞ 91.
　　Madrid 44 – Aranda de Duero 117 – Guadalajara 72.

XX **Los Nuevos Hornos** (Ángel), carret. NI - N : 2 km ℘ 843 35 71, Fax 843 38 73, 😤
　　– 🗐 ℗. ﾑ E 𝘝𝘐𝘚𝘈. ⚘
　　cerrado martes y agosto – **Comida** carta 3750 a 5400.

Las PEDROÑERAS 16660 Cuenca 🗺️444 N 21 y 22 – 6 475 h. alt. 700 – ` ⊕ 967.
Madrid 160 – Albacete 89 – Alcázar de San Juan 58 – Cuenca 111.

XX **Las Rejas,** av. del Brasil 🖉 16 10 89, « Decoración regional » – 🗐 **🅿**. 🖭 ⊙ **E** 🗺️ .
⊛ ⅍
cerrado lunes (salvo festivos) y 2ª quincena de junio – **Comida** carta 3600 a 4800
Espec. Sopa de ajoarriero con bacalao y caviar. Lomo de merluza con pisto manche〈
vinagreta de azafrán. Mano de cerdo rellena de morteruelo, perdiz y trufas.

PEGUERA Baleares – ver Baleares (Mallorca) : Paguera.

PENÁGUILA 03815 Alicante 🗺️445 P 28 – 351 h. alt. 685 – ⊕ 96.
Madrid 432 – Alcoy/Alcoi 19 – Alicante/Alacant 76 – Gandía 100.

al Oeste : 3,5 km :
🏠 **Mas de Pau** ⬙, carret. de Alcoy 🖉 551 31 11, Fax 551 31 09, ≼, 🍽️, Interior rús〈
🔲, ⅍ – 🖭 ☎ **🅿** – 🔏 25/65. 🖭 **E** 🗺️ ⅍
Comida 2000 – 🖵 700 – **18 hab** 8500 – PA 4700.

PEÑAFIEL 47300 Valladolid 🗺️442 H 17 – 5 003 h. alt. 755 – ⊕ 983.
Ver : La Ciudad Vieja★ - Castillo (⁂★).
Madrid 176 – Aranda de Duero 38 – Valladolid 55.

🏨 **Ribera del Duero** ⬙, av. Escalona 17 🖉 87 31 11, Fax 88 14 44 – 🛗 🗐 🖭 ☎
🖭 ⊙ **E** 🗺️ ⅍
Comida 1500 – 🖵 350 – **27 hab** 7500/8500.

PEÑARANDA DE BRACAMONTE 37300 Salamanca 🗺️441 J 14 – 6 290 h. alt. 730 – ⊕
🇧 Carlos I-1, 🖉 54 00 01.
Madrid 164 – Ávila 56 – Salamanca 43.

XX **Las Cabañas,** Carmen 10 🖉 54 02 03
🖗 🗐. 🖭 **E** 🗺️ ⅍
Comida carta 2500 a 3600.

X **La Encina,** av. de Salamanca 10 🖉 54 20 40 – 🗐. ⊙ **E** 🗺️ ⅍
Comida carta 2250 a 3450.

PEÑARROYA PUEBLONUEVO 14200 Córdoba 🗺️446 R 14 – 13 946 h. alt. 577 – ⊕ 95
Madrid 394 – Azuaga 46 – Córdoba 83 – Sevilla 232.

🏠 **Gran Hotel** sin rest, Trinidad 7 🖉 57 00 58, Fax 57 01 94 – 🗐 🖭 ☎. 🗺️
🖵 400 – **17 hab** 3500/5900.

X Los Corales, Constitución 8 🖉 57 05 68 – 🗐.

PEÑÍSCOLA 12598 Castellón 🗺️445 K 31 – 3 677 h. – ⊕ 964 – Playa.
Ver : Ciudad Vieja★ (castillo ≼★).
🇧 paseo Marítimo, 🖉 48 02 08, Fax 48 02 08.
Madrid 494 – Castellón de la Plana/Castelló de la Plana 76 – Tarragona 124 – Tortos〈

🏨🏨 **Hostería del Mar** (Parador Colaborador), av. Papa Luna 18 🖉 48 06 00, Fax 48 1〈
≼ mar y Peñíscola, Cenas medievales los sábados, « Interior castellano », 🔲, 🍽️, 〈
🛗 🗐 🖭 ☎ **🅿**. 🖭 ⊙ **E** 🗺️ ⅍ rest
Comida 2500 – 🖵 1050 – **85 hab** 11800/15500, 1 suite – PA 5400.

🏨🏨 Jaime I, av. Pigmalión 🖉 48 99 00, Fax 48 94 10, 🔲 – 🛗 🗐 🖭 ☎ **🅿**
47 hab.

🏨🏨 **Prado,** av. Papa Luna 3 🖉 48 91 20, Fax 48 95 17, ≼, 🔲 – 🛗 🗐 ☎ 🕭 **🅿**. 🖭 **E**
⅍
marzo-noviembre – **Comida** 2000 – 🖵 500 – **154 hab** 6000/10000.

🏨🏨 **Porto Cristo,** av. Papa Luna 2 🖉 48 07 18, Fax 48 90 49, 🍽️ – 🛗 🗐 **🅿**. 🗺️ 〈
abril-septiembre – **Comida** 1300 – 🖵 400 – **26 hab** 4300/6700 – PA 3000.

🏠 Cabo de Mar, av. Primo de Rivera 1 🖉 48 00 16, ≼ – 🗐 rest
temp – **23 hab.**

🏠 **Marina,** av. José Antonio 42 🖉 48 08 90, Fax 48 08 90 – 🗐 rest ☎. ⊙ **E** 🗺️.
abril-noviembre – **Comida** 1300 – 🖵 400 – **19 hab** 2100/4200 – PA 2550.

⌂ Ciudad de Gaya, av. Papa Luna 1 🖉 48 00 24, ≼, 🍽️ – **🅿**
27 hab.

⌂ **Tío Pepe,** av. José Antonio 32 🖉 48 06 40 – ⅍ rest
Comida 1000 – **10 hab** 🖵 5000 – PA 2000.

XX **Les Doyes,** av. Papa Luna 10 ℰ 48 07 95, Fax 48 08 55, ╣ – 🗐. 🖭 ⓪ 🖪 *VISA*. ⊰⊰
22 marzo-septiembre – **Comida** carta 2500 a 4150.

X **Simó** con hab, Porteta 5 ℰ 48 06 20, Fax 48 06 20, ≤, ╣ – 🖭 ⓪ 🖪 *VISA*. ⊰⊰
marzo-septiembre – **Comida** *(cerrado lunes, salvo festivos, vísperas y 15 junio-15 septiembre)* carta 2750 a 4650 – 🖵 600 – **10 hab** 5700/7300.

n la urbanización Las Atalayas *por la carretera CS 500 - NO : 1 km* – ✉ 12598 Peñíscola
– ☎ 964 :

🏨 **Benedicto XIII** ⊱, ℰ 48 08 01, Fax 48 95 23, ≤, ╣, ⊡, ⊰ – ⧉ 🗐 rest 📺 ☎ ⓟ
– 🏛 25/80. 🖭 ⓪ 🖪 *VISA* Jⴷв. ⊰⊰
marzo-octubre – **Comida** 2200 – 🖵 830 – **30 hab** 6240/7800 – PA 4500.

ERALADA Gerona – ver Perelada.

ERALEJO 28211 Madrid 🟦🟦🟦 K 17 – ☎ 91.
Madrid 54 – El Escorial 6 – Ávila 70 – Segovia 66 – Toledo 103.

X **Casavieja,** ℰ 899 20 11, ╣, Decoración rústica. Espec. en carnes – 🗐. 🖪 *VISA*. ⊰⊰
cerrado lunes y del 1 al 15 de octubre – **Comida** carta 2850 a 3500.

ERALES DE TAJUÑA 28540 Madrid 🟦🟦🟦 L 19 – 1961 h. alt. 585 – ☎ 91.
Madrid 40 – Aranjuez 44 – Cuenca 125.

XX **Las Vegas,** antigua carret. N III ℰ 874 83 90, Fax 874 83 90, ╣ – 🗐 ⓟ. 🖭 ⓪ 🖪 *VISA*.
⊰⊰
Comida carta 1900 a 2400.

ERALTA 31350 Navarra 🟦🟦 E 24 – 4544 h. alt. 292 – ☎ 948.
Madrid 347 – Logroño 70 – Pamplona/Iruñea 59 – Zaragoza 122.

XX **Atalaya** con hab, Dabán 11 ℰ 75 01 52 – ⧉ 🗐 rest 📺 ☎. 🖭 ⓪ 🖪 *VISA* Jⴷв. ⊰⊰
cerrado 23 diciembre-7 enero – **Comida** *(cerrado domingo noche, lunes y festivos noche)*
carta 3500 a 4600 – **22 hab** 🖵 3000/4500.

ERAMOLA 25790 Lérida 🟦🟦🟦 F 33 – 393 h. alt. 566 – ☎ 973.
Madrid 567 – Lérida/Lleida 98 – Seo de Urgel/La Seu d'Urgell 47.

Noreste : 2,5 km :

🏨 **Can Boix** (anexo 🏨🏨) ⊱, ℰ 47 02 66, Fax 47 02 66, ≤, ⊡, ⊰ – 🗐 📺 ☎ ᯤ ⓟ. 🖭
⓪ 🖪 *VISA*. ⊰⊰ rest
cerrado 10 enero-10 febrero y 15 días en noviembre – **Comida** carta 2800 a 4850 – 🖵
875 – **48 hab** 14000/16740.

RATALLADA 17113 Gerona 🟦🟦🟦 G 39 – ☎ 972.
Madrid 752 – Gerona/Girona 33 – Palafrugell 16.

XXX **Castell de Peratallada** ⊱ con hab, pl. del Castell 1 ℰ 63 40 21, Fax 63 40 11, ╣,
« Instalado en un castillo medieval », ⊰ – 🗐 hab ☎. 🖭 ⓪ 🖪 *VISA*. ⊰⊰
cerrado diciembre – **Comida** *(cerrado domingo noche)* carta 4450 a 5450 – **5 hab**
🖵 25000.

XX **La Riera** ⊱ con hab, pl. les Voltes 3 ℰ 63 41 42, Fax 63 50 40, Decoración rústica,
« Instalado en una antigua casa medieval » – 📺 ⓟ. 🖭 ⓪ 🖪 *VISA*
cerrado enero-febrero – **Comida** *(cerrado martes salvo verano y enero-marzo)* carta 3300
a 3700 – 🖵 800 – **6 hab** 7000/9000, 2 apartamentos.

X **Can Nau,** pl. Esquiladors 2 ℰ 63 40 35, « Instalado en una antigua casa de estilo
regional » – 🗐. 🖪 *VISA*. ⊰⊰
cerrado domingo noche (salvo agosto), miércoles no festivos y 3 febrero-14 marzo –
Comida carta 2600 a 3500.

X **El Borinot,** del Forn 15 ℰ 63 40 84 – ⓟ. 🖭 ⓪ 🖪 *VISA*. ⊰⊰
cerrado martes y enero – **Comida** carta 2115 a 4305.

PEREDA Asturias – ver Llanes.

RELADA o PERALADA 17491 Gerona 🟦🟦🟦 F 39 – 1118 h. – ☎ 972.
Madrid 738 – Gerona/Girona 42 – Perpignan 61.

XX **Cal Sagristà,** Rodona 2 ℰ 53 83 01, ╣ – 🖭 🖪 *VISA*
cerrado martes (salvo julio-agosto) y 2ª quincena de febrero – **Comida** carta 3000 a 4400.

PERELLÓ o El PERELLÓ 43519 Tarragona 443 J 32 – 2 119 h. alt. 142 – 977.
  Madrid 519 – Castellón de la Plana/Castelló de la Plana 132 – Tarragona 59 – Tortosa 3

  ✗ **Censals**, carret. N 340 ℘ 49 00 59, Fax 49 10 20 – 🗏 **®**. 🗚 **E** **VISA**. ⋘
  cerrado martes noche, miércoles y 1ª quincena de noviembre – **Comida** carta 2200 a 44

PERILLO La Coruña – ver La Coruña.

PERUYES 33547 Asturias 441 B 14 – 98.
  Madrid 522 – Gijón 89 – Oviedo 71 – Ribadesella 13.

  🏠 **Aultre Naray** ⋙ sin rest, ℘ 584 08 08, Fax 584 08 48, « En un bonito paraje en
  montañas » – 📺 ☎ **®**. 🗚 **①** **VISA**. ⋘
  cerrado febrero – ⊇ 750 – **10 hab** 8400/10500.

PETREL o PETRER 03610 Alicante 445 Q 27 – 24 383 h. alt. 640 – 96.
  Madrid 380 – Albacete 130 – Alicante/Alacant 36 – Elda 2 – Murcia 82.

  ✗✗ **La Sirena**, av. de Madrid 14 ℘ 537 17 18, Fax 537 17 18 – 🗏. 🗚 **①** **E** **VISA**. ⋘
  cerrado domingo noche, lunes, Semana Santa y 10 agosto-2 septiembre – **Comida** ca
  aprox. 3700.

PIEDRA (Monasterio de) Zaragoza 443 I 24 – alt. 720 – ⊠ 50210 Nuévalos – 9
  Ver : Parque y cascadas★★.
  Madrid 231 – Calatayud 29 – Zaragoza 118.

  🏠 Monasterio de Piedra ⋙, ℘ 84 90 11, Fax 84 90 54, « Instalado en el antig
  monasterio », ⊒, ⋘ – 🗏 rest 📺 ☎ **®** – 🛦 25/100
  61 hab.

El PÍ DE SANT JUST 25286 Lérida 443 G 34 – 973.
  Madrid 582 – Lérida/Lleida 113 – Manresa 47 – Solsona 5.

  ✗ El Pí de Sant Just con hab, carret. C 1410 ℘ 48 07 00, Fax 48 09 38, ⊒, ⋘ – 🗏 r
  ®
  7 hab.

PIEDRAFITA DEL CEBRERO o PEDRAFITA DO CEBREIRO 27670 Lugo 441 D
  2 103 h. alt. 1 062 – 982.
  Madrid 433 – Lugo 71 – Ponferrada 51.

  🏕 **Rebollal**, carret. N VI ℘ 36 71 15 – **VISA**. ⋘
  Comida 1500 – ⊇ 300 – **18 hab** 1900/3700 – PA 3000.

PIEDRALAVES 05440 Ávila 442 L 15 – 2 097 h. alt. 730 – 91.
  Madrid 95 – Ávila 83 – Plasencia 159.

  🏠 Almanzor, Progreso 4 ℘ 866 50 00, « Terraza con arbolado y ⊒ » – 🗏 rest ☎
  59 hab.

LA PINEDA (Playa de) Tarragona – ver Salou.

PINEDA DE MAR 08397 Barcelona 443 H 38 – 16 317 h. – 93 – Playa.
  🛈 Sant Joan Nonell, ℘ 767 15 60, Fax 767 12 12.
  Madrid 694 – Barcelona 51 – Gerona/Girona 46.

  🏠 **Mercè**, Rdo. Antoni Doltra 2 ℘ 767 00 78, Fax 767 10 10, ⊒, ⋘ – 📶 🗏 rest. 🗚
  E **VISA**. ⋘ rest
  mayo-21 octubre – **Comida** 900 - **La Taverna** (cerrado lunes no festivos y 8 enerc
  marzo) **Comida** carta aprox. 3700 – ⊇ 600 – **170 hab** 2500/5000 – PA 2000.

  🏠 **Mont Palau**, Roig i Jalpi 1 ℘ 767 14 66, Fax 767 05 83, ⊒ – 📶 🗏 **®**. 🗚 **①** **E** **VISA**. ⋘
  abril-octubre – **Comida** 1300 – ⊇ 450 – **82 hab** 3750/5750 – PA 2600.

  🏠 **Sabiote**, Rdo. Antoni Doltra 15 ℘ 767 14 40, Fax 767 14 40 – 📶 🗏 rest ☎. 🗚 **E**
  ⋘
  Comida 950 – ⊇ 550 – **26 hab** 2750/5000 – PA 2380.

PINETA (Valle de) Huesca – ver Bielsa.

NOS GENIL 18191 Granada 446 U 19 – 1 069 h. alt. 774 – ☎ 958.
Madrid 443 – Granada 13.

n la carretera de Granada – ⊠ 18191 Pinos Genil – ☎ 958 :

🏠 **Labella María,** O : 0,5 km 🖉 48 87 46, Fax 48 87 26 – 🛊 🗏 📺 ☎ ℗
25 hab.

🏋️ **Los Pinillos,** O : 3 km 🖉 48 61 09, Fax 48 72 16, 🌂 – 🗏 ℗. 🕮 ◑ 🕒 📼
cerrado domingo noche, martes y agosto – **Comida** carta 3300 a 4700.

À DE LA ERMITA Lérida – ver Taüll

À DE SANT LLORENÇ Barcelona – ver Matadepera.

À DE VALL-LLOBREGÀ Gerona – ver Palamós.

ASENCIA 10600 Cáceres 444 L 11 – 36 826 h. alt. 355 – ☎ 927.
Ver : Catedral★ (retablo★, sillería★).
🖪 del Rey 8, 🖉 42 21 59.
Madrid 257 – Ávila 150 – Cáceres 85 – Ciudad Real 332 – Salamanca 132 – Talavera de
la Reina 136.

🏨 **Alfonso VIII,** Alfonso VIII-34 🖉 41 02 50, Fax 41 80 42 – 🛊 🗏 📺 ☎ 🚗 – 🔏 25/400.
🕮 ◑ 🕒 📼. 🛠
Comida carta 3550 a 4900 – 🖵 850 – **55 hab** 7000/11000, 2 suites.

🏠 **Real,** N : 1,5 km 🖉 41 29 00, Fax 41 68 24 – 🛊 🗏 📺 ☎ ℗. 🕮 ◑ 🕒 📼. 🛠
Comida 1200 – 🖵 350 – **33 hab** 3500/6000 – PA 2500.

🏋️ **Florida 2,** av. de España 22 🖉 41 38 58 – 🗏. 🕮 🕒 📼. 🛠
Comida carta 2200 a 3800.

🏋️ El Carro, av. de la Vera 18 🖉 41 40 81 – 🗏.

la carretera N 630 SO : 3 km – ⊠ 10600 Plasencia – ☎ 927 :

🏨 **Azar,** 🖉 42 18 33, Fax 42 18 33 – 🛊 🗏 📺 ☎ 🚗 ℗ – 🔏 25/400. 🕒 📼. 🛠
Comida 2100 – 🖵 900 – **48 hab** 11000 – PA 4300.

ASENCIA DEL MONTE 22810 Huesca 443 F 28 – 263 h. alt. 535 – ☎ 974.
Madrid 407 – Huesca 17 – Pamplona/Iruñea 147.

🏋️ **El Cobertizo** con hab, carret. A 132 🖉 27 00 11, Fax 27 00 92, 🗾 – 🗏 rest 📺 ℗.
🕒 📼 ᴊᴄʙ. 🛠 rest
Comida 1500 – 🖵 500 – **24 hab** 3500/6000 – PA 3500.

ATJA D'ARO Gerona – ver Playa de Aro.

AYA – ver el nombre propio de la playa.

AYA BARCA Las Palmas – ver Canarias (Fuerteventura).

AYA BLANCA DE YAIZA Las Palmas – ver Canarias (Lanzarote).

AYA CANYELLES (Urbanización) Gerona – ver Lloret de Mar.

AYA GRANDE Murcia – ver Puerto de Mazarrón.

AYA DE ARO o PLATJA D'ARO 17250 Gerona 443 G 39 – 4 785 h. – ☎ 972 – Playa.
🖪 Jacinto Verdaguer 2, 🖉 81 71 79, Fax 82 56 57.
Madrid 715 – Barcelona 102 – Gerona/Girona 37.

🏨 **Columbus** ⌚, passeig del Mar 🖉 81 71 66, Fax 81 75 03, ⟨, 🌂, 🗾, 🎾 – 🛊 🗏 📺
☎ ℗ – 🔏 25/250. 🕮 ◑ 🕒 📼. 🛠 rest
marzo-octubre – **Comida** 2750 – **108 hab** 🖵 12000/19000, 2 suites.

🏨 **Guitart Platja d'Aro,** av. d'Estrasburg 10 🖉 81 72 20, Fax 81 61 68, 🖪, 🗾 – 🛊 🗏
📺 ☎ 🕭 🚗 – 🔏 25/400. 🕮 ◑ 🕒 📼. 🛠
Comida 2500 – **186 hab** 🖵 7950/12700, 11 suites.

🏨 **Cosmopolita,** Pinar del Mar 30 𝒫 81 73 50, Fax 81 74 50, ≼, 🛋, – 🛗 🗏 rest. **E**
※ rest – *cerrado enero* – **Comida** 1700 – ☑ 800 – **90 hab** 7000/12000.

🏨 **Costa Brava** ⤡, carret. de Palamós - Punta d'en Ramís 𝒫 81 73 08, Fax 82 63 48
« Al borde del mar » – ☎ 🅿. 🆎 ⓞ **E** 𝘝𝘐𝘚𝘈. ※ rest
marzo-noviembre – **Comida** 1600 - *Can Poldo :* **Comida** carta aprox. 2100 – 58
☑ 6800/10600.

🏨 **Mar Condal II** ⤡, paseo Marítimo 104 𝒫 81 80 69, Fax 81 61 14, ≼, 🛋, 🟰 – 🛗
☎ 🔁 🅿. 🆎 ⓞ **E** 𝘝𝘐𝘚𝘈. ※
abril-octubre – **Comida** 1000 – **120 hab** ☑ 9000/14700, 5 suites – PA 2500.

🏨 **Xaloc,** carret. de Palamós - playa de Rovira 𝒫 81 73 00, Fax 81 61 00 – 🛗 📺 ☎
🆎 **E** 𝘝𝘐𝘚𝘈. ※ rest
10 mayo-5 octubre – **Comida** (sólo cena) 1950 – ☑ 700 – **47 hab** 6950/11500.

🏨 **Els Pins,** Nostra Señora del Carme 34 𝒫 81 72 19, Fax 81 75 46 – 🛗 ☎. 🆎 **E** 𝘝𝘐𝘚𝘈. ※
abril-octubre – **Comida** 1250 – ☑ 625 – **65 hab** 7225/9630 – PA 2150.

🏨 **Miramar,** Virgen del Carmen 45 𝒫 81 71 50, Fax 81 71 50, ≼ – 🛗. 🆎 ⓞ 𝘝𝘐𝘚𝘈. ※
15 mayo-septiembre – **Comida** 1400 – ☑ 700 – **42 hab** 5100/8300 – PA 3300.

🍴 **Aradi,** carret. de Palamós 𝒫 81 73 76, Fax 81 75 72, 🛋 – 🗏 🅿. 🆎 ⓞ **E** 𝘝𝘐𝘚𝘈.
Comida carta 2400 a 4200.

🍴 **Japet** *con hab,* carret. de Palamós 50 𝒫 81 73 66, 🛋 – 🔁. 🆎 ⓞ **E** 𝘝𝘐𝘚𝘈. ※
Comida carta aprox. 3900 – ☑ 400 – **20 hab** 3500/5600.

en la carretera de Mas Nou *O : 1,5 km –* ✉ *17250 Playa de Aro –* 📞 *972 :*

🏕 **Carles Camós-Big Rock** ⤡ *con hab,* barri de Fanals 5 𝒫 81 80 12, Fax 81 89
« Antigua masía señorial », 🛋 – 🗏 📺 ☎ 🅿. 🆎 ⓞ **E** 𝘝𝘐𝘚𝘈. ※
cerrado enero – **Comida** *(cerrado domingo noche en invierno y lunes todo el año)* c
aprox. 4700 – ☑ 1100 – **5 suites** 24000.

en Condado de San Jorge *NE : 2 km –* ✉ *17251 Calonge –* 📞 *972 :*

🏨 **Park H. San Jorge,** 𝒫 65 23 11, Fax 65 25 76, « Agradable terraza con arbolad
rocas y mar », 🕭, 🛋, ※ – 🛗 🗏 📺 ☎ 🅿 – 🔺 25/100. 🆎 ⓞ **E** 𝘝𝘐𝘚𝘈. ※ rest
marzo-noviembre – **Comida** (sólo cena salvo julio-agosto) 2900 – **99 hab** ☑ 171
22700, 5 suites.

en la carretera de Sant Feliu de Guíxols – ✉ *17250 Playa de Aro –* 📞 *972 :*

🍴 **Panamá** *sin rest,* SO : 1 km 𝒫 81 76 39, Fax 81 79 34, 🛋 – 🛗. 🆎 **E** 𝘝𝘐𝘚𝘈
abril-septiembre – **42 hab** ☑ 5300/7900.

en la urbanización Mas Nou *NO : 4,5 km –* ✉ *17250 Playa de Aro –* 📞 *972 :*

🏕 **Mas Nou,** 𝒫 81 78 53, Telex 57205, Fax 81 67 22, ≼, Decoración rústica, 🛋, ※
🅿. 🆎 ⓞ **E** 𝘝𝘐𝘚𝘈
cerrado miércoles, enero, febrero y noviembre – **Comida** carta 3225 a 4775.

PLAYA DE PALMA *Baleares – ver Baleares (Mallorca) : Palma.*

PLAYA DE SAN JUAN o PLATJA DE SAN JUAN *03540 Alicante* 🆖🆖🆖 *Q 28 –* 📞
Playa.
Madrid 424 – Alicante/Alacant 7 – Benidorm 33.

🏨 **Sidi San Juan** ⤡, 𝒫 516 13 00, Fax 516 33 46, ≼ mar, 🛋, 🕭, 🛋, 🗏, 🌂,
🛗 🗏 📺 ☎ 🅿 – 🔺 25/250. 🆎 ⓞ **E** 𝘝𝘐𝘚𝘈 𝘫𝘤𝘣. ※ rest
Comida 3200 - *Grill Sant Joan :* **Comida** carta 3500 a 4600 – ☑ 1450 – **172**
15800/20500, 4 suites – PA 7400.

🏨 **Almirante** ⤡, av. de Niza 38 𝒫 565 01 12, Fax 565 71 69, ≼, 🛋, 🌂, ※ – 🛗 🗏
☎ 🅿 – 🔺 25/150. 🆎 ⓞ **E** 𝘝𝘐𝘚𝘈. ※
Pocardy : **Comida** carta aprox. 2900 – ☑ 540 – **64 hab** 6660/10850.

🏨 **Castilla,** av. países Escandinavos 7 𝒫 516 20 33, Fax 516 20 61, 🛋 – 🛗 🗏 rest 📺
🅿 – 🔺 25/120. 🆎 ⓞ **E** 𝘝𝘐𝘚𝘈. ※
Comida 2500 – ☑ 880 – **154 hab** 7150/10890.

🍴 **Estella,** av. Costa Blanca 125 𝒫 516 04 07 – 🗏. 🆎 ⓞ **E** 𝘝𝘐𝘚𝘈 𝘫𝘤𝘣. ※
cerrado domingo noche, lunes y 20 noviembre-20 diciembre – **Comida** carta 3080 a 4

🍴 El Trasmallo, av. de Cataluña 21 𝒫 516 44 54, Fax 516 44 54, 🛋 – 🗏 🅿.

🍴 Regina, av. de Niza 19 𝒫 526 41 39, 🛋 – 🗏.

🍴 Max's, Curricán 43 𝒫 516 59 15, Cocina francesa.

🍴 **Marcolisa,** av. La Condomina 62 𝒫 516 41 38, 🛋, Cocina franco-belga – **E** 𝘝𝘐𝘚𝘈
cerrado martes noche y miércoles – **Comida** (sólo cena en verano salvo sábado y domi
carta aprox. 2250.

AYA DE LAS AMÉRICAS Santa Cruz de Tenerife – ver Canarias (Tenerife).

s PLAYAS Santa Cruz de Tenerife – ver Canarias (Hierro) : Valverde.

AYAS DE FORNELLS (Urbanización) Baleares – ver Baleares (Menorca) : Fornells.

s PLAYETAS Castellón – ver Oropesa del Mar.

ENCIA o PLENTZIA 48620 Vizcaya 442 B 21 – 2 520 h. – ✆ 94 – Playa.
Madrid 416 – Bilbao/Bilbo 21 – Vitoria/Gasteiz 91.

🏠 **Uribe** sin rest, Erribera 13 ✆ 677 44 78, Fax 677 44 61 – 📺 ☎. 🅰🅴 🆅🅸🆂🅰
⌷ 600 – **8 hab** 7000/8500.

XX **Gaminiz,** Areatza 38 ✆ 677 30 93, Villa de época con terraza acristalada – 🄴
🆅🅸🆂🅰. ⚘
cerrado domingo noche (15 junio-15 septiembre), domingo noche y lunes resto del año
– **Comida** carta 4400 a 5500.

POBLA DE BENIFASSÀ Castellón – ver La Puebla de Benifasar.

POBLA DE CLARAMUNT 08787 Barcelona 443 H 35 – 1 635 h. – ✆ 93.
Madrid 570 – Barcelona 71 – Lérida/Lleida 101 – Manresa 35.

la carretera C 244 S : 2 km – ✉ 08787 La Pobla de Claramunt – ✆ 93 :

X **La Farga,** av. Corral de la Farga 15 (Residencial El Xaro) ✆ 808 61 85, Fax 808 61 85,
« Césped con 🛝 », ⚘ – 🍽 🄿. 🅰🅴 🄴 🆅🅸🆂🅰
cerrado lunes y febrero – **Comida** carta 3050 a 3700.

POBLA DE FARNALS Valencia – ver Puebla de Farnals.

BLET (Monasterio de) 43448 Tarragona 443 H 33 – alt. 490 – ✆ 977.
Ver : Monasterio*** (claustro** : capiteles* - Iglesia** : panteón real**, retablo del
altar mayor**).
Madrid 528 – Barcelona 122 – Lérida/Lleida 51 – Tarragona 46.

🏠 **Monestir** 🛏, ✉ 43449 Les Masies, ✆ 87 00 58, Fax 87 00 30, �🏼, 🛝 – 🛗 🍽 rest
☎ 🚗 🄿. 🅰🅴 🄴 🆅🅸🆂🅰. ⚘
Semana Santa-octubre – **Comida** 2100 – ⌷ 725 – **30 hab** 4800/6900 – PA
4185.

XX **Masía del Cadet** 🛏 con hab, ✉ 43449 Les Masies, ✆ 87 08 69, Fax 86 25 42, ≼,
🌼 – 🛗 🍽 rest ☎ 🄿. 🅰🅴 🄾 🄴 🆅🅸🆂🅰 🄹🄲🄱. ⚘
cerrado del 7 al 20 de noviembre – **Comida** (cerrado lunes) carta 2450 a 3250 – ⌷ 575
– **12 hab** 4500/6500.

X **Fonoll,** pl. Ramón Berenguer IV-2 ✆ 87 03 33, Fax 87 03 33, 🌼 – 🄿. 🅰🅴 🄾
🄴 🆅🅸🆂🅰
cerrado jueves y 20 diciembre-20 enero – **Comida** carta 2450 a 3950.

BRA DO CARAMIÑAL La Coruña – ver Puebla del Caramiñal.

POCILLOS (Playa de) Las Palmas – ver Canarias (Lanzarote) : Puerto del Carmen.

LA DE ALLANDE 33880 Asturias 441 C 10 – 710 h. alt. 524 – ✆ 98.
Madrid 500 – Cangas 21 – Luarca 84 – Oviedo 106.

X **La Nueva Allandesa** con hab, Donato Fernández 3 ✆ 580 70 27, Fax 580 73 12 – 📺.
🅰🅴 🄾 🄴 🆅🅸🆂🅰. ⚘
Comida (cerrado domingo noche) carta aprox. 2450 – ⌷ 400 – **24 hab** 3000/
6000.

A DE SIERO 33510 Asturias 441 B 12 – ✆ 98.
Madrid 470 – Gijón 23 – Oviedo 17.

🏨 **Lóriga** sin rest, Valeriano León 22 ✆ 572 00 26, Fax 572 07 98 – 🛗 📺 ☎ 🚗. 🅰🅴 🄾
🄴 🆅🅸🆂🅰. ⚘
⌷ 600 – **40 hab** 6400/10500.

POLOP 03520 Alicante 445 Q 29 – 1 903 h. alt. 230 – ✪ 96.
Madrid 449 – Alicante/Alacant 57 – Gandía 63.

  ✕ **Ca L'Angeles,** Gabriel Miró 36 ✆ 587 02 26 – **E** ⱽ𝖨𝖲𝖠
cerrado martes y 19 junio-12 julio – **Comida** *(sólo almuerzo salvo viernes, sábado y jun*
septiembre) carta 2700 a 3800.

POLLENSA o **POLLENÇA** Baleares – ver Baleares (Mallorca).

PONFERRADA 24400 León 441 E 10 – 59 702 h. alt. 543 – ✪ 987.
  🄱 Gil y Carrasco 4 (junto al Castillo), ✆ 42 42 36.
Madrid 385 – Benavente 125 – León 105 – Lugo 121 – Orense/Ourense 159 – Oviedo 2

 🏨🏨 **Del Temple,** av. de Portugal 2 ✆ 41 00 58, Fax 42 35 25, « Decoración evocadora
la época de los Templarios » – 🛗 ☰ �📺 ☎ ⟷ – 🔬 25/120. 𝖠𝖤 ⓪ 𝖤 ⱽ𝖨𝖲𝖠. ⚹⚹
Comida *(cerrado domingo)* 1500 – ☲ 850 – **110 hab** 7500/11000, 2 suites.

 🏨🏨 **Madrid,** av. de La Puebla 44 ✆ 41 15 50, Fax 41 18 61 – 🛗 ☰ rest �📺 ☎ – 🔬 25/2
𝖠𝖤 ⓪ 𝖤 ⱽ𝖨𝖲𝖠 𝖩ⷬ𝖢ⷠ𝖡. ⚹⚹
Comida *(cerrado domingo noche)* 975 – ☲ 400 – **55 hab** 3100/4750 – PA 2000.

 🏨🏨 **Bérgidum** sin rest. con cafetería, av. de la Plata 4 ✆ 40 15 99, Fax 40 16 00 – 🛗
�📺 ☎ ⟷. 𝖠𝖤 ⓪ 𝖤 ⱽ𝖨𝖲𝖠. ⚹⚹
☲ 900 – **71 hab** 7000/10000.

en la carretera N VI – ✉ 24400 Ponferrada – ✪ 987 :

  🄷 **Novo,** N : 2,5 km ✆ 42 44 41, Fax 42 44 41 – ☰ �📺 ☎ ⟷ Ⓟ. ⱽ𝖨𝖲𝖠. ⚹⚹
Comida 1500 – ☲ 500 – **26 hab** 6000/9000 – PA 3500.

  ✕ **Azul Montearenas,** NE : 6 km ✆ 41 70 12, Fax 42 48 21, ≼ – ☰ Ⓟ. 𝖠𝖤 ⓪ 𝖤 ⱽ
⚹⚹
cerrado domingo noche – **Comida** carta 3100 a 3650.

PONS o **PONTS** 25740 Lérida 443 G 33 – 2 247 h. alt. 363 – ✪ 973.
Madrid 533 – Barcelona 131 – Lérida/Lleida 64.

  🄷 Boncompte, pl. Sant Cristòfol 1 ✆ 46 10 02, Fax 46 10 04 – 🛗 ☰ �📺 ☎ ⟷
34 hab.

  🄷 **Pedra Negra,** carret. de Seo de Urgel - NE : 1 km ✆ 46 01 00, 🛠 – ☰ rest Ⓟ. 𝖠𝖤
ⱽ𝖨𝖲𝖠. ⚹⚹
Comida *(cerrado lunes)* 1690 – ☲ 365 – **10 hab** 2600/5250.

  ✕ **Ventureta** con hab, carret. de Seo de Urgel 2 ✆ 46 03 45, Fax 46 03 45 – ☰ rest.
⚹⚹
cerrado del 2 al 16 de junio – **Comida** *(cerrado jueves)* carta aprox. 3600 – ☲ 500 – **7**
2500/3500.

PONT D'ARRÓS Lérida – ver Viella.

EL PONT DE BAR 25723 Lérida 443 E 34 – 169 h. – ✪ 973.
Madrid 614 – Puigcerdà 34 – Seu de Urgel/La Seu d'Urgell 23.

en la carretera N 260 E : 3,5 km – ✉ 25723 El Pont de Bar – ✪ 973 :

  ✕✕ **La Taverna dels Noguers,** ✆ 38 40 20 – ☰ Ⓟ. ⓪ 𝖤 ⱽ𝖨𝖲𝖠. ⚹⚹
cerrado jueves, 8 enero-2 febrero y julio (salvo fines de semana) – **Comida** *(sólo almue*
salvo sábado) carta aprox. 3650.

PONT DE MOLINS 17706 Gerona 443 F 38 – 260 h. – ✪ 972.
Madrid 749 – Figueras/Figueres 6 – Gerona/Girona 42.

  ✕ **El Molí** ⚘ con hab, carret. Les Escaules - O : 2 km ✆ 52 92 71, Fax 52 91 01, 🏡, Anti
molino, ⚘ – ☎ Ⓟ. 𝖠𝖤 ⓪ 𝖤 ⱽ𝖨𝖲𝖠. ⚹⚹ hab
abril-octubre – **Comida** *(cerrado martes noche, miércoles y 15 diciembre-15 enero)* c
2150 a 4350 – **8 hab** ☲ 5000/9000.

PONT DE SUERT 25520 Lérida 443 E 32 – 2 143 h. alt. 838 – ✪ 973.
Alred. : Embalse de Escales★ S : 5 km.
Madrid 555 – Lérida/Lleida 123 – Viella 40.

en la carretera de Bohí N : 2,5 km – ✉ 25520 Pont de Suert – ✪ 973 :

  ✕ **Mesón del Remei,** ✆ 69 02 55, Fax 69 12 08, Carnes a la brasa – Ⓟ. 𝖤 ⱽ𝖨𝖲𝖠. ⚹
cerrado lunes (salvo julio-agosto) y del 15 al 21 de septiembre – **Comida** carta 2050 a 3

PONT D'INCA Baleares – ver Baleares (Mallorca).

·NTEAREAS Pontevedra – ver Puenteareas.

·NTEDEUME La Coruña – ver Puentedeume.

·NTEVEDRA 36000 **P** **[44]** E 4 – 75 148 h. – **۞** 986.

Ver : Barrio antiguo★ : Plaza de la Leña★ BY - Museo Provincial (tesoros célticos★) BY **M1**
– Iglesia de Santa María la Mayor★ (fachada oeste★) AY.

Alred. : Mirador de Coto Redondo★★ ⁂★★ 14 km por ③.

日 General Mola 1, ⊠ 36001, ℘ 85 08 14, Fax 85 08 14 – **R.A.C.E.** Joaquín Costa 35, ⊠
36001, ℘ 86 09 85, Fax 86 08 98.

Madrid 599 ② – Lugo 146 ① – Orense/Ourense 100 ② – Santiago de Compostela 57 ①
– Vigo 27 ③.

Plano página siguiente

🏛 **Parador de Pontevedra,** Barón 19, ⊠ 36002, ℘ 85 58 00, Fax 85 21 95, 🍴,
« Antiguo pazo acondicionado », 🌿 – 🛗 📺 ☎ 🅿 – 🔬 25/40. 🖭 ⑩ 🔄 💳. 🛠
Comida 3200 – ☲ 1200 – **45 hab** 14500, 2 suites.   AY **a**

🏛 **Galicia Palace,** av. de Vigo 3, ⊠ 36003, ℘ 86 44 11, Fax 86 10 26 – 🛗 🗐 📺 📶 &,
🚗 – 🔬 25/300. 🖭 ⑩ 💳. 🛠 rest   BZ **t**
Comida 2200 – ☲ 950 – **80 hab** 9500/11900, 5 suites – PA 4400.

🏛 **Rías Bajas** sin rest, con cafetería, Daniel de la Sota 7, ⊠ 36001, ℘ 85 51 00,
Fax 85 51 00 – 🛗 📺 ☎ 🚗 – 🔬 25/90. 🖭 ⑩ 🔄 💳. 🛠   BZ **n**
☲ 600 – **93 hab** 7000/12000, 7 suites.

🏦 **Don Pepe** sin rest, carret. de La Toja 24, ⊠ 36163 Poyo, ℘ 87 22 60, Fax 87 34 33
– 🛗 📺 ☎ 🅿. 🖭 ⑩ 🔄 💳. 🛠   por Puente de la Barca AY
25 hab ☲ 7800/8500.

🏦 **Virgen del Camino** sin rest. con cafetería, Virgen del Camino 55, ⊠ 36001,
℘ 85 59 00, Fax 85 09 00 – 🛗 📺 ☎ 🚗 – 🔬 25/50. 🖭 ⑩ 🔄 💳. 🛠   BZ **v**
☲ 600 – **53 hab** 6900/10900.

🏠 **Ruas** sin rest, Sarmiento 37, ⊠ 36002, ℘ 84 64 16, Fax 84 64 11 – 🗐 📺 ☎. 🖭 ⑩
🔄 💳. 🛠   BY **r**
☲ 500 – **22 hab** 5500/7500.

🏠 Madrid sin rest, Andrés Mellado 5, ⊠ 36001, ℘ 86 51 80 – 🛗 📺 🚗   BZ **c**
40 hab.

XX Román, Augusto García Sánchez 12, ⊠ 36001, ℘ 84 35 60, Fax 84 35 60 –
🗐   BZ **s**

XX **Doña Antonia,** soportales de la Herrería 4-1º, ⊠ 36002, ℘ 84 72 74 – 🖭 ⑩ 🔄 💳.
۞ 🛠   BZ **x**
cerrado domingo – **Comida** carta 3250 a 4100
Espec. Tosta de vieiras. Rape braseado con ajada. Hígado de pato salteado con manzana.

X **Chipén,** Peregrina 3, ⊠ 36001, ℘ 84 58 80 – 🗐. 🖭 ⑩ 🔄 💳 🗾ᴄᴮ   BZ **a**
cerrado domingo (salvo en verano) y 1ª quincena de noviembre – **Comida** carta 2300 a
3100.

X **Alameda,** Alameda 10, ⊠ 36001, ℘ 85 74 12 – 🔄 💳. 🛠   AZ **a**
cerrado domingo, 15 días en junio y 15 días en octubre – **Comida** carta 2500 a 4000.

San Salvador de Poyo por Puente de la Barca AY – ⊠ 36994 San Salvador de Poyo –
۞ 986 :

🏠 **París** sin rest, carret. de La Toja : 3 km ℘ 87 31 98, Fax 87 30 40, 🏊 – 🛗 📺 ☎ 🅿.
💳. 🛠
☲ 400 – **39 hab** 3000/6000.

XX **Casa Solla,** carret. de La Toja : 2 km ℘ 87 28 84, Fax 87 31 29 – 🗐 🅿. 🖭 ⑩ 🔄 💳. 🛠
۞ cerrado domingo noche, jueves noche y Navidades – **Comida** carta 4100 a 5400
Espec. Boletus salteados con vinagre de Módena (noviembre-febrero). Lubina con mariscos
y fondo de puerro. Milhojas de chocolate blanco y negro.

X **Casa Ces,** carret. de La Toja : 2 km ℘ 87 29 46 – 🖭 ⑩ 🔄 💳. 🛠
cerrado domingo noche y 15 días en septiembre – **Comida** carta 2150 a 3500.

la playa de Lourido por Puente de la Barca : 3,5 km AY – ⊠ 36994 Playa de Lourido –
۞ 986 :

X **La Brisa,** ℘ 87 31 27, Fax 87 35 74, ≼ – 🅿. 🔄 💳. 🛠
cerrado miércoles y noviembre – **Comida** carta 2500 a 4050.

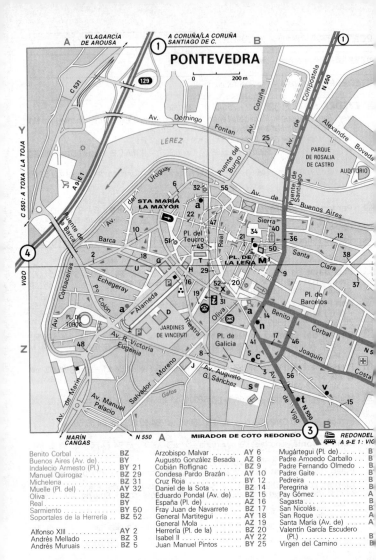

PONTEVEDRA

0   200 m

A CORUÑA/LA CORUÑA
SANTIAGO DE C.

VILAGARCÍA
DE AROUSA

PARQUE
DE ROSALIA
DE CASTRO

AUDITORIO

STA MARÍA
LA MAYOR

PL. DE
LA LEÑA

Pl. de
Barcelos

Pl. de
Galicia

JARDINES
DE VINCENTI

PL. DE
TOROS

MIRADOR DE COTO REDONDO

MARÍN
CANGAS

REDONDEL

Benito Corbal	. . . .	**BZ**
Buenos Aires (Av. de)	. . . . .	**BY**
Indalecio Armesto (Pl.)	. . .	**BY** 21
Manuel Quirogaz	. . . . .	**BZ** 29
Michelena	. . . .	**BZ** 31
Muelle (Pl. del)	. . . . .	**AY** 32
Oliva	. . . .	**BZ**
Real	. . . .	**BY**
Sarmiento	. . . .	**BY** 50
Soportales de la Herrería	.	**BZ** 52
Alfonso XIII	. . . .	**AY** 2
Andrés Mellado	. . . . .	**BZ** 3
Andrés Muruais	. . . . .	**BZ** 5

Arzobispo Malvar	. . . .	**AY** 6
Augusto González Besada	.	**AZ** 8
Cobián Roffignac	. . . . .	**BZ** 9
Condesa Pardo Bazán	. .	**AY** 10
Cruz Roja	. . . .	**BY** 12
Daniel de la Sota	. . . . .	**BZ** 14
Eduardo Pondal (Av. de)	.	**BZ** 15
España (Pl. de)	. . . . .	**AZ** 16
Fray Juan de Navarrete	.	**BZ** 17
General Martitegui	. . . .	**AZ** 18
General Mola	. . . . . .	**AZ** 19
Herrería (Pl. de la)	. . .	**BZ** 20
Isabel II	. . . .	**AY** 22
Juan Manuel Pintos	. . .	**BY** 25

Mugártegui (Pl. de)	. . . . .	B
Padre Amoedo Carballo	. .	B
Padre Fernando Olmedo	.	B
Padre Gaite	. . . .	B
Pedreira	. . . .	B
Peregrina	. . . .	B
Pay Gómez	. . . .	A
Sagasta	. . . .	B
San Nicolás	. . . .	B
San Roque	. . . .	A
Santa María (Av. de)	. . .	A
Valentín García Escudero		
(Pl.)	. . . .	B
Virgen del Camino	. . . .	B

en San Juan de Poyo *por Puente de la Barca : 4 km* AY – ⊠ *36994 San Juan de Poyo* – ❀

🏠 **San Juan** *sin rest*, Cesteiro 6 ℰ 77 00 20, Fax 77 05 11 – 🛗 📺 ☎ ⇔ 🅿. 🖭 ⓔ
VISA
⊡ 400 – **72 hab** 4500/5500.

en la carretera N 550 *por* ① *: 4 km* – ⊠ *36157 Alba* – ❀ *986* :

🍴 **Corinto** *con hab*, ℰ 87 03 45, Fax 87 07 51 – 🅿. 🖭 ⓔ **VISA**. ⨯
cerrado 20 diciembre-20 enero – **Comida** *(cerrado lunes)* carta 1600 a 3500 – ⊡
– **16 hab** 2800/4500.

L'EUROPE en une seule feuille
Cartes Michelin nº **970** (routière, pliée) et nº **973** (politique, plastifiée).

ONTS Lérida – ver Pons.

ÓO DE CABRALES 33554 Asturias **441** C 15 – ✿ 98.
Madrid 453 – Oviedo 104 – Santander 113.

🏨 **Principado de Europa** ❦, Mirador del Naranjo de Bulnes 2 ℰ 584 54 74,
Fax 584 54 74, ≤, ♨ – ♦ 📺 ☎ ⇦ ℗. ⓪ ☰ 𝗩𝗜𝗦𝗔 𝗝𝗖𝗕. ⅍
ⓞ ☰ 𝗩𝗜𝗦𝗔. ⅍ rest
Comida 1500 – ⌁ 475 – **37 hab** 9000/12000 – PA 3475.

ORRIÑO 36400 Pontevedra **441** F 4 – 15 093 h. alt. 29 – ✿ 986.
Madrid 585 – Orense/Ourense 86 – Pontevedra 34 – Porto 142 – Vigo 15.

🏨 **Motel Acapulco**, Antonio Palacios 147 ℰ 33 15 07, Fax 33 64 65 – ▤ 📺 ⇦ ℗. ☯
Albariño : Comida carta 1800 a 2800 – ⌁ 500 – **40 hab** 5500/10285.

🏨 **Parque** sin rest. con cafetería, parque del Cristo ℰ 33 16 04, Fax 33 15 79 – ♦ 📺 ☎
⇦. ☯ ⓪ ☰ 𝗩𝗜𝗦𝗔. ⅍
⌁ 700 – **47 hab** 6000/7500.

or la autovía N 550 salida Pousada - NO : 5 km – ✉ 36416 Mos – ✿ 986 :

✕✕ **Casa Alfredo**, Tameiga-Rans 226 ℰ 33 85 40, Fax 22 74 33 – ▤. ☯ ⓪ ☰ 𝗩𝗜𝗦𝗔. ⅍
cerrado domingo y del 16 al 31 de agosto – Comida carta 2750 a 3925.

ORTBOU 17497 Gerona **443** E 39 – 1908 h. – ✿ 972 – Playa.
🅱 passeig Lluís Companys, ℰ 12 51 61, Fax 12 51 23, (temp).
Madrid 782 – Banyuls 17 – Gerona/Girona 75.

🏨 **Comodoro** sin rest, Méndez Núñez 1 ℰ 39 01 87 – ☰ 𝗩𝗜𝗦𝗔 .
julio-septiembre – **14 hab** ⌁ 6000/11000.

🏨 **La Masia**, passeig de la Sardana 1 ℰ 39 03 72, Fax 12 50 66 – 📺 ☎. ☯ ⓪ ☰ 𝗩𝗜𝗦𝗔
Comida (15 junio-15 septiembre) 1300 – ⌁ 749 – **14 hab** 4900/7900.

✕ **L'Áncora**, passeig de la Sardana 3 ℰ 39 00 25, Fax 39 03 60, �, Decoración rústica
– ☰ 𝗩𝗜𝗦𝗔
cerrado lunes noche, martes y noviembre – Comida carta 3200 a 5700.

RT BALÍS Barcelona – ver San Andrés de Llavaneras.

RT D'ALCUDIA Baleares – ver Baleares (Mallorca) : Puerto de Alcudia.

RT D'ANDRATX Baleares – ver Baleares (Mallorca) : Puerto de Andraitx.

RT DE POLLENÇA Baleares – ver Baleares (Mallorca) : Puerto de Pollensa.

RT DE SÓLLER Baleares – ver Baleares (Mallorca) : Puerto de Sóller.

RT DE LA SELVA Gerona – ver Puerto de la Selva.

RT ESCALA Gerona – ver La Escala.

RT SALVI Gerona – ver San Felíu de Guixols.

RTALS NOUS Baleares – ver Baleares (Mallorca).

RTALS VELLS Baleares – ver Baleares (Mallorca).

PORTELA DE VALCARCE León – ver Vega de Valcarce.

ORTET Alicante – ver Moraira.

TO DO SON La Coruña – ver Puerto del Son.

TOCOLOM Baleares – ver Baleares (Mallorca).

TOCRISTO Baleares – ver Baleares (Mallorca).

PORTOMARÍN Lugo – ver Puertomarín.

PORTOPETRO Baleares – ver Baleares (Mallorca).

PORTOPÍ Baleares – ver Baleares (Mallorca) : Palma.

PORTONOVO 36970 Pontevedra **441** E 3 – **۞** 986 – Playa.
Madrid 626 – Pontevedra 22 – Santiago de Compostela 79 – Vigo 49.

🏨 **Caneliñas** sin rest, av. de Pontevedra 40 ℰ 69 03 63, Fax 69 08 90 – |韋| �📺 ☎. 🖃
 🕸
 abril-octubre – � 500 – **29 hab** 7800/9000.

🏨 **Siroco** sin rest, av. de Pontevedra 12 ℰ 72 08 43, Fax 69 10 16, ← – |韋| �📺 ☎. 🖭
 VISA. 🕸
 Semana Santa-12 octubre – ⊑ 400 – **32 hab** 5000/8000.

🏠 **Nuevo Cachalote**, Marina ℰ 72 34 54, Fax 72 34 55 – |韋| 🍽 rest ☎. 🖃 **VISA**. 🕸
 abril-15 octubre – **Comida** 1750 – ⊑ 420 – **31 hab** 4120/7500 – PA 3330.

🏠 **Cachalote** sin rest, Marina ℰ 72 08 52, Fax 72 34 55 – |韋| ☎. 🖃 **VISA**. 🕸
 mayo-15 octubre – ⊑ 420 – **27 hab** 3600/6100.

🏠 **Punta Lucero**, av. de Pontevedra 18 ℰ 72 02 24, Fax 69 06 54, ← – |韋| �📺 ☎. 🖃
 🕸
 Comida (cerrado noviembre-marzo) 1800 – ⊑ 500 – **35 hab** 6000/8000.

🍽🍽 **Titanic**, Rafael Pico 46 ℰ 72 36 45 – 🍽. 🖭 **VISA**. 🕸
 cerrado diciembre – **Comida** carta 2400 a 3300.

en la playa de Canelas O : 1 km – ⊠ 36970 Portonovo – **۞** 986 :

🏨 **Villa Cabicastro**, ℰ 69 08 48, Fax 69 02 58, ⤳ – �📺 ☎ 🅟 – 🔬 25/100. 🖃 **VISA**
 cerrado diciembre y enero – **Comida** 1900 – ⊑ 450 – **34 apartamentos** 11000/15!

🏨 **Duna** 🕭, ℰ 69 14 11, Fax 69 14 43, ← – |韋| 🍽 rest ☎ 🚗. 🖃 **VISA**. 🕸
 abril-octubre – **Comida** 1700 – ⊑ 420 – **33 hab** 5460/9785 – PA 3400.

🏠 **Canelas**, ℰ 72 08 67, Fax 69 08 90 – |韋| 🍽 rest �📺 ☎ 🚗 🅟. **VISA**. 🕸
 abril-octubre – **Comida** 1650 – ⊑ 450 – **36 hab** 5800/6900.

en la playa de Paxariñas O : 2 km – ⊠ 36970 Portonovo – **۞** 986 :

🏨 Luz de Luna, ℰ 69 09 09, Fax 69 12 63, ←, ⤳, 🍽 – |韋| �📺 ☎ 🅟
 67 hab.
 Ver también : **Sangenjo** E : 1,5 km
 Noalla NO : 9 km.

PORTUGOS 18415 Granada **446** V 20 – 457 h. alt. 1 305 – **۞** 958.
Madrid 506 – Granada 77 – Motril 56.

🏠 **Nuevo Malagueño** 🕭, ℰ 76 60 98, Fax 85 73 37, ← – �📺 ☎ 🚗 🅟. 🖭 🖃 **VISA**
 Comida (cerrado lunes y junio) 2500 – ⊑ 720 – **30 hab** 4200/7500 – PA 3700.

POSADA DE VALDEÓN 24915 León **441** C 15 – 496 h. alt. 940 – **۞** 987.
Madrid 411 – León 123 – Oviedo 140 – Santander 170.

🏡 **Casa Abascal** 🕭, El Salvador ℰ 74 05 07, Fax 74 05 07 – �📺 🅟. 🖃 **VISA**. 🕸
 Comida 1500 – ⊑ 400 – **40 hab** 5000/6500 – PA 3400.

🏡 **Corona** 🕭, ℰ 74 05 78, Fax 74 05 95 – 🚗. 🖃 **VISA**. 🕸
 abril-septiembre – **Comida** 1550 – ⊑ 500 – **20 hab** 3900/5300.

POTES 39570 Cantabria **442** C 16 – 1411 h. alt. 291 – **۞** 942.
 Ver : Paraje ★.
 Alred. : Santo Toribio de Liébana ≤★ SO : 3 km – Desfiladero de La Hermida ★★ N : 1₀
 – Puerto de San Glorio ★ (Mirador de Llesba ≤★★) SO : 27 km y 30 mn. a pie.
 🛈 pl. Jesús de Monasterio, ℰ 73 07 87, (temp).
 Madrid 399 – Palencia 173 – Santander 115.

🏠 Valdecoro, Roscabado 5 ℰ 73 00 25, Fax 73 03 15, ← – |韋| 🍽 rest �📺 ☎ 🅟
 Comida – Paco Wences – **41 hab**.

en la carretera de Fuente Dé O : 1,5 km – ⊠ 39570 Potes – **۞** 942 :

🏠 **La Cabaña** 🕭 sin rest, La Molina ℰ 73 00 50, Fax 73 00 51, ←, ⤳ – ☎ 🅟. 🖃 **VIS**
 ⊑ 600 – **24 hab** 7690/8690.

430

OVEDA DE LA SIERRA 19463 Guadalajara 444 K 23 – 171 h. alt. 1 198 – ✆ 949.
Madrid 234 – Cuenca 94 – Guadalajara 175 – Teruel 140.

⛲ Alto Tajo, La Ermita ☎ 81 61 51
23 hab.

OZOBLANCO 14400 Córdoba 446 Q 15 – 15 445 h. alt. 649 – ✆ 957.
🏌 Club de Pozoblancos : 3 km ☎ 33 90 03.
Madrid 361 – Ciudad Real 164 – Córdoba 67.

🏨 **Los Godos,** Villanueva de Córdoba 32 ☎ 77 00 22, Fax 77 00 22 – 🛗 🗏 📺 ☎. 🕮 ⓘ
E 𝖵𝖨𝖲𝖠. ✛
Comida 1000 – ☲ 500 – **35 hab** 4500/7500 – PA 2500.

en la carretera de Alcaracejos O : 2 km – ⊠ 14400 Pozoblanco – ✆ 957 :

🏨 **San Francisco,** ☎ 77 15 12, Fax 77 00 22 – 🛗 🗏 📺 ☎ 🅿. 🕮 ⓘ E 𝖵𝖨𝖲𝖠. ✛
Comida 1000 – ☲ 500 – **40 hab** 4500/8000 – PA 2500.

OZUELO DE ALARCÓN 28200 Madrid 444 K 18 – 48 297 h. – ✆ 91.
Madrid 10.

XXX **Bracamonte,** av. General Mola 44, ⊠ 28224, ☎ 351 04 02, 🏡 – 🗏 🅿. 🕮 ⓘ E 𝖵𝖨𝖲𝖠. ✛
cerrado domingo noche, lunes mediodía y del 15 al 30 de agosto – **Comida** carta 3700
a 4800.

XX **La Española,** av. Juan XXIII-5, ⊠ 28224, ☎ 715 87 85, Fax 715 94 66, 🏡 – 🗏 🅿. 🕮
ⓘ E 𝖵𝖨𝖲𝖠. ✛
cerrado domingo noche y lunes – **Comida** carta 3875 a 4390.

XX **Tere,** av. Generalísimo 64, ⊠ 28223, ☎ 352 19 98, 🏡 –
🗏.

X **Bodega La Salud,** Jesús Gil González 36, ⊠ 28223, ☎ 715 33 90, Fax 352 67 93,
Carnes a la brasa – 🗏. 🕮 ⓘ E 𝖵𝖨𝖲𝖠. ✛
cerrado domingo noche, jueves y agosto – **Comida** carta 6000 a 7600.

la carretera M 602 SE : 2,5 km – ⊠ 28223 Pozuelo de Alarcón – ✆ 91 :

X **Chaplin,** Zoco ☎ 715 75 59, 🏡 – 🗏. 🕮 ⓘ E 𝖵𝖨𝖲𝖠. ✛
cerrado domingo noche y festivos noche – **Comida** carta 3375 a 4075.

Húmera SE : 3 km – ⊠ 28223 Pozuelo de Alarcón – ✆ 91 :

XX **El Montecillo,** ☎ 715 18 18, 🏡, « En un pinar », ✛ – 🗏 🅿.

ADERA DE NAVALHORNO Segovia – ver La Granja.

ADES 43364 Tarragona 443 I 32 – 475 h. – ✆ 977.
Madrid 530 – Lérida/Lleida 68 – Tarragona 50.

X **L'Estanc,** pl. Major 9 ☎ 86 81 67, Carnes – E 𝖵𝖨𝖲𝖠. ✛
cerrado miércoles y 15 enero-15 febrero – **Comida** carta 2300 a 3450.

ADO 33344 Asturias 441 B 14 – alt. 135 – ✆ 98.
Madrid 498 – Gijón 56 – Oviedo 96 – Santander 141.

⛲ **Caravia,** carret. N 632 ☎ 585 30 14 – 🗏 rest 🅿. 𝖵𝖨𝖲𝖠. ✛
Comida (cerrado domingo noche salvo víspera de festivos, Semana Santa y verano) 1500
– ☲ 350 – **20 hab** 3400/6500.

ADO DEL REY 11660 Cádiz 446 V 13 – 5 489 h. alt. 431 – ✆ 956.
Madrid 556 – Arcos de la Frontera 34 – Algeciras 114 – Cádiz 98 – Ronda 56 – Sevilla 95.

a carretera C 344 SE : 7 km – ⊠ 11660 Prado del Rey – ✆ 956 :

🏨 **Puerta del Parque,** ☎ 23 12 58 – 🗏 📺 ☎ 🅿. E 𝖵𝖨𝖲𝖠. ✛
Comida 1000 – ☲ 250 – **14 hab** 3500/7000 – PA 2250.

TS DE CERDAÑA o PRATS DE CERDANYA 25721 Lérida 443 E 35 – 133 h. alt. 1 100
– ✆ 972 – Deportes de invierno en Masella E : 9 km : ⛷11.
Madrid 639 – Lérida/Lleida 170 – Puigcerdà 14.

🏨 Moixaró ⬙, carret. de Alp ☎ 89 02 38, ≤, ⨯, 🎿 – ☎ 🅿
temp – **40 hab.**

PRAVIA 33120 Asturias **441** B 11 – 9 831 h. alt. 17 – ☎ 98.

Alred. : Cabo Vidío★★ (⩽★★) – Ermita del Espíritu Santo (⩽★) N : 15 km.

Madrid 490 – Gijón 49 – Oviedo 55.

🏨 **Casa del Busto**, pl. del Rey Don Silo 1 ℰ 582 27 71, Fax 582 27 72, « Caserón palacio del siglo XVI » – 📺 ☎. 🆎 ⓞ 𝚅𝙸𝚂𝙰
Comida 1500 – ☲ 500 – **18 hab** 6500/8500.

✗ **Balbona**, Pico Meras 2 ℰ 582 11 62 – 🍽. 🆎 ⓞ 𝙴 𝚅𝙸𝚂𝙰. 🛠
cerrado martes no festivos y del 16 al 30 de septiembre – **Comida** carta 2650 a 4~

en Beifar SE : 3,5 km – ⌧ 33129 Beifar – ☎ 98 :

✗ **Juan de la Tuca**, carret. C 632 ℰ 582 06 94 – 🍽. 🆎 𝚅𝙸𝚂𝙰
cerrado jueves y enero – **Comida** carta 2600 a 3300.

PREMIÀ DE DALT 08338 Barcelona **443** H 37 – 6 511 h. – ☎ 93.

Madrid 627 – Barcelona 22 – Gerona/Girona 82.

✗ **La Granja**, de la Cisa 52 ℰ 752 28 73, 🍴, ⌁ – 🅿. 🆎 ⓞ 𝙴 𝚅𝙸𝚂𝙰. 🛠
cerrado jueves, del 1 al 14 de febrero y del 1 al 10 de septiembre – **Comida** carta 2~ a 4300.

en la carretera de Premià de Mar S : 2 km – ⌧ 08338 Premià de Dalt – ☎ 93 :

✗✗ **Sant Antoni**, Penedés 43 ℰ 752 34 81, Fax 752 34 81, 🍴, Decoración regional – ⓞ 𝙴 𝚅𝙸𝚂𝙰. 🛠
Comida carta 2600 a 4550.

PREMIÀ DE MAR 08330 Barcelona **443** H 37 – 22 740 h. – ☎ 93 – Playa.

Madrid 653 – Barcelona 20 – Gerona/Girona 82.

✗✗ **Jordi**, Mossèn Jacint Verdaguer 128 ℰ 751 09 10 – 🍽. 🆎 𝙴 𝚅𝙸𝚂𝙰
cerrado domingo noche y lunes – **Comida** carta 3000 a 5000.

PRENDES 33438 Asturias **441** B 12 – ☎ 98.

Madrid 484 – Avilés 17 – Gijón 10 – Oviedo 39.

✗✗ **Casa Gerardo**, carret. AS 19 ℰ 588 77 97, Fax 588 77 98 – 🍽 🅿. 🆎 ⓞ 𝙴 𝚅𝙸𝚂𝙰
🕸 cerrado lunes y junio – **Comida** (sólo almuerzo salvo viernes y sábado) carta 4950 a 5~
Espec. Torta de maiz con morcilla asturiana. Carrilleras de ternera estofadas con pur~ manzana. Torrija de pan con salsa de frambuesa y helado de plátano.

PRIEGO DE CÓRDOBA 14800 Códoba **446** T 17 – 20 823 h. alt. 649 – ☎ 957.

Ver : Fuentes del Rey y de la Salud★ – Parroquia de la Asunción : Capilla del Sagrar~
– Barrio de la Villa★.

Madrid 395 – Antequera 85 – Córdoba 103 – Granada 79.

La PROVIDENCIA Asturias – ver Gijón.

PRULLANS 25727 Lérida **443** E 35 – 192 h. alt. 1 096 – ☎ 973.

Madrid 632 – Lérida/Lleida 163 – Puigcerdá 22.

🏨 **Muntanya** 🐾, Puig 3 ℰ 51 02 60, Fax 51 06 06, ⩽, ⌁, ☞ – 📱 ☎ 🅿. 🆎 𝙴 𝚅𝙸𝚂𝙰. 🛠
abril-octubre y fines de semana resto del año (salvo noviembre) – **Comida** 1850 – ☲
– **32 hab** 4850/6500.

PRUVIA 33192 Asturias **441** B 12 – ☎ 98.

Madrid 468 – Avilés 29 – Gijón 13 – Oviedo 13.

🏨 La Campana, carret. AS 18 ℰ 526 58 36, Fax 526 48 80, 🏋 – 📱 🍽 rest 📺 ☎
🅿
34 hab.

PUÇOL Valencia – ver Puzol.

PUEBLA DE ALFINDÉN 50171 Zaragoza **443** H 27 – 1 439 h. alt. 197 – ☎ 976.

Madrid 340 – Huesca 83 – Lérida/Lleida 139 – Zaragoza 17.

✗✗ **Galatea**, Barrio Nuevo 6 (carret. N II) ℰ 10 79 99, Fax 10 79 99, « Ambiente acoge~
– 🍽. 🆎 ⓞ 𝙴 𝚅𝙸𝚂𝙰. 🛠
cerrado domingo, lunes noche, Semana Santa y 20 días en agosto – **Comida** carta ~
a 4300.

nto a la autopista A 2 *NO : 1,5 km* – ⊠ *50171 Puebla de Alfindén* – ✆ *976* :

🏨 Aragón *sin rest. con cafetería*, ✆ 10 73 28, Fax 10 73 28 – 🗐 📺 ☎ & 🅿
40 hab.

PUEBLA DE ARGANZÓN 09294 Burgos 🗺️ *D 21* – *289 h.* – ✆ *945*.
Madrid 338 – Bilbao/Bilbo 75 – Burgos 95 – Logroño 75 – Vitoria/Gasteiz 17.

🍴 **Palacios**, carret. N I – km 333 ✆ 37 30 30, Fax 37 30 30 – 🅿 🖭 ⓞ 🇪
🆅🇮🇸🇦 ⋘
cerrado domingo, 24 diciembre-7 enero y del 15 al 30 de agosto – **Comida** carta aprox.
3200.

PUEBLA DE BENIFASAR 12599 Castellón 🗺️ *K 30* – *231 h. alt. 600* – ✆ *977*.
Madrid 531 – Amposta 53 – Castellón de la Plana 122 – Peñíscola 65 – Tarragona 139 –
Tortosa 53.

🏨 **Tinença de Benifassà** ⤷, Mayor 50 ✆ 72 90 44, Fax 72 90 44, ⩽ – 🗐 rest 📺 ☎
& 🖭 🇪 🆅🇮🇸🇦 ⋘ rest
Comida *(cerrado martes salvo en verano)* 1850 – ⌧ 650 – **10 hab** 5500/7300 – PA
3700.

PUEBLA DE FARNALS o LA POBLA DE FARNALS 46137 Valencia 🗺️ *N 29* – *4 501 h.*
alt. 14 – ✆ *96*.
Madrid 369 – Castellón de la Plana/Castelló de la Plana 58 – Valencia 18.

la playa *E : 5 km* – ⊠ *46137 Puebla de Farnals* – ✆ *96* :

🍴🍴 **Bergamonte**, av. del Mar 10 ✆ 146 16 12, Fax 146 14 77, 🌰, « Típica barraca
valenciana », 🏊, 🎾 – 🗐 🅿 🖭 🆅🇮🇸🇦 ⋘
cerrado domingo noche y lunes – **Comida** carta 2900 a 3500.

PUEBLA DE SANABRIA 49300 Zamora 🗺️ *F 10* – *1 696 h. alt. 898* – ✆ *980*.
Alred. : Carretera a San Martín de Castañeda ⩽★ *NE : 20 km.*
Madrid 341 – León 126 – Orense/Ourense 158 – Valladolid 183 – Zamora 110.

🏰 **Parador de Puebla de Sanabria** ⤷, carret. del lago 18 ✆ 62 00 01, Fax 62 03 51,
⩽ – 📳 📺 ☎ ⇦ 🅿 – 🔏 25/40. 🖭 ⓞ 🇪 🆅🇮🇸🇦 ⋘
Comida 3200 – ⌧ 1200 – **44 hab** 12500.

🏨 **Los Perales** ⤷ *sin rest*, colonia Los Perales ✆ 62 00 25, Fax 62 03 85 – 📺 ☎ 🅿 🖭
ⓞ 🇪 🆅🇮🇸🇦
⌧ 600 – **24 hab** 5000/7000.

🛏 Carlos V *sin rest*, av. Braganza 6 ✆ 62 01 61
10 hab.

PUEBLA DE VALVERDE 44450 Teruel 🗺️ *L 27* – *474 h. alt. 1 118* – ✆ *978*.
Madrid 329 – Morella 134 – Sagunto/Sagunt 96 – Teruel 24.

la carretera N 234 *SE : 4,5 km* – ⊠ *44450 La Puebla de Valverde* – ✆ *978* :

🏨 **Euro-Ruta**, ✆ 67 01 37, Fax 67 01 37 – 📺 ☎ 🅿 🇪 🆅🇮🇸🇦 ⋘ rest
Comida 1400 – ⌧ 500 – **27 hab** 3500/7000 – PA 2900.

PUEBLA DEL CARAMIÑAL o POBRA DO CARAMIÑAL 15940 La Coruña 🗺️ *E 3* –
9 863 h. – ✆ *981* – Playa.
Alred. : Mirador de la Curota ★★★ *N : 10 km.*
Madrid 665 – La Coruña/A Coruña 123 – Pontevedra 68 – Santiago de Compostela 51.

🍴🍴 O'Lagar, Condado 5 ✆ 83 00 37 – 🗐.

PUEBLA DE LA SIERRA 28190 Madrid 🗺️ *I 19* – *48 h. alt. 1 161* – ✆ *91*.
Madrid 103 – Guadalajara 110 – Segovia 104.

🍴 **Parador de la Puebla** *con hab*, pl. de Carlos Ruiz 2 ✆ 869 72 56, Fax 869 72 56, ⩽,
🌰 – 📺 🇪 🆅🇮🇸🇦 ⋘
Comida carta aprox. 3450 – **5 hab** ⌧ 3500/7000.

PUJOLS *Baleares – ver Baleares (Formentera).*

PUENTE ARCE 39478 Cantabria **442** B 18 – ☎ 942.
Madrid 380 – Bilbao/Bilbo 110 – Santander 13 – Torrelavega 14.

XXX **El Molino,** carret. N 611 ℰ 57 50 55, Fax 57 52 54, « Instalado en un antiguo molino
– **℗**. **AE ① E VISA**. ⬥
cerrado domingo noche y lunes salvo en verano – **Comida** carta aprox. 5500.

XX **Puente Arce** (Casa Setien), barrio del Puente 5 ℰ 57 52 51, Fax 57 50 35, ⬥
Decoración rústica, « Terraza-jardín » – 🗖 **℗**. **AE ① E VISA**. ⬥
cerrado 23 septiembre-24 octubre – **Comida** carta 3300 a 4900.

en la carretera de Vioño S : 2 km – ✉ 39478 Oruña – ☎ 942 :

X Paraíso del Pas, ℰ 57 50 01, ☂, « Decoración rústica » – **℗**.

PUENTE GENIL 14500 Córdoba **446** T 15 – 25 969 h. alt. 171 – ☎ 957.
Madrid 469 – Córdoba 71 – Málaga 102 – Sevilla 128.

🏠 **Xenil** sin rest y sin ✉, Poeta García Lorca 3 ℰ 60 02 00, Fax 60 58 75 – 🛗 🗖 **TV**
℗. **AE ① E VISA**. ⬥
35 hab 5000/7500.

PUENTE VIESGO 39670 Santander **442** C 18 – 2 464 h. – ☎ 942 – Balneario.
Ver : Cueva del castillo★.
Madrid 364 – Bilbao/Bilbo 128 – Burgos 125 – Santander 30.

🏛 **G. H. Puente Viesgo,** Manuel Pérez Mazo ℰ 59 80 61, Fax 59 82 61, *f₆*, **☑**, **☂**,
– 🛗 🗖 rest **TV** ☎ ⬅ **℗** – **🔬** 25/300. **AE ① E VISA**. ⬥
Comida 2700 - **El Jardín : Comida** carta 3200 a 4600 – ✉ 1100 – **98 hab** 15000/180
3 suites – PA 5525.

PUENTE DE SAN MIGUEL 39530 Cantabria **442** B 17 – ☎ 942.
Madrid 376 – Burgos 141 – Santander 25 – Torrelavega 4.

XX **La Ermita 1883** con hab, pl. Javier Irastorza 89 ℰ 83 82 47, Fax 71 90 71 – 🗖
☺ **AE VISA**. ⬥ rest
Comida carta 2700 a 3450 – ✉ 300 – **6 hab** 5200.

PUENTE DE SANABRIA 49350 Zamora **441** F 10 – ☎ 980.
Alred. : N : Carretera a San Martín de Castañeda ≼★.
Madrid 347 – Benavente 90 – León 132 – Orense/Ourense 164 – Zamora 116.

☂ Gela sin rest, carret. del lago ℰ 62 03 40
11 hab.

PUENTE LA REINA 31100 Navarra **442** D 24 – 2 155 h. alt. 346 – ☎ 948.
Ver : Iglesia del Crucifijo (Cristo★) – Iglesia Santiago (portada★).
Alred. : Eunate★ E : 5 km – Cirauqui★ (iglesia de San Román : portada★) O : 6 km.
Madrid 403 – Logroño 68 – Pamplona/Iruñea 24.

🏨 **Jakue,** carret. de Pamplona - NE : 1 km ℰ 34 10 17, Fax 34 11 20, ≼, **☒** – 🗖 res
☎ **℗**. **AE ① E VISA**. ⬥ rest
Comida 1500 – ✉ 500 – **27 hab** 12000/15000 – PA 3100.

XXX **Mesón del Peregrino** con hab, carret. de Pamplona - NE : 1 km ℰ 34 00
Fax 34 11 90, ☂, « Decoración original en un ambiente rústico », **☑**, **☂** – 🗖 res
☎ **℗**. **E VISA**
cerrado 23 diciembre-5 enero – **Comida** (cerrado domingo noche y lunes) carta 30
5500 – ✉ 1300 – **15 hab** 7000/9000.

PUENTEAREAS o **PONTEAREAS** 36860 Pontevedra **441** F 4 – 15 630 h. – ☎ 986.
Madrid 576 – Orense/Ourense 75 – Pontevedra 45 – Vigo 26.

X **La Fuente,** Alcázar de Toledo 4 ℰ 64 09 32 – 🗖. **AE ① E VISA**. ⬥
Comida carta 1900 a 3100.

PUENTEDEUME o **PONTEDEUME** 15600 La Coruña **441** B 5 – 8 851 h. – ☎ 981 – ⅀
*Madrid 599 – La Coruña/A Coruña 48 – Ferrol 15 – Lugo 95 – Santiago de Compo
85.*

XX **Brasilia,** carret. N VI ℰ 43 02 49, Fax 43 34 34 – 🗖. **AE ① E VISA**. ⬥
Comida carta 2125 a 4150.

X **Yoli,** Ferreiros 8 ℰ 43 03 36 – **AE ① E VISA**. ⬥
cerrado domingo noche – **Comida** carta aprox. 2700.

PUERTO – ver el nombre propio del puerto.

PUERTO BANÚS Málaga 446 W 15 – ⊠ 29660 Nueva Andalucía – ⑤ 95 – Playa.
Ver : Puerto deportivo★.
Madrid 622 – Algeciras 69 – Málaga 67 – Marbella 8.

XXX **Cipriano,** av. Playas del Duque - edificio Sevilla ℰ 281 10 77, Fax 281 10 77, 佘 – ▤ ℗. AE ⑩ E VISA
Comida carta 4200 a 6550.

XXX **Taberna del Alabardero,** muelle Benabola ℰ 281 27 94, Fax 281 86 30, 佘 – ▤. AE ⑩ E VISA. ⋘
Comida carta 5075 a 6100.

PUERTO LÁPICE 13650 Ciudad Real 444 O 19 – 1 000 h. alt. 676 – ⑤ 926.
Madrid 135 – Alcázar de San Juan 25 – Ciudad Real 62 – Toledo 85 – Valdepeñas 65.

🏠 **El Puerto,** av. Juan Carlos I-59 ℰ 58 30 50, Fax 58 30 52 – ▤ TV ☎ ℗ – 🔬 25. AE E VISA
Comida 1250 – � 500 – **27 hab** 4000/6000 – PA 2550.

X **Venta del Quijote,** El Molino 4 ℰ 57 61 10, Fax 57 61 10, 佘, Cocina regional, « Antigua venta manchega » – AE ⑩ E VISA. ⋘
Comida carta 3200 a 5350.

PUERTO LUMBRERAS 30890 Murcia 445 T 24 – 9 824 h. alt. 333 – ⑤ 968.
Madrid 466 – Almería 141 – Granada 203 – Murcia 80.

🏛 **Parador de Puerto Lumbreras,** av. de Juan Carlos I-77 ℰ 40 20 25, Fax 40 28 36, ⬩, 爫 – ⧐ ▤ TV ☎ ⇦ ℗ – 🔬 25. AE ⑩ E VISA. ⋘
Comida 3200 – ⊆ 1200 – **60 hab** 12500.

🏠 **Riscal,** av. Juan Carlos I-5 ℰ 40 20 50, Fax 40 06 71, 佘 – ⧐ ▤ TV ☎ ℗ – 🔬 25/800. E VISA. ⋘ rest
Comida 1400 – ⊆ 650 – **48 hab** 3950/5800 – PA 3450.

PUERTO NAOS Santa Cruz de Tenerife – ver Canarias (La Palma).

PUERTO SHERRY Cádiz – ver El Puerto de Santa María.

PUERTO DE ALCUDIA Baleares – ver Baleares (Mallorca).

PUERTO DE ANDRAITX Baleares – ver Baleares (Mallorca).

PUERTO DE MAZARRÓN 30860 Murcia 445 T 26 – ⑤ 968 – Playa.
🛈 av. Dr. Meca 47, ℰ 59 44 26, Fax 59 44 26.
Madrid 459 – Cartagena 33 – Lorca 55 – Murcia 69.

🏠 **La Cumbre** ⬩, urb. La Cumbre ℰ 59 48 61, Fax 59 44 50, ≤, 爫 – ⧐ ▤ TV ☎ ⇦ ℗ – 🔬 25/300. AE ⑩ E VISA. ⋘
Comida 1900 – ⊆ 650 – **119 hab** 6600/9500 – PA 3700.

XX **Virgen del Mar,** paseo Marítimo 2 ℰ 59 50 57, ≤, 佘, Pescados y mariscos – ▤. AE E VISA. ⋘
cerrado noviembre – Comida carta 2900 a 3700.

X **El Puerto,** pl. del Mar ℰ 59 48 05 – ▤.

a playa de La Reya O : 1,5 km – ⊠ 30860 Puerto de Mazarrón – ⑤ 968 :

X **Barbas,** ℰ 59 41 06, ≤, Pescados y mariscos – ▤. AE ⑩ E VISA. ⋘
cerrado martes noche (salvo mayo-septiembre) y 20 diciembre-20 febrero – Comida carta aprox. 3250.

Playa Grande O : 3 km – ⊠ 30870 Mazarrón – ⑤ 968 :

🏠 **Playa Grande,** carret. de Bolnuevo ℰ 59 44 81, Fax 15 34 30, ≤, 佘, 爫 – ⧐ ▤ TV ☎ ⇦ – 🔬 25/250. E VISA. ⋘
cerrado 20 diciembre-1 febrero – Comida 2000 – ⊆ 700 – **38 hab** 7200/9200 – PA 3650.

PUERTO DE POLLENSA Baleares – ver Baleares (Mallorca).

El PUERTO DE SANTA MARÍA 11500 Cádiz **446** W 11 – 69663 h. – ❸ 956 – Playa.

🏌 *Vista Hermosa* O : 1,5 km ℘ 87 56 05, Fax 87 56 04.

🛈 *Guadalete 1,* ℘ 54 24 13, Fax 54 22 46.

Madrid 610 – Cádiz 22 – Jerez de la Frontera 12 – Sevilla 102.

🏨🏨🏨 **Monasterio de San Miguel,** Larga 27 ℘ 54 04 40, Fax 54 26 04, 🍴, « Antigu convento », 🏊 – 🛗 🗏 📺 ☎ 🚗 – 🔬 25/400. 🖭 ① ㊄ 𝖵𝖨𝖲𝖠 JCB. 🛠
Comida carta 2650 a 4000 – 🖵 1200 – **137 hab** 14900/20100, 13 suites.

🏨🏨 **Santa María** sin rest. con cafetería, av de la Bajamar ℘ 87 32 11, Fax 87 36 52, 🛗 🗏 📺 ☎ 🚗 – 🔬 25/280. 🖭 ① ㊄ 𝖵𝖨𝖲𝖠. 🛠
🖵 700 – **100 hab** 8750/10900.

🏨🏨 **Del Mar** sin rest. con cafetería, av. Marina de Guerra ℘ 87 59 11, Fax 85 87 16 – 🗏 🖥 ☎ 🚗. 🖭 ① ㊄ 𝖵𝖨𝖲𝖠 JCB
🖵 650 – **40 hab** 9000/11000.

🏨🏨 **Los Cántaros** sin rest. con cafetería, Curva 6 ℘ 54 02 40, Fax 54 11 21 – 🛗 🗏 🖥 ☎. 🖭 ① ㊄ 𝖵𝖨𝖲𝖠. 🛠
🖵 500 – **39 hab** 8000/11000.

🏨 **Chaikana** sin rest, Javier de Burgos 17 ℘ 54 29 02, Fax 54 29 22 – 🗏 📺 ☎. 🖭 (㊄ 𝖵𝖨𝖲𝖠. 🛠
25 hab 🖵 5000/8000.

XXX **El Faro del Puerto,** av. de Fuentebravía ℘ 87 09 52, Fax 54 04 66, 🍴 – 🗏 ❾ ① ㊄ 𝖵𝖨𝖲𝖠 JCB
cerrado domingo noche salvo agosto – **Comida** carta 3600 a 4650.

XX **Casa Flores,** Ribera del Rio 9 ℘ 54 35 12, Fax 54 02 64 – 🗏 🚗. 🖭 ① ㊄ 𝖵𝖨𝖲𝖠 J 🛠
Comida carta 2800 a 4100.

XX **Los Portales,** Ribera del Rio 13 ℘ 54 21 16, Fax 54 21 16 – 🗏 🚗. 🖭 ① ㊄ 𝖵𝖨𝖲𝖠.
Comida carta 2450 a 3700.

X **El Patio,** pl. Herrería ℘ 54 05 06, Instalado en una antigua posada – 🗏.

X **El Ancla,** av. de la Libertad 7 ℘ 54 13 71 – 🗏.

en la carretera de Cádiz S : 2,5 km – ✉ 11500 El Puerto de Santa María – ❸ 956 :

🏨🏨 **Meliá el Caballo Blanco,** av. Madrid 1 ℘ 56 25 41, Fax 56 27 12, 🍴, « Jardín 🏊 » – 🗏 📺 ☎ ❾ – 🔬 25/150. 🖭 ① ㊄ 𝖵𝖨𝖲𝖠. 🛠 rest
Comida 2500 – 🖵 1200 – **94 hab** 14100/17500 – PA 5270.

en Valdelagrana por la carretera de Cádiz - S : 2,5 km – ✉ 11500 El Puerto de Santa M – ❸ 956 :

🏨🏨 **Puertobahía,** av. la Paz 38 ℘ 56 27 00, Telex 76174, Fax 56 12 21, ≤, 🏊, 🎾 🗏 📺 ☎ ❾ – 🔬 25/200. 🖭 ㊄ 𝖵𝖨𝖲𝖠. 🛠
Comida carta aprox. 3400 – 🖵 700 – **330 hab** 9050/13000.

en la carretera de Rota O : 3 km – ✉ 11500 El Puerto de Santa María – ❸ 956 :

X **Asador de Castilla,** ℘ 54 08 09, 🍴, Cordero asado y carnes – 🗏 ❾. ㊄ 𝖵𝖨𝖲𝖠 cerrado lunes de septiembre a junio – **Comida** carta 3000 a 3500.

en Puerto Sherry SO : 3,5 km – ✉ 11500 El Puerto de Santa María – ❸ 956 :

🏨🏨🏨 Yacht Club, av. de la Libertad ℘ 87 20 00, Fax 85 33 00, ≤, 🍴, 🏊, 🖾 – 🛗 🗏 📺 ❾ – 🔬 25/450
Comida – La Regata – **57 hab**, 1 suite.

PUERTO DE SANTIAGO Santa Cruz de Tenerife – ver Canarias (Tenerife).

PUERTO DE SÓLLER Baleares – ver Baleares (Mallorca).

PUERTO DEL CARMEN Las Palmas – ver Canarias (Lanzarote).

PUERTO DEL ROSARIO Las Palmas – ver Canarias (Fuerteventura).

PUERTO DEL SON o **PORTO DO SON** 15970 La Coruña **441** D 2 – 10414 h. – ❸ 9 Playa.
Madrid 662 – Muros 47 – Noia 15 – Pontevedra 72 – Santiago de Compostela 52.

X **Arnela II,** travesía 13 Septiembre ℘ 76 73 44.

UERTO DE LA CRUZ Santa Cruz de Tenerife – ver Canarias (Tenerife).

UERTO DE LA SELVA o **El PORT DE LA SELVA** 17489 Gerona **443** E 39 – 760 h. –
✆ 972 – Playa.
Madrid 776 – Banyuls 39 – Gerona/Girona 69.

XX   **Ca l'Herminda,** l'Illa 7 ℰ 38 70 75, ≤, 斧, Decoración rústica – ▤. **E** _VISA_
⊜   abril-septiembre – Comida (cerrado domingo noche y lunes de abril a junio) carta 2600
a 4500.

X   **Club Nàutic,** La Lloia ℰ 12 61 51, Fax 38 70 01, ≤ pueblo y puerto deportivo, ⍩ –
▥ **E** _VISA_
cerrado noviembre – Comida (en invierno sólo fines de semana y festivos) carta 3100 a
4625.

X   Bellavista, Platja 3 ℰ 38 70 50, ≤, 斧 – ▤
Comida (sólo almuerzo en invierno).

UERTOLLANO 13500 Ciudad Real **444** P 17 – 49 459 h. alt. 708 – ✆ 926.
Excurs. : Castillo Convento de Calatrava★ E : 35 km.
Madrid 235 – Ciudad Real 38.

🏨   **Tryp Puertollano,** Lope de Vega 3 ℰ 41 07 68, Fax 41 05 45 – ▤ 🖾 ☎ ⟲ –
🔏 25/200. 🖭 ⓘ **E** _VISA_ ⋘
Comida 1200 – ⊇ 500 – **39 hab** 5000/8500.

🏨   **Cabañas,** carret. de Ciudad Real 3 ℰ 42 06 50, Fax 42 06 54 – 🛉 ▤ 🖾 ☎. **E** _VISA_. ⋘
Comida 1200 – ⊇ 400 – **45 hab** 4700/5910 – PA 2380.

X   Casa Gallega, Vélez 5 ℰ 42 01 00 – ▤.

n la carretera de Ciudad Real NE : 2 km – ✉ 13500 Puertollano – ✆ 926 :

🏨   **Verona,** ℰ 42 54 79, ⍩ – 🛉 ▤ 🖾 ☎ ⟲ ⓟ – 🔏 25/200. **E** _VISA_. ⋘
Comida 1500 – ⊇ 450 – **30 hab** 4800/7500 – PA 2930.

UERTOMARÍN o **PORTOMARÍN** 27170 Lugo **441** D 7 – 2 159 h. – ✆ 982.
Ver : Iglesia★.
Madrid 515 – Lugo 40 – Orense/Ourense 80.

🏨   Pousada de Portomarín ⌂, av. de Sarria ℰ 54 52 00, Fax 54 52 70, ≤, 🖪, ⍩ – 🛉
▤ rest 🖾 ☎ ⟲ ⓟ – 🔏 25/300
32 hab, 2 suites.

---

s PUERTOS DE SANTA BÁRBARA 30396 Murcia **445** T 26 – ✆ 968.
Madrid 436 – Cartagena 12 – Lorca 58 – Murcia 46.

X   **María Zapata,** S : 1 km ℰ 16 30 30, Antigua casa de campo – ▤ ⓟ. 🖭 ⓘ **E** _VISA_.
⋘
cerrado domingo noche y lunes – Comida carta aprox. 3550.

UIG o **EL PUIG** 46540 Valencia **445** N 29 – 6 430 h. alt. 50 – ✆ 96.
Madrid 367 – Castellón de la Plana/Castelló de la Plana 57 – Valencia 20.

🏨   **Ronda II,** Ronda Este 15 ℰ 147 12 28, Fax 147 12 28 – 🛉 ▤ 🖾 ☎ – 🔏 25/225. 🖭
ⓘ **E** _VISA_
Comida (ver rest. **L'Horta**) – **59 hab** ⊇ 5300/7900.

🏨   **Ronda I,** Ronda Este 9 ℰ 147 12 79, Fax 147 12 79 – 🛉 ▤ 🖾 ☎ ⟲ – 🔏 25/225.
🖭 ⓘ **E** _VISA_
Comida (ver rest. **L'Horta**) – ⊇ 500 – **45 hab** 3500/5400.

🏠   **Pensión Ronda,** Ronda Este 5 ℰ 147 12 79, Fax 147 12 79 – 🛉. 🖭 ⓘ **E** _VISA_
Comida (ver rest. **L'Horta**) – ⊇ 500 – **19 hab** 1700/3000.

XX   **L'Horta,** Ronda Este 9 ℰ 147 12 79, Fax 147 12 79 – ▤. 🖭 **E** _VISA_. ⋘
cerrado domingo noche – Comida carta 2350 a 4300.

GCERDÀ 17520 Gerona **443** E 35 – 6 414 h. alt. 1 152 – ✆ 972.
ᵣ de Cerdaña SO : 1 km ℰ 14 14 08, Fax 88 09 66.
🅱 Querol 1, ℰ 88 05 42, Fax 88 05 42.
Madrid 653 – Barcelona 169 – Gerona/Girona 152 – Lérida/Lleida 184.

🏨   **Del Lago** ⌂ sin rest y sin ⊇, av. Dr. Piguillem 7 ℰ 88 10 00, Fax 14 15 11, « Amplio
jardín con ⍩ » – 🖾 ☎ ⓟ. 🖭 ⓘ **E** _VISA_ _JCB_. ⋘
13 hab 6500/9500, 2 suites.

8   437

🏨 **Puigcerdà**, av. Catalunya 42 ℰ 88 21 81, Fax 88 12 56 – 🛗 ≡ rest 📺 ☎. ◭ 🗉 𝑽𝑰𝑺𝑨.
※
Comida 1685 – **39 hab** ⌑ 7490/11300 – PA 3370.

🏠 **Estació**, pl. Estació 2 ℰ 88 03 50 – ◭ ⓞ 🗉 𝑽𝑰𝑺𝑨. ※
Comida 1600 – ⌑ 550 – **23 hab** 2600/5400 – PA 3400.

XX **El Caliú**, Alfons I-1 ℰ 88 00 12 – ◭ ⓞ 🗉 𝑽𝑰𝑺𝑨. ※
cerrado miércoles, del 15 al 30 de junio y del 15 al 30 de septiembre – **Comida** carta 260
a 3750.

XX La Tieta, dels Ferrers 20 ℰ 88 01 56.

XX **La Vila**, Alfons I-34 ℰ 14 08 04 – ≡. ◭ ⓞ 🗉 𝑽𝑰𝑺𝑨
cerrado domingo noche y lunes (salvo agosto), 25 junio-10 julio y del 9 al 19 de noviembre
– **Comida** carta 3550 a 4950.

en la carretera de Llivia *NE : 1 km* – ⌑ 17520 Puigcerdà – ☎ 972 :

🏨 **Del Prado,** ℰ 88 04 00, Fax 14 11 58, 🟰, 🌴, ※ – 🛗 ≡ rest 📺 ☎ 🚗 🅿
🅰 25/100. ◭ ⓞ 🗉 𝑽𝑰𝑺𝑨. ※
Comida 2700 – ⌑ 800 – **54 hab** 6000/9000.
Ver también : **Bolvir** *SO : 6 km.*

PUNTA PRIMA *Baleares – ver Baleares (Formentera) : Es Pujols.*

PUNTA UMBRÍA 21100 Huelva 𝟒𝟒𝟔 U 9 – 9897 h. – ☎ 959 – Playa.
Madrid 648 – Huelva 21.

🏨 **Pato Amarillo**, urb. Everluz ℰ 31 12 50, Fax 31 12 58, ≤, 🌴, 🟰, 🌴 – 🛗 📺 ☎
– 🅰 25/300. ⓞ 🗉 𝑽𝑰𝑺𝑨. ※
cerrado diciembre y enero – **Comida** 2150 – ⌑ 500 – **120 hab** 8500/12000 – PA 400

🏨 **Ayamontino**, av. de Andalucía 35 ℰ 31 14 50, Fax 31 03 16 – 🛗 📺 ☎ 🚗 🅿
ⓞ 🗉 𝑽𝑰𝑺𝑨. ※
Comida 2200 – ⌑ 450 – **45 hab** 5300/8400 – PA 4400.

en la antigua carretera de Huelva *NO : 7,5 km* – ⌑ 21100 Punta Umbría – ☎ 959 :

XX **El Paraíso,** ℰ 31 27 56, Fax 31 27 56 – ≡ 🅿. ◭ ⓞ 🗉 𝑽𝑰𝑺𝑨. ※
Comida carta 2850 a 3700.

PUZOL o **PUÇOL** 46530 Valencia 𝟒𝟒𝟔 N 29 – 12 432 h. alt. 48 – ☎ 96.
Madrid 373 – Castellón de la Plana/Castelló de la Plana 54 – Valencia 25.

🏨🏨 **Monte Picayo** 🥂, urb. Monte Picayo ℰ 142 01 00, Telex 62087, Fax 142 21 68,
« En la ladera de un monte con ≤ », 🟰, 🌴, ※ – 🛗 ≡ 📺 ☎ 🅿 – 🅰 25/800. ◭
🗉 𝑽𝑰𝑺𝑨. ※
Comida 3500 – ⌑ 1350 – **79 hab** 18350/22950, 4 suites.

🏨 **Alba** *sin rest y sin* ⌑, av. Hostalets 96 ℰ 142 24 44, Fax 142 21 48 – 🛗 ≡ 📺 ☎
🗉 𝑽𝑰𝑺𝑨. ※
17 hab 8000.

XX **Asador Mares,** carret. de Barcelona 17 ℰ 142 07 21, 🌴 – ≡. ◭ ⓞ
𝑽𝑰𝑺𝑨
cerrado lunes noche, martes, 2ª quincena de enero y Semana Santa – **Comida** carta 2
a 3850.

X **Rincón del Faro,** carret. de Barcelona 49 ℰ 142 01 20 – ≡. ◭ ⓞ 🗉 𝑽𝑰𝑺𝑨. ※
cerrado domingo noche, lunes noche y septiembre – **Comida** carta 3300 a 5000.

QUART DE POBLET 46930 Valencia 𝟒𝟒𝟔 N 28 – 27 404 h. – ☎ 96.
Madrid 343 – Valencia 8.

X Casa Gijón, Joanot Martorell 16 ℰ 154 50 11, Fax 154 10 65, Decoración típica –

QUEJANA o **KEXAA** 01478 Álava 𝟒𝟒𝟐 C 20 – ☎ 945.
Madrid 377 – Bilbao/Bilbo 47 – Burgos 148 – Vitoria/Gasteiz 50 – Miranda de Ebro

🏨 **Los Arcos de Quejana** 🥂, carret. Beotegi 25 ℰ 39 93 20, Fax 39 93 44, En un
toresco paraje – 📺 ☎ 🅿. ◭ ⓞ 🗉 𝑽𝑰𝑺𝑨. ※ rest
Comida *(cerrado domingo)* 2000 – ⌑ 725 – **19 hab** 7100/8400 – PA 4000.

QUEJO (Playa de) *Cantabria – ver Isla.*

UEVEDA 39314 Cantabria 442 B 17 – 623 h. alt. 41 – © 942.
Madrid 382 – Santander 22 – Santillana del Mar 6 – Torrelavega 6.

🏠 **La Casona de Luis**, carret. C 6316 ℰ 89 50 05 – 📺 ☎ 🅿. �E 𝘝𝘐𝘚𝘈. ⚘
Comida 1100 – ☑ 350 – **12 hab** 7000/8000 – PA 2040.

UIJAS 39590 Cantabria 442 B 17 – © 942.
Madrid 386 – Burgos 147 – Oviedo 172 – Santander 32.

🏠 **El Hidalgo de Quijas**, carret. N 634 ℰ 83 83 60, Fax 83 80 50, ≤, ☂, « Antigua
casona » – 📺 ☎ 🅿. 🖭 ⓞ 🖪 𝘝𝘐𝘚𝘈. ⚘
Semana Santa y 15 julio-3 septiembre – **Comida** carta aprox. 2700 – ☑ 650 – **11 hab**
11500.

🗙🗙🗙 **Hostería de Quijas** con hab, carret. N 634 ℰ 82 08 33, Fax 83 80 50, ☂, « Casa
señorial del siglo XVIII con amplio jardín y ⌇ » – 📺 ☎ 🅿. 🖭 ⓞ 🖪 𝘝𝘐𝘚𝘈. ⚘
cerrado 18 diciembre-4 enero – **Comida** carta 3950 a 4750 – ☑ 650 – **14 hab** 6800/8500,
5 suites.

UINTANADUEÑAS 09197 Burgos 442 E 18 – alt. 850 – © 947.
Madrid 241 – Burgos 6 – Palencia 90 – Valladolid 125.

🗙🗙 **La Galería**, Mayor ℰ 29 26 06 – ▤. 🖭 🖪 𝘝𝘐𝘚𝘈. ⚘
cerrado del 1 al 15 de agosto – **Comida** carta aprox. 2800.

UINTANAR DE LA ORDEN 45800 Toledo 444 N 20 – 8 991 h. alt. 691 – © 925.
Madrid 120 – Albacete 127 – Alcázar de San Juan 27 – Toledo 98.

🗙 **Costablanca**, carret. N 301 ℰ 18 05 19 – ▤ 🅿. 🖭 ⓞ 🖪 𝘝𝘐𝘚𝘈. ⚘
Comida carta aprox. 3400.

UINTANAR DE LA SIERRA 09670 Burgos 442 G 20 – 2 093 h. alt. 1 200.
Alred. : Laguna Negra de Neila★★ (carretera★★) NO : 15 km.
Madrid 253 – Burgos 76 – Soria 70.

UIROGA 27320 Lugo 441 E 8 – 4 657 h. – © 982.
Madrid 461 – Lugo 89 – Orense/Ourense 79 – Ponferrada 79.

🍴 **Marcos**, carret. N 120 ℰ 42 84 52, ≤, ⌇ – ▤ rest 🅿. 𝘝𝘐𝘚𝘈. ⚘
Comida 1600 – ☑ 450 – **16 hab** 3500/4500 – PA 3600.

la carretera de Monforte de Lemos N 120 NO : 13,5 km – ✉ 27391 Freigeiro – © 982 :

🏠 **Río Lor**, ℰ 42 81 09 – 🅿. 🖭 𝘝𝘐𝘚𝘈. ⚘
Comida 2000 – ☑ 300 – **28 hab** 2000/4000 – PA 5500.

RÁBITA 18760 Granada 446 V 20 – © 958 – Playa.
Madrid 549 – Almería 69 – Granada 120 – Málaga 152.

🏠 **Las Conchas**, paseo Marítimo 55 ℰ 82 90 17, ≤ – 🛗 ▤ hab 📺 ☎ 🚗 🅿. ⓞ 🖪 𝘝𝘐𝘚𝘈.
⚘
abril-septiembre – **Comida** 1390 – ☑ 470 – **24 hab** 5000/8400, 1 suite.

CÓ DE SANTA LLÚCIA Barcelona – ver Villanueva y Geltrú.

JÓ o RAXÓ 36992 Pontevedra 441 E 3 – © 986 – Playa.
Madrid 617 – Orense/Ourense 103 – Pontevedra 13 – Santiago de Compostela 68.

🏠 **Gran Proa**, playa ℰ 74 04 33, Fax 74 03 17 – 🛗 ▤ rest 📺 ☎. 🖪 𝘝𝘐𝘚𝘈. ⚘
Comida 1900 – ☑ 575 – **43 hab** 6880/8600.

MALES DE LA VICTORIA 39800 Cantabria 442 C 19 – 2 481 h. alt. 84 – © 942.
Madrid 368 – Bilbao/Bilbo 64 – Burgos 125 – Santander 51.

🗙🗙 **Río Asón** con hab, Barón de Adzaneta 17 ℰ 64 61 57, Fax 67 83 60 – ▤ rest. 🖭 ⓞ
❀ 🖪 𝘝𝘐𝘚𝘈. ⚘
cerrado 22 diciembre-enero – **Comida** (cerrado lunes noche en verano, domingo noche
y lunes resto del año) carta 3650 a 5450 – ☑ 400 – **9 hab** 2750/5500
Espec. Galleta de changurro con manto de cigala. Suprema de pichón, hígado de pato y
salsa de trufa. Soufflé caliente de coco con salsa de mandarina o naranja.

en la carretera S 510 *NO : 2,5 km* – ✉ *39800 Ramales de la Victoria* – 🕓 *942* :

⚒ **La Palette** *con hab*, El Montañal ℰ 64 61 43, Fax 64 61 43 – **❷**. 🚗
cerrado 15 diciembre-5 enero – **Comida** *(cerrado lunes noche salvo verano)* carta 16
a 2650 – **10 hab** ☟ 2500/3500.

RANDA *Baleares* – *ver Baleares (Mallorca).*

Jährlich eine neue Ausgabe, jährlich eine Ausgabe, die lohnt :
jährlich für Sie !

RASCAFRÍA *28740 Madrid* ▨▨▨ *J 18* – *1366 h. alt. 1163* – 🕓 *91.*
Madrid 78 – Segovia 54.

🌲 **Rosaly,** av. del Valle 39 ℰ 869 12 13, Fax 869 12 55, ≼ – **❷**. **ᴇ** 🚗. 🍴
Comida 1100 – ☟ 275 – **22 hab** 3100/4900 – PA 2475.

⚒ **Los Calizos** ⚞, *con hab*, carret. de Miraflores - E : 1 km ℰ 869 11 12, Fax 869 11
📶, 🚗 – **❷**. 🆎 ❶ **ᴇ** 🚗. 🍴
Comida carta 3750 a 4650 – ☟ 650 – **12 hab** 6000/7500.

en la carretera N 604 – 🕓 *91.*

🏨 **Santa María de El Paular** ⚞, S : 1,5 km, ✉ 28741 El Paular, ℰ 869 10
Telex 23222, Fax 869 10 06, « Antigua cartuja del siglo XIV », ♨ climatizada, 🚗, 🍴
📺 ☎ **❷** – 🎱 25/100. 🆎 ❶ **ᴇ** 🚗 ᴊᴄʙ. 🍴
Comida 4500 – ☟ 1600 – **58 hab** 8500/19000 – PA 9000.

⚒ **Pinosaguas,** S : 5,5 km, ✉ 28740 Rascafría, ℰ 869 10 25, « En un pinar » – **❷**. **ᴇ**
cerrado martes y 15 septiembre-15 octubre – **Comida** carta aprox. 2970.

RAXÓ *Pontevedra* – *ver Rajó.*

LOS REALEJOS *Santa Cruz de Tenerife* – *ver Canarias (Tenerife).*

REBOREDO *36988 Pontevedra* ▨▨▨ *E 3* – 🕓 *986* – *Playa.*
Madrid 650 – La Coruña/A Coruña 116 – Pontevedra 52 – Santiago de Compostela

🏨 **Bosque-Mar** *(anexo* 🏨*)*, ℰ 73 10 55, Fax 73 05 12, ♨, 🚗 – 📺 ☎ 🚗 **❷**. **ᴇ**
🍴 *rest*
mayo-15 octubre – **Comida** *(sólo cena)* 2000 – ☟ 900 – **39 hab** 8000/11000, 12 apa-
mentos.

🏛 **Mirador Ría de Arosa,** ℰ 73 08 38, Fax 73 06 48, ≼ – 📺 ☎ 🚗 **❷**. 🆎 ❶ **ᴇ**
Semana Santa-octubre – **Comida** 2400 – ☟ 550 – **35 hab** 4200/7000.

REINOSA *39200 Cantabria* ▨▨▨ *C 17* – *12852 h. alt. 850* – 🕓 *942* – *Balneario en Fontibre*
Deportes de invierno en Alto Campóo O : 25 km : ≴9.
Excurs. : *Pico de Tres Mares*★★★ ❄★★★ *O : 26 km y telesilla.*
Madrid 355 – Burgos 116 – Palencia 129 – Santander 70.

🏨 **Vejo,** av. Cantabria 83 ℰ 75 17 00, Fax 75 47 63, ≼, ♨, 🍴 – 📳 📺 ☎ 🚗
🎱 25/500. 🆎 ❶ **ᴇ** 🚗. 🍴 *rest*
Comida 2400 – ☟ 640 – **71 hab** 9200 – PA 4280.

🌲 **Tajahierro** *sin rest y sin* ☟, Pelilla 8 ℰ 75 35 24 – 🍴
13 hab 2000/3000.

en Alto Campóo *O : 25 km* – ✉ *39200 Reinosa* – 🕓 *942* :

🏨 **Corza Blanca** ⚞, alt. 1660 ℰ 77 92 51, Fax 77 92 50, ≼, ♨ – 📳 ☎ **❷**. 🆎 **ᴇ**
🍴
cerrado mayo, octubre y noviembre – **Comida** 1975 – ☟ 475 – **68 hab** 5950/86●
PA 4000.

RENEDO DE CABUÉRNIGA *39516 Cantabria* ▨▨▨ *C 17* – 🕓 *942.*
Madrid 400 – Burgos 156 – Santander 60.

🏨 **Reserva del Saja** ⚞, carret. de Reinosa ℰ 70 61 90, Fax 70 61 08, ≼, ♨ – ▤
☎ **❷**. **ᴇ** 🚗. 🍴 *rest*
Comida 1750 – **26 hab** ☟ 6500/9000.

ENEDO DE PIÉLAGOS 39470 Cantabria **442** B 18 – **②** 942.
  Madrid 372 – Bilbao/Bilbo 120 – Burgos 133 – Santander 22.

命 **Romano I,** carret N 623 *℘* 57 20 60, Fax 22 30 71 – |黒| **TV ☎. 延 E VISA. ≫**
  cerrado 15 diciembre-15 enero – **Comida** (sólo cena) 1200 – ☲ 400 – **35 hab** 5500/
  8000.

ENTERÍA o ERRENTERIA 20100 Guipúzcoa **442** C 24 – 41 163 h. alt. 11 – **②** 943.
  Madrid 479 – Bayonne 45 – Pamplona/Iruñea 98 – San Sebastián/Donostia 8.

命 **Lintzirin,** carret. N I - E : 1,5 km, ⊠ 20180 apartado 30 Oyarzun, *℘* 49 20 00,
  Fax 49 25 04 – |黒| **■ rest TV ℗. 延 ① E VISA. ≫ rest**
  Comida (cerrado domingo noche) 1200 – ☲ 675 – **132 hab** 5000/8200.

EQUENA 46340 Valencia **445** N 26 – 17 014 h. alt. 292 – **②** 96.
  Madrid 279 – Albacete 103 – Valencia 69.

✗ **Mesón del Vino,** av. Arrabal 11 *℘* 230 00 01, Decoración rústica – **■. 延 E VISA.**
⊜ **≫**
  cerrado martes y septiembre – **Comida** carta 2450 a 3100.

EUS 43200 Tarragona **443** I 33 – 88 595 h. alt. 134 – **②** 977.
  Ver : Casa Navas★★ BY – Institut Pere Mata★★ AY – Teatro Fortuny★ BY – Palau Bofarull★
  BY T.
  Alred. : Port Aventura★★★ por ③.
  Excurs. : Falset★★ por ④ – Siurana de Prades★ por ④.
  ⛳ Reus Aigüesverds, carret de Cambrils km 1,8-Mas Guardià *℘* 75 27 25.
  ✈ de Reus por ② : 3 km *℘* 77 98 23.
  🏢 pl. Llibertat, ⊠ 43201, *℘* 34 59 43, Fax 34 00 10.
  Madrid 547 ④ – Barcelona 118 ② – Castellón de la Plana/Castelló de la Plana 177 ③ –
  Lérida/Lleida 90 ① – Tarragona 14 ②.

  Planos páginas siguientes

命命 **NH Ciutat de Reus,** av. Marià Fortuny 85, ⊠ 43203, *℘* 34 53 53, Fax 34 32 34 – |黒|
  ■ TV ☎. 延 ① E VISA.   CX   r
  Comida carta aprox. 2500 – ☲ 1000 – **76 hab** 10500/12000, 8 suites.

命 **Quality Inn,** carret. de Salou 129 - SE : 1,5 km, ⊠ 43205, *℘* 75 57 40, Fax 75 57 45
  – |黒| **■ TV ☎ & ⇔ – 🍽 25/50. 延 ① E VISA. ≫ rest**   por ③
  Comida 1600 – ☲ 750 – **60 hab** 7500/10700 – PA 3200.

命 **Simonet,** Raval Santa Anna 18, ⊠ 43201, *℘* 34 59 74, Fax 34 45 81, 🔭 – **■ TV ☎**
  ⇔. 延 E VISA. ≫   BY   e
  cerrado del 25 al 31 de diciembre – **Comida** (cerrado domingo noche) 2100 – ☲ 500 –
  40 hab 3975/6950 – PA 3760.

命 **Gaudí** sin rest. con cafetería, Raval Robuster 49, ⊠ 43204, *℘* 34 55 45, Fax 34 28 08
  – |黒| **TV ☎ – 🍽 25/175. 延 ① E VISA**   BZ   a
  ☲ 550 – **73 hab** 5850/7500.

✗✗✗ **La Glorieta del Castell,** pl. Castell 2, ⊠ 43201, *℘* 34 08 26 – **■. 延 ① E VISA JCB.**
  ≫   BZ   c
  cerrado domingo y del 15 al 31 de agosto – **Comida** carta 3000 a 4700.

✗✗ **El Restaurant de la Fira,** av. Sant Jordi (palau de Fires i Congressos), ⊠ 43201,
  ℘ 31 78 00, Fax 31 63 59 – **■. 延 ① E VISA. ≫**   BX
  cerrado domingo noche – **Comida** carta 2500 a 3425.

✗ **El Tupí,** Alcalde Joan Bertran 3, ⊠ 43202, *℘* 31 05 37 – **■. 延 ① E VISA. ≫**
  cerrado domingo y del 15 al 31 de agosto – **Comida** carta aprox. 2500.   AZ   s

la carretera de Tarragona por ② : 1 km – ⊠ 43206 Reus – **②** 977 :
✗ **Masia Típica Crusells,** *℘* 75 40 60, Fax 77 24 12, Decoración regional – **■ ℗. 延 ①**
  E VISA. ≫
  cerrado domingo noche – **Comida** carta 3100 a 4500.

Castellvell (Baix Camp) N : 2 km AX – ⊠ 43392 Castellvell – **②** 977 :
✗ **El Pa Torrat,** av. de Reus 24 *℘* 85 52 12, Decoración rústica. Cocina regional – **■. 延**
⊜ **E VISA. ≫**
  cerrado martes, del 15 al 31 de agosto y Navidades – **Comida** carta 2500 a 3300.

Reisen Sie nicht heute mit einer Karte von gestern.

REUS

Alt del Carme .... **AZ** 3
Amargura .... **BY** 4
Baluard (Pl. del) .... **BZ** 7
Barreres .... **BZ** 8
Bertran de Castellet .... **BX** 9
Bisbe Borràs .... **AX** 10
Castell (Pl.) .... **BY** 12
Comte de Reus (Pl. de) . **AZ** 13
Doctor Codina Castellví . **AZ** 15
Font .... **BZ** 16
Francesc Bartrina ...... **AX** 18
Galera .... **BYZ** 21
Galió .... **BY** 22
Hospital .... **BY** 24
Josep Anselm Clavé .... **BY** 25
Josep Anselm Clavé (Pl.) . **CY** 27
Josep M. Arnavat i Vilaró . **CY** 28
Josep Sardà i Cailà ..... **AY** 30
Jueus (Carreró dels) .... **BZ** 31
Major .... **BZ** 33
Mar .... **BY** 34
Marià Benlliure .... **BY** 36
Mercadal (Pl. del) ...... **BY** 37
Mestres (Closa de) ..... **BZ** 39
Monsenyor Higini Anglès **CZ** 40
O'Donnell .... **ABZ** 42
Pallol (Raval del) .... **BY** 43
Pintor Fortuny (Pl. del) .. **AY** 45
Pintor Tapiró (Av. del) ... **AX** 46
Puríssima Sang
  (Pl. de la) .... **CY** 48
Ramón J. Sender ...... **BZ** 49
Robuster (Raval de) .... **BZ** 52
Sales (Raseta de) ..... **BZ** 54
Sant Elies .... **AY** 55
Sant Francesc Xavier .. **BZ** 57
Sant Jaume .... **BZ** 58
Sant Miquel .... **BY** 61
Sant Pere (Raval de) ... **BZ** 63
Sant Vicenç .... **BY** 64
Santa Anna (Raval de) .. **BY** 66
Santa Anna .... **BY** 67
Segle XX (Av. del) ..... **AX** 69
Selva del Camp .... **BY** 72
Vallroquetes .... **BY** 73
Vapor Nou .... **AY** 74
Víctor (Pl. del) .... **AX** 75
Vidre .... **BY** 78

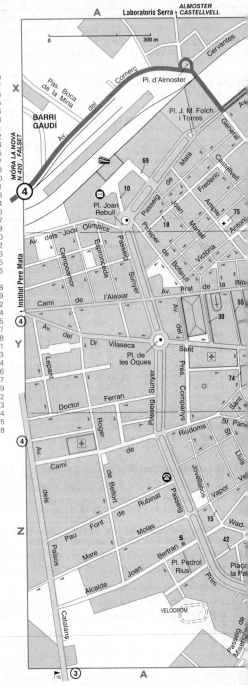

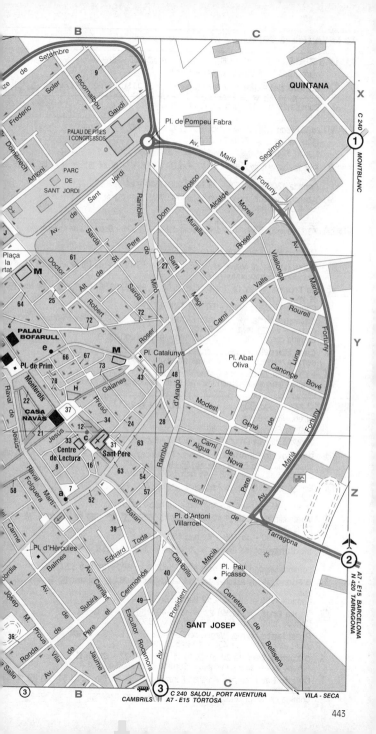

La REYA (Playa de) *Murcia - ver Puerto de Mazarrón.*

RIALP o **RIALB** 25594 Lérida **443** E 33 – 440 h. alt. 725 – **☎** 973.

Madrid 593 – Lérida/Lleida 141 – Sort 5.

🏨 **Condes del Pallars**, av. Flora Cadena 2 *℘* 62 03 50, Fax 62 12 32, ≤, **⅃₆**, **⌁**, **⌁**, *
✻ – **⧉** ▤ **ⅣV** **☎** **℗** – **⚠** 25/150. **ⅢE** **①** **ⅇ** **ⅥSA** **JCB**. **✻**
Comida 2500 – **171 hab** ⚌ 7500/15000.

RIAÑO 24900 León **441** D 14 – 485 h. alt. 1 125 – **☎** 987.

🛈 *av. Valcayo, ℘ 74 06 65, (temp).*
Madrid 374 – León 95 – Oviedo 112 – Santander 166.

🏨 **Presa**, av. Valcayo *℘* 74 06 37, Fax 74 07 37, ≤ – **⧉** ▤ **ⅣV** **☎** **⇦**. **ⅢE** **①** **ⅇ** **ⅺ**
✻
Comida 1800 – ⚌ 575 – **33 hab** 5000/7500 – PA 3500.

🏠 **Abedul** *sin rest*, av. Valcayo 16 *℘* 74 07 06, ≤ – **ⅣV** **☎** **⇦**. **✻**
⚌ 400 – **14 hab** 4000/7000.

RIAZA 40500 Segovia **442** I 19 – 1 650 h. alt. 1 200 – **☎** 921 – Deportes de invierno en La Pir
S : 9 km : ⛄1 ⛷11.
Madrid 116 – Aranda de Duero 60 – Segovia 70.

🏨 **Plaza** *sin rest*, pl. Mayor 24 *℘* 55 10 55, Fax 55 11 28 – ▤ **ⅣV** **☎** – **⚠** 25. **ⅇ** **ⅥSA**
⚌ 500 – **15 hab** 6000/7000.

🏠 **La Trucha** 🦢, av. Dr. Tapia 17 *℘* 55 00 61, Fax 55 00 86, ≤, **⇞**, **⌁** – ▤ rest **ⅣV**
ⅇ **ⅥSA**. **✻** rest
Comida 1700 – ⚌ 400 – **30 hab** 4750/6790.

✗ **Casaquemada** *con hab*, Isidro Rodríguez 18 *℘* 55 00 51, Fax 55 06 04, Decorac
rústica – ▤ **ⅣV** **☎**. **ⅢE** **①** **ⅇ** **ⅥSA**. **✻**
Comida carta 2300 a 4100 – ⚌ 500 – **9 hab** 6000/8000.

✗ **Casa Marcelo**, pl. del Generalísimo 16 *℘* 55 03 20 – **ⅢE** **ⅇ** **ⅥSA**. **✻**
cerrado martes y del 10 al 31 de diciembre – **Comida** carta 3200 a 6050.

✗ La Taurina, pl. del Generalísimo 6 *℘* 55 01 05
Comida (solo almuerzo en invierno salvo fines de semana y puentes).

RIBADEO 27700 Lugo **441** B 8 – 8 761 h. alt. 46 – **☎** 982.

Alred. : Puente ≤★.
🛈 *pl. de España, ℘ 12 86 89.*
Madrid 591 – La Coruña/A Coruña 158 – Lugo 90 – Oviedo 169.

🏰 **Parador de Ribadeo** 🦢, Amador Fernández *℘* 10 08 25, Fax 10 03 46, ≤ ría de
y montañas – **⧉** **ⅣV** **☎** **⇦** **℗**. **ⅢE** **①** **ⅇ** **ⅥSA**. **✻**
Comida 3500 – ⚌ 1300 – **46 hab** 14500, 1 suite.

🏨 **Eo** 🦢 *sin rest*, av. de Asturias 5 *℘* 12 87 50, Fax 12 80 21, ≤, **⌁** – **☎**. **ⅢE** **①**
ⅥSA
15 junio-15 septiembre – ⚌ 400 – **24 hab** 7700/8000.

🏨 **Voar**, carret. N 634 *℘* 12 86 85, Fax 13 06 85, **⌁**, **✻** – **ⅣV** **☎** **⇦** **℗** – **⚠** 25/7
ⅢE **ⅇ** **ⅥSA**
Comida 1300 – ⚌ 600 – **42 hab** 6500/7800.

🏠 **Mediante**, pl. de España 8 *℘* 13 04 53, Fax 13 07 58 – **⧉** **ⅣV** **☎**. **ⅢE** **①** **ⅇ**
✻
Comida *(cerrado lunes y noviembre)* 1400 – ⚌ 300 – **20 hab** 5200/7500.

🏠 **O Forno**, av. de Asturias 4 *℘* 13 08 02, Fax 13 08 03 – ▤ rest **ⅣV** **☎** **⇦**. **ⅢE** **①**
ⅥSA. **✻**
Comida 1500 – ⚌ 450 – **17 hab** 5000/7000 – PA 3450.

🏠 **Santa Cruz**, Diputación 22 *℘* 13 05 49 – **ⅣV** **⇦**. **ⅢE** **ⅇ** **ⅥSA**. **✻**
Comida 1000 – ⚌ 400 – **17 hab** 4600/6850 – PA 2400.

🏠 **Presidente** *sin rest*, Virgen del Camino 3 *℘* 12 80 92 – **ⅇ** **ⅥSA**
julio-septiembre – ⚌ 450 – **19 hab** 5000/6500.

✗ **O Xardín**, Reinante 20 *℘* 13 10 11, Fax 12 82 22 – **ⅢE** **①** **ⅇ** **ⅥSA**
cerrado lunes salvo en verano – **Comida** carta 2000 a 4000.

✗ **Oviedo Bar I** *con hab*, Amando Pérez 5 *℘* 12 80 35, Fax 12 81 31 – **⧉** **ⅣV** **☎**. **ⅢE**
ⅇ **ⅥSA**. **✻**
Comida carta aprox. 3200 – ⚌ 250 – **14 hab** 3000/6000.

RIBADESELLA 33560 Asturias **441** B 14 – 6 182 h. – ✆ 98 – Playa.

Ver : Cuevas Tito Bustillo★ (pinturas rupestres★).

🄳 Puente Río Sella - carret. de la Piconera, ℘ 586 00 38.

Madrid 485 – Gijón 67 – Oviedo 84 – Santander 128.

🏨 **Marina**, Gran Vía 36 ℘ 586 00 50, Fax 586 01 57 – |‡| ▤ ☎ 📺 ☎. 🝔 🝔 ⚌. ⅏
Comida 3000 – ☲ 400 – **44 hab** 6000/9000.

🗙🗙 **La Bohemia**, Gran Vía 53 ℘ 586 11 50, Fax 586 01 57 – ▤. 🝔 ⚌ ⅏
Comida carta aprox. 4800.

🗙 **Náutico**, Marqués de Argüelles 9 ℘ 586 00 42, ← – ⚌ ⅏
Comida carta 4700 a 5900.

🗙 **Xico**, López Muñiz 9 ℘ 586 03 45 – 🝔 ⓞ 🝔 ⚌
cerrado del 1 al 15 de noviembre – **Comida** carta 2050 a 3400.

en la playa :

🏰 **G.H. del Sella** ⚜, ℘ 586 01 50, Fax 585 74 49, ←, ⛳, 🐎, ⅏ – |‡| 📺 ☎ ☒ –
🏛 25/300. 🝔 ⓞ 🝔 ⚌. ⅏
abril-15 octubre – **Comida** 2700 – ☲ 1000 – **82 hab** 9600/15000 – PA 5635.

🏨 **Don Pepe** sin rest. con cafetería, Dionisio Ruisánchez 12 ℘ 585 78 81, Fax 585 78 77,
← – |‡| 📺 ☎ ☞. 🝔 ⓞ 🝔 ⚌. ⅏
abril-septiembre – ☲ 650 – **32 hab** 8000/11000.

🏨 **Ribadesella Playa** sin rest, Ricardo Cangás 3 ℘ 586 07 15, Fax 586 02 20, ← – 📺 ☎
☒. 🝔 ⓞ 🝔 ⚌. ⅏
☲ 500 – **17 hab** 7500/8900.

🏠 **La Playa** ⚜, ℘ 586 01 00, ← – 📺 ☒. 🝔 🝔 ⚌. ⅏
abril-septiembre – **Comida** 2000 – ☲ 400 – **11 hab** 6000/8000.

🏛 **Derby** sin rest, El Pico 24 ℘ 586 00 92 – |‡| 📺 ☎
15 marzo-15 octubre – ☲ 400 – **24 hab** 4300/6200.

en Santianes carretera N 634 - S : 3,5 km – ✉ 33560 Ribadesella – ✆ 98 :

🏛 La Ribera, ℘ 586 02 31 – 📺 ☎ ☒
Comida (ver rest. La Ribera) – **16 hab.**

🗙 La Ribera, ℘ 586 06 26 – ▤ ☒.

RIBAFORADA 31550 Navarra **442** G 25 – 3 148 h. alt. 262 – ✆ 948.

Madrid 326 – Logroño 113 – Soria 95 – Tudela 10 – Zaragoza 71.

en la carretera N 232 SO : 2 km – ✉ 31550 Ribaforada – ✆ 948 :

🏨 **Sancho el Fuerte**, ℘ 86 40 25, Fax 86 40 25, ⛳, ⅏ – ▤ 📺 ☎ ☞ ☒ – 🏛 25/125.
🝔 ⚌. ⅏ rest
Comida 1200 – **68 hab** ☲ 4800/7200.

RIBAS DE FRESER o RIBES DE FRESER 17534 Gerona **443** F 36 – 2 358 h. alt. 920 – ✆ 972
– Balneario.

🄳 pl. Ajuntament 3, ℘ 72 77 28.

Madrid 689 – Barcelona 118 – Gerona/Girona 101.

🏨 **Catalunya Park H.** ⚜, passeig Mauri 9 ℘ 72 71 98, Fax 72 70 17, ←, « Césped con
⛳ » – |‡| ☞. ⅏
Semana Santa y 21 junio-septiembre – **Comida** 2300 – ☲ 750 – **55 hab** 3800/7250 –
PA 4800.

🏠 **Catalunya**, Sant Quintí 37 ℘ 72 70 17, Fax 72 70 17 – |‡|. ⅏
Comida (sólo cena) 2300 – ☲ 650 – **18 hab** 3200/6900.

🏠 **Sant Antoni**, Sant Quintí 55 ℘ 72 70 18, 🏡, ⛳ climatizada – 🝔 ⚌. ⅏
Comida 2150 – ☲ 650 – **24 hab** 4000/7000 – PA 4200.

RIBERA DE CARDÓS 25570 Lérida **443** E 33 – alt. 920 – ✆ 973.

Alred. : Valle de Cardós★.

Madrid 614 – Lérida/Lleida 157 – Sort 21.

🏠 **Cardós** ⚜, Reguera 2 ℘ 62 31 00, Fax 62 31 58, ←, ⛳ – |‡| ☞. 🝔 🝔 ⚌. ⅏ rest
marzo-septiembre – **Comida** 1800 – ☲ 750 – **50 hab** 4500/6800 – PA 3500.

🏠 **Sol i Neu** ⚜, Llimera 1 ℘ 62 31 37, Fax 62 31 37, ←, ⛳, ⅏ – ☒. 🝔 ⚌. ⅏ rest
15 marzo-15 diciembre – **Comida** 1600 – ☲ 500 – **30 hab** 4200/5700 – PA 3100.

RIBES DE FRESER Gerona – ver Ribas de Freser.

RICOTE 30610 Murcia **445** R 25 – 1679 h. alt. 400 – **۞** 968.
   Madrid 371 – Archena 10 – Cieza 15 – Cehegín 40 – Lorca 93 – Murcia 37.
 X **El Sordo,** Algarrobo *ℰ* 69 71 50, Fax 69 72 09, Carnes – 🔲 **℗**. 🖭 **⑩** ▮
   VISA. ⁄%
   cerrado miércoles y julio – **Comida** carta 2950 a 3550.

La RIERA DE GAIÀ 43762 Tarragona **443** I 34 – 894 h. – **۞** 977.
   Madrid 558 – Barcelona 102 – Lérida/Lleida 118 – Sitges 34 – Tarragona 14.
 X **La Masía de l'Era,** Sant Joan 64 *ℰ* 65 54 02, �, Marco rústico catalán. Cocina regior
   – **℗**. **E** **VISA**. ⁄%
 ⛲ **Comida** carta 2100 a 3300.

   Unsere Hotel-, Reiseführer und Straßenkarten ergänzen sich.
   Benutzen Sie sie zusammen.

RINCÓN DE LA VICTORIA 29730 Málaga **446** V 17 – 13007 h. – **۞** 95 – Playa.
   Madrid 568 – Almería 208 – Granada 139 – Málaga 13.
 🏨 **Rincón Sol,** av. del Mediterráneo 174 *ℰ* 240 11 00, Fax 240 43 79, ≼, 🐾 – 🛗 ▤ ▮
   🕿 ዿ ⇔ – ⫴ 25/180. 🖭 **⑩** **E** **VISA** **JCB**. ⁄% rest
   Comida 1800 – ⫿ 700 – **86 hab** 7000/9500, 1 suite – PA 3900.

RIPOLL 17500 Gerona **443** F 36 – 11204 h. alt. 682 – **۞** 972.
   Ver : Antiguo Monasterio de Santa María★ (portada★★).
   Alred. : San Juan de las Abadesas★ (iglesia de San Juan★ : descendimiento de la Cruz★ᵃ
   claustro★) NE : 10 km.
   🛈 pl. de l'Abat Oliba, *ℰ* 702351.
   Madrid 675 – Barcelona 104 – Gerona/Girona 86 – Puigcerdá 65.
 ⛲ **Del Ripollés,** pl. Nova 11 *ℰ* 70 02 15 – 📺 🕿, 🖭 **⑩** **E** **VISA**. ⁄%
   Comida 1900 – ⫿ 400 – **8 hab** 4500/6500 – PA 3200.

en la carretera N 152 S : 2 km – ✉ 17500 Ripoll – **۞** 972 :
 🏨 **Solana del Ter,** *ℰ* 70 10 62, Fax 71 43 43, ≼, ⌀, 🏊, 🌣, ⁄% – 📺 🕿 ⇔ **℗**
   ⫴ 25/300. **E** **VISA**. ⁄%
   cerrado del 1 al 15 de noviembre – **Comida** 2500 – ⫿ 750 – **37 hab** 5800/8800 –
   5000.

RIPOLLET 08291 Barcelona **443** H 36 – 26835 h. – **۞** 93.
   Madrid 625 – Barcelona 11 – Gerona/Girona 74 – Sabadell 6.
 XX **Eulalia,** Casanovas 29 *ℰ* 692 04 02 – 🔲 **℗**. 🖭 **⑩** **VISA**. ⁄%
   cerrado domingo, lunes noche y tres semanas en agosto – **Comida** carta 380
   5100.

RIS (Playa de) Cantabria – ver Noja.

RIUDARENAS o RIUDARENES 17421 Gerona **443** G 38 – 1102 h. alt. 84 – **۞** 972.
   Madrid 693 – Barcelona 80 – Gerona/Girona 32.
 X **La Brasa,** carret. Santa Coloma 21 *ℰ* 85 60 17, Fax 85 62 38, Cocina regional – ▤
 ⛲ **⑩** **E** **VISA**. ⁄%
   cerrado lunes y 15 enero-15 febrero – **Comida** (sólo almuerzo) carta 280
   3350.

ROA DE DUERO 09300 Burgos **442** G 18 – 2264 h. – **۞** 947.
   Madrid 181 – Aranda de Duero 20 – Burgos 82 – Palencia 72 – Valladolid 76.
 XX **Chuleta,** av. de la Paz 7 *ℰ* 54 03 12 – ▤, **E** **VISA**. ⁄%
   cerrado lunes noche salvo agosto – **Comida** carta aprox. 2700.

ROCAFORT 46111 Valencia **445** N 28 – 4055 h. alt. 35 – **۞** 96.
   Madrid 361 – Valencia 11.
 XX **L'Été,** Francisco Carbonell 33 *ℰ* 131 11 90 – ▤. 🖭 **E** **VISA**. ⁄%
   cerrado domingo y Semana Santa – **Comida** carta aprox. 4900.

ROCÍO 21750 Huelva **446** U 10 – **959**.
  Ver : Parque Nacional de Doñana★.
  Madrid 607 – Huelva 67 – Sevilla 78.

📷 **Toruño** ♨, pl. del Acebuchal 22 ℰ 44 23 23, Fax 44 23 38, « Junto a las marismas de Doñana » – 🔲 📺 ☎. 🏧 ⋿ 💳 ⅏
  Comida (cerrado del 12 al 20 de mayo) 1400 – ☑ 700 – **30 hab** 7500/10000.

RODA 02630 Albacete **444** O 23 – 12 938 h. alt. 716 – **967**.
  Madrid 210 – Albacete 37.

📷 Flor de la Mancha, Alfredo Atienza 139 ℰ 44 05 55, Fax 44 09 04 – 🛗 🔲 rest 📺 ☎.
  🅿
  26 hab.

la carretera N 301 NO : 2,5 km – ✉ 02630 La Roda – **967** :
  ⅄ **Juanito,** ℰ 44 15 12, Fax 44 40 06 – 🔲 **🅿**. 🏧 ① ⋿ 💳. ⅏
  Comida carta 1950 a 3800.

IS 15911 La Coruña **441** D 4 – **981**.
  Madrid 638 – La Coruña/A Coruña 98 – Pontevedra 41.

  ⅄ **Casa Ramallo,** Castro 5 ℰ 80 41 80, Fax 80 41 80, 🍴
  🅿. 🏧 ⋿ 💳. ⅏
  cerrado lunes – **Comida** carta aprox. 3100.

MANYÀ DE LA SELVA 17246 Gerona **443** G 38 – **972**.
  Madrid 699 – Barcelona 97 – Gerona/Girona 34 – San Felíu de Guíxols/Sant Feliu de Guíxols 18.

  ⅄ **Can Roquet,** pl. Església ℰ 83 32 89 – 🔲 **🅿**. ⋿ 💳
  cerrado martes y Navidades – **Comida** carta 1900 a 3100.

NCESVALLES u **ORREAGA** 31650 Navarra **442** C 26 – 60 h. alt. 952 – **948**.
  Ver : Pueblo★ - Conjunto Monumental : museo★.
  🄴 Antiguo Molino, ℰ 76 01 93.
  Madrid 446 – Pamplona/Iruñea 47 – St-Jean-Pied-de-Port 29.

📷 **La Posada,** ℰ 76 02 25, Fax 76 02 25, ← – **🅿**. ① ⋿ 💳. ⅏
  cerrado noviembre – **Comida** 1600 – ☑ 600 – **18 hab** 4800/6000 – PA 3200.

NDA 29400 Málaga **446** V 14 – 35 788 h. alt. 750 – **95**.
  Ver : Situación★★ – Barrio de la ciudad★ YZ – Tajo★ Y – Puente Nuevo ←★ Y – Plaza de Toros★ Y.
  Alred. : Cueva de la Pileta★ (carretera de acceso ←★★) 27 km por ①.
  Excurs. : Carretera★★ de Ronda a San Pedro de Alcántara (cornisa★★) por ② – Carretera★ de Ronda a Algeciras por ③.
  🄴 pl. de España, ℰ 287 12 72, Fax 287 12 72.
  Madrid 612 ① – Algeciras 102 ③ – Antequera 94 ① – Cádiz 149 ① – Málaga 96 ② – Sevilla 147 ①.

Plano página siguiente

🏨 **Parador de Ronda,** pl. de España ℰ 287 75 00, Fax 287 81 88, ←, Instalado en el antiguo Ayuntamiento, « Al borde del Tajo », ⅃, 🍴 – 🛗 🔲 📺 ☎ 🚗 – 🛆 25/80. 🏧 ① ⋿ 💳. ⅏
  Y a
  Comida 3500 – ☑ 1200 – **70 hab** 18000, 8 suites.

🏨 **Reina Victoria** ♨, av. Dr. Fleming 25 ℰ 287 12 40, Fax 287 10 75, « Al borde del Tajo, ← valle y serranía de Ronda », ⅃, 🍴 – 🛗 🔲 📺 ☎ **🅿** – 🛆 25/200. 🏧 ① ⋿ 💳 JCB. ⅏ rest
  por ①
  Comida 3500 – ☑ 1300 – **89 hab** 9000/15000 – PA 7500.

🏨 **Posada Real,** Real 42 ℰ 287 71 76, Fax 287 83 70, « Antigua casa solariega con mobiliario de estilo » – 🛗 🔲 📺 ☎. 🏧 ① ⋿ 💳. ⅏
  Y e
  cerrado 20 enero-2 febrero – **Comida** (cerrado lunes) 3000 – **11 hab** ☑ 11000/16500 – PA 5500.

🏨 **Don Miguel,** Villanueva 8 ℰ 287 77 22, Fax 287 83 77, ← – 🛗 🔲 📺 🚗. 🏧 ① ⋿ 💳. ⅏
  Y u
  cerrado del 7 al 23 de enero – **Comida** (ver rest. **Don Miguel**) – ☑ 375 – **19 hab** 5500/9000.

RONDA

Espinel (Carrera de) ..... Y

Armiñán .... YZ
Capitán Cortés .... Y 3
Carmen Abela (Pl. de) ... Y 5
Cerrillo .... Y
Descalzos (Pl. de los) .... Y
Doctor Fleming (Av.) .... Y 6
Duquesa de Parcent
  (Pl. de la) .... Z 8
España (Pl. de) .... Y 12
González Campos .... Z 15
Las Imágenes .... Z 18
María Auxiliadora (Pl.) .. Z 20
Marqués de Salvatierra .. Z 21
Merced (Pl. de la) ...... Y 24
Padre Mariano
  Soubirón .... Y 26
Prado .... Z
Peñas .... Z
Real .... Y
Ruedo Alameda (Pl.) .... Z
Ruedo de Gameros ...... Z 27
Santa Cecilia .... Y 30
Santo Domingo .... Y 33
Sevilla .... Y
Tenorio .... YZ
Virgen de la Paz .... Y
Virgen de los Dolores .... Y

Un consejo Michelin :

Para que sus viajes
sean un éxito,
prepárelos de antemano.
Los mapas
y las guías Michelin
le proporcionan
todas las indicaciones
útiles sobre :
itinerarios,
visitas de curiosidades,
alojamiento, precios, etc...

Royal sin rest y sin ☃, Virgen de la Paz 42 ℰ 287 11 41, Fax 287 81 32 – 🗏 📺 AE ① E VISA.
29 hab 3400/5500.

Don Miguel, pl. de España 3 ℰ 287 10 90, Fax 287 83 77, 🍴, « Terrazas sob Tajo » – 🗏. AE ① E VISA. ⚬
cerrado del 7 al 23 de enero – **Comida** carta aprox. 3700.

Pedro Romero, Virgen de la Paz 18 ℰ 287 11 10, Fax 287 10 61, « Decoración típi – 🗏. AE ① E VISA. ⚬
Comida carta 3275 a 4350.

Jerez, paseo Blas Infante ℰ 287 20 98, Fax 287 86 41, 🍴 – 🗏. AE ① VISA. ⚬
Comida carta 2725 a 3450.

ROQUETAS DE MAR 04740 Almería 𝟒𝟒𝟔 V 22 – 32 361 h. – ✆ 950 – Playa.
Madrid 605 – Almería 18 – Granada 176 – Málaga 208.

al Sur : 4 km – ✉ 04740 Roquetas de Mar – ✆ 950 :

Al-Baida, av. Las Gaviotas ℰ 33 38 21, 🍴 – 🗏. AE ① E VISA JCB. ⚬
cerrado lunes (salvo vísperas, festivos y verano), y 15 enero-20 febrero – **Comida** 3200 a 4800.

La Colmena, Lago Como - edificio Concordia I ℰ 33 35 65, Fax 33 46 13, ☃ – 🗏.

OSAS o **ROSES** 17480 Gerona **443** F 39 – 10 303 h. – **۞** 972 – Playa.

🄳 av. de Rhode 101, ℘ 25 73 31, Fax 15 11 50.

Madrid 763 – Gerona/Girona 56.

🏨🏨 **Terraza,** passeig Marítim 16 ℘ 25 61 54, Fax 25 68 66, ≤, 龠, ⅀ climatizada, ⅍ –
🛗 ☰ 📺 ☎ ⇔ 🅿 – 🕍 25/150. 🄰🄴 ⓞ 🄴 🆅🅸🆂🅰. ⅍ rest
Semana Santa-octubre – **Comida** (cerrado domingo) carta 3200 a 5100 – ♎ 1200 –
112 hab 10000/16000.

🏨 **Ramblamar** ⅏, av. de Rhode 153 ℘ 25 63 54, Fax 25 68 11, ≤ mar – 🛗 ☰ rest 📺
☎. 🄰🄴 🄴 🆅🅸🆂🅰.
marzo-octubre – **Comida** 1975 – **52 hab** ♎ 7650/11500 – PA 3950.

🏨 **Coral Platja,** av. de Rhode 28 ℘ 25 62 50, Fax 15 18 11, ≤ – 🛗 📺 ☎ 🅿. 🄰🄴 🄴 🆅🅸🆂🅰.
⅍ rest
Semana Santa-octubre – **Comida** 2000 – **123 hab** ♎ 7500/12000.

🏨 **Goya,** Riera Ginjolers ℘ 25 61 23, Fax 15 14 61, ⅀ – 🛗 ☰ rest 📺 ☎ 🅿. 🄰🄴 ⓞ 🄴 🆅🅸🆂🅰.
⅍ rest
abril-octubre – **Comida** 1500 – ♎ 800 – **65 hab** 6430/9360.

🏨 **Novel Risech,** av. de Rhode 183 ℘ 25 62 84, Fax 25 68 11, ≤, 龠 – 🛗 ☰ rest. 🄰🄴
🄴 🆅🅸🆂🅰. ⅍ rest
cerrado 11 noviembre-18 diciembre – **Comida** 1650 – ♎ 800 – **78 hab** 3500/6550 –
PA 3350.

🏨 **Casa del Mar** sin rest, av. de Rhode 21 ℘ 25 64 50, Fax 25 64 54 – ☎ 🅿. 🄰🄴
🄴 🆅🅸🆂🅰.
abril-octubre – ♎ 550 – **28 hab** 6300.

🍴🍴 **Flor de Lis,** Cosconilles 47 ℘ 25 43 16, Fax 25 43 16, Cocina francesa, « Decoración
۞ rústica » – ☰. 🄰🄴 ⓞ 🄴 🆅🅸🆂🅰. ⅍
cerrado martes (salvo julio-septiembre), 5 enero-Semana Santa y 5 octubre- 21 diciembre
– **Comida** (sólo cena) carta 5225 a 6725
Espec. Vieiras y gambas en salsa de fondue de queso gratinada. Pechugas de pichón en
salsa de trufa negra. Carro de repostería.

🍴 **L'Entrecot,** Joan Badosa 9 ℘ 25 42 63, Fax 25 41 19, 龠, Decoración rústica catalana
– 🄰🄴 ⓞ 🄴 🆅🅸🆂🅰
cerrado miércoles en invierno y 12 noviembre-19 diciembre – **Comida** carta 2300 a
3700.

🍴 **Llevant,** av. de Rhode 145 ℘ 25 68 35, 龠 – ☰. 🄰🄴 ⓞ 🄴 🆅🅸🆂🅰. ⅍
cerrado martes no festivos, diciembre y enero – **Comida** carta 2300 a 3350.

la urbanización Santa Margarita O : 2 km – ✉ 17480 Rosas – ۞ 972 :

🏨🏨 Sant Marc, av. de la Bocana 42 ℘ 25 44 00, Telex 56246, Fax 25 47 50, ⅀ – 🛗 ☰ rest
🅿
240 hab.

🏨 **Goya Park,** Port de Reig 25 ℘ 25 75 50, Fax 25 43 41, ≤, ⅀ – 🛗 ☰ rest ☎ 🅿. 🄰🄴
ⓞ 🄴 🆅🅸🆂🅰. ⅍
16 marzo-diciembre – **Comida** 1800 – **245 hab** ♎ 7350/11700.

🏨 **Montecarlo,** av. de la Platja ℘ 25 66 73, Fax 25 57 03, ≤, 🝔 – 🛗 ☰ rest ☎. 🄰🄴 ⓞ
🄴 🆅🅸🆂🅰. ⅍ rest
15 marzo-15 noviembre – **Comida** 1800 – ♎ 750 – **126 hab** 5700/9000 – PA 2900.

🏨 **Monterrey,** passeig Marítim 72 ℘ 25 66 76, Fax 25 38 69, ≤, ⅀ – 🛗 ☰ rest ☎ ⇔
🅿. 🄰🄴 ⓞ 🄴 🆅🅸🆂🅰. ⅍ rest
15 marzo-15 noviembre – **Comida** 1700 – **135 hab** ♎ 8750/12530.

🏨 **Marítim,** Jacinto Benavente 2 ℘ 25 63 90, Fax 25 68 75, ≤, ⅀ – 🛗 ☎ 🅿. 🄰🄴 ⓞ 🄴
🆅🅸🆂🅰. ⅍ rest
marzo-noviembre – **Comida** 1600 – **132 hab** ♎ 6500/10650.

🏨 **Rosamar,** av. Nautilus 25 ℘ 25 47 12, Fax 25 48 50, 龠 – 🛗 ☎ 🅿. ⓞ 🄴 🆅🅸🆂🅰. ⅍ rest
Semana Santa y mayo-octubre – **Comida** (sólo buffet) 1100 – **56 hab** ♎ 5700/9300 –
PA 2000.

🍴 **El Jabalí,** platja Salatá ℘ 25 65 25, 龠, Decoración rústica – ☰ 🅿. 🄰🄴 ⓞ 🄴 🆅🅸🆂🅰
marzo-noviembre – **Comida** carta 1900 a 3500.

la playa de Canyelles Petites SE : 2,5 km – ✉ 17480 Rosas – ۞ 972 :

🏨🏨 **Vistabella** ⅏, av. Díaz Pacheco 26 ℘ 25 62 00, Fax 25 32 13, ≤, 龠, « Terraza
ajardinada », 🝖, 🝔 – ☰ 📺 ☎ ⇔ 🅿. 🄰🄴 ⓞ 🄴 🆅🅸🆂🅰. ⅍ rest
marzo-octubre – **Comida** 5300 – **36 hab** ♎ 12600/21440, 5 suites.

🏨 **Canyelles Platja,** av. Díaz Pacheco 7 ℘ 25 65 00, Fax 25 66 47, ≤, 龠, ⅀ – 🛗 ☰ rest
☎ ⇔. 🄰🄴 ⓞ 🄴 🆅🅸🆂🅰. ⅍ rest
16 Mayo-25 septiembre – **Comida** 2300 – ♎ 700 – **100 hab** 7100/13000.

en la playa de La Almadraba *SE : 4 km – ✉ 17480 Roses – ☎ 972 :*

Almadraba Park H. ⛰, ☎ 25 65 50, Fax 25 67 50, ≤ mar, 🏖, « Terrazas ajardinadas », 🏊, 🎾 – |⇕| ▤ 📺 ☎ 🅿 – 🏛 25/190. AE ⓓ E VISA. ✂ rest
25 abril-13 octubre – **Comida** 4300 – ☕ 1200 – **66 hab** 9600/16000.

en la carretera de Figueras *O : 4,5 km – ✉ 17480 Rosas – ☎ 972 :*

XXX **La Llar,** ✉ apartado 315, ☎ 25 53 68 – ▤ 🅿. AE ⓓ E VISA. ✂
✿ *cerrado jueves (salvo festivos y verano) y 10 enero-10 febrero* – **Comida** 6300 y car
4825 a 6550
Espec. Corazones de alcachofa con hígado de pato (enero-junio). Raviolis de pata
crujiente con gambas. Carro de repostería.

en Cala Montjoi *SE : 7 km – ✉ 17480 Rosas – ☎ 972 :*

XXX **El Bulli,** ✉ apartado 30, ☎ 15 04 57, Fax 15 07 17, 🏖, « Villa de acogedor mar
✿✿✿ rústico frente a una cala » – ▤ 🅿. AE ⓓ E VISA
marzo-octubre – **Comida** *(cerrado lunes y martes salvo de julio a septiembre)* 10600
carta 7800 a 11100
Espec. Tuétano al caviar. Cigalas con ceps. Espardeñas con mermelada de tomate.

ROTA *11520 Cádiz* 446 *W 10 – 27 139 h. – ☎ 956 – Playa.*
ℹ pl. de Andalucía, ☎ 82 91 05, Fax 84 02 00.
Madrid 632 – Cádiz 44 – Jerez de la Frontera 34 – Sevilla 125.

en la carretera de Chipiona *O : 2 km – ✉ 11520 Rota – ☎ 956 :*

Playa de la Luz ⛰, av. Diputación ☎ 81 05 00, Telex 76063, Fax 81 06 06,
« Conjunto típico andaluz », 🏊, 🏖, 🎾 – ▤ rest 📺 ☎ ♿ 🅿 – 🏛 25/300. AE ⓓ
VISA. ✂
Comida 2750 – ☕ 1200 – **289 hab** 10350/13775 – PA 5695.

LAS ROZAS *28230 Madrid* 444 *K 18 – 35 211 h. alt. 718 – ☎ 91.*
Madrid 16 – Segovia 91.

en la autovía N VI *– ✉ 28230 Las Rozas – ☎ 91 :*

XX **Gobolem,** La Cornisa 18 - SE : 2 km ☎ 634 05 44, 🏖 – ▤ 🅿. AE ⓓ E VISA. ✂
cerrado domingo noche – **Comida** carta 4150 a 5450.

XX **El Asador de Aranda,** SE : 1,5 km ☎ 639 30 27, 🏖, Cordero asado, « Decorac
castellana. Patio-terraza » – ▤ 🅿. AE ⓓ E VISA. ✂
cerrado domingo noche y del 10 al 31 de agosto – **Comida** carta aprox. 4250.

La RUA o A RUA *32350 Orense* 441 *E 8 – 4 933 h. alt. 371 – ☎ 988.*
Madrid 448 – Lugo 114 – Orense/Ourense 109 – Ponferrada 61.

Os Pinos, carret. N 120 - O : 1,5 km ☎ 31 17 16, Fax 31 22 91 – 📺 ☎ 🚗 🅿. E
✂
Comida 1500 – ☕ 500 – **26 hab** 3900/5500 – PA 3100.

RUBÍ *08191 Barcelona* 443 *H 36 – 50 384 h. alt. 123 – ☎ 93.*
Madrid 616 – Barcelona 24 – Lérida/Lleida 160 – Mataró 43.

Sant Pere II *sin rest*, Riu Segre 27 ☎ 588 59 95, Fax 588 50 36, ≤ – |⇕| 📺 ☎
E VISA JCB
☕ 950 – **18 hab** 6500/7500.

en la urbanización Els Avets *SO : 2 km – ✉ 08191 Rubí – ☎ 93 :*

X **Macxim,** Guatlla 20 ☎ 699 55 58, Fax 697 45 55, 🏖 – ▤. AE ⓓ E VISA. ✂
cerrado 2ª y 3ª semana de agosto – **Comida** (sólo almuerzo de domingo a miércoles) c
2925 a 4395.

RUBIELOS DE MORA *44415 Teruel* 443 *L 28 – 570 h. alt. 929 – ☎ 978.*
ℹ pl. de Hispano América 1, ☎ 80 40 96, Fax 80 40 96.
Madrid 357 – Castellón de la Plana/Castelló de la Plana 93 – Teruel 56.

Montaña Rubielos ⛰, av. de los Mártires ☎ 80 42 36, Fax 80 42 84 – ▤ rest 📺
🅿 – 🏛 25/300
30 hab.

X **Portal del Carmen,** Glorieta 2 ☎ 80 41 53, Fax 80 42 38, 🏖, Instalado en un c
vento del siglo XVII – AE ⓓ E VISA
cerrado jueves y del 1 al 10 de septiembre – **Comida** carta 2500 a 3450.

▌GAT 46842 Valencia 445 P 28 – 199 h. alt. 300 – 🕿 96.
Madrid 398 – Alcoy/Alcoi 41 – Denia 46 – Gandía 21.

🔆 **La Casa Vieja** 🦐, Horno 2 🖉 281 40 13, Fax 281 40 13, 🎇, « Ambiente acogedor en un marco rústico », 🔟 – ⓪ 🗲 *VISA*. 🎇 rest
Comida 1500 – **5 hab** 🖙 4000/8500.

▌ILOBA 39527 Cantabria 442 B 17 – 731 h. alt. 35 – 🕿 942.
Madrid 393 – Aguilar de Campóo 106 – Oviedo 150 – Santander 37.

🏠 **La Cigoña** 🦐, barrio La Iglesia 🖉 72 10 75, 🎇 – 🔟 🕿. 🗚 🗲 *VISA* 🗔
cerrado 15 enero-febrero – **Comida** *(cerrado miércoles)* 1850 – 🖙 500 – **16 hab** 5000/6500.

▌PIT 08569 Barcelona 443 F 37 – 353 h. – 🕿 93.
Ver : Pueblo★.
Madrid 668 – Barcelona 97 – Gerona/Girona 75 – Manresa 93.

🔆 **Estrella,** pl. Bisbe Font 1 🖉 852 20 05, Fax 852 20 05 – 🛗 ☰ rest. 🗚 🗲 *VISA*. 🎇 rest
cerrado diciembre – **Comida** *(cerrado martes salvo festivos)* 1800 – 🖙 675 – **29 hab** 4650/6650.

▌TE 14960 Córdoba 446 U 16 – 9 703 h. alt. 637 – 🕿 957.
Madrid 494 – Antequera 60 – Córdoba 96 – Granada 127.

🏠🏠 **María Luisa,** carret. Lucena-Loja 🖉 53 80 96, Fax 53 90 37, 🔟, 🔲, 🌿 – 🛗 ☰ 🔟 🕿 🅿. 🗚 🗲 *VISA*. 🎇
Comida 1750 – 🖙 950 – **37 hab** 5500/9000 – PA 5000.

RIERA (Playa de) Gerona – ver Bagur.

BADELL 08200 Barcelona 443 H 36 – 189 184 h. alt. 188 – 🕿 93 – Iberia : paseo Manresa 14, 🖉 727 84 64.
Madrid 626 – Barcelona 20 – Lérida/Lleida 169 – Mataró 47 – Tarragona 108.

🏠🏠🏠 **Sabadell,** pl. Catalunya 10, ⊠ 08201, 🖉 727 92 00, Fax 727 86 17 – 🛗 ☰ 🔟 🕿 🕭 🚗 – 🔬 25/300. 🗚 ⓪ 🗲 *VISA* 🗔. 🎇
Comida 2200 – 🖙 950 – **110 hab** 8700/9350.

🏠🏠🏠 **G.H. Alexandra,** av. Francesc Macià 62, ⊠ 08206, 🖉 723 11 11, Fax 723 12 32 – 🛗 ☰ 🔟 🕿 🕭 🚗 – 🔬 25/400. 🗚 ⓪ 🗲 *VISA*. 🎇 rest
Comida 2500 - **Gran Mercat** *(cerrado fines de semana y agosto)* **Comida** carta 2700 a 3800 – 🖙 1025 – **106 hab** 11120/13900.

🏠🏠 Alfa Sabadell *sin rest. con cafetería,* av. Francesc Macià 66, ⊠ 08206, 🖉 723 11 11, Fax 723 12 32 – 🛗 ☰ 🔟 🕿 🕭 🚗
66 hab.

🏠🏠 **Urpi,** av. 11 Setembre 38, ⊠ 08208, 🖉 723 48 48, Fax 723 35 28 – 🛗 ☰ 🔟 🕿 🚗 – 🔬 25. 🗚 ⓪ 🗲 *VISA*. 🎇 rest
Comida 1500 – 🖙 650 – **126 hab** 4100/7500 – PA 3000.

🕱🕱 **Marcel,** Advocat Cirera 40, ⊠ 08201, 🖉 727 53 00 – ☰. 🗚 ⓪ 🗲 *VISA*
⚙ cerrado sábado, domingo y agosto – **Comida** 6500 y carta 4650 a 5900
Espec. Sopa fría de tomate y verduras frescas con espardeñas. Tournedo de salmón rustido al tomillo. Jarrete de ternera en agridulce de especies y frutos secos.

🕱 **Forrellat,** Horta Novella 27, ⊠ 08201, 🖉 725 71 51 – ☰. 🗚 🗲 *VISA*. 🎇
cerrado domingo noche, lunes noche y agosto – **Comida** carta 3475 a 5050.

BANELL (Playa de) Gerona – ver Blanes.

BINOSA Santa Cruz de Tenerife – ver Canarias (Hierro).

BIÑÁNIGO 22600 Huesca 443 E 28 – 9 917 h. alt. 798 – 🕿 974.
Madrid 443 – Huesca 53 – Jaca 18.

🏠 La Pardina 🦐, Santa Orosia 36 (carret. de Jaca) 🖉 48 09 75, Fax 48 10 73, 🔟, 🌿 – 🛗 ☰ rest 🔟 🕿 🅿
64 hab.

🏠 **Mi Casa,** av. del Ejército 32 🖉 48 04 00, Fax 48 29 79 – 🛗 ☰ rest 🔟 🕿. 🗚 *VISA*. 🎇
Comida 1600 – 🖙 650 – **72 hab** 5000/7500.

en la carretera de circunvalación E : 1,5 km – ⊠ 22600 Sabiñánigo – 🕿 974 :

🏨 **Confortel Sabiñánigo,** 𝒫 48 34 45, Fax 48 32 80, ≼, ⅀, ℀ – ≑ 🗏 rest 📺 🕿 ●
ΑΕ ➊ Ε 𝘝𝘐𝘚𝘈. ℀
Comida 1300 – **48 hab** ⊇ 6600/10500.

SACEDÓN 19120 Guadalajara 𝟰𝟰𝟰 K 21 – 1632 h. alt. 740 – 🕿 949.
Madrid 107 – Guadalajara 51.

🏦 **Mariblanca,** glorieta de los Mártires 2 𝒫 35 00 44, ⅀ – 🗏 rest 📺 ➊. ΑΕ Ε 𝘝𝘐𝘚𝘈.
cerrado 2ª quincena de septiembre – **Comida** 1300 – ⊇ 450 – **27 hab** 3500/5200 –
2570.

℁ **Pino,** carret. de Cuenca 𝒫 35 01 48 – 🗏 ➊. 𝘝𝘐𝘚𝘈. ℀
cerrado martes noche y 21 diciembre-10 enero – **Comida** carta 2100 a 3400.

SADA 15160 La Coruña 𝟰𝟰𝟭 B 5 – 9190 h. – 🕿 981 – Playa.
Madrid 584 – La Coruña/A Coruña 20 – Ferrol 38.

🏩 **Sada Marina H.,** paseo Marítimo 𝒫 62 34 06, Fax 62 38 06, ≼ – ≑ 🗏 📺 🕿 ⬅
– 🅰 25/1000. ΑΕ Ε 𝘝𝘐𝘚𝘈. ℀ rest
Comida (cerrado lunes salvo en verano) 1750 – ⊇ 800 – **76 hab** 10300/13500 – PA 37

S' AGARÓ 17248 Gerona 𝟰𝟰𝟯 G 39 – 🕿 972 – Playa.
Ver : Centro veraniego★ (≼★).
Madrid 717 – Barcelona 103 – Gerona/Girona 38.

🏩 **Hostal de La Gavina** ⌂, pl. de la Rosaleda 𝒫 32 11 00, Fax 32 15 73, ≼, 🌹, « Luj
instalación con mobiliario de gran estilo », 🎣, ⅀, 🐎, ℀ – ≑ 🗏 📺 🕿 ➊ – 🅰 25/1
ΑΕ ➊ Ε 𝘝𝘐𝘚𝘈. ℀ rest
Semana Santa-octubre – **Comida** 5800 - **Candlelight** (sólo cena) **Comida** carta 435
6850 – ⊇ 2000 – **74 hab** 26500/39500.

🏨 **S'Agaró H.** ⌂, platja de Sant Pol 𝒫 32 52 00, Fax 32 45 33, 🌹, ⅀, 🐎 – ≑ 🗏
🕿 ➊ – 🅰 25/250. ΑΕ ➊ Ε 𝘝𝘐𝘚𝘈. ℀ rest
Comida 3600 – ⊇ 1500 – **80 hab** 12700/18800 – PA 7400.

🏨 **Caleta Park** ⌂, platja de Sant Pol 𝒫 32 00 12, Fax 32 40 96, ≼, ⅀, ℀ – ≑ 🗏
🕿 ⬅ ➊ – 🅰 25/100. ΑΕ ➊ Ε 𝘝𝘐𝘚𝘈. ℀ rest
Semana Santa-2 octubre – **Comida** 2500 – **95 hab** ⊇ 9500/15000.

🏨 **Sant Pol,** platja de Sant Pol 125, ⊠ 17220 San Feliú de Guixols, 𝒫 32 10
Fax 82 23 78, ≼, 🌹 – ≑ 🗏 hab 📺 🕿 ♿ ⬅. ΑΕ ➊ Ε 𝘝𝘐𝘚𝘈. ℀ rest
cerrado noviembre – **Comida** 2200 – ⊇ 700 – **24 hab** 8000/11000.

℁℁ **Barcarola,** platja de Sant Pol 𝒫 82 09 82, Fax 82 01 97, 🌹, ⅀ – 🗏 ➊. ΑΕ Ε ●
cerrado 15 enero-15 febrero – **Comida** carta 2700 a 3950.

℁ **Alicia-Can Joan,** carret. de Castell d'Aro 47, ⊠ 17220 San Feliú de Guixols, 𝒫 32 48
Pescados y mariscos – 🗏 ➊. Ε 𝘝𝘐𝘚𝘈
cerrado jueves y noviembre – **Comida** carta 3100 a 5100.

SAGUNTO o SAGUNT 46500 Valencia 𝟰𝟰𝟱 M 29 – 58164 h. alt. 45 – 🕿 96.
🛈 pl. Cronista Chabret, 𝒫 266 22 13, Fax 265 05 63.
Madrid 350 – Castellón de la Plana/Castelló de la Plana 40 – Teruel 120 – Valencia

🏦 **Azahar** sin rest, av. País Valencià 8 𝒫 266 33 68, Fax 265 01 75 – ≑ 🗏 📺 🕿 ⬅
➊ Ε 𝘝𝘐𝘚𝘈. ℀
⊇ 600 – **25 hab** 5900/7900.

℁ **L'Armeler,** subida del Castillo 44 𝒫 266 43 82, Fax 266 43 82, 🌹 – 🗏. ΑΕ ➊ Ε
𝖩𝖢𝖡
cerrado domingo noche y lunes salvo festivos y vísperas – **Comida** carta 3400 a 46

en el puerto E : 6 km – ⊠ 46520 Puerto de Sagunto – 🕿 96 :

🏦 **Teide,** av. 9 de Octubre 53 𝒫 267 22 44, Fax 267 57 85 – 🗏 📺 🕿. ΑΕ Ε 𝘝𝘐𝘚𝘈.
Comida 1500 – ⊇ 450 – **23 hab** 3500/6000 – PA 3400.

🏠 **El Bergantín** sin rest, pl. del Sol 𝒫 268 03 59, Fax 267 33 23 – ≑ 🗏 📺 🕿. Ε
℀
cerrado 8 diciembre-8 enero – ⊇ 350 – **27 hab** 2200/4900.

℁ Violeta, av. 9 de Octubre 40 𝒫 267 00 03 – 🗏.

℁ **El Almirez,** Cataluña 7 𝒫 268 00 30 – 🗏. Ε 𝘝𝘐𝘚𝘈. ℀
cerrado lunes y enero – **Comida** carta 3050 a 4350.

n la playa de Corinto NE : 12 km – ⊠ 46500 Sagunto – ❸ 96 :

XX **Coll Verd de Corinto**, av. Danesa 43-E ℰ 260 91 04, Fax 260 89 70, ㄍ – ■. E VISA. ⋘
cerrado lunes y 10 enero-10 febrero – **Comida** carta 2600 a 3550.

AHAGÚN 24320 León 441 E 14 – 3 351 h. alt. 816 – ❸ 987.
Madrid 298 – León 66 – Palencia 63 – Valladolid 110.

🏠 **La Codorniz**, av. de la Constitución 93 ℰ 78 02 76, Fax 78 01 86 – ■ rest 📺 ☎ ⇜
– 🛦 25/60. 🆎 E VISA. ⋘
Comida 1500 – ⊇ 500 – **26 hab** 4000/5000 – PA 3500.

🏠 **Alfonso VI**, Antonio Nicolás 6 ℰ 78 11 44, Fax 78 12 58 – 🆎 ❶ E VISA. ⋘
cerrado 21 diciembre-8 enero – **Comida** (cerrado domingo en invierno) 1000 – ⊇ 300
– **10 hab** 4000/4700 – PA 2000.

ALAMANCA 37000 ℙ 441 J 12 y 13 – 186 322 h. alt. 800 – ❸ 923.
Ver : El centro monumental★★★ : Plaza Mayor★★★ ABY Casa de las Conchas★ AY Patio
de Escuelas★★★ (fachada de la Universidad★★★) AZ U – Escuelas Menores (patio★, cielo
de Salamanca★) – Catedral Nueva★★ (fachada occidental★★) AZ A – Catedral Vieja★★
(retablo mayor★★, sepulcro★★ del obispo Anaya) AZ B – Convento de San Esteban★
(fachada★, medallones del claustro★) BZ F – Convento de las Dueñas (claustro★★) BZ F –
Palacio de Fonseca (patio★) ABY D.
Otras curiosidades : Iglesia de la Purísima Concepción (retablo de la Inmaculada
Concepción★) AY P Convento de las Úrsulas (sepulcro★) AY X, Colegio Fonseca (capilla★,
patio★) AY E.
🛈 Compañía 2 (Casa de Las Conchas), ⊠ 37002, ℰ 26 85 71, Fax 26 24 92 y pl. Mayor
14, ⊠ 37002, ℰ 21 83 42 – R.A.C.E. España 6, ⊠ 37001, ℰ 21 29 25, Fax 26 97 19.
Madrid 205 ② – Ávila 98 ② – Cáceres 217 ③ – Valladolid 115 ① – Zamora 62 ①.

Plano página siguiente

🏨 **NH Palacio de Castellanos**, San Pablo 58, ⊠ 37001, ℰ 26 18 18, Fax 26 18 19,
ㄍ, « Elegante patio interior » – 🛗 ■ 📺 ☎ ⇜ – 🛦 25/120. 🆎 ❶ E VISA.
⋘ ABZ r
Comida 3000 – ⊇ 1100 – **62 hab** 12960/18100 – PA 7000.

🏨 **Gran Hotel**, pl. Poeta Iglesias 3, ⊠ 37001, ℰ 21 35 00, Telex 26809, Fax 21 35 00 –
🛗 ■ 📺 ☎ – 🛦 25/600. 🆎 ❶ E VISA. ⋘ rest BY r
-**Feudal** : Comida carta 2900 a 5000 – ⊇ 1300 – **136 hab** 14000/18500, 4 suites.

🏨 **Parador de Salamanca**, Teso de la Feria 2, ⊠ 37008, ℰ 19 20 82, Fax 19 20 87,
≼, 🏊, 🐎, ⋇ – 🛗 ■ 📺 ☎ 🅿 – 🛦 25/220. 🆎 ❶ E VISA. ⋘ AZ a
Comida 3500 – ⊇ 1200 – **108 hab** 16500.

🏨 **Rector** sin rest, Rector Esperabé 10, ⊠ 37008, ℰ 21 84 82, Fax 21 40 08 – 🛗 ■ 📺
☎ ⇜. 🆎 ❶ E VISA. ⋘ AZ e
⊇ 950 – **14 hab** 12000/16000.

🏨 **Monterrey**, Azafranal 21, ⊠ 37001, ℰ 21 44 00, Telex 27836, Fax 21 44 00 – 🛗 ■
📺 ☎ – 🛦 25/250. 🆎 ❶ E VISA JCB. ⋘ BY u
Comida 3600 - **El Fogón** : Comida carta 3700 a 4900 – ⊇ 1250 – **144 hab** 13000/18000.

🏨 **Meliá Confort Salamanca** sin rest, Álava 8, ⊠ 37001, ℰ 26 11 11, Fax 26 24 29
– 🛗 ■ 📺 ☎ ⇜ – 🛦 25/60. 🆎 ❶ E VISA JCB. ⋘ BYZ f
⊇ 975 – **59 hab** 12200/15300, 4 suites.

🏨 **San Polo**, Arroyo de Santo Domingo 2, ⊠ 37008, ℰ 21 11 77, Fax 21 11 77, Junto a
las ruinas de una iglesia románico-mudéjar – 🛗 ■ 📺 ☎. E VISA. ⋘ rest AZ n
Comida 2500 – ⊇ 850 – **37 hab** 8750/12950.

🏨 **Las Torres**, Concejo 4, ⊠ 37002, ℰ 21 21 00, Fax 21 21 01 – 🛗 ■ 📺 ☎. 🆎 ❶ E
VISA JCB. ⋘ BY e
Comida 2200 – ⊇ 1000 – **44 hab** 9000/12000 – PA 4300.

🏨 **Rona Dalba** sin rest, pl. San Juan Bautista 12, ⊠ 37002, ℰ 26 32 32, Fax 21 54 57 –
🛗 ■ 📺 ☎. E VISA. ⋘ AY a
⊇ 950 – **89 hab** 9880/12350.

🏨 **Castellano III** sin rest. con cafetería, San Francisco Javier 2, ⊠ 37001, ℰ 26 16 11,
Telex 48097, Fax 26 67 41 – 🛗 ■ 📺 ☎ ⇜ – 🛦 25/35. 🆎 ❶ E VISA BY z
⊇ 950 – **73 hab** 9500/13500.

🏨 **Condal** sin rest. con cafetería, pl. Santa Eulalia 3, ⊠ 37002, ℰ 21 84 00, Fax 21 84 00
– 🛗 📺 ☎. 🆎 VISA. ⋘ BY v
⊇ 600 – **70 hab** 6300/9700.

🏠 **Don Juan** sin rest, Quintana 6, ⊠ 37001, ℰ 26 14 73, Fax 26 24 75 – 🛗 ■ 📺 ☎. 🆎
❶ E VISA. ⋘ ABY s
⊇ 550 – **16 hab** 6500/9000.

SALAMANCA

Azafranal	BY 8
Mayor (Pl.)	BY
Toro	BY
Zamora	BY

Anaya (Pl.)	AZ 2
Álvaro Gil	BY 4
Ángel (Pl.)	BY 7
Balmes	AZ 10
Bordadores	AY 12
Cervantes	AY 14
Compañía	AY 17
Comuneros (Av. de los)	BY 18

Concilio de Trento	BZ 21
Condes de Crespo Rascón	AY 22
Desengaño (Paseo)	AZ 25
Dr. Torres Villarroel (Paseo del)	BY 27
Enrique Estevan (Puente)	AZ 28
Estación (Paseo de la)	BY 31
Fray Luis de Granada	AY 32
Federico Anaya (Av. de)	BY 34
Juan de la Fuente	BZ 37
Libertad (Pl. de la)	ABY 39
Libreros	AZ 40
María Auxiliadora	BY 42
Marquesa de Almarza	BZ 43
Mateo Hernández (Av.)	BY 44
Meléndez	AY 45

Obispo Jarrín	BY 4
Padilla	BY 4
Palominos	AZ 5
Patio Chico	AZ 5
Pedro Mendoza	BY 5
Peña de Francia	AY 5
Pozo Amarillo	BY 5
Prior	AY 5
Ramón y Cajal	AY 6
Reyes de España (Av.)	AZ 6
San Justo	BY 7
Santa Eulalia (Pl.)	BY 7
Sánchez Fabres (Puente)	AZ 7
Sancti Spiritus (Cuesta)	BY 7
Sorias	AY 7
Tostado	AZ 7

Un consejo Michelin :

Para que sus viajes sean un éxito, prepárelos de antemano.

Los mapas y las guías Michelin le proporcionan todas las indicaciones útiles sobre itinerarios, visitas de curiosidades, alojamiento, precios, etc...

454

🏠 **Amefa** sin rest y sin 🍴, Pozo Amarillo 18, ✉ 37002, ✆ 21 81 89, Fax 26 02 00 – 🛗
⬛ 📺 ☎ 🅰🅴 🄴 𝘝𝘐𝘚𝘈.   BY t
33 hab 5500/7950.

🏠 **El Toboso** sin rest, Clavel 7, ✉ 37001, ✆ 27 14 64, Fax 27 14 64 – 🛗 📺 ☎ 🅰🅴 ⓞ
🄴 𝘝𝘐𝘚𝘈
🍴 400 – **30 hab** 4200/6000, 7 apartamentos.   BY x

🏠 **Reyes Católicos** sin rest, paseo de la Estación 32, ✉ 37004, ✆ 24 10 64, Fax 24 10 64
– 🛗 🖾 📺 ☎. ☒
🍴 450 – **33 hab** 4100/5600.   BY y

🏠 **Le Petit Hotel** sin rest y sin 🍴, ronda Sancti Spíritus 39, ✉ 37001, ✆ 26 55 76 – 🛗
⬛ 📺 ☎
🍴 500 – **15 hab** 3800/5970.   BY m

🏠 **Castellano II** sin rest, Pedro Mendoza 36, ✉ 37003, ✆ 24 28 12, Telex 48097,
Fax 26 67 41 – 📺 ☎ ⇔. 🅰🅴 ⓞ 🄴 𝘝𝘐𝘚𝘈
🍴 650 – **29 hab** 7000/9000.   BY a

🏠 **Milán** sin rest, pl. del Ángel 5, ✉ 37001, ✆ 21 75 18, Fax 21 96 97 – 🛗 📺 ☎. 🄴 𝘝𝘐𝘚𝘈.
☒
🍴 400 – **25 hab** 3800/5750.   BY c

🏠 **París** sin rest, Padilla 1, ✉ 37001, ✆ 26 29 70, Fax 26 09 91 – 🛗 📺 ☎. ⓞ 🄴 𝘝𝘐𝘚𝘈.
☒
🍴 350 – **13 hab** 3800/5500.   BY q

🍽🍽 **Chez Víctor**, Espoz y Mina 26, ✉ 37002, ✆ 21 31 23, Fax 21 76 99 – ⬛. 🅰🅴 ⓞ 🄴
😊 𝘝𝘐𝘚𝘈 𝙟𝘾𝘽. ☒   AY d
cerrado domingo noche, lunes y agosto – **Comida** carta 4750 a 5600
Espec. Ensalada de febrero. Carrillada de buey braseada. Parfait de limón verde.

🍽🍽 **Chapeau**, Gran Vía 20, ✉ 37001, ✆ 27 18 33, Fax 24 15 52 – ⬛. 🅰🅴 ⓞ 🄴 𝘝𝘐𝘚𝘈. ☒
cerrado domingo noche – **Comida** carta 3000 a 4700.   BY n

🍽🍽 **Albatros**, Obispo Jarrín 10, ✉ 37001, ✆ 26 93 87 – ⬛. 🅰🅴 ⓞ 🄴 𝘝𝘐𝘚𝘈. ☒ BY p
Comida carta 2700 a 3800.

🍽🍽 **Gasteiz**, Puerta de Zamora 4, ✉ 37001, ✆ 24 18 78, Cocina vasca – ⬛. 🄴 𝘝𝘐𝘚𝘈. ☒
Comida carta 3200 a 4070.   BY b

🍽🍽 **El Clavel**, Clavel 6, ✉ 37001, ✆ 21 61 75 – ⬛. 🅰🅴 ⓞ 🄴 𝘝𝘐𝘚𝘈   BY x
cerrado domingo noche – **Comida** carta 3450 a 5050.

🍽🍽 **La Posada**, Aire 1, ✉ 37001, ✆ 21 72 51 – ⬛. 🅰🅴 ⓞ 🄴 𝘝𝘐𝘚𝘈. ☒   BY k
cerrado del 1 al 20 de agosto – **Comida** carta 2800 a 4350.

🍽🍽 **El Botón Charro**, Hovohambre 6, ✉ 37001, ✆ 26 86 58, Decoración regional – ⬛.
🅰🅴 ⓞ 🄴 𝘝𝘐𝘚𝘈. ☒   BY p
cerrado domingo noche – **Comida** carta 3200 a 3700.

🍽 **Le Sablon**, Espoz y Mina 20, ✉ 37002, ✆ 26 29 52 – ⬛. 🅰🅴 ⓞ 🄴 𝘝𝘐𝘚𝘈. ☒ AY d
cerrado martes y julio – **Comida** carta 3000 a 3800.

🍽 **Asador Arandino**, Azucena 5, ✉ 37001, ✆ 21 73 82 – ⬛. 🅰🅴 ⓞ 🄴 𝘝𝘐𝘚𝘈. ☒ BY v
cerrado lunes y julio – **Comida** carta aprox. 4850.

la carretera N 630 por ① : 3 km – ✉ 37184 Villares de la Reina – 🕿 923 :

🏨 **Helmántico**, ✆ 22 12 20, Fax 24 53 41 – 🛗 ⬛ 📺 ☎ ⇔ 🄿. 🅰🅴 ⓞ 🄴 𝘝𝘐𝘚𝘈. ☒
Comida 2100 – 🍴 600 – **55 hab** 7500/9000 – PA 4000.

🏨 **Moderno**, ✆ 12 03 68, Fax 12 14 39 – ⬛ 📺 ☎ ⇔ 🄿. 🅰🅴 ⓞ 🄴 𝘝𝘐𝘚𝘈. ☒
Comida 1200 – 🍴 500 – **19 hab** 6500/8500 – PA 2465.
Ver también : **Santa Marta de Tormes** por ② : 6 km

LARDÚ 25598 Lérida 🅐🅐🅐 D 32 – alt. 1 267 – 🕿 973 – Deportes de invierno en Baqueira Beret
E : 6 km : ≰24.
🚩 Balmes 2, ✆ 64 40 30.
Madrid 611 – Lérida/Lleida 172 – Viella 9.

🏨🏨 **Petit Lacreu** sin rest, carret. de Viella ✆ 64 41 42, Fax 64 42 43, ≤, ⊒ climatizada, 🌳
– 🛗 📺 ☎ 🄿. 🅰🅴 ⓞ 🄴 𝘝𝘐𝘚𝘈. ☒
cerrado mayo-junio y octubre-noviembre – 🍴 1000 – **30 hab** 6500/10000.

🏨 **Lacreu**, carret. de Viella ✆ 64 42 22, Fax 64 42 43, ≤, ⊒ climatizada, 🌳 – 🛗 📺 ☎
🄿. 🅰🅴 ⓞ 🄴 𝘝𝘐𝘚𝘈
cerrado mayo-junio y octubre-noviembre – **Comida** 2200 – 🍴 700 – **68 hab** 5000/7000.

🏨 **Garona**, ✆ 64 50 10, Fax 64 40 26, ≤ – 🛗 📺 ☎ ⇔. 𝘝𝘐𝘚𝘈. ☒
diciembre-abril y julio-septiembre – **Comida** (sólo cena en invierno) 1900 – 🍴 625 – **28 hab**
3750/6500 – PA 3175.

SALARDÚ

🏠 **Deth País** ⊗, pl. de la Pica ℰ 64 58 36, Fax 64 45 00, ≤ – 🕸 📺 🕿 🅿.
 VISA. 🌸
 diciembre-abril y julio-septiembre – **Comida** carta aprox. 2800 – 🖵 575 – **18 h**
 4500/6200.

en Tredós *por la carretera del port de la Bonaigua* – ✉ 25598 Salardú – 🕿 973 :

🏠 **De Tredós** ⊗, E : 1,4 km ℰ 64 40 14, Fax 64 43 00, ≤ – 🕸 📺 🕿 👬 🅿. 🟢 **E** *VISA*.
 diciembre-abril y julio-septiembre – **Comida** (sólo cena) 2500 – 🖵 900 – **37 h**
 10000/12500.

🏠 **Orri** ⊗, E : 1,2 km ℰ 64 60 86, Fax 64 07 54 – 🕸 📺 🕿 🅿. 🅰🅴 **E** *VISA*. 🌸
 diciembre-mayo y julio-septiembre – **Comida** (sólo cena en invierno) 2100 – **30 h**
 🖵 11000/20000.

en Bagergue *N : 2 km* – ✉ 25598 Salardú – 🕿 973 :

🍴 **Casa Perú,** Sant Antoni 6 ℰ 64 54 37, Fax 64 54 37
 cerrado mayo, junio y noviembre – **Comida** carta 2700 a 3700.

en Baqueira *por la carretera del port de la Bonaigua - E : 4 km* – ✉ 25598 Salardú – 🕿 97

🏠 **Montarto,** ℰ 64 44 44, Telex 57707, Fax 64 52 00, ≤ alta montaña, 🏊, 🌸 – 🕸
 🕿 ⟵ 🅿 – 🔏 25/75. 🅰🅴 🟢 **E** *VISA*. 🌸
 diciembre-5 mayo y julio-15 septiembre – **Comida** 2810 - *La Perdiu Blanca* (sólo ce
 Comida carta aprox. 4100 – 🖵 1260 – **166 hab** 10540/19900.

🏠 **Tuc Blanc,** ℰ 64 43 50, Fax 64 60 08 – 🕸 📺 🕿 ⟵ 🅿 – 🔏 25/250. 🅰🅴 🟢 **E** 🏓
 🌸
 cerrado mayo-junio y octubre-diciembre – **Comida** 2800 – 🖵 1175 – **165 h**
 12325/15550 – PA 5500.

🏠 Val de Ruda *sin rest,* ℰ 64 52 58, Fax 64 58 11, ≤, Decoración típica aranesa – 📺
 🅿
 temp – **34 hab.**

en la carretera de Beret *E : 7 km* – ✉ 25598 Salardú – 🕿 973 :

🏠 Tryp Royal Tanau ⊗, ℰ 64 44 46, Fax 64 43 44, ≤, 🖪, 🏊 – 🕸 📺 🕿 ⟵ 🅿
 Comida *Eth Cauder* – **30 hab**, 15 apartamentos.

SALAS DE LOS INFANTES 09600 Burgos 🗺 F 20 – 2 064 h. – 🕿 947.
 Madrid 230 – Aranda de Duero 69 – Burgos 53 – Logroño 118 – Soria 92.

🏠 **Moreno,** Filomena Huerta 5 ℰ 38 01 35 – ⟵. *VISA*. 🌸
 cerrado febrero – **Comida** (cerrado lunes) 1300 – 🖵 350 – **15 hab** 2400/4200 – PA 29

SALDAÑA 34100 Palencia 🗺 E 15 – 3 100 h. alt. 910 – 🕿 979.
 Madrid 291 – Burgos 92 – León 101 – Palencia 65.

🏠 **Dipo's** ⊗, carret. de Relea - N : 1,5 km ℰ 89 01 44, Fax 89 05 50, 🌳, 🏊, 🌸 –
 🕿 ⟵ 🅿 *VISA*. 🌸
 Comida 1100 – 🖵 500 – **40 hab** 3400/5400.

El SALER 46012 Valencia 🗺 N 29 – 🕿 96 – Playa.
 🏌 El Saler (Parador Luis Vives) S : 7 km ℰ 161 11 86, Fax 162 70 16.
 Madrid 356 – Gandía 55 – Valencia 8.

al Sur :

🏠 **Sidi Saler** ⊗, playa - 3 km ℰ 161 04 11, Fax 161 08 38, ≤, 🌳, 🖪, 🏊, 🏊, 🚤,
 – 🕸 🍽 📺 🕿 🅿 – 🔏 25/300. 🅰🅴 🟢 **E** *VISA* 🟦 🌸 rest
 Comida 3500 - *Grill Bendinat :* **Comida** carta 3500 a 4600 – 🖵 1500 – **260**
 19300/24000, 17 suites.

🏠 **Parador de El Saler** ⊗, 7 km ℰ 161 11 86, Fax 162 70 16, ≤, « En el centro de
 campo de golf », 🏊, 🌸, 🏌 – 🕸 🍽 📺 🕿 🅿 – 🔏 25/60. 🅰🅴 🟢 **E** *VISA*. 🌸
 Comida 3500 – 🖵 1200 – **58 hab** 19000.

Verwechseln Sie nicht :

Komfort der Hotels	: 🏠🏠🏠 … 🏠, 🛖
Komfort der Restaurants	: XXXXX … X
Gute Küche	: 🌸🌸🌸, 🌸🌸, 🌸 ⬀

ALINAS 33400 Asturias **441** B 12 – ✆ 98.

Ver : Desde la Peñona perspectiva⋆ de la playa.

Madrid 488 – Avilés 5 – Gijón 24 – Oviedo 37.

🏛 **El Pinar,** Pablo Laloux 15 ✆ 550 18 22, Fax 550 06 61, ≤ – 📺 ☎ 🚗
17 hab.

XXX **Real Balneario,** Juan Sitges 3 ✆ 551 86 13, ≤, 🍴 – 🗐. 🖭 ⓞ 🗲 *VISA*. ⋘
cerrado 10 enero-10 febrero – **Comida** carta 4050 a 5800.

X **Las Conchas,** Pablo Laloux - edificio Espartal ✆ 550 14 45, ≤, 🍴 – 🖭 ⓞ 🗲 *VISA*. ⋘
cerrado lunes y octubre – **Comida** carta 4100 a 5000.

X **Piemonte,** Príncipe de Asturias 71 ✆ 550 00 25, 🍴 – 🖭 ⓞ 🗲 *VISA*. ⋘
cerrado miércoles – **Comida** carta 3325 a 3925.

ALINAS DE LENIZ o **LEINTZ-GATZAGA** 20530 Guipúzcoa **442** D 22 – 188 h. – ✆ 943.

Madrid 377 – Bilbao/Bilbo 66 – San Sebastián/Donostia 83 – Vitoria/Gasteiz 22.

n el puerto de Arlabán carretera C 6213 - SO : 3 km – ✉ 20530 Salinas de Leniz – ✆ 943 :

XX **Gure Ametsa** con hab, ✆ 71 49 52, Fax 71 49 52 – 🗐 rest ⓟ. 🖭 🗲 *VISA*. ⋘
cerrado del 10 al 31 de agosto – **Comida** (cerrado lunes noche) carta 3250 a 3700 – 🖃
450 – **5 hab** 4000/4500.

ALINAS DE SIN 22365 Huesca **443** E 30 – alt. 725 – ✆ 974.

Madrid 541 – Huesca 146.

X **Mesón de Salinas** con hab, cruce carret. de Bielsa ✆ 50 40 01 – 🗐 rest ☎ ⓟ. 🖭
ⓞ 🗲 *VISA*. ⋘
cerrado del 1 al 26 de diciembre – **Comida** carta 1695 a 3100 – 🖃 600 – **16 hab**
2800/5900.

ALLENT 08650 Barcelona **443** G 35 – 7659 h. alt. 275 – ✆ 93.

Madrid 593 – Barcelona 70 – Berga 39 – Manresa 14 – Vic 54.

nto a la autovía C 1411 S : 4,5 km – ✉ 08650 Sallent – ✆ 93 :

XX **La Sala,** vía de servicio ✆ 837 02 68, Fax 873 51 56, Antigua masía. Interesante bodega
– 🗐 ⓟ. 🖭 ⓞ 🗲 *VISA*
cerrado domingo noche y del 10 al 26 de agosto – **Comida** carta aprox. 5300.

ALLENT DE GÁLLEGO 22640 Huesca **443** D 29 – 1823 h. alt. 1305 – ✆ 974 – Deportes
de invierno en El Formigal : ≼1 ≼18.

Madrid 485 – Huesca 90 – Jaca 52 – Pau 78.

X **Garmo Blanco,** ✆ 48 82 19, ≤ – 🗲 *VISA*. ⋘
cerrado noviembre – **Comida** carta 2650 a 3500.

El Formigal NO : 4 km – ✉ 22640 El Formigal – ✆ 974 :

🏨 **Formigal** ⋟, ✆ 49 00 30, Fax 49 02 04, ≤ alta montaña, 🏋 – 🛗 📺 ☎ 🚗 ⓟ –
🔬 25/120. 🖭 ⓞ 🗲 *VISA*. ⋘ rest
cerrado 15 octubre-noviembre – **Comida** 2400 – 🖃 950 – **125 hab** 7300/11500 – PA
4800.

🏨 **Villa de Sallent** ⋟, ✆ 49 02 23, Fax 49 01 50, ≤ alta montaña – 🛗 📺 ☎ 🚗
40 hab.

🏨 **Eguzki-Lore** ⋟, ✆ 48 80 75, Fax 48 80 68, ≤ alta montaña
temp – **32 hab.**

LOBREÑA 18680 Granada **446** V 19 – 9220 h. alt. 100 – ✆ 958 – Playa.

🏌 Los Moriscos, SE : 5 km ✆ 82 55 27.

Madrid 499 – Almería 119 – Granada 70 – Málaga 102.

la carretera de Málaga – ✉ 18680 Salobreña – ✆ 958 :

🏨 **Salobreña** ⋟, O : 4 km ✆ 61 02 61, Fax 61 01 01, ≤ mar y costa, 🍴, 🛋, 🎱 – 🛗
📺 ☎ ⓟ – 🔬 25/400. 🖭 ⓞ 🗲 *VISA*. ⋘
Comida 2035 – 🖃 630 – **138 hab** 6150/8500, 2 suites.

🏛 **Salambina,** O : 1 km ✆ 61 00 37, Fax 61 13 28, ≤ plantaciones de cañas y mar, 🍴
– 🗐 rest ☎ ⓟ. 🖭 ⓞ 🗲 *VISA* ᴊᴄʙ. ⋘
Comida 1750 – 🖃 470 – **14 hab** 3700/5390 – PA 3375.

SALOU 43840 Tarragona 🅛🅛🅛 I 33 – 8 236 h. – ❸ 977 – Playa.
Alred.: Port Aventura★★★ (Vila-Seca).
🅱 passeig Jaume I-4 (xalet Torremar), ℰ 35 01 02, Fax 38 07 47.
Madrid 556 – Lérida/Lleida 99 – Tarragona 10.

🏠 **Regente Aragón,** Llevant 5 ℰ 35 20 02, Fax 35 20 03, 🍴, 🔲 – 🛗 🧱 📺 ☎ ⇦
🅰🅴 ⓘ 🄴 𝗩𝗜𝗦𝗔.
Regente : Comida carta 3500 a 4400 – ⯑ 1400 – **60 hab** 12800/18200.

🏠 **Casablanca Playa,** passeig Miramar 12 ℰ 38 01 07, Fax 35 01 17, ≤, 🔟 – 🛗 🧱
☎ 🕭 ⇦. 🅰🅴 ⓘ 🄴 𝗩𝗜𝗦𝗔. 🦌
Comida 1350 – ⯑ 600 – **63 hab** 8000/11000 – PA 3260.

🏠 **Caspel,** Alfons V-9 ℰ 38 02 07, Fax 35 01 75, 🔟, 🔲 – 🛗 🧱 📺 ☎ – 🔬 25/170.
ⓘ 🄴 𝗩𝗜𝗦𝗔. 🦌
Comida carta aprox. 2850 – ⯑ 900 – **95 hab** 8500/11000.

🏠 **Planas,** pl. Bonet 3 ℰ 38 01 08, Fax 38 05 33, ≤, « Terraza con arbolado » – 🛗 🧱 r
📺 ☎. 🄴 𝗩𝗜𝗦𝗔. 🦌
abril-octubre – Comida 1900 – ⯑ 725 – **100 hab** 4700/8200.

🍴🍴 **Albatros,** Brusel.les 60 ℰ 38 50 70, Fax 38 50 70, 🍴 – 🧱 ⇦. 🅰🅴 ⓘ 🄴 𝗩𝗜𝗦𝗔. ⇦
cerrado domingo noche, lunes y del 1 al 15 de enero – Comida carta 4250 a 5250.

🍴🍴 **Casa Font,** Colóm 17 ℰ 38 57 45, Fax 38 24 36, ≤ – 🧱. 🅰🅴 ⓘ 🄴 𝗩𝗜𝗦𝗔
cerrado lunes de octubre a mayo y Navidades – Comida carta 3000 a 4200.

🍴🍴 **La Goleta,** Gavina - playa Capellans ℰ 38 35 66, ≤, 🍴 – 🧱 ❷. 🅰🅴 ⓘ 🄴 𝗩𝗜𝗦𝗔. ≤
cerrado domingo noche (salvo mayo-septiembre) – Comida carta 3500 a 5700.

en la playa de La Pineda E : 7 km – ✉ 43840 Salou – ❸ 977 :

🏠 **Carabela Roc** sin rest. con cafetería, Pau Casals 108 ℰ 37 01 66, Fax 37 07 62,
« Terraza bajo los pinos » – 🛗 ❷. 🄴 𝗩𝗜𝗦𝗔
Semana Santa-octubre – ⯑ 500 – **96 hab** 8500/12000.

SALT 17190 Gerona 🅛🅛🅛 G 38 – 21 939 h. alt. 86 – ❸ 972.
Madrid 695 – Gerona/Girona 3 – Palafrugell 40 – Palamós 46.

🍴 **Vilanova,** passeig Marqués de Camps 51 ℰ 23 30 26 – 🧱. 🅰🅴 ⓘ 🄴 𝗩𝗜𝗦𝗔. 🦌
cerrado domingo, Semana Santa y tres semanas en agosto – Comida carta 2285 a 35

SAMIEIRA 36992 Pontevedra 🅛🅛🅛 E 3 – ❸ 986.
Madrid 616 – Pontevedra 12 – Santiago de Compostela 69 – Vigo 38.

🏠 Covelo, carret. de La Toja ℰ 74 11 21, Fax 74 15 20, ≤, 🔟 – 🛗 📺 ☎ ❷
temp – **53 hab.**

🏠 Covelmar, carret. de La Toja ℰ 74 10 00, Fax 74 10 98 – 🛗 📺 ☎ ⇦
temp – **65 hab.**

SAMIL (Playa de) Pontevedra – ver Vigo.

SAN ADRIÁN 31570 Navarra 🅛🅛🅛 E 24 – 4 998 h. – ❸ 948.
Madrid 324 – Logroño 56 – Pamplona/Iruñea 74 – Zaragoza 131.

❤ **Ochoa,** Delicias 3 ℰ 67 08 26 – 🄴 𝗩𝗜𝗦𝗔. 🦌
Comida (cerrado domingo y del 1 al 15 de septiembre) 1000 – ⯑ 500 – **15 hab** 2300/3
– PA 2300.

🍴🍴 **Ríos,** av. Celso Muerza 18 ℰ 69 60 87, Fax 67 05 95
⇦ 🧱 ❷. 🅰🅴 𝗩𝗜𝗦𝗔. 🦌
cerrado domingo, lunes noche y del 1 al 15 de agosto – Comida carta 3100 a 420

SAN AGUSTÍN (Playa de) Las Palmas – ver Canarias (Gran Canaria) : Maspalomas.

SAN AGUSTÍN Baleares – ver Baleares (Mallorca) : Palma.

SAN AGUSTÍN Baleares – ver Baleares : Ibiza.

SAN AGUSTÍN DEL GUADALIX 28750 Madrid 🅛🅛🅛 J 19 – 3 133 h. alt. 648 – ❸ 91.
Madrid 35 – Aranda de Duero 128.

🏠 **El Figón de Raúl,** av. de Madrid 19 ℰ 841 90 11, Fax 841 90 50 – 🧱 📺 ☎ ⇦
– 🔬 25. 🅰🅴 ⓘ 🄴 𝗩𝗜𝗦𝗔. 🦌
Comida 1300 – ⯑ 300 – **16 hab** 6500/8000 – PA 2900.

AN ANDRÉS Santa Cruz de Tenerife – ver Canarias (Tenerife).

AN ANDRÉS DE LLAVANERAS o SANT ANDREU DE LLAVANERES 08392 Barcelona
443 H 37 – 4182 h. alt. 114 – ☎ 93.
☞ de Llavaneras O : 1 km ℘ 792 60 50, Fax 795 25 58.
Madrid 666 – Barcelona 33 – Gerona/Girona 67.

XX **La Bodega**, av. Sant Andreu 6 ℘ 792 67 79, Fax 795 25 10, ㎡ – 🗐 **🅿. AE ⓞ VISA**. ❀
cerrado lunes – **Comida** carta aprox. 4700.

■ Port Balís SE : 3 km – ⊠ 08392 San Andrés de Llavaneras – ☎ 93 :
X **Can Jaume**, ℘ 792 69 60, ㎡ – 🗐. **VISA**. ❀
cerrado miércoles (salvo julio-agosto) y del 1 al 16 de enero – **Comida** (sólo almuerzo salvo
sábado) carta 3400 a 4600.

AN ANDRÉS DEL RABANEDO 24191 León **441** E 13 – 21 643 h. alt. 825 – ☎ 987.
Madrid 331 – Burgos 196 – León 4 – Palencia 132.

X **Casa Teo**, Corpus Christi 203 ℘ 84 61 05, ㎡ – ❀
cerrado domingo noche, lunes y marzo – **Comida** carta 2200 a 3800.

AN ANDRÉS DE LA BARCA o SANT ANDREU DE LA BARCA 08740 Barcelona **443**
H 35 – 14 547 h. alt. 42 – ☎ 93.
Madrid 604 – Barcelona 26 – Manresa 43.

🏨 **Bristol**, Via de l'Esport 4 ℘ 682 11 77, Fax 682 37 97, ⊠ – 🛗 🗐 📺 ☎ ♿ – 🔬 25/180.
AE ⓞ E VISA JCB. ❀
Comida 1800 – ⊇ 950 – **57 hab** 8150/8700.

N ANTONIO DE CALONGE o SANT ANTONI DE CALONGE 17252 Gerona **443**
G 39 – ☎ 972 – Playa.
🛈 av. Catalunya, ℘ 65 17 14, Fax 66 10 80.
Madrid 717 – Barcelona 107 – Gerona/Girona 47.

🏨 **Rosa dels Vents**, passeig de Mar ℘ 65 13 11, Fax 65 06 97, ⬑, ❀ – 🛗 🗐 rest ☎
⬒ 🅿. E **VISA**. ❀ rest
24 mayo-septiembre – **Comida** 1800 – ⊇ 1000 – **48 hab** 10000/13500.

🏨 **Rosamar**, passeig Josep Mundet 43 ℘ 65 05 48, Fax 65 21 61, ⬑ – 🛗 🗐 rest 📺 ☎
🅿. **AE ⓞ E VISA**. ❀
Semana Santa-octubre – **Comida** carta aprox. 3400 – **50 hab** ⊇ 8000/12400.

🏨 **Reymar**, Torre Valentina ℘ 65 22 11, Telex 50077, Fax 65 12 13, ⬑, ⬍, ❀ – 🅿. E
VISA. ❀ rest
Semana Santa y junio-septiembre – **Comida** 1600 – ⊇ 700 – **49 hab** 6600/9600 – PA
3100.

🏨 **Del Pi**, Ferràn Agulló 4 ℘ 65 14 63, Fax 65 10 13 – 📺 ☎. **AE ⓞ E VISA**. ❀ rest
abril-septiembre – **Comida** carta aprox. 2150 – **20 hab** ⊇ 6800/9000.

XX Costa Brava con hab, av. Catalunya 28 ℘ 65 10 61 – 🗐 rest 🅿
7 hab.

XX **Refugi de Pescadors**, passeig Josep Mundet 55 ℘ 65 06 64, ㎡, Imitación del interior
de un barco. Pescados y mariscos – 🗐. **AE ⓞ E VISA**
Comida carta 4075 a 4725.

X El Racó, edificio Eden Playa - Torre Valentina ℘ 65 06 40, ⬑, ㎡.

N ANTONIO DE PORTMANY Baleares – ver Baleares (Ibiza).

N BAUDILIO DE LLOBREGAT o SANT BOI DE LLOBREGAT 08830 Barcelona **443**
H 36 – 77 894 h. – ☎ 93.
Madrid 626 – Barcelona 11 – Tarragona 83.

🏨 **El Castell** ❀, Castell 1 ℘ 640 07 00, Fax 640 07 04, ⬍ – 🛗 🗐 rest 📺 ☎ 🅿 –
🔬 25/100. **AE ⓞ E VISA JCB**
Comida 1300 – **43 hab** ⊇ 7000/10500.

N CARLOS DE LA RÁPITA o SANT CARLES DE LA RÁPITA 43540 Tarragona **443**
K 31 – 10 574 h. – ☎ 977.
🛈 pl. Carles III-13, ℘ 74 01 00, Fax 74 43 87.
Madrid 505 – Castellón de la Plana/Castelló de la Plana 91 – Tarragona 90 – Tortosa 29.

La Rápita, pl. Lluís Companys ℰ 74 15 07, Fax 74 19 54, ⍓ – |≉| ▤ rest �📺 ☎ ⅋ ⬩
– 🏧 25/50. 🆎 ⓞ Ε ⑱☑️. ※
Semana Santa-octubre – **Comida** *(sólo buffet)* 1400 – ⊇ 800 – **232 apartamen**
8000/11000.

Llansola, Sant Isidre 98 ℰ 74 04 03, Fax 74 04 03 – ▤ rest �📺 ☎ ⇚ ⓟ. 🆎 Ε ⧲
※
cerrado noviembre – **Comida** *(cerrado domingo noche y lunes mediodía)* 1650 – ⊇ ⬩
– **21 hab** 3700/6800 – PA 3200.

Miami Park, av. Constitució 33 ℰ 74 03 51, Fax 74 11 66 – |≉| ☎ ⇚. 🆎 ⓞ Ε
abril-octubre – **Comida** *(ver rest. **Miami**)* – ⊇ 675 – **63 hab** 4050/7150.

Juanito Platja, passeig Marítim ℰ 74 04 62, Fax 74 27 57, ≼, 🍴 – ⓟ. 🆎 Ε ⑱☑️.
abril-septiembre – **Comida** 1800 – ⊇ 500 – **35 hab** 4800/6600.

Plaça Vella, Arsenal 31 ℰ 74 24 96, Fax 74 43 97 – |≉| ▤ rest �📺 ☎
Comida *L'Àncora* – **21 hab.**

Varadero, av. Constitució 1 ℰ 74 10 01, Fax 74 22 06, 🍴, Pescados y mariscos –
🆎 ⓞ Ε ⑱☑️
cerrado lunes y 15 diciembre-enero – **Comida** carta 3100 a 5600.

Miami, av. Constitució 37 ℰ 74 05 51, Fax 74 11 66, Pescados y mariscos – ▤. 🆎
Ε ⑱☑️
cerrado por la noche de domingo a jueves (en invierno) y del 13 al 31 de enero – **Com**
carta 2750 a 4150.

Can Víctor, Vista Alegre 8 ℰ 74 29 05, Fax 74 53 30, 🍴, Pescados y mariscos –
🆎 ⓞ Ε ⑱☑️. ※
Comida carta 3000 a 3875.

Casa Ramón, Pou de les Figueretes 7 ℰ 74 14 58, Fax 74 53 30, Pescados y maris
– ▤ ⓟ. 🆎 ⓞ Ε ⑱☑️. ※
Comida carta 3000 a 3875.

Brasseria Elena, pl. Lluís Companys 1 ℰ 74 29 68, 🍴, Carnes a la brasa – 🆎 Ε
※
cerrado martes (salvo verano) y 3 noviembre-3 diciembre – **Comida** carta 1675 a 2⧵

Can Batiste con hab, Sant Isidre 204 ℰ 74 23 08, Fax 74 23 08 – ▤ rest �📺. 🅰
⑱☑️. ※
Comida carta 2050 a 3300 – ⊇ 400 – **10 hab** 2500/5500.

SAN CELONI o **SANT CELONI** 08470 Barcelona 🐶🐶🐶 G 37 – 11937 h. alt. 152 – ✿ 9.
Alred.: NO, Sierra de Montseny★ : itinerario★★ de San Celoni a Santa Fé del Montser
Carretera★ de San Celoni a Tona por Montseny.
Madrid 662 – Barcelona 49 – Gerona/Girona 57.

Suis sin rest, Major 152 ℰ 867 00 02, Fax 867 43 43 – �📺 ☎. Ε ⑱☑️. ※
⊇ 650 – **30 hab** 4800/6800.

El Racó de Can Fabes, Sant Joan 6 ℰ 867 28 51, Fax 867 38 61, Decoración rús
– ▤ ⇚. 🆎 ⓞ Ε ⑱☑️ ⑃⑄⑂
cerrado domingo noche, lunes, 27 enero-10 febrero y 23 junio-7 julio – **Comida** 12
y carta 9000 a 11000
Espec. Espardenyes con tocino confitado. Royal de bogavante. Paletilla de ciervo al en⬩
(temp).

Les Tines, passeig dels Esports 16 ℰ 867 25 54, Fax 867 02 15, 🍴 – ▤.

en la carretera C 251 SO : 5,5 km – ✉ 08460 Santa María de Palautordera – ✿ 93 :

Palautordera, ℰ 848 94 51, Fax 848 94 51 – ▤ ⓟ. Ε ⑱☑️. ※
cerrado lunes salvo festivos y 15 enero-15 febrero – **Comida** carta 3085 a 3700.

SAN CIBRIÁN 39110 Cantabria 🐶🐶 B 18 – ✿ 942.
Madrid 388 – Bilbao/Bilbo 86 – Santander 12 – Torrelavega 15.

Château La Roca ⧴, José María Pereda ℰ 57 91 02, Fax 57 91 97 – |≉| ▤ rest
☎ ⇚ ⓟ. Ε ⑱☑️. ※
cerrado Navidades – **Comida** *(cerrado domingo noche)* 900 – ⊇ 675 – **56**
8800/12800 – PA 2100.

SAN COSME 33155 Asturias 🐶🐶🐶 B 11 – ✿ 98.
Madrid 530 – Gijón 58 – Luarca 37 – Oviedo 71.

El Chisco ⧴, ℰ 559 73 21, Fax 559 72 65 – �📺 ☎ ⓟ. ⑱☑️. ※
cerrado 20 septiembre-20 octubre – **Comida** 1100 – **22 hab** ⊇ 7000.

AN CUGAT DEL VALLÉS o **SANT CUGAT DEL VALLÈS** 08190 Barcelona **443** H 36 – 38834 h. alt. 180 – ۞ 93.

Ver : Monasterio★ (Iglesia : retablo de todos los Santos★, claustro : capiteles románicos★).
🏌 de Sant Cugat 🖉 6743908, Fax 6755152.
Madrid 615 – Barcelona 18 – Sabadell 9.

XX **La Fonda,** Enric Granados 12 🖉 675 54 26 – 🔳. ⬤ 🗲 VISA. 🦟
cerrado domingo noche, lunes y del 1 al 15 de septiembre – **Comida** carta 3450 a 4550.

Noroeste : 3 km – ⌧ 08190 San Cugat del Vallès – ۞ 93 :

🏨 **Novotel Barcelona-Sant Cugat** 🦢, pl. Xavier Cugat, ⌧ apartado 122,
🖉 589 41 41, Fax 589 30 31, ≼, 🚿, 🏊, – 🛗 🔳 📺 ☎ 🕭 ⇔ 🅿 – 🔏 25/300. 🖭 ⬤
🗲 VISA
Comida carta aprox. 4500 – 🖙 1450 – **146 hab** 12900/16000, 4 suites.

or la carretera de Rubí y desvío a la izquierda O : 3,5 km – ⌧ 08190 Sant Cugat del Vallès – ۞ 93 :

X **Masia Ametller,** junto a la autopista A7 🖉 674 91 51, Fax 674 58 55, 🎄 – 🔳 🅿.
🖭 ⬤ 🗲 VISA. 🦟
Comida carta 3300 a 4100.

n la carretera de Barcelona SE : 6 km. – ⌧ 08190 Sant Cugat del Vallès – ۞ 93 :

X **Can Cortés,** urb. Can Cortés 🖉 674 17 04, Fax 675 27 07, ≼, 🎄, Enoteca de vinos
y cavas catalanes, « Antigua masía », 🏊 – 🅿. 🖭 ⬤ 🗲 VISA. 🦟
cerrado domingo noche y lunes noche – **Comida** carta 2325 a 4025.

AN ESTEBAN DE BAS o **SANT ESTEVE D'EN BAS** 17176 Gerona **443** F 37 – ۞ 972.
Madrid 692 – Barcelona 122 – Gerona/Girona 48.

🏠 **Sant Antoni,** carret. C 152 🖉 69 00 33, Fax 69 04 62, ≼, 🏊, 🦟 – 🔳 rest 🅿. 🖭 🗲
VISA. 🦟
cerrado enero – **Comida** (cerrado lunes) 1500 – 🖙 700 – **35 hab** 3500/7000 – PA 3500.

AN FELIÚ DE GUIXOLS o **SANT FELIU DE GUÍXOLS** 17220 Gerona **443** G 39 – 16088 h.
– ۞ 972 – Playa.
Alred. : Recorrido en cornisa★★ de San Feliú de Guíxols a Tossa de Mar (calas★) 23 km por
②.
🚩 pl. Monestir 54, 🖉 82 00 51, Fax 82 01 19.
Madrid 713 ③ – Barcelona 100 ③ – Gerona/Girona 35 ③.

Plano página siguiente

🏨 **Curhotel Hipócrates** 🦢, carret. de Sant Pol 229 🖉 32 06 62, Fax 32 38 04, ≼, Servicios terapéuticos y de cirugía estética, 🏋, 🚿 – 🛗 📺 ☎ 🅿 – 🔏 25/180. 🖭 VISA. 🦟
15 febrero-octubre – **Comida** 2500 – **84 hab** 🖙 11235/17120. **B c**

🏨 **Plaça** sin rest, pl. Mercat 22 🖉 32 51 55, Fax 82 13 21 – 🛗 🔳 📺 ☎. 🖭 ⬤ 🗲 VISA **A f**
🖙 600 – **16 hab** 11000.

🏠 **Turist H.,** Sant Ramón 45 🖉 32 08 41, Fax 32 20 59 – 🛗 ⇔. 🖭 ⬤ 🗲 VISA JCB. 🦟 rest
abril-septiembre – **Comida** 1150 – 🖙 350 – **20 hab** 3200/6400 – PA 2300. **B k**

XX **Eldorado Petit,** rambla Vidal 23 🖉 32 18 18, Fax 82 14 69 – 🔳. 🖭 ⬤ 🗲 VISA. 🦟 **A q**
cerrado miércoles (octubre-junio) y 20 días en noviembre – **Comida** carta 3800 a 5350.

XX **Bahía,** passeig del Mar 18 🖉 32 02 19, Fax 82 13 21, 🎄 – 🔳. 🖭 ⬤ 🗲 VISA **A r**
Comida carta aprox. 3600.

X **Can Salvi,** passeig del Mar 23 🖉 32 10 13, 🎄 – 🖭 ⬤ 🗲 VISA **A r**
cerrado miércoles y del 7 al 31 de enero – **Comida** carta 3475 a 4700.

X **Can Toni,** Sant Martirià 29 🖉 32 10 26 – 🔳. 🖭 ⬤ 🗲 VISA **A u**
۞ cerrado martes de octubre a mayo – **Comida** 2500 y carta 3500 a 4900
Espec. Mejillones de roca a la llauna (primavera-verano). Sepiona en su tinta con rebozuelos
y gambas. Cazuela de corball Can Toni.

X **Cau del Pescador,** Sant Domènec 11 🖉 32 40 52, Pescados y mariscos – 🔳. 🖭 ⬤
🗲 VISA. 🦟 **A n**
cerrado lunes en invierno y 7 enero-7 febrero – **Comida** carta 2600 a 5500.

X **Nàutic,** puerto deportivo 🖉 32 06 63, ≼, 🎄 – 🔳. 🖭 🗲 VISA **B p**
cerrado lunes (octubre-mayo) y domingo noche resto del año – **Comida** carta 2900 a 5150.

X **Amura,** pl. Sant Pere 7 🖉 32 10 35, ≼, 🎄 – 🔳. 🖭 ⬤ 🗲 VISA **A m**
cerrado martes (octubre-mayo) – **Comida** carta 2950 a 4200.

X **L'Infern,** Sant Ramón 41 🖉 32 03 01 – 🗲 VISA. 🦟 **B k**
cerrado domingo noche de octubre a mayo – **Comida** carta 3500 a 4600.

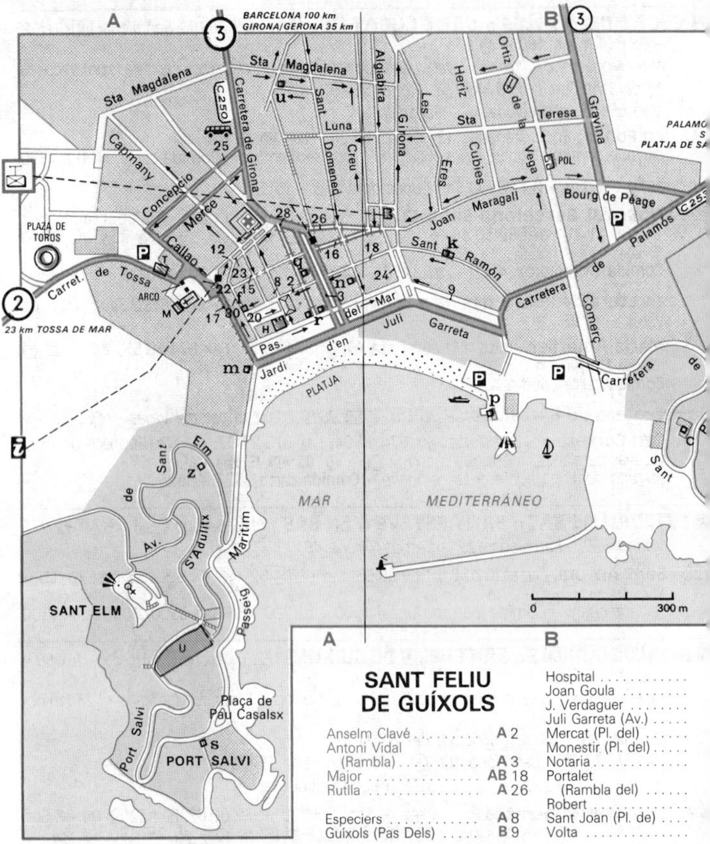

A B

SANT FELIU DE GUÍXOLS

Anselm Clavé	A	2
Antoni Vidal (Rambla)	A	3
Major	AB	18
Rutlla	A	26
Especiers	A	8
Guíxols (Pas Dels)	B	9

Hospital . . . .
Joan Goula . . . .
J. Verdaguer . . . .
Juli Garreta (Av.) . . . . .
Mercat (Pl. del) . . . . . .
Monestir (Pl. del) . . . . .
Notaria . . . .
Portalet (Rambla del) . . . . . .
Robert . . . .
Sant Joan (Pl. de) . . . .
Volta . . . .

en Sant Elm – ✉ *17220 Sant Feliu de Guíxols* – ☏ *972* :

Montjoi ⛰, ✆ 32 03 00, Fax 32 03 04, ≤, ⛱ – |‡| TV ☎ ♿ P. AE ⓓ E
✻ rest
abril-octubre – **Comida** 1500 – ☕ 450 – **115 hab** 15000/20500.

en Port Salvi – ✉ *17220 Sant Feliu de Guíxols* – ☏ *972* :

Eden Roc ⛰, ✆ 32 01 00, Fax 82 17 05, ≤, ☂, « Agradables exteriores con terr.
jardín y ⛱ » – |‡| ▤ rest ☎ P – 🚶 25/350. AE ⓓ E VISA. ✻
cerrado enero – **Comida** 1700 – ☕ 950 – **120 hab** 10300/18600.

SAN FERNANDO *Baleares – ver Baleares (Formentera).*

SAN FERNANDO *11100 Cádiz* **446** *W 11 – 91 696 h. – ☏ 956 – Playa.*
Madrid 634 – Algeciras 108 – Cádiz 13 – Sevilla 126.

Bahía Sur, parque comercial Bahía Sur ✆ 89 91 04, Fax 88 87 16, ⛱ – |‡| ▤ TV
– 🚶 25/850. AE ⓓ E VISA
Comida *(cerrado domingo y lunes mediodía)* 2700 – ☕ 1075 – **100 hab** 9
13200.

Venta Los Tarantos, Cuesta de la Ardila 63 ✆ 88 12 72, Decoración regional.
– AE ⓓ E VISA
cerrado domingo en verano y domingo noche resto del año – **Comida** carta a
2675.

AN FERNANDO DE HENARES 28830 Madrid 👁👁👁 L 20 – 25 477 h. alt. 585 – © 91.
Madrid 17 – Guadalajara 40.

n la carretera de Mejorada del Campo SE : 3 km – ✉ 28529 Rivas-Vaciamadrid – © 91 :

🍽🍽🍽 **Palacio del Negralejo,** *𝒫* 669 11 25, Fax 672 54 55, « Instalación rústica en una antigua casa de campo señorial » – 🔲 **⊕**. 🆎 ⑩ 🅴 🆅🅸🆂🅰. ⫸
cerrado domingo noche y agosto – **Comida** carta 4400 a 6400.

AN FRUCTUOSO DE BAGES o SANT FRUITÓS DE BAGES 08272 Barcelona 👁👁👁
G 35 – 4549 h. – © 93.
Madrid 596 – Barcelona 72 – Manresa 5.

🏨🏨 **Del Bages** ⚘, carret. de Vic - E : 1,5 km *𝒫* 878 86 00, Fax 878 87 00 – 🛗 🔲 📺 ☎
⊕ – 🔬 25/180. 🆎 ⑩ 🅴 🆅🅸🆂🅰. ⫸ rest
Pressegué de Sant Benet (*cerrado domingo noche*) **Comida** carta aprox. 3500 – 🖵
1075 – **55 hab** 8635/10160.

🏨 **La Sagrera** *sin rest*, av. Bertrand i Serra 2 *𝒫* 876 09 42, Fax 878 85 92 – 🔲 📺 ☎.
🆎 ⑩ 🅴 🆅🅸🆂🅰. ⫸
🖵 500 – **8 hab** 4700/6800.

🍽🍽 **La Cuina,** carret. de Vic 73 *𝒫* 876 00 32, Fax 874 47 60 – 🔲 **⊕**. 🆎 ⑩ 🅴 🆅🅸🆂🅰. ⫸
cerrado martes – **Comida** carta 2950 a 4450.

AN HILARIO SACALM o SANT HILARI SACALM 17403 Gerona 👁👁👁 G 37 – 4677 h.
alt. 801 – © 972 – Balneario.
🄱 carret. de Arbúcies, *𝒫* 86 88 26, (temp).
Madrid 664 – Barcelona 82 – Gerona/Girona 43 – Vic 36.

🏨 **Ripoll,** Vic 26 *𝒫* 86 80 25, Fax 86 80 26 – 🛗. 🅴 🆅🅸🆂🅰. ⫸ rest
abril-octubre (hotel) – **Comida** (*cerrado enero*) 1695 – 🖵 600 – **33 hab** 3500/5000 –
PA 3500.

🏨 **Torrás y Tarres,** pl. Gravalosa 13 *𝒫* 86 80 96, Fax 87 22 34 – 🛗 🔲 rest 📺 ☎. 🆎
⑩ 🅴 🆅🅸🆂🅰. ⫸
cerrado enero – **Comida** (*cerrado lunes*) 1350 – 🖵 650 – **48 hab** 3900/6000.

🏨 **Brugués,** Valls 4 *𝒫* 86 80 18 – 🆎 ⑩ 🅴 🆅🅸🆂🅰. ⫸
julio-noviembre – **Comida** 1400 – 🖵 365 – **16 hab** 1900/3800 – PA 3150.

AN ILDEFONSO Segovia – ver La Granja.

AN ISIDRO Santa Cruz de Tenerife – ver Canarias (Tenerife).

AN JAVIER 30730 Murcia 👁👁👁 S 27 – 15 277 h. alt. 27 – © 968.
Madrid 440 – Alicante/Alacant 76 – Cartagena 34 – Murcia 45.

🍽 **Moderno,** pl. García Alix *𝒫* 57 00 49, Fax 57 05 66 – 🔲. 🆎 ⑩ 🅴 🆅🅸🆂🅰. ⫸
cerrado lunes y 2ª quincena de septiembre – **Comida** carta 3000 a 3500.

N JOSÉ 04118 Almería 👁👁👁 V 23 – © 950 – Playa.
Madrid 590 – Almería 40.

🏨 **San José** ⚘, Correo *𝒫* 38 01 16, Fax 38 00 02, ≤, 🍽, « Villa frente al mar » – 📺
⊕. 🅴 🆅🅸🆂🅰. ⫸
marzo-octubre – **Comida** 2900 - *Borany :* **Comida** carta 3100 a 4100 – 🖵 700 – **8 hab**
15000.

🏨 **Tres Pinos** ⚘ *sin rest*, camino de la Escuela *𝒫* 38 02 12, Fax 38 02 13, 🏊 – 📺. 🅴
🆅🅸🆂🅰. ⫸
cerrado febrero – 🖵 300 – **16 apartamentos** 8000/10000.

N JOSÉ Baleares – ver Baleares (Ibiza).

N JOSÉ DE LA RINCONADA 41300 Sevilla 👁👁👁 T 12 – 8 098 h. – © 95.
Madrid 532 – Aracena 87 – Carmona 42 – Huelva 105 – Sevilla 14.

la carretera C 433 SO : 4,5 km – ✉ 41300 San José de la Rinconada – © 95 :

🏨 **Majaravique,** *𝒫* 490 30 99, Fax 490 34 60 – 🔲 📺 ☎ **⊕**
32 hab.

SAN JUAN DE ALICANTE 03550 Alicante **445** Q 28 – 14 369 h. alt. 50 – 🕸 96.
　　Madrid 426 – Alcoy 46 – Alicante/Alacant 9 – Benidorm 34.

🏨 **Villa San Juan** sin rest, pl. de la Constitución 6 ℰ 565 39 54, Fax 594 02 93 – ▤
　　🕿 ⇔, 歴 ⓞ 🄴 VISA
　　⇌ 500 – **40 hab** 7000/8000.

🏨 **Roma** sin rest, Mercat 1 ℰ 565 40 16, Fax 565 40 16 – |🛗| ▤ 🆃🆅 🕿 🄿. ⓞ VISA.
　　24 hab ⇌ 3780/6615.

XXX **El Patio de San Juan**, av. de Alicante 17 - S : 1 km ℰ 565 68 00, Fax 515 30 51,
　　– ▤ 🄿. ⓞ 🄴 VISA
　　cerrado domingo noche, miércoles y febrero – **Comida** (sólo cena) carta 3100 a 430

X **La Quintería**, Dr. Gadea 17 ℰ 565 22 94, Cocina gallega – ▤. 歴 🄴 VISA. ⌘
　　cerrado domingo noche, miércoles y junio – **Comida** carta 3200 a 3900.

SAN JUAN DE AZNALFARACHE Sevilla – ver Sevilla.

SAN JUAN DE POYO Pontevedra – ver Pontevedra.

SAN JUAN DEL REPARO Santa Cruz de Tenerife – ver Canarias (Tenerife).

SAN JULIÁN DE SALES o SAN XULIÁN DE SALES 15885 La Coruña **441** D 4 – 🕸 9
　　Madrid 629 – La Coruña/A Coruña 78 – Lugo 105 – Santiago de Compostela 9.

XXX **Roberto** ⌖ con hab, ℰ 51 17 69, Fax 51 17 69, 🕿, Antigua casa de campo con jar◀
🕸　«Decoracion rústica » – 🆃🆅 🄿. ⓞ 🄴 VISA JCB. ⌘
　　cerrado domingo noche y del 1 al 15 de agosto – **Comida** carta aprox. 5500 – **4** ◀
　　⇌ 8000/10000
　　Espec. Barquilla de angulas. Lubina sobre fondo de arroz de verduras. Lomo de cord◀

SAN JULIÁN DE VILLATORTA o SANT JULIÀ DE VILATORTA 08514 Barcelona ▨
　　G 36 – 1934 h. alt. 595 – 🕸 93.
　　Madrid 643 – Barcelona 72 – Gerona/Girona 85 – Manresa 58.

XX **Ca la Manyana** con hab, av. Nostra Senyora de Montserrat 38 ℰ 812 24
　　Fax 888 70 04 – ▤ rest 🕿
　　21 hab.

SAN LORENZO DE EL ESCORIAL 28200 Madrid **444** K 17 – 8704 h. alt. 1040 – 🕸.
　　Ver : Monasterio★★★ (Palacios★★ : tapices★ - Panteones★★ : Panteón de los Reyes★
　　Panteón de los Infantes★) - Salas capitulares★ - Basílica★★ - Biblioteca★★ – Nue
　　Museos★★ : El Martirio de San Mauricio y la legión Tebana★ – Casita del Príncip
　　(Techos pompeyanos★).
　　Alred. : Silla de Felipe II ⩽★ S : 7 km.
　　🏕 La Herrería ℰ 890 51 11, Fax 890 71 54.
　　🅱 Floridablanca 10, ℰ 890 15 54.
　　Madrid 46 – Ávila 64 – Segovia 52.

🏨🏨 **Victoria Palace**, Juan de Toledo 4 ℰ 890 15 11, Fax 890 12 48, « Terraza
　　arbolado », ⟰ – |🛗| ▤ rest 🆃🆅 🕿 🄿 – 🔏 25/80. 歴 🄴 VISA. ⌘
　　Comida 3900 – ⇌ 1000 – **85 hab** 12000/16900 – PA 7500.

🏨🏨 **Miranda Suizo**, Floridablanca 18 ℰ 890 47 11, Fax 890 43 58, 🕿 – |🛗| ▤ hab 🆃🆅
　　歴 ⓞ 🄴 VISA. ⌘
　　Comida 3000 – ⇌ 700 – **52 hab** 8000/10000 – PA 5360.

🏨 **Cristina**, Juan de Toledo 6 ℰ 890 19 61, Fax 890 12 04, 🕿 – |🛗| 🆃🆅 🕿. ⓞ 🄴 VISA
　　Comida 1600 – ⇌ 400 – **16 hab** 6000 – PA 3200.

XXX **Charolés**, Floridablanca 24 ℰ 890 59 75, Fax 890 05 92, 🕿 – ▤. 歴 ⓞ 🄴 VISA.
　　Comida carta 5100 a 6900.

XX **Parrilla Príncipe** con hab, Floridablanca 6 ℰ 890 16 11, Fax 890 76 01, 🕿 – ▤ rest
　　🕿
　　18 hab.

X **Alaska**, pl. de San Lorenzo 4 ℰ 890 43 65, Fax 890 43 65, 🕿 – 歴 ⓞ 🄴 VISA. ⌘
　　cerrado lunes – **Comida** carta 2850 a 3780.

X **Mesón Serrano**, Floridablanca 4 ℰ 890 17 04, 🕿
　　cerrado lunes de octubre a julio – **Comida** carta 3000 a 4000.

al Noroeste : 1,8 km – ✉ 28200 San Lorenzo de el Escorial – 🕸 91 :

XX **Horizontal**, Camino Horizontal ℰ 890 38 11, Fax 890 38 11, 🕿 – 🄿. 歴 ⓞ 🄴 VISA
　　Comida carta 3300 a 4500.

AN LORENZO DE MORUNYS o **SANT LLORENÇ DE MORUNYS** 25282 Lérida 𝟜𝟜𝟛
F 34 – 839 h. – 🕿 973.
Madrid 596 – Barcelona 148 – Berga 31 – Lérida/Lleida 127.

🏨 **Cas-Tor** ⤦, carret. de La Coma - NO : 1 km 𝒫 49 21 02, Fax 49 22 54, 🏊, 🎾 – 📺
🅿. 🕭 🇪 𝘝𝘐𝘚𝘈. 🦐 rest
junio-septiembre, fines de semana y puentes resto del año – **Comida** 1800 – 😄 585 –
17 hab 2800/5500 – PA 3650.

AN LUIS *Baleares – ver Baleares (Menorca).*

AN MARTÍN DE LA VIRGEN DE MONCAYO 50584 Zaragoza 𝟜𝟜𝟛 G 24 – 332 h. alt. 813
– 🕿 976.
Madrid 292 – Zaragoza 100.

🏛 **Gomar** ⤦, camino de la Gayata 𝒫 19 21 01, Fax 19 20 98 – 📺. 🇪 𝘝𝘐𝘚𝘈. 🦐
Comida 1100 – 😄 400 – **22 hab** 2600/4500 – PA 2500.

AN MARTÍN DE VALDEIGLESIAS 28680 Madrid 𝟜𝟜𝟜 K 16 – 5 428 h. alt. 681 – 🕿 91.
Madrid 73 – Ávila 58 – Toledo 81.

🏨 **La Corredera,** Corredera Alta 28 𝒫 861 10 84, Fax 861 10 29 – 🍴 📺 🕿. 🅰🇪 𝘝𝘐𝘚𝘈.
🦐
Comida (ver rest. ***Los Arcos***) – 😄 400 – **11 hab** 4500/7000.

🍴 **Los Arcos,** pl. de la Corredera 1 𝒫 861 04 34, Fax 861 02 02, 🏡 – 🍴. 🅰🇪 🕭 🇪 𝘝𝘐𝘚𝘈
🄹🄲🄱. 🦐
cerrado lunes – **Comida** carta 2000 a 3100.

AN MARTÍN SARROCA o **SANT MARTÍ SARROCA** 08731 Barcelona 𝟜𝟜𝟛 H 34 –
2 394 h. – 🕿 93.
Madrid 583 – Barcelona 65 – Tarragona 65.

🍴🍴 **Ca l'Anna,** Pepet Teixidor 14 - barri La Roca SO : 1,5 km 𝒫 899 14 08, « Bonita terraza
acristalada » – 🍴. 🇪 𝘝𝘐𝘚𝘈
cerrado domingo noche, lunes y del 1 al 15 de febrero – **Comida** carta 3875 a
5050.

AN MIGUEL *Baleares – ver Baleares (Ibiza).*

AN MIGUEL DE LUENA 39687 Cantabria 𝟜𝟜𝟚 C 18 – 🕿 942.
Madrid 345 – Burgos 102 – Santander 54.

la subida al puerto del Escudo *carretera N 623 - SE : 2,5 km* – ✉ 39687 San Miguel
de Luena – 🕿 942 :

🍴 **Ana Isabel** *con hab,* 𝒫 59 52 06 – 🅿. 🅰🇪 𝘝𝘐𝘚𝘈. 🦐
marzo-noviembre – **Comida** carta 2300 a 3100 – 😄 250 – **9 hab** 3500/6000.

AN MILLÁN DE LA COGOLLA 26226 La Rioja 𝟜𝟜𝟚 F 21 – 299 h. alt. 728 – 🕿 941.
Ver : *Monasterio de Suso* ⋆ *- Monasterio de Yuso (marfiles tallados* ⋆⋆*).*
Madrid 326 – Burgos 96 – Logroño 53 – Soria 114 – Vitoria/Gasteiz 82.

el Monasterio de Yuso :

🏛🏛 **Hostería del Monasterio de San Millán** ⤦, 𝒫 37 32 77, Fax 37 32 66, « Instalado
en un ala del monasterio de Yuso » – 🍴 📺 🕿 🅿 – 🔬 25/150. 🅰🇪 🇪 𝘝𝘐𝘚𝘈. 🦐
Comida 1800 – 😄 750 – **22 hab** 8000/12000, 3 suites – PA 3700.

AN PEDRO DE ALCÁNTARA 29670 Málaga 𝟜𝟜𝟞 W 14 – 🕿 95 – Playa.
Excurs. : *Carretera* ⋆⋆ *de San Pedro de Alcántara a Ronda (cornisa* ⋆⋆*).*
📸 📸 📸 *Guadalmina O : 3 km* 𝒫 288 33 75, Fax 288 54 79 – 📸 *Aloha O : 3 km* 𝒫 281 23 88
– 📸 *Atalaya Park O : 3,5 km* 𝒫 278 18 94.
🅱 *Conjunto San Luis blq. 3,* 𝒫 278 52 52, Fax 278 90 90.
Madrid 624 – Algeciras 69 – Málaga 69.

r la carretera de Ronda *N : 2 km* – ✉ 29670 San Pedro de Alcántara – 🕿 95 :
🍴🍴 **El Gamonal,** Camino La Quinta 𝒫 278 99 21, 🏡 – 🅿
Comida (sólo cena en verano).

en la carretera de Cádiz - ✉ *29678 San Pedro de Alcántara* - ☎ *95 :*

Golf H. Guadalmina ⚲, urb. Guadalmina - SO : 2 km y desvío 1,2 km ☎ 288 50 5
Fax 288 22 91, ≤, ... - ▤ TV ☎ P - 25/40. AE ⓓ E VI
rest
Comida 4400 - ☕ 1425 - **90 hab** 19800/25850 - PA 8400.

XX **Víctor,** centro comercial Guadalmina - SO : 2,2 km ☎ 288 34 91, ... - ▤. AE E VI
cerrado lunes salvo julio y agosto - **Comida** carta 2800 a 3700.

SAN PEDRO DE RIBAS o **SANT PERE DE RIBES** *08810 Barcelona* 443 *I 35 - 13 722*
alt. 44 - ☎ 93.
Madrid 596 - Barcelona 46 - Sitges 4 - Tarragona 52.

XX **El Tovalló Verd,** carret. dels Carçs 58 ☎ 896 21 21 - ▤. AE E VISA.
cerrado miércoles y del 10 al 30 de noviembre - **Comida** carta 3600 a 4900.

XX **El Rebost de l'Avia,** av. Els Cards 29 ☎ 896 08 35, Fax 896 27 92 - ▤. AE ⓓ E V
cerrado lunes - **Comida** carta 2575 a 4300.

en la carretera de Olivella *NE : 1,5 km* - ✉ *08810 San Pedro de Ribas* - ☎ *93 :*

X **Can Lloses,** ☎ 896 07 46, ≤, Carnes - ▤ P. E VISA.
cerrado martes y del 1 al 30 de octubre - **Comida** carta 1925 a 3045.

SAN PEDRO DE RUDAGÜERA *39539 Cantabria* 442 *B 17 - 442 h. alt. 70 - ☎ 942.*
Madrid 387 - Santander 36 - Santillana del Mar 23 - Torrelavega 14.

X **La Ermita 1826** ⚲ *con hab,* ☎ 71 90 71, Fax 71 90 71, Decoración rústica regio
- ▤ rest TV. AE VISA
Comida carta 2250 a 2800 - ☕ 300 - **7 hab** 4500.

SAN PEDRO DE VIVERO o **SAN PEDRO DE VIVEIRO** *27866 Lugo* 441 *B 7 - ☎ 9*
Madrid 615 - La Coruña/A Coruña 142 - Ferrol 97 - Lugo 104.

O Val do Naseiro ⚲, ☎ 59 84 34, Fax 59 82 64 - |♦| ▤ TV ☎ P - 25/7
41 hab.

SAN PEDRO DEL PINATAR *30740 Murcia* 445 *S 27 - 12 221 h. - ☎ 968 - Playa.*
explanada de Lo Pagán, ☎ 18 23 01, Fax 18 23 01.
Madrid 441 - Alicante/Alacant 70 - Cartagena 40 - Murcia 51.

Mariana *sin rest,* av. Dr. Artero Guirao 136 ☎ 18 10 13 - ▤ P.
marzo-octubre - ☕ 300 - **25 hab** 2400/4400.

en Lo Pagán *S : 2,5 km* - ✉ *30740 San Pedro del Pinatar* - ☎ *968 :*

Neptuno, Generalísimo 6 ☎ 18 19 11, Fax 18 33 01, ≤ - |♦| ▤ TV ☎. AE ⓓ
VISA. rest
Comida 2600 - ☕ 775 - **40 hab** 5250/9450.

Arce *sin rest,* Marqués de Santillana 117 ☎ 18 22 47 - ▤ ☎. VISA.
abril-septiembre - ☕ 400 - **14 hab** 3425/5885.

X **Venezuela,** Campoamor ☎ 18 15 15 - ▤. ⓓ E VISA.
cerrado 2ª quincena de octubre - **Comida** carta aprox. 5000.

SAN POL DE MAR o **SANT POL DE MAR** *08395 Barcelona* 443 *H 37 - 2 383 h. - ☎*
- Playa.
Madrid 679 - Barcelona 44 - Gerona/Girona 53.

Gran Sol *(Hotel escuela),* carret. N II ☎ 760 00 51, Fax 760 09 85, ≤, ... - |♦| ▤
TV ☎ P - 25/100. AE ⓓ E VISA. rest
Comida 2400 - ☕ 1250 - **44 hab** 8800/12400 - PA 4950.

La Costa, Nou 32 ☎ 760 01 51, ≤, ... - |♦| ☎. AE ⓓ E VISA.
junio-septiembre - **Comida** (sólo almuerzo) carta aprox. 1650 - ☕ 500 - **17 h**
3550/6950.

XXX **Sant Pau,** Nou 10 ☎ 760 06 62, Fax 760 09 50 - ▤ P. AE E VISA.
✿✿ *cerrado domingo noche, lunes, del 1 al 17 de abril y del 3 al 20 de noviembre* - **Com**
8800 y carta 7300 a 8800
Espec. Pilota a la antigua con sepia cortada a finas tiras. Lubina con galleta de su pi
la sal. Copa de albaricoques con biscuit de Amaretto (mayo-julio).

SAN QUIRICO DE BESORA o **SANT QUIRZE DE BESORA** 08580 Barcelona 448 F 36 – 2 027 h. alt. 550 – ✆ 93.

Madrid 661 – Barcelona 90 – Puigcerdá 79.

✗ **Ca la Cándida**, Berga 8 ✆ 855 04 11 – ▤. 亜 ⓞ 巨 ᵥᵢₛₐ
cerrado domingo noche, lunes y 15 mayo-8 junio – **Comida** carta 2400 a 3200.

en la carretera N 152 S : 1 km – ⊠ 08580 San Quirico de Besora – ✆ 93 :

✗ **El Túnel**, ✆ 852 91 53, Fax 852 90 31 – ▤ ℗. ᵥᵢₛₐ. ✼
cerrado lunes noche, martes y 25 junio-20 julio – **Comida** carta 2300 a 3000.

SAN ROQUE 11360 Cádiz 446 X 13 – 23 092 h. alt. 110 – ✆ 956.

Madrid 678 – Algeciras 15 – Cádiz 136 – Málaga 123.

por la autovía N 340 O : 2,5 km – ⊠ 11360 San Roque – ✆ 956 :

🏠 **La Solana** ⊛ sin rest, salida km 116,5 ✆ 23 64 89, Fax 78 02 36, ≤, « Antigua casa de campo », ⤢, ☞ – ⓣⱴ ℗ – 🔬 25. 亜 巨 ᵥᵢₛₐ
18 hab ⊇ 7000/10000.

en la carretera de La Línea de la Concepción S : 3 km – ⊠ 11360 San Roque – ✆ 956 :

✗✗✗✗ **Los Remos**, Villa Victoria ✆ 69 84 12, Fax 69 84 97, 霈, « Villa de estilo neocolonial rodeada de jadín » – ▤ ℗. 亜 ⓞ 巨 ᵥᵢₛₐ. ✼
cerrado domingo – **Comida** carta 3850 a 5450.

SAN ROQUE Asturias – ver Llanes.

SAN SADURNÍ DE NOYA o **SANT SADURNÍ D'ANOIA** 08770 Barcelona 448 H 35 – 9 283 h. – ✆ 93.

Madrid 578 – Barcelona 44 – Lérida/Lleida 120 – Tarragona 68.

en la carretera de Ordal SE : 4,5 km – ⊠ 08770 Els Casots – ✆ 93 :

✗✗ **Mirador de las Cavas**, ✆ 899 31 78, Fax 899 33 88, ≤ – ▤ ℗. 亜 ⓞ 巨 ᵥᵢₛₐ ⱼᴄʙ. ✼
cerrado domingo noche, lunes noche y 15 días en agosto – **Comida** carta 2325 a 5350.

SAN SALVADOR o **SANT SALVADOR** Baleares – ver Baleares (Mallorca).

SAN SALVADOR (Playa de) Tarragona – ver Vendrell.

SAN SALVADOR DE POYO Pontevedra – ver Pontevedra.

SAN SEBASTIÁN o **DONOSTIA** 20000 ℙ Guipúzcoa 442 C 24 – 176 019 h. – ✆ 943 – Playa.

Ver : Emplazamiento y bahía ✶✶✶ A – Monte Igueldo ≤✶✶✶ A – Monte Urgull ≤✶✶ CY.
Alred. : Monte Ulía ≤✶ NE : 7km por N I B.
Hipódromo de Lasarte por ② : 9 km.

🏌₁₈ de San Sebastián, Jaizkíbel por N I : 14 km (B) ✆ 61 68 45.

✈ de San Sebastián, Fuenterrabía por ① : 20 km ✆ 66 85 00 – Iberia : Bengoetxea 3, ⊠ 20004, ✆ 42 35 86 CZ y Aviaco : aeropuerto, ⊠ 20280, ✆ 64 12 67.

🚢 Reina Regente, ⊠ 20003, ✆ 48 11 66, Fax 48 11 72 y Fueros 1, ⊠ 20005, ✆ 42 62 82, Fax 43 17 46 – R.A.C.V.N. Echaide 12, ⊠ 20005, ✆ 43 08 00, Fax 42 91 50.

Madrid 488 ② – Bayonne 54 ① – Bilbao/Bilbo 100 ③ – Pamplona/Iruñea 94 ② – Vitoria/Gasteiz 115 ②.

Planos páginas siguientes

Centro :

🏨 **María Cristina**, Okendo, ⊠ 20004, ✆ 42 49 00, Telex 38195, Fax 42 39 14, ≤ – 🛗 ▤ ⓣⱴ ☎ – 🔬 25/425. 亜 ⓞ 巨 ᵥᵢₛₐ. ✼
DY h
Comida carta 4700 a 8800 – ⊇ 2200 – **109 hab** 28900/42000, 27 suites.

🏨 **De Londres y de Inglaterra**, Zubieta 2, ⊠ 20007, ✆ 42 69 89, Telex 36378, Fax 42 00 31, ≤ – 🛗 ▤ ⓣⱴ ☎ – 🔬 25/60. 亜 ⓞ 巨 ᵥᵢₛₐ. ✼
CZ z
Comida 1975 – ⊇ 1100 – **133 hab** 14300/20000, 12 suites.

🏨 **Orly**, pl. Zaragoza, ⊠ 20007, ✆ 46 32 00, Telex 38033, Fax 45 61 01, ≤ – 🛗 ▤ rest ⓣⱴ ☎ ⟺ – 🔬 25/250. 亜 ⓞ 巨 ᵥᵢₛₐ. ✼
CZ a
Comida 1800 – ⊇ 950 – **60 hab** 14600/19400 – PA 4550.

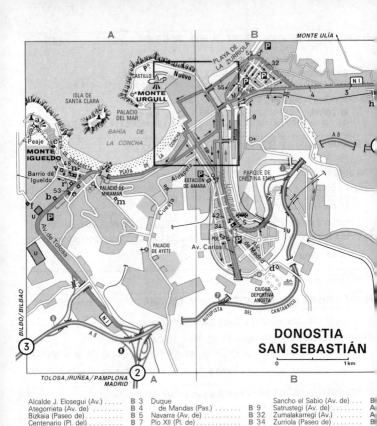

Alcalde J. Elosegui (Av.)	B 3	Duque		Sancho el Sabio (Av. de)	B
Ategorrieta (Av. de)	B 4	de Mandas (Pas.)	B 9	Satrustegi (Av. de)	A
Bizkaia (Paseo de)	B 5	Navarra (Av. de)	B 32	Zumalakarregi (Av.)	A
Centenario (Pl. del)	B 7	Pío XII (Pl. de)	B 34	Zurriola (Paseo de)	B

Europa sin rest. con cafetería, San Martín 52, ⊠ 20007, ℰ 47 08 80, Fax 47 17 3
💲 📺 ☎ – 🕸 25/80. 🖭 ⓞ ☲ 𝘝𝘐𝘚𝘈. 𝒮𝒮   CZ
⌸ 850 – **65 hab** 13600/17000.

Niza sin rest., Zubieta 56, ⊠ 20007, ℰ 42 66 63, Fax 42 66 63 – 💲 📺 ☎. 🖭 ⓞ
𝘝𝘐𝘚𝘈. 𝒮𝒮   CZ
⌸ 800 – **41 hab** 6950/14950.

Parma sin rest., paseo de Salamanca 10, ⊠ 20003, ℰ 42 88 93, Fax 42 40 82 – 📺
🖭 ⓞ ☲ 𝘝𝘐𝘚𝘈   DY
⌸ 900 – **27 hab** 9500/14100.

Bahía sin rest., San Martín 54 bis, ⊠ 20007, ℰ 46 92 11, Telex 38065, Fax 46 39 1
💲 📺 ☎. ⓞ ☲ 𝘝𝘐𝘚𝘈   CZ
59 hab ⌸ 9300.

XXX **Casa Nicolasa**, Aldamar 4-1º, ⊠ 20003, ℰ 42 17 62, Fax 42 09 57 – ▤. 🖭 ⓞ ☲ 𝘝𝘐𝘚𝘈
cerrado domingo, lunes noche (salvo en verano) y 21 enero-13 febrero – **Comida** ca
5050 a 6750.   DY

XXX **Urepel**, paseo de Salamanca 3, ⊠ 20003, ℰ 42 40 40 – ▤. 🖭 ⓞ ☲ 𝘝𝘐𝘚𝘈. 𝒮𝒮
✿   cerrado domingo, martes noche, Semana Santa, tres semanas en julio y Navidade
Comida carta 4400 a 5150   DY
Espec. Ensalada fresca con frutos de mar (primavera-verano). Solomillo de ciervo a las
compotas (temp de caza). Callos y morros juntos pero no revueltos.

XXX **Panier Fleuri**, paseo de Salamanca 1, ⊠ 20003, ℰ 42 42 05, Fax 42 42 05 – ▤
✿   ⓞ ☲ 𝘝𝘐𝘚𝘈 𝘑𝘊𝘉. 𝒮𝒮   DY
cerrado domingo noche, miércoles, 15 días en febrero, 26 mayo-16 junio y del 24 a
de diciembre – **Comida** carta 4900 a 6025
Espec. Tartar de bonito al eneldo y vinagreta de soja (verano). Filetes de salmonete
emulsión de hinojo. Hojaldre de pera al Cabrales con Pedro Ximénez.

DONOSTIA
SAN SEBASTIÁN

dia .... **CZ** 2
ulevard
Alameda del) .... **CY** 6
ribai .... **CY**
rnani .... **CY**
ertad (Av. de) .... **CDYZ**
bieta .... **CDZ**

Constitución (Pl. de la) .... **CY** 8
Euskadi (Pl. de) .... **DY** 10
Fermín Calbetón .... **CY** 12
Getaria .... **DZ** 18
Gipuzkoa (Pl. de) .... **DY** 19
Iñigo .... **CY** 22
Kursaal (Puente del) ...... **DY** 27
Lasala (Pl.) .... **CY** 28
María Cristina
  (Puente de) .... **DZ** 30
Miramar .... **CZ** 31

Puerto .... **CY** 35
Ramón María Lili (Pas.) ... **DY** 37
Reina Regente .... **DY** 38
República
  Argentina (Pas.) ...... **DY** 41
San Jerónimo .... **CY** 44
San Juan .... **CY** 45
Santa Catalina
  (Puente de) .... **DY** 47
Urdaneta .... **DZ** 51
Zabaleta .... **DY** 54

§§
XX **Bodegón Alejandro,** Fermín Calbetón 4, ⌂ 20003, ℰ 42 71 58 – 🍽. 🄰🄴 ⓪ 🄴 *VISA*.
  ⚘
  CY **u**
  cerrado domingo noche, lunes y noviembre – **Comida** carta 2650 a 4800.

§§
XX **Juanito Kojua,** Puerto 14, ⌂ 20003, ℰ 42 01 80, Fax 42 18 71 – 🍽. 🄰🄴 ⓪
  🄴 *VISA*
  CY **m**
  cerrado domingo noche – **Comida** carta 4800 a 5700.

§§
XX **Beti Jai,** Fermín Calbetón 22, ⌂ 20003, ℰ 42 77 37, Fax 42 30 09 – 🍽. 🄰🄴 ⓪ 🄴 *VISA*
  CY **r**
  cerrado lunes, martes, 20 junio-10 julio y 20 diciembre-7 enero – **Comida** carta 4100 a
  5000.

§§
XX **Salduba,** Pescadería 6, ⌂ 20003, ℰ 42 56 27 – 🄰🄴 ⓪ 🄴 *VISA*. ⚘   CY **p**
  cerrado domingo y noviembre – **Comida** carta 3200 a 4400.

✗ **Josetxo,** San Jerónimo 20, ✉ 20003, ℰ 42 20 98 – ■. 𝖠𝖤 𝖤 𝖵𝖨𝖲𝖠　　　CY
cerrado domingo noche, miércoles y 21 enero-27 febrero – **Comida** carta 2800 a 43●

✗ **Casa Urbano,** 31 de Agosto 17, ✉ 20003, ℰ 42 04 34 – ■. 𝖠𝖤 ⓞ 𝖤 𝖵𝖨𝖲𝖠. ⋙
cerrado domingo, miércoles noche, 2ª quincena de junio y Navidades – **Comida** carta 32
a 3900.　　　CY

al Este :

🏛 **Pellizar,** paseo Zubiaurre 70 (barrio Inchaurrondo), ✉ 20015, ℰ 28 12 11, Fax 28 16
– |✿| 𝖳𝖵 ☎ ℗. 𝖠𝖤 𝖤 𝖵𝖨𝖲𝖠. ⋙　　　B
cerrado 10 diciembre-10 enero – **Comida** (*cerrado domingo*) 1500 – ☲ 550 – **46 h**
6500/10000 – PA 3550.

XXXX **Arzak,** alto de Miracruz 21, ✉ 20015, ℰ 27 84 65, Fax 27 27 53 – ■ ℗. 𝖠𝖤 ⓞ 𝖤 ●
✿✿✿ 𝖩𝖢𝖡. ⋙　　　B
cerrado domingo noche, lunes, 15 junio-2 julio y del 2 al 26 de noviembre – **Comida** 82
y carta 7450 a 9330
Espec. Sorta de cigalas y fideos de arroz con mayonesa de foie. Merluza con salsa de pe▮
y crema de ajo. Crujiente de naranja con melocotón y sorbete de pera.

✗ **Mirador de Ulía,** subida al Monte Ulía - 5 km, ✉ 20013, ℰ 27 27 07, Fax 27 27
≤ ciudad y bahía, 🍽 – 𝖤 𝖵𝖨𝖲𝖠. ⋙　　　B
2 marzo-23 diciembre y fines de semana resto del año – **Comida** carta aprox. 3200●

al Sur :

🏛 **Amara Plaza,** pl. Pío XII-7, ✉ 20010, ℰ 46 46 00, Fax 47 25 48 – |✿| ■ 𝖳𝖵 ☎ ⚹ ●
– ♨ 25/400. 𝖠𝖤 ⓞ 𝖤 𝖵𝖨𝖲𝖠. ⋙　　　B
Comida 1650 – ☲ 1100 – **160 hab** 10950/13900, 3 suites.

🏛 **Anoeta,** ciudad deportiva de Anoeta, ✉ 20014, ℰ 45 14 99, Fax 45 20 36, 🍽 –
■ 𝖳𝖵 ☎ 🚗 – ♨ 25/100. 𝖠𝖤 ⓞ 𝖤 𝖵𝖨𝖲𝖠. ⋙
Comida 2000 - *Xanti* : **Comida** carta 2800 a 4900 – ☲ 850 – **26 hab** 10900/139▮

al Oeste :

🏛 **Aránzazu Donostia,** Vitoria-Gasteiz 1, ✉ 20009, ℰ 21 90 77, Fax 21 86 95 – |✿|
𝖳𝖵 ☎ ⚹ 🚗 – ♨ 25/400. 𝖠𝖤 ⓞ 𝖤 𝖵𝖨𝖲𝖠. ⋙　　　A
Comida 3500 – ☲ 1200 – **176 hab** 11500/17500, 4 suites.

🏛 **Costa Vasca** 🐾, av. Pío Baroja 15, ✉ 20008, ℰ 21 10 11, Telex 36551, Fax 21 24
🍽, ⊐, ♨ ☞ – |✿| ■ 𝖳𝖵 ☎ 🚗 ℗ – ♨ 25/350. 𝖠𝖤 ⓞ 𝖤 𝖵𝖨𝖲𝖠 𝖩𝖢𝖡. ⋙
Comida 3000 – ☲ 1200 – **196 hab** 11500/17500, 7 suites.

🏛 **Monte Igueldo** 🐾, paseo del Faro 134 - 5 km, ✉ 20008, ℰ 21 02 11, Telex 38◐
Fax 21 50 28, ☀ mar, bahía y ciudad, « Magnífica situación dominando la bahía », ⊐
|✿| ■ rest 𝖳𝖵 ☎ ℗ – ♨ 25/200. 𝖠𝖤 ⓞ 𝖤 𝖵𝖨𝖲𝖠. ⋙
Comida 2300 – ☲ 1050 – **125 hab** 10400/17000 – PA 4700.

🏛 **San Sebastián** *sin rest. con cafetería,* av. Zumalakarregi 20, ✉ 20008, ℰ 21 44
Fax 21 72 99, ⊐ – |✿| 𝖳𝖵 ☎ 🚗 – ♨ 25/120. 𝖠𝖤 ⓞ 𝖤 𝖵𝖨𝖲𝖠. ⋙　　　A
☲ 1200 – **90 hab** 10000/15000, 2 suites.

🏛 **La Galería** *sin rest,* av. Infanta Cristina 1, ✉ 20008, ℰ 21 60 77, Fax 21 12 98 – |✿|
☎ ℗. 𝖠𝖤 𝖤 𝖵𝖨𝖲𝖠. ⋙　　　A
☲ 800 – **23 hab** 11800/14500.

🏛 **Ezeiza,** av. de Satrustegi 13, ✉ 20008, ℰ 21 43 11, Fax 21 47 68 – |✿| ■ 𝖳𝖵 ☎ ◐
𝖠𝖤 ⓞ 𝖤 𝖵𝖨𝖲𝖠. ⋙
Comida (*cerrado lunes*) 1500 – ☲ 600 – **30 hab** 10000/13000 – PA 3060.

🏛 **Nicol's** 🐾, paseo de Gudamendi 21 - 5 km, ✉ 20008, ℰ 21 57 99, Fax 21 17 24,
« Amplio césped », ⊐ – 𝖳𝖵 ☎ ℗. 𝖤 𝖵𝖨𝖲𝖠. ⋙ rest　　　A
Comida (*cerrado domingo noche y lunes*) carta aprox. 4400 – ☲ 600 – **23 ▮**
6000/10000.

🏛 **Codina** *sin rest. con cafetería,* av. Zumalakarregi 21, ✉ 20008, ℰ 21 22 00, Fax 21 2▮
– |✿| 𝖳𝖵 ☎ – ♨ 25/60. 𝖠𝖤 ⓞ 𝖤 𝖵𝖨𝖲𝖠　　　A
☲ 700 – **77 hab** 10000/12000.

XXXX **Akelaře,** paseo del Padre Orcolaga 56 - barrio de Igueldo : 7,5 km, ✉ 20008, ℰ 21 20
✿✿ Fax 21 92 68, ≤ mar – ■ ℗. 𝖠𝖤 𝖤 𝖵𝖨𝖲𝖠. ⋙
cerrado domingo noche, lunes (salvo festivos o vísperas), febrero y 21 octubr
noviembre – **Comida** carta 5900 a 7200
Espec. Fricassé de mollejitas con verduras y chipirones salteados. Rodaballo en jugo
col y orégano. Gratinado de arroz con leche y helado de membrillo.

XXXX **Chomin,** av. Infanta Beatriz 16, ✉ 20008, ℰ 21 07 05, Fax 21 14 01, 🍽 – 𝖠𝖤 ⓞ
𝖵𝖨𝖲𝖠. ⋙
cerrado domingo noche, lunes y noviembre – **Comida** carta aprox. 5300.

XX **Rekondo,** paseo de Igueldo 57, ✉ 20008, ☎ 21 29 07, Fax 21 95 64, 余 - ▤ **P**. AE ① E VISA. ✻ A f
cerrado miércoles, del 15 al 30 de junio y 21 días en noviembre – **Comida** carta 4000 a 5250.

X **Buena Vista** *con hab*, paseo Balenciaga 42 - barrio de Igueldo : 5 km, ✉ 20008, ☎ 21 06 00, ≤ - ☎ **P**. AE E VISA. ✻ A
cerrado 24 enero-febrero – **Comida** *(cerrado domingo noche y lunes)* (sólo almuerzo en invierno) carta 2500 a 3700 – ☕ 400 – **9 hab** 5000/7500.

X **San Martín,** plazoleta del Funicular 5, ✉ 20008, ☎ 21 40 84, ≤, 余 - AE ① E VISA. ✻ A c
cerrado domingo noche y febrero – **Comida** carta 3500 a 4400.

X **Oihandar,** av. Zumalakarregi 25, ✉ 20008, ☎ 21 12 66 – ▤. AE ① VISA. ✻ A e
Comida carta 2150 a 3700.

Ver también : **Lasarte** *por ② : 9 km*
Oyarzun *por ① : 13 km.*

AN SEBASTIÁN DE LA GOMERA *Santa Cruz de Tenerife – ver Canarias (Gomera).*

AN SEBASTIÁN DE LOS REYES *28700 Madrid 444 K 19 – 53 794 h. – ☎ 91.*
Madrid 17.

XXX Izamar, av. Matapiñonera 6 - polígono industrial ☎ 654 38 93, 余, Pescados y mariscos – ▤ **P**.

XX **Pablo,** antigua carret. N I ☎ 652 65 65, Fax 663 69 00, 余 – ▤ **P**. AE ① VISA
cerrado del 11 al 26 de agosto – **Comida** carta 3050 a 3800.

XX **Vicente,** Lanzarote 26 (polígono Norte) - N : 2 km ☎ 663 95 32, Fax 651 31 71 – ▤. AE ① E VISA. ✻
cerrado domingo noche y 15 días en agosto – **Comida** carta 3450 a 4250.

XX **Mesón Tejas Verdes,** antigua carret. N I ☎ 652 73 07, 余, Decoración castellana, ⛱ – ▤ **P**. AE ① E VISA. ✻
cerrado domingo noche, festivos noche y agosto – **Comida** carta 3100 a 3900.

n la autovía N I *NE : 6,5 km – ✉ 28700 San Sebastián de los Reyes – ☎ 91 :*

XX Garcías, ☎ 657 02 62, Fax 657 02 62 – ▤ **P**.

n la carretera de Algete *NE : 7 km – ✉ 28700 San Sebastián de los Reyes – ☎ 91 :*

X **El Molino,** ☎ 653 59 83, 余, Decoración castellana. Asados – ▤ **P**. AE ① E VISA
Comida carta 3650 a 5100.

AN VICENTE DE TORANZO *39699 Cantabria 442 C 18 – alt. 168 – ☎ 942.*
Madrid 354 – Bilbao/Bilbo 124 – Burgos 115 – Santander 40.

🏠 **Posada del Pas,** carret. N 623 ☎ 59 44 11, Fax 59 43 86, ⛱, ✻ – ▤ rest TV ☎ 🚗 **P**. AE ① VISA. ✻ rest
Comida 1500 – ☕ 500 – **32 hab** 6700/9800 – PA 3000.

AN VICENTE DEL HORTS o **SANT VICENÇ DELS HORTS** *08620 Barcelona 443 H 36 – 20 715 h. – ☎ 93.*
Madrid 612 – Barcelona 20 – Tarragona 92.

la carretera de Sant Boi *SE : 1,5 km – ✉ 08620 Sant Vicenç dels Horts – ☎ 93 :*

X **Las Palmeras,** ☎ 656 13 16, Fax 676 80 47 – ▤ **P**. AE E VISA. ✻
Comida carta 3200 a 4600.

AN VICENTE DEL MAR *Pontevedra – ver El Grove.*

AN VICENTE DEL RASPEIG *03690 Alicante 445 Q 28 – 30 119 h. alt. 110 – ☎ 96.*
Madrid 422 – Alcoy/Alcoi 49 – Alacante/Alicant 9 – Benidorm 48.

X **La Paixareta,** Torres Quevedo 10 ☎ 566 58 39 – ▤. AE E VISA
cerrado domingo noche – **Comida** carta 2800 a 3800.

N VICENTE DE LA BARQUERA *39540 Cantabria 442 B 16 – 4 349 h. – ☎ 942 – Playa.*
Ver : *Emplazamiento★.*
Alred. : *Carretera de Unquera ≤★.*
i *av. Generalísimo 6, ☎ 71 07 97.*
Madrid 421 – Gijón 131 – Oviedo 141 – Santander 64.

Resid. Miramar ⑤ *sin rest*, La Barquera - N : 1 km ℰ 71 03 63, Fax 71 00 75, ≤
|🛗| 📺 ☎ ⇔ 🅿. 🖭 ⓔ 🗷. ⁄
marzo-octubre – 🖙 600 – **21 hab** 7400/9000.

Boga-Boga, pl. José Antonio 9 ℰ 71 01 35, Fax 71 01 51, 🏤 – |🛗|. 🖭 ⓔ ⓔ 🗷. ⁄
Comida *(cerrado martes de octubre a junio)* 1900 – 🖙 425 – **18 hab** 5955/7950 – P
3700.

Luzón *sin rest*, av. Miramar 1 ℰ 71 00 50, Fax 71 00 50, ≤ – 🗷. ⁄
🖙 400 – **36 hab** 4500/7200.

Miramar ⑤, La Barquera N : 1 km ℰ 71 00 75, Fax 71 00 75, ≤ playa, mar y montaña
🏤 – 📺 ☎ 🅿. 🖭 ⓔ. ⁄
marzo-15 diciembre – **Comida** 2500 – 🖙 600 – **15 hab** 6200/7500.

Noray ⑤ *sin rest*, paseo de La Barquera ℰ 71 21 41, Fax 71 24 32, ≤ – 📺 ☎ ⇐
🅿. 🖭 ⓞ ⓔ. ⁄
🖙 450 – **20 hab** 5000/7700.

Maruja, av. Generalísimo ℰ 71 00 77 – 🖭 ⓞ ⓔ 🗷. ⁄
Comida carta 3000 a 4300.

*Nuestras **guías de hoteles**, nuestras **guías turísticas***
*y nuestros **mapas de carreteras** son complementarios.*

Utilícelos conjuntamente.

SAN XULIÁN DE SALES *La Coruña* – ver San Julián de Sales.

SANGENJO o SANXENXO 36960 Pontevedra 🗺 *E 3* – *14 659 h.* – ✆ *986* – Playa.
🄱 *av. de Silgar,* ℰ 72 02 85.
Madrid 622 – *Orense/Ourense 123* – *Pontevedra 18* – *Santiago de Compostela 75.*

Sanxenxo, av. playa de Silgar 3 ℰ 69 11 11, Fax 72 37 79, ≤, 🏤, 🌊 – |🛗| 🗏 📺
⇐ – 🔏 25/35. 🖭 ⓞ 🗷. ⁄
Semana Santa-9 diciembre – **Comida** 3000 – 🖙 750 – **47 hab** 12500/15500.

Rotilio, av. del Puerto 7 ℰ 72 02 00, Fax 72 41 88, ≤ – |🛗| 📺 ☎. 🖭 ⓞ ⓔ 🗷.
cerrado 15 diciembre-15 enero – **Comida** *(ver rest. La Taberna de Rotilio)* – 🖙 700
40 hab 8000/14000.

Minso *sin rest*, av. do Porto 1 ℰ 72 01 50, Fax 69 09 32, ≤ – |🛗| 📺 ☎. 🖭 ⓞ ⓔ 🗷
⁄
cerrado 15 diciembre-15 enero – 🖙 550 – **44 hab** 6500/12000.

Ton, El Castañal ℰ 69 10 03, Fax 69 10 06 – |🛗| ☎ 🅿. 🖭 ⓔ 🗷. ⁄
Comida 1900 – **78 hab** 🖙 7460/8775.

Faro Salazón *sin rest*, Sol 6 ℰ 72 33 99, Fax 72 40 68 – |🛗| ☎ ⇔. 🗷. ⁄
30 hab 🖙 6800/9500.

Punta Vicaño *sin rest*, av. de Silgar 94 ℰ 72 00 11, Fax 72 07 81, 🌊 – ⇐ 🅿.
ⓞ ⓔ 🗷. ⁄
junio-septiembre – 🖙 425 – **30 hab** 4275/7100.

Cervantes 2 *sin rest*, Progreso 27 ℰ 72 43 34, Fax 72 07 01 – |🛗| ☎. 🗷. ⁄
junio-septiembre – 🖙 350 – **20 hab** 3750/6000.

Casa Román, Carlos Casas 2 ℰ 72 00 31, Fax 72 00 31 – |🛗| 🗏 rest 📺 ☎. 🖭 ⓞ
🗷. ⁄
julio-septiembre – **Comida** 1800 – 🖙 300 – **32 hab** 5000.

Cervantes, Progreso 29 ℰ 72 07 00, Fax 72 07 01, 🏤 – ☎. 🗷. ⁄
junio-septiembre – **Comida** 1850 – 🖙 350 – **18 hab** 3750/6000.

La Taberna de Rotilio, av. del Puerto ℰ 72 02 00, Fax 72 41 88, Vivero propio –
🖭 ⓞ ⓔ 🗷. ⁄
cerrado domingo noche y lunes (septiembre-mayo) y 15 diciembre-15 enero – **Com**
4700 y carta 4000 a 4600
Espec. Pastel de bogavante. Ostras fritas en tulipa y verduritas crujientes. Xoubas rellen
y cachelos (verano).

Mesón Don Camilo, Emilia Pardo Bazán 9 ℰ 69 11 24
🗏. 🖭 ⓔ 🗷. ⁄
cerrado miércoles y del 15 al 30 de noviembre – **Comida** carta aprox. 3000.

en la carretera C 550 E : 3,5 km – ✉ *36960 Sangenjo* – ✆ *986* :

Áncora *sin rest*, La Granja-Dorrón ℰ 74 10 74, Fax 74 13 90 – 🅿. 🖭 ⓞ ⓔ 🗷.
abril-noviembre – **29 hab** 🖙 4875/6500.

Ver también : **Portonovo** *O : 1,5 km.*

ANGÜESA 31400 Navarra **442** E 26 – 4 447 h. – **۞** 948.

Ver : Iglesia de Santa María la Real★ (portada sur★★).

🛈 Alfonso el Batallador 20, ℘ 87 03 29, Fax 87 03 29.

Madrid 408 – Huesca 128 – Pamplona/Iruñea 46 – Zaragoza 140.

🏠 Yamaguchy, carret. de Javier - E : 0,5 km ℘ 87 01 27, Fax 87 07 00, 🛓 – 🍽 rest **☎** 🚗 **🅿**
40 hab.

ANLÚCAR DE BARRAMEDA 11540 Cádiz **446** V 10 – 57 044 h. – **۞** 956 – Playa.

Ver : Nuestra Señora de la O (portada★) – Iglesia de Santo Domingo★ (Bóvedas★).

🛈 Calzada del Ejército, ℘ 36 61 10, Fax 36 61 32.

Madrid 669 – Cádiz 45 – Jerez 23 – Sevilla 106.

🏨 **Doñana,** Orfeón Santa Cecilia ℘ 36 50 00, Fax 36 71 41, 🛓 – 🛗 🍽 📺 **☎** 🚗 –
🔬 25/350. 🆎 **①** **E** 𝘝𝘐𝘚𝘈. ⚘
Comida 2000 – 🖙 900 – **96 hab** 9600/12000 – PA 4900.

🏠 **Tartaneros** sin rest, Tartaneros 8 ℘ 36 20 44, Fax 36 00 45, Antigua mansión señorial
– 🍽 📺 **☎**. 🆎 **①** **E** 𝘝𝘐𝘚𝘈. ⚘
🖙 600 – **22 hab** 8000/10000.

🏠 **Los Helechos** sin rest, pl. Madre de Dios 9 ℘ 36 13 49, Fax 36 96 50, « Casa típica
andaluza. Patio » – 🍽 **☎** 🚗. 🆎 **①** **E** 𝘝𝘐𝘚𝘈. ⚘
🖙 500 – **56 hab** 5000/7000.

🏠 **Posada de Palacio** sin rest, Caballeros 11 (barrio alto) ℘ 36 48 40, Fax 36 50 60, Casa
antigua de estilo andaluz – **E** 𝘝𝘐𝘚𝘈
cerrado 8 enero-febrero – 🖙 700 – **13 hab** 5000/8000.

✗ **Mirador Doñana,** Bajo de Guía ℘ 36 42 05, Fax 36 44 92, <, 🍴, Pescados y mariscos
– 🍽. 🆎 **①** **E** 𝘝𝘐𝘚𝘈. ⚘
cerrado 15 enero-15 febrero – **Comida** carta 2800 a 3450.

✗ **Casa Bigote,** Bajo de Guía ℘ 36 26 96, Fax 36 87 21, Pescados y mariscos – 🍽. 🆎 **①**
🅐 **E** 𝘝𝘐𝘚𝘈. ⚘
cerrado domingo – **Comida** carta 2500 a 4100.

✗ **El Veranillo,** prolongación av. Cerro Falón ℘ 36 27 19, 🍴 – 🍽. **E** 𝘝𝘐𝘚𝘈
Comida (sólo almuerzo de domingo a jueves en invierno) carta 1950 a 3600.

ANLÚCAR LA MAYOR 41800 Sevilla **446** T 11 – 9 448 h. alt. 143 – **۞** 95.

Madrid 569 – Huelva 72 – Sevilla 27.

🏨 **Hacienda Benazuza** 🐦, Virgen de las Nieves ℘ 570 33 44, Fax 570 34 10, <,
« Instalado en una alquería árabe del siglo X », 🛓, 🌳, ✗ – 🛗 🍽 📺 **☎** 🅿 – 🔬 25/400.
🆎 **①** **E** 𝘝𝘐𝘚𝘈. ⚘ rest
cerrado 15 julio-agosto – **Comida** 6000 - **La Alquería : Comida** carta 5600 a 6200 – 🖙
1500 – **26 hab** 33500/41500, 18 suites.

ANT AGUSTÍ DES VEDRÀ Baleares – ver Baleares (Ibiza) : San Agustín.

ANT ANDREU DE LLAVANERES Barcelona – ver San Andrés de Llavaneras.

ANT ANDREU DE LA BARCA Barcelona – ver San Andrés de la Barca.

ANT ANTONI DE CALONGE Gerona – ver San Antonio de Calonge.

ANT ANTONI DE PORTMANY Baleares – ver Baleares (Ibiza) : San Antonio de Portmany.

ANT BOI DE LLOBREGAT Barcelona – ver San Baudilio de Llobregat.

ANT CARLES DE LA RÀPITA Tarragona – ver San Carlos de la Rápita.

ANT CELONI Barcelona – ver San Celoni.

ANT CUGAT DEL VALLÈS Barcelona – ver San Cugat del Vallés.

ANT ELM Gerona – ver San Feliú de Guixols.

SANT ESTEVE D'EN BAS *Gerona - ver San Esteban de Bas.*

SANT FELIU DE GUÍXOLS *Gerona - ver San Feliú de Guixols.*

SANT FERRAN DE SES ROQUES *Baleares - ver Baleares (Formentera) : San Fernando.*

SANT FRUITÓS DE BAGES *Barcelona - ver San Fructuoso de Bagés.*

SANT HILARI SACALM *Gerona - ver San Hilario Sacalm.*

SANT JOSEP DE SA TALAIA *Baleares - ver Baleares (Ibiza) : San José.*

SANT JULIÀ DE VILATORTA *Barcelona - ver San Julián de Villatorta.*

SANT JULIÀ DE LÓRIA *Andorra - ver Andorra (Principado de).*

SANT JUST DESVERN *Barcelona - ver Barcelona : Alrededores.*

SANT LLORENÇ DE MORUNYS *Lérida - ver San Lorenzo de Morunys.*

SANT LLUÍS *Baleares - ver Baleares (Menorca) : San Luis.*

SANT MARÇAL *Barcelona* **443** *G 37* - ⊠ *08460 Montseny* - ✆ *93.*
Madrid 686 - Barcelona 86 - Gerona/Girona 60 - Vic 36.

≜ **Sant Marçal** ⊗, ℘ 847 30 43, Fax 847 30 43, ≤ valle y montañas, 龠, « Decorac rústica » – ▥ ☎ ℗ – 🔬 10/25. ◭ ⊙ ℇ 𝘝𝘐𝘚𝘈. ⫸
Comida 2500 – � 1350 – **11 hab** 10000/12500.

SANT MARTÍ D'EMPÚRIES *Gerona - ver La Escala.*

SANT MARTÍ SARROCA *Barcelona - ver San Martín Sarroca.*

SANT MIQUEL DE BALANSAT *Baleares - ver Baleares (Ibiza) : San Miguel.*

SANT PERE PESCADOR *17470 Gerona* **443** *F 39* - *1215 h. alt. 5* - ✆ *972.*
Madrid 750 - Figueras/Figueres 16 - Gerona/Girona 38.

≜ **Can Ceret**, del Mar 1 ℘ 55 04 33, Fax 55 04 33, 龠, « Marco rústico en una anti casa de pueblo » – 📱 ▤ ▥ ☎. ◭ ⊙ ℇ 𝘝𝘐𝘚𝘈. ⫸
Comida *(cerrado lunes en invierno)* 1650 – **10 hab** ⊑ 6000/12000.

SANT PERE DE RIBES *Barcelona - ver San Pedro de Ribas.*

SANT POL DE MAR *Barcelona - ver San Pol de Mar.*

SANT QUIRZE DE BESORA *Barcelona - ver San Quirico de Besora.*

SANT SADURNÍ D'ANOIA *Barcelona - ver San Sadurní de Noya.*

SANTA ANA DE ABULI *Asturias - ver Oviedo.*

SANTA BÁRBARA *43570 Tarragona* **443** *J 31* - *3322 h. alt. 79* - ✆ *977.*
Madrid 515 - Castellón de la Plana/Castelló de la Plana 107 - Tarragona 98 - Tortosa

≜ **Venta de la Punta**, Major 207 ℘ 71 86 61, Fax 71 89 63 – 📱 ▤ ▥ ☎ ⟵⟶ ℗ ⊙ ℇ 𝘝𝘐𝘚𝘈. ⫸
Comida *(ver rest.* **Venta de la Punta***)* – ⊑ 500 – **22 hab** 3500/7000.

✕ **Venta de la Punta**, carret. de Madrid 2 ℘ 71 90 95, Fax 71 89 63 – ▤. ◭ ⊙ ℇ ⫸
cerrado domingo noche, una semana en enero y una semana en septiembre – **Comida** c 1400 a 2750.

ANTA BRÍGIDA Las Palmas – ver Canarias (Gran Canaria).

ANTA COLOMA Andorra – ver Andorra (Principado de).

ANTA COLOMA DE FARNÉS o **SANTA COLOMA DE FARNERS** 17430 Gerona **443** G 38 – 8 111 h. alt. 104 – ☎ 972 – Balneario.
Madrid 700 – Barcelona 87 – Gerona/Girona 30.

🏨 **Baln. Termas Orión** ⑤, Afueras - S : 2 km ℰ 84 00 65, Fax 84 04 66, En un gran parque, ⌧, ☒, ※ – ▮ 🗐 rest 🔟 ☎ ☻, 🗈 ᐺᔕᐱ. ⅏
cerrado 7 enero-21 febrero – **Comida** 2150 – 🖙 600 – **66 hab** 6300/10300 – PA 4100.

✗ **Can Gurt** con hab, carret. de Sils ℰ 84 02 60, Fax 84 02 60 – 🗐 rest
17 hab.

la carretera de Sils SE : 2 km – ⊠ 17430 Santa Coloma de Farnés – ☎ 972 :

✗✗ **Mas Solá,** ℰ 84 08 48, Decoración rústica regional, « Antigua masía », ☒, ※ – ☻.
🗈 ᐺᔕᐱ
cerrado lunes noche, martes (salvo julio-agosto) y febrero – **Comida** carta 2650 a 3600.

ANTA CRISTINA (Playa de) Gerona – ver Lloret de Mar.

ANTA CRISTINA DE ARO o **SANTA CRISTINA D'ARO** 17246 Gerona **443** G 39 – 1859 h. – ☎ 972.
🏌 Club Costa Brava ℰ 83 71 50, Fax 83 72 72.
🛈 pl. Mossèn Baldiri Reixac 1, ℰ 83 70 10, Fax 83 74 12.
Madrid 709 – Barcelona 96 – Gerona/Girona 31.

nto al golf O : 2 km – ⊠ 17246 Santa Cristina de Aro – ☎ 972 :

🏨 **Golf Costa Brava** ⑤, ℰ 83 51 51, Fax 83 75 88, ≤, 🍽, ☒, 🎾, 🏌 – ▮ 🗐 ☎ ☻ – 🔬 25/200. 🗈 ⓞ 🗈 ᐺᔕᐱ. ⅏ rest
Semana Santa-12 octubre – **Comida** 3500 – 🖙 1000 – **91 hab** 8500/14000.

la carretera de Playa de Aro E : 2 km – ⊠ 17246 Santa Cristina de Aro – ☎ 972 :

🏨 Mas Torrellas ⑤, ℰ 83 75 26, Fax 83 75 27, 🍽, Antigua masía, ☒, ※ – 🔟 ☎ ☻
17 hab.

la carretera de Gerona NO : 2 km – ⊠ 17246 Santa Cristina de Aro – ☎ 972 :

✗✗ **Les Panolles,** ℰ 83 70 11, Fax 83 72 54, 🍽, « Masía típica decorada en estilo rústico » – 🗐 ☻. 🗈 ⓞ 🗈 ᐺᔕᐱ
cerrado miércoles noche de octubre a junio – **Comida** carta 3795 a 4985.

NTA CRUZ 15179 La Coruña **441** B 4 – ☎ 981 – Playa.
Madrid 584 – La Coruña/A Coruña 4 – Ferrol 28 – Santiago de Compostela 82.

🏨 **Sol Porto Cobo** ⑤, Casares Quiroga 16 ℰ 61 41 00, Fax 61 49 20, ≤ bahía y La Coruña, ☒ – ▮ 🔟 ☎ ☻ – 🔬 25/150. 🗈 ⓞ 🗈 ᐺᔕᐱ 🇯🇨ᐪ. ⅏
Comida 2500 – 🖙 750 – **58 hab** 7700/13000.

NTA CRUZ DE BEZANA 39100 Cantabria **442** B 18 – 5 280 h. alt. 45 – ☎ 942.
Madrid 378 – Bilbao/Bilbo 102 – Santander 6 – Torrelavega 18.

✗✗ **Solar de Miracruz,** Alto de Maoño - carret. N 611 - S : 1,5 km ℰ 58 07 57, Fax 58 12 63, « Decoración rústica » – ☻. ᐺᔕᐱ
cerrado domingo noche, lunes y 2ª quincena de enero – **Comida** carta 3550 a 5600.

NTA CRUZ DE MUDELA 13730 Ciudad Real **444** Q 19 – 4 775 h. alt. 716 – ☎ 926 – Balneario.
Madrid 218 – Ciudad Real 77 – Jaén 118 – Valdepeñas 15.

la autovía N IV S : 4 km – ⊠ 13730 Santa Cruz de Mudela – ☎ 926 :

✗ **Las Canteras** con hab, ℰ 34 24 75, Fax 34 24 75
🗐 🔟 ☎ ⬅ ☻. 🗈 🗈 ᐺᔕᐱ. ⅏
Comida carta 2450 a 3200 – 🖙 700 – **21 hab** 2500/4900.

NTA CRUZ DE TENERIFE Santa Cruz de Tenerife – ver Canarias (Tenerife).

NTA CRUZ DE LA PALMA Santa Cruz de Tenerife – ver Canarias (La Palma).

SANTA CRUZ DE LA SERÓS 22792 Huesca 448 E 27 – 137 h. – ✆ 974.

Ver : *Pueblo* ★.

Madrid 480 – Huesca 85 – Jaca 14 – Pamplona/Iruñea 105.

en la carretera N 240 N : 4,5 km – ⊠ 22792 Santa Cruz de la Serós – ✆ 974 :

🏠 **Aragón,** ℰ 37 71 12, Fax 36 21 89, ≼, ⌿ – ℗. E ₣ℤₐ. ℀
cerrado 15 septiembre-10 octubre – **Comida** 1400 – ⊆ 500 – **21 hab** 3000/5000 –
3200.

SANTA ELENA 23213 Jaén 446 Q 19 – 1076 h. alt. 742 – ✆ 953.

Madrid 255 – Córdoba 143 – Jaén 78.

✗ **El Mesón** con hab, av. Andalucía 91 ℰ 66 41 00, ≼, 綶 – ▤ 🖵 ℗. ⓪ E ₣ℤₐ.
Comida carta aprox. 2700 – ⊆ 450 – **22 hab** 3200/5300.

SANTA EUGENIA DE BERGA 08519 Barcelona 448 G 36 – 1591 h. alt. 538 – ✆ 93.

Madrid 641 – Barcelona 70 – Gerona/Girona 83 – Vic 4.

🏨 **L'Arumi H.,** carret. d'Arbúcies 1 ℰ 889 53 32, Fax 889 55 73, ≼ – 🛗 ▤ 🖵 ☎ ⌿
℗. 🅰🄴 ⓪ E ₣ℤₐ. ℀
Comida (ver rest. *L'Arumi*) – ⊆ 500 – **18 hab** 6000/7700.

✗ **L'Arumi,** carret. d'Arbúcies 21 ℰ 885 56 03 – ▤ ℗. 🅰🄴 ⓪ E ₣ℤₐ. ℀
cerrado domingo noche, lunes y julio – **Comida** carta 2300 a 4500.

SANTA EULALIA 03639 Alicante 445 Q 27 – ✆ 96.

Madrid 367 – Albacete 120 – Alicante/Alacant 50 – Elda 11 – Murcia 94.

✗ **La Casona,** acceso autovía ℰ 547 51 44, 綶, Decoración rústica, «En un pinar » –
🅰🄴 ⓪ E ₣ℤₐ. ℀
cerrado lunes, Semana Santa y del 15 al 31 de enero – **Comida** carta 2200 a 4250

SANTA EULALIA DEL RÍO o **SANTA EULÀRIA DES RIU** Baleares – ver Baleares (Ib.

SANTA FÉ 18320 Granada 446 U 18 – 11645 h. alt. 580 – ✆ 958.

Madrid 441 – Antequera 8 – Granada 11.

🏨 Colón, Buenavista ℰ 44 09 89, Fax 44 06 05 – ▤ 🖵 ☎ ⌿
25 hab.

SANTA GERTRUDIS DE FRUITERA Baleares – ver Baleares (Ibiza).

SANTA MARGARITA (Urbanización) Gerona – ver Rosas.

SANTA MARGARITA Y MONJÓS o **SANTA MARGARIDA I ELS MONJÓS** 08
Barcelona 448 I 34 y 35 – 3922 h. alt. 161 – ✆ 93.

Madrid 571 – Barcelona 59 – Tarragona 43.

🏠 Hostal del Penedés, carret. N 340 ℰ 898 00 61, Fax 818 60 32 – ▤ 🖵 ☎ ℗
32 hab.

SANTA MARÍA Baleares – ver Baleares : (Mallorca).

SANTA MARÍA DE HUERTA 42260 Soria 442 I 23 – 611 h. alt. 764 – ✆ 975.

Ver : *Monasterio* ★★ (claustro de los Caballeros ★, refectorio ★★).

Madrid 182 – Soria 84 – Zaragoza 131.

🏨 **Santa María de Huerta** ⑤, autovía de Aragón - salida 178 ℰ 32 70 11, Fax 32 70
⌿ ⌿ – ▤ 🖵 ☎ ⌿ ℗ – 🛗 25/130. E ₣ℤₐ. ℀ rest
Comida carta 3700 a 4700 – **40 hab** ⊆ 7000/11000.

SANTA MARÍA DE MAVE 34492 Palencia 442 D 17 – ✆ 979.

Madrid 323 – Burgos 79 – Santander 116.

🏠 **Hostería El Convento** ⑤, ℰ 12 36 11, Fax 12 54 92, Antiguo convento – ℗. 🅰🄴
E ₣ℤₐ. ℀
Comida 1500 – ⊆ 500 – **25 hab** 4500/7000 – PA 3000.

ANTA MARÍA DEL CAMÍ Balares – .ver Baleares (Mallorca) : Santa María.

ANTA MARÍA DEL MAR 33457 Asturias **441** B 11 – **۞** 98.
Madrid 500 – Avilés 12 – Luarca 53 – Oviedo 50.

🏠 **Aeromar** ⬭, av. Fernández Trapa 89 – SO : 1 km, ⊠ 33457 Naveces, ℘ 551 96 46,
Fax 551 97 62, 🌺 – 📺 ☎ 🄿. 🖭 ⓞ 🄴 🟥 ⱼⲥʙ. 🕸
Comida carta 3000 a 4100 – ⲯ 750 – **14 hab** 9600/12000.

✗ **Román** con hab, paseo Marítimo 11 ℘ 551 94 88, Fax 551 98 89, < – 📺 ☎. 🖭 🄴 🟥.
Comida carta 3250 a 4650 – ⲯ 500 – **14 hab** 4000/7500.

ANTA MARTA DE TORMES 37900 Salamanca **441** S 13 – 6 932 h. alt. 778 – **۞** 923.
🄑 pl. Mayor 1, ℘ 20 00 05.
Madrid 187 – Ávila 81 – Plasencia 123 – Salamanca 4.

🏨 **Regio,** carret N 501 - E : 1,5 km ℘ 13 88 88, Fax 13 80 44, 🌺, 🛆, 🌺, 🕸 – 🛗 ▤
📺 ☎ 🄿 – 🔏 25/600. 🖭 ⓞ 🄴 🟥 ⱼⲥʙ. 🕸
Comida 3600 - **Lazarillo de Tormes** : **Comida** carta 3925 a 6150 – ⲯ 950 – **121 hab**
8500/12500.

🏠 **Meliá Horus** ⬭, carret N 501 - O : 1 km ℘ 20 11 00, Fax 20 11 12, 𝕗ᵹ, 🛆, 🕸 – 🛗
▤ 📺 ☎ ⬅ 🄿 – 🔏 25/600. 🖭 ⓞ 🄴 🟥. 🕸
Comida 2500 – ⲯ 975 – **82 hab** 11500/14000, 4 suites – PA 5975.

ANTA OLALLA 45530 Toledo **444** L 16 – 2 273 h. alt. 487 – **۞** 925.
Madrid 81 – Talavera de la Reina 36 – Toledo 42.

🏨 Recio, antigua carret. N V ℘ 79 72 09, Fax 79 72 10, 🛆 – ▤ rest ☎ 🄿
40 hab.

ANTA PAU 17811 Gerona **443** F 37 – 1 381 h. – **۞** 972.
Madrid 690 – Figueras/Figueres 55 – Gerona/Girona 45.

✗ **Cal Sastre** ⬭ con hab en anexo, placeta dels Balls 6 ℘ 68 04 21, < – 📺. 🖭 ⓞ 🄴
🟥. 🕸
cerrado del 2 al 12 de febrero y del 1 al 20 de julio - **Comida** (cerrado domingo noche
y lunes) carta 2600 a 3550 – **10 hab** ⲯ 4500/8000.

r la carretera GE 524 NO : 6 km – ⊠ 17811 Santa Pau – **۞** 972 :

✗ **Francesa,** Pí 27 ℘ 26 22 41, 🌺 – ▤. 🖭 🄴 🟥. 🕸
cerrado lunes no festivos y 2ª quincena de agosto - **Comida** carta 2050 a 3450.

NTA PERPETUA DE MOGODA 08130 Barcelona **443** H 36 – 16 710 h. alt. 74 – **۞** 93.
Madrid 632 – Barcelona 14 – Mataró 41 – Sabadell 6.

Santiga por la carretera de Sabadell B 140 - O : 3 km – ⊠ 08130 Santiga – **۞** 93 :
✗✗ Castell de Santiga, pl. Santiga 6 ℘ 560 71 53, Fax 574 24 20, 🌺 – ▤ 🄿.

NTA POLA 03130 Alicante **445** R 28 – 15 365 h. – **۞** 96 – Playa.
🄑 pl. de la Diputación 6, ℘ 669 22 76.
Madrid 423 – Alicante/Alacant 19 – Cartagena 91 – Murcia 75.

🏨 **Polamar,** Astilleros 12 ℘ 541 32 00, Fax 541 31 83, <, 🌺 – 🛗 ▤ 📺 ☎. 🖭 ⓞ 🄴
🟥. 🕸
Comida (cerrado martes de octubre a mayo) 2800 – ⲯ 1000 – **76 hab** 6500/10500 –
PA 6600.

🏨 Patilla, Elche 29 ℘ 541 10 15, Fax 541 52 95 – 🛗 ▤ rest 📺 ☎ 🄿
72 hab.

🏠 **Picola,** Alicante 64 ℘ 541 10 44 – ▤ rest. 🖭 🄴 🟥. 🕸
Comida 1500 – ⲯ 545 – **20 hab** 3750/4250.

✗ **Miramar,** av. Pérez Ojeda ℘ 541 10 00, Fax 541 38 96, <, 🌺 – ▤. 🖭 ⓞ 🄴 🟥. 🕸
Comida carta 3050 a 4200.

✗ Gaspar's, av. González Vicens 2 ℘ 541 35 44 – ▤.

la playa del Varadero E : 1,5 km – ⊠ 03130 Santa Pola – **۞** 96 :

✗✗ **Varadero,** Santiago Bernabeu ℘ 541 17 66, Fax 669 29 95, <, 🌺 – ▤ 🄿. 🖭 ⓞ 🄴
🟥. 🕸
Comida carta 3300 a 4500.

en la carretera N 332 *N : 2,5 km - ✉ 03130 Santa Pola - ☎ 96 :*

✗ **El Faro,** ☎ 541 21 36, Fax 669 24 08, ☂ - ▤ Ⓟ. AE ⊙ E VISA. ✂
Comida carta 2800 a 4500.

en la carretera de Elche *NO : 3 km - ✉ 03130 Santa Pola - ☎ 96 :*

✗✗ **María Picola,** ☎ 541 35 13, ☂ - Ⓟ. AE ⊙ E VISA
cerrado lunes y octubre - **Comida** carta 3300 a 4100.

SANTA PONSA o **SANTA PONÇA** *Baleares - ver Baleares (Mallorca).*

SANTA ÚRSULA *Santa Cruz de Tenerife - ver Canarias (Tenerife).*

SANTANDER *39000* P *Cantabria* 442 *B 18 - 196 218 h. - ☎ 942 - Playa.*

Ver : *Museo Regional de Prehistoria y Arqueología★ (bastones de mando★)* BY D
Sardinero★★ BX
⛳ *de Pedreña por ③ : 24 km ☎ 31 00 01, Fax 50 04 21.*
✈ *de Santander por ③ : 7 km ☎ 20 21 00 - Iberia : paseo de Pereda 18, ✉ 390*
☎ 25 10 07 BY *y Aviaco : aeropuerto ☎ 25 10 07.*
⛴ *Cia. Trasmediterránea, paseo de Pereda 13, ✉ 39004, ☎ 22 14 00, Telex 35*
🅸 *Jardines de Pereda, ✉ 39004, ☎ 21 61 20, Fax 36 20 78 y Estación Marítima, ✉ 390*
☎ 31 07 08 - **R.A.C.E.** *Santa Lucía 51, (entlo.), ✉ 39003, ☎ 36 21 98, Fax 36 16 8*
Madrid 393 ② - Bilbao/Bilbo 116 ③ - Burgos 154 ② - León 266 ① - Oviedo 203
Valladolid 250 ①.

Plano página siguiente

NH Ciudad de Santander, Menéndez Pelayo 13, ✉ 39006, ☎ 22 79 65, Fax 21 7
- ⇕ ▤ TV ☎ ⇔ Ⓟ - 🏛 25/220. AE ⊙ E VISA JCB. ✂ A
Comida carta 2900 a 4000 - ☕ 1050 - **60 hab** 13900/18300, 2 suites.

Central *sin rest. con cafetería*, General Mola 5, ✉ 39004, ☎ 22 24 00, Fax 36 38
Decoración original en un ambiente acogedor - ⇕ ▤ TV ☎ - 🏛 25/40. AE ⊙ E VISA
40 hab 9240/14520, 1 suite. A

Piñamar, Ruiz de Alda 15, ✉ 39009, ☎ 36 18 66, Fax 36 19 36 - ▤ TV ☎. E
✂ A
Comida 1800 - ☕ 650 - **34 hab** 9500/13000 - PA 3600.

México *sin rest*, Calderón de la Barca 3, ✉ 39002, ☎ 21 24 50, Fax 22 92 38 - ⇕
☎. VISA. ✂ A
☕ 600 - **35 hab** 6000/9900.

Alisas *sin rest. con cafetería*, Nicolás Salmerón 3, ✉ 39009, ☎ 22 27 50, Fax 22 2
- TV ☎ A
70 hab.

San Glorio 2 *sin rest. con cafetería*, Federico Vial 3, ✉ 39009, ☎ 22 16 66, Fax 31 2
- TV ☎. AE ⊙ E VISA. ✂ A
☕ 500 - **33 hab** 7875/8400.

Romano *sin rest*, Federico Vial 8, ✉ 39009, ☎ 22 30 71, Fax 22 30 71 - TV ☎. AE
E VISA. ✂ A
☕ 375 - **25 hab** 7550.

✗✗ **Zacarías,** General Mola 41, ✉ 39003, ☎ 21 23 33 - ▤. AE ⊙ E VISA B
Comida carta 3800 a 5000.

✗✗ **Puerto,** Hernán Cortés 63, ✉ 39003, ☎ 21 93 93, Pescados y mariscos - ▤. AE
E VISA. ✂ B
Comida carta 3800 a 5700.

✗✗ Iris, Castelar 5, ✉ 39004, ☎ 21 52 25 - ▤ B

✗✗ **Cañadío,** Gómez Oreña 15 (pl. Cañadío), ✉ 39003, ☎ 31 41 49 - ▤. AE ⊙ E VISA
cerrado domingo - **Comida** carta 2450 a 4100. B

✗✗ **Asador Lechazo Aranda,** Tetuán 15, ✉ 39004, ☎ 21 48 23, Cordero asado
E VISA. ✂ B
Comida carta aprox. 3150.

✗✗ **La Bombi,** Casimiro Sáinz 15, ✉ 39003, ☎ 21 30 28 - ▤. AE E VISA. ✂ B
Comida carta aprox. 5100.

✗✗ **Mesón Segoviano,** Menéndez Pelayo 49, ✉ 39006, ☎ 31 10 10, Decoración caste
- ▤. AE ⊙ E VISA. ✂ A
cerrado domingo - **Comida** carta 3500 a 4300.

✗✗ **Posada del Mar,** Juan de la Cosa 3, ✉ 39004, ☎ 21 56 56, «Decoración rúst
- ▤. AE ⊙ E VISA B
cerrado domingo y 10 septiembre-10 octubre - **Comida** carta 3900 a 5600.

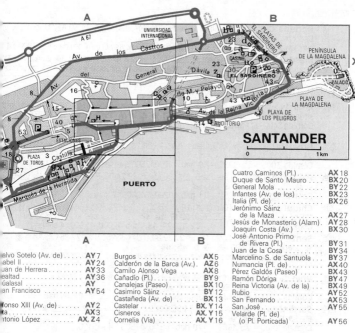

UNIVERSIDAD INTERNACIONAL

PENÍNSULA DE LA MAGDALENA

CASINO

PLAYAS DEL SARDINERO

EL SARDINERO

PALACIO

PLAYA DE LA MAGDALENA

PLAYA DE LOS PELIGROS

AUDITORIO

SANTANDER

0   1 km

PLAZA DE TOROS

PUERTO

Marqués de la Hermida

Cuatro Caminos (Pl.)	**AX** 18
Duque de Santo Mauro	**BX** 20
General Mola	**BY** 22
Infantes (Av. de los)	**BX** 23
Italia (Pl. de)	**BX** 26
Jerónimo Sáinz de la Maza	**AX** 27
Jesús de Monasterio (Alam).	**AY** 28
Joaquín Costa (Av.)	**BX** 30
José Antonio Primo de Rivera (Pl.)	**BY** 31
Juan de la Cosa	**BY** 34
Marcelino S. de Santuola	**BY** 37
Numancia (Pl. de)	**AX** 40
Pérez Galdós (Av.)	**BX** 43
Ramón Dóriga	**BY** 47
Reina Victoria (Av. de la)	**BX** 49
Rubio	**AY** 52
San Fernando	**AX** 53
San José	**AY** 55
Velarde (Pl. de) (o Pl. Porticada)	**AY** 56

alvo Sotelo (Av. de)	**AY** 7
abel II	**AY** 24
uan de Herrera	**AY** 33
ealtad	**AY** 36
úalasal	**AY**
an Francisco	**AY** 54
fonso XIII (Av. de)	**AY** 2
ta	**AX** 3
ntonio López	**AX, Z** 4

Burgos	**AX** 5
Calderón de la Barca (Av.)	**AZ** 6
Camilo Alonso Vega	**AX** 8
Cañadío (Pl.)	**BY** 9
Canalejas (Paseo)	**BX** 10
Casimiro Sáinz	**BY** 12
Castañeda (Av. de)	**BX** 13
Castelar	**BX, Y** 14
Cisneros	**AX, Y** 15
Cornelia (Vía)	**AX, Y** 16

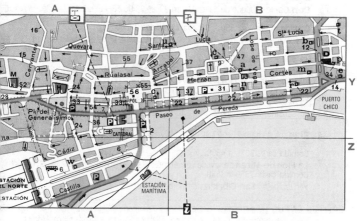

ESTACIÓN DEL NORTE

ESTACIÓN

ESTACIÓN MARÍTIMA

PUERTO CHICO

Paseo de Pereda

CATEDRAL

Pl. del Generalísimo

  🍴🍴   **Laury,** av. Pedro San Martín 4 (Cuatro Caminos), ✉ 39010, ☎ 33 01 09, Fax 34 63 85,
     Pescados y mariscos – 🍽, ⒶⒺ ⓞ Ⓔ 𝘝𝘐𝘚𝘈, ⬧   AX v
     cerrado domingo – **Comida** carta 3400 a 6000.

  🍴   **Machinero,** Ruiz de Alda 16, ✉ 39009, ☎ 31 49 21
     🍽, ⒶⒺ ⓞ Ⓔ 𝘝𝘐𝘚𝘈, ⬧ – cerrado domingo noche en invierno, domingo en verano y febrero
     – **Comida** carta 2650 a 3100.   AX t

  🍴   **El Marinero,** Florida 15, ✉ 39007, ☎ 37 01 05 – 🍽, Ⓔ 𝘝𝘐𝘚𝘈, ⬧   AY d
     cerrado domingo noche y lunes, domingo en verano y noviembre – **Comida** carta 2650
     a 3200.

  🍴   **Bodega del Riojano,** Río de la Pila 5, ✉ 39003, ☎ 21 67 50, Fax 57 52 54, « Bodegón
     típico » – ⒶⒺ ⓞ Ⓔ 𝘝𝘐𝘚𝘈, ⬧   ABY u
     cerrado domingo noche salvo en verano – **Comida** carta aprox. 3500.

X **Bodega Cigaleña,** Daoiz y Velarde 19, ⊠ 39003, ℘ 21 30 62, Museo del ví
Decoración rústica – ▤. 𝔸𝔼 ⓞ 𝐄 𝘝𝘐𝘚𝘈. ✼ BY
cerrado domingo, 15 junio-1 julio y 20 octubre-20 noviembre – **Comida** carta 2000 a 43

X **Mesón Gele,** Eduardo Benot 4, ⊠ 39003, ℘ 22 10 21 – ▤. 𝔸𝔼 ⓞ 𝐄 𝘝𝘐𝘚𝘈. ✼BY
cerrado domingo noche, lunes mediodía, del 1 al 15 de junio y del 1 al 15 de octubr
Comida carta 2650 a 3250.

en El Sardinero – ⊠ *39005 Santander* – ✪ *942 :*

🏨 **Real** ⅋, paseo Pérez Galdós 28 ℘ 27 25 50, Telex 39012, Fax 27 45 73, « Magní
situación con ≤ bahía », ⚞ – 🛗 ▤ 📺 ☎ 𝐏 – 🔏 25/200. 𝔸𝔼 ⓞ 𝐄 𝘝𝘐𝘚𝘈. ✼ BX
Comida 3400 - *El Puntal :* **Comida** carta 5000 a 5550 – ⊊ 1500 – **114 hab** 27825/378
9 suites.

🏨 **Hoyuela** ⅋, av. de los Hoteles 7 ℘ 28 26 28, Fax 28 00 40 – 🛗 ▤ 📺 ☎ ⟵
🔏 60/300. 𝔸𝔼 ⓞ 𝐄 𝘝𝘐𝘚𝘈. ✼ BX
Comida 3000 – ⊊ 1250 – **49 hab** 18000/25000, 6 suites – PA 6000.

🏨 **Palacio del Mar,** La Pereda 5, ⊠ 39012, ℘ 39 24 00, Fax 39 22 20 – ▤ 📺 ☎ ◂
– 🔏 25/450. 𝔸𝔼 ⓞ 𝐄 𝘝𝘐𝘚𝘈. ✼ por av. de Castañeda BX
Comida 3000 – ⊊ 1250 – **21 hab** 19200/24000, 47 suites.

🏨 **Chiqui** ⅋, av. Manuel García Lago 9 ℘ 28 27 00, Fax 27 30 32, ≤ playa y mar – 🛗 ▤
📺 ☎ ৬ ⟵ 𝐏 – 🔏 25/700. 𝔸𝔼 𝐄 𝘝𝘐𝘚𝘈. ✼ por av. de Castañeda BX
Comida carta 2500 a 3900 – ⊊ 1000 – **157 hab** 12000/16900, 4 suites.

🏨 **Santemar,** Joaquín Costa 28 ℘ 27 29 00, Telex 35963, Fax 27 86 04, ✸ – 🛗 ▤
☎ – 🔏 25/500. 𝔸𝔼 ⓞ 𝐄 𝘝𝘐𝘚𝘈. ✼ BX
- El Rincón de Mariano : **Comida** carta 3100 a 4000 – ⊊ 1200 – **344 hab** 16200/203
6 suites.

🏨 **Rhin** ⅋, av. Reina Victoria 153 ℘ 27 43 00, Fax 27 86 53, ≤ playa y mar – 🛗 ▤
☎ – 🔏 50/300. 𝔸𝔼 ⓞ 𝐄 𝘝𝘐𝘚𝘈. ✼ BX
Comida 2600 - *La Cúpula :* **Comida** carta 3600 a 4800 – ⊊ 1100 – **89 hab** 11000/170

🏨 **Sardinero,** pl. de Italia 1 ℘ 27 11 00, Fax 27 16 98, ≤ – 🛗 ▤ rest 📺 ☎ – 🔏 25/1
𝔸𝔼 ⓞ 𝐄 𝘝𝘐𝘚𝘈 𝘑𝘊𝘉. ✼ BX
Comida 2500 – ⊊ 1000 – **110 hab** 12500/17500 – PA 5100.

🏨 **Don Carlos,** Duque de Santo Mauro 20 ℘ 28 00 66, Fax 28 11 77 – 🛗 ▤ rest 📺
⟵. 𝐄 𝘝𝘐𝘚𝘈. ✼ rest BX
Comida 1500 – ⊊ 550 – **28 apartamentos** 25000.

🏠 **Las Brisas** ⅋ *sin rest,* travesía de los Castros 14 ℘ 27 50 11, Fax 28 11 73 – 📺
𝔸𝔼 ⓞ 𝐄 𝘝𝘐𝘚𝘈 BX
⊊ 600 – **13 hab** 10000/14000.

🏠 **Colón** *sin rest y sin* ⊊, pl. de las Brisas 1 ℘ 27 23 00, ≤ – ☎ BX
julio-septiembre – **31 hab** 4700/7200.

🏠 **Carlos III** *sin rest,* av. Reina Victoria 135 ℘ 27 16 16 – 📺 ☎. 𝔸𝔼 𝐄 𝘝𝘐𝘚𝘈. ✼ BX
15 marzo-11 noviembre – ⊊ 395 – **20 hab** 6300/8200.

XX La Sardina, Dr. Fleming 3 ℘ 27 10 35, Fax 57 52 54, Interior barco de pesca – ▤
por av. de Castañeda BX

XX **Rhin,** pl. de Italia 2 ℘ 27 30 34, Fax 27 86 53, ≤ mar y playa, ✸ – ▤. 𝔸𝔼 ⓞ 𝐄
✼ BX
Comida carta 3675 a 4850.

X **La Flor de Miranda,** av. de Los Infantes 1 ℘ 27 10 56 – ▤. 𝔸𝔼 ⓞ 𝐄 𝘝𝘐𝘚𝘈. ✼BX
Comida carta 2550 a 3550.

Ver también : **San Cibrián** *por av. de los Castros : 12 km AX.*

SANTES CREUS (Monasterio de) 43815 Tarragona 𝟰𝟰𝟯 H 34 – alt. 340 – ✪ 977
Ver : *Monasterio*✶✶ *(Gran claustro*✶✶ *- Sala capitular*✶ *- Iglesia*✶ *: rosetón*✶*).*
Madrid 555 – Barcelona 95 – Lérida/Lleida 83 – Tarragona 32.

X **Grau** ⅋ *con hab,* Pere El Gran 3 ℘ 63 83 11 – ▤ rest. 𝔸𝔼 𝐄 𝘝𝘐𝘚𝘈. ✼
cerrado 15 diciembre-15 enero – **Comida** *(cerrado lunes)* carta 2000 a 3525 – ⊊
– **15 hab** 2500/4000.

Gli alberghi o ristoranti ameni sono indicati nella guida
con un simbolo rosso. 🏨🏨🏨 ... 🏠

Contribute a mantenere
la guida aggiornata segnalandoci ✗✗✗✗✗✗ ... ✗
gli alberghi e ristoranti dove avete soggiornato piacevolmente.

ANTIAGO DE COMPOSTELA 15700 La Coruña **441** D 4 – 105 851 h. alt. 264 – ✆ 981.

Ver : Plaza del Obradoiro o Plaza de España★★★ **V** – Catedral★★★ (Fachada del Obradoiro★★★, Pórtico de la Gloria★★★, Museo de tapices★★, Claustro★, Puerta de las Platerías★★) **V** – Palacio Gelmírez(Salón sinodal★) **V A** – Hostal de los Reyes Católicos★ : fachada★ **V** – Barrio antiguo★★ **VX**: Plaza de la Quintana★★ - Puerta del Perdón★ - Monasterio de San Martín Pinario★ **V**– Colegiata de Santa María del Sar★ (arcos geminados★) **Z** – Paseo de la Herradura ≼★.

Alred. : Pazo de Oca★ : parque★★ 25 km por ③.

🏌 Aero Club de Santiago por ② : 9 km ✆ 88 84 06, Fax 59 24 00.

✈ de Santiago de Compostela, Labacolla por ② : 12 km ✆ 54 75 00 – Iberia : Xeneral Pardiñas 36, ⊠ 15701, ✆ 57 20 24 **Z**.

🛈 Vilar 43, ⊠ 15705, ✆ 58 40 81 – **R.A.C.E.** Romero Donallo 1 (entreplanta), ✆ 53 18 00, Fax 53 18 06.

Madrid 613 ② – La Coruña/A Coruña 72 ② – Ferrol 103 ② – Orense/Ourense 111 ③ – Vigo 84 ④.

Plano página siguiente

🏨 **Hostal de los Reyes Católicos,** pr. do Obradoiro 1, ⊠ 15705, ✆ 58 22 00, Telex 86004, Fax 56 30 94, « Lujosa instalación en un magnífico edificio del siglo XVI. Mobiliario de gran estilo » – 🛗 📺 ☎ ⇦ – 🛂 25/300. 🆎 ⓞ 🗲 🆅🆂🆁 . ❀ V
Comida 3700 – ⏴ 1600 – **130 hab** 25000, 6 suites.

🏨 **Araguaney,** Alfredo Brañas 5, ⊠ 15701, ✆ 59 59 00, Telex 86108, Fax 59 02 87, ⬥ climatizada – 🛗 🗐 📺 ☎ ⇦ – 🛂 25/300. 🆎 ⓞ 🗲 🆅🆂🆁 . ❀ Z c
Comida 3000 – ⏴ 1450 – **72 hab** 19250/24200, 1 suite – PA 6300.

🏨 **Peregrino,** av. Rosalía de Castro, ⊠ 15706, ✆ 52 18 50, Telex 82352, Fax 52 17 77, ≼, 🏖, ⬥ climatizada, 🐎 – 🛗 🗐 rest 📺 ☎ 🅿 – 🛂 25/250. 🆎 ⓞ 🗲 🆅🆂🆁 �🅹🅲🅱 . ❀ rest Z n
Comida 4200 – ⏴ 1300 – **142 hab** 11100/16500, 7 suites.

🏨 **Compostela** sin rest. con cafetería, Hórreo 1, ⊠ 15702, ✆ 58 57 00, Fax 56 32 69 – 🛗 📺 ☎ – 🛂 25/200. 🆎 ⓞ 🗲 🆅🆂🆁 �🅹🅲🅱 . ❀ X a
⏴ 930 – **98 hab** 9600/14800, 1 suite.

🏨 **Gelmírez** sin rest. con cafetería, Hórreo 92, ⊠ 15702, ✆ 56 11 00, Fax 56 32 69 – 🛗 📺 ☎ – 🛂 25/80. 🆎 ⓞ 🗲 🆅🆂🆁 . ❀ Z a
⏴ 625 – **138 hab** 7000/9900.

🏨 **Hogar San Francisco** sin rest, Campillo de San Francisco 3, ⊠ 15705, ✆ 57 24 63, Fax 57 19 16, « Instalado en el convento de San Francisco » – 🛗 ☎ 🅿 – 🛂 25/50. 🆎 🗲 🆅🆂🆁 . ❀ V s
⏴ 600 – **71 hab** 7000/9800.

🏨 **Universal** sin rest, pr. de Galicia 2, ⊠ 15706, ✆ 58 58 00, Fax 58 57 90 – 🛗 📺 ☎. 🆎 ⓞ 🗲 🆅🆂🆁 . ❀ X u
⏴ 450 – **54 hab** 4800/7400.

🏨 **México** sin rest, República Arxentina 33-4°, ⊠ 15706, ✆ 59 80 00, Fax 59 80 16 – 🛗 ☎ ⇦ Z d
57 hab.

🏨 **Rey Fernando** sin rest, Fernando III el Santo 30-6°, ⊠ 15702, ✆ 59 35 50, Fax 59 00 96 – 🛗 ⇦ Z e
24 hab.

🏨 **Vilas,** av. Romero Donallo 9-A, ⊠ 15706, ✆ 59 11 50, Fax 59 11 50 – ☎. 🆎 ⓞ 🗲 🆅🆂🆁 �🅹🅲🅱 . ❀ Z r
Comida (ver rest. **Anexo Vilas**) – ⏴ 400 – **28 hab** 4000/6500.

🏠 **Mapoula** sin rest y sin ⏴, Entremurallas 10-3°, ⊠ 15702, ✆ 58 01 24, Fax 58 40 89 – 🛗 📺 ☎. 🆅🆂🆁 X y
12 hab 3250/4650.

🍴🍴 **Toñi Vicente,** Rosalía de Castro 24, ⊠ 15706, ✆ 59 41 00, Fax 59 35 54 – 🗐. 🆎 ⓞ 🗲 🆅🆂🆁 . ❀ Y a
cerrado domingo y del 1 al 20 de enero – **Comida** 5500 y carta 4050 a 5600
Espec. Ensalada marinada de lubina. Rape braseado con ajada. Tartita de manzana caliente.

🍴🍴 **Anexo Vilas,** av. de Villagarcía 21, ⊠ 15706, ✆ 59 86 37, Fax 59 11 50 – 🗐. 🆎 ⓞ 🗲 🆅🆂🆁 �🅹🅲🅱 . ❀ Z y
cerrado lunes – **Comida** carta 4200 a 5500.

🍴🍴 La Tacita d'Juan, Hórreo 31, ⊠ 15702, ✆ 56 20 41, Fax 56 04 18 – 🗐 Z s

🍴🍴 **Don Gaiferos,** Rua Nova 23, ⊠ 15705, ✆ 58 38 94 – 🗐. 🆎 ⓞ 🗲 🆅🆂🆁 . ❀ X t
cerrado domingo y del 22 al 31 de diciembre – **Comida** carta 3750 a 4950.

🍴🍴 **Asador,** Nova de Abaixo 2, ⊠ 15705, ✆ 59 03 57, Decoración castellana – 🗐. 🆎 ⓞ 🗲 🆅🆂🆁 . ❀ YZ x
cerrado domingo noche – **Comida** carta 3100 a 4450.

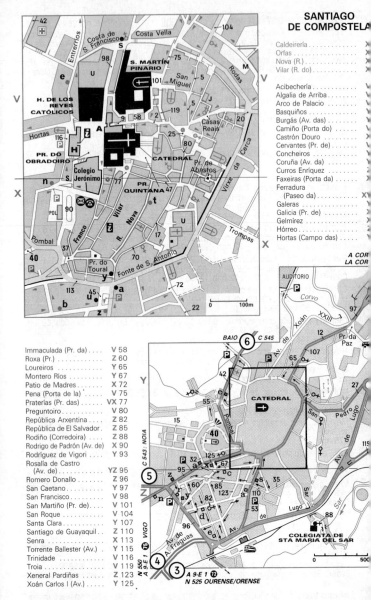

SANTIAGO DE COMPOSTELA

Caldeirería . . . . ≫
Orfas . . . . ≫
Nova (R.) . . . . ≫
Vilar (R. do) . . . . ≫

Acibechería V
Algalia de Arriba V
Arco de Palacio V
Basquiños V
Burgás (Av. das) V
Camiño (Porta do) V
Castrón Douro . . . . ≫
Cervantes (Pr. de) V
Concheiros V
Coruña (Av. da) V
Curros Enríquez . . . .
Faxeiras (Porta da) . . . . . . ≫
Ferradura
 (Paseo da) XV
Galeras V
Galicia (Pr. de) . . . . ≫
Gelmírez . . . . ≫
Hórreo . . . . Z
Hortas (Campo das) . . . . .

A COR
LA COR

Immaculada (Pr. da) . . . . V 58
Roxa (Pr.) . . . . Z 60
Loureiros . . . . Y 65
Montero Ríos . . . . Y 67
Patio de Madres . . . . X 72
Pena (Porta de la) . . . . . . V 75
Praterías (Pr. das) . . . . . . VX 77
Preguntoiro . . . . V 80
República Arxentina . . . . Z 82
República de El Salvador . Z 85
Rodiño (Corredoira) . . . . Z 88
Rodrigo de Padrón (Av. de) X 90
Rodríguez de Vigori . . . . Y 93
Rosalía de Castro
 (Av. de) . . . . YZ 95
Romero Donallo . . . . Z 96
San Caetano . . . . Y 97
San Francisco . . . . V 98
San Martiño (Pr. de) . . . . V 101
San Roque . . . . V 104
Santa Clara . . . . Y 107
Santiago de Guayaquil . . Z 110
Senra . . . . X 113
Torrente Ballester (Av.) . Y 115
Trinidade . . . . V 116
Troia . . . . V 119
Xeneral Pardiñas . . . . . . Z 123
Xoán Carlos I (Av.) . . . . . Y 125

XX **Fornos,** Hórreo 24, ⊠ 15702, ℘ 56 57 21, Fax 57 17 27 – ▤. 🅰🅴 ⓞ 🄴 𝑉𝐼𝑆𝐴, ⛛
 cerrado domingo noche – **Comida** carta 3500 a 5000.

XX **Carretas,** Carretas 21, ⊠ 15705, ℘ 56 31 11, Fax 56 29 39 – ▤. 🅰🅴 ⓞ 🄴 𝑉𝐼𝑆𝐴
 ⛛
 cerrado domingo noche – **Comida** carta 3375 a 4500.

XX **San Clemente,** San Clemente 6, ⊠ 15705, ℘ 58 08 82, Fax 56 29 39, 🍽 – ▤
 ⓞ 🄴 𝑉𝐼𝑆𝐴 𝙹𝙲𝙱. ⛛
 Comida carta 3075 a 4750.

XX **Don Quijote,** Galeras 20, ⊠ 15705, ℰ 58 68 59, Fax 57 29 69 – ■. 🝙 ⓞ 🝔 *VISA*. 🕱
Comida carta 2300 a 4500.
Y e

X **Vilas,** Rosalía de Castro 88, ⊠ 15706, ℰ 59 21 70, Fax 59 11 50 – 🝙 ⓞ *VISA*. 🕱
cerrado domingo – **Comida** carta 3100 a 5100.
Z z

X **Green,** Montero Rios 16, ⊠ 15706, ℰ 58 09 76 – ■. 🝙 ⓞ 🝔 *VISA*. 🕱
cerrado del 1 al 15 de agosto – **Comida** carta 3000 a 3875.
X b

n la carretera N 550 *por* ① *: 6 km* – ⊠ *15884 Sionlla* – 🟤 *981 :*

🏨 **Castro,** Formarís ℰ 88 81 14, Fax 88 80 63, ≼, 🕱 – 🛗 ■ 🝿 🕿 🅿 – 🔼 25/400. 🝙
ⓞ 🝔 *VISA*. 🕱
Comida (ver rest. *Castro*) – ⊑ 800 – **60 hab** 7000/10500.

X **Castro,** Formarís ℰ 58 25 91, Fax 88 80 63 – 🅿. 🝙 ⓞ 🝔 *VISA*. 🕱
cerrado domingo y 23 diciembre-10 enero – **Comida** carta 2875 a 4100.

l la carretera N 634 *por* ② – 🟤 *981 :*

🏨 **Santiago Apóstol,** cuesta de San Marcos 1 - 4 km, ⊠ 15820 Labacolla, ℰ 55 71 55,
Fax 58 64 99, ≼ – 🛗 🝿 🕿 🖘 🅿 – 🔼 25/200. 🝙 ⓞ 🝔 *VISA*. 🕱 rest
Comida 2000 – ⊑ 900 – **97 hab** 7450/10500, 1 suite – PA 4900.

🏨 **Los Abetos** 🕱 *sin rest*, San Lázaro - carret. Arines 3 km, ⊠ 15892 Arines, ℰ 55 70 26,
Fax 58 61 77, ≼ – ■ 🝿 🕿 🖘 🅿. 🝙 🝔 *VISA*. 🕱
⊑ 700 – **70 apartamentos** 8400/10500.

XX **Sexto,** San Marcos - 5 km, ⊠ 15820 Labacolla, ℰ 57 14 07, Fax 57 14 07, 🏠, Vivero
propio – ■ 🅿. 🝙 *VISA*
Comida carta 2700 a 4500.

l la carretera N 525 *por* ③ *: 3,5 km* – ⊠ *15893 Santa Lucía* – 🟤 *981 :*

🏨 Santa Lucía *sin rest,* ℰ 54 92 83, Fax 54 93 00, ≼ – 🛗 ■ 🝿 🕿 🅿
105 hab.

la carretera de La Estrada C 541 *por* ③ – ⊠ *15894 Montouto* – 🟤 *981 :*

🏨 **Los Tilos** 🕱 *sin rest. con cafetería,* 3 km ℰ 81 92 00, Telex 88169, Fax 80 15 14, ≼,
🖙, 🦶 – 🝿 🕿 – 🔼 25/500. 🝙 ⓞ 🝔 *VISA* 🝒. 🕱
⊑ 850 – **89 hab** 11000/14000, 4 suites.

🏨 **Congreso,** 4,5 km ℰ 81 90 80, Telex 86585, Fax 81 91 24, 🦶 – 🛗 ■ hab 🝿 🕿 🖕
🅿 – 🔼 25/400. 🝙 ⓞ 🝔 *VISA*
Comida 2100 – ⊑ 775 – **101 hab** 7700/11700 – PA 4975.

Ver también : **Labacolla** *por* ② *: 11 km*
San Julián de Sales *por* ③ *: 9 km*
Ameneiro *por* ④ *: 9 km.*

NTIAGO DE LA RIBERA 30720 Murcia 🄐🄛🄕 *S 27* – 🟤 *968* – *Playa.*
🅗 *Padre Juan,* ℰ 57 17 04, Fax 57 39 63.
Madrid 438 – *Alicante/Alacant 76* – *Cartagena 37* – *Murcia 48.*

🏨 Ribera, explanada de Barnuevo 12 ℰ 57 02 00, ≼ – 🛗 ■ rest 🕿
40 hab.

NTIAGO DEL MONTE 33459 Asturias 🄐🄛🄑 *B 11* – 🟤 *98.*
Madrid 487 – *Gijón 37* – *Oviedo 44.*

🏨 Cristal Aeropuerto, carret. del aeropuerto 91 ℰ 551 95 45, Fax 551 98 01 – 🛗 ■ 🝿
🕿 🖘 🅿 – 🔼 25/300
52 hab.

NTIANES Asturias – *ver Ribadesella.*

NTIGA Barcelona – *ver Santa Perpetua de Mogoda.*

NTILLANA DEL MAR 39330 Cantabria 🄐🄛🄜 *B 17* – *3839 h. alt. 82* – 🟤 *942.*
*Ver : Pueblo pintoresco★★ : Colegiata★ (interior : cuatro Apóstoles★, retablo★, claustro★ :
capiteles★★).*
Alred. : Cueva prehistórica★★ de Altamira (techo★★★) SO : 2 km.
🅗 *pl. Mayor,* ℰ 81 82 51.
Madrid 393 – *Bilbao/Bilbo 130* – *Oviedo 171* – *Santander 30.*

Parador de Santillana del Mar ⚜, pl. Ramón Pelayo 8 ℰ 81 80 00, Fax 81 83
« Antigua casa señorial », ☞ – 🛗 📺 ☎ ⬅ 🅿 – 🔬 25/120. 🖭 ① 🔳 VISA. ℘
Comida 3200 – ☲ 1200 – **56 hab** 16500.

Altamira ⚜, Cantón 1 ℰ 81 80 25, Fax 84 01 36, « Casa señorial del siglo XVII »
🍴 rest 📺 ☎. 🖭 ① 🔳 VISA. ℘
Comida 1650 – ☲ 600 – **32 hab** 6500/10500 – PA 3315.

Los Infantes, av. Le Dorat 1 ℰ 81 81 00, Fax 84 01 03, « Fachada de época » –
☎. 🖭 ① 🔳 VISA.
Comida carta aprox. 2800 – ☲ 600 – **50 hab** 10000/14000.

Santillana, El Cruce ℰ 81 80 11, Fax 84 01 03 – 📺 ☎. 🖭 🔳 VISA. ℘ rest
abril-noviembre – **Comida** 2800 – ☲ 600 – **38 hab** 10000/14000.

Siglo XVIII ⚜ sin rest, barrio Revolgo ℰ 84 02 10, Fax 84 02 11, ⌿ – 📺 ☎ 🅿.
① 🔳 VISA. ℘
marzo-12 diciembre – ☲ 400 – **16 hab** 6500/10000.

Cuevas sin rest, av. Antonio Sandi ℰ 81 83 84, Fax 81 83 89 – 📺 ☎ 🅿. 🖭 🔳 VISA
☲ 400 – **40 hab** 7500/8500.

Los Ángeles ⚜, Campo de Revolgo 13 ℰ 81 81 40, Fax 84 01 77 – 📺 ☎. VISA.
marzo-noviembre – **Comida** 1400 – ☲ 500 – **25 hab** 7000/9500.

Los Hidalgos ⚜ sin rest, Campo de Revolgo ℰ 81 81 01, Fax 84 01 70 – ☎ 🅿.
① 🔳 VISA. ℘
abril-octubre – ☲ 400 – **26 hab** 5500/7500.

San Marcos, av. Antonio Sandi ℰ 84 01 88, Fax 81 81 85 – 📺 ☎ 🅿. 🖭 ① VISA.
19 marzo-9 diciembre – **Comida** 1300 – ☲ 450 – **19 hab** 8000/9000.

Salldemar sin rest, av. Marcelino Sanz de Sautuola ℰ 84 01 80, Fax 81 80 23 – ☎
temp – **14 hab.**

Conde Duque ⚜ sin rest, Campo de Revolgo ℰ 81 83 36, Fax 84 01 70 – 📺 ☎.
🖭 ① 🔳 VISA. ℘
abril-30 octubre – ☲ 400 – **14 hab** 5500/7500.

✗ **Los Blasones,** pl. de la Gándara ℰ 81 80 70 – 🍽. 🖭 ① 🔳 VISA JCB. ℘
15 marzo-15 diciembre – **Comida** carta 2650 a 4300.

en la carretera de Suances N : 1 km – ⌧ 39330 Santillana del Mar – ✆ 942 :

Colegiata ⚜, Los Hornos ℰ 84 02 16, Fax 84 02 17, « En una ladera con ≼ », ⌿
|🛗 📺 ☎ 🅿. 🖭 VISA. ℘ rest
Comida 2000 – ☲ 550 – **27 hab** 6500/10000.

en la carretera de Puente de San Miguel SE : 2,3 km – ⌧ 39330 Santillana del Ma
✆ 942 :

Zabala, barrio Vispieres ℰ 83 84 00, Fax 83 83 30 – |🛗 📺 ☎ 🅿. 🖭 🔳 VISA. ℘
Comida 1500 – ☲ 375 – **27 hab** 6000/9000.

SANTO DOMINGO DE LA CALZADA 26250 La Rioja 👪👪 E 21 – 5 308 h. alt. 639 – ✆ 9
Ver : Catedral★ (retablo mayor★).
Madrid 310 – Burgos 67 – Logroño 47 – Vitoria/Gasteiz 65.

Parador de Santo Domingo de la Calzada, pl. del Santo 3 ℰ 34 03
Fax 34 03 25, Antiguo hospital de peregrinos, 🛴 – |🛗 🍴 📺 ☎ ⬅ – 🔬 25/120.
① 🔳 VISA. ℘
Comida 3500 – ☲ 1200 – **61 hab** 16500.

El Corregidor, Mayor 14 ℰ 34 21 28, Fax 34 21 15 – |🛗 🍴 rest 📺 ☎ ⬅ – 🔬 25/
32 hab.

✗ **El Rincón de Emilio,** pl. Bonifacio Gil 7 ℰ 34 09 90, Fax 34 09 90 – 🍽. VISA. ℘
cerrado martes noche y febrero – **Comida** carta 2100 a 3700.

✗ Mesón El Peregrino, av. de Calahorra 19 ℰ 34 02 02, Decoración rústica.

SANTO DOMINGO DE SILOS (Monasterio de) 09610 Burgos 👪👪 G 19 – 328
✆ 947.
Ver : Monasterio★★ (claustro★★★).
Madrid 203 – Burgos 58 – Soria 99.

Tres Coronas de Silos ⚜, pl. Mayor 6 ℰ 39 00 47, Fax 39 00 65, « Conju
castellano » – ☎. 🖭 🔳 VISA. ℘
Comida 1800 – ☲ 900 – **16 hab** 5800/9200.

⌂ Cruces, pl. Mayor 1 ℰ 39 00 64
13 hab.

NTO TOMÉ DEL PUERTO 40590 Segovia 442 I 19 – 370 h. alt. 1 129 – © 921.
Madrid 100 – Aranda de Duero 61 – Segovia 54.

📷 **Mirasierra**, antigua carret. N I 🖉 55 71 05, Fax 55 72 98, ♨ – 🔟 ☎ 🅿. 🖭 ⓸ 🖹 𝘝𝘐𝘚𝘈.
※ rest
cerrado 24 diciembre-24 enero – **Comida** 1700 – 🖙 750 – **16 hab** 5000/7500 – PA 3530.

NTOMERA 30140 Murcia 445 R 26 – 8 488 h. alt. 28 – © 968.
Madrid 402 – Alicante/Alacant 68 – Cartagena 74 – Murcia 14.

📷 **Santos** sin rest, Almazara 11 🖉 86 52 11, Fax 86 52 11 – 🛗 🗐 🔟 ☎ ⇦. 🖭 ⓸ 🖹
𝘝𝘐𝘚𝘈. ※
🖙 350 – **12 hab** 4500/6250.

NTOÑA 39740 Cantabria 442 B 19 – 10 929 h. – © 942 – Playa.
Madrid 441 – Bilbao/Bilbo 81 – Santander 48.

📷 **Castilla**, Manzanedo 29 🖉 66 22 61, Fax 66 24 51 – 🛗 🗐 rest 🔟 ☎. 🖭 ⓸ 🖹 𝘝𝘐𝘚𝘈. ※
cerrado 23 diciembre-enero – **Comida** (cerrado domingo de noviembre a mayo) 2000 –
🖙 500 – **42 hab** 5500/6000.

✗ **La Marisma 2**, Manzanedo 19 🖉 66 06 06, Pescados y mariscos – 🗐. 🖭 🖹 𝘝𝘐𝘚𝘈
cerrado lunes y 15 octubre-15 noviembre – **Comida** carta 3700 a 4500.

la playa de Berria NO : 3 km – ✉ 39740 Santoña – © 942 :

🏨 **Juan de la Cosa** ⌂, 🖉 66 12 38, Fax 66 16 32, ≤ – 🛗 🗐 🔟 ☎ ⇦ 🅿 – 🏄 25/300
29 hab, 3 suites, 18 apartamentos.

NTPEDOR 08251 Barcelona 443 G 35 – 4 579 h. alt. 320 – © 93.
Madrid 638 – Barcelona 69 – Manresa 6 – Vic 54.

✗✗ **Ramón**, Camí de Juncadella 🖉 832 08 50, Fax 827 22 41, 🌧 – 🗐 🅿. 🖭 ⓸ 🖹 𝘝𝘐𝘚𝘈 ᴊᴄв
cerrado domingo noche – **Comida** carta 3400 a 6075.

NTUARIO – ver el nombre propio del santuario.

NTURCE o SANTURTZI 48980 Vizcaya 442 B 20 – 50 124 h. – © 94.
Madrid 411 – Bilbao/Bilbo 15 – Santander 97.

🏨 **San Jorge**, Antonio Alzaga 51 🖉 483 93 93, Fax 483 93 75 – 🛗 🔟 ☎ ⇦ – 🏄 25/60.
🖭 🖹 𝘝𝘐𝘚𝘈. ※ rest
Comida 1500 – 🖙 750 – **30 hab** 6800/9500 – PA 3700.

✗✗ **Currito**, av. Murrieta 21 🖉 483 32 14, Fax 483 35 29, ≤, 🌧 – 🅿.
✗✗ **Kai-Alde**, Capitán Mendizábal 7 🖉 461 00 34, 🌧 – 🖭 ⓸ 🖹 𝘝𝘐𝘚𝘈
cerrado lunes noche – **Comida** carta 2730 a 4800.

NXENXO Pontevedra – ver Sangenjo.

SARDINERO Cantabria – ver Santander.

RDÓN DE DUERO 47340 Valladolid 442 H 16 – 679 h. – © 983.
Madrid 208 – Aranda de Duero 66 – Valladolid 26.

📷 **Sardón**, carret. N 122 🖉 68 03 07, Fax 68 03 07 – 🗐 rest ☎. 🖭 ⓸ 🖹 𝘝𝘐𝘚𝘈. ※
Comida 1450 – 🖙 350 – **12 hab** 2400/4400 – PA 3250.

RRIA Álava – ver Murguía.

RRIA 27600 Lugo 441 D 7 – 12 437 h. alt. 420 – © 982.
Madrid 491 – Lugo 32 – Orense/Ourense 81 – Ponferrada 109.

🏨 **NH Alfonso IX** ⌂, Peregrino 29 🖉 53 00 05, Fax 53 12 61 – 🛗 🗐 🔟 ☎ 🅿 –
🏄 25/400. 🖭 ⓸ 🖹 𝘝𝘐𝘚𝘈. ※ rest
Comida 1400 – 🖙 650 – **60 hab** 5000/6500 – PA 3300.

📷 **Villa de Sarria**, Benigno Quiroga 49 🖉 53 19 38, Fax 53 25 05 – 🛗 🗐 rest 🔟 ☎. 𝘝𝘐𝘚𝘈. ※
Comida (cerrado domingo y del 15 al 30 de septiembre) 2000 – 🖙 500 – **23 hab**
4000/6500.

☼ **Londres**, Calvo Sotelo 153 🖉 53 24 56, Fax 53 30 06 – 🖭 🖹 𝘝𝘐𝘚𝘈. ※
Comida 1000 – 🖙 350 – **20 hab** 2000/4000 – PA 2350.

SARRIÓN 44460 Teruel 443 L 27 – 1021 h. alt. 991 – ✆ 978.

Madrid 338 – Castellón de la Plana/Castelló de la Plana 118 – Teruel 37 – Valencia 10

🏠 **El Asturiano,** carret. N 234 ℘ 78 10 00, Fax 78 10 32 – 📺 ⇦ **Ⓟ. E VISA.** ⚟
Comida 1200 – ⟳ 325 – **15 hab** 3000/4700.

🏠 Atalaya, carret. N 234 ℘ 78 04 59 – **Ⓟ**
15 hab.

El SAUZAL Santa Cruz de Tenerife – ver Canarias (Tenerife).

SEGOVIA 40000 🅿 442 J 17 – 57617 h. alt. 1005 – ✆ 921.

Ver : Emplazamiento★★ – Acueducto romano★★★ BY – Ciudad vieja★★ : Catedral★★ A
(claustro★, tapices★) – Plaza de San Martín★ (iglesia de San Martín★) BY **78** – Iglesia e
San Esteban (torre★) AX – Alcázar★ AX - Iglesia de San Millán★ BY – Monasterio de
Parral★ AX.

Alred. : La Granja de San Ildefonso★ (Palacio : Museo de Tapices★★ - Jardines★★
surtidores★★) SE : 11 km por ③ – Palacio de Riofrío★ S : 11 km por ⑤.

🅱 pl. Mayor 10, ✉ 40001, ℘ 46 03 34, Fax 46 03 04 y pl. del Azoguejo 1, ✉ 4000C
℘ 44 03 02, Fax 44 12 61 – **R.A.C.E.** paseo Ezequiel González 24-1° E, ✉ 4000C
℘ 44 36 26, Fax 44 36 26.

Madrid 87 ④ – Ávila 67 ⑤ – Burgos 198 ② – Valladolid 110 ①.

Plano página siguiente

🏛️ **Parador de Segovia** ⚟, carret. CL 601, ✉ 40003, ℘ 44 37 37, Telex 479°
Fax 43 73 62, ⇐ Segovia y sierra de Guadarrama, 🛋️, ⚖, 🖻, ⚟ – |✿| 🗐 📺 ☎ ᵟ ⇦
Ⓟ – 🔏 25/300. **Ⓐ Ⓞ E VISA.** ⚟   AZ
Comida 3500 – ⟳ 1200 – **113 hab** 18000.

🏨 **Los Arcos,** paseo de Ezequiel González 26, ✉ 40002, ℘ 43 74 62, Fax 42 81 61 –
🗐 📺 ☎ ⇦ – 🔏 25/225. Ⓐ Ⓞ E **VISA** JCB. ⚟   BY
Comida (ver rest. **La Cocina de Segovia**) – ⟳ 1100 – **59 hab** 9000/12750.

🏨 **Infanta Isabel** sin rest, Isabel la Católica 1, ✉ 40001, ℘ 44 31 05, Fax 43 32 40 –
🗐 📺 ☎ ⇦ – 🔏 25. Ⓐ Ⓞ E **VISA** JCB. ⚟   BY
⟳ 875 – **29 hab** 7300/11400.

🏨 **Acueducto,** av. del Padre Claret 10, ✉ 40001, ℘ 42 48 00, Fax 42 84 46 – |✿| 🗐
☎ ⇦ – 🔏 25/200. Ⓐ Ⓞ E **VISA.** ⚟   BY
Comida 2645 – ⟳ 825 – **78 hab** 6930/10425 – PA 5195.

🏨 **Los Linajes** ⚟ sin rest. con cafetería, Doctor Velasco 9, ✉ 40003, ℘ 46 04
Fax 46 04 79 – |✿| 📺 ☎ ⇦ – 🔏 25/200. Ⓐ Ⓞ E **VISA** JCB.   AX
⟳ 775 – **55 hab** 7200/10500.

🏨 **Las Sirenas** sin rest y sin ⟳, Juan Bravo 30, ✉ 40001, ℘ 43 40 11, Fax 43 06 3
|✿| 🗐 📺 ☎. Ⓐ Ⓞ E **VISA** JCB. ⚟   BY
39 hab 5500/8000.

🏨 Corregidor sin rest, carret. de Ávila 1, ✉ 40002, ℘ 42 57 61, Fax 44 24 36 – |✿| 📺
– 🔏 25/70   BY
54 hab.

🏠 **Don Jaime** sin rest, Ochoa Ondátegui 8, ✉ 40001, ℘ 44 47 87 – 📺 ☎. E **VISA.**
⟳ 350 – **16 hab** 3000/5200.   BY

XXX **La Cocina de Segovia,** paseo de Ezequiel González 26, ✉ 40002, ℘ 43 74
Fax 42 81 61 – 🗐 ⇦. Ⓐ Ⓞ E **VISA** JCB. ⚟   BY
Comida carta 3300 a 3950.

XX **Mesón de Cándido,** pl. Azoguejo 5, ✉ 40001, ℘ 42 59 11, Fax 42 96 33, « Casa
siglo XV. Decoración castellana » – 🗐. Ⓐ Ⓞ E **VISA.** ⚟   BY
Comida carta 3300 a 4000.

XX **José María,** Cronista Lecea 11, ✉ 40001, ℘ 46 11 11, Fax 46 02 73 – 🗐. Ⓐ Ⓞ
VISA JCB   BY
Comida carta 2600 a 4250.

XX **Duque,** Cervantes 12, ✉ 40001, ℘ 43 05 37, Fax 44 12 66, « Decoración castellana
– 🗐. Ⓐ Ⓞ E **VISA** JCB   BY
Comida carta 3450 a 4950.

XX **Maracaibo,** paseo de Ezequiel González 25, ✉ 40002, ℘ 43 11 77 – 🗐. Ⓐ Ⓞ E **VISA**
Comida carta 3200 a 5100.   BY

XX **La Concepción,** pl. Mayor 15, ✉ 40001, ℘ 46 09 30 – Ⓐ Ⓞ E **VISA.** ⚟ ABY
Comida carta 4050 a 6050.

X **El Bernardino,** Cervantes 2, ✉ 40001, ℘ 43 32 25, Fax 43 17 41 – 🗐. Ⓐ Ⓞ E
JCB. ⚟   BY
Comida carta 2450 a 3650.

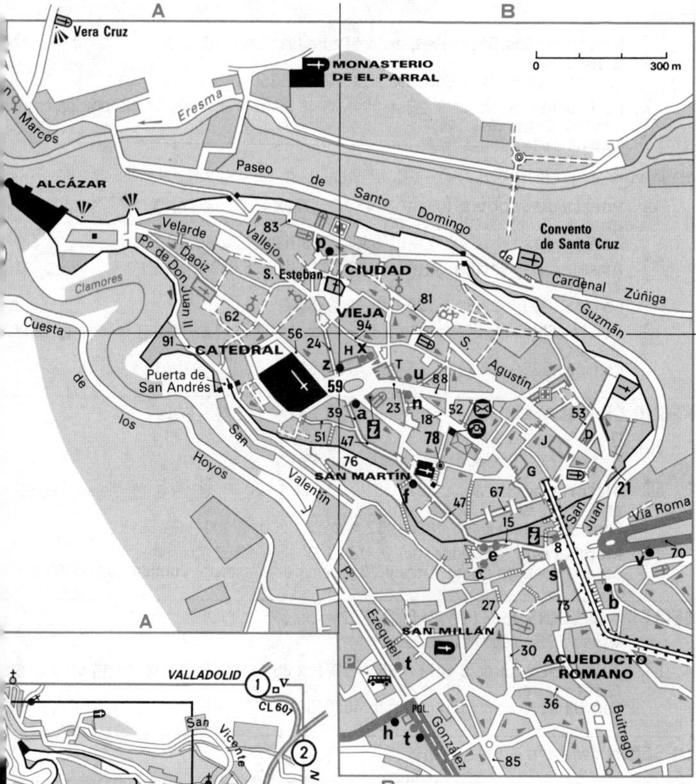

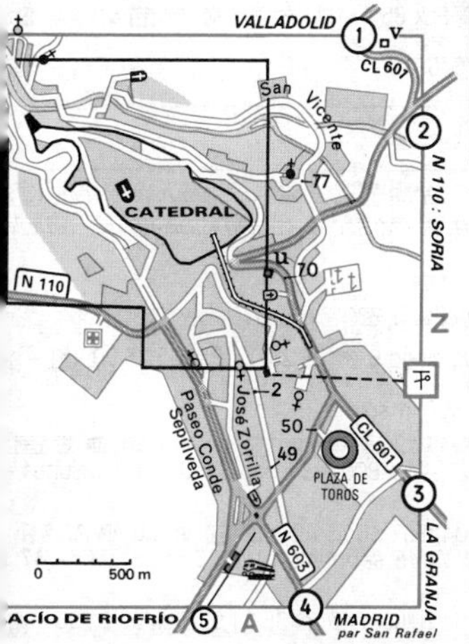

SEGOVIA

Cervantes .... BY 15
Isabel la Católica . BY 39
Juan Bravo ...... BY 47

Alférez Provisional . AZ 2
Azoguejo (Pl. del) . BY 8
Colón .... BY 18
Conde de Cheste (Pl. del) .... BY 21
Cronista Lecea ... BY 23
Escuderos .... AY 24
Fernández Ladreda (Av.) .. BY 27
Gobernador F. Jiménez....... BY 30
Independencia ... BY 36
José Antonio (Av.). AZ 49
Juan Carlos I..... AZ 50
Judería Vieja ..... AY 51
Laguna (Pl. del Dr.). BY 52
Marqués del Arco. AY 56
Mayor (Pl.) ..... ABY 59
Merced (Pl. de la) . AX 62
Obispo Gandasegui .... BY 67
Padre Claret (Av.) . BY 70
Ruiz de Alda ..... BY 73
Salón (Pas.) ...... BY 76
San Lorenzo (Pl.) . AZ 77
San Martín (Pl.) ... BY 78
San Quirce .... BX 81
Santiago (Puerta) . AX 83
Santo Tomás .... AZ 85
Serafín .... BY 88
Socorro .... AY 91
Valdelaguilla ..... BX 94
Zuloaga (Los) .... BY 53

X **Mesón Mayor,** pl. Mayor 3, ✉ 40001, ☏ 46 09 15, Fax 46 08 95, ☂ – ▤. AE VISA. ✂ BY x
Comida carta 2300 a 4200.

X **Solaire,** Santa Engracia 3, ✉ 40001, ☏ 43 55 25 – ▤. AE ⓓ VISA. ✂ BY c
Comida carta 2750 a 3065.

X **La Oficina,** Cronista Lecea 10, ✉ 40001, ☏ 46 02 83, Fax 46 02 29, Decoración castellana – AE ⓓ E VISA BY n
cerrado martes en invierno y del 10 al 30 de noviembre – **Comida** carta 2900 a 3700.

X **Mesón de los Gascones,** av. del Padre Claret 14, ⊠ 40001, ℰ 42 10 95 – ▤.
E *VISA* ᴊᴄʙ   AZ
cerrado lunes noche – **Comida** carta 2300 a 3750.

X **La Taurina,** pl. Mayor 8, ⊠ 40001, ℰ 46 09 02, Fax 46 08 97, Decoración castella
– ᴀᴇ Ⓞ E *VISA* ᴊᴄʙ. ᗰ   BY
Comida carta 2950 a 3650.

en la carretera N 110 *por* ② – ⊠ *40196 La Lastrilla* – ☺ *921* :

🏨 **Puerta de Segovia,** 2,8 km ℰ 43 71 61, Fax 43 79 63, ⅃ᶿ, ⅏, ⅏ – |≋| ▤ ⓣⱽ ☎ ⇐
Ⓟ – ⅍ 25/1000. ᴀᴇ Ⓞ E *VISA*. ᗰ
Comida carta aprox. 4850 – ⊇ 830 – **205 hab** 6650/10920.

🏨 **Avenida del Sotillo,** 3 km ℰ 44 54 14, Fax 435 669 – |≋| ▤ ⓣⱽ ☎ ⇐ Ⓟ. ᴀᴇ Ⓘ
ᗰ rest
Comida 1200 – ⊇ 500 – **29 hab** 4900/6900.

🏨 **Venta Magullo,** 2,5 km ℰ 43 50 11, Fax 44 07 63, ⅃ᶿ – ▤ ⓣⱽ ☎ ⇐ Ⓟ. ᴀᴇ Ⓞ
VISA. ᗰ
Comida 1225 – ⊇ 270 – **65 hab** 4775/6760.

SEGUR DE CALAFELL 43882 Tarragona **448** I 34 – ☺ 977 – Playa.
🅱 av. Barcelona 81, ℰ 16 15 11, Fax 16 15 11.
Madrid 577 – Barcelona 62 – Tarragona 33.

🏨 **Victoria,** av. Barcelona 98 ℰ 16 20 02, Fax 16 20 08, 翠, ⅃ᶿ, ⅃ climatizada, ⊠ –
▤ rest ⓣⱽ ☎ ⇐. E *VISA*. ᗰ rest
Comida *(cerrado lunes)* 1800 – **32 hab** ⊇ 8200/10100 – PA 3615.

X **Mediterràni,** pl. Mediterràni ℰ 16 23 27 – ▤. ᴀᴇ E *VISA*. ᗰ
cerrado domingo noche, lunes y 18 diciembre-18 enero – **Comida** carta 3050 a 430

SELLÉS o CELLERS 25631 Lérida **448** F 32 – alt. 325 – ☺ 973.
Madrid 551 – Lérida/Lleida 82.

🏨 **Terradets,** carret. C 147 ℰ 65 11 20, Fax 65 13 04, ≼, ⅃ – |≋| ▤ ⓣⱽ ☎ ⇐ Ⓟ.
E *VISA*. ᗰ rest
Comida 1500 – ⊇ 785 – **40 hab** 4675/6850.

La SÉNIA Tarragona – ver La Cenia.

SEO DE URGEL o La SEU D'URGELL 25700 Lérida **448** E 34 – 11 195 h. alt. 700 – ☺ 9
Ver : Catedral de Santa María★★ (Claustro★ - Museo diocesano★ : Beatus★★, retabl
la Abella de la Conca★).
🅱 Parc del Segre, ℰ 35 15 11, Fax 35 01 65.
Madrid 602 – Andorra la Vieja 20 – Barcelona 200 – Lérida/Lleida 133.

🏨 **Parador de Seo de Urgel,** Santo Domingo 6 ℰ 35 20 00, Fax 35 23 09, ⊠ – |≋
ⓣⱽ ☎ ⇐ – ⅍ 25/60. ᴀᴇ Ⓞ E *VISA*. ᗰ
Comida 3200 – ⊇ 1200 – **77 hab** 14500, 1 suite.

🏨 **Nice,** av. Pau Claris 4 ℰ 35 21 00, Fax 35 12 21 – |≋| ▤ ⓣⱽ ☎ ⇐. ᴀᴇ Ⓞ E *VISA*.
Comida *(cerrado domingo y enero)* 1725 – ⊇ 800 – **51 hab** 5100/6800, 5 suites –
3950.

🏨 **Avenida,** av. Pau Claris 24 ℰ 35 01 04, Fax 35 35 45 – |≋| ⓣⱽ ☎. ᴀᴇ Ⓞ E *VISA*.
Comida *(cerrado domingo salvo 15 julio-15 septiembre)* 1300 – ⊇ 750 – **47 h**
3800/6500.

🏨 **Duc d'Urgell** sin rest y sin ⊇, Josep de Zulueta 43 ℰ 35 21 95, Fax 35 21 95 – |≋|
E *VISA*. ᗰ
36 hab 5500/7000.

X Mesón Teo, av. Pau Claris 38 ℰ 35 10 29 – ▤.

en Castellciutat SO : 1 km – ⊠ 25710 Castellciutat – ☺ 973 :

🏨 **El Castell** ⊱, carret. N 260, ⊠ apartado 53 Seo de Urgel, ℰ 36 05 12, Fax 35 15
☺ ≼ valle, Seo de Urgel y montañas, « ⅃ rodeada de césped » – ▤ ⓣⱽ ☎ Ⓟ – ⅍ 25.
ᴀᴇ Ⓞ E *VISA*. ᗰ rest
cerrado 13 enero-13 febrero – **Comida** 6750 y carta 4550 a 6850 – ⊇ 1500 – **37**
11500/16000, 1 suite
Espec. Salmonetes con terrina de tomates y mozzarela al puré de aceitunas. Lubina al h
con verduritas. Carrilleras de cerdo guisadas con puré de patatas.

La Glorieta ⚘, Afueras ✆ 35 10 45, Fax 35 42 61, ≤ valle y montañas, ⛱ - |♦| ☎ Ⓟ. AE ⓓ E VISA. ✂
Comida 1700 - ☕ 700 - **27 hab** 3500/7000 - PA 3900.

La Seu *con hab*, carret. N 260 ✆ 35 24 00, Fax 35 33 60 - ▤ TV ☎ Ⓟ. ⓓ E VISA. ✂
Comida carta aprox. 2900 - ☕ 300 - **18 hab** 5000/7500.

PÚLVEDA *40300 Segovia 442 I 18 - 1 378 h. alt. 1 014 - ✆ 921.*
Ver : *Emplazamiento★.*
Madrid 123 - Aranda de Duero 52 - Segovia 59 - Valladolid 107.

Cristóbal, Conde Sepúlveda 9 ✆ 54 01 00, Fax 54 01 00, Decoración castellana - ▤. AE ⓓ E VISA. ✂
cerrado martes, del 1 al 15 de septiembre y del 15 al 30 de diciembre - **Comida** carta 2250 a 4150.

Casa Paulino, Calvo Sotelo 2 ✆ 54 00 16 - ▤. AE ⓓ E VISA. ✂
cerrado lunes (salvo agosto), 2ª quincena de junio y 2ª quincena de noviembre - **Comida** carta 2600 a 3300.

RRADUY *22483 Huesca 443 F 31 - alt. 917 - ✆ 974.*
Alred. : *Roda de Isábena : enclave★ montañoso - Catedral : sepulcro de San Ramón★ (SO : 6 km).*
Madrid 508 - Huesca 118 - Lérida/Lleida 100.

Casa Peix ⚘, ✆ 54 44 30, ⛱ - Ⓟ
temp - **26 hab.**

TCASAS o **SETCASES** *17869 Gerona 443 E 36 - 150 h. - ✆ 972 - Deportes de invierno en Vallter : ⛷7.*
Madrid 710 - Barcelona 138 - Gerona/Girona 91.

La Coma ⚘, ✆ 13 60 74, Fax 13 60 73, ≤, Fб, ⛱, 🐎 - TV ☎ Ⓟ. VISA. ✂
Comida 1700 - **20 hab** ☕ 7540 - PA 3430.

TENIL *11692 Cádiz 446 V 14 - 2 973 h. alt. 572 - ✆ 956.*
Madrid 543 - Antequera 86 - Arcos de la Frontera 81 - Ronda 19.

El Almendral, S : 1 km ✆ 13 40 29, Fax 13 44 44, ⛱ - TV ☎ Ⓟ. AE ⓓ E VISA. ✂
Comida 1575 - ☕ 315 - **28 hab** 3260/5555 - PA 2775.

SEU D'URGELL *Lérida - ver Seo de Urgel.*

VA *08553 Barcelona 443 G 36 - 1 758 h. alt. 663 - ✆ 93.*
Madrid 665 - Barcelona 60 - Manresa 48 - Vic 15.

Sur : *5,5 km*

El Montanyà ⚘, av. Montseny - urb. El Montanyà ✆ 884 06 06, Fax 884 05 58, ≤ sierras del Montseny y del Cadí, Fб, ⛱, ⛱, ✂, ⛳18 - |♦| ▤ TV ☎ Ⓟ - 🏔 25/500. AE ⓓ E VISA. ✂
Comida 2750 - **120 hab** ☕ 11000/13000, 8 suites, 30 apartamentos.

SEVILLA

41000 $\boxed{P}$ $\boxed{446}$ T 11 y 12 – 704 857 h. alt. 12 – ⊕ 95.

Madrid 550 ①– La Coruña/A Coruña 950 ⑤ – Lisboa 417 ⑤ – Málaga 217 ② – Valencia 682 ①.

OFICINAS DE TURISMO

🛈 *av. de la Constitución 21 B* ✉ *41004,* 𝒷 *422 14 04, Fax 422 97 53 y paseo de Las Delicias,* ✉ *41012,* 𝒷 *423 44 65.*

R.A.C.E. *(R.A.C. de Andalucía) av. Eduardo Dato 22,* ✉ *41002,* 𝒷 *463 13 50, Fax 465 96 04.*

INFORMACIONES PRÁCTICAS

🏌 *Pineda FS* 𝒷 *461 14 00*
🏌 *Las Minas (Aznalcázar) SO : 25 km por* ④ 𝒷 *575 04 14.*
✈ *de Sevilla-San Pablo por* ① *: 14 km* 𝒷 *444 90 00 – Iberia : Almirante Lobo 2,* ✉ *41001,* 𝒷 *422 89 01 BX.*
🚗 *Santa Justa* 𝒷 *453 86 86.*

CURIOSIDADES

Ver : *La Giralda*★★★ *(*✳ ★★*)BX – Catedral*★★★ *(retablo Capilla Mayor*★★★*, Capilla Real*★★*)* BX –Reales Alcázares★★★ BXY *(Cuarto del Almirante : retablo de la Virgen de los Mareantes*★ *; Palacio de Pedro el Cruel*★★★ *: cúpula*★★ *del Salón de Embajadores ; Palacio de Carlos V : tapices*★★ *; Jardines*★*) – Barrio de Santa Cruz*★★ BCX *(Hospital de los Venerables*★*) – Museo de Belias Artes*★★ *(sala V*★★★*, sala X*★★*)AV – Casa de Pilatos*★★ *(azulejos*★★*, escalera*★ *: cúpula*★*) CX – Parque de Maria Luisa*★★ FR *(Plaza de España*★ FR **112** *– Museo Arqueológico FR* **M²** *: Tesoro de Carambolo*★*) – Hospital de la Caridad*★ BY *– Convento de Santa Paula*★ CV *(portada*★ *iglesia) – Iglesia del Salvador*★ BX *(retablos barrocos*★★*) – Capilla de San José*★ BX *– Ayuntamiento (fachada oriental*★ *) BX .*

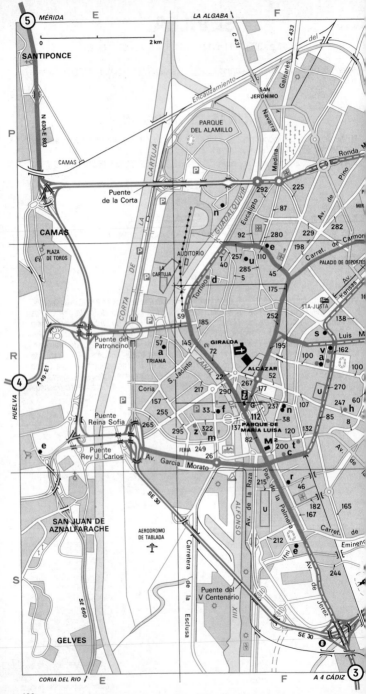

SEVILLA

Ada . . . . **FR** 2
Alameda de Hércules . . . . **FR** 5
Alcalde
  Juan Fernández . . . . **FR** 8
Almirante Lobo . . . . **FR** 22
Antonio Bienvenida . . . . . . **FR** 26
Asunción . . . . **FR** 33
Borbolla . . . . **FR** 38
Calatrava . . . . **FR** 40
Capuchinos (Ronda) . . . . . . **FR** 45
Cardenal Ilundain . . . . **FS** 46
Carlos Marx . . . . **GR** 50
Carlos V (Av.) . . . . **FR** 52
Castilla . . . . **ER** 57
Chapina (Puente) . . . . **FR** 59
Ciudad Jardín (Av.) . . . . . . **FR** 60
Cristóbal Colón (Paseo) . . . **FR** 72
Cruz del Campo (Av.) . . . . . **FR** 80
Delicias (Paseo de las) . . . . **FR** 82
Diego Martínez Barrio . . . . **FR** 85
Doctor Fedriani . . . . **FP** 87
Don Fabrique . . . . **FP** 92
Eduardo Dato (Av.) . . . . **FR** 100
Éfeso . . . . **FR** 102
Enramadilla . . . . **FR** 107
Eritaña (Av.) . . . . **FR** 110
España (Pl. de) . . . . **FR** 112
Federico
  Mayo Gayarre . . . . **GR** 117
Felipe II . . . . **FR** 120
Francisco Buendía . . . . **FR** 125
General Merry . . . . **FR** 132
Generalísimo
  (Puente del) . . . . **FR** 137
Greco (El Av.) . . . . **FR** 138
Ingeniero la Cierva . . . . . . **GR** 142
Isabel II (Puente) . . . . **FR** 145
López de Gomara . . . . **ER** 157
Luis Morales . . . . **FR** 162
Manuel Fal Conde . . . . **FS** 165
Manuel Siurot (Av.) . . . . . . **FS** 167
Maqueda . . . . **GR** 170
María Auxiliadora . . . . **FR** 175
María Luisa (Av.) . . . . **FR** 177
Marqués de
  Luca de Tena . . . . **FS** 182
Marqués de Paradas . . . . . **FR** 185
Marqués de Pickman . . . . . **FR** 187
Menéndez Pelayo . . . . **FR** 195
Miraflores (Av.) . . . . **FR** 198
Muñoz León . . . . **FR** 200
Padre García Tejero (Av.) . . **FS** 212
Páez de Rivera . . . . **FS** 215
Pagés del Corro . . . . **FR** 217
Pedro Gual
  Villalbi (Av.) . . . . **FP** 225
Pío XII (Ronda) . . . . **FP** 229
Portugal (Av.) . . . . **FR** 237
Quintillo (Camino) . . . . **FS** 244
Ramón y Cajal (Av.) . . . . . . **FR** 247
Ramón de
  Carranza (Av.) . . . . **FR** 249
Recaredo . . . . **FR** 252
República Argentina (Av.) . **EFR** 255
Resolana . . . . **ER** 257
Rubén Darío . . . . **FR** 265
San Fernando . . . . **FR** 267
San Francisco Javier (Av.) . **FR** 270
San Juan de la Cruz (Av.) . **GR** 275
San Juan de Ribera . . . . . . **FP** 280
San Juan de la Salle . . . . . **FP** 282
San Luis . . . . **FR** 285
San Telmo (Puente de) . . . . **FR** 290
Sánchez Pizjuán (Av.) . . . . . **FP** 292
Santa Fé . . . . **EFR** 295
Tesalónica . . . . **GR** 305
Virgen de Luján . . . . **FR** 322

*En esta guía,
un mismo símbolo
en rojo o en **negro**
una misma palabra
en fino o en **grueso**,
no significan lo mismo.*

*Lea atentamente los detalles
de la introducción.*

SEVILLA

Francos . . . . **BX**
Sierpes . . . . **BVX**
Tetuán . . . . **BX**

Alemanes . . . . **BX** 12
Alfaro (Pl.) . . . . **CXY** 15
Almirante Apodaca . . . . **CV** 20
Almirante Lobo . . . . **BY** 22
Álvarez Quintero . . . . . . **BX** 23
Amparo . . . . **BX** 25
Aposentadores . . . . **BV** 28
Argote de Molina . . . . . . **BX** 30
Armas (Pl. de) . . . . **AX** 31
Banderas (Patio de) . . . **BXY** 35
Capitán Vigueras . . . . . . **CY** 42
Cardenal Spínola . . . . . . **AV** 47
Castelar . . . . **AX** 55
Chapina (Puente) . . . . . . **AX** 59
Cruces . . . . **CX** 75
Doña Elvira . . . . **BX** 95
Doña Guiomar . . . . **AX** 97
Escuelas Pías . . . . **CV** 114
Farmacéutico E.
   Murillo Herrera . . . . . . **AY** 115
Feria . . . . **BV** 123
Francisco Carrión
   Mejías . . . . **CV** 126
Fray Ceferino
   González . . . . **BX** 127
García de Vinuesa . . . . . **BX** 130
General Polavieja . . . . . . **BX** 135
Jesús de la Vera Cruz . . **AV** 147
José María Martínez
   Sánchez Arjona . . . . . **AY** 150
Julio César . . . . **AX** 152
Luis Montoto . . . . **CX** 160
Marcelino Champagnat . **AY** 172
Martín Villa . . . . **BV** 190
Mateos Gago . . . . **BX** 192
Murillo . . . . **AV** 202
Museo (Pl.) . . . . **AV** 205
Navarros . . . . **CVX** 207
O'Donnell . . . . **BV** 210
Pascual de Gayangos . . . **AV** 220
Pastor y Landero . . . . . . **AX** 222
Pedro del Toro . . . . **AV** 227
Ponce de León (Pl.) . . . . **CV** 234
Puente y Pellón . . . . **BV** 239
Puerta de Jerez . . . . **BY** 242
República Argentina
   (Av.) . . . . **AY** 255
Reyes Católicos . . . . . . **AX** 260
San Gregorio . . . . **BY** 272
San Juan
   de la Palma . . . . **BV** 277
San Pedro (Pl.) . . . . **BV** 286
San Sebastián (Pl.) . . . . **CY** 287
Santa María
   La Blanca . . . . **CX** 297
Santander . . . . **BY** 300
Saturno . . . . **CV** 302
Triunfo (Pl.) . . . . **BX** 307
Velázquez . . . . **BV** 310
Venerables (Pl.) . . . . **BX** 312
Viriato . . . . **BV** 329

*Nuestras guías de hoteles,
nuestras guías turísticas
y nuestros mapas
de carreteras
son complementarios.
Utilícelos conjuntamente.*

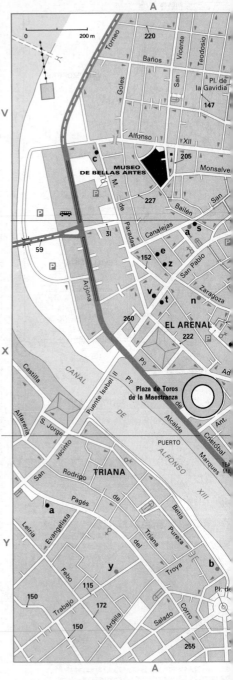

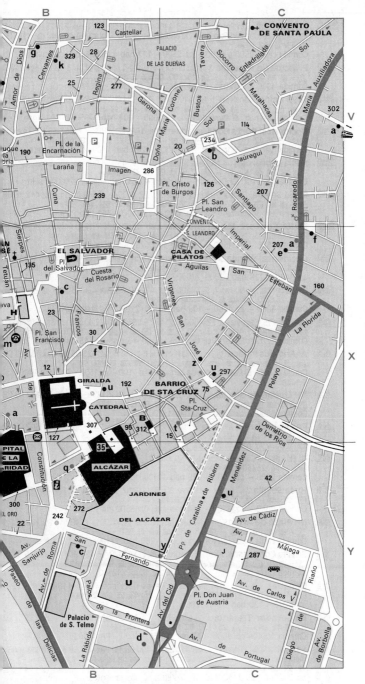

Alfonso XIII, San Fernando 2, ✉ 41004, 𝒞 422 28 50, Telex 72725, Fax 421 6(
🏖, « Majestuoso edificio de estilo andaluz », ⅁, 🐎 – ▮§▮ 🔲 📺 ☎ ⟺ 🅿 – 🅰 25/
🗚 ⓪ 🅴 𝘝𝘐𝘚𝘈 𝘫𝘤𝘣   B
Comida carta 4600 a 6200 – 🖵 2500 – **127 hab** 49500/61600, 19 suites.

Príncipe de Asturias 🏖, Isla de La Cartuja, ✉ 41092, 𝒞 446 22 22, Fax 446 0(
⅁ – ▮§▮ 🔲 📺 ☎ ⟺ – 🅰 25/900. 🗚 ⓪ 🅴 𝘝𝘐𝘚𝘈. 🛇   F
Comida 4000 – **288 hab** 🖵 21000/26500, 7 suites – PA 7500.

Tryp Colón, Canalejas 1, ✉ 41001, 𝒞 422 29 00, Telex 72726, Fax 422 09 38,
▮§▮ 🔲 📺 ☎ 🔥 – 🅰 25/240. 🗚 ⓪ 🅴 𝘝𝘐𝘚𝘈 𝘫𝘤𝘣.   A
Comida (ver rest. *El Burladero*) – 🖵 1600 – **204 hab** 17850/22050, 14 suites.

Occidental Porta Coeli, av. Eduardo Dato 49, ✉ 41018, 𝒞 453 35 00, Telex 72
Fax 453 23 42, 🖾 – ▮§▮ 🔲 📺 ☎ 🅿 – 🅰 25/600. 🗚 ⓪ 🅴 𝘝𝘐𝘚𝘈. 🛇   F
Comida (ver rest. *Florencia*) – 🖵 1500 – **241 hab** 15000/19000, 3 suites.

Meliá Lebreros, Luis Morales 2, ✉ 41005, 𝒞 457 94 00, Fax 458 27 26, 🏖, 🍴
– ▮§▮ 🔲 📺 ☎ 🔥 ⟺ – 🅰 25/600. 🗚 ⓪ 🅴 𝘝𝘐𝘚𝘈 𝘫𝘤𝘣. 🛇   F
Comida (ver rest. *La Dehesa*) – 🖵 1500 – **431 hab** 14400/17500, 6 suites.

Meliá Sevilla, Doctor Pedro de Castro 1, ✉ 41004, 𝒞 442 15 11, Fax 442 16 08
⅁ – ▮§▮ 🔲 📺 ☎ 🔥 ⟺ – 🅰 25/1000. 🗚 ⓪ 🅴 𝘝𝘐𝘚𝘈 𝘫𝘤𝘣. 🛇   F
cerrado julio y agosto – **Comida** 3500 – 🖵 1500 – **361 hab** 20500/23800, 5 su

Meliá Confort Macarena, San Juan de Ribera 2, ✉ 41009, 𝒞 437 5(
Fax 438 18 03, ⅁ – ▮§▮ 🔲 📺 ☎ 🔥 – 🅰 25/700. 🗚 ⓪ 🅴 𝘝𝘐𝘚𝘈. 🛇   F
Comida 3500 – 🖵 1500 – **317 hab** 12300/15200, 10 suites.

Occidental Sevilla *sin rest. con cafetería,* av. Kansas City, ✉ 41018, 𝒞 458 2(
Fax 458 46 15, ⅁ – ▮§▮ 🔲 📺 ☎ 🔥 – 🅰 25/320. 🗚 ⓪ 🅴 𝘝𝘐𝘚𝘈 𝘫𝘤𝘣. 🛇 F
🖵 1400 – **228 hab** 22000/27000, 14 suites.

Inglaterra, pl. Nueva 7, ✉ 41001, 𝒞 422 49 70, Fax 456 13 36 – ▮§▮ 🔲 📺 ☎
– 🅰 25/200. 🗚 ⓪ 🅴 𝘝𝘐𝘚𝘈 𝘫𝘤𝘣. 🛇 rest   A
Comida 3000 – 🖵 1200 – **109 hab** 16500/21000, 4 suites – PA 6000.

Los Seises, Segovias 6, ✉ 41004, 𝒞 422 94 95, Fax 422 43 34, « Instalado en el t(
patio del Palacio Arzobispal », ⅁ – ▮§▮ 🔲 📺 ☎ – 🅰 25/100. 🗚 ⓪ 🅴 𝘝𝘐𝘚𝘈. 🛇E
Comida *(cerrado agosto)* carta 4400 a 5500 – 🖵 1500 – **43 hab** 20000/25000.

Al-Andalus Palace 🏖, av. de la Palmera, ✉ 41012, 𝒞 423 06 00, Fax 423 02 00
🎵, ⅁ – ▮§▮ 🔲 📺 ☎ 🔥 – 🅰 25/1100. 🗚 ⓪ 🅴 𝘝𝘐𝘚𝘈. 🛇   F
Comida 3000 - *El Patio :* **Comida** carta 2350 a 4100 – 🖵 1500 – **327 hab** 14000/1;
1 suite.

NH Ciudad de Sevilla, av. Manuel Siurot 25, ✉ 41013, 𝒞 423 05 05, Fax 423 8(
⅁ – ▮§▮ 🔲 📺 ☎ ⟺ – 🅰 25/300. 🗚 ⓪ 🅴 𝘝𝘐𝘚𝘈 𝘫𝘤𝘣. 🛇   F
Comida 3000 – 🖵 1250 – **90 hab** 13800/16000, 3 suites.

Pasarela *sin rest,* av. de la Borbolla 11, ✉ 41004, 𝒞 441 55 11, Fax 442 07 27
▮§▮ 📺 ☎ – 🅰 25. 🗚 ⓪ 🅴 𝘝𝘐𝘚𝘈. 🛇   F
🖵 1000 – **77 hab** 11000/18000, 5 suites.

G. H. Lar, pl. Carmen Benítez 3, ✉ 41003, 𝒞 441 03 61, Fax 441 04 52 – ▮§▮ 🔲 🗆
⟺ – 🅰 25/300. 🗚 ⓪ 🅴 𝘝𝘐𝘚𝘈. 🛇   C
Comida 2600 – 🖵 1000 – **129 hab** 11500/16500, 8 suites.

Husa Sevilla 🏖, Pagés del Corro 90, ✉ 41010, 𝒞 434 24 12, Fax 434 27 07 –
📺 ☎ ⟺ – 🅰 25/220. 🗚 ⓪ 🅴 𝘝𝘐𝘚𝘈. 🛇   A
Comida 2650 – 🖵 1100 – **114 hab** 12500/18500, 14 suites.

NH Plaza de Armas, av. Marqués de Paradas, ✉ 41001, 𝒞 490 19 92, Fax 490 1
⅁ – ▮§▮ 🔲 📺 ☎ 🔥 – 🅰 25/250. 🗚 ⓪ 🅴 𝘝𝘐𝘚𝘈. 🛇   A
Comida carta aprox. 3910 – 🖵 1300 – **260 hab** 12100/15200, 2 suites.

Sevilla Congresos, Alcalde Luis Uruñuela, ✉ 41020, 𝒞 425 90 00, Fax 425 95 0(
⅁ – ▮§▮ 🔲 📺 ☎ ⟺ 🅿 – 🅰 25/270. 🗚 ⓪ 🅴 𝘝𝘐𝘚𝘈. 🛇 rest   G
Comida carta aprox. 4575 – **202 hab** 🖵 10000/12500, 1 suite.

Bécquer *sin rest. con cafetería,* Reyes Católicos 4, ✉ 41001, 𝒞 422 8
Fax 421 44 00 – ▮§▮ 🔲 📺 ☎ ⟺ – 🅰 25/45. 🗚 ⓪ 🅴 𝘝𝘐𝘚𝘈   A
🖵 1000 – **120 hab** 7000/12000.

Emperador Trajano, José Laguillo 8, ✉ 41003, 𝒞 441 11 11, Fax 453 57 0;
🔲 📺 ☎ ⟺ – 🅰 25/150. 🗚 ⓪ 🅴 𝘝𝘐𝘚𝘈. 🛇   C
Comida 1900 – 🖵 1000 – **77 hab** 10850/13000 – PA 4000.

San Gil *sin rest,* Parras 28, ✉ 41002, 𝒞 490 68 11, Fax 490 69 39, « Instalado pa
mente en un edificio típico sevillano de principios de siglo. Patio ajardinado », ⅁ – 🖿
☎. 🗚 ⓪ 🅴 𝘝𝘐𝘚𝘈 𝘫𝘤𝘣. 🛇   F
🖵 800 – **4 hab** 11300/13200, 5 suites, 30 apartamentos.

血血 **Álvarez Quintero** *sin rest. con cafetería*, Álvarez Quintero 9, ⊠ 41004, ℰ 422 12 98, Fax 456 41 41 – 📳 🗏 📺 ☎ ⇔. 🕮 ① 🖻 *VISA*. ⋘
🕿 850 – **43 hab** 10000/15000.
BX c

血血 **Giralda**, Sierra Nevada 3, ⊠ 41003, ℰ 441 66 61, Fax 441 93 52 – 📳 🗏 📺 ☎ –
🔏 25/250. 🕮 ① 🖻 *VISA* JCB. ⋘
Comida 1500 – 🕿 1000 – **98 hab** 10830/13000 – PA 4000.
CX e

血血 **Derby** *sin rest*, pl. del Duque 13, ⊠ 41002, ℰ 456 10 88, Fax 421 33 91 – 📳 🗏 📺
☎. 🕮 ① 🖻 *VISA*. ⋘
🕿 800 – **75 hab** 9000/10000.
BV r

血血 **Doña María** *sin rest*, Don Remondo 19, ⊠ 41004, ℰ 422 49 90, Fax 421 95 46,
« Terraza con 🏊 y ≼ » – 📳 🗏 📺 ☎ – 🔏 25/40. 🕮 ① 🖻 *VISA*. ⋘
🕿 1300 – **59 hab** 10500/17000, 2 suites.
BX u

血血 **Monte Triana** *sin rest. con cafetería*, Clara de Jesús Montero 24, ⊠ 41010,
ℰ 434 31 11, Fax 434 33 28 – 📳 🗏 📺 ☎ ⇔ – 🔏 25/100. 🕮 ① 🖻 *VISA*. ⋘ER a
🕿 750 – **117 hab** 9200/11500.

血血 **Alcázar** *sin rest*, Menéndez Pelayo 10, ⊠ 41004, ℰ 441 20 11, Fax 442 16 59 – 📳 🗏
📺 ☎ ⇔. 🕮 ① 🖻 *VISA*. ⋘
🕿 500 – **93 hab** 13000/16000.
CY u

血血 **América** *sin rest. con cafetería*, Jesús del Gran Poder 2, ⊠ 41002, ℰ 422 09 51,
Fax 421 06 26 – 📳 🗏 📺 ☎ – 🔏 25/150. 🕮 ① 🖻 *VISA*. ⋘
🕿 800 – **100 hab** 9000/10000.
BV h

血血 **Hispalis**, av. de Andalucía 52, ⊠ 41006, ℰ 452 94 33, Fax 467 53 13 – 📳 🗏 📺 ☎
🅿 – 🔏 25/50. 🕮 ① 🖻 *VISA* JCB. ⋘
Comida 2000 – 🕿 1000 – **67 hab** 9750/11550, 1 suite – PA 5000.
GR v

血血 **Monte Carmelo** *sin rest*, Turia 7, ⊠ 41011, ℰ 427 90 00, Fax 427 10 04 – 📳 🗏 📺
☎ – 🔏 25/35. 🕮 🖻 *VISA*
🕿 700 – **68 hab** 7000/11000.
FR f

血血 **Fernando III**, San José 21, ⊠ 41004, ℰ 421 77 08, Telex 72491, Fax 422 02 46, 🏊
– 📳 🗏 📺 ☎ ⇔ – 🔏 25/250. 🕮 ① 🖻 *VISA*. ⋘
Comida 2300 – 🕿 990 – **156 hab** 8785/11800, 1 suite.
CX z

🏛 **San Pablo**, av. de la Innovación, ⊠ 41020, ℰ 425 23 25, Fax 425 31 00 – 📳 🗏 📺
☎ ⇔ – 🔏 25/35. 🕮 ① 🖻 *VISA* JCB. ⋘
Comida 1500 – **25 hab** 🕿 7000/9500, 77 suites.
GP e

🏛 **Las Casas de la Judería** 🌭 *sin rest*, Callejón de Dos Hermanas 7, ⊠ 41004,
ℰ 441 51 50, Fax 442 21 70, « Antigua casa señorial con bonitos patios regionales » –
📳 🗏 📺 ☎ ⇔ – 🔏 25/50. 🕮 ① 🖻 *VISA*. ⋘
🕿 950 – **53 hab** 9000/11500.
CX u

🏛 **Regina** *sin rest. con cafetería*, San Vicente 97, ⊠ 41002, ℰ 490 75 75, Fax 490 75 62
– 📳 🗏 📺 ☎ ⇔. 🕮 ① 🖻 *VISA* JCB. ⋘
🕿 950 – **68 hab** 11000/18000, 4 suites.
FR d

🏛 **Cervantes** *sin rest*, Cervantes 10, ⊠ 41003, ℰ 490 05 52, Fax 490 05 36 – 📳 🗏 📺
☎ ⇔. 🕮 ① 🖻 *VISA*. ⋘
🕿 600 – **46 hab** 10000/12500.
BV k

🏛 **Puerta de Triana** *sin rest*, Reyes Católicos 5, ⊠ 41001, ℰ 421 54 04, Fax 421 54 01
– 📳 🗏 📺 ☎. 🕮 ① 🖻 *VISA* JCB. ⋘
65 hab 🕿 7500/10000.
AX t

🏛 **La Rábida**, Castelar 24, ⊠ 41001, ℰ 422 09 60, Telex 73062, Fax 422 43 75 – 📳 🗏 hab
📺 ☎. 🕮 🖻 *VISA*. ⋘ rest
Comida 1925 – 🕿 400 – **100 hab** 5500/8500 – PA 3600.
AX d

🏛 **Corregidor** *sin rest*, Morgado 17, ⊠ 41003, ℰ 438 51 11, Fax 438 42 38 – 📳 🗏 📺
☎. 🕮 ① 🖻 *VISA*. ⋘
🕿 600 – **82 hab** 9500/16000, 1 suite.
BV g

🏠 **Baco** *sin* 🕿, pl. Ponce de León 15, ⊠ 41003, ℰ 456 50 50, Fax 456 36 54 – 📳 🗏 📺
☎. 🕮 ① 🖻 *VISA*. ⋘
Comida (ver rest. *El Bacalao)* – **25 hab** 6000/8000.
CV b

🏠 **Montecarlo** *(anexo* 🏛*)*, Gravina 51, ⊠ 41001, ℰ 421 75 03, Fax 421 68 25 – 📳 🗏
📺 ☎. 🕮 ① 🖻 *VISA*. ⋘
Comida *(cerrado domingo y enero-febrero)* 1900 – 🕿 600 – **47 hab** 6500/9500, 4 suites
– PA 3480.
AX e

🏠 **Venecia** *sin rest*, Trajano 31, ⊠ 41002, ℰ 438 11 61, Fax 490 19 55 – 📳 🗏 📺 ☎
⇔. 🕮 ① 🖻 *VISA*
🕿 650 – **24 hab** 6500/12000.
BV n

🏠 **Reyes Católicos** *sin rest y sin* 🕿, Gravina 57, ⊠ 41001, ℰ 421 12 00, Fax 421 63 12
– 📳 🗏 📺 ☎. 🕮 ① 🖻 *VISA*. ⋘
27 hab 6500/9500.
AX z

🏠 **Europa** sin rest y sin 🛋, Jimios 5, ⊠ 41001, ℘ 421 43 05, Fax 421 00 16 – 📳 🖭 🗖
🕿. 🖭 🗈 𝚅𝙸𝚂𝙰
BX
16 hab 7500/9000.

✗✗✗ **Egaña Oriza**, San Fernando 41, ⊠ 41004, ℘ 422 72 54, Fax 421 04 29, « Jardín d
☸ invierno » – 🗐. 🖭 ◑ 🗈 𝚅𝙸𝚂𝙰. ✀
BY
cerrado sábado mediodía, domingo y agosto – **Comida** carta 5400 a 6650
Espec. Langostinos al bacon con salsa de ajos y azafrán. Suprema de lubina asada en sals
de trufas. Muslo de pato estofado con mano de ternera.

✗✗✗ **Florencia**, av. Eduardo Dato 49, ⊠ 41018, ℘ 453 35 00, Telex 72913, Fax 453 23 4
Decoración elegante – 🗐 🄿. 🖭 ◑ 🗈 𝚅𝙸𝚂𝙰. ✀
FR
cerrado agosto – **Comida** carta aprox. 5100.

✗✗✗ **Taberna del Alabardero** con hab, Zaragoza 20, ⊠ 41001, ℘ 456 06 3
☸ Fax 456 36 66, « Antigua casa palacio » – 📳 🗐 🖪 🕿 ⟷. 🖭 ◑ 🗈 𝚅𝙸𝚂𝙰. ✀ AX
cerrado agosto – **Comida** carta 4000 a 6750 – **7 hab** 🛋 12000/16000
Espec. Ensalada de tomate, queso fresco y boquerones. Lomo de bacalao con salsa d
pimientos choriceros. Solomillo ibérico relleno de foie a la pimienta verde.

✗✗✗ **El Burladero**, Canalejas 1, ⊠ 41001, ℘ 422 29 00, Telex 72726, Fax 422 09 3
Decoración evocando la tauromaquia – 🗐. 🖭 ◑ 🗈 𝚅𝙸𝚂𝙰 𝙹𝙲𝙱. ✀
AX
cerrado 15 junio-agosto – **Comida** carta 4050 a 5650.

✗✗✗ **La Dehesa**, Luis Morales 2, ⊠ 41005, ℘ 457 94 00, Fax 458 23 09, 🗭, Decoració
típica andaluza. Carnes a la brasa – 🗐. 🖭 ◑ 🗈 𝚅𝙸𝚂𝙰. ✀
FR
cerrado agosto – **Comida** carta aprox. 4500.

✗✗ **Pello Roteta**, Farmacéutico Murillo Herrera 10, ⊠ 41010, ℘ 427 84 17, Cocina vas
– 🗐. 🖭 ◑ 🗈 𝚅𝙸𝚂𝙰. ✀
AY
cerrado Semana Santa y agosto – **Comida** carta aprox. 3900.

✗✗ **Al-Mutamid**, Alfonso XI-1, ⊠ 41005, ℘ 492 55 04, Fax 492 25 02, 🗭 – 🗐. 🖭 ◑
🗈 𝚅𝙸𝚂𝙰 𝙹𝙲𝙱. ✀
FR
cerrado domingo en julio y agosto – **Comida** carta 3200 a 4950.

✗✗ **La Albahaca**, pl. Santa Cruz 12, ⊠ 41004, ℘ 422 07 14, Fax 456 12 04, 🗭, « Instala
en una antigua casa señorial » – 🗐. 🖭 ◑ 🗈 𝚅𝙸𝚂𝙰. ✀
CX
cerrado domingo – **Comida** carta 4400 a 5400.

✗✗ **Rincón de Curro**, Virgen de Luján 45, ⊠ 41011, ℘ 445 02 38, Fax 445 02 38 – 🗐
🖭 ◑ 🗈 𝚅𝙸𝚂𝙰. ✀
FR
cerrado domingo noche – **Comida** carta 3100 a 4500.

✗✗ **Rincón de Casana**, Santo Domingo de la Calzada 13, ⊠ 41018, ℘ 453 17 1
Fax 464 49 74, Decoración regional – 🗐. 🖭 ◑ 🗈 𝚅𝙸𝚂𝙰. ✀
FR
cerrado domingo en julio y agosto – **Comida** carta 3900 a 4800.

✗✗ **Manolo García**, Virgen de las Montañas, ⊠ 41011, ℘ 445 46 77 – 🗐. 🖭 ◑ 🗈 𝚅
✀
FR
cerrado domingo – **Comida** carta 2800 a 4350.

✗✗ **La Isla**, Arfe 25, ⊠ 41001, ℘ 421 26 31, Fax 456 22 19 – 🗐. 🖭 ◑ 𝚅𝙸𝚂𝙰. ✀ BX
cerrado lunes y agosto – **Comida** carta 4800 a 6000.

✗✗ **Ox's**, Betis 61, ⊠ 41010, ℘ 427 95 85, Fax 427 84 65, Cocina vasca – 🗐. 🖭 ◑ 🗈 𝚅
✀
AY
cerrado sábado y domingo en agosto, domingo noche resto del año – **Comida** carta 39
a 5300.

✗✗ **La Dorada**, av. Ramón y Cajal - edificio Viapol, ⊠ 41005, ℘ 492 10 66, Fax 465 05
Pescados y mariscos – 🗐. 🖭 ◑ 🗈 𝚅𝙸𝚂𝙰
FR
cerrado domingo noche (septiembre-junio), domingo resto del año y 15 días en agost
Comida carta aprox. 4000.

✗✗ **Horacio**, Antonia Díaz 9, ⊠ 41001, ℘ 422 53 85 – 🗐. 🖭 ◑ 🗈 𝚅𝙸𝚂𝙰. ✀ AX
cerrado 10 días en agosto – **Comida** carta 3325 a 4500.

✗ **El Espigón**, Bogotá 1, ⊠ 41013, ℘ 462 68 51, Fax 423 53 40 – 🗐. 🖭 ◑ 🗈 𝚅𝙸𝚂𝙰.
FR
cerrado domingo – **Comida** carta 3775 a 4425.

✗ **El Espigón II**, Felipe II-28, ⊠ 41013, ℘ 423 49 24, Fax 423 53 40 – 🗐. 🖭 ◑ 🗈 𝚅
✀
FR
cerrado domingo – **Comida** carta 3625 a 4875.

✗ **El Bacalao**, pl. Ponce de León 15, ⊠ 41003, ℘ 421 66 70, Espec. en bacalaos –
🖭 ◑ 🗈 𝚅𝙸𝚂𝙰
CV
cerrado domingo – **Comida** carta aprox. 3150.

✗ **El Cantábrico**, Jesús del Gran Poder 20, ⊠ 41002, ℘ 438 73 03 – 🗐. 🖭 🗈 𝚅𝙸𝚂𝙰.
BV
cerrado domingo, festivos noche y agosto – **Comida** carta 3075 a 4100.

✗ **Becerrita**, Recaredo 9, ⊠ 41003, ℘ 441 20 57, Fax 453 37 27 – 🗐. 🖭 ◑
𝚅𝙸𝚂𝙰. ✀
CX
cerrado domingo noche y del 15 al 31 de agosto – **Comida** carta 3500 a 4950.

X **Los Alcázares,** Miguel de Mañara 10, ⊠ 41004, ℰ 421 31 03, Fax 456 18 29, 🍸, Decoración regional – 🍽. **E** _VISA_. ⍟
BY q
cerrado domingo – **Comida** carta 2925 a 4325.

X **Eslava,** Eslava 3, ⊠ 41002, ℰ 490 65 68 – 🍽. **AE ① E** _VISA_. ⍟
FR d
cerrado domingo y agosto – **Comida** carta aprox. 3825.

n San Juan de Aznalfarache ER y ES – ⊠ 41920 San Juan de Aznalfarache – ✆ 95 :

🏨🏨 **Alcora** ⍟, sin rest. con cafetería, carret. de Tomares ℰ 476 94 00, Fax 476 94 98, ≤, « Patio con plantas », _f&_, ⩩ – 🛗 🍽 🔟 ☎ 🔥 🚗 ② – 🔬 25/1200. **AE ① E** _VISA_. ⍟
⊑ 1400 – **331 hab** 14000/17500, 70 suites.
ERS e

n Bellavista por ③ : 5,5 km – ⊠ 41014 Sevilla – ✆ 95 :

🏨 **Doña Carmela,** av. de Jerez 14 ℰ 469 29 03, Fax 469 34 37 – 🛗 🍽 🔟 ☎ 🚗. **AE ① E** _VISA_.
Comida 1500 – ⊑ 500 – **30 hab** 6800/8500.

Ver también : **Castilleja de la Cuesta** por ④ : 5 km
Guillena por ⑤ : 21 km
Benacazón por ④ : 23 km
Sanlúcar la Mayor por ④ : 27 km.

ERRA BLANCA Málaga – ver Ojén.

ERRA NEVADA 18196 Granada ▨▨▨ U 19 – alt. 2 080 – ✆ 958 – Deportes de invierno ☃2 ☃17.
Madrid 461 – Granada 32.

🏨🏨 **Meliá Sierra Nevada,** pl. Pradollano ℰ 48 04 00, Telex 78507, Fax 48 04 58, ≤, _f&_, ⩩ – 🛗 🔟 ☎ 🚗 – 🔬 25/250. **AE ① E** _VISA_. ⍟
diciembre-abril – **Comida** (sólo cena) 2500 – ⊑ 1200 – **217 hab** 12000/18000, 4 suites.

🏨🏨 **Ziryab,** pl. de Andalucía ℰ 48 05 12, Fax 48 14 15, ≤ – 🛗 🔟 ☎. **AE ① E** _VISA_. ⍟
diciembre-abril – **Comida** (sólo buffet) 2400 – **147 hab** ⊑ 11820/15640.

🏨🏨 **Meliá Rumaykiyya** ⍟, Dehesa San Jerónimo Par 511 ℰ 48 14 00, Fax 48 00 32, ≤, « Decoración elegante », _f&_ – 🛗 🔟 ☎ 🚗. **AE ① E** _VISA_. ⍟
diciembre-abril – **Comida** 2500 – ⊑ 1200 – **48 hab** 11000/15600 – PA 6200.

🏨🏨 **Kenia Nevada,** pl. Pradollano ℰ 48 09 11, Fax 48 08 07, ≤, « Conjunto de estilo alpino », _f&_ – 🛗 🔟 ☎ 🚗 – 🔬 25/90. **AE ① E** _VISA_. ⍟
Comida (sólo buffet) 2750 – ⊑ 1000 – **66 hab** 8700/16000, 1 suite – PA 5525.

🏨🏨 Tryp El Lodge ⍟, Balcón de Pradollano ℰ 48 06 00, Fax 48 05 06, ≤, « Chalet de estilo finlandés », _f&_ – 🛗 🔟 ☎ 🚗
temp – **20 hab.**

🏨 **Meliá Sol y Nieve,** pl. Pradollano ℰ 48 03 00, Telex 78507, Fax 48 08 54, ≤ – 🛗 🔟 ☎ 🚗. **AE ① E** _VISA_ _JCB_. ⍟
diciembre-abril – **Comida** 2500 – ⊑ 1200 – **186 hab** 11000/16000 – PA 6200.

🏨 Tryp Casa Alpina (Maribel) ⍟, Balcón de Pradollano ℰ 48 06 00, Fax 48 05 06, ≤ – 🛗 🔟 ☎
temp – **Comida** (en el hotel Tryp El Lodge) – **23 hab.**

🏨 **Nevasur** ⍟, pl. Pradollano ℰ 48 03 50, Fax 48 03 65, ≤ Sierra Nevada y valle, ⩩ climatizada – 🛗 🔟 ☎. **AE ① E** _VISA_. ⍟
Comida (sólo cena buffet) 2500 – ⊑ 800 – **65 hab** 9500/16000 – PA 4000.

XXX **Ruta del Veleta Sierra Nevada,** edificio Bulgaria ℰ 48 12 01, Fax 48 62 93 – 🍽. **AE ① E** _VISA_ _JCB_. ⍟
diciembre-abril – **Comida** carta 3200 a 5850.

X **Casablanca,** pl. Pradollano ℰ 48 08 30
⍟ **AE ① E** _VISA_. ⍟
diciembre-7 mayo – **Comida** (cerrado lunes no festivos) carta 3100 a 3900.

la carretera de Granada NO : 9 km – ⊠ 18196 Sierra Nevada – ✆ 958 :

🏨 Don José, ℰ 34 04 00, Fax (908) 15 94 58, ≤ – 🔟 ☎ ②
Comida Los Jamones – **26 hab.**

RRA DE CAZORLA Jaén – ver Cazorla.

RRA DE URBIÓN ★★ Soria ▨▨▨ F y G 21 – alt. 2 228 – ✆ 975.
Ver : Laguna Negra de Urbión★★ (carretera★★) – Laguna Negra de Neila★★ (carretera★★).
Hoteles y restaurantes ver : **Soria.**

SIETE AGUAS 46392 Valencia ❹❹❺ N 27 – 993 h. alt. 700 – ❸ 96.
Madrid 298 – Albacete 122 – Requena 19 – Valencia 50.

junto a la autovía N III SE : 5,5 km – ⊠ 46360 Buñol – ❸ 96 :

✗ **Venta l'Home,** salida 294 ℰ 250 35 15, 🍴, Decoración rústica en una casa de post del siglo XVII. Carnes, ⌿ – ❷. 🖭 ⓪ ☻ ▨▨
Comida carta 2750 a 4250.

SIGÜENZA 19250 Guadalajara ❹❹❹ I 22 – 5 426 h. alt. 1 070 – ❸ 949.
Ver : Catedral★★ (Interior : puerta capilla de la Anunciación★, conjunto escultórico c crucero★★, techo de la sacristía★, cúpula de la capilla de las Reliquias★, púlpit presbiterio★, crucifijo capilla girola★ - Capilla del Doncel : sepulcro del Doncel★★).
🄱 pl. Mayor 1 (Ayuntamiento) ℰ 39 32 51, Fax 39 32 51.
Madrid 129 – Guadalajara 73 – Soria 96 – Zaragoza 191.

🏨 **Parador de Sigüenza** ⑤, ℰ 39 01 00, Fax 39 13 64, « Instalado en un cast medieval », ⅃⅁ – 🛗 🗐 🗂 ☎ ❷ – 🕍 25/120. 🖭 ⓪ ☻ ▨▨. ⌿
Comida 3500 – 🖃 1300 – **77 hab** 14500, 4 suites.

🏠 **El Doncel,** paseo de la Alameda 3 ℰ 39 00 01, Fax 39 00 80 – 🗐 rest 🗂 ☎. ⓪ ▨▨. ⌿
Comida 1300 – 🖃 600 – **20 hab** 4000/6500 – PA 2650.

🏠 **El Motor,** av. Juan Carlos I-2 ℰ 39 08 27, Fax 39 00 07 – 🗐 rest 🗂 ☎ ⟺ ❷. 🖭 ☻ ▨▨. ⌿
Comida 1000 – 🖃 300 – **18 hab** 4000/6500.

✗ El Motor, Calvo Sotelo 12 ℰ 39 00 88, Fax 39 00 07 – 🗐.

SILLEDA 36540 Pontevedra ❹❹❶ D 5 – 9 619 h. alt. 463 – ❸ 986.
Madrid 574 – Chantada 50 – Lugo 84 – Orense/Ourense 73 – Pontevedra 63 – Santia de Compostela 37.

🏢 Ramos sin rest, San Isidro 24 ℰ 58 12 12, Fax 58 02 83 – 🛗 🗂 ☎ ⟺
33 hab, 2 apartamentos.

✗ **Ricardo,** San Isidro 15 ℰ 58 08 77 – 🖭 ▨▨. ⌿
Comida carta 2000 a 2800.

SILS 17410 Gerona ❹❹❸ G 38 – 2 376 h. alt. 75 – ❸ 972.
Madrid 689 – Barcelona 76 – Gerona/Girona 30.

✗ **Hostal de la Granota,** carret. N II - E : 1,5 km ℰ 85 30 44, Fax 85 31 85,
@ « Ambiente típico catalán. Antigua casa de postas » – ❷. 🖭 ▨▨. ⌿
cerrado miércoles y 10 julio-10 agosto - **Comida** carta 2450 a 3500.

SIMANCAS 47130 Valladolid ❹❹❷ H 15 – 2 031 h. alt. 725 – ❸ 983.
Madrid 197 – Ávila 117 – Salamanca 103 – Segovia 125 – Valladolid 11 – Zamora 8

en la carretera del pinar SE : 4 km – ⊠ 47130 Simancas – ❸ 983 :

✗✗✗ **El Bohío,** ℰ 59 00 55, Fax 48 02 63, 🍴, « Lindando con un pinar al borde del Duer – 🗐 ❷. 🖭 ⓪ ☻ ▨▨. ⌿
cerrado domingo noche, lunes y martes - **Comida** carta 3300 a 4100.

SIRESA 22790 Huesca ❹❹❸ D 27 – ❸ 974.
Ver : Iglesia★ (retablos★).
Madrid 483 – Huesca 100 – Jaca 50 – Pamplona/Iruñea 120.

🏠 Castillo d'Acher, La Virgen ℰ 37 53 13 – ❷
16 hab.

SÍSAMO 15106 La Coruña ❹❹❶ C 3 – ❸ 981.
Madrid 640 – Carballo 3 – La Coruña/A Coruña 43 – Santiago de Compostela 46.

✗✗ **Pazo do Souto** ⑤ con hab, ℰ 75 60 65, Fax 75 61 91, « Antiguo pazo » – 🗂 ☎
🖭 ⓪ ▨▨. ⌿
cerrado del 1 al 15 de noviembre - **Comida** (cerrado lunes) carta 1800 a 2550 – **10** 7500/10000.

Non viaggiate oggi con una carta stradale di ieri.

'GES 08870 Barcelona **448** I 35 - 13 096 h. - ۞ 93 - Playa.

Ver : Vila Vella★★ – Museo del Cau Ferrat★★ BZ – Museo Maricel de Mar★ BZ – Casa Llopis★ AY.

🏌 Club Terramar ℰ 894 05 80, Fax 894 70 51 AX.

🛈 Sinia Morera 1, ℰ 811 76 31, Fax 894 43 05.

Madrid 597 ① – Barcelona 43 ② – Lérida/Lleida 135 ① – Tarragona 53 ③.

Plano página siguiente

🏨 **Terramar** ⏩, passeig Marítim 80 ℰ 894 00 50, Telex 53186, Fax 894 56 04, ≼, 🛱, ⌿, ✍, ℀, 🏌 – 🛗 🗉 ⏺ ☎ – 🔏 25/300. 🖭 ⏻ 🗲 ꕱ. ℀ AX a
mayo-octubre – **Comida** 2100 – ⇌ 900 – **209 hab** 10315/16550.

🏨 **Tryp San Sebastián Playa**, Port Alegre 53 ℰ 894 86 76, Fax 894 04 30, « Bonita decoración », ⌿, 🗉 ⏺ ☎ ✍, ℀ rest BX e
Comida 3500 - *La Concha* : Comida carta 2450 a 3750 – **51 hab** ⇌ 17200.

🏨 **Calípolis**, passeig de la Ribera ℰ 894 15 00, Fax 894 07 64, ≼ – 🛗 🗉 ⏺ ☎ – 🔏 25/150. 🖭 ⏻ 🗲 ꕱ. ℀ rest AZ a
Comida 2500 – ⇌ 1200 – **170 hab** 14000/15500 – PA 4000.

🏨 **Aparthotel Mediterráneo**, av. Sofía 3 ℰ 894 51 34, Fax 894 51 34, ≼, 🗗, ⌿, 🛗 🗉 ⏺ ☎ ✍ – 🔏 25/100. 🖭 ⏻ 🗲 ꕱ. ℀ rest BX v
Comida *(cerrado lunes)* 1300 – ⇌ 975 – **84 apartamentos** 16500/20500.

🏢 **Sitges Park H.**, Jesús 16 ℰ 894 02 50, Fax 894 08 39, ⌿ – 🛗 🗉 ⏺ ☎ – 🔏 25. 🖭 ⏻ 🗲 ꕱ. ℀ BY z
15 marzo-2 noviembre – **Comida** 1850 – ⇌ 750 – **85 hab** 6100/10900 – PA 3675.

🏢 **Antemare** ⏩, Verge de Montserrat 48 ℰ 894 70 00, Telex 52962, Fax 894 63 01, 🛱, Servicios de talasoterapia, 🗗, ⌿ – 🛗 🗉 ⏺ ☎ – 🔏 25/150. 🖭 ⏻ 🗲 ꕱ ꜀ꜱꜱ. ℀ rest AX h
Comida 3500 – ⇌ 1500 – **117 hab** 11500/15700.

🏢 **Subur Marítim**, passeig Marítim ℰ 894 15 50, Fax 894 04 27, ≼, « Césped con ⌿ » – 🛗 🗉 ⏺ ☎ 🅿. 🖭 ⏻ 🗲 ꕱ. ℀ rest AX n
Comida 2500 – **46 hab** ⇌ 15150/20360.

🏨 **Subur**, passeig de la Ribera ℰ 894 00 66, Telex 52962, Fax 894 69 86, 🛱 – 🛗 🗉 hab ⏺ ☎ ✍. 🖭 ⏻ 🗲 ꕱ. ℀ rest AZ c
Comida 1950 – ⇌ 900 – **96 hab** 6210/11130 – PA 3995.

🏨 **Galeón**, Sant Francesc 44 ℰ 894 06 12, Fax 894 63 35, ⌿ – 🛗 🗉 ⏺ ☎. 🗲 ꕱ. ℀ AY u
mayo-octubre – **Comida** 1545 – ⇌ 730 – **47 hab** 6485/9500 – PA 3245.

🏨 **La Santa María**, passeig de la Ribera 52 ℰ 894 09 99, Fax 894 78 71, 🛱 – 🛗 🗉 ⏺ ☎ AZ f
60 hab.

🏨 **Platjador**, passeig de la Ribera 35 ℰ 894 50 54, Fax 894 63 35, ⌿ – 🛗 🗉 ⏺ ☎. 🗲 ꕱ AZ m
abril-octubre – **Comida** 1545 – ⇌ 730 – **59 hab** 6025/10655 – PA 3245.

🏨 **Romàntic y la Renaixença** sin rest, Sant Isidre 33 ℰ 894 83 75, Fax 894 81 67, « Patio-jardín con arbolado » – ☎. 🖭 🗲 ꕱ BY b
15 marzo-25 octubre – ⇌ 800 – **53 hab** 8000/11000.

XX **El Greco**, passeig de la Ribera 70 ℰ 894 29 06, Fax 894 29 06, 🛱 – 🖭 ⏻ 🗲 ꕱ. ℀ AZ s
cerrado martes y 15 días en noviembre – **Comida** carta 3150 a 4600.

XX **El Velero**, passeig de la Ribera 38 ℰ 894 20 51, Fax 894 15 14 – 🗉. 🖭 ⏻ 🗲 ꕱ. ℀ AZ m
cerrado domingo noche salvo en verano – **Comida** carta 3225 a 4225.

XX Fragata, passeig de la Ribera 1 ℰ 894 10 86, Fax 894 00 31, 🛱 – 🗉 BZ p

XX **Maricel**, passeig de la Ribera 6 ℰ 894 20 54, Fax 894 38 96, ≼, 🛱 – 🗉. 🖭 ⏻ 🗲 ꕱ ꜀ꜱꜱ. ℀ BZ r
Comida carta 3675 a 5125.

XX **Sirius**, passeig Vilanova 46 ℰ 894 14 83, Fax 894 14 83, 🛱, Vivero – 🗉. 🖭 ⏻ 🗲 ꕱ BX a
cerrado enero – **Comida** carta 3000 a 5200.

X **Mare Nostrum**, passeig de la Ribera 60 ℰ 894 33 93, 🛱 – 🖭 ⏻ 🗲 ꕱ. ℀ AZ e
cerrado miércoles y 15 diciembre-enero – **Comida** carta 2975 a 3800.

X **La Masía**, passeig Vilanova 164 ℰ 894 10 76, Fax 894 61 60, 🛱, Decoración rústica regional – 🗉 🅿. 🖭 ⏻ 🗲 ꕱ ꜀ꜱꜱ AX v
Comida carta 2575 a 3150.

X **Vivero**, passeig Balmins ℰ 894 21 49, Fax 894 21 49, ≼, 🛱, Pescados y mariscos – 🗉 🅿. 🖭 ⏻ 🗲 ꕱ BX z
cerrado martes (enero-abril) y 20 diciembre-20 enero – **Comida** carta 3505 a 5400.

X **Oliver's**, Isla de Cuba 39 ℰ 894 35 16 – 🗉. 🖭 ꕱ AY d
cerrado lunes – **Comida** (sólo cena) carta 2525 a 3800.

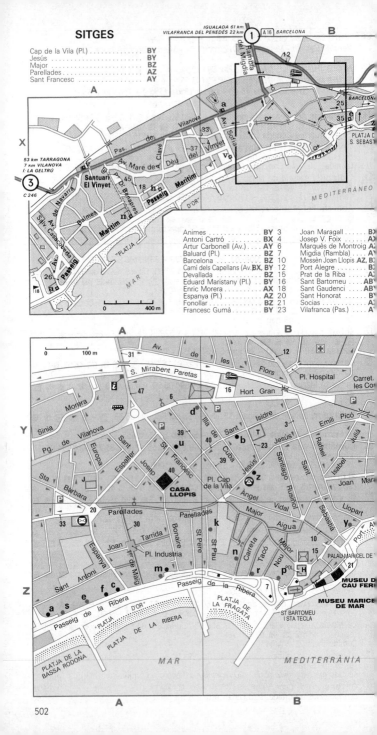

SITGES

Cap de la Vila (Pl.)	BY
Jesús	BY
Major	BZ
Parellades	AZ
Sant Francesc	AY

A

IGUALADA 61 km
VILAFRANCA DEL PENEDÉS 22 km
A 16 BARCELONA

B

53 km TARRAGONA
7 km VILANOVA
I LA GELTRÚ

C 246

Santuari El Vinyet

Passeig Marítim D'OR

"PLATJA"

MAR

MEDITERRÁNEO

PLATJA D S. SEBAS

0   400 m

Animes	BY 3	Joan Maragall		B
Antoni Cartró	BX 4	Josep V. Foix		A
Artur Carbonell (Av.)	AY 6	Marquès de Montroig		A
Baluard (Pl.)	BZ 7	Migdia (Rambla)		A
Barcelona	BZ 10	Mossèn Joan Llopis	AZ, B	
Camí dels Capellans (Av.	BX, BY 12	Port Alegre		B
Devallada	BZ 15	Prat de la Riba		A
Eduard Maristany (Pl.)	BY 16	Sant Bartomeu		AB
Enric Morera	AX 18	Sant Gaudenci		AB
Espanya (Pl.)	AZ 20	Sant Honorat		B
Fonollar	BZ 21	Socias		A
Francesc Gumà	BY 23	Vilafranca (Pas.)		A

A

B

0   100 m

S. Mirabent Paretas

Pl. Hospital

Carret.
les Cos

Hort Gran

Flors

Morera

Sinia

Pg. de Vilanova

Sta Barbara

Europa

Sant

Sant Francesc

Josep

Espaller

Illa de Cuba

Isidre

Sant

Jesús

Emili Picó

Rafael

Isabel

Joan Mara

Santiago Rusiñol

CASA LLOPIS

Pl. Cap de la Vila

Àngel

Vidal

Parellades

Parellades

Major

Aigua

Llopart

Tarrida

Bonaire

St Pere

St Pau

Carreta

Taco

Major

Nou

Sabastià

Port

PALAU MARICEL DE

Joan

Pl. Industria

1er de Maig

Sant Antoni

Passeig de la Ribera

Espanya

Passeig de la Ribera

PLATJA D'OR

PLATJA DE LA RIBERA

PLATJA DE LA RIBERA

PLATJA DE LA BASSA RODONA

MAR

PLATJA DE LA FRAGATA

ST BARTOMEU
I STA TECLA

MEDITERRÀNIA

MUSEU D CAU FER

MUSEU MARICE DE MAR

A

B

X **Rafecas "La Nansa",** Carreta 24 ℰ 894 19 27, Fax 894 73 31 – ▤. ᴁ ◉ ᴇ 𝗩𝗜𝗦𝗔. ⅍
cerrado martes noche en invierno, miércoles salvo festivos y 6 enero-6 febrero – **Comida**
carta 3000 a 3500.   BZ n

X **La Torreta,** Port Alegre 17 ℰ 894 52 53, 🏤 – ᴁ ◉ ᴇ 𝗩𝗜𝗦𝗔 ᴊᴄʙ. ⅍   BZ y
cerrado martes y noviembre – **Comida** carta 3300 a 5250.

X **Els 4 Gats,** Sant Pau 13 ℰ 894 19 15 – ▤. ᴁ ◉ ᴇ 𝗩𝗜𝗦𝗔. ⅍   BZ k
cerrado miércoles y 15 octubre-marzo – **Comida** carta 2650 a 4100.

el puerto de Aiguadolç *por* ② *: 1,5 km –* ⊠ *08870 Sitges –* ☎ *93 :*

🏨 **Meliá Gran Sitges** ⅍, ℰ 811 08 11, Fax 894 90 34, ≼, 🏤, Teatro-auditorio,
« Césped con 🏊 », Ⅰₐ, 🏊 – 🔋 ▤ 📺 ☎ ઙ ⇆ – 🔬 25/1400. ᴁ ◉ ᴇ 𝗩𝗜𝗦𝗔. ⅍
Comida 2900 - ***Noray :*** **Comida** carta 3600 a 4400 – 🖵 1500 – **294 hab** 18500/22000,
13 suites.

🏨 **Estela Barcelona** ⅍, av. port d'Aiguadolç ℰ 894 79 18, Fax 811 04 89, ≼, 🏤, Frente
al puerto deportivo, 🏊 – 🔋 ▤ 📺 ☎ ઙ ⇆ 🅟 – 🔬 25/350. ᴁ ◉ ᴇ 𝗩𝗜𝗦𝗔 ᴊᴄʙ
Comida 3000 - ***Iris :*** **Comida** carta 2700 a 4350 – **57 hab** 🖵 17500/22000, 9 apartamentos.

BRADO DE LOS MONJES 15312 La Coruña 𝟰𝟰𝟭 C 5 – 2 739 h. – ☎ 981.
Madrid 552 – La Coruña/A Coruña 64 – Lugo 46 – Santiago de Compostela 61.

🏛 **San Marcus,** ℰ 78 75 27, 🏊 – 📺 ☎. ᴇ 𝗩𝗜𝗦𝗔. ⅍
cerrado enero y febrero – **Comida** 1800 – 🖵 475 – **12 hab** 3500/6000.

SOLANA 13240 Ciudad Real 𝟰𝟰𝟰 P 20 – 13 892 h. alt. 770 – ☎ 926.
Madrid 188 – Alcázar de San Juan 78 – Ciudad Real 67 – Manzanares 15.

⛲ **San Jorge,** carret. de Manzanares ℰ 63 34 02, Fax 63 34 02 – ▤ 📺 ⇆ 🅟. ⅍
cerrado enero – **Comida** 1300 – 🖵 300 – **21 hab** 3500/6500.

LARES 39710 Cantabria 𝟰𝟰𝟮 B 18 – 5 723 h. alt. 70 – ☎ 942.
Madrid 387 – Bilbao/Bilbo 85 – Burgos 152 – Santander 16.

🏛 Don Pablo, General Mola 6 ℰ 52 21 20, Fax 52 05 26, 🏤, « Casa señorial del siglo XVI »
– ▤ hab 📺 ☎ 🅟 – 🔬 25/300
27 hab.

XX **Casa Enrique** ⅍ *con hab,* paseo de la Estación 20 ℰ 52 00 73, Fax 52 00 73 – ▤ rest
📺 ☎ 🅟. ᴁ ◉ ᴇ 𝗩𝗜𝗦𝗔 ᴊᴄʙ. ⅍
cerrado 20 septiembre-10 octubre – **Comida** *(cerrado domingo noche)* carta aprox. 3150
– 🖵 400 – **16 hab** 4500/7000.

LDEU Andorra – ver Andorra (Principado de).

IVELLA 43412 Tarragona 𝟰𝟰𝟯 H 33 – 710 h. – ☎ 977.
Madrid 525 – Lérida/Lleida 66 – Tarragona 51.

X **Cal Travé,** carret. d'Andorra 56 ℰ 89 21 65, Decoración típica, Carnes a la brasa – ▤.
◉ ᴇ 𝗩𝗜𝗦𝗔. ⅍
cerrado miércoles y del 15 al 30 de septiembre – **Comida** carta 2300 a 3900.

OSANCHO 05130 Ávila 𝟰𝟰𝟰 K 15 – 1 156 h. alt. 1 119 – ☎ 920.
Madrid 136 – Arenas de San Pedro 52 – Ávila 23 – Béjar 91 – Peñaranda de Bracamonte
78.

Villaviciosa *SE : 2,5 km –* ⊠ *05130 Solosancho –* ☎ *920 :*

🏰 **Sancho de Estrada** ⅍, ℰ 29 10 82, Fax 29 10 82, « Castillo medieval » – 📺 ☎ 🅟.
ᴁ ◉ ᴇ 𝗩𝗜𝗦𝗔. ⅍
Comida 2500 – 🖵 650 – **12 hab** 6450/9775 – PA 4800.

Die im Michelin-Führer
verwendeten Zeichen und Symbole haben
– fett oder dünn gedruckt, rot oder schwarz –
jeweils eine andere Bedeutung.
Lesen Sie daher die Erklärungen aufmerksam durch.

SOLSONA 25280 Lérida 443 C 34 – 6601 h. alt. 664 – © 973.

Ver : *Museo diocesano*★ *(pinturas*★★ *románicas y góticas)* – *Catedral (Virgen Claustro*★*).*

🖪 *av. del Pont-edifici Piscis, 🖉 48 23 10, Fax 48 25 14.*
Madrid 577 – Lérida/Lleida 108 – Manresa 52.

XX **La Cabana d'en Geli,** carret. de Sant Llorenç de Morunys 🖉 48 29 57, Fax 48 04
🏤 – 🖭 🅿. 🕮 ⓞ 🖪 VISA JCB. 🛠
cerrado martes noche y miércoles (salvo festivos o vísperas), una semana en julio y t semanas en noviembre – **Comida** carta 2900 a 3900.

X Crisami *con hab,* carret. de Manresa 🖉 48 04 13, Fax 48 14 88 – 🖭 ☎
21 hab.

en la carretera de Manresa *E : 1 km* – ⊠ 25280 Solsona – © 973 :

XX Gran Sol, 🖉 48 10 00 – 🖭 🅿.

SÓLLER Baleares – *ver Baleares (Mallorca).*

SOMIÓ Asturias – *ver Gijón.*

SON BOU Baleares – *ver Baleares (Menorca) : Alayor.*

SON SERVERA Baleares – *ver Baleares (Mallorca).*

SON VIDA Baleares – *ver Baleares (Mallorca) : Palma.*

SOPELANA o SOPELA 48600 Vizcaya 442 B 21 – 8164 h. – © 94 – Playa.
Madrid 439 – Bilbao/Bilbo 20.

en Larrabasterra *O : 1 km* – ⊠ 48600 Sopelana – © 94 :

XX Itxas-Alde, carret. Arriatera 64 🖉 676 00 15, ≤, 🏤 – 🖭 🅿.

SORIA 42000 🅿 442 G 22 – 35540 h. alt. 1050 – © 975.

Ver : *Iglesia de Santo Domingo*★ *(portada*★★*)* A – *Catedral de San Pedro (claustro*★*) San Juan de Duero (claustro*★*)* B.

Excurs. : *Sierra de Urbión*★★ *: Laguna Negra de Urbión*★★ *(carretera*★★*)* 56 km por Laguna Negra de Neila*★★ *(carretera*★★*)* 86 km por ④*.

🖪 *pl. Ramón y Cajal,* ⊠ 42003, 🖉 21 20 52, Fax 21 20 52.
Madrid 225 ③ – Burgos 142 ④ – Calatayud 92 ② – Guadalajara 169 ③ – Logroño ① – Pamplona/Iruñea 167 ②.

Plano página siguiente

🏨 **Parador de Soria** ⊗, parque del Castillo, ⊠ 42005, 🖉 24 08 00, Fax 24 08 0
valle del Duero y montañas – ▤ rest 🖭 ☎ 🅿 – 🔏 25/140. 🕮 ⓞ 🖪 VISA 🛠
Comida 3200 – ⊑ 1200 – **34 hab** 14500.

🏨 **Alfonso VIII,** Alfonso VIII-10, ⊠ 42003, 🖉 22 62 11, Fax 21 36 65 – 🛗 ▤ rest 🖭
⇔ – 🔏 25/150. 🕮 ⓞ 🖪 VISA 🛠
Comida 1600 – ⊑ 900 – **102 hab** 6200/8200 – PA 3280.

🏨 **Mesón Leonor** ⊗, paseo del Mirón, ⊠ 42005, 🖉 22 02 50, Fax 22 99 53, ≤ – ▤
☎ 🅿 – 🔏 25/100. 🕮 ⓞ 🖪 VISA 🛠 rest
Comida 1900 – ⊑ 575 – **32 hab** 6000/9300.

🏚 **Viena** *sin rest,* García Solier 1, ⊠ 42001, 🖉 22 21 09, Fax 22 21 09 – 🛗 🖭 ☎
🖪 VISA 🛠
⊑ 350 – **24 hab** 2050/5500.

XX **Maroto,** paseo del Espolón 20, ⊠ 42001, 🖉 22 40 86 – ▤. 🕮 ⓞ 🖪 VISA 🛠
cerrado 15 días en febrero – **Comida** carta 2630 a 4680.

XX Santo Domingo II, Aduana Vieja 15, ⊠ 42002, 🖉 21 17 17 – ▤

XX **Mesón Castellano,** pl. Mayor 2, ⊠ 42002, 🖉 21 30 45 – ▤. 🕮 ⓞ
VISA 🛠
Comida carta aprox. 3200.

XX **Fogón del Salvador,** pl. del Salvador 1, ⊠ 42001, 🖉 23 01 94, Espec. en car
la brasa y asados – ▤. 🕮 ⓞ 🖪 VISA JCB. 🛠
Comida carta 3100 a 4400.

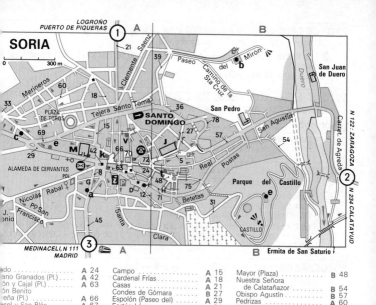

...do		**A** 24
...ano Granados (Pl.)		**A** 42
...ón y Cajal (Pl.)		**A** 63
...ón Benito		
...eña (Pl.)		**A** 66
...sel y San Blás		**A** 67
...rre		**B** 5
...so VIII		**A** 8
...lleros		**A** 12
Campo		**A** 15
Cardenal Frías		**A** 18
Casas		**A** 21
Condes de Gómara		**B** 27
Espolón (Paseo del)		**A** 29
Fortún López		**B** 31
García Solier		**A** 33
Hospicio		**B** 36
Logroño (Carret.)		**B** 39
Mariano Vicén (Av.)		**A** 45
Mayor (Plaza)		**B** 48
Nuestra Señora		
de Calatañazor		**B** 54
Obispo Agustín		**B** 57
Pedrizas		**A** 60
San Benito		**A** 69
San Clemente		**A** 70
S. Juan de Ribanera		**B** 71
Sorovega		**B** 75
Tirso de Molina		**B** 78

la carretera N 122 por ② : 6 km - ⊠ 42004 Soria - ✆ 975 :

Green Cadosa, ✆ 21 31 43, Fax 21 31 43, ♨, ❤ – ■ rest ⊡ ☎ ⇆ ℗ – ⚲ 25/275. ⚠ ⓪ 𝘝𝘐𝘚𝘈. ❤ rest
Comida 1250 – ♀ 450 – **64 hab** 5800/8900 – PA 2950.

RPE 25587 Lérida ⁴⁴³ E 33 – alt. 1 113 – ✆ 973.
Madrid 627 – Lérida/Lleida 174 – Seo de Urgel/La Seu d'urgell 90.

la carretera del port de la Bonaigua O : 4,5 km – ⊠ 25587 Sorpe – ✆ 973 :

Els Avets ♨, ✆ 62 63 55, Fax 62 63 38, ≤, ✿, ♨ climatizada – ⊡ ☎ ⇆ ℗. ⓪ 𝐄 𝘝𝘐𝘚𝘈. ❤
diciembre-abril y junio-septiembre – **Comida** 2200 – ♀ 950 – **28 hab** 6050/12100 – PA 4650.

T 25560 Lérida ⁴⁴³ E 33 – 1511 h. alt. 720 – ✆ 973.
Alred. : NO : Valle de Llessui★★.
🛈 av. Comtes de Pallars 21, ✆ 62 10 02, Fax 62 00 10.
Madrid 593 – Lérida/Lleida 136.

Pessets, carret. de Seo de Urgel ✆ 62 00 00, Fax 62 08 19, ≤, ♨, ✿, ❤ – ⧉ ⊡ ☎ – ⚲ 30/200. 𝐄 𝘝𝘐𝘚𝘈. ❤ rest
cerrado noviembre – **Comida** 1900 – ♀ 690 – **80 hab** 4850/7700.

DEL REY CATÓLICO 50680 Zaragoza ⁴⁴³ E 26 – 974 h. alt. 652 – ✆ 948.
Ver : Iglesia de San Esteban★ (cripta★, coro★).
Alred. : Uncastillo (iglesia de Santa María : portada Sur★, sillería★, claustro★) SE : 22 km.
Madrid 423 – Huesca 109 – Pamplona/Iruñea 59 – Zaragoza 122.

Parador de Sos del Rey Católico ♨, ✆ 88 80 11, Fax 88 81 00, ≤, Conjunto de estilo aragonés – ⧉ ■ ⊡ ☎ ℗ – ⚲ 25/45. ⚠ ⓪ 𝐄 𝘝𝘐𝘚𝘈. ❤
Comida 3200 – ♀ 1200 – **65 hab** 14500.

La guida cambia, cambiate la guida ogni anno.

505

SOTO DE CANGAS 33559 Asturias 441 B 14 - 155 h. alt. 84 - 98.
Madrid 439 - Oviedo 73 - Santander 134.

La Balsa sin rest, carret. de Covadonga 594 00 56, Fax 594 00 56 - 🖻 ☎. 🖭 🗲 🖼
⛾
⇄ 600 - **14 hab** 8000.

SOTO DE LUIÑA 33156 Asturias 441 B 11 - 98.
Madrid 520 - Avilés 37 - Gijón 60 - Luarca 30 - Oviedo 68.

al Noroeste : 1,5 km - ⊠ 33156 Soto de Luiña - 98 :

Cabo Vidío ⛾, acceso carret. N 632 559 61 12, 🏤 - 🅿. 🖭 🗲 VISA, ⛾
cerrado diciembre y enero - **Comida** 2000 - ⇄ 300 - **12 hab** 3000/7000.

SOTO DEL REAL 28791 Madrid 444 J 18 - 2697 h. alt. 921 - 91.
Madrid 47 - El Escorial 47 - Guadalajara 92.

Suite H. Prado Real, El Prado - urb. Prado Real 847 86 98, Fax 847 84 32, 🌊,
- 🗏 🖸 ☎ 🅿 - 🔬 25/90. 🖭 ◍ 🗲 VISA. ⛾
Comida 2000 - **45 hab** ⇄ 7570/9440.

La Cabaña, pl. Chozas de la Sierra - urb. La Ermita 847 78 82, 🏤 - 🗏 🅿. ◍ 🗲
cerrado lunes noche (invierno), martes y del 14 al 31 de octubre - **Comida** carta 3
a 5100.

SOTOGRANDE 11310 Cádiz 446 X 14 - 956 - Playa.
🏌, 🏌 de Sotogrande 79 50 50, Fax 79 50 29 - 🏌 🏌 de Valderrama 79 57 75,
79 60 28.
Madrid 666 - Algeciras 27 - Cádiz 148 - Málaga 111.

Sebastián, Altamira 5 - Pueblo Nuevo de Guadiaro 79 50 00, 🏤 - 🗏. 🖭 🗲
⛾
cerrado domingo y junio - **Comida** carta 3450 a 4100.

en el puerto deportivo NE : 3 km - ⊠ 11310 Sotogrande - 956 :

Club Marítimo ⛾ sin rest, ⊠ apartado 3, 79 02 00, Fax 79 03 77, ≤, Patio
plantas - 🛗 🗏 🖸 ☎ - 🔬 25. 🖭 ◍ 🗲 VISA
⇄ 1100 - **25 hab** 19000/24000, 12 suites.

Cabo Mayor, 79 03 90, Fax 79 03 89, ≤, 🏤 - 🗏. 🖭 ◍ 🗲 VISA. ⛾
cerrado domingo (salvo julio-agosto) y 24 diciembre-8 enero - **Comida** carta 4200 a 5

Vicente, local A-8 79 02 12, 🏤 - 🖭 ◍ 🗲 VISA
cerrado lunes - **Comida** carta 2550 a 3550.

en la urbanización Sotogrande por la carretera N 340 - SO : 4 km - ⊠ 11310 Sotogra
- 956 :

Valderrama, Club de Golf 79 57 75, Fax 79 60 28, 🏤, Cocina francesa, « E
campo de golf » - 🗏 🅿. 🖭 🗲 VISA. ⛾
cerrado domingo noche, lunes y 15 mayo-15 junio - **Comida** (sólo cena salvo buffet m
día en domingo. Es necesario reservar) carta 4000 a 5500.

SOTOSALBOS 40170 Segovia 442 I 18 - 94 h. alt. 1161 - 921.
Madrid 106 - Aranda de Duero 98 - Segovia 19.

De Buen Amor sin rest, Eras 7 40 30 20, Fax 40 30 22, « Antigua casa de labra
- 🖸 ☎ - 🔬 25. 🖭 🗲 VISA. ⛾
⇄ 500 - **12 hab** 6800/10500.

A. Manrique, carret. N 110 40 30 66, Decoración castellana - 🗏 🅿.

SOTOSERRANO 37657 Salamanca 441 K 11 - 673 h. alt. 522 - 923.
Madrid 311 - Béjar 36 - Ciudad Rodrigo 61 - Salamanca 106.

Mirador ⛾, carret. de Coria 42 21 55, ≤ - 🗏 ⬛ 🅿. 🖭 ◍ VISA. ⛾
Comida 1200 - ⇄ 350 - **14 hab** 2500/4500 - PA 2700.

SUANCES 39340 Cantabria 442 B 17 - 5842 h. - 942 - Playa.
Madrid 394 - Bilbao/Bilbo 131 - Oviedo 182 - Santander 31.

Posada del Mar sin rest, Cuba de Arriba 2 81 12 33, Fax 81 12 53 - 🖸 ☎.
VISA JCB
⇄ 300 - **11 hab** 4300/7000.

la zona de la playa :

🏨 **Suances** sin rest. con cafetería, Ceballos 45 ℰ 84 42 22, Fax 84 42 11, ≤, ⴼ – ⴼ ⲧⵎ
☎ **Ⓟ**. 🖭 **E** 𝗩𝗜𝗦𝗔. ⴼ
⫍ 500 – **32 hab** 11000/12000.

🏨 **Cuevas III,** Ceballos 53 ℰ 84 43 43, Fax 84 44 45 – ⴼ ⵘ rest ⵜⵎ ☎ **Ⓟ**. **E**
𝗩𝗜𝗦𝗔. ⴼ
marzo-noviembre – **Comida** 2000 – **41 hab** ⫍ 9100/13000 – PA 4000.

🏨 **Vivero II** sin rest, Ceballos 75 A ℰ 81 13 02, Fax 81 13 02 – ⴼ ⵜⵎ ☎ **Ⓟ**. 🖭 **Ⓞ E** 𝗩𝗜𝗦𝗔.
ⴼ
cerrado noviembre-marzo – **44 hab** ⫍ 5300/10500.

X **Sito,** av. de la Marina Española 3 ℰ 81 04 16 – ⵘ. 🖭 **E** 𝗩𝗜𝗦𝗔. ⴼ
cerrado lunes salvo en verano – **Comida** carta 2750 a 4450.

la zona del faro :

🏨🏨 **Albatros** ⴼ, Madrid 20 - carret. de Tagle ℰ 84 41 40, Fax 81 03 74, ≤, ⴼ, ⴼ – ⴼ
ⵜⵎ ☎ **Ⓟ**. **Ⓞ E** 𝗩𝗜𝗦𝗔. ⴼ rest
Comida 2500 – ⫍ 600 – **40 hab** 10000/11500.

🏨 **El Castillo** ⴼ sin rest, av. Acacio Gutiérrez 142 ℰ 81 03 83, Fax 81 03 74, ≤, Reproducción de un pequeño castillo – ⵜⵎ ☎. 𝗩𝗜𝗦𝗔
⫍ 600 – **11 hab** 8500/9500.

X **El Caserío** ⴼ con hab, av. Acacio Gutiérrez 159 ℰ 81 05 75, Fax 81 05 76, ⴼ – ⵘ rest
ⵜⵎ ☎ **Ⓟ**. 🖭 **Ⓞ E** 𝗩𝗜𝗦𝗔. ⴼ
cerrado 20 diciembre-20 enero – **Comida** (cerrado martes de octubre a abril) carta 3800
a 4500 – ⫍ 800 – **9 hab** 9500.

───

RIA 08260 Barcelona 𝟰𝟰𝟯 G 35 – 6 524 h. alt. 280 – ✆ 93.
Madrid 596 – Barcelona 80 – Lérida/Lleida 127 – Manresa 15.

X **Guilá "Can Pau"** con hab, Salvador Vancell 19 ℰ 869 53 28, Fax 869 65 35 – ⵘ rest.
𝗩𝗜𝗦𝗔
Comida carta 2450 a 2950 – ⫍ 550 – **36 hab** 3250/4250.

───

BARCA (Isla de) 03138 Alicante 𝟰𝟰𝟱 R 28 – ✆ 96 – Playa.
⫯ Accesos desde : Alicante, Santa Pola y Torrevieja.

🏨 **Casa del Gobernador** ⴼ sin rest, Arzola ℰ 511 42 60, Fax 511 42 60, ≤ – **E** 𝗩𝗜𝗦𝗔.
cerrado 15 enero-15 febrero – **14 hab** ⫍ 6420/8560.

X **La Almadraba,** Virgen del Carmen 3 ℰ 597 05 87, ≤, ⴼ – 🖭 **E** 𝗩𝗜𝗦𝗔. ⴼ
cerrado 9 enero-9 febrero – **Comida** (cerrado martes 15 octubre-15 marzo) carta 2500
a 3900.

───

CORONTE Santa Cruz de Tenerife – ver Canarias (Tenerife).

───

FALLA 31300 Navarra 𝟰𝟰𝟮 E 24 – 10 249 h. alt. 426 – ✆ 948.
Alred. : Ujué ★ E : 19 km.
Madrid 365 – Logroño 86 – Pamplona/Iruñea 38 – Zaragoza 135.

XX **Tubal,** pl. de Navarra 4-1º ℰ 70 12 96, Fax 70 00 50, « Bonito patio estilo jardín de
invierno » – ⴼ ⵘ. 🖭 **Ⓞ E** 𝗩𝗜𝗦𝗔. ⴼ
cerrado domingo noche, lunes y 21 agosto-4 septiembre – **Comida** carta 4150 a 5350.

a carretera N 121 S : 3 km – ⊠ 31300 Tafalla – ✆ 948 :

🏨 **Tafalla** sin rest, ℰ 70 03 00, Fax 70 30 52 – ⵜⵎ ☎ **Ⓟ**. 🖭 **Ⓞ E** 𝗩𝗜𝗦𝗔 𝖩𝖢𝖡. ⴼ
cerrado del 1 al 7 de enero – ⫍ 700 – **28 hab** 3500/7000.

───

IRA ALTA Las Palmas – ver Canarias (Gran Canaria).

───

AVERA DE LA REINA 45600 Toledo 𝟰𝟰𝟰 M 15 – 69 136 h. alt. 371 – ✆ 925.
🄱 Ronda del Cañillo (Torreón), ℰ 82 63 22.
Madrid 120 – Ávila 121 – Cáceres 187 – Córdoba 435 – Mérida 227.

🏨 **Beatriz,** av. de Madrid 1 ℰ 80 76 00, Telex 47941, Fax 81 58 08 – ⴼ ⵘ ⵜⵎ ☎ –
ⴼ 25/1000. 🖭 **Ⓞ E** 𝗩𝗜𝗦𝗔. ⴼ
Comida 2350 - **Anticuario** (cerrado domingo noche) **Comida** carta 3050 a 4600 – ⫍ 600
– **161 hab** 6050/8580.

Perales sin rest, av. Pío XII-3 📞 80 39 00, Fax 80 39 00 – 🛗 🖿 📺 ☎. 🝙 🝚 𝘝𝘐𝘚𝘈. 𝟬
⌖ 350 – **65 hab** 4600/6900.

Talavera, av. Gregorio Ruiz 1 📞 80 02 00, Fax 82 66 06 – 🛗 🖿 📺 ☎ 🚗. 🝚 𝘝𝘐𝘚𝘈. 🛇 re
Comida 1100 – ⌖ 410 – **75 hab** 3810/6120.

TAMARITE DE LITERA 22550 Huesca 𝟰𝟰𝟯 G 31 – 3988 h. – ✆ 974.
Madrid 506 – Huesca 96 – Lérida/Lleida 36.

XX **Casa Toro**, av. Florences Gili 📞 42 03 52 – 🖿 🅿. 🝙 🝚 𝘝𝘐𝘚𝘈
cerrado domingo noche, lunes y del 15 al 30 de noviembre – **Comida** carta 2100 a 50ℓ

TAMARIU 17212 Gerona 𝟰𝟰𝟯 G 39 – ✆ 972 – Playa.
Madrid 731 – Gerona/Girona 47 – Palafrugell 10 – Palamós 21.

Hostalillo, Bellavista 22 📞 62 02 28, Fax 62 01 84, « Terrazas con ≤ cala » – 🛗 🖿 r
☎ 🚗. 🝙 🝚 𝘝𝘐𝘚𝘈. 🛇
mayo-octubre – **Comida** 2200 – **70 hab** ⌖ 10300/15500 – PA 4700.

Tamariu, passeig del Mar 3 📞 62 00 31, 🍴 – 🚗. 🝚 𝘝𝘐𝘚𝘈. 🛇
15 mayo-septiembre – **Comida** 2200 – ⌖ 600 – **54 hab** 4200/7800.

TAPIA DE CASARIEGO 33740 Asturias 𝟰𝟰𝟭 B 9 – 4282 h. – ✆ 98 – Playa.
🛈 pl. Constitución, 📞 547 29 68, (temp).
Madrid 578 – La Coruña/A Coruña 184 – Lugo 99 – Oviedo 143.

San Antón sin rest. con cafetería, pl. San Blas 2 📞 562 80 00, Fax 562 84 37 – ☎.
① 𝘝𝘐𝘚𝘈. 🛇
15 junio-15 septiembre – ⌖ 400 – **18 hab** 5000/8000.

Puente de los Santos sin rest, Primo de Rivera 31 📞 562 81 55, Fax 562 84 3
☎ 🚗. 🝙 ① 🝚 𝘝𝘐𝘚𝘈
⌖ 400 – **32 hab** 5000/7500.

XX **Palermo**, Bonifacio Amago 13 📞 562 83 70 – 🝚 𝘝𝘐𝘚𝘈
cerrado domingo noche salvo agosto – **Comida** carta 3300 a 4500.

TARAMUNDI 33775 Asturias 𝟰𝟰𝟭 B 8 – 1015 h. – ✆ 98.
Madrid 571 – Lugo 65 – Oviedo 195.

La Rectoral 🐾, La Villa 📞 564 67 67, Fax 564 67 77, ≤ valle y montañas, 🍴, « Rús
regional del siglo XVII », 🛁 – 🖿 📺 ☎ 🅿 – 🛄 25. 🝙 ① 🝚 𝘝𝘐𝘚𝘈. 🛇
Comida 2700 – ⌖ 1000 – **18 hab** 13000/16000 – PA 6400.

TARANCÓN 16400 Cuenca 𝟰𝟰𝟰 L 20 y 21 – 10891 h. alt. 806 – ✆ 969.
Madrid 81 – Cuenca 82 – Valencia 267.

X **Mesón del Cantarero**, antigua carret. N III 📞 32 05 33, Fax 32 42 12, 🍴 – 🖿
🝙 ① 🝚 𝘝𝘐𝘚𝘈. 🛇
cerrado lunes – **Comida** carta 2525 a 3750.

X Stop, antigua carret. N III 📞 32 01 00, Fax 32 06 42 – 🖿 🅿.

X **Celia**, Juan Carlos I-14 📞 32 00 84 – 🖿. 🝚 𝘝𝘐𝘚𝘈. 🛇
Comida carta 2750 a 3400.

TARANES 33557 Asturias 𝟰𝟰𝟭 C 14 – ✆ 98.
Madrid 437 – Gijón 116 – León 186 – Oviedo 111.

en la carretera AS 261 E : 3 km – ✉ 33557 Taranes – ✆ 98 :

La Casona de Mestas 🐾, 📞 584 30 55, Fax 584 30 92, « En un paraje montañc
– 🅿. 🝙 𝘝𝘐𝘚𝘈. 🛇
cerrado 23 enero-3 marzo – **Comida** 1700 – ⌖ 600 – **14 hab** 6000/8000 – PA 4

TARAZONA 50500 Zaragoza 𝟰𝟰𝟯 G 24 – 10638 h. alt. 480 – ✆ 976.
Ver : Catedral (capilla★).
Alred. : Monasterio de Veruela★★ (iglesia abacial★★, claustro★ : sala capitular★).
🛈 Iglesias 5, 📞 64 00 74, Fax 64 10 23.
Madrid 294 – Pamplona/Iruñea 107 – Soria 68 – Zaragoza 88.

Ituri-Asso, Virgen del Rio 3 📞 64 31 96, Fax 64 04 66 – 🛗 🖿 📺 ☎ 🚗 – 🛄 25,
🝙 ① 🝚 𝘝𝘐𝘚𝘈. 🛇
Comida (cerrado domingo noche) 1200 – ⌖ 700 – **17 hab** 6000/10000
3000.

🏨 **Brujas de Bécquer,** carret. de Zaragoza - SE : 1 km ℰ 64 04 04, Fax 64 01 98 – 🛗
🔲 📺 ☎ 🚗 🅿 – 🛃 25/800. 🆎 ⓞ ⋿ 𝘝𝘐𝘚𝘈. ❤ rest
Comida 1000 – 🖵 400 – **57 hab** 4800/6050 – PA 2400.

✗ **El Galeón,** av. La Paz 1 ℰ 64 29 65, Fax 64 29 65 – 🔲. 🆎 ⓞ ⋿ 𝘝𝘐𝘚𝘈
Comida carta 2450 a 3600.

ARIFA 11380 Cádiz 𝟰𝟰𝟲 X 13 – 15 528 h. – 😊 956 – Playa.
Ver : Castillo de Guzmán el Bueno ≤⋆.
🚢 para Tánger : Cia Transtour - Touráfrica, estación Marítima ℰ 68 47 51.
🅱 paseo de la Alameda, ℰ 68 09 93, Fax 68 04 31.
Madrid 715 – Algeciras 22 – Cádiz 99.

la carretera de Cádiz - ✉ 11380 Tarifa - 😊 956 :

🏨 **Balcón de España** ⑤, La Peña 2 - NO : 8 km, ✉ apartado 57, ℰ 68 09 63,
Fax 68 04 72, �, « Jardín con arbolado y 🏊 », ✗ – ☎ 🅿. 🆎 ⓞ ⋿ 𝘝𝘐𝘚𝘈.
❤ rest
abril-20 octubre – **Comida** 2500 – 🖵 675 – **38 hab** 8800/11500.

🏨 **La Codorniz,** NO : 6,5 km ℰ 68 47 44, Fax 68 41 01, �, 🏊, 🌲 – 🔲 rest 📺 ☎ 🅿.
🆎 ⓞ ⋿ 𝘝𝘐𝘚𝘈. ❤ rest
Comida 1900 – 🖵 435 – **35 hab** 6400/9500.

🏨 **San José del Valle,** cruce de Bolonia - NO : 15 km ℰ 68 70 92, Fax 68 71 22 – 🔲 📺
☎ 🅿. 🆎 ⋿ 𝘝𝘐𝘚𝘈. ❤
Comida 1200 – 🖵 250 – **17 hab** 5000/9000 – PA 2500.

la carretera de Málaga NE : 11 km - ✉ 11380 Tarifa - 😊 956 :

🏨 **Mesón de Sancho,** ✉ apartado 25, ℰ 68 49 00, Fax 68 47 21, 🏊 – 📺 ☎ 🅿. 🆎
ⓞ ⋿ 𝘝𝘐𝘚𝘈. ❤ rest
Comida carta aprox. 3850 – 🖵 570 – **40 hab** 5900/7700.

RRAGONA 43000 🅿 𝟰𝟰𝟯 I 33 – 112 801 h. alt. 49 – 😊 977 – Playa.
Ver : Tarragona romana⋆⋆ : Passeig Arqueològic⋆⋆ DZ , Museu Nacional Arqueològic de
Tarragona⋆⋆ DZ **M** – Museu de la Romanidad⋆ DZ **M1** – Anfiteatro⋆⋆ DZ – Museu i
Otras curiosidades : Necrópolis Paleocristiana⋆ AY – Ciudad medieval : Catedral⋆⋆ (Museo
Diocesano⋆⋆) DZ – El Serrallo⋆ AY.
Alred. : Acueducto romano⋆⋆ 4 km por ④ – Mausoleo de Centcelles⋆ NO : 5 km por ③
– Torre de los Escipiones⋆ 5 km por ① – Villa romana de Els Munts⋆ 12 km por ①.
Excurs. : Arco de Berà⋆ 20 km por ① (Roda de Berà).
🏌 de la Costa Dorada E : 8 km ℰ 65 33 61, Fax 65 30 28 – Iberia : rambla Nova 116, ✉
43001, ℰ 75 37 90 AZ.
🚢 Cía. Trasmediterránea, Nou de Sant Oleguer 16, ✉ 43004, ℰ 22 55 06, Telex 56613
BY, Fax 22 49 51.
🅱 Fortuny 4, ✉ 43001, ℰ 23 34 15, Fax 24 47 02 y Major 39, ✉ 43003, ℰ 24 52 03,
Fax 24 55 07 – **R.A.C.E.** rambla Nova 114, ✉ 43001, ℰ 21 19 62, Fax 24 26 32.
Madrid 555 ④ – Barcelona 109 ④ – Castellón de la Plana/Castelló de la Plana 184 ③ –
Lérida/Lleida 97 ④.

Plano página siguiente

🏨🏨🏨 **Imperial Tarraco,** passeig de les Palmeres, ✉ 43003, ℰ 23 30 40, Fax 21 65 66, ≤,
🏊, ✗ – 🛗 🔲 📺 ☎ 🅿 – 🛃 25/500. 🆎 ⓞ ⋿ 𝘝𝘐𝘚𝘈. ❤ rest   DZ **d**
Comida 3100 – **155 hab** 🖵 14500/19200, 15 suites – PA 6200.

🏨🏨 **Urbis** sin rest. con cafetería salvo domingo, Reding 20 bis, ✉ 43001, ℰ 24 01 16,
Fax 24 36 54 – 🛗 🔲 📺 ☎ 🚗 – 🛃 25. 🆎 ⓞ ⋿ 𝘝𝘐𝘚𝘈. ❤   CZ **x**
🖵 975 – **44 hab** 5975/10500.

🏨🏨 **Astari,** Vía Augusta 95, ✉ 43003, ℰ 23 69 00, Fax 23 69 11, ≤, 🏊 – 🛗 🔲 📺 ☎ 🚗.
🆎 ⓞ ⋿ 𝘝𝘐𝘚𝘈. ❤   BY **t**
Comida (ver rest. **Roma**) – 🖵 850 – **47 hab** 7120/8900.

🏨🏨 **Lauria** sin rest, Rambla Nova 20, ✉ 43004, ℰ 23 67 12, Fax 23 67 00, 🏊 – 🛗 🔲 📺
☎ 🚗 – 🛃 25/40. 🆎 ⓞ ⋿ 𝘝𝘐𝘚𝘈   DZ **e**
🖵 675 – **72 hab** 5500/10000.

🏨 **España** sin rest, Rambla Nova 49, ✉ 43003, ℰ 23 27 07 – 🛗 📺   CZ **a**
40 hab.

✗✗ Roma, Vía Augusta 95, ✉ 43003, ℰ 22 48 76, Fax 22 48 76, �, Cocina italiana, 🏊 –
🔲   BY **t**

✗ **Merlot,** Cavallers 6, ✉ 43003, ℰ 22 06 52, Fax 22 81 53, � – 🔲. ⋿ 𝘝𝘐𝘚𝘈   DZ **f**
cerrado domingo noche y lunes (15 septiembre-15 junio), domingo y lunes mediodía resto
del año – **Comida** carta 3275 a 4600.

TARRAGONA

Cuixa (Camí de la) ..... **BY** 13
Generalitat (Pl. de la) ... **AY** 15

Independència
(Pg. de la) .... **AY** 16
Mallorca .... **AY** 21
President F. Macià
(Av.) .... **AY** 36

President Lluís Companys (Av.) . **AY**
Rafael Canasova
(Pg. Marítim de) .... **BY**
Rovira i Virgili .... **BY**
Trafalgar .... **AY**

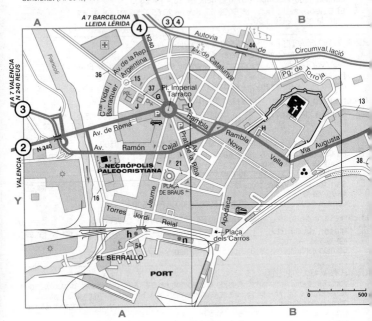

ⓧ **Estació Marítima,** Moll de Costa Tinglado 4 (puerto), ⊠ 43004, ℘ 23 21 00, ≤,
– ▤. ⒶⒺ ⓞ Ⓔ Ⓥ︢Ⓢ︢Ⓐ︢. ⅗
cerrado lunes – **Comida** carta 2950 a 3700.

ⓧ Les Coques, Baixada Nova del Patriarca 2 bis, ⊠ 43003, ℘ 22 83 00 – ▤

ⓧ **La Rambla,** Rambla Nova 10, ⊠ 43002, ℘ 23 87 29, � – ▤. ⒶⒺ ⓞ Ⓔ Ⓥ︢Ⓢ︢Ⓐ︢ D2
Comida carta 2500 a 3920.

ⓧ **Mindos,** Sant Francesc 22, ⊠ 43003, ℘ 24 31 11 – ▤. Ⓔ Ⓥ︢Ⓢ︢Ⓐ︢. ⅗ C2
cerrado domingo, lunes noche, martes noche, miércoles noche y del 11 al 18 de ago
– **Comida** carta 3050 a 4150.

ⓧ **Cal Martí,** Sant Pere 12, ⊠ 43004, ℘ 21 23 84 – ▤. Ⓔ Ⓥ︢Ⓢ︢Ⓐ︢. ⅗ A
cerrado domingo noche, lunes y septiembre – **Comida** carta 2700 a 4075.

en la carretera de Barcelona *por* ① – ⊠ 43007 Tarragona – ✆ 977 :

🏠 **Nuria,** Via Augusta 217 - 1,8 km ℘ 23 50 11, Fax 24 41 36, 🌫 – ▯ ☎ ⇌ ⓟ. 🄳
Ⓥ︢Ⓢ︢Ⓐ︢. ⅗ rest
Semana Santa-octubre – **Comida** 1600 – **61 hab** ⊒ 4500/7000 – PA 3200.

🏠 **Sant Jordi** *sin rest,* 2 km ℘ 20 75 15, Fax 20 76 32, ≤ – ▯ ⓣ ☎ ⓟ. Ⓔ Ⓥ︢Ⓢ︢Ⓐ︢
cerrado 22 diciembre-20 enero – ⊒ 500 – **39 hab** 4000/7000.

ⓧⓧ **Sol Ric,** Via Augusta 227 - 1,9 km ℘ 23 20 32, Fax 23 68 29, 🌫, Decoración rús
catalana, « Terraza con arbolado » – ▤ ⓟ. ⒶⒺ Ⓔ Ⓥ︢Ⓢ︢Ⓐ︢. ⅗
cerrado domingo noche, lunes y 16 diciembre-15 enero – **Comida** carta 207
4200.

ⓧ **Jaime I,** 4 km ℘ 20 80 03, ≤ – ⓟ. ⒶⒺ ⓞ Ⓔ Ⓥ︢Ⓢ︢Ⓐ︢. ⅗
Comida carta aprox. 2500.

en la carretera N 240 *por* ④ *: 2 km* – ⊠ 43007 Tarragona – ✆ 977 :

ⓧⓧ **Can Sala** (Les Fonts), ℘ 22 85 75, Fax 23 59 22, 🌫, Decoración rústica cata
« Terraza con arbolado » – ⓟ. ⒶⒺ ⓞ Ⓔ Ⓥ︢Ⓢ︢Ⓐ︢. ⅗
Comida carta 2600 a 3200.

TARRAGONA

va (Rambla) . . . . **CDZ**	Baixada de Toro . . . . **DZ** 5	Pau Casals (Av.) . . . . **CZ** 27
t Agustí . . . . **DZ**	Baixada Roser . . . . **DZ** 8	Plà de la Seu . . . . **DZ** 29
ó . . . . **CZ**	Cavallers . . . . **DZ** 9	Plà de Palau . . . . **DZ** 32
	Civaderia . . . . **DZ** 10	Portalet . . . . **CZ** 34
	Coques (Les) . . . . **DZ** 12	Ramon i Cajal (Av.) . . . . **CZ** 40
	Enginyer Cabestany . . . . . . **DZ** 14	Roser (Portal del) . . . . **DZ** 43
gels (Pl.) . . . . **DZ** 2	López Peláez . . . . **CZ** 19	Sant Antoni (Portal de) . . . . **DZ** 46
xada de Misericòrdia . . . . **DZ** 3	Mare de Déu del	Sant Hermenegild . . . . **DZ** 49
	Claustre . . . . **DZ** 22	Sant Joan (Pl.) . . . . **DZ** 52

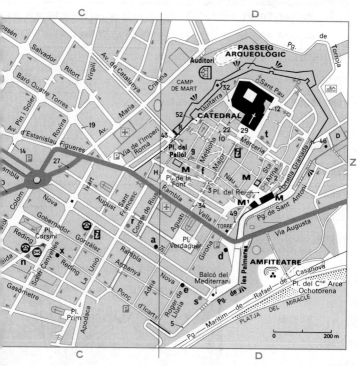

RRASA o **TERRASSA** 08220 Barcelona **443** H 36 – 157 442 h. alt. 277 – ✆ 93.

Ver : Ciudad de Egara★★ : iglesia de Sant Miquel★, iglesia de Santa María (retablo de San Abdón y San Senen★★) – Museo Textil★.

🛈 Raval de Montserrat 14, ⊠ 08221, ✆ 733 21 61, Fax 788 60 30.

Madrid 613 – Barcelona 28 – Lérida/Lleida 156 – Manresa 41.

🏠🏠 **Don Cándido,** Rambleta Pare Alegre 98, ⊠ 08224, ✆ 733 33 00, Fax 733 08 49, ≼ – 🛗 ≡ 📺 ☎ ♿ ⇔ – 🔏 25/250. 🆎 ⓪ ᴱ 🆅🆂🅰. ✸ rest
Comida 1400 – 🖵 1500 – **126 hab** 13000/16200 – PA 4000.

XX **Burrull-Hostal del Fum,** carret. de Moncada 19, ⊠ 08221, ✆ 788 83 37, Fax 788 57 79 – ≡ ♿. 🆎 ⓪ ᴱ 🆅🆂🅰. ✸
cerrado lunes y agosto – **Comida** carta 2500 a 4600.

X **Casa Toni,** carret. de Castellar 124, ⊠ 08222, ✆ 786 47 08, Museo del vino – ≡. 🆎 ⓪ ᴱ 🆅🆂🅰. ✸
cerrado sábado, domingo noche, Semana Santa y quince días en agosto – **Comida** carta 2650 a 4350.

RREGA 25300 Lérida **443** H 33 – 11 344 h. alt. 373 – ✆ 973.

Madrid 503 – Balaguer 25 – Barcelona 112 – Lérida/Lleida 44 – Tarragona 74.

🏨 **Pintor Marsà,** av. Catalunya 112 ✆ 50 15 16, Fax 31 03 86, 🍴 – ≡ 📺 ☎ ♿ – 🔏 25.
ᴱ 🆅🆂🅰
Comida (cerrado lunes) 2500 – 🖵 550 – **24 hab** 4000/7500.

El TARTER – ver Andorra (Principado de Andorra) : Soldeu.

TAÜLL 25528 Lérida 448 E 32 – alt. 1 630 – 🕾 973 – Deportes de invierno.
Ver : *Iglesia de Sant Climent*★ *(torre*★*)*.
Madrid 567 – Lérida/Lleida 150 – Viella/Vielha 57.

en Plá de la Ermita E : 2 km – ⊠ 25528 Taüll – 🕾 973 :

🏨 **Boí Taüll Resort** ⦗, 𝒫 69 60 00, Fax 69 60 33, ≤, 𝑓ᵄ, ⌇ – ⧉ 🆅 ☎ 🕭 ⇌
E 𝘝𝘐𝘚𝘈 ⫸
cerrado mayo, octubre y noviembre – **Comida** 2800 – **92 hab** ⊆ 5150/10300.

TEGUESTE Santa Cruz de Tenerife – ver Canarias (Tenerife).

TELDE Las Palmas – ver Canarias (Gran Canaria).

TEMBLEQUE 45780 Toledo 444 M 19 – 2 141 h. – 🕾 925.
Ver : *Plaza Mayor*★.
Madrid 92 – Aranjuez 46 – Ciudad Real 105 – Toledo 55.

TENERIFE Santa Cruz de Tenerife – ver Canarias.

TEROR Las Palmas – ver Canarias (Gran Canaria).

TERRASSA Barcelona – ver Tarrasa.

TERRENO Baleares (Mallorca) : Palma.

TERUEL 44000 ℗ 443 K 26 – 31 068 h. alt. 916 – 🕾 978.
Ver : *Emplazamiento*★ – *Museo Provincial*★ Y , *Torres mudéjares*★ YZ – *Catedral (te
artesonado*★*)* Y.
🛈 Tomás Nougués 1, ⊠ 44001, 𝒫 60 22 79 – **R.A.C.E.** av. de Aragón 10, bajo, ⊠ 44(
𝒫 60 34 95, Fax 60 34 96.
Madrid 301 ② – Albacete 245 ② – Cuenca 152 ② – Lérida/Lleida 334 ② – Valencia
② – Zaragoza 184 ②.

TERUEL

Carlos Castel (Pl.)
  o Pl. del Torico . . . . YZ 5
Ramón y Cajal . . . . Z 22

Abadía . . . . Z 2
Amantes . . . . Y 3
Amantes (Pl. de los) . . . . . Y 4
Bretón (Pl.) . . . . Z 6
Catedral (Plaza de la) . . . . Y 7
Comte Fortea . . . . Z 8
Chantría . . . . Y 8
Cristo Rey (Plaza de) . . . . Y 10
Dámaso Torán
  (Ronda de) . . . . Y 12
Fray Anselmo Polanco . . . Y 13
Joaquín Costa . . . . Y 14
Miguel Ibáñez . . . . Y 16
Óvalo (Paseo) . . . . Z 18
Pérez Prado (Pl. de) . . . . . Y 19
Pizarro . . . . Z 20
Rubio . . . . Y 23
Salvador . . . . Z 24
San Francisco . . . . Z 25
San Juan (Pl.) . . . . Z 27
San Martín . . . . Y 28
San Miguel . . . . Y 29
Temprado . . . . Y 30
Venerable F. de
  Aranda (Pl.) . . . . Y 35
Yagüe de Salas . . . . Y 37

*Para recorrer Europa
emplee
los Mapas Michelin
« Principales Carreteras »
escala 1/1 000 000.*

🏨 **Reina Cristina,** paseo del Óvalo 1, ⌧ 44001, ℘ 60 68 60, Fax 60 53 63 – |≑| ▤ rest
📺 ☎ – 🏛 25/350. 🝣 ⓪ ᴇ 𝓥𝓘𝓢𝓐. ℀ rest
Comida 3025 – ⌑ 750 – **81 hab** 9135/15330 – PA 6650.
Z a

🏨 **Civera,** av. de Sagunto 37, ⌧ 44002, ℘ 60 23 00, Fax 60 23 00 – |≑| 📺 ☎ ℗ –
🏛 25/150. 🝣 ⓪ ᴇ 𝓥𝓘𝓢𝓐 🔳
Comida 1950 – ⌑ 650 – **73 hab** 7295/12025 – PA 4550.
por N 234

🏨 **Oriente** sin rest, av. de Sagunto 7, ⌧ 44002, ℘ 60 15 50, Fax 60 10 64 – 📺 ☎. 𝓥𝓘𝓢𝓐.
℀
cerrado 24 diciembre-7 enero – ⌑ 500 – **30 hab** 4445/6510.
por N 234

✗ **La Menta,** Bartolomé Esteban 10, ⌧ 44001, ℘ 60 75 32 – ▤. 🝣 ⓪ ᴇ 𝓥𝓘𝓢𝓐
℀
cerrado domingo, del 7 al 22 de enero y del 7 al 22 de julio – **Comida** carta 2250 a 4025.
Z e

en la carretera N 234 NO : 2 km – ✆ 978 :

🏨 **Parador de Teruel,** ⌧ 44080 apartado 67 Teruel, ℘ 60 18 00, Fax 60 86 12, ⛄, 🌾,
℀ – |≑| ▤ rest 📺 ☎ ℗ – 🏛 25/200. 🝣 ⓪ ᴇ 𝓥𝓘𝓢𝓐. ℀
Comida 3500 – ⌑ 1200 – **54 hab** 12500, 6 suites.

There is no paid publicity in this Guide.

TIEMBLO 05270 Ávila 𝟒𝟒𝟐 K 16 – 3 795 h. alt. 680 – ✆ 91.
Alred. : Embalse de Burguillo★ NO : 7 km – Pantano de San Juan ⟨★ E : 17 km.
Madrid 83 – Ávila 50.

🏨 **Toros de Guisando,** av. de Madrid ℘ 862 70 82, Fax 862 71 92, ⟨ – |≑| ▤ 📺 ☎ ⟳
℗. 𝓥𝓘𝓢𝓐. ℀
Comida 2300 – ⌑ 500 – **24 hab** 7000/9000.

TULCIA 28359 Madrid 𝟒𝟒𝟒 L 19 – 872 h. alt. 509 – ✆ 91.
Madrid 31 – Aranjuez 21 – Ávila 159.

✗ **El Rincón de Luis,** Grande 31 ℘ 801 01 75 – ▤. 🝣 ⓪ ᴇ 𝓥𝓘𝓢𝓐. ℀
🝣 cerrado lunes y 2ª quincena de agosto – **Comida** (sólo almuerzo salvo sábado) carta 3100
a 4950.

TOJA (Isla de) o **TOXA (Illa da)** 36991 Pontevedra 𝟒𝟒𝟏 E 3 – ✆ 986 – Balneario –
Playa.
Ver : Paraje★★ – Carretera★ de La Toja a Canelas.
🏌 La Toja ℘ 73 08 18.
Madrid 637 – Pontevedra 33 – Santiago de Compostela 73.

🏨 **G. H. La Toja** ⟨, ℘ 73 00 25, Telex 88042, Fax 73 12 01, �🌳, « Suntuoso edificio en
un singular paraje verde con ⟨ ría de Arosa », 🝣, ⛴ climatizada, 🌾, ℀, 🏌 – |≑| 📺
☎ ℗ – 🏛 25/500. 🝣 ⓪ ᴇ 𝓥𝓘𝓢𝓐. ℀
Comida 5000 – ⌑ 1600 – **173 hab** 21500/26500, 25 suites.

🏨 Louxo, ℘ 73 02 00, Fax 73 27 91, « Magnífica situación en un singular paraje verde con
⟨ ría de Arosa », ⛴, 🌾 – |≑| 📺 ☎ ℗ – 🏛 25/200
112 hab, 3 suites.

✗✗ **Los Hornos,** ℘ 73 10 32, ⟨ ría de Arosa, 🌳 – ℗. 🝣 ⓪ ᴇ 𝓥𝓘𝓢𝓐. ℀
cerrado domingo noche, lunes y 7 enero-7 febrero – **Comida** carta 3100 a 4100.

TOLEDO 45000 🄿 𝟒𝟒𝟒 M 17 – 63 561 h. alt. 529 – ✆ 925.
Ver : Emplazamiento★★★ - El Toledo Antiguo★★★ – Catedral★★★ BY : (Retablo de la
Capilla Mayor★★, sillería del coro★★★, artesonado mudéjar de la sala capitular★, Sacristía :
obras de El Greco★ –, Tesoro : custodia★★) - Iglesia de Santo Tomé : El Entierro del Conde
de Orgaz★★★ AY - Casa y Museo de El Greco★ AY M1 – Sinagoga del Tránsito★★
(decoración mudéjar★★) AYZ – Sinagoga de Santa María la Blanca★ : capiteles★ AY –
Monasterio de San Juan de los Reyes★ (iglesia : decoración escultórica★) AY – Iglesia de
San Román : museo de los concilios y de la cultura visigoda★ BY – Museo de Santa
Cruz★★ (fachada★, colección de pintura de los s. XVI y XVII★, obras de El Greco★, obras
de primitivos★, –, retablo de la Asunción de El Greco★, patio plateresco★, escalera de
Covarrubias★) CXY.
Otras curiosidades : Hospital de Tavera★ : palacio★ - Iglesia : El bautismo de Cristo de
El Greco★ BX.
🅱 Puerta Bisagra, ⌧ 45003, ℘ 22 08 43, Fax 25 26 48 – **R.A.C.E.** Agen 5-1º, ⌧ 45005,
℘ 21 16 37, Fax 21 56 54.
Madrid 70 ① – Ávila 137 ⑥ – Ciudad Real 120 ③ – Talavera de la Reina 78 ⑥.

TOLEDO

Comercio . . . . **BY**
Hombre de Palo . . . . . . **BY** 27
Reyes Católicos . . . . . . **AY**
Santo Tomé . . . . **ABY**

Alcántara (Puente de) . . **CX**
Alfileritos . . . . **BY**
Alfonso VI (Pl. de) . . . . **BX**
Alfonso X el Sabio . . . . **BX** 2
Alfonso XII . . . . **BX** 3
América (Av. de) . . . . . **AX**
Ángel . . . . **AY**
Ave María . . . . **BZ**
Ayuntamiento (Pl. del) . . **BY** 4
Azarquiel (Puente de) . . **CX**
Cabestreros (Paseo de) . **CZ**
Cadenas . . . . **BY** 7
Campana (Travesía) . . . . **BY** 8
Cardenal Lorenzana . . . **BY** 9
Cardenal Tavera . . . . . . **BX**
Carlos III (Av. de) . . . . **AX**
Carlos V (Cuesta de) . . **BY** 13
Carmelitas . . . . **AY** 14
Cervantes . . . . **CY**
Circo Romano
  (Paseo del) . . . . **AX**
Colegio de Doncellas . . **AY** 17
Conde (Pl. del) . . . . **AY** 18
Consistorio (Pl. del) . . . **BY** 19
Cordonerías . . . . **BY** 20
Cristo de la Vega
  (Paseo del) . . . . **AX**
Cruz Verde
  (Paseo de la) . . . . . . **BZ**
Duques de Lerma
  (Av. de los) . . . . **BX**
El Salvador . . . . **BY** 22
Esteban Illán . . . . **BY** 24
Gerardo Lobo . . . . **BX**
Honda . . . . **BX** 28
Juanelo (Ronda de) . . . **CY**
Mas del Ribero (Av. de) . **AX**
Matías Moreno . . . . . . **AY**
Merced . . . . **BY**
Nuncio Viejo . . . . **BY** 29
Núñez de Arce . . . . . . **BX** 32
Padilla (Pl. y Calle de) . **ABY** 33
Padre Mariana (Pl.) . . . . **BY** 34
Pascuales
  (Cuesta de los) . . . . **CY** 36
Plata . . . . **BY**
Pozo Amargo . . . . **BZ**
Real del Arrabal . . . . . . **BX**
Recaredo (Paseo de) . . **AX**
Reconquista (Av. de la) **ABX**
Rosa (Paseo de la) . . . . **CX**
San Cristóbal (Paseo) . . **BZ** 38
San Juan de Dios . . . . . **AY** 40
San Justo (Cuesta) . . . . **CY**
San Justo (Pl.) . . . . **BY** 41
San Marcos . . . . **BY** 42
San Martín (Puente) . . . **AY**
San Román . . . . **BY** 44
San Sebastián
  (Carreras de) . . . . . . **BZ**
San Torcuato . . . . **BZ**
San Vicente (Pl. de) . . **BY** 45
Santa Leocadia
  (Cuesta de) . . . . **AY**
Sillería . . . . **BX**
Sixto Ramón Parro . . . **BY** 46
Sola . . . . **BZ**
Taller del Moro . . . . . . **BY** 48
Toledo de Ohio . . . . . . **BY** 49
Tornerías . . . . **BY** 50
Tránsito (Paseo del) . . . **AYZ** 52
Trinidad . . . . **BY**
Venancio González . . . **CX** 53
Zocodover (Pl. de) . . . . **CY**

*Si desea pernoctar
en un Parador
o en un hotel
muy tranquilo, aislado,
avise por teléfono,
sobre todo en temporada.*

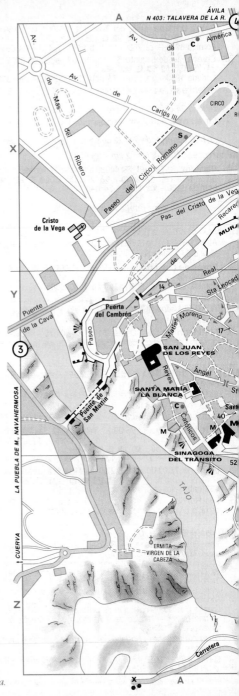

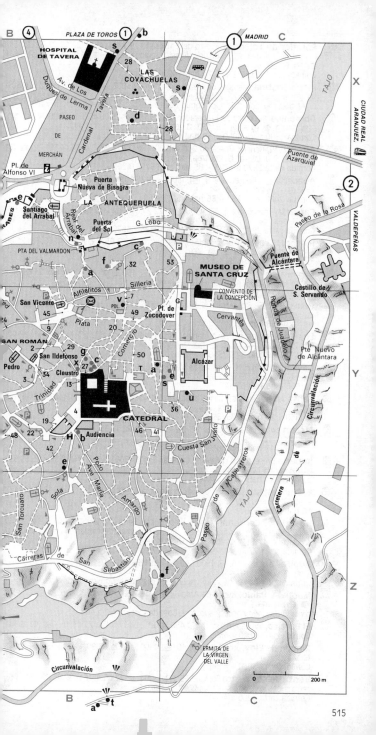

Parador de Toledo ⑤, cerro del Emperador, ✉ 45002, ℰ 22 18 50, Fax 22 51 66
≤ río Tajo y ciudad, 斎, « Edificio de estilo regional », ⚓ – 📶 🗎 📺 ☎ 🅿 – 🔬 25/100
🖭 ⓘ ⑤ 𝘝𝘐𝘚𝘈. ✎
Comida 3500 – ⚏ 1200 – **74 hab** 18000, 2 suites. BZ

María Cristina, Marqués de Mendigorría 1, ✉ 45003, ℰ 21 32 02, Fax 21 26 50 – 📶
🗎 📺 ☎ ⚓ – 🔬 25/200. 🖭 ⓘ ⑤ 𝘝𝘐𝘚𝘈 𝘑𝘊𝘉. ✎
El Ábside (cerrado domingo) **Comida** carta 2875 a 3675 – **63 hab** ⚏ 7480/11340. BX

Doménico ⑤, cerro del Emperador, ✉ 45002, ℰ 25 00 40, Fax 25 28 77, ≤, 斎, ⚓
– 📶 🗎 📺 ☎ 🔬 25/150. 🖭 ⑤ ✎ rest
Comida 3500 – ⚏ 1050 – **50 hab** 10000/14500. BZ

Alfonso VI, General Moscardó 2, ✉ 45001, ℰ 22 26 00, Fax 21 44 58 – 📶 🗎 📺 ☎
– 🔬 25/300. 🖭 ⓘ ⑤ 𝘝𝘐𝘚𝘈 𝘑𝘊𝘉. ✎
Comida carta 2970 a 4645 – **85 hab** ⚏ 9575/14240. CY

Abacería ⑤, Pontezuelas 8, ✉ 45004, ℰ 25 00 00, Fax 25 18 68, ≤ – 📶 🗎 📺 ☎
⚓ 🅿 – 🔬 50. ⑤ 𝘝𝘐𝘚𝘈. ✎
Comida 2400 – ⚏ 750 – **36 hab** 6500/9500. AZ

Carlos V, Trastamara 1, ✉ 45001, ℰ 22 21 00, Fax 22 21 05 – 📶 🗎 📺 ☎. 🖭 ⓘ
⑤ 𝘝𝘐𝘚𝘈 𝘑𝘊𝘉. ✎
Comida carta 2970 a 4645 – **69 hab** ⚏ 9175/13620. BY

Pintor El Greco sin rest, Alamillos del Tránsito 13, ✉ 45002, ℰ 21 42 50, Fax 21 58 19
– 📶 🗎 📺 ☎. 🖭 ⓘ ⑤ 𝘝𝘐𝘚𝘈 𝘑𝘊𝘉.
⚏ 750 – **33 hab** 9600/12000. AY

Mayoral sin rest, av. Castilla-La Mancha 3, ✉ 45003, ℰ 21 60 00, Fax 21 69 54 –
🗎 📺 ☎ – 🔬 25/130. 🖭 ⑤ 𝘝𝘐𝘚𝘈. ✎
⚏ 700 – **110 hab** 7300/11000. CX

Real sin rest, Real del Arrabal 4, ✉ 45003, ℰ 22 93 00, Fax 22 87 67 – 📶 🗎 📺 ☎ ⚓
🖭 ⓘ ⑤ 𝘝𝘐𝘚𝘈.
⚏ 700 – **56 hab** 6600/10000. BX

Los Cigarrales sin rest, carret. de circunvalación 32, ✉ 45004, ℰ 22 00 53,
Fax 21 55 46, ≤ – 🅿. ⑤ 𝘝𝘐𝘚𝘈
⚏ 480 – **36 hab** 3785/5980. AZ

Gavilanes II sin rest, Marqués de Mendigorría 14, ✉ 45003, ℰ 21 16 28, Fax 22 41 49
– 🗎 📺 ☎ ⚓. ⑤ 𝘝𝘐𝘚𝘈
⚏ 350 – **15 hab** 5600. BX

Santa Isabel sin rest, Santa Isabel 24, ✉ 45002, ℰ 25 31 20, Fax 25 31 36 – 📶
📺 ☎ ⚓. 🖭 ⓘ ⑤ 𝘝𝘐𝘚𝘈 𝘑𝘊𝘉
⚏ 410 – **23 hab** 3675/5720. BY

Martín sin rest, Covachuelas 12, ✉ 45003, ℰ 22 17 33, Fax 22 17 33 – 🗎 📺 ☎.
𝘝𝘐𝘚𝘈. ✎
⚏ 350 – **17 hab** 4500/6500, 2 apartamentos. BX

Imperio sin rest, con cafetería, Cadenas 5, ✉ 45001, ℰ 22 76 50, Fax 25 31 83 –
🗎 📺 ☎. 🖭 ⑤ 𝘝𝘐𝘚𝘈
⚏ 465 – **21 hab** 3925/5700. BY

El Diamantista sin rest y sin ⚏, pl. Retama 4, ✉ 45002, ℰ 25 14 27, Fax 21 05
– 🗎 📺 ☎ ⚓. ⓘ ⑤ 𝘝𝘐𝘚𝘈. ✎
16 hab 4000/5500. BCZ

🕮 **Hostal del Cardenal** ⑤, con hab, paseo Recaredo 24, ✉ 45003, ℰ 22 49
Fax 22 29 91, 斎, « Instalado en la antigua residencia del cardenal Lorenzana. Jardín con
arbolado » – 🗎 📺 ☎. 🖭 ⓘ ⑤ 𝘝𝘐𝘚𝘈. ✎ rest
Comida carta 2750 a 4775 – ⚏ 800 – **27 hab** 7000/11400. BX

🕮 **Adolfo,** La Granada 6, ✉ 45001, ℰ 22 73 21, Fax 21 62 63, « Artesonado siglo XIV-X »
– 🗎. 🖭 ⓘ ⑤ 𝘝𝘐𝘚𝘈. ✎
cerrado domingo noche salvo vísperas de festivos – **Comida** carta aprox. 4800. BY

🕮 **Marcial y Pablo,** Nuñez de Arce 11, ✉ 45003, ℰ 22 07 00, Fax 21 15 77 – 🗎.
ⓘ ⑤ 𝘝𝘐𝘚𝘈 𝘑𝘊𝘉
cerrado domingo noche y agosto – **Comida** carta 2450 a 4000. BX

🕮 **El Pórtico,** av. de América 1, ✉ 45004, ℰ 21 43 15, Fax 21 43 15 – 🗎. 🖭 ⑤ 𝘝𝘐𝘚𝘈.
Comida carta 3000 a 4500. AX

🕮 **Rincón de Eloy,** Juan Labrador 10, ✉ 45001, ℰ 22 93 99, Fax 22 93 99 – 🗎. 🖭
⑤ 𝘝𝘐𝘚𝘈
Comida carta 3050 a 4550. BY

🕮 **Venta de Aires,** Circo Romano 35, ✉ 45004, ℰ 22 05 45, Fax 22 45 09, 斎, « Ambiente
terraza con arbolado » – 🗎. 🖭 ⓘ ⑤ 𝘝𝘐𝘚𝘈 𝘑𝘊𝘉. ✎
Comida carta 3200 a 4400. AX

XX **La Lumbre,** Real del Arrabal 3, ⊠ 45003, 𝒫 22 03 73, Asados – 🍽. 🆎 ⓞ 🗲 𝘝𝘐𝘚𝘈, ⅍
cerrado domingo y del 1 al 24 de julio – **Comida** carta 3150 a 3550.
BX n

XX **La Perdiz,** Reyes Católicos 7, ⊠ 45002, 𝒫 21 58 07, Fax 21 58 07 – 🍽. 🆎 ⓞ 🗲 𝘝𝘐𝘚𝘈
cerrado lunes – **Comida** carta 3050 a 3850.
AY c

XX **El Cobertizo,** Hombre de Palo 9, ⊠ 45001, 𝒫 22 38 09 – 🍽. 🆎 ⓞ 🗲 𝘝𝘐𝘚𝘈, ⅍
cerrado domingo noche – **Comida** carta 2925 a 4650.
BY c

X **Mesón Aurelio,** Sinagoga 1, ⊠ 45001, 𝒫 22 13 92, Fax 25 34 61 – 🍽. 🆎 ⓞ 🗲 𝘑𝘊𝘉. ⅍
cerrado martes y agosto – **Comida** carta 3500 a 5000.
BY c

X **Aurelio,** pl. del Ayuntamiento 4, ⊠ 45001, 𝒫 22 77 16, Fax 25 34 61, Decoración típica
– 🍽. 🆎 ⓞ 🗲 𝘝𝘐𝘚𝘈 𝘑𝘊𝘉. ⅍
cerrado martes y agosto – **Comida** carta 3600 a 5150.
BY b

X **Casa Aurelio,** Sinagoga 6, ⊠ 45001, 𝒫 22 20 97, Fax 25 34 61, Decoración típica regional – 🍽. 🆎 ⓞ 🗲 𝘝𝘐𝘚𝘈 𝘑𝘊𝘉. ⅍
cerrado miércoles y julio – **Comida** carta 3600 a 5150.
BY c

X **Hierbabuena,** Cristo de la Luz 9, ⊠ 45003, 𝒫 22 34 63 – 🍽. 🆎 ⓞ 🗲 𝘝𝘐𝘚𝘈.
⅍
cerrado lunes y agosto – **Comida** carta 3500 a 4550.
BX a

X **La Parrilla,** Horno de los Bizcochos 8, ⊠ 45001, 𝒫 21 22 45 – 🍽. 🆎 ⓞ 🗲 𝘝𝘐𝘚𝘈
Comida carta 2100 a 3900.
CY e

X **La Catedral,** Nuncio Viejo 1, ⊠ 45002, 𝒫 22 42 44, Fax 21 62 63 – 🍽. 🆎 ⓞ 🗲 𝘝𝘐𝘚𝘈
𝘑𝘊𝘉. ⅍
Comida carta 3200 a 3450.
BY x

X **Hierbabuena,** callejón de San José 17, ⊠ 45003, 𝒫 22 39 24 – 🍽. 🆎 ⓞ 🗲 𝘝𝘐𝘚𝘈.
⅍
cerrado domingo – **Comida** carta 3180 a 3800.
BX f

en la carretera de Madrid *por* ① : *5 km* – ⊠ 45080 Toledo – 😊 925 :

X **Los Gavilanes** *con hab,* ⊠ apartado 400, 𝒫 22 46 22, Fax 22 41 06, 🍴 – 🍽 📺 ☎
🄿. 🗲 𝘝𝘐𝘚𝘈
Comida *(cerrado 15 diciembre-15 enero)* carta 1750 a 2900 – ☲ 350 – **12 hab**
3600/4500.

en la carretera de Cuerva *SO : 3,5 km* – ⊠ 45080 Toledo – 😊 925 :

🏠 La Almazara ⑤ *sin rest,* ⊠ apartado 6, 𝒫 22 38 66, Fax 25 05 62, ≤, « Antigua casa
de campo rodeada de una finca » – 🄿
temp – **21 hab.**

en la carretera de Ávila *por* ④ : *2,7 km* – ⊠ 45005 Toledo – 😊 925 :

🏩 **Beatriz** ⑤, 𝒫 22 22 11, Fax 21 58 65, ≤, 🍴, 🏊, 🎾 – 🛗 🍽 📺 ☎ 🚗 🄿 –
🔬 25/2000. 🆎 ⓞ 🗲 𝘝𝘐𝘚𝘈 𝘑𝘊𝘉. ⅍
Comida 3960 - **Anticuario :** **Comida** carta 3531 a 4600 – ☲ 1280 – **295 hab**
11665/16585.

TOLOSA 20400 Guipúzcoa 𝟰𝟰𝟮 C 23 – 18 085 h. alt. 77 – 😊 943.
Madrid 444 – Pamplona/Iruñea 64 – San Sebastián/Donostia 27 – Vitoria/Gasteiz 89.

XX **Fronton,** San Francisco 4-1º 𝒫 65 29 41, Fax 65 29 41, 🍴 – 🛗 🍽. 🆎 ⓞ 🗲 𝘝𝘐𝘚𝘈
cerrado domingo noche, lunes noche y 24 diciembre-4 enero – **Comida** carta 3150 a 3850.

XX **Sausta,** Belate Pasalekua 7-8 𝒫 64 54 53 – 🍽. 🆎 ⓞ 🗲 𝘝𝘐𝘚𝘈. ⅍
cerrado domingo noche, lunes y 18 diciembre-4 enero – **Comida** carta 2900
a 3800.

XX **Urrutitxo** *con hab,* Kondeko Aldapa 7 𝒫 67 38 22, Fax 67 34 28, 🍴 – 📺 ☎ 🄿 –
🔬 25/30. 🆎 🗲 𝘝𝘐𝘚𝘈. ⅍
cerrado 22 diciembre-10 enero – **Comida** *(cerrado domingo)* carta 3100 a 3700 – ☲ 675
– **10 hab** 5000/8000.

X **Hernialde,** Martín José Iraola 10 𝒫 67 56 54
🍽. 🆎 𝘝𝘐𝘚𝘈. ⅍
cerrado lunes noche, 24 diciembre-5 enero y agosto – **Comida** carta 2500 a 3550.

X Casa Nicolás, av. Zumalakarregi 6 𝒫 65 47 59 – 🍽.

en Ibarra *E : 1,5 km* – ⊠ 20400 Tolosa – 😊 943 :

X **Eluska,** Euskal Herria 12 𝒫 67 13 74 – 🍽. 🆎 ⓞ 🗲 𝘝𝘐𝘚𝘈. ⅍
cerrado lunes noche, martes noche y 20 octubre-10 noviembre – **Comida** carta 2600 a
4250.

TOLOX 29109 Málaga 👌👌👌 V 15 – 2 931 h. – 🕲 95 – Balneario.
Madrid 600 – Antequera 81 – Málaga 54 – Marbella 46 – Ronda 53.

   🛁 **Balneario** 🌊, 𝄋 248 70 91, 🍴 – ❷. 🍴
   16 junio-15 octubre – **Comida** 1300 – ☲ 350 – **53 hab** 2500/3500 – PA 2600.

TOMELLOSO 13700 Ciudad Real 👌👌👌 O 20 – 27 936 h. alt. 662 – 🕲 926.
Madrid 179 – Alcázar de San Juan 31 – Ciudad Real 96 – Valdepeñas 67.

   🏨 **Ramomar,** Concordia 17 𝄋 50 59 94, Fax 50 53 65, 🏊 – 🛗 🗏 📺 ☎ 🚗 – 🔬 25/40
   🄰🄴 ⓞ 🄴 𝓥𝓘𝓢𝓐. 🍴
   Comida 1000 – ☲ 500 – **42 hab** 6000/8000 – PA 2500.

   🏠 **Paloma** *sin rest,* Campo 10 𝄋 51 33 00, Fax 51 33 08 – 🛗 📺 ☎ 🚗 ❷. 🄴 𝓥𝓘𝓢𝓐
   ☲ 500 – **40 hab** 2500/4100.

TOMIÑO 36740 Pontevedra 👌👌👌 G 3 – 10 130 h. – 🕲 986.
Madrid 616 – Orense/Ourense 117 – Pontevedra 60 – Vigo 41.

en la carretera C 550 S : 2,5 km – ✉ 36740 Tomiño – 🕲 986 :

   🍴 O'Miñoteiro, Vilar de Matos - Forcadela 𝄋 62 24 33 – ❷.

TONA 08551 Barcelona 👌👌👌 G 36 – 5 505 h. alt. 600 – 🕲 93.
Alred. : Sierra de Montseny★ : Carretera★ de Tona a San Celoni por Montseny.
Madrid 627 – Barcelona 56 – Manresa 42.

   🏠 **Aloha,** carret. de Manresa 6 𝄋 887 02 77, Fax 887 07 11 – 🛗 🗏 rest ❷. 🄰🄴 ⓞ 🄴 𝓥𝓘
   🍴
   Comida *(cerrado domingo noche)* 1400 – ☲ 550 – **31 hab** 3500/5600 – PA 3350.

   🏠 **4 Carreteras,** carret. de Barcelona 𝄋 887 04 00, Fax 887 04 00, 🍴 – 🗏 📺 ❷.
   ⓞ 𝓥𝓘𝓢𝓐. 🍴
   Comida 1500 – ☲ 600 – **21 hab** 3000/6000.

   🍴 **La Ferrería,** carret. de Vic 𝄋 887 00 92, Fax 772 16 64, « Decoración rústica » –
   🄰🄴 🄴 𝓥𝓘𝓢𝓐. 🍴
   Comida carta 3100 a 4500.

TORÀ 25750 Lérida 👌👌👌 G 34 – 1 130 h. alt. 448 – 🕲 973.
Madrid 542 – Barcelona 110 – Lérida/Lleida 83 – Manresa 49.

   🍴 **Hostal Jaumet** *con hab,* carret. de Barcelona-Andorra 𝄋 47 30 77, Fax 47 30 77
   🗏 rest 📺 ☎ 🚗 ❷. 🄴 𝓥𝓘𝓢𝓐. 🍴
   Comida carta 2450 a 3050 – ☲ 550 – **19 hab** 5500/7000 – PA 3600.

TORDESILLAS 47100 Valladolid 👌👌👌 H 14 y 15 – 7 637 h. alt. 702 – 🕲 983.
Ver : Convento de Santa Clara★ (artesonado★★, patio★).
Madrid 179 – Ávila 109 – León 142 – Salamanca 85 – Segovia 118 – Valladolid 30 – Zamo
67.

   🏰 **Parador de Tordesillas** 🌊, carret. de Salamanca - SO : 2 km 𝄋 77 00
   Fax 77 10 13, « En un pinar », 🏊, 🍴 – 🛗 🗏 📺 ☎ 🚗 ❷ – 🔬 25/100. 🄰🄴 ⓞ 🄴
   🍴
   Comida 3500 – ☲ 1200 – **71 hab** 14500.

   🏨 **Doña Carmen,** carret. de Salamanca 𝄋 77 01 12, Fax 77 19 54, ≤ – 🗏 📺 ☎ ❷.
   ⓞ 𝓥𝓘𝓢𝓐. 🍴
   Comida 2200 – ☲ 700 – **15 hab** 5000/8000 – PA 4900.

   🏨 **Los Toreros,** av. de Valladolid 26 𝄋 77 19 00, Fax 77 19 54 – 🗏 rest 📺 ☎ ❷
   🔬 25/60. 🄰🄴 ⓞ 𝓥𝓘𝓢𝓐. 🍴
   Comida 1600 – ☲ 400 – **27 hab** 3500/6000 – PA 3500.

   🍴 **Los Duques,** av. de Valladolid 34 𝄋 77 19 92 – 🗏. 🄰🄴 ⓞ 🄴 𝓥𝓘𝓢𝓐. 🍴
   cerrado lunes y diciembre – **Comida** carta 3100 a 3800.

   🍴 **Mesón Valderrey,** antigua carret. N VI 𝄋 77 11 72, Fax 33 17 31, Decoración ca
   llana – 🗏. 🄰🄴 ⓞ 🄴 𝓥𝓘𝓢𝓐. 🍴
   Comida carta 2400 a 3300.

en la autovía N 620 E : 5 km – ✉ 47080 Tordesillas – 🕲 983 :

   🏰 **El Montico,** ✉ apartado 12, 𝄋 79 50 00, Fax 79 50 08, 🍴, « En un pinar », 🏋,
   🍴, 🍴 – 📺 ☎ 🚗 ❷ – 🔬 25/500. 🄰🄴 ⓞ 🄴 𝓥𝓘𝓢𝓐. 🍴 rest
   Comida 2750 – ☲ 900 – **51 hab** 7500/11000, 4 suites – PA 5440.

TORLA 22376 Huesca 443 E 29 – 363 h. alt. 1 113 – 🕿 974.
   Ver : Paisaje★★.
   Alred. : Parque Nacional de Ordesa y Monte Perdido★★★ NE : 8 km.
   Madrid 482 – Huesca 92 – Jaca 54.

🏨 **Edelweiss,** av. de Ordesa 1 ℰ 48 61 73, Fax 48 63 72, ≼, 🦌 – ⊠ 📺 🕿 🅿. 🖭 ⓪
   🗲 VISA
   15 marzo-15 diciembre – **Comida** 1700 – 🖙 1000 – **57 hab** 3900/6600 – PA 3700.

🏨 **Bujaruelo,** av. de Ordesa ℰ 48 61 74, Fax 48 63 30, ≼ – 📺 🕿 🅿. 🖭 🗲 VISA.
   🛠
   cerrado 10 enero-15 marzo – **Comida** 1700 – 🖙 550 – **27 hab** 4200/6300.

🏨 **Villa de Torla** ⑤, pl. Nueva 1 ℰ 48 61 56, Fax 48 63 65, 🗲 – ⊠ 🖽 rest 📺 🕿 🚗.
   ⓪ 🗲 VISA. 🛠
   Comida 1600 – 🖙 550 – **38 hab** 4500/6500.

🕏 **Bella Vista** sin rest, av. de Ordesa 6 ℰ 48 61 53, Fax 48 61 53, ≼ – 🅿. 🖭 ⓪ 🗲 VISA.
   🛠
   abril-septiembre – 🖙 500 – **15 hab** 3750/6000.

n la carretera del Parque de Ordesa N : 1,5 km – ⊠ 22376 Torla – 🕿 974 :

🏨 Ordesa, ℰ 48 61 25, ≼ alta montaña, 🔟, 🦌, 🛠 – 🕿 🅿
   69 hab.

ORO 49800 Zamora 441 H 13 – 9 649 h. alt. 745 – 🕿 980.
   Ver : Colegiata★ (portada occidental★★ - interior : cúpula★, cuadro de la Virgen de la Mosca★).
   Madrid 210 – Salamanca 66 – Valladolid 63 – Zamora 33.

🏨 **Juan II** ⑤, paseo del Espolón 1 ℰ 69 03 00, Fax 69 23 76, 🔟 – ⊠ 🖽 rest 📺 🕿. 🖭
   ⓪ 🗲 VISA
   Comida 1600 – 🖙 600 – **42 hab** 5000/7500 – PA 2975.

ORÓ (Playa de) Asturias – ver Llanes.

ORQUEMADA 34230 Palencia 442 F 17 – 1 305 h. alt. 740 – 🕿 979.
   Madrid 253 – Burgos 63 – Palencia 26 – Valladolid 61.

n la carretera N 620 E : 6,5 km – ⊠ 34230 Torquemada – 🕿 979 :

🏨 Las Lagunas, ℰ 80 04 06, Fax 80 01 11 – ⊠ 🖽 📺 🕿 🚗 🅿
   40 hab.

ORRE BARONA Barcelona – ver Castelldefels.

ORRE DEL MAR 29740 Málaga 446 V 17 – 🕿 95 – Playa.
   🖪 av. de Andalucía 119, ℰ 254 11 04.
   Madrid 570 – Almería 190 – Granada 141 – Málaga 31.

🏨 **Las Yucas** sin rest, av. de Andalucía ℰ 254 09 01, Fax 254 22 72 – ⊠ 🖽 📺 🕿 🚗.
   🗲 VISA
   🖙 350 – **36 hab** 5000/9000.

🕏 **Mediterráneo** sin rest y sin 🖙, av. de Andalucía 65 ℰ 254 08 48
   18 hab 3200/5300.

🗴 Carmen, av. de Andalucía 94 ℰ 254 04 35, 🍴, Cena espectáculo los sábados – 🖽.
🗴 **El Jardín,** paseo Marítimo de Levante 5 ℰ 254 48 31, 🍴 – 🖭 🗲 VISA
   cerrado martes (salvo verano) y noviembre – **Comida** carta 2400 a 2800.

ORRE DE LA REINA Sevilla – ver Guillena.

ORREBAJA 46143 Valencia 445 L 26 – 455 h. alt. 760 – 🕿 978.
   Madrid 276 – Cuenca 113 – Teruel 37 – Valencia 140.

🏨 **Emilio,** carret. N 330 ℰ 78 30 04, Fax 78 30 19 – 🖽 rest 📺 🕿 🅿. 🗲 VISA. 🛠
   Comida (cerrado domingo noche y lunes) 1400 – 🖙 550 – **20 hab** 3500/5500 – PA 2800.

Reisen Sie nicht heute mit einer Karte von gestern.

TORRECABALLEROS 40160 Segovia **442** J 17 – 296 h. alt. 1152 – ☎ 921.
Madrid 97 – Segovia 10.

🏛 **Burgos** sin rest, carret. N 110 ℰ 40 12 18 – 📺 ☎ 🅿. 🆎 ① 🜚 🌇
⊑ 500 – **26 hab** 5500.

🍴🍴 **La Portada de Mediodía,** San Nicolás de Bari 31 ℰ 40 10 11, Fax 40 10 88, �།
🆎 ① 🜚 🌇. ⚘
cerrado lunes salvo en verano – **Comida** carta 3500 a 4350.

🍴🍴 **Posada de Javier,** carret. N 110 ℰ 40 11 36, 🌞, « Decoración rústica » – 🆎 🜚
⚘
cerrado lunes y julio – **Comida** (sólo cena salvo viernes, sábado y agosto) carta aprox. 350

🍴 **El Rancho de la Aldegüela,** carret. N 110 ℰ 40 10 60, 🌞 – 🆎 ① 🜚
cerrado lunes (julio-agosto) y noches de lunes a jueves resto del año – **Comida** carta 28
a 4000.

TORREDELCAMPO 23640 Jaén **446** S 18 – 11 144 h. – ☎ 953.
Madrid 343 – Córdoba 99 – Granada 106 – Jaén 10.

🏛 **Torrezaf,** carret. de Córdoba 90 ℰ 56 71 00, Fax 41 00 86 – 📳 📼 📺 ☎ – 🔏 25/1
🆎 ① 🜚. ⚘ rest
Comida 1200 – ⊑ 350 – **52 hab** 3500/5500 – PA 2700.

TORREDEMBARRA 43830 Tarragona **443** I 34 – 6 218 h. – ☎ 977 – Playa.
🛈 av. Pompeu Fabra 3, ℰ 64 03 31, Fax 64 38 35.
Madrid 566 – Barcelona 94 – Lérida/Lleida 110 – Tarragona 12.

🍴🍴 Le Brussels, Antoni Roig 56 ℰ 64 05 10, 🌞
temp.

en la zona de la playa :

🏨 **Morros,** Pérez Galdós 15 ℰ 64 02 25, Fax 64 18 64 – 📳 📺 ☎ 🚗. 🆎 ① 🜚 🌇
Comida (ver rest. **Morros**) – ⊑ 800 – **79 hab** 5300/8600.

🏛 **Costa Fina,** av. Montserrat 33 ℰ 64 00 75, Fax 64 35 59 – 📳 🔲 rest 📺 ☎ 🚗
🌇. ⚘
31 marzo-15 octubre – **Comida** 1600 – ⊑ 700 – **48 hab** 4400/8000 – PA 3400.

🍴🍴🍴 **Morros,** pl. Narcis Monturiol ℰ 64 00 61, Fax 64 18 64, ≤, 🌞, « Terraza » – 🔲 🅿.
① 🜚 🌇
cerrado domingo noche y lunes (salvo abril-septiembre) – **Comida** carta 3500 a 610

🍴 **La Quilla,** puerto deportivo ℰ 64 50 91, ≤, 🌞, Pescados y mariscos – 🔲. 🜚 🌇.
cerrado lunes salvo en verano – **Comida** carta aprox. 4800.

🍴 **Can Cues,** Tamarit 14 ℰ 64 05 73, Pescados y mariscos – 🔲. 🆎 ① 🜚 🌇. ⚘
Comida carta 3300 a 5000.

TORREDONJIMENO 23650 Jaén **446** S 18 – 13 003 h. alt. 589 – ☎ 953.
Madrid 343 – Andújar 40 – Córdoba 91 – Granada 115 – Jaén 19.

🍴 Regina, pl. de la Constitución 13 ℰ 57 10 02 – 🔲.

TORREGUADIARO 11312 Cádiz **446** X 14 – ☎ 956 – Playa.
🛈 La Cañada O : 3 km ℰ 79 41 00, Fax 79 42 41.
Madrid 650 – Algeciras 29 – Cádiz 153 – Málaga 104.

🏛 Patricia sin rest, carret. N 340 ℰ 61 53 00, Fax 61 58 50, ≤ – 📺 ☎ 🅿
30 hab.

TORREJÓN DE ARDOZ 28850 Madrid **444** K 19 – 82 807 h. alt. 585 – ☎ 91.
Madrid 22.

🏨 **Aida,** av. de la Constitución 167 ℰ 677 65 53, Fax 675 15 54 – 📳 🔲 📺 ☎ 🚗
🔏 25/300. 🆎 ① 🜚 🌇. ⚘
Comida 2200 – ⊑ 1100 – **68 hab** 9000/11250 – PA 4700.

🏨 Torre Hogar, av. de la Constitucion 96 ℰ 677 59 75, Fax 656 85 25 – 📳 🔲 📺 ☎
Comida (sólo buffet) – **82 hab.**

🏨 **Torrejón,** av. de la Constitución 173 ℰ 675 26 44, Fax 677 34 44 – 📳 🔲 📺 ☎
🔏 25/350. 🆎 ① 🜚 🌇. ⚘
Comida 1650 - **Grill Don José :** **Comida** carta 2150 a 4050 – ⊑ 500 – **64 hab** 5550/6
– PA 3500.

Don Sancho *sin rest*, Cristo 2-2° ℘ 675 26 15, Fax 675 25 64 – 📶 ▤ 📺 ☎ ⇦, ᴁ 𝐄 𝘷𝘪𝘴𝘢. ⋙
☲ 350 – **16 hab** 7000/8500.

Henares, av. de la Constitución 128 ℘ 677 59 95, Fax 677 03 82 – 📶 ▤ 📺 ☎ 🅿. ᴁ ⓸ 𝐄 𝘷𝘪𝘴𝘢. ⋙
Comida *(cerrado sábado y domingo)* (sólo almuerzo) 1000 – ☲ 450 – **32 hab** 5200/6500.

XXX **La Casa Grande** *con hab*, Madrid 2 ℘ 675 39 00, Fax 675 06 91, ⅏, « Instalado en una Casa de Labor del siglo XVI. Museo de Iconos. Lagar » – ▤ 📺 ☎ 🅿 – 🛦 25/100. ᴁ ⓸ 𝐄 𝘷𝘪𝘴𝘢
Comida carta 2550 a 4450 – ☲ 1000 – **8 hab** 12500/16000.

XX Vaquerín, ronda del Poniente 2 ℘ 675 66 20 – ▤.

X Colón, Canto 1 ℘ 675 64 15 – ▤.

RRELAGUNA 28180 Madrid ᴍᴍᴍ J 19 – 2 575 h. alt. 744 – ✦ 91.
Madrid 58 – Guadalajara 47 – Segovia 108.

X **Nuevo Pontón,** San Francisco 3 ℘ 843 00 03 – ▤ 🅿. 𝘷𝘪𝘴𝘢. ⋙
cerrado lunes noche – **Comida** carta 2700 a 4250.

RRELAVEGA 39300 Cantabria ᴍᴍ B 17 – 59 520 h. alt. 23 – ✦ 942.
Alred. : *Cueva prehistórica★★ de Altamira (techo★★★) NO : 11 km.*
🗓 Ruiz Tagle 6, ℘ 89 29 82.
Madrid 384 – Bilbao/Bilbo 121 – Oviedo 178 – Santander 27.

Torrelavega, av. Julio Hauzeur 12 ℘ 80 31 20, Fax 80 27 00 – 📶 ▤ 📺 ☎ – 🛦 25/450. ᴁ ⓸ 𝐄 𝘷𝘪𝘴𝘢. ⋙
Comida *(cerrado domingo salvo en verano)* 1600 – ☲ 1100 – **116 hab** 12500/17000.

Marqués de Santillana *sin rest*, Marqués de Santillana 8 ℘ 89 29 34, Fax 89 29 34 – 📶 📺 ☎ ⇦. ᴁ ⓸ 𝐄 𝘷𝘪𝘴𝘢
☲ 600 – **32 hab** 10000/12500.

Saja *sin rest*, Alcalde del Río 22 ℘ 89 27 50, Fax 89 24 51 – 📶 ☎ ⇦ – 🛦 25/200. ⓸ 𝐄 𝘷𝘪𝘴𝘢
☲ 400 – **45 hab** 6900/9900.

X **Villa de Santillana,** Julián Ceballos 11 ℘ 88 30 73 – ▤. ᴁ ⓸ 𝐄 𝘷𝘪𝘴𝘢. ⋙
cerrado lunes (salvo festivos) y 15 junio-15 julio – **Comida** carta 2100 a 3150.

RRELODONES 28250 Madrid ᴍᴍᴍ K 18 – 7 173 h. alt. 845 – ✦ 91.
Madrid 27 – El Escorial 22 – Segovia 60.

La Colonia NO : 2,5 km – ✉ 28250 Torrelodones – ✦ 91 :

XX La Rosaleda, paseo de Vergara 7 ℘ 859 11 25, ⅏ – ▤.

RREMOLINOS 29620 Málaga ᴍᴍᴍ W 16 – 35 309 h. – ✦ 95 – Playa – Iberia : edificio La Nogalera ℘ 238 24 00 AY.
🗓 pl. de las Comunidades Autónomas, ℘ 237 19 09, Fax 237 94 32 – **R.A.C.E.** pl. de la Costa del Sol (edificio Entreplazas Ofc. 194), ℘ 238 77 42.
Madrid 569 ① – Algeciras 124 ② – Málaga 14 ①.

Plano página siguiente

Meliá Costa del Sol, paseo Marítimo 19 ℘ 238 66 77, Telex 77326, Fax 238 64 17, ≤, Servicios de talasoterapia, ☒ – 📶 ▤ 📺 ☎ 🅿 – 🛦 25/250. ᴁ ⓸ 𝐄 𝘷𝘪𝘴𝘢 ᴊᴄʙ. ⋙
BY b
Comida 2550 – ☲ 1000 – **522 hab** 12600/15750, 18 suites.

Sol Don Pablo, paseo Marítimo ℘ 238 38 88, Telex 77252, Fax 238 37 83, ≤, ☒ climatizada, ☒, ✗ – 📶 ▤ 📺 ☎ ৬ 🅿 – 🛦 25/200. ᴁ ⓸ 𝐄 𝘷𝘪𝘴𝘢. ⋙ BY s
Comida (sólo buffet) 2500 – ☲ 1100 – **443 hab** 12200/18405.

Sol Don Pedro, av. del Lido ℘ 238 68 44, Fax 238 69 35, ☒, ✗ – 📶 ▤ 📺 ☎ 🅿 – 🛦 25/40. ᴁ ⓸ 𝐄 𝘷𝘪𝘴𝘢 ᴊᴄʙ. ⋙ BY p
Comida (sólo buffet) 1600 – ☲ 700 – **289 hab** 7550/12000.

Isabel *sin rest*, paseo Marítimo 97 ℘ 238 17 44, Fax 238 11 98, ≤, ☒ – 📶 ▤ 📺 ☎ ⇦. ᴁ ⓸ 𝐄 𝘷𝘪𝘴𝘢 BY n
marzo-noviembre – **40 hab** ☲ 7925/10350.

Fénix, Las Mercedes 24 ℘ 237 52 68, Fax 238 71 83, ☒ – 📶 ▤ 📺 ☎ AY N
Comida (sólo buffet) – **85 hab.**

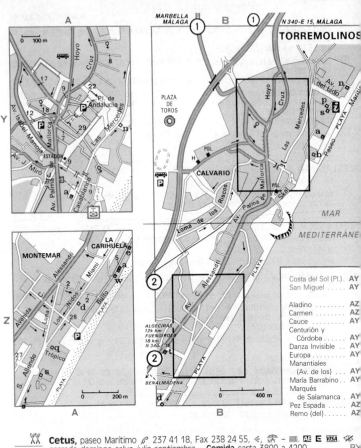

Costa del Sol (Pl.) . . **AY**
San Miguel . . . . . **AY**

Aladino . . . . **AZ**
Carmen . . . . **AZ**
Cauce . . . . **AY**
Centurión y
  Córdoba . . . . . . **AY**
Danza Invisible . . **AY**
Europa . . . . **AY**
Manantiales
  (Av. de los) . . . **AY**
María Barrabino . . **AY**
Marqués
  de Salamanca . **AY**
Pez Espada . . . . . **AZ**
Remo (del) . . . . . . **AZ**

XX **Cetus,** paseo Marítimo ℰ 237 41 18, Fax 238 24 55, ≤, 佘 – ☰. ◭ ᴇ 𝘝𝘐𝘚𝘈. ✲
   cerrado domingo salvo julio-septiembre – Comida carta 3800 a 4200.   BY

X **Doña Francisquita,** Casablanca 27 ℰ 237 61 62, Fax 237 61 63, 佘 – ☰. ◭ ◐
  ◉ 𝘝𝘐𝘚𝘈   AY
   cerrado domingo – Comida carta 2775 a 3575.

al Suroeste : barrios de La Carihuela y Montemar – ⊠ 29620 Torremolinos – ✿ 95 :

🏨 **Pez Espada,** Salvador Allende 11 ℰ 238 03 00, Fax 237 28 01, ≤, 𝕝₆, ⊥, ⃤, 㸚,
  – ⏐❖⏐ ☰ 𝕋𝕍 ☎ 🅿 – 🔬 25/250. ◭ ◐ ᴇ 𝘝𝘐𝘚𝘈. ✲   AZ
   Comida 2850 – � 1500 – **192 hab** 11000/15200, 13 suites – PA 6100.

🏨 **Sol Élite Aloha Puerto,** Salvador Allende 45 ℰ 238 70 66, Fax 238 57 01,
  ⊥ climatizada, ✸ – ⏐❖⏐ ☰ 𝕋𝕍 ☎ – 🔬 25/500. ◭ ◐ ᴇ 𝘝𝘐𝘚𝘈 𝙹𝙲𝙱. ✲   BZ
   Comida (sólo cena) 2500 – ⊡ 1000 – **372 hab** 10625/17250.

🏨 **Tropicana,** Trópico 6 ℰ 238 66 00, Fax 238 05 68, ≤, ⊥ – ⏐❖⏐ ☰ 𝕋𝕍 ☎ – 🔬 25
  84 hab.   AZ

🏠 **El Tiburón** sin rest, Los Nidos 7 ℰ 238 13 11, Fax 238 13 20, ⊥ – ◭ ◐ ᴇ 𝘝𝘐𝘚𝘈
  mayo-octubre – ⊡ 400 – **40 hab** 3900/5000.   AZ

🏠 **Prudencio,** Carmen 43 ℰ 238 14 52, ≤ – ◭ ᴇ 𝘝𝘐𝘚𝘈. ✲   AZ
  marzo-octubre – Comida (ver rest. ***Casa Prudencio***) – **34 hab** ⊡ 3500/6000.

X **El Figón de Encarna,** Residencial Eurosol ℰ 238 18 12, 佘 – ☰. ◭ ◐ ᴇ
  ✲   BZ
   cerrado domingo y del 7 al 31 de enero – Comida carta aprox. 3200.

X **La Jábega,** Mar 17 ℰ 238 63 75, Fax 237 08 16, ≤, 佘, Pescados y mariscos – ☰
  ◐ ᴇ 𝘝𝘐𝘚𝘈 𝙹𝙲𝙱. ✲   AZ
   Comida carta 1750 a 3800.

X **El Roqueo,** Carmen 35 ℰ 238 49 46, ≤, 🍽, Pescados y mariscos – 🖽 ⓞ 🖅 𝘷𝘪𝘴𝘢.
🍽   AZ a
cerrado martes y noviembre – Comida carta 3100 a 3650.

X **Casa Guaquín,** Carmen 37 ℰ 238 45 30, ≤, 🍽, Pescados y mariscos – 🖽 🖅 𝘷𝘪𝘴𝘢
🍽   AZ a
cerrado jueves y 15 diciembre-15 enero – Comida carta 2475 a 3300.

X **Casa Prudencio,** Carmen 43 ℰ 238 14 52, ≤, 🍽, Pescados y mariscos – 🖽 🖅 𝘷𝘪𝘴𝘢. 🛠
cerrado lunes y 25 diciembre-15 febrero – Comida carta 2550 a 3600.   AZ w

X La Barca, Salvador Allende 27 ℰ 238 47 65, Fax 237 08 16, 🍽 – 🗏   AZ f

n la carretera de Málaga por ① – ⊠ 29620 Torremolinos – 🕾 95 :

🏨 **Parador de Málaga del Golf,** junto al golf - 5 km, ⊠ 29080 apartado 324 Málaga,
ℰ 238 12 55, Fax 238 89 63, ≤, 🍽, « Situado junto al campo de golf », 🏊, 🛠, 🛗 –
🗏 📺 🕾 ℗ – 🔼 25/70. 🖽 ⓞ 🖅 𝘷𝘪𝘴𝘢.
Comida 3500 – 🖙 1200 – **56 hab** 16500, 4 suites.

XX **Frutos,** urb. Los Álamos - 3 km ℰ 238 14 50, Fax 237 13 77, 🍽 – 🗏 ℗. 🖽 ⓞ 🖅 𝘷𝘪𝘴𝘢.
cerrado domingo noche de octubre a junio – Comida carta 2850 a 3850.

ORRENT 17123 Gerona 𝟦𝟦𝟥 G 39 – 219 h. – 🕾 972.
Madrid 744 – Barcelona 133 – Gerona/Girona 36 – Palafrugell 4.

🏨 **Mas de Torrent** 🛠, ℰ 30 32 92, Fax 30 32 93, ≤, 🍽, « Masía del siglo XVIII », 🏊,
🌳, 🛠 – 🗏 📺 🕾 ౡ ℗ – 🔼 25/40. 🖽 ⓞ 🖅 𝘷𝘪𝘴𝘢 𝐉𝐂𝐁. 🛠 rest
Comida carta 4950 a 6150 – 🖙 1850 – **30 hab** 25600/32000.

ORRENTE o **TORRENT** 46900 Valencia 𝟦𝟦𝟧 N 28 – 56 191 h. alt. 63 – 🕾 96.
Madrid 345 – Alicante/Alacant 182 – Castellón de la Plana/Castelló de la Plana 86 – Valencia
11.

n El Vedat SO : 4,5 km – ⊠ 46900 Torrente – 🕾 96 :

🏨 **Lido** 🛠, Juan Ramón Jiménez 5 ℰ 155 15 00, Fax 155 12 02, ≤, 🏊, 🌳 – 🛗 🗏 📺
🕾 ℗ – 🔼 25/500. 🖽 ⓞ 🖅 𝘷𝘪𝘴𝘢. 🛠 rest
Comida 2200 – 🖙 725 – **60 hab** 8500/12350 – PA 4350.

ORREVIEJA 03180 Alicante 𝟦𝟦𝟧 S 27 – 25 891 h. – 🕾 96 – Playa.
🛗 🛗 Club Villamartín, SO : 7,5 km ℰ 676 03 50, Fax 676 51 58.
🖪 pl. Capdepón, ℰ 571 59 36, Fax 571 59 36.
Madrid 435 – Alicante/Alacant 50 – Cartagena 60 – Murcia 45.

🏛 **La Cibeles** sin rest, av. Dr. Gregorio Marañón 28 ℰ 571 00 12, Fax 571 66 45 – 🕾. 𝘷𝘪𝘴𝘢
abril-15 octubre – 🖙 400 – **40 hab** 3700/5200.

🏠 **Cano** sin rest, Zoa 53 ℰ 670 09 58, Fax 571 12 95 – 🛗 📺. 🖅 𝘷𝘪𝘴𝘢. 🛠
🖙 300 – **28 hab** 3500/5000.

XX **Miramar,** paseo Vista Alegre ℰ 571 34 15, Fax 571 34 15, ≤, 🍽 – 🖽 ⓞ 🖅 𝘷𝘪𝘴𝘢. 🛠
cerrado martes (octubre-mayo) y del 4 al 29 noviembre – Comida carta 2825 a 4950.

XX Telmo, Torrevejenses Ausentes 5 ℰ 571 54 74 – 🗏.

XX **Río Nalón,** Clemente Gosálvez 22 ℰ 571 19 08 – 🗏. 🖽 ⓞ 🖅 𝘷𝘪𝘴𝘢. 🛠
cerrado domingo noche y lunes salvo julio-15 septiembre – Comida carta 3100 a 4200.

Suroeste por la carretera de Cartagena – 🕾 96 :

🏨 **Montepiedra** 🛠, Rosalia de Castro - Dehesa de Campoamor - 11 km, ⊠ 03192 Dehesa
de Campoamor, ℰ 532 03 00, Fax 532 06 34, 🍽, « 🏊 rodeada de césped y plantas »,
🌳, 🛠 – 🗏 rest 🕾 ℗. 🖽 ⓞ 🖅 𝘷𝘪𝘴𝘢.
Comida 2100 – 🖙 600 – **64 hab** 8900/10000 – PA 4180.

🏠 **Motel Las Barcas** sin rest, 4,5 km, ⊠ 03180 Torrevieja, ℰ 571 00 81, Fax 571 00 81,
≤ – 🕾 ℗. 🖅 𝘷𝘪𝘴𝘢
🖙 475 – **30 hab** 5200.

X Palmera Beach, urb. Las Mil Palmeras - 13 km, ⊠ 03190 Pilar de la Horadada,
ℰ 532 13 65, 🍽 – ℗.

X Asturias, 5,5 km, ⊠ 03180 Torrevieja, ℰ 676 00 44, Fax 676 00 44, 🍽 – ℗.

X **Las Villas,** Dehesa de Campoamor - 11 km, ⊠ 03192 Dehesa de Campoamor,
ℰ 532 00 05, 🍽 – ℗. 🖽 🖅 𝘷𝘪𝘴𝘢
Comida carta 2100 a 3500.

X **Don Sandy,** 9,5 km, ⊠ 03180 Torrevieja, ℰ 532 12 17, 🍽 – 🗏 ℗. 🖽 ⓞ 🖅 𝘷𝘪𝘴𝘢. 🛠
cerrado noviembre – Comida carta aprox. 3400.

TORTOSA

Agustí Querol (Pl.) ...... **BY** 3
Alacant .... **AY** 4
Alfara de Carles ...... **ABY** 6
Alfons XII (Pl.) .... **BZ** 7
Ángel (Pl. de l') .... **BY** 8
Bisbe Aznar .... **BY** 9
Cabrera Grignon (Pl. de) . **BZ** 12
Canonge Macip .... **ABZ** 13
Capellans (Costa dels) .. **BY** 15
Capellans (Carreró dels) . **CY** 17
Castell (Costa) .... **CY** 18
Ciutat .... **BY** 20
Comte Banyuelos ...... **BZ** 21
Constitució (Pl.) .... **BY** 23
Cristófol Despuig
  (Historiador) .... **BZ** 26
Cruera .... **BY** 27
Emili Sanz (Pl.) .... **BZ** 29
Escorxadors (Pl. dels) ... **BY** 30
Espanya (Pl. d') .... **BZ** 32
Felip Neri .... **CY** 33
Francesc Pizarro ...... **AY** 34
Hernán Cortés .... **AY** 35
Immaculada Concepció . **CV** 36
Jerusalem (Trav.) ...... **CV** 37
Joan Moreira Ramos
  (Pas.) .... **BZ** 38
Joan Sebastián Elcano .. **AY** 40
Joaquim Bau Nolla (Pl.).. **AY** 42
Jordi Besuldo i Terol .... **AV** 44
Major de Remolins ..... **CV** 45
Major de Sant Jaume ... **CV** 47
Marqués de Bellet ..... **BZ** 49
Mas de Barberans ..... **AZ** 50
Mercaders .... **BYZ** 52
Mercè .... **CY** 54
Metge Vilà .... **BZ** 56
Naprons .... **BZ** 57
Paiolet (Pl.) .... **BY** 59
Pau (Pl. de la) .... **BZ** 61
Pere Alberni .... **BY** 62
Pintor Gimeno .... **BY** 64
Providència .... **CY** 65
Puríssima .... **CY** 67
Ramon Berenguer IV ... **BCZ** 68
Ronda (Pas.) .... **CY** 70
Rosa .... **BY** 71
Sant Blai (Pda de) ..... **BZ** 73
Sant Domènec .... **CY** 74
Sant Francesc .... **CYZ** 75
Sant Francesc (Pda de) . **BY** 76
Sant Jaume (Pl. de) .... **BCY** 78
Sant Jaume (Ratlla de) .. **BY** 80
Sant Joan Bta.
  de la Salle .... **CZ** 81
Santa Teresa .... **BZ** 83
Tamarit i Gil .... **AV** 85
Teodor González
  Cabanes .... **BZ** 86

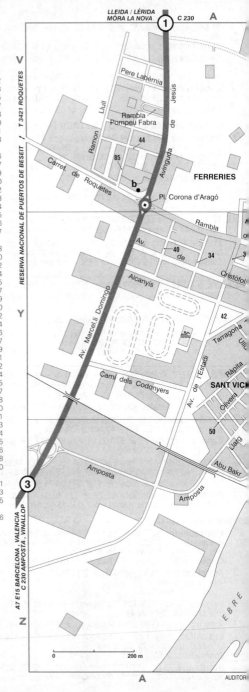

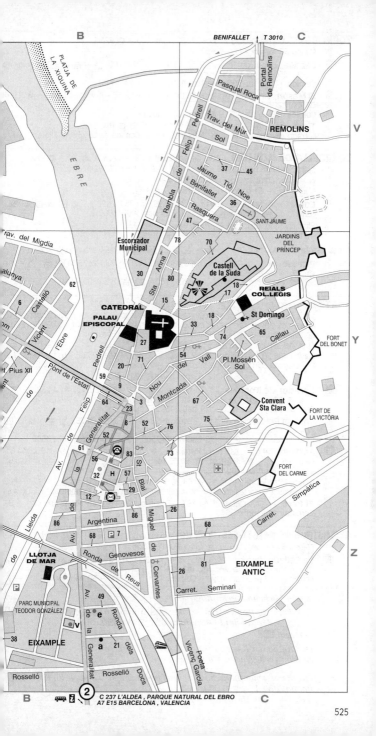

BENIFALLET ↑ T 3010

PLATJA DE LA XIQUINA

E B R E

REMOLINS

Portal de Remolins

Pasqual Roca

Trav. del Mur

Sol

Jaume Tió Noe   37   45

Benifallet   36

Rasquera

47

SANT JAUME

Rambla de

Pepeta

Felip

Ileret

Trav. del Midgia

Escorxador Municipal

78

70

JARDINS DEL PRÍNCEP

Castell de la Suda

18

REIALS COL.LEGIS

30   Sta Anna   80   15   17

CATEDRAL PALAU EPISCOPAL

33   18   St Domingo

74   65   Callau

FORT DEL BONET

Catalunya   62

6   Castelló

Vicent   l'Ebre

Pl. Pius XII

Pont de l'Estat

Pedrell

27   71   20   54   del   Vall   Pl. Mossèn Sol

59   9   Nou   Montcada

64   23   3   67

FORT DE LA VICTÒRIA

Convent Sta Clara

52   8   52   76   75

61   Generalitat

56   83   St.   73

32   H   57   Blai

12   29

FORT DEL CARME

Simpàtica

86   Argentina   86

68   P 7   Miguel   26   68   81   Carret.

LLOTJA DE MAR

Ronda   Genovesos   de Reus   26   Carret. Seminari

EIXAMPLE ANTIC

PARC MUNICIPAL TEODOR GONZÁLEZ   49   Cervantes

V   e   Ronda   dels   Docs   Poeta Vicenç Garcia

38   EIXAMPLE   a   21

Rosselló   Rosselló

Y

Z

V

Y

Z

B   C

TORRIJOS 45500 Toledo **444** M 17 – 9 522 h. alt. 529 – ✿ 925.
Madrid 87 – Ávila 113 – Toledo 29.

🏨 **Castilla**, carret. de Toledo ℰ 76 18 00, Fax 77 00 00, ⤢ – 🛗 🖁 📺 ☎ ⇦ 🅿
⚄ 25/250. ㏂ ⑩ 🝔 **VISA**. ⅍
Comida 1700 – ☷ 300 – **61 hab** 4000/5500 – PA 3145.

🏨 **El Mesón**, carret. de Toledo ℰ 76 04 00, Fax 76 08 56 – 🛗 🖁 rest 📺 ☎ – ⚄ 25/40
㏂ **VISA**. ⅍ rest
Comida 1500 – ☷ 300 – **44 hab** 3500/6000.

✗ **Tinín**, carret. de Toledo 62 ℰ 76 11 65 – 🖁. ㏂ 🝔 **VISA**. ⅍
cerrado miércoles y 16 agosto-4 septiembre – **Comida** carta 2350 a 2950.

TORROELLA DE MONTGRÍ 17257 Gerona **443** F 39 – 6 723 h. alt. 20 – ✿ 972.
🏌🏌 *Empordá Club Golf S : 1,5 km, ℰ 76 04 50, Fax 10 82 06.*
🛈 *av. Lluis Companys 51, ℰ 75 83 00, Fax 75 76 19.*
Madrid 740 – Barcelona 127 – Gerona/Girona 31.

🏨 **Coll** sin rest, carret. de Estartit ℰ 75 81 99, Fax 75 85 12, ⤢ –'🛗 📺 ☎ 🅿. 🝔 **VISA**. ⅍
cerrado 15 enero-febrero – ☷ 550 – **24 hab** 3000/8000.

✗ **Elías** con hab, Major 24 ℰ 75 80 09
17 hab.

en la playa de La Gola SE : 7,5 km – ✉ 17257 Torroella de Montgrí – ✿ 972 :

🏨 **Picasso,** carret. de Pals y desvío a la izquierda ℰ 75 75 72, Fax 76 11 00, 🍴, ⤢ – 🖁 re
🅿. ㏂ ⑩ 🝔 **VISA**
cerrado diciembre y enero – **Comida** 1700 – **20 hab** ☷ 4800/6950.

TORTOSA 43500 Tarragona **443** J 31 – 29 717 h. alt. 10 – ✿ 977.
Ver : Catedral★★ (tríptico★, púlpitos★) BY – Palacio Episcopal★ (Palau Episcopal) BY
Reales Colegios de Tortosa★ (Colegio Sant Lluís★) CY – Llotja de Mar★ BZ – Iglesia de Sa
Domingo (Arxiu d'Història Comarcal de les Terres de l'Ebre★) CY.
🛈 *pl. del Bimil.lenari por ② ℰ 51 08 22.*
*Madrid 486 ① – Castellón de la Plana/Castelló de la Plana 123 ③ – Lérida/Lleida 129
– Tarragona 83 ③ – Zaragoza 204 ①.*

Planos páginas 524 y 525

🏨🏨 **Parador de Tortosa** ⬙, Castillo de la Zuda ℰ 44 44 50, Fax 44 44 58, ≤, ⤢, ⬙
– 🛗 🖁 📺 ☎ 🅿 – ⚄ 25/150. ㏂ ⑩ 🝔 **VISA** ᴶᶜᴮ. ⅍   CY
Comida 3200 – ☷ 1200 – **79 hab** 14500, 3 suites.

🏨 **Corona Plaça**, pl. Corona de Aragón ℰ 58 04 33, Fax 58 04 28, ⤢, 🍴 – 🛗 🖁 📺
🕭 ⇦ – ⚄ 25/200. ㏂ ⑩ 🝔 **VISA**. ⅍ rest   AV
Comida 850 – ☷ 850 – **72 hab** 6000/7500, 30 apartamentos – PA 3500.

🏨 **Tortosa Parc** sin rest. con cafetería por la noche, Comte de Bañuelos 10 ℰ 44 61
Fax 44 61 12 – 🖁 🖁 📺 ☎. ㏂ ⑩ 🝔 **VISA**   BZ
☷ 500 – **84 hab** 2500/4400.

✗ **Rosa**, Marqués de Bellet 13 ℰ 44 20 01 – 🖁. ㏂ ⑩ 🝔 **VISA**. ⅍   BZ
cerrado lunes, martes mediodía, y 11 septiembre-1 octubre – **Comida** carta 2300 a 31

✗ **El Parc**, av. Generalitat ℰ 44 48 66, En un parque – 🖁. ㏂ ⑩ 🝔 **VISA**. ⅍   BZ
Comida carta aprox. 3675.

TOSAS (Puerto de) o TOSES (Port de) 17536 Gerona **443** E 36 – 148 h. alt. 1 800 – ✿ 9
Madrid 679 – Gerona/Girona 131 – Puigcerdá 26.

🏨 **La Collada**, carret. N 152 - alt. 1 800 ℰ 89 21 00, Fax 89 20 47, ≤ valle y montar
⤢ climatizada – 🖁 ☎ ⇦ 🅿. **VISA**. ⅍
cerrado del 1 al 20 de mayo – **Comida** 1500 – ☷ 600 – **30 hab** 4500/8500.

Sieben Michelin-Abschnittskarten :

Spanien : Nordwesten **441**, *Norden* **442**, *Nordosten* **443**, *Zentralspanien* **44**
Zentral- und Ostspanien **445**, *Süden* **446**.

Portugal **440**.

*Die auf diesen Karten rot unterstrichenen Orte
sind im vorliegenden Führer erwähnt.*

Für die gesamte Iberische Halbinsel benutzen Sie die **Michelin-Karte** **990**
*im Maßstab 1 : 1 000 000,
oder der* **Atlas Michelin Spanien Portugal** *im Maßstab 1/400 000.*

OSSA DE MAR 17320 Gerona 443 G 38 – 3 406 h. – ✆ 972 – Playa.

Ver : Localidad veraniega★.

Alred. : Recorrido en cornisa★★ de Tossa de Mar a San Feliú de Guixols (calas★) 23 km por ② – Carretera en cornisa★★ de Tossa de Mar a Playa Canyelles 9 km por ③.

🛈 carret. de Lloret - edificio Terminal, ℘ 34 01 08, Fax 34 07 12.

Madrid 707 ③ – Barcelona 79 ③ – Gerona/Girona 39 ①.

TOSSA DE MAR

osta Brava
(Av. de la) . . . . **AY** 2
a Guàrdia . . . . **AZ** 6
ortal . . . . **BZ** 16
ou de la Vila . . . . **ABZ** 17
cors . . . . **ABZ** 24

tolt . . . . **AZ** 4
rran Agulló (Av.) . . . . **AY** 5
Palma (Av. de) . . . . **BY** 10
ar (Passeig del) . . . . **BZ** 12
aría Auxiliadora . . . . **AYZ** 13
legrí (Av. del) . . . . **AZ** 15
erto Rico (Av. de) . . . . **AY** 18
nt Antoni . . . . **AZ** 19
nt Josep . . . . **AZ** 20

*ara el buen uso
e los planos de ciudades,
nsulte
s signos convencionales.*

*our un bon usage
s plans de villes,
ir les signes conventionnels.*

*r maximum information
m town plans,
nsult
e conventional signs key.*

🏨🏨🏨 **G. H. Reymar** ⑤, platja de Mar Menuda ℘ 34 03 12, Telex 57094, Fax 34 15 04, ≤, 斎, 🛋, ⊠, 🞥 – ⛿ ≣ 🆃🆅 ☎ ⇌ – 🔏 25/175. 🆎 ⓪ 🈴 🆅🇸🇦 🇯🇨🇧. 🛠 rest BY x
mayo-octubre – **Comida** 4000 – ☑ 1500 – **156 hab** 10500/24200.

🏨🏨 **Mar Menuda** ⑤, platja de Mar Menuda ℘ 34 10 00, Fax 34 00 87, ≤, 斎, « Terraza
con arbolado », ⊠, 🞥 – ⛿ ≣ 🆃🆅 ☎ ⇌ ℗. 🆎 ⓪ 🈴 🆅🇸🇦. 🛠 rest BY w
cerrado 8 enero-27 febrero – **Comida** (27 febrero-septiembre) 2775 – **50 hab**
☑ 6500/10200.

🏨🏨 **Florida**, av. de la Palma 12 ℘ 34 03 08, Fax 34 09 53 – ⛿ ≣ 🆃🆅 ☎ ℗. 🆎 ⓪ 🈴 🆅🇸🇦.
🛠 BY d
cerrado 8 enero-15 marzo – **Comida** 2000 – ☑ 725 – **51 hab** 6400/10800.

🏨 **Neptuno** ⑤, La Guàrdia 52 ℘ 34 01 43, Fax 34 19 33, 🛋, 🞵 – ⛿ ≣ rest. ⓪ 🈴 🆅🇸🇦.
🛠 rest AZ g
abril-octubre – **Comida** 850 – **123 hab** ☑ 4000/8000.

🏨 **Avenida**, av. de la Palma 5 ℘ 34 07 56, Fax 34 22 70 – ⛿ ☎. 🆎 🈴 🆅🇸🇦. 🛠 rest
abril-octubre – **Comida** 1800 – ☑ 600 – **50 hab** 7800 – PA 3300. BY f

🏨 **Corisco** sin rest, Pou de la Vila 8 ℘ 34 01 74, Telex 56317, Fax 34 07 12, ≤ – ⛿. 🈴 🆅🇸🇦
abril-octubre – ☑ 775 – **28 hab** 4750/9500. BZ x

🏨 Simeón sin rest, Dr. Trueta 1 ℘ 34 00 79 – ⛿ BZ x
50 hab.

🏨 **Mar Bella** sin rest, av. Costa Brava 21 ℘ 34 13 63, Fax 34 13 63 – 🆎 ⓪ 🈴 🆅🇸🇦 AY b
marzo-5 octubre – ☑ 600 – **36 hab** 4000/8000.

🏨 **Sant March** ⑤ sin rest, Nou 9 ℘ 34 00 78, Fax 34 25 34, 🛋 – 🆎 🈴 🆅🇸🇦 AZ u
mayo-septiembre – **30 hab** ☑ 3500/7000.

🏨 **Canaima** sin rest, av. de la Palma 24 ℘ 34 09 95, Fax 34 26 26 – BY q
junio-septiembre – ☑ 475 – **17 hab** 5200.

527

🏠 **Horta Rosel** sin rest, Pola 29 ℰ 34 04 32 – 🅿 AY
junio-septiembre – ⌷ 400 – **29 hab** 4500.

❌ **Es Molí**, Tarull 5 ℰ 34 14 14, 🍴, « Bajo los porches de un patio ajardinado » – 🅿.
🕐 🔚 *VISA* Jᴄʙ AZ
cerrado martes (15 septiembre-15 junio) y 16 diciembre-15 febrero – **Comida** carta 28
a 4850.

❌ **Castell Vell**, pl. Roig i Soler 2 ℰ 34 10 30, 🍴, « Conjunto de estilo regional en el reci
de la antigua ciudad amurallada » – 🆎 🕐 🔚 *VISA* BZ
abril-20 octubre – **Comida** (cerrado lunes no festivos de abril a junio) carta 3940 a 53

❌ **Taverna de l'abat Ramon**, Pintor Vilallonga 1 ℰ 34 07 08, 🍴 – 🔚. 🆎 🕐 🔚
Semana Santa-septiembre – **Comida** carta 2865 a 4237. BZ

❌ **Can Tonet**, pl. de l'Església 2 ℰ 34 05 11, 🍴 – 🔚. 🆎 🕐 🔚 *VISA* AZ
cerrado noviembre-marzo – **Comida** carta 2700 a 3725.

❌ **Tursia**, Barcelona 3 - edificio Sa Carbonera ℰ 34 15 00, 🍴 – 🆎 🕐 🔚 *VISA* BY
Semana Santa-30 octubre – **Comida** carta 2990 a 4050.

❌ **Bahía**, passeig del Mar 19 ℰ 34 03 22, 🍴 – 🔚. 🆎 🕐 🔚 *VISA*. 🦐 BZ
cerrado diciembre – **Comida** carta 2400 a 4000.

❌ **Santa Marta**, Francesc Aromir 2 ℰ 34 04 72, Fax 34 27 57, 🍴, Dentro del reci
amurallado – 🔚. 🆎 🕐 🔚 *VISA*. 🦐 BZ
abril-agosto – **Comida** carta aprox. 3175.

❌ **Victoria**, passeig del Mar 23 ℰ 34 01 66, Fax 34 13 63, 🍴 – 🆎 🕐 🔚 *VISA* Jᴄʙ.
marzo-15 octubre – **Comida** carta 2200 a 4500. BZ

TOTANA 30850 Murcia 445 S 25 – 20 288 h. alt. 232 – 🕲 968.
Madrid 440 – Cartagena 63 – Lorca 20 – Murcia 45.

🏠 **Plaza** sin rest, pl. Constitución 5 ℰ 42 31 12, Fax 42 25 30 – 🛗 🔚 📺 ☎. 🆎 🔚 *VISA*. 🦐
⌷ 350 – **12 hab** 4300/6500.

❌❌ **Mariquita II**, Cánovas del Castillo 12 ℰ 42 44 05 – 🔚. 🆎 🕐 🔚 *VISA*. 🦐
cerrado domingo noche y lunes, domingo en verano y 20 días en agosto – **Comida** ca
3350 a 4650.

TOX 33793 Asturias 441 B 10 – 🕲 98.
Madrid 558 – Avilés 75 – Luarca 11 – Gijón 98 – Lugo 132 – Oviedo 106.

🏠🏠 **Villa Borinquen** 🦐 sin rest, ℰ 564 82 20, Fax 564 82 22, ≼ – 🛗 📺 ☎ 🅿. *VISA*.
cerrado enero – ⌷ 750 – **11 hab** 9000/11000.

TOXA (Illa da) Pontevedra – ver La Toja (Isla de).

TRAGACETE 16150 Cuenca 444 K 24 – 345 h. alt. 1 283 – 🕲 969.
Alred.: Nacimiento del Cuervo★ (cascadas★) NO : 12 km.
Madrid 235 – Cuenca 71 – Teruel 89.

🏠 **Hospedería Real del Júcar** 🦐, Muñoz Grandes 7 ℰ 28 92 05, Fax 28 92 04 –
☎ 🅿. 🔚 *VISA*. 🦐 rest
Comida 1975 – ⌷ 495 – **25 hab** 4475/6975.

🍴 **Serranía** 🦐, Fernando Royuela 2 ℰ 28 90 19 – 🦐
cerrado enero-febrero – **Comida** 1700 – ⌷ 400 – **24 hab** 2500/5000.

🍴 **Júcar** 🦐, Fernando Royuela 1 ℰ 28 91 47, Fax 28 90 18 – 🔚 rest. 🔚 *VISA*. 🦐
Comida 1500 – ⌷ 400 – **18 hab** 4000/6000.

TRASVÍA Santander – ver Comillas.

TREDÓS Lérida – ver Salardú.

TREMP 25620 Lérida 443 F 32 – 6 514 h. alt. 432 – 🕲 973.
Alred.: NE : Desfiladero de Collegats★★.
🅱 pl. de la Creu 1, ℰ 65 00 09, Fax 65 20 36.
Madrid 546 – Huesca 156 – Lérida/Lleida 93.

🏠🏠 **Siglo XX**, pl. de la Creu 8 ℰ 65 00 00, Fax 65 26 12, 🏊 – 🛗 🔚 📺 ☎. *VISA*. 🦐
Comida 1200 – ⌷ 500 – **50 hab** 4400/6000.

🏠 **Alegret**, pl. de la Creu 30 ℰ 65 01 00, Fax 65 17 28 – 🛗 🔚 📺 ☎ 🚗. 🔚 *VISA*
Comida 1550 – ⌷ 500 – **25 hab** 2500/4400 – PA 3500.

RES CANTOS 28760 Madrid 444 K 18 – 22301 h. alt. 802 – ✿ 91.

Madrid 26.

🏨 **Holiday Inn Express Madrid-Tres Cantos** ⏂ sin rest. con cafetería por la noche, parque empresarial Euronova ℰ 803 99 00, Fax 803 59 99 – 🛗 ■ 📺 ☎ ᪲ 🐾 –
🏧 20/45. 🆎 ⓪ 🅴 🆅🆂🆁 𝐉𝐂𝐁. ✹
61 hab ⊇ 9500.

🍽 **Latores,** av de Viñuelas 17 (2ª fase) ℰ 803 95 73, Fax 804 08 45, �脱 – ■. 🆎 ⓪
🆅🆂🆁
cerrado domingo y del 15 al 31 de agosto – **Comida** carta aprox. 4400.

🍽 Trastevere, av. de Viñuelas 45 (2ª fase) ℰ 804 18 89, Cocina italiana – ■.

REVÉLEZ 18417 Granada 446 U 20 – 823 h. alt. 1476 – ✿ 958.

Madrid 507 – Almería 130 – Granada 91 – Málaga 154.

n la carretera de Juviles S : 4 km – ⊠ 18416 Busquístar – ✿ 958 :

🏨 **Alcazaba de Busquístar** ⏂, ℰ 85 86 87, Fax 85 86 93, ≤, �脱, « Conjunto de estilo alpujarreño », 🔲 – 🛗 ■ rest 📺 ☎ 🅿 – 🏧 25/200. 🆎 ⓪ 🅴 🆅🆂🆁. ✹
Comida carta aprox. 3200 – **44 apartamentos** ⊇ 11400/16700.

En haute saison, et surtout dans les stations,
il est prudent de retenir à l'avance.

RIGUEROS 21620 Huelva 446 T 9 – 7016 h. alt. 78 – ✿ 959.

Madrid 612 – Huelva 19 – Sevilla 84.

🍽 **Los Arcos 2,** carret. N 435 ℰ 30 52 11, �脱 – ■ 🅿. 🆎 ⓪ 🅴 🆅🆂🆁
Comida carta 2550 a 3400.

RINTXERPE Guipúzcoa – ver Pasajes de San Pedro.

RUJILLO 10200 Cáceres 444 N 12 – 8919 h. alt. 564 – ✿ 927.

Ver : Pueblo histórico★★. Plaza Mayor★★ (palacio de los Duques de San Carlos★, palacio de los Marqueses de la Conquista : balcón de esquina★) – Iglesia de Santa María★ (retablo★).
🛈 pl. Mayor, ℰ 32 26 77.
Madrid 254 – Cáceres 47 – Mérida 89 – Plasencia 80.

🏨 **Parador de Trujillo** ⏂, pl. de Santa Beatriz de Silva 1 ℰ 32 13 50, Fax 32 13 66, « Instalado en el antiguo convento de Santa Clara » – ■ 📺 ☎ 🐾 🅿 – 🏧 25/90. 🆎 ⓪ 🅴 🆅🆂🆁 𝐉𝐂𝐁. ✹
Comida 3500 – ⊇ 1200 – **46 hab** 14500.

🏨 **Las Cigüeñas,** av. de Madrid ℰ 32 12 50, Fax 32 13 00, �脱 – 🛗 ■ 📺 ☎ 🅿 –
🏧 25/300. 🆎 ⓪ 🅴 🆅🆂🆁. ✹
Comida 2250 – ⊇ 650 – **78 hab** 6000/9600 – PA 4375.

🍽 **Pizarro,** pl. Mayor 13 ℰ 32 02 55, Cocina regional – ■. ⓪ 🅴 🆅🆂🆁. ✹
Comida carta 2500 a 3850.

🍽 **Mesón La Cadena** con hab, pl. Mayor 8 ℰ 32 14 63 – ■. 🆎 🅴 🆅🆂🆁. ✹
cerrado del 1 al 15 de julio – **Comida** carta 2000 a 3500 – ⊇ 400 – **8 hab** 5500.

nto a la autovía N V SO : 6 km – ⊠ 10200 Trujillo – ✿ 927 :

🍽 **La Majada,** salida 259 ℰ 32 11 88, Fax 32 03 49, �脱 – ■ 🅿. 🆎 ⓪ 🅴 🆅🆂🆁. ✹
Comida carta 2100 a 4300.

'DELA 31500 Navarra 442 F 25 – 26163 h. alt. 275 – ✿ 948.

Ver : Catedral★ (claustro★★, portada del Juicio Final★, interior – capilla de Nuestra Señora de la Esperanza★).
🛈 pl. Vieja 1, ℰ 82 15 39, Fax 82 15 39, (Semana Santa-octubre).
Madrid 316 – Logroño 103 – Pamplona/Iruñea 84 – Soria 90 – Zaragoza 81.

🏨 **Tudela,** av. de Zaragoza 56 ℰ 41 08 02, Fax 41 09 72 – 🛗 ■ 📺 ☎ 🅿 – 🏧 25/80.
🆎 ⓪ 🅴 🆅🆂🆁
Comida (cerrado domingo noche) carta 2350 a 4500 – ⊇ 850 – **51 hab** 7000/9500.

🏨 **NH Delta** sin rest, av. de Zaragoza 29 ℰ 82 14 00, Fax 82 14 00 – 🛗 ■ 📺 ☎ –
🏧 25/60. 🆎 ⓪ 🅴 🆅🆂🆁 𝐉𝐂𝐁. ✹
⊇ 575 – **43 hab** 6600/9000.

TUDELA

Santamaría, San Marcial 14 ℰ 82 12 00, Fax 82 12 00 – 📶 🗐 📺 ☎ – ⚒ 25/3
AE ⓞ E VISA. ⋘ rest
Comida *(cerrado sábado, domingo y agosto)* 2300 – ⌷ 600 – **52 hab** 5500/7500.

Nueva Parrilla, Carlos III el Noble 6 ℰ 82 24 00, Fax 82 25 45 – 🗐 rest 📺 ☎ ⬅
E VISA JCB. ⋘ rest
Comida 1400 – ⌷ 600 – **22 hab** 3750/6300.

Morase con hab, paseo de Invierno 2 ℰ 82 17 00, Fax 82 17 04 – 🗐 📺 ☎ ⬅.
ⓞ E VISA JCB. ⋘ rest
cerrado 23 diciembre-5 enero – **Comida** *(cerrado domingo noche)* carta 3650 a 5500
⌷ 950 – **7 hab** 5500/8000.

El Choko, pl. de los Fueros 5 ℰ 82 10 19 – 🗐. AE ⓞ E VISA. ⋘
cerrado lunes – **Comida** carta 2650 a 4800.

Iruña, Muro 11 ℰ 82 10 00 – 🗐. AE E VISA. ⋘
cerrado jueves – **Comida** carta 2300 a 3700.

Mesón Julián, Merced 9 ℰ 82 20 28 – 🗐.

en la carretera N 232 *SE : 3 km* – ✉ 31512 Fontellas – 🕿 948 :

Beethoven, ℰ 82 52 60, Fax 82 52 60 – 🗐 ⓟ. AE ⓞ E VISA. ⋘
cerrado domingo y agosto – **Comida** carta 3330 a 4680.

TUDELA DE DUERO 47320 Valladolid 442 H 16 – 4842 h. alt. 701 – 🕿 983.
Madrid 188 – Aranda de Duero 77 – Segovia 107 – Valladolid 16.

Jaramiel sin rest, carret. N 122 - NO : 1 km ℰ 52 20 12, Fax 52 02 67, 🔼 – 📺 ☎
E VISA. ⋘
⌷ 350 – **21 hab** 3500/6000.

TUY o **TUI** 36700 Pontevedra 441 F 4 – 15346 h. alt. 44 – 🕿 986.
Ver : Emplazamiento⋆, Catedral⋆ (portada⋆).
🛈 Puente Tripes - av. de Portugal, ℰ 60 17 89.
Madrid 604 – Orense/Ourense 105 – Pontevedra 48 – Porto 124 – Vigo 29.

Parador de Tuy 🌭, ℰ 60 03 00, Fax 60 21 63, ≼, « Reproducción de una casa señor
gallega », 🔼, 🐾, ⋘ – 📺 ☎ ⓟ. AE ⓞ E VISA. ⋘
Comida 3200 – ⌷ 1200 – **23 hab** 12500, 1 suite.

Colón Tuy, Colón 11 ℰ 60 02 23, Fax 60 03 27, ≼, 🔼, ⋘ – 📶 🗐 📺 ☎ ⬅
⚒ 25/100. AE ⓞ E VISA. ⋘
Comida *(cerrado domingo)* 1100 – ⌷ 550 – **45 hab** 5450/9000.

O Cabalo Furado, pl. Generalísimo ℰ 60 12 15, Fax 60 12 15 – AE VISA. ⋘
cerrado domingo de julio-octubre, domingo noche y lunes resto del año, del 15 al 30
junio y 23 diciembre-7 enero – **Comida** carta 2350 a 3350.

ÚBEDA 23400 Jaén 446 R 19 – 31962 h. alt. 757 – 🕿 953.
Ver : Barrio Antiguo⋆⋆ : plaza Vázquez de Molina⋆⋆ BZ , iglesia de El Salvador
(sacristía⋆⋆, interior⋆) BZ – Iglesia de Santa María (capilla⋆, rejas⋆) BZ – Iglesia de
Pablo (capillas⋆) BZ.
🛈 pl. del Ayuntamiento, ℰ 75 08 97, Fax 75 08 97.
Madrid 323 – Albacete 209 – Almería 227 – Granada 141 – Jaén 57 – Linares 27 – Lo
277.

Plano página siguiente

Parador de Úbeda 🌭, pl. Vázquez Molina ℰ 75 03 45, Fax 75 12 59, « Instalado
un palacio del siglo XVI » – 🗐 📺 ☎ – ⚒ 25/90. AE ⓞ E VISA. ⋘   BZ
Comida 3500 – ⌷ 1200 – **31 hab** 18000.

Meliá Confort Ciudad de Úbeda, antigua carret. de circunvalación ℰ 79 10
Fax 79 10 12, 🏊 – 📶 🗐 📺 ☎ ⬅ ⓟ – ⚒ 25/450. AE ⓞ E VISA. ⋘
Comida 1950 – ⌷ 855 – **62 hab** 8500/11900, 4 suites – PA 3700.
por Obispo Cobos AY

Palacio de la Rambla sin rest, pl. del Marqués 1 ℰ 75 01 96, Fax 75 02 67, « Anti
palacete con mobiliario de época » – 📺 ☎ ⬅. AE VISA. ⋘   AY
cerrado 15 julio-15 agosto – **8 hab** ⌷ 10000/14000.

La Paz sin rest, Andalucía 1 ℰ 75 21 40, Fax 75 08 48 – 📶 🗐 📺 ☎ ⬅ – ⚒ 25,
AE ⓞ E VISA   por Minas AY
⌷ 450 – **46 hab** 4600/6800.

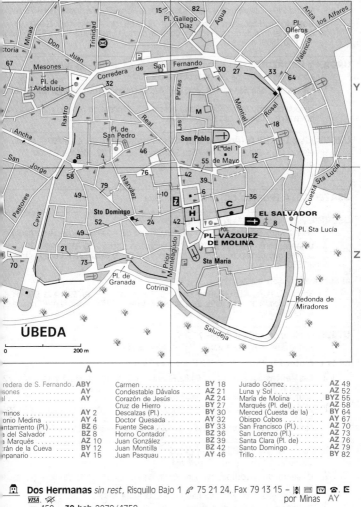

ÚBEDA

0   200 m

redera de S. Fernando.	**ABY**	Carmen	**BY** 18	Jurado Gómez	**AZ** 49
sones	**AY**	Condestable Dávalos	**AZ** 21	Luna y Sol	**AZ** 52
al	**AY**	Corazón de Jesús	**AZ** 24	María de Molina	**BYZ** 55
		Cruz de Hierro	**BY** 27	Marqués (Pl. del)	**AZ** 58
minos	**AY** 2	Descalzas (Pl.)	**BY** 30	Merced (Cuesta de la)	**BY** 64
onio Medina	**AY** 4	Doctor Quesada	**AY** 32	Obispo Cobos	**AY** 67
ntamiento (Pl.)	**BZ** 6	Fuente Seca	**BY** 33	San Francisco (Pl.)	**AZ** 70
a del Salvador	**BZ** 8	Horno Contador	**BZ** 36	San Lorenzo (Pl.)	**AZ** 73
a Marqués	**AZ** 10	Juan González	**BZ** 39	Santa Clara (Pl. de)	**AZ** 76
rán de la Cueva	**BY** 12	Juan Montilla	**BZ** 42	Santo Domingo	**AZ** 79
npanario	**AY** 15	Juan Pasquau	**AY** 46	Trillo	**BY** 82

🏠 **Dos Hermanas** sin rest, Risquillo Bajo 1 ℰ 75 21 24, Fax 79 13 15 – 📶 🖭 📺 ☎. **E** **VISA**. ⋘
   ☲ 450 – **30 hab** 2970/4750.   por Minas   AY

🏠 **Victoria** sin rest y sin ☲, Alaminos 5 ℰ 75 29 52 – 🖭 📺. ⋘
   15 hab 2500/4000.   por Alaminos   AY

✗ Cusco, parque de Vandelvira 8 ℰ 75 34 13 – 🖭   por Obispo Cobos   AY

LASTRELL 08231 Barcelona **443** H 35 – 934 h. alt. 342 – ✆ 93.
   Madrid 608 – Barcelona 42 – Manresa 47 – Tarragona 42.

la carretera C 243 E : 4 km – ✉ 08231 Ullastrell – ✆ 93 :
✗ L'Hostal de la Glória, urb. Ca'n Amat ℰ 780 00 61, 🦐 – 🖭 🅿.

LASTRET 17133 Gerona **443** F 39 – 256 h. alt. 49 – ✆ 972.
   Madrid 731 – Gerona/Girona 23 – Figueras/Figueres 40 – Palafrugell 16.

✗ **Iberic**, Valls 5 ℰ 75 71 08 – 🆎 **E** **VISA**. ⋘
   cerrado jueves y 24 diciembre-enero – **Comida** carta 2700 a 4500.

ULLDECONA 43550 Tarragona **443** K 31 – 5 032 h. alt. 134 – © 977.
   Madrid 510 – Castellón de la Plana/Castelló de la Plana 88 – Tarragona 104 – Tortosa 3

   ※ **Bon Lloc** con hab, carret. de Vinaroz *ℰ* 72 02 09, 斎 – ▤ rest **℗**. **⧉** **VISA**. ⋘
      cerrado del 15 al 30 de septiembre – **Comida** (cerrado lunes) carta 1500 a 2750 – ⊊ 4C
      – **8 hab** 2500/4000.

URDAX o **URDAZUBI** 31711 Navarra **442** C 25 – 459 h. alt. 95 – © 948.
   Madrid 475 – Bayonne 26 – Pamplona/Iruñea 80.

   ※ **La Koska,** San Salvador 3 *ℰ* 59 90 42, Decoración rústica – **℗**. **AE** **①** **⧉** **VIS**
      ⋘
      cerrado domingo noche, lunes (salvo agosto), 2ª quincena de febrero y 2ª quincena c
      noviembre – **Comida** carta aprox. 3900.

URQUIOLA o **URKIOLA (Puerto de)** 48211 Vizcaya **442** C 22 – alt. 700 – © 94.
   Madrid 386 – Bilbao/Bilbo 40 – San Sebastián/Donostia 79 – Vitoria/Gasteiz 31.

   ※ Bizkarra con hab, *ℰ* 681 20 26, 斎 – **℗**
      4 hab.

USATEGUIETA (Puerto de) Navarra – ver Leiza.

USURBIL 20170 Guipúzcoa **442** C 23 – © 943.
   Madrid 485 – Bilbao/Bilbo 97 – Pamplona/Iruñea 88 – San Sebastián/Donostia 8.

   ※ **Ugarte,** barrio Kale-Zar *ℰ* 36 26 73, Decoración rústica – **℗**. **AE** **⧉** **VISA**. ⋘
      cerrado domingo noche, lunes noche y del 15 al 31 de diciembre – **Comida** carta 22'
      a 3300.

al Suroeste : 3,5 km :
   ※ **Saltxipi,** Txoko Alde *ℰ* 36 11 27, Fax 36 55 54, 斎 – ▤ **℗**. **AE** **①** **⧉** **VISA**. ⋘
      cerrado domingo noche, lunes, 24 junio-8 julio y del 1 al 15 de noviembre – **Comida** car
      4500 a 5800.

UTEBO 50180 Zaragoza **443** G 27 – 7 766 h. – © 976.
   Madrid 334 – Pamplona/Iruñea 157 – Zaragoza 13.

en la carretera N 232 – ⊠ 50180 Utebo – © 976 :
   🏢 **Las Ventas,** SE : 2,5 km *ℰ* 77 04 82, Fax 77 04 82, 丞, ※ – ⧗ ▤ **tv** ☎ **℗** – 🔏 25/2(
      AE **①** **⧉** **VISA**
      Comida 1100 – ⊊ 500 – **58 hab** 4300/6850.
   🏢 **El Águila,** O : 2 km *ℰ* 77 03 14, Fax 77 11 05 – ⧗ ▤ **tv** ☎ **℗** – 🔏 25/60. **AE**
      ⧉ **VISA**. ⋘ rest
      Comida (cerrado domingo) 1200 – ⊊ 500 – **50 hab** 4450/7200 – PA 2550.

VADILLOS 16892 Cuenca **444** K 23 – © 969.
   Madrid 234 – Cuenca 70 – Teruel 164.

   🏠 **Caserío de Vadillos,** av. San Martín de Porres *ℰ* 31 32 39, ≼ – **tv** **℗**. **V**
      ⋘
      Comida 1600 – ⊊ 500 – **12 hab** 4500/6500 – PA 3145.
   🏠 **El Batán** ⋙, carret. de Solán de Cabras - SE : 1 km *ℰ* 31 31 42 – **℗**. ⋘
      junio-15 septiembre – **Comida** carta aprox. 2250 – ⊊ 450 – **19 hab** 2000/4000.

VADOCONDES 09491 Burgos **442** H19 – 493 h. alt. 831 – © 947.
   Madrid 167 – Aranda de Duero 11 – Burgos 94 – Soria 101 – Valladolid 104.

   🏠 Dos Escudos, carret. N 122 - SO : 1 km *ℰ* 52 80 12 – ▤ rest **tv** ☎ **℗**
      17 hab.

VALCARLOS 31660 Navarra **442** C 26 – 582 h. alt. 365 – © 948.
   Madrid 464 – Pamplona/Iruñea 65 – St-Jean-Pied-de-Port 11.

   ※ **Maitena** con hab, Elizaldea *ℰ* 79 02 10, Fax 79 02 10, ≼ – ▤ rest. ⋘ rest
      cerrado enero – **Comida** carta aprox. 2650 – ⊊ 450 – **7 hab** 6000.

VALDELAGRANA Cádiz – ver El Puerto de Santa María.

532

ALDEMORILLO 28210 Madrid **444** K 17 – 2 809 h. – ✪ 91.

Madrid 45 – El Escorial 14 – Segovia 66 – Toledo 95.

✕ **Los Bravos,** pl. de la Constitución 2 ℘ 899 01 83, 佘, « Decoración rústica » – ▤. ◫
◧ *VISA*
cerrado lunes y del 15 al 30 de septiembre – **Comida** (sólo almuerzo salvo en verano) carta
4600 a 6100.

ALDEMORO 28340 Madrid **444** L 18 – 17 954 h. – ✪ 91.

Madrid 27 – Aranjuez 21 – Toledo 53.

🛪 **Rus** sin rest y sin ⌑, Estrella de Elola 8 ℘ 895 67 11, Fax 895 24 83 – ▥. ⌗
16 hab 4000/6000.

XXX **Chirón,** Alarcón 27 ℘ 895 69 74, Fax 895 69 60 – ▤. ◫ ◑ ◧ *VISA* ᴊᴄʙ. ⌗
cerrado domingo noche – **Comida** carta 3300 a 4750.

ALDEMOSA o **VALLDEMOSSA** Baleares – ver Baleares (Mallorca).

ALDEPEÑAS 13300 Ciudad Real **444** P 19 – 25 067 h. alt. 720 – ✪ 926.

Alred.: San Carlos del Valle★ (plaza Mayor★) NE: 22 km.
Madrid 203 – Albacete 168 – Alcázar de San Juan 87 – Aranjuez 156 – Ciudad Real 62
– Córdoba 206 – Jaén 135 – Linares 96 – Toledo 153 – Úbeda 122.

n la autovía N IV – ✉ 13300 Valdepeñas – ✪ 926 :

🏨 **Meliá El Hidalgo,** N : 7 km ℘ 31 30 88, Fax 31 33 36, « ⚊ rodeada de césped », ☞
– ▥ ᴛᴠ ☎ ℗ – ⚞ 25/150. ◫ ◑ ◧ *VISA* ᴊᴄʙ. ⌗ rest
Comida 2585 – ⌑ 950 – **54 hab** 8850/11100 – PA 5100.

🏠 **Vista Alegre,** N : 3 km ℘ 32 22 04 – ▤ ᴛᴠ ℗. *VISA*. ⌗
Comida 1425 – ⌑ 500 – **17 hab** 4500/5500.

XX **La Aguzadera,** N : 4 km ℘ 32 32 08, Fax 31 14 02, 佘, ⚊ – ▤ ℗. ◫ ◑ ◧ *VISA*.
⌗
cerrado domingo, lunes noche y del 14 al 29 de febrero – **Comida** carta 2300 a 3400.

ALDERROBRES 44580 Teruel **443** J 30 – 1 870 h. – ✪ 978.

Madrid 421 – Lérida/Lleida 141 – Teruel 195 – Tortosa 56 – Zaragoza 141.

🏠 **Querol,** av. Hispanidad 14 ℘ 85 01 92, Fax 85 01 92 – ▤ ᴛᴠ ☎. ◧ *VISA*. ⌗
Comida (cerrado domingo) 1250 – ⌑ 600 – **19 hab** 3000/5000 – PA 2635.

VALENCIA

46000 🅿 **445** N 28 y 29 – 777 427 h. alt. 13 – 🔆 96.

Madrid 351 ④ – Albacete 183 ③ – Alicante/Alacant (por la costa) 174 ③ – Barcelona
361 ① – Bilbao/Bilbo 606 ① – Castellón de la Plana/Castelló de la Plana 75 ① – Málaga
651 ③ – Sevilla 682 ④ – Zaragoza 330 ①.

OFICINAS DE TURISMO

🛈 Pl. del Ayuntamiento 1, ✉ 46002. 𝒫 351 04 17, av. Cataluña 1, ✉ 46010,
𝒫 369 79 32 y Paz 48, ✉ 46003, 𝒫 394 22 22.

R.A.C.E. (R.A.C. de Valencia) Av. Regne de València 64 ✉ 46005. 𝒫 374 94 05,
Fax 373 71 06.

INFORMACIONES PRÁCTICAS

🏌 Manises por ④ : 12 km 𝒫 152 38 04.
🏌 Club Escorpión NO : 19 km por carretera de Liria 𝒫 160 12 11.
🏌 El Saler (Parador Luis Vives) por ② : 15 km 𝒫 161 11 86.
✈ de Valencia-Manises por ④ : 9,5 km 𝒫 370 95 00 – Iberia : Paz 14, ✉ 46003,
𝒫 352 75 52 EFY.
🚢 para Baleares : Cia. Trasmediterránea, Estación Maritima – Puerto de Valencia,
✉ 46024, 𝒫 367 65 12, Fax 367 06 44 CV.

CURIOSIDADES

Ver : La Ciudad Vieja★ : Catedral★ (El Miguelete★) EX, Palacio de la Generalidad★
(artesonado★ del Salón dorado) EX **D** ; Lonja★ (sala de la contratación★★, artesonado★
de la Sala del Consulado del Mar) DY.

Otras curiosidades : Museo de Cerármica★★ (Palacio del Marqués de Dos
Aguas★) EY **M¹** – Museo San Pio V★ (primitivos valencianos★★) FX – Colegio del Patriarca
o del Corpus Christi★ (triptico de la Pasión★) EY **N** – Torres de Serranos★ EX.

VALENCIA

Alcade Reig . . . . **BV** 3
Ángel Guimerà . . . . **AU** 4
Burjassot (Av. de) . . . . . . **AU** 6
Campanar (Av.) . . . . **AU** 7
Cataluña (Av. de) . . . . . . **BU** 9
Cavanilles . . . . **BU** 10
Constitución (Av. de la) . **BU** 12
Doctor Peset
    Alexandre (Av.) . . . . . . **BU** 13
Fernando el Católico
    (G. Vía) . . . . **AU** 15
Filipinas . . . . **BV** 16
Gaspar Aguilar (Av. de) . **AV** 18
General Avilés (Av.) . . . . **AU** 19
Giorgeta (Av.) . . . . **AV** 21
Guadalaviar . . . . **BU** 22
Ingeniero Manuel
    Soto (Av.) . . . . **CV** 24
José Soto Mico . . . . **AV** 25
Liano de la Zaidia . . . . . . **BU** 27
Maestro Rodrigo (Av.) . . **AU** 28
Manuel de Falla (Av.) . . . **AU** 30
Menéndez Pidal (Av.) . . . **AU** 31
Moreras (Camino) . . . . . . **CV** 33
Pérez Galdós (Av. de) . . . **AU** 34
Peris y Valero (Av. de) . . **BV** 35
Primado Reig (Av. del) . . **BU** 37
San José de Calasanz . . **AU** 39
San Vincente Mártir (Av.) . **AV** 40
Tirso de Molina (Av.) . . . **AU** 42
9 de Octubre . . . . **AU** 43

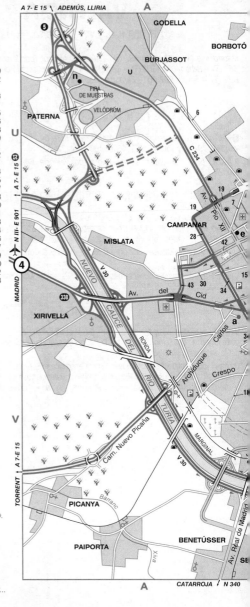

Un Consejo Michelin :

Para que sus viajes
sean un éxito,
prepárelos de antemano.
Los mapas
y las guías Michelin
le proporcionan todas
las indicaciones útiles
sobre : itinerarios,
visitas de curiosidades,
alojamiento, precios, etc...

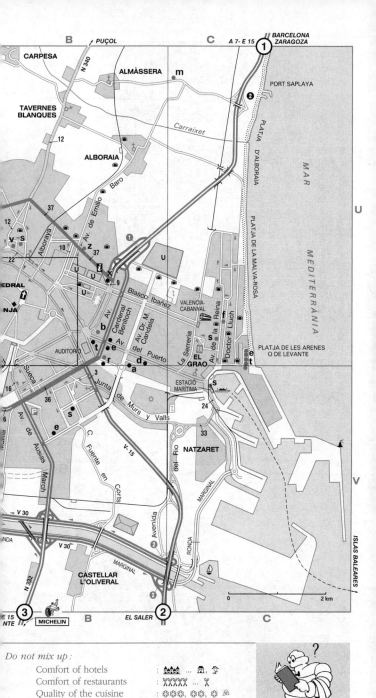

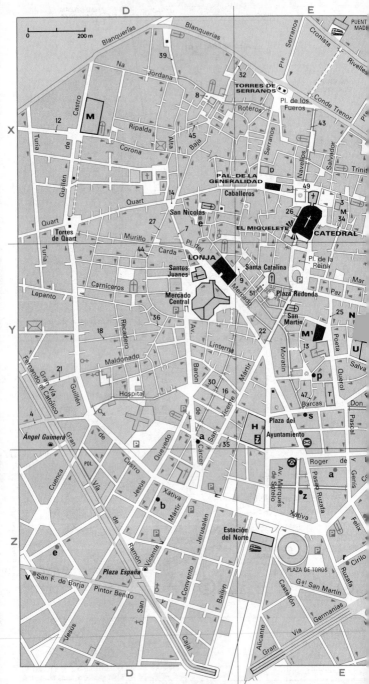

VALENCIA

Ayuntamiento (Pl. del) . **EY**
Marqués de Sotelo (Av.). **EZ**
Pascual y Genís ..... **EYZ**
Paz .... **EFY**
San Vicente Mártir .... **DY**

Almirante .... **EX** 2
Almudín .... **EX** 3
Ángel Guimerà .... **DY** 4
Bolsería .... **DX** 7
Carmen (Pl. del) ..... **DX** 8
Dr. Collado (Pl.)...... **EY** 9
Dr. Sanchís
   Bergón .... **DX** 12
Embajador Vich ..... **EY** 13
Esparto (Pl. del) ..... **DX** 14
Garrigues .... **DY** 16
General Palanca ..... **FY** 17
Guillém Sorolla ..... **DY** 18
Maestres .... **FX** 20
Maestro Palau ...... **DY** 21
María Cristina (Av.).... **EY** 22
Marqués de
   Dos Aguas .... **EY** 25
Micalet .... **EX** 26
Moro Zeit .... **DX** 27
Músico Peydro ...... **DY** 30
Nápoles y
   Sicilia (Pl.) .... **EX** 31
Padre Huérfanos ..... **Ex** 32
Palau .... **EX** 34
Periodista Azzati ..... **DY** 35
Pie de la Cruz ...... **DY** 36
Poeta Quintana ...... **FY** 38
Salvador Giner ...... **DX** 39
San Vicente
   Ferrer (Pl.) .... **EY** 40
Santa Ana (Muro).... **EX** 43
Santa Teresa........ **DY** 44
Santo Tomás .... **DX** 45
Transits .... **EY** 47
Universidad .... **EY** 48
Virgen (Pl. de la)..... **EX** 49
Virgen de
   la Paz (Pl.) .... **EY** 51

Meliá Valencia Palace ⑤, paseo de la Alameda 32, ⊠ 46023, ℰ 337 50 37, Fax 337 55 32, ≤, ⅙, ⅃, - ⫴ ▤ ⫿ ☎ ₷ ⇔ - ⅍ 25/800. ⅍ ◑ ⅀ VISA ᴶᶜᴮ. ⅏
Comida 3600 - ⌷ 1500 - **183 hab** 23500/29500, 16 suites - PA 8700.   BU

Meliá Rey Don Jaime, av. Baleares 2, ⊠ 46023, ℰ 337 50 30, Fax 337 15 72, ⅃
⫴ ▤ ⫿ ☎ ℗ - ⅍ 25/250. ⅍ ◑ ⅀ VISA. ⅏
Comida 4000 - ⌷ 1450 - **312 hab** 18200/22800, 2 suites - PA 7900.   BU

Astoria Palace, pl. Rodrigo Botet 5, ⊠ 46002, ℰ 352 67 37, Telex 62733
Fax 352 80 78 - ⫴ ▤ ⫿ ☎ ⅆ - ⅍ 25/500. ⅍ ◑ ⅀ VISA ᴶᶜᴮ. ⅏   EY
Comida 3500 - **Vinatea**: Comida carta 3550 a 4500 - ⌷ 1500 - **196 hab** 19500/24500
7 suites - PA 7150.

Turia, Profesor Beltrán Baguena 2, ⊠ 46009, ℰ 347 00 00, Fax 347 32 44 - ⫴ ▤ ⫿
☎ ⇔ - ⅍ 25/300. ⅀ VISA. ⅏   AU
Comida 3000 - ⌷ 600 - **160 hab** 10150/14600, 10 suites - PA 5610.

Acteón Plaza, Islas Canarias 102, ⊠ 46023, ℰ 331 07 07, Fax 330 22 30 - ⫴ ▤ ⫿
☎ ⇔ - ⅍ 25/400. ⅍ ◑ ⅀ VISA. ⅏   BUV
Comida 1150 - ⌷ 1400 - **182 hab** 18400/23000, 5 suites.

Conqueridor, Cervantes 9, ⊠ 46007, ℰ 352 29 10, Fax 352 28 83 - ⫴ ▤ ⫿ ☎ ⇔
- ⅍ 25/80. ⅍ ◑ ⅀ VISA. ⅏   DZ
Comida 2700 - ⌷ 1400 - **55 hab** 13900/21800, 4 suites - PA 5600.

Dimar sin rest. con cafetería, Gran Vía Marqués del Turia 80, ⊠ 46005, ℰ 395 10 3
Fax 395 19 26 - ⫴ ▤ ⫿ ☎ - ⅍ 25/50. ⅍ ◑ ⅀ VISA ᴶᶜᴮ   FZ
⌷ 1300 - **103 hab** 13000/21000, 1 suite.

Reina Victoria, Barcas 4, ⊠ 46002, ℰ 352 04 87, Telex 64755, Fax 352 04 87 -
▤ ⫿ ☎ - ⅍ 25/75. ⅍ ◑ ⅀ VISA. ⅏   EY
Comida 3800 - ⌷ 1200 - **94 hab** 12500/20000, 3 suites - PA 7480.

NH Center, Ricardo Micó 1, ⊠ 46009, ℰ 347 50 00, Fax 347 62 52, ⅃ climatizada
⫴ ▤ ⫿ ☎ ⅆ ⇔ - ⅍ 25/400. ⅍ ◑ ⅀ VISA ᴶᶜᴮ. ⅏   AU
Comida 3000 - ⌷ 1300 - **193 hab** 15000/22000, 3 suites - PA 6000.

NH Ciudad de Valencia, av. del Puerto 214, ⊠ 46023, ℰ 330 75 00, Fax 330 98 6
- ⫴ ▤ ⫿ ☎ ⇔ - ⅍ 30/80. ⅍ ◑ ⅀ VISA ᴶᶜᴮ. ⅏   BU
Comida 2900 - ⌷ 1000 - **147 hab** 11500, 2 suites - PA 6800.

NH Abashiri, av. Ausias March 59, ⊠ 46013, ℰ 373 28 52, Fax 373 49 66 - ⫴ ▤ ⫿
☎ ⇔ - ⅍ 30/250. ⅍ ◑ ⅀ VISA ᴶᶜᴮ. ⅏   BV
Comida 3000 - ⌷ 1100 - **105 hab** 10500/12000.

NH Villacarlos sin rest, av. del Puerto 60, ⊠ 46023, ℰ 337 50 25, Fax 337 50 74
⫴ ▤ ⫿ ☎ ⇔. ⅍ ◑ ⅀ VISA ᴶᶜᴮ. ⅏   BU
⌷ 1000 - **51 hab** 12000/17000.

Cónsul del Mar, av. del Puerto 39, ⊠ 46021, ℰ 362 54 32, Fax 362 16 25, Antig
casa señorial - ⫴ ▤ ⫿ ☎ ℗. ⅍ ◑ ⅀ VISA. ⅏   BU
Comida 1100 - ⌷ 700 - **40 hab** 16000 - PA 2900.

Ad-Hoc, Boix 4, ⊠ 46003, ℰ 391 91 40, Fax 391 36 67, « Bonito edificio del siglo XIX
- ⫴ ▤ ⫿ ☎. ⅍ ◑ ⅀ VISA   FX
Comida (ver rest. **Chust Godoy**) - ⌷ 775 - **28 hab** 11300/15950.

Renasa sin rest. con cafetería, av. de Cataluña 5, ⊠ 46010, ℰ 369 24 50, Fax 393 18
- ⫴ ▤ ⫿ ☎ - ⅍ 25/75. ⅍ ◑ ⅀ VISA   BU
⌷ 600 - **69 hab** 7000/11500, 4 suites.

Expo H., av. Pío XII-4, ⊠ 46009, ℰ 347 09 09, Telex 63212, Fax 348 31 81, ⅃ -
▤ ⫿ ☎ - ⅍ 25/500. ⅍ ◑ ⅀ VISA ᴶᶜᴮ. ⅏   AU
Comida 3000 - ⌷ 950 - **400 hab** 12000/15000.

Serrano, General Urrutia 48, ⊠ 46013, ℰ 334 78 00, Fax 334 78 01, ⚞ - ⫴ ▤
☎ ⇔ ℗ - ⅍ 25/300. ⅍ ◑ ⅀ VISA. ⅏ rest   BV
Comida (cerrado sábado, domingo y festivos) 1300 - ⌷ 950 - **105 hab** 10300/1290

Llar sin rest, Colón 46, ⊠ 46004, ℰ 352 84 60, Fax 351 90 00 - ⫴ ▤ ⫿ ☎ - ⅍ 25/.
⅍ ◑ ⅀ VISA   FZ
⌷ 1100 - **50 hab** 9200/12000.

Mediterráneo sin rest, Barón de Cárcer 45, ⊠ 46001, ℰ 351 01 42, Fax 351 01
- ⫴ ▤ ⫿ ☎. ⅍ ◑ ⅀ VISA ᴶᶜᴮ   DY
⌷ 600 - **34 hab** 7200/10800.

Sorolla sin rest y sin ⌷, Convento de Santa Clara 5, ⊠ 46002, ℰ 352 33 9
Fax 352 14 65 - ⫴ ▤ ⫿ ☎. ⅍ ◑ ⅀ VISA. ⅏   EZ
50 hab 5900/10700.

Chambelán, Chile 4, ⊠ 46021, ℰ 393 37 74, Fax 393 37 72 - ▤. ⅍ ◑ ⅀ VISA.
cerrado sábado mediodía, domingo y Semana Santa - **Comida** carta 4700 a 6800.   BU

Eladio, Chiva 40, ⊠ 46018, ℰ 384 22 44, Fax 384 22 44 - ▤. ⅍ ◑ ⅀ VISA. ⅏ AU
cerrado domingo y agosto - **Comida** carta aprox. 5150.

XXX ❀ **Óscar Torrijos,** Dr. Sumsi 4, ⊠ 46005, ℘ 373 29 49 – 🗉. 🖭 ◑ 🗉 𝑽𝑰𝑺𝑨. ❄ FZ h
cerrado domingo y 15 agosto-15 septiembre – **Comida** carta 4500 a 5400
Espec. Arroz de rape y alcachofas. Muslo y pechuga de pato en dos cocciones con salsa
de naranja. Frambuesas calientes con helado de vainilla.

XXX ❀ **Rías Gallegas,** Cirilo Amorós 4, ⊠ 46004, ℘ 352 51 11, Fax 351 99 10, Cocina gallega
– 🗉 🅿. 🖭 ◑ 🗉 𝑽𝑰𝑺𝑨 EZ r
cerrado domingo y del 11 al 24 de agosto – **Comida** 4650 y carta 3900 a 6550
Espec. Lamprea estilo Arbo (enero-marzo). Abadejo con grelos y ajos confitados. Solomillo
al queso de Cabrales.

XXX **Albacar,** Sorní 35, ⊠ 46004, ℘ 395 10 05 – 🗉. 🖭 ◑ 🗉 𝑽𝑰𝑺𝑨. ❄ FY s
cerrado sábado mediodía, domingo, Semana Santa y 9 agosto-9 septiembre – **Comida** carta
aprox. 4850.

XX **La Sucursal,** av. Navarro Reverter 16, ⊠ 46004, ℘ 374 66 65, Fax 374 66 65 – 🗉.
🖭 ◑ 🗉 𝑽𝑰𝑺𝑨. ❄ FY n
cerrado domingo noche – **Comida** carta 3350 a 4450.

XX **El Ángel Azul,** Conde de Altea 33, ⊠ 46005, ℘ 374 56 56 – 🗉. 🖭 ◑ 𝑽𝑰𝑺𝑨. ❄
cerrado domingo, lunes, Semana Santa y del 1 al 21 de septiembre – **Comida** carta aprox.
4100. FZ e

XX **Kailuze,** Gregorio Mayáns 5, ⊠ 46005, ℘ 374 39 99, Cocina vasco-navarra – 🗉. 🖭 𝑽𝑰𝑺𝑨.
❄ FZ d
cerrado sábado mediodía, domingo, festivos, Semana Santa y agosto – **Comida** carta 3750
a 4450.

XX **El Gastrónomo,** av. Primado Reig 149, ⊠ 46020, ℘ 369 70 36 – 🗉. 🖭 🗉 𝑽𝑰𝑺𝑨. ❄
cerrado domingo y agosto – **Comida** carta 3550 a 4500. BU z

XX **Joaquín Schmidt,** Visitación 7 ℘ 340 17 10, Fax 340 17 10, ⇌ – 🗉. 🖭 ◑ 𝑽𝑰𝑺𝑨. ❄
cerrado domingo, lunes mediodía, 31 marzo-10 abril y 18 agosto-4 septiembre – **Comida**
carta 4350 a 4950. BU v

XX ⊜ **El Gourmet,** Taquígrafo Martí 3, ⊠ 46005, ℘ 395 25 09 – 🗉. 🖭 ◑ 🗉
𝑽𝑰𝑺𝑨 FZ b
cerrado domingo, Semana Santa y agosto – **Comida** carta 2700 a 3800.

XX **El Timonel,** Félix Pizcueta 13, ⊠ 46004, ℘ 352 63 00, Fax 352 71 26 – 🗉. 🖭 ◑ 🗉
𝑽𝑰𝑺𝑨. ❄ EZ t
cerrado lunes – **Comida** carta 3500 a 5100.

XX **Civera,** Lérida 11, ⊠ 46009, ℘ 347 59 17, Fax 348 46 38, Pescados y mariscos – 🗉.
🖭 ◑ 🗉 𝑽𝑰𝑺𝑨. ❄ BU s
cerrado domingo noche, lunes y agosto – **Comida** carta 4300 a 6600.

XX **Rio Sil Civera,** Mosén Femades 10, ⊠ 46002, ℘ 352 97 64, Fax 351 38 31, ⇌, Pescados y mariscos – 🗉. 🖭 ◑ 🗉 𝑽𝑰𝑺𝑨. ❄ EZ a
cerrado domingo y 15 junio-15 julio – **Comida** carta 4300 a 6600.

XX **El Cabanyal,** Reina 128, ⊠ 46011, ℘ 356 15 03 – 🗉. 🖭 ◑ 🗉 𝑽𝑰𝑺𝑨. ❄ CU f
cerrado domingo y 15 agosto-15 septiembre – **Comida** carta 4000 a 5200.

XX ⊜ **El Asador de Aranda,** Félix Pizcueta 9, ⊠ 46004, ℘ 352 97 91, Fax 352 97 91, Cordero asado – 🗉. 🖭 ◑ 🗉 𝑽𝑰𝑺𝑨. ❄ EZ t
cerrado domingo noche – **Comida** carta aprox. 4400.

XX **Chust Godoy,** Boix 4, ⊠ 46003, ℘ 391 38 15, Fax 391 36 67 – 🗉. 🖭 🗉 𝑽𝑰𝑺𝑨. ❄
cerrado sábado mediodía, domingo y agosto – **Comida** carta 3100 a 3900. FX a

XX **José Mari,** Estación Marítima 1º, ⊠ 46024, ℘ 367 20 15, ≤, Cocina vasca – 🗉. 🖭 ◑
🗉 𝑽𝑰𝑺𝑨. ❄ CV s
cerrado domingo y agosto – **Comida** carta 2500 a 4000.

X **Alghero,** Burriana 52, ⊠ 46005, ℘ 333 35 79 – 🗉. 🖭 🗉 𝑽𝑰𝑺𝑨 FZ m
Comida carta aprox. 4000.

X ⊜ **Montes,** pl. Obispo Amigó 5, ⊠ 46007, ℘ 385 50 25 – 🗉. 🖭 ◑ 🗉 𝑽𝑰𝑺𝑨.
❄ DZ v
cerrado domingo noche, lunes y agosto – **Comida** carta 2635 a 4165.

X **Mey Mey,** Historiador Diago 19, ⊠ 46007, ℘ 384 07 47, Rest. chino – 🗉. 🖭 𝑽𝑰𝑺𝑨 DZ e
cerrado Semana Santa y tres últimas semanas de agosto – **Comida** carta 1900 a 2430.

X **Panel,** Isabel la Católica 22, ⊠ 46004, ℘ 351 34 85 – 🗉. 🖭 ◑ 🗉 𝑽𝑰𝑺𝑨. ❄ FZ c
cerrado domingo noche, lunes, Semana Santa y agosto – **Comida** carta aprox. 3100.

X ⊜ **El Plat,** Císcar 3, ⊠ 46005, ℘ 374 12 54
🗉. 🖭 🗉 𝑽𝑰𝑺𝑨 𝑱𝑪𝑩 FZ w
cerrado lunes salvo festivos – **Comida** carta 3100 a 5050.

X **La Sal,** Conde de Altea 40, ⊠ 46005, ℘ 395 20 11 – 🗉. 🖭 ◑ 🗉 𝑽𝑰𝑺𝑨. ❄ FZ r
cerrado domingo y del 15 al 31 de agosto – **Comida** carta aprox. 4200.

⟨X⟩ **Eguzki,** av. Baleares 1, ⊠ 46023, ℘ 337 50 33, Cocina vasca – ▣. **E** ⟦VISA⟧. ⟨⟩ BU
_____ _cerrado domingo y agosto_ – **Comida** carta 3500 a 5100.

⟨X⟩ **La Semeuse,** Joaquín Costa 61, ⊠ 46005, ℘ 395 90 54, Cocina francesa – ▣. ⟦AE⟧ ⟦VI⟧
_____ ⟨⟩   FZ
     cerrado domingo noche, Semana Santa y una semana en agosto – **Comida** carta 2700
     4400.

⟨X⟩ **Palace Fesol,** Hernán Cortés 7, ⊠ 46004, ℘ 352 93 23, Fax 352 93 23, « Decoraci
_____ regional » – ▣. ⟦AE⟧ ⟦①⟧ **E** ⟦VISA⟧. ⟨⟩   FZ
     ╲ _cerrado sábado y domingo (en verano) y Semana Santa_ – **Comida** carta 28⟨⟩
     a 4200.

⟨X⟩ **Bazterretxe,** Maestro Gozalbo 25, ⊠ 46005, ℘ 395 18 94, Cocina vasca – ▣.
⟨⟩ ⟦VISA⟧   FZ
_____ _cerrado domingo noche y agosto_ – Comida carta 2100 a 3200.

⟨X⟩ **El Romeral,** Gran Vía Marqués del Turia 62, ⊠ 46005, ℘ 395 15 17 – ▣. ⟦AE⟧ ⟦①⟧
⟨⟩ ⟦VISA⟧. ⟨⟩   FZ
_____ _cerrado lunes, Semana Santa y agosto_ – Comida carta 3150 a 4050.

⟨X⟩ **Kayuko,** Periodista Badía 6, ⊠ 46010, ℘ 362 88 88, Pescados y mariscos – ▣. ⟦AE⟧ ⟨
_____ **E** ⟦VISA⟧. ⟨⟩   FX
     cerrado domingo noche, lunes, Semana Santa y 15 días en agosto – **Comida** carta 28
     a 4400.

⟨X⟩ **Gure-Etxea,** Almirante Cadarso 6, ⊠ 46005, ℘ 395 30 09, Cocina vasca – ▣. ⟦AE⟧ ⟦V⟧
_____ _cerrado domingo, festivos y agosto_ – **Comida** carta 2175 a 3375.   FZ

⟨X⟩ **San Nicolás,** pl. Horno de San Nicolás 8, ⊠ 46001, ℘ 391 59 84 – ▣. ⟦AE⟧ **E** ⟦VISA⟧.
_____ _cerrado domingo noche, lunes y 15 agosto-15 septiembre_ – **Comida** carta aprox. 39⟨⟩
                                                                                                  DX

⟨X⟩ **Olabarrieta,** La Barraca 35, ⊠ 46011, ℘ 367 07 79 – ▣. ⟦VISA⟧. ⟨⟩   CU
_____ _cerrado domingo y del 15 al 31 de agosto_ – **Comida** carta aprox. 3500.

⟨X⟩ **Alameda,** paseo de la Alameda 5, ⊠ 46010, ℘ 369 58 88, 斉 – ▣. ⟦AE⟧ ⟦①⟧ **E** ⟦V⟧
_____ ⟨⟩   FX
     cerrado sábado mediodía, domingo, Semana Santa y agosto – **Comida** carta aprox. 35⟨⟩

en la playa de Levante (Les Arenes) CUV – ⊠ _46011 Valencia_ – ✪ 96 :

⟨XX⟩ **La Rosa,** av. de Neptuno 70 ℘ 371 20 76, Fax 371 25 65, ≤ mar, 斉, Arroces, pescac
_____ y mariscos – ▣. ⟦AE⟧ **E** ⟦VISA⟧. ⟨⟩   CU
     cerrado sábado y domingo (julio-agosto) y 15 agosto-15 septiembre – **Comida** (sólo
     muerzo en invierno) carta 3600 a 4700.

⟨X⟩ **La Marcelina,** av. de Neptuno 8 ℘ 371 20 25, Fax 371 26 69, ≤, 斉 – ▣. ⟦AE⟧ **E** ⟦V⟧
_____ ⟨⟩   CU
     cerrado domingo noche, lunes y del 8 al 31 de enero – **Comida** carta aprox. 4000.

⟨X⟩ **L'Estimat,** av. de Neptuno 16 ℘ 371 10 18, Fax 372 73 85, ≤, 斉 – ⟦AE⟧ **E** ⟦V⟧
_____ ⟨⟩   CU
     cerrado martes y 15 agosto-15 septiembre – **Comida** carta 2700 a 4250.

⟨X⟩ **La Pepica,** av. de Neptuno 6 ℘ 371 03 66, Fax 371 42 00, ≤, 斉 – ⟦AE⟧ ⟦①⟧ **E** ⟦VIS.⟧
_____ _cerrado domingo noche y festivos noche (salvo julio-agosto) y 15 días en noviembr⟨⟩
     Comida carta 2935 a 4450.   CU

⟨X⟩ **Chicote** con hab, av. de Neptuno 34 ℘ 371 61 51, ≤, 斉 – ▣ rest. ⟦AE⟧ ⟦①⟧ ⟦V⟧
_____ ⟨⟩   CU
     cerrado del 1 al 15 de septiembre – **Comida** _(cerrado lunes)_ carta aprox. 2225 – ☲ 3⟨⟩
     – **19 hab** 2750/4250.

en la Feria de Muestras _por la carretera C 234 - NO : 8,5 km_ – ⊠ 46035 Valencia – ✪ 9⟨⟩

⟨血⟩ **Feria,** av. de las Ferias 2 ℘ 364 44 11, Fax 364 54 83 – ⟦⟧ ▣ ⟦TV⟧ ☎ ⟨⟩ – ⟦山⟧ 25/2⟨⟩
_____ ⟦AE⟧ ⟦①⟧ **E** ⟦VISA⟧. ⟨⟩ rest   AU
     Comida carta 3650 a 4900 – **136 suites** ☲ 15950/25500.

por la salida ① _cruce carret. de Almàssera : 9 km_ – ⊠ _46132 Almàssera_ – ✪ 96 :

⟨XX⟩ **Lluna de Valencia,** Camí del Mar 56 ℘ 185 10 86, Fax 185 10 06, Antigua alquerí⟨⟩
_____ ▣ ⟦P⟧. ⟦AE⟧ ⟦①⟧ **E** ⟦VISA⟧. ⟨⟩   CU⟨⟩
     cerrado sábado mediodía, domingo y Semana Santa – **Comida** carta aprox. 3575.

     Ver también : **Manises** _por_ ④ : _9,5 km_
                    El Saler _por_ ② : _8 km_
                    Puzol _por_ ① : _25 km._

     Neumáticos MICHELIN S.A., **Sucursal** carret. Valencia - Alicante km 5,4 - MASANA⟨⟩
     por José Soto Mico, ⊠ 46470 AV ℘ 125 06 51 y 125 01 16, Fax 126 38 66

ALENCIA DE ANEU o **VALENCIA D'ÀNEU** 25587 Lérida 443 E 33 – alt. 1075 – 🕿 973.
🖪 carret. de la Bonaigua, ℘ 62 60 38, Fax 62 63 41.
Madrid 626 – Lérida/Lleida 170 – Seo de Urgel/La Seu d'Urgell 86.

🏨 **La Morera** 🕭, ℘ 62 61 24, Fax 62 61 24, ≤, 🕭 – 🛗 📺 🕿 🅿. 🖭 🗉 🎹. 🎉
cerrado del 15 al 30 de abril y 26 octubre-5 diciembre – **Comida** 1850 – ☲ 700 – **27 hab**
4500/6800 – PA 3600.

ALENCIA DE DON JUAN 24200 León 441 F 13 – 3 920 h. alt. 765 – 🕿 987.
Madrid 285 – León 38 – Palencia 98 – Ponferrada 116 – Valladolid 105.

🏨 **Villegas,** Palacio 10 ℘ 75 01 61, 🍽, 🕭 – 📺. 🎉
cerrado del 15 al 30 de noviembre – **Comida** 1750 – ☲ 500 – **5 hab** 5000/8000.

Siete mapas detallados Michelin :

España : Norte-Oeste 441, *Centro-Norte* 442, *Norte-Este* 443, *Centro* 444,
Centro-Este 445, *Sur* 446.

Portugal 440.

Las localidades subrayadas en rojo en estos mapas
aparecen citadas en esta Guía.

Para el conjunto de España y Portugal,
adquiera el mapa Michelin 990 *1/1 000 000,*
o el Atlas Michelin España Portugal 1/400 000.

VALL DE BIANYA 17858 Gerona 443 F 37 – 1 025 h. – 🕿 972.
Madrid 706 – Figueras/Figueres 48 – Gerona/Girona 74 – Vic 74.

la carretera de Olot SE : 2,5 km – ⊠ 17858 La Vall de Bianya – 🕿 972 :
🍴 **Cala Násia**, ℘ 29 02 00 – 🅿. 🖭 🗉 🎹. 🎉
cerrado domingo noche, lunes, 24 julio-7 agosto y del 24 al 31 de diciembre – **Comida**
carta aprox. 2650.

ALL DE UXÓ o **La VALL D'UIXÓ** 12600 Castellón 445 M 29 – 27 387 h. alt. 122 – 🕿 964.
Madrid 389 – Castellón de la Plana/Castelló de la Plana 26 – Teruel 118 – Valencia 39.

las grutas de San José O : 2 km – ⊠ 12600 Vall de Uxó – 🕿 964 :
🍴 La Gruta, ℘ 66 00 08, Fax 66 08 61, En una gruta.

VALLADOLID 47000 🅿 442 H 15 – 345 891 h. alt. 694 – 🕿 983.
Ver : Valladolid isabelino★ : Museo Nacional de Escultura Policromada★★★ en el colegio de
San Gregorio (portada ★★, patio★★, capilla★) CX – Iglesia de San Pablo (fachada★★) CX.
Otras curiosidades : Catedral★ CY Iglesia de las Angustias (Virgen de los siete cuchillos★)
CY **L.**

✈ de Valladolid 14 km por ⑥ ℘ 41 54 00 – Iberia: Gamazo 17, ⊠ 47004, ℘ 56 01 62
BYZ.
🖪 pl. de Zorrilla 3, ⊠ 47001, ℘ 35 18 01 y Correos, ⊠47001, ℘ 37 20 85, Fax 35 47 31
– R.A.C.E. Miguel Íscar 6, ⊠ 47004, ℘ 39 20 99, Fax 39 68 95.
Madrid 188 ④ – Burgos 125 ① – León 139 ⑥ – Salamanca 115 ⑤ – Zaragoza 420 ①.

Planos páginas siguientes

🏨 Olid Meliá, pl. San Miguel 10, ⊠ 47003, ℘ 35 72 00, Fax 33 68 28 – 🛗 🗏 📺 🕿 🚗
– 🛎 25/270   BX a
204 hab, 7 suites.

🏨 **Felipe IV,** Gamazo 16, ⊠ 47004, ℘ 30 70 00, Fax 30 86 87 – 🛗 🗏 📺 🕿 🚗 –
🛎 25/500. 🖭 ⓞ 🗉 🎹. 🎉 rest   BZ d
Comida 1700 – ☲ 975 – **129 hab** 8675/13550, 2 suites – PA 4375.

🏨 **NH Ciudad de Valladolid,** av. Ramón Pradera 10, ⊠ 47009, ℘ 35 11 11, Fax 33 50 50
– 🛗 🗏 📺 🕿 🚗 – 🛎 25/500. 🖭 ⓞ 🗉 🎹 🖃. 🎉   AX a
Comida 1900 – ☲ 1000 – **80 hab** 10000/14500 – PA 4400.

🏨 **Meliá Parque,** Joaquín García Morato 17 bis, ⊠ 47007, ℘ 22 00 00, Fax 47 50 29 –
🛗 🗏 📺 🕿 ♿ 🚗 – 🛎 25/450. 🖭 ⓞ 🗉 🎹 🖃. 🎉   BZ a
Comida 1925 – ☲ 1150 – **293 hab** 8250/13350.

VALLADOLID

Duque de la Victoria	**BY** 17
Fuente Dorada (Pl. de)	**BY** 20
Miguel Iscar	**BY** 29
Santiago	**BY** 41
Teresa Gil	**BY**
Arco de Ladrillo (Paseo del)	**BZ** 2
Arzobispo Gandásegui	**CY** 3
Bailarín Vicente Escudero	**CY** 5
Bajada de la Libertad	**BCY** 6
Cadenas de San Gregorio	**CX** 8
Cánovas del Castillo	**BCY** 9
Cardenal Mendoza	**CY** 10
Chancillería	**CX** 13
Claudio Moyano	**BY** 14
Doctrinos	**BY** 16
España (Pl. de)	**BY** 18
Gondomar	**CX** 21
Industrias	**CY** 24
Maldonado	**CY** 25
Marqués del Duero	**CXY** 26
Pasión	**BY** 30
Portillo de Balboa	**CX** 32
San Agustín	**BXY** 35
San Ildefonso	**BY** 36
San Pablo (Pl. de)	**BX** 37
Santa Cruz (Pl. de)	**CY** 40
Santuario	**CY** 42
Sanz y Forés	**CXY** 45
Zorrilla (Paseo de)	**ABZ** 47

Para circular en ciudad, utilice los planos de la **Guía Michelin** : vías de penetración y circunvalación, cruces y plazas importantes, nuevas calles, aparcamientos, calles peatonales... un sinfín de datos puestos al día cada año.

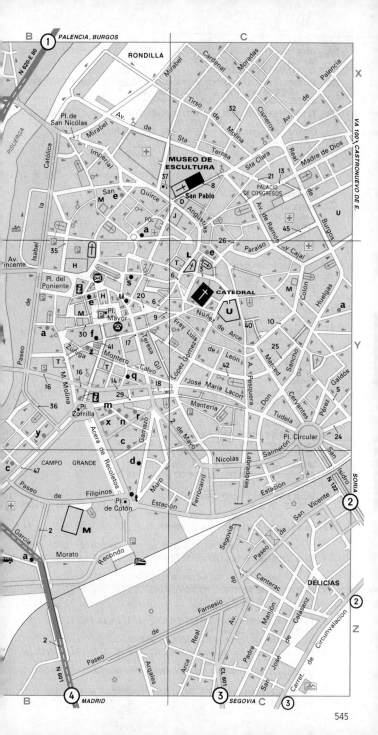

🏨🏨🏨 **Lasa** sin rest, Acera de Recoletos 21, ⊠ 47004, ℰ 39 02 55, Fax 30 25 61 – 🛗 ≡
☎ – 🔬 25/60. 🆎 ⑨ Ɛ 𝑉𝐼𝑆𝐴. ⋘ BZ
⊊ 500 – **62 hab** 6500/12500.

🏨🏨🏨 **Mozart** sin rest. con cafetería, Menéndez Pelayo 7, ⊠ 47001, ℰ 29 77 77, Fax 29 21
– 🛗 ≡ 📺 ☎ ⟵ – 🔬 25/50. 🆎 Ɛ 𝑉𝐼𝑆𝐴. ⋘ BY
⊊ 725 – **42 hab** 7500/12800.

🏨🏨🏨 **Tryp Sofía-Parquesol,** Hernando de Acuña 35, ⊠ 47014, ℰ 37 28 93, Fax 37 70
– 🛗 ≡ 📺 ☎ ⟵. 🆎 ⑨ Ɛ 𝑉𝐼𝑆𝐴. ⋘ por Doctor Villacián AZ
Comida carta aprox. 3500 – ⊊ 750 – **58 apartamentos** 9350/10450.

🏨🏨 **Roma,** Héroes del Alcázar de Toledo 8, ⊠ 47001, ℰ 35 47 77, Fax 35 54 61 – 🛗
📺 ☎ ⟵. Ɛ 𝑉𝐼𝑆𝐴. ⋘ BY
Comida 1750 – ⊊ 325 – **38 hab** 5500/8500.

🏨🏨 **Imperial,** Peso 4, ⊠ 47001, ℰ 33 03 00, Fax 33 08 13 – 🛗 ≡ rest 📺 ☎. 🆎 Ɛ 🛗
𝐽𝐶𝐵 BY
Comida 1850 – ⊊ 475 – **81 hab** 5500/7000 – PA 3775.

🏨🏨 **Feria,** av. Ramón Pradera (Feria de Muestras), ⊠ 47009, ℰ 33 32 44, Fax 33 33 00,
– ≡ 📺 ☎ – 🔬 25/400. 🆎 𝑉𝐼𝑆𝐴. ⋘ AX
Comida 1500 - *El Horno :* **Comida** carta 3100 a 4200 – ⊊ 200 – **34 hab** 420C
6750.

🏨 **El Nogal,** Conde Ansurez 10, ⊠ 47003, ℰ 34 02 33, Fax 35 49 65 – 🛗 ≡ 📺 ☎.
⑨ Ɛ 𝑉𝐼𝑆𝐴. ⋘ BY
Comida (cerrado domingo noche) 1495 – ⊊ 375 – **14 hab** 4600/7000.

🏨 **París** sin rest, Especería 2, ⊠ 47001, ℰ 37 06 25, Fax 35 83 01 – 🛗 📺 ☎. 🆎 ⑨
𝑉𝐼𝑆𝐴. ⋘ BY
⊊ 300 – **36 hab** 5100/7200.

XXX **Cervantes,** Rastro 6, ⊠ 47001, ℰ 30 61 38 – ≡. 🆎 ⑨ Ɛ 𝑉𝐼𝑆𝐴 𝐽𝐶𝐵 BY
cerrado domingo y agosto – **Comida** carta 3250 a 5250.

XX **Mesón La Fragua,** paseo de Zorrilla 10, ⊠ 47006, ℰ 33 87 85, Fax 34 27
Decoración castellana – ≡. 🆎 ⑨ Ɛ 𝑉𝐼𝑆𝐴. ⋘ BY
cerrado domingo noche y agosto – **Comida** carta 3900 a 5300.

XX **La Rosada,** Tres Amigos 1, ⊠ 47006, ℰ 22 01 64 – ≡. 🆎 ⑨ Ɛ 𝑉𝐼𝑆𝐴 𝐽
⋘ AZ
Comida carta 2400 a 4050.

XX **La Parrilla de San Lorenzo,** Pedro Niño 1, ⊠ 47001, ℰ 33 50 88, Fax 33 50
Instalado en los sótanos de un antiguo monasterio – ≡. 🆎 ⑨ Ɛ 🛗
⋘ BY
Comida carta 3450 a 4500.

XX **El Figón de Recoletos,** Acera de Recoletos 3, ⊠ 47004, ℰ 39 60 43, Fax 39 60
🍽 Cordero asado. Decoración castellana – ≡. Ɛ 𝑉𝐼𝑆𝐴. ⋘ BY
cerrado domingo noche y 20 julio-10 agosto – **Comida** carta 2400 a 3000.

XX **Miguel Ángel,** Mantilla 1, ⊠ 47001, ℰ 39 85 04 – ≡. Ɛ 𝑉𝐼𝑆𝐴. ⋘ BY
cerrado domingo en verano, domingo noche resto del año y del 15 al 31 de agost
Comida carta 3650 a 4600.

XX **Ponte Vecchio,** Adolfo Miaja de la Muela 14, ⊠ 47014, ℰ 37 02 00, Cocina itali
– ≡. 🆎 ⑨ Ɛ 𝑉𝐼𝑆𝐴 por Doctor Villacián AZ
cerrado lunes y agosto – **Comida** carta 2075 a 3275.

XX **La Perla de Castilla,** av. Ramón Pradera 15, ⊠ 47009, ℰ 37 18 28, Fax 37 39 0
≡. 🆎 ⑨ Ɛ 𝑉𝐼𝑆𝐴. ⋘ AX
cerrado domingo noche y del 10 al 20 de agosto – **Comida** carta 2500 a 3700.

XX **Don Bacalao,** pl. Santa Brígida 5, ⊠ 47003, ℰ 34 39 37, Fax 35 49 96 – ≡. 🆎
Ɛ 𝑉𝐼𝑆𝐴. ⋘ BX
cerrado domingo en verano – **Comida** carta 3300 a 3750.

XX **La Parrilla de Santiago,** Atrio de Santiago 7, ⊠ 47001, ℰ 37 67 76, Carnes a la br
– ≡. 🆎 ⑨ Ɛ 𝑉𝐼𝑆𝐴. ⋘ BY
Comida carta 3100 a 4050.

X **La Goya,** puente Colgante 79, ⊠ 47014, ℰ 35 57 24, Fax 35 57 24, �, « Pa
castellano » – ⑨. 🆎 𝑉𝐼𝑆𝐴. ⋘ AZ
cerrado domingo noche, lunes y agosto – **Comida** carta 2700 a 4650.

X **Mesón Panero,** Marina Escobar 1, ⊠ 47001, ℰ 30 70 19, Fax 30 16 73, Decorac
castellana – ≡. 🆎 ⑨ Ɛ 𝑉𝐼𝑆𝐴. ⋘ BY
cerrado domingo en julio-agosto y domingo noche resto del año – **Comida** carta 395
4800.

X **Mesón Germán,** Renedo 13, ⊠ 47005, ℰ 29 03 09 – ≡. 🆎 Ɛ 𝑉𝐼𝑆𝐴. ⋘ CY
Comida carta aprox. 3950.

X **Portobello,** Marina Escobar 5, ⊠ 47001, ℰ 30 95 31, Pescados y mariscos – 🍽. 🕮
 ❶ 🕑 VISA
 Comida carta 3550 a 4550.
 BY n

X **La Pedriza,** Colmenares 10, ⊠ 47004, ℰ 39 79 51, Cordero asado – 🍽. 🕑 VISA.
 🍴 ❧
 cerrado lunes noche y 10 agosto-3 septiembre – Comida carta 2750 a 3325.
 BY c

X Lucense, paseo de Zorrilla 86, ⊠ 47006, ℰ 27 20 10 – 🍽
 AZ g

X **La Solana,** Solanilla 9, ⊠ 47003, ℰ 29 49 72, Decoración castellana – 🍽. ❶ 🕑 VISA.
 ❧
 cerrado miércoles noche – Comida carta 3600 a 6000.
 CY e

X **Valderrey,** Gregorio Fernández 1, ⊠ 47006, ℰ 33 92 75, Fax 33 17 31 – 🍽. 🕮 ❶
 🕑 VISA. ❧
 Comida carta 2700 a 3100.
 BZ c

Ver también : **Arroyo de la Encomienda** por ⑤ : 10 km.

Pour voyager rapidement, utilisez les cartes Michelin "Grandes Routes" :
970 *Europe,* 976 *République Tchèque-République Slovaque,* 980 *Grèce,*
984 *Allemagne,* 985 *Scandinavie-Finlande,* 986 *Grande-Bretagne-Irlande,*
987 *Allemagne-Autriche-Benelux,* 988 *Italie,* 989 *France,*
990 *Espagne-Portugal,* 991 *Yougoslavie.*

Per spostarvi più rapidamente utilizzate le carte Michelin "Grandi Strade" :
n° 970 *Europa,* n° 976 *Rep. Ceca-Slovacchia,* n° 980 *Grecia,* n° 984 *Germania,*
n° 985 *Scandinavia-Finlanda,* n° 986 *Gran Bretagna-Irlanda,*
n° 987 *Germania-Austria-Benelux,* n° 988 *Italia,* n° 989 *Francia,*
n° 990 *Spagna-Portogallo,* n° 991 *Jugoslavia.*

VALLE – ver el nombre propio del valle.

VALLFOGONA DE RIUCORP o VALLFOGONA DE RIUCORB 43427 Tarragona 443
 H 33 – 101 h. alt. 698 – ❸ 977 – Balneario.
 Madrid 523 – Barcelona 106 – Lérida/Lleida 64 – Tàrrega 20 – Tarragona 74.

XX **Hostal del Rector,** av. del Riu Corb 13 ℰ 88 13 48, Antiguo café – 🍽. 🕑 VISA.
 ❧
 cerrado domingo noche, lunes y 8 enero-20 marzo – Comida carta 2200 a 3100.

VALLROMANAS o VALLROMANES 08188 Barcelona 443 H 36 – 654 h. – ❸ 93.
 🇫🇮₈ Club de Golf Vallromanes ℰ 572 90 64.
 Madrid 643 – Barcelona 22 – Tarragona 123.

XXX **Sant Miquel,** pl. de l'Església 12 ℰ 572 90 29 – 🍽. 🕮 ❶ 🕑 VISA
 cerrado miércoles y 16 agosto-6 septiembre – Comida carta 3700 a 5000.

X **Mont Bell,** carret. de Granollers - O : 1 km ℰ 572 90 96, Fax 572 93 61 – 🍽 🅿. 🕮 VISA.
 ❧
 cerrado domingo y del 4 al 26 de agosto – Comida carta aprox. 3950.

VALLS 43800 Tarragona 443 I 33 – 20 124 h. alt. 215 – ❸ 977.
 🇧 pl. del Blat 1, ℰ 60 10 50, Fax 61 28 72.
 Madrid 535 – Barcelona 100 – Lérida/Lleida 78 – Tarragona 19.

X **Gourmet,** carret. de Lleida ℰ 60 61 58, Fax 60 61 58 – 🍽. 🕮 ❶ 🕑 VISA
 cerrado lunes y del 16 al 31 de agosto – Comida carta 2575 a 4700.

la carretera N 240 S : 1,5 km – ⊠ 43800 Valls – ❸ 977 :

🏠 **Félix,** ℰ 60 60 82, Fax 60 50 07, 🏊, ❨ – 🛗 🍽 📺 ☎ 🅿 – 🔬 25/100. 🕮 ❶ 🕑
 VISA
 Comida (ver rest. **Casa Félix**) – ⇄ 850 – **53 hab** 4400/8800.

XX **Casa Félix,** ℰ 60 13 50, Fax 60 50 07 – 🍽 🅿. 🕮 ❶ 🕑 VISA
 Comida carta 3025 a 3550.

la antigua carretera N 240 NO : 1,8 km – ⊠ 43800 Valls – ❸ 977 :

XXX **Masía Bou,** ℰ 60 04 27, Fax 61 32 94, 🌇, « Terrazas bajo los árboles » – 🍽 🅿. 🕮
 🕑 VISA. ❧
 cerrado martes en verano – Comida carta aprox. 4750.

VALMASEDA o **BALMASEDA** 48800 Vizcaya 442 C 20 – 7307 h. alt. 147 – © 94.
   Madrid 411 – Bilbao/Bilbo 29 – Santander 107.

   ※ **Abellaneda,** La Cuesta 21 ℰ 680 16 74, Fax 680 16 74 – ▤. 延 ⓞ Ɛ 延
      ※
      cerrado Navidades – **Comida** (sólo almuerzo salvo viernes y sábado) carta 31
      a 4450.

VALSAIN Segovia – ver La Granja.

VALTIERRA 31514 Navarra 442 F 25 – 2377 h. alt. 265 – © 948.
   Madrid 335 – Pamplona/Iruñea 80 – Soria 106 – Zaragoza 100.

en la carretera N 121 NO : 3 km – ⊠ 31514 Valtierra – © 948 :

   🏨 **Los Abetos,** ℰ 86 70 00, Fax 40 75 12, ≼ – ▤ 📺 ☎ Ⓟ – 🔬 25/50. 延. ※ r
      Comida carta aprox. 4100 – ☟ 525 – **32 hab** 4425/6490 – PA 3500.

VALVANERA (Monasterio de) 26323 La Rioja 442 F 21 – © 941.
   Madrid 359 – Burgos 120 – Logroño 63.

   🏨 **Hospedería Nuestra Señora de Valvanera** ⑤, ℰ 37 70 44, Fax 37 70 44, ◄
      Ⓟ
      cerrado 22 diciembre-7 enero – **Comida** 1600 – ☟ 600 – **28 hab** 4000/6000 – PA 3C

VALVERDE Santa Cruz de Tenerife – ver Canarias (Hierro).

VARADERO (Playa del) Alicante – ver Santa Pola.

El VEDAT Valencia – ver Torrente.

VEGA DE ANZO 33892 Asturias 441 B 11 – © 98.
   Madrid 468 – Avilés 47 – Luarca 82 – Oviedo 19.
   ※ Loan, carret. N 634 ℰ 575 03 25, ≼ – Ⓟ.

VEGA DE SAN MATEO Las Palmas – ver Canarias (Gran Canaria).

VEGA DE VALCARCE 24520 León 441 E 9 – 1141 h. – © 987.
   Madrid 422 – León 143 – Lugo 85 – Ponferrada 36.

en La Portela de Valcarce SE : 3 km – ⊠ 24524 La Portela de Valcarce – © 987 :

   🏨 Valcarce, carret. N VI ℰ 54 31 80, Fax 54 31 00 – ▤ rest 📺 Ⓟ
      42 hab.

VEGUELLINA DE ÓRBIGO 24350 León 441 E 12 – © 987.
   Madrid 314 – Benavente 57 – León 32 – Ponferrada 79.
   ※ La Herrería con hab, Pío de Cela 27 ℰ 37 63 35, Fax 37 64 27, 숖 , ⊒ de pago, ※
      ▤ 📺 ☎ Ⓟ
      13 hab.

VEJER DE LA FRONTERA 11150 Cádiz 446 X 12 – 12773 h. alt. 193 – © 956.
   Ver : ≼★ del valle de Barbate.
   Madrid 667 – Algeciras 82 – Cádiz 50.

   🏨 **Convento de San Francisco,** La Plazuela ℰ 45 10 01, Fax 45 10 04, « Antⅈ
      convento » – 🛗 📺 ☎. 延 ⓞ Ɛ 延. ※
      El Refectorio (cerrado martes) **Comida** carta 2205 a 3900 – ☟ 525 – **25 hab** 6885/9ⅈ

VELATE (Puerto de) Navarra 442 C 25 – alt. 847 – ⊠ 31797 Arraitz – © 948.
   Madrid 432 – Bayonne 85 – Pamplona/Iruñea 33.

en la carretera N 121 S : 2 km – ⊠ 31797 Arraitz – © 948 :

   ※ **Venta de Ulzama** con hab, ℰ 30 51 38, Fax 30 51 38, ≼ – 📺 ☎ ⇦ Ⓟ. 延 ⓞ
      延. ※
      cerrado del 3 al 28 de noviembre – **Comida** carta 2200 a 3450 – ☟ 550 – **15**
      5200/6700.

LEZ MÁLAGA *29700 Málaga 446 V 17 – 52 150 h. alt. 67 – ☎ 95.*
Madrid 530 – Almería 180 – Granada 100 – Málaga 36.

Dila *sin rest y sin* ☕, av. Vivar Téllez 3 ☎ 250 39 00, Fax 250 39 08 – |♦| ▤ TV ☎. VISA. ✗
18 hab 5300/8560.

LEZ RUBIO *04820 Almería 446 T 23 – 6 037 h. alt. 838 – ☎ 950.*
Madrid 495 – Almería 168 – Granada 175 – Lorca 47 – Murcia 109.

Jardín Casa Pepa, av. de Andalucía 6 ☎ 41 01 06, Fax 41 01 06 – |♦| ▤ rest ☎ 🚗 P. AE ⓓ E VISA. ✗ rest
Comida 1100 – ☕ 350 – **42 hab** 2000/3800 – PA 2350.

VELILLA *40173 Segovia 442 I 18 – ☎ 921.*
Madrid 130 – Aranda de Duero 80 – Segovia 50.

La Farola, ☎ 50 98 23, 🌳 – ▤ P. AE ⓓ E VISA JCB. ✗
cerrado lunes y del 15 al 31 de enero – **Comida** carta 3000 a 4500.

LILLA (Playa de) *Granada – ver Almuñécar.*

NDRELL o **El VENDRELL** *43700 Tarragona 443 I 34 – 15 456 h. – ☎ 977.*
Alred. *: Monasterio de Santes Creus★★ (gran claustro★★ : sala capitular★ - Iglesia★ : rosetón★) NO : 27 km.*
ℹ Dr Robert 33, ☎ 66 02 92, Fax 66 59 24.
Madrid 570 – Barcelona 75 – Lérida/Lleida 113 – Tarragona 27.

Pí, Rambla 2 ☎ 66 00 02, Estilo 1900 – ▤. E VISA. ✗
cerrado 15 octubre-15 noviembre – **Comida** carta 2325 a 3670.

El Molí de Cal Tof, av. de Santa Oliva 2 ☎ 66 26 51, Decoración rústica – ▤ P. AE ⓓ E VISA. ✗
cerrado lunes en verano, domingo noche y lunes en invierno (salvo festivos y vísperas) – **Comida** carta 2950 a 4250.

la playa de San Salvador *S : 3,5 km – ✉ 43880 San Salvador – ☎ 977 :*

Europe San Salvador 🐎, Llobregat 11 ☎ 68 40 41, Fax 68 27 70, 🏊, 🎾 – |♦| ▤ rest ☎ P. AE ⓓ E VISA. ✗
Semana Santa-11 octubre – **Comida** 2500 – **145 hab** ☕ 11000/13000.

L'Ermita, carret. Sant Salvador ☎ 68 07 10, Fax 68 17 05, 🏊 – |♦| P. AE E VISA. ✗
15 mayo-15 octubre – **Comida** 1300 – ☕ 350 – **52 hab** 3500/5500 – PA 2950.

la carretera N 340 *SO : 6,5 km – ✉ 43700 Vendrell – ☎ 977 :*

La Tenalla, ☎ 68 34 34, 🌳 – ▤ P. AE E VISA. ✗
cerrado lunes noche, martes y del 15 al 30 de octubre – **Comida** carta 2725 a 4150.

NTAS DE ARRAIZ o **VENTAS DE ARRAITZ** *31797 Navarra 442 C 25 – alt. 588 – ☎ 948.*
Madrid 427 – Bayonne 90 – Pamplona/Iruñea 28.

Juan Simón *con hab*, carret. N 121 ☎ 30 50 52, 🌳 – P. E VISA. ✗ rest
cerrado 15 septiembre-12 octubre – **Comida** *(cerrado jueves en verano, domingo noche y festivos noche en invierno)* carta 2400 a 3100 – ☕ 400 – **9 hab** 3500/5000.

RA *04620 Almería 446 U 24 – 5 931 h. alt. 102 – ☎ 950.*
Excurs. *: Sorbas : emplazamiento★ SO : 33 km.*
ℹ pl. Mayor 1, ☎ 39 12 14, Fax 39 12 14.
Madrid 512 – Almería 95 – Murcia 126.

Terraza Carmona, Manuel Giménez 1 ☎ 39 07 60, Fax 39 13 14 – ▤ TV ☎ P. AE ⓓ E VISA. ✗
Comida (ver rest. ***Terraza Carmona***) – ☕ 350 – **38 hab** 5900/8700.

Terraza Carmona, Manuel Giménez 1 ☎ 39 07 60, Fax 39 13 14 – ▤ P. AE ⓓ E VISA. ✗
cerrado lunes y del 1 al 15 de septiembre – **Comida** carta 2925 a 4200.

la carretera de Garrucha *SE : 2 km – ✉ 04620 Vera – ☎ 950 :*

Vera Hotel, ☎ 39 03 82, Fax 39 03 61, 🌳 – ▤ TV ☎ P. AE ⓓ E VISA. ✗
Comida 1600 – ☕ 400 – **20 hab** 4000/6500.

VERA DE BIDASOA o **BERA** 31780 Navarra 442 C 24 – 3 471 h. – ۞ 948.
  Madrid 470 – Pamplona/Iruñea 75 – San Sebastián/Donostia 35.

  ✗ **Euskalduna,** Eztegara 2 ℰ 63 03 92 – ☻. **E** *VISA*
    cerrado miércoles y octubre – **Comida** carta aprox. 2900.

VERGARA o **BERGARA** 20570 Guipúzcoa 442 C 22 – 15 121 h. alt. 155 – ۞ 943.
  Madrid 399 – Bilbao/Bilbo 54 – San Sebastián/Donostia 62 – Vitoria/Gasteiz 44.

  🏛 **Ariznoa** sin rest, Telesforo de Aranzadi 3 ℰ 76 18 46 – |‡| 📺 ☎
    26 hab.

  ✗✗✗ **Lasa,** Zubiaurre 35 ℰ 76 10 55, Fax 76 20 29, 斧, « Antiguo palacete señorial » –
  ✿   ▤ ☻. 歴 ◑ **E** *VISA*
    cerrado domingo noche y 24 diciembre-10 enero – **Comida** carta 4200 a 5300
    Espec. Surtidos de ahumados caseros. Merluza Lasa con crema de cigalas. Reposterí

  ✗✗ **Zumelaga,** San Antonio 5 ℰ 76 20 21 – ▤. 歴 **E** *VISA*. ⅍
    cerrado domingo noche, lunes noche y agosto – **Comida** carta 3400 a 6200.

VERÍN 32600 Orense 441 G 7 – 11 018 h. alt. 612 – ۞ 988 – Balneario.
  Alred. : Castillo de Monterrey (⁂ ★ - Iglesia : portada ★) O : 6 km.
  Madrid 430 – Orense/Ourense 69 – Vila Real 90.

  🏛 **Villa de Verín** sin rest. con cafetería, Monte Mayor 14 ℰ 41 19 81, Fax 41 17 70 –
    📺 ☎ ⇐⇒. 歴 ◑ **E** *VISA*. ⅍
    ☲ 475 – **25 hab** 3500/7500.

  ☝ **San Luis,** av. de Castilla ℰ 41 09 00 – 📺. *VISA*. ⅍ rest
    cerrado 15 diciembre-15 enero – **Comida** (cerrado sábado) 1200 – ☲ 300 – **13 hab** 35

junto al castillo NO : 4 km – ✉ 32600 Verín – ۞ 988 :

  🏰 **Parador de Verín** ☞, ℰ 41 00 75, Fax 41 20 17, ≤ castillo y valle, « Edificio de es
    regional », ⽴, 斧 – 📺 ☎ ☻. 歴 ◑ **E** *VISA*. ⅍
    Comida 3200 – ☲ 1200 – **23 hab** 12500.

en la carretera N 525 NO : 4,5 km – ✉ 32611 Albarellos de Monterrei – ۞ 988 :

  🏨 **Gallego,** ✉ 32680 apartado 82 Verín, ℰ 41 82 02, Fax 41 82 02, ≤, ⽴ – |‡| ▤ ▮
    📺 ☎ ⇐⇒ ☻. 歴 ◑ **E** *VISA*
    Comida 2500 – ☲ 750 – **35 hab** 5200/8560.

VIANA 31230 Navarra 442 E 22 – 3 276 h. alt. 470 – ۞ 948.
  Madrid 341 – Logroño 10 – Pamplona/Iruñea 82.

  ✗✗ **Borgia,** Serapio Urra ℰ 64 57 81 – 歴 ◑ **E** *VISA*. ⅍
  ✿   cerrado domingo y agosto – **Comida** 4000 y carta 4400 a 6100
    Espec. Cardo con crepineta de ternera (noviembre-marzo). Carrillera de cordero con s
    de legumbres. Crema de canela con tempura de arroz con leche.

VIAVÉLEZ 33750 Asturias 441 B 9 – ۞ 98.
  Madrid 600 – Lugo 109 – Oviedo 128 – Vivero/Viveiro 80.

  ✗ **Taberna Viavélez,** puerto ℰ 547 80 95, 斧 – ▤. **E** *VISA*. ⅍
    cerrado miércoles y 22 enero-1 marzo – **Comida** carta 3975 a 4700.

08500 Barcelona **448** G 36 – 29 113 h. alt. 494 – **۞** 93.

Ver : *Museo episcopal*★★★ BY – *Catedral*★ *(pinturas*★★, *retablo*★★*)* BCY – *Plaça Major*★ BY.

🛈 *pl. Major 1, ℰ 886 20 91, Fax 889 26 37.*

Madrid 637 ④ – Barcelona 66 ④ – Gerona/Girona 79 ③ – Manresa 52 ④.

Planos páginas siguientes

🏦 **NH Ciutat de Vic,** pasatje Can Mastrot ℰ 889 25 51, Fax 889 14 47 – |‡| ▤ 🅣 – ﹩ 25/120. 🆎 ⓞ **E** 🚾 🗷. ❀ rest BV a
Comida *(cerrado domingo noche)* 1850 – ☲ 1000 – **36 hab** 9100/13200.

🏦 **Can Pamplona** *sin rest,* carret. N 152 - 20 ℰ 883 31 12, Fax 885 20 92 – |‡| ▤ 🅣 ☎ ⟺ ❷ – ﹩ 25. 🆎 ⓞ **E** 🚾. ❀ AY b
☲ 750 – **33 hab** 5000/6500.

🏛 **Ausa** *sin rest,* pl. Major 3 ℰ 885 53 11 – |‡| 🅣. ⓞ **E** 🚾 BY c
☲ 700 – **26 hab** 5000/7000.

XX **Mamma Meva,** rambla del Passeig 61 ℰ 886 39 98, Fax 889 03 25, Cocina italiana – ▤. 🆎 ⓞ **E** 🚾. ❀ CY d
cerrado miércoles, del 17 al 27 de febrero y del 13 al 29 de octubre – **Comida** carta 2120 a 3800.

X **La Taula,** pl. de Don Miquel de Clariana 4 ℰ 886 32 29 – 🆎 **E** 🚾 CY e
cerrado lunes, domingo de junio a septiembre, domingo noche resto del año, 21 días en febrero y 7 días en agosto – **Comida** carta aprox. 3850.

X **Basset,** Sant Sadurní 4 ℰ 889 02 12, Fax 889 28 70 – ▤. 🆎 ⓞ **E** 🚾. ❀ BY n
cerrado domingo y festivos – **Comida** carta aprox. 3500.

la carretera de Roda de Ter *por* ② : *15 km* – **۞** 93 :

🏨 **Parador de Vic** ♨, ✉ 08500 apartado oficial de Vic, ℰ 812 23 23, Fax 812 23 68, ≤ *pantano de Sau y montañas,* ⬛, ❀ – |‡| ▤ 🅣 ☎ ⟺ ❷ – ﹩ 25/100. 🆎 ⓞ **E** 🚾. ❀
Comida 3200 – ☲ 1200 – **36 hab** 14500.

Ver también : **Santa Eugenia de Berga** *por* ③ : *4 km.*

Un consejo **Michelin** :

Para que sus viajes sean un éxito, prepárelos de antemano.

Los **mapas** *y las* **guías** *Michelin le proporcionan todas las indicaciones útiles sobre :*

itinerarios, visitas de curiosidades, alojamiento, precios, etc...

ꓛRERAS o VIDRERES 17411 Gerona **448** G 38 – 3 780 h. alt. 93 – **۞** 972.

Madrid 687 – Barcelona 74 – Gerona/Girona 24.

X **Can Pou** *con hab,* Pau Casals 15 ℰ 85 00 14, Fax 85 00 14, 🏤 – ▤ rest 🅣 ❷. 🆎 ⓞ **E** 🚾. ❀ hab
Comida *(cerrado domingo noche en invierno)* carta aprox. 3200 – ☲ 500 – **14 hab** 3000/5100.

X **La Font del Plà,** Marinada 28 ℰ 85 04 91 – ▤.

ꓢuroeste : *2 km* :

X **Can Castells,** entrada por carret. N II, ✉ apartado 77 Santa Coloma de Farnés, ℰ 85 03 69, *Decoración rústica. Carnes* – ▤ ❷.

la carretera de Llagostera *NE* : *5 km* – ✉ 17455 Caldes de Malavella – **۞** 972 :

X **El Molí de la Selva,** ℰ 47 15 00, *Instalado en un antiguo molino. Decoración rústica* – ▤ ❷. 🆎 ⓞ **E** 🚾
cerrado domingo noche – **Comida** carta 2800 a 3700.

ꓘLLA 33429 Asturias **441** B 12 – **۞** 98.

Madrid 459 – Avilés 29 – Gijón 25 – Oviedo 10.

🏦 **Los Fresnos,** carret. AS-17 ℰ 526 59 26, Fax 526 49 79, ❀ – ▤ rest 🅣 ☎ ❷ – ﹩ 25/100. 🆎 ⓞ **E** 🚾. ❀ rest
Comida 1500 – ☲ 800 – **68 hab** 9200/12000.

🏦 **La Cabaña,** carret. AS-17 ℰ 526 53 36, Fax 526 41 57 – |‡| ▤ rest 🅣 ☎ ❷ – ﹩ 25/300. 🆎 ⓞ 🚾. ❀
Comida 1500 – ☲ 500 – **22 hab** 5900/7900 – PA 3500.

🏛 **Maruja Nozana** *sin rest,* carret. AS-17 ℰ 526 55 21, Fax 526 54 84 – 🅣 ☎ ⟺ ❷
16 hab.

VIC

Adoberies . . . . CY 3
Aluders . . . . CY 4
Argenters . . . . BY 6
Bisbat (Rambla del) . . . . . BY 8
Bisbe Casadevall . . . . CY 9
Bisbe Oliba (Pl. del) . . . BY 12
Canyelles . . . . BY 14
Catedral (Pl. de la) . . . . . BY 17
Davallades
  (Rambla de les) . . . . . . CY 18
Dues Soles . . . . CY 20
Escales . . . . BY 22
Estret de Sant Cristòfol . . CZ 35
Estudiant de Vic . . . . . . BZ 25
Font de Sant Pere . . . . . . CZ 27
Jaume Balmes (Pl. de) . . BY 29
Josep Maria Periscas
  (Pl. de) . . . . CZ 30
Josep Tarradellas
  (Rambla de) . . . . BZ 32
Manuel Carrasco i
  Formiguera . . . . CZ 34
Mare de Déu de la Guia . . CZ 35
Mare de Déu de les Neus . . BY 36
Mastrot (Pl.) . . . . BV 38
Miquel S. Salarich i
  Torrents . . . . AY 40
Misericòrdia . . . . CY 41
Montcada (Rambla dels) . . CY 42
Montserrat . . . . CY 43
Mossèn Llorenç Vilacís . . CV 45
Narcís Verdaguer i Callís . . BZ 46
Pare Gallissà . . . . AV 47
Passeig (Rambla del) . . . . CY 48
Pietat (Pl. de la) . . . . . . CY 49
Pont . . . . BY 51
Puig dels Jueus . . . . CV 52
Queralt (Pont de) . . . . . . BY 54
Rafael Subirachs i Ricart . . CZ 55
Ramon Sala i Saçala . . . . CV 57
Remei (Pont) . . . . AZ 58
Sant Antoni M. Claret . . . BY 60
Sant Domènec
  (Rambla de) . . . . BY 61
Sant Felip (Pl. de) . . . . . BY 63
Sant Miquel Arcángel . . . BY 64
Sant Miquel dels Sants . . BY 66
Sant Sadurní . . . . BY 67
Sant Sebastià . . . . CVY 69
Santa Clara (Pl. de) . . . . BY 71
Santa Joaquima
  de Vedruna . . . . CY 72
Santa Maria . . . . BY 74
Sants Màrtirs (Pl. dels) . . CY 75

*Avise immediatamente
al hotelero
si Vd no puede ocupar
la habitación
que ha reservado.*

552

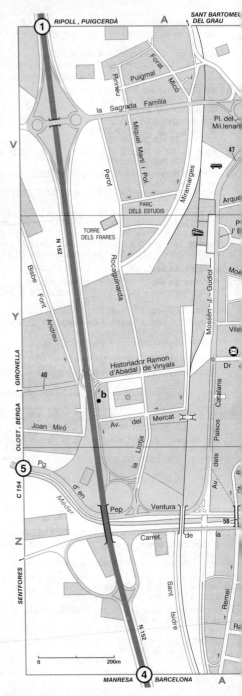

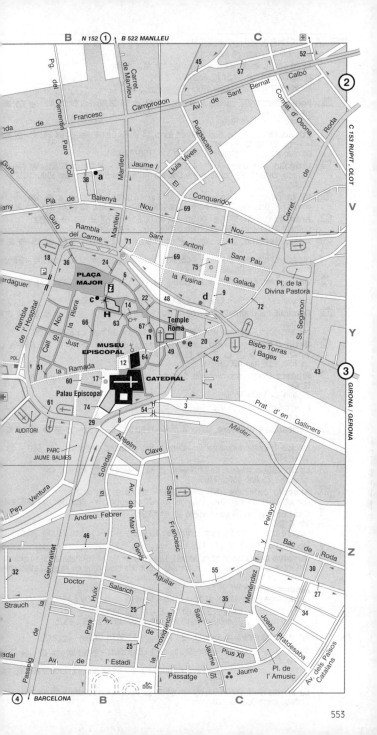

VIELLA o VIELHA 25530 Lérida **443** *D 32 – 3 220 h. alt. 971 –* ✿ *973 – Deportes de invier*
Ver : *Iglesia (Cristo de Mig Arán★).*
Alred. : N : *Valle de Arán★★ – Vilamós* ≪★ *NO : 13 km.*
🔰 *Sarriulera 6,* ℰ *64 01 10, Fax 64 05 37.*
Madrid 595 – Lérida/Lleida 163 – St-Gaudens 70.

🏨 **Fonfreda** *sin rest,* passeig de la Llibertat 14 ℰ 64 04 86, Fax 64 24 42 – |≉| 📺 ☎.
① **E** *VISA*. ❀
26 hab 🖙 7800/11800.

🏨 **Eth Solan** *sin rest,* av. Baile Calbetó Barra 14 ℰ 64 02 04, Fax 64 01 36, ≪ – |≉| 📺
⟷ ℗. 🖭 ① **E** *VISA*. ❀
cerrado mayo y noviembre – **39 hab** 🖙 7250/12500.

🏨 **Urogallo,** av. Castiero 7 ℰ 64 00 00, Fax 64 07 54 – |≉| 📺 ☎. **E** *VISA*. ❀ hab
cerrado noviembre-21 diciembre – **Comida** 1475 – 🖙 550 – **37 hab** 5990/10275 –
3000.

🏨 **Viella,** carret. de Gausach ℰ 64 02 75, Fax 64 09 34 – |≉| 📺 ☎ ⅙ ℗. *VISA*. ❀
cerrado 15 octubre-20 diciembre – **Comida** 1400 – **108 hab** 🖙 6770/11130 – PA 28

🏨 **Arán,** av. Castiero 5 ℰ 64 00 50, Fax 64 00 53 – |≉| 📺 ☎. 🖭 ① **E** *VISA*
Comida 1500 – 🖙 650 – **48 hab** 5700/9300 – PA 3200.

🏨 **Apart. Serrano,** San Nicolás 2 ℰ 64 01 50, Fax 64 01 52 – |≉| 📺 ☎. 🖭 ① **E** ▪
❀
cerrado 12 octubre-noviembre – **Comida** *(cerrado diciembre)* 1400 – 🖙 500 – **9 apar**
mentos 15000 – PA 2800.

🏨 **Orla** *sin rest. con cafetería,* av. Castiero 3 ℰ 64 22 60, Fax 64 19 94 – |≉| 📺 ☎. ▪
❀
cerrado del 1 al 15 de junio – 🖙 500 – **22 hab** 7000/10000.

🏨 **Delavall,** Pas d'Arró 40 ℰ 64 02 00, Fax 64 00 13, ≪, ⊼ – |≉| 📺 ☎ ℗. 🖭 ① **E** ▪
❀ rest
cerrado mayo – **Comida** *(cerrado domingo)* 1250 – **28 hab** 🖙 3500/7000.

🏨 **Resid. d'Arán** ⟋ *sin rest,* carret. del Túnel ℰ 64 00 75, Fax 64 22 95, ≪ Viella, v
y montañas – |≉| 📺 ℗. 🖭 ① **E** *VISA*. ❀
🖙 650 – **36 hab** 6000/8500.

🏠 **Ribaeta** *sin rest. con cafetería,* Sarriulera 5 ℰ 64 20 36, Fax 64 01 21 – |≉| 📺 ☎
E *VISA*. ❀
27 hab 🖙 5100/7850.

🏠 **D'Òc** *sin rest,* Castèth 9 ℰ 64 15 97 – |≉| 📺
15 hab.

🏠 **Baricauba y Riu Nere,** Mayor 4 ℰ 64 01 50, Fax 64 01 52 – |≉| 📺 ☎. 🖭 ① **E**
❀
cerrado 12 octubre-noviembre – **Comida** *(en el* **Apart. Serrano***) –* 🖙 500 – **48** ▪
5500/9000.

🏠 **La Bonaigua** *sin rest,* Castèth 9 bis ℰ 64 01 44 – |≉| 📺 ☎. *VISA*. ❀
🖙 450 – **23 hab** 4500/7785.

🍴🍴 **Antonio,** carret. del Túnel ℰ 64 08 87 – 🖭 ① **E** *VISA*. ❀
cerrado lunes, del 1 al 10 de julio y del 10 al 22 de diciembre – **Comida** carta 2800 a 4🔹

🍴 **Era Lucana,** av. Alcalde Calbetó ℰ 64 17 98
⟷ ① **E** *VISA* *JCB*
cerrado lunes (salvo festivos) y 10 junio-10 julio – **Comida** carta 2300 a 3750.

🍴 **Neguri,** Pas d'Arró 14 ℰ 64 02 11.

🍴 **Gustavo-María José (Era Mola),** Marrec 8 ℰ 64 24 19, Decoración rústica –
diciembre-abril y 10 julio-15 septiembre – **Comida** *(sólo cena en invierno salvo fines*
semana) carta 2600 a 3850.

🍴 **Nicolás,** Castèth 10 ℰ 64 18 20, 🛋 – *VISA*. ❀
cerrado miércoles y del 1 al 15 de julio – **Comida** carta 2500 a 3500.

🍴 **Deth Gorman,** Mèt Dia 8 ℰ 64 04 45 – **E** *VISA*. ❀
cerrado martes y 2ª quincena de junio – **Comida** carta 2425 a 3325.

en Betrén *por la carretera de Salardú - E : 1 km –* ✉ *25539 Betrén –* ✿ *973 :*

🏨🏨 **Tuca** ⟋, ℰ 64 07 00, Fax 64 07 54, ≪, ⊼ climatizada – |≉| 📺 ☎ ⟷ ℗ – 🏛 25/
🖭 ① **E** *VISA*. ❀
cerrado 15 octubre-22 diciembre – **Comida** 2350 – **117 hab** 🖙 11000/20000, 1 s
– PA 4720.

🍴 **La Borda de Betrén,** Mayor ℰ 64 00 32, Decoración rústica – 🖭 ① *VISA*
Comida carta 2500 a 3900.

Escunhau *por la carretera de Salardú - E : 3 km* – ✉ 25539 Escunhau – ✪ 973 :

🏨 **Es Pletieus,** carret. C 142 ℰ 64 07 90, Fax 64 10 04, ≼ – ▮ 📺 ☎ ❷. ⅌ ⓪ ⋿ 𝑉𝐼𝑆𝐴, ⅌
   cerrado mayo – **Comida** (ver rest. *Es Pletieus*) – **18 hab** ⊆ 5000/8500.

🏨 **Casa Estampa** ⅍, Sortaus 9 ℰ 64 00 48, Fax 64 00 48, ≼ – ❷. 𝑉𝐼𝑆𝐴. ⅌
   Comida carta aprox. 2965 – ⊆ 550 – **26 hab** 4100/6100.

XX **Es Pletieus,** carret. C 142 ℰ 64 04 85, Fax 64 10 04, ≼ – ❷. ⅌ ⓪ ⋿ 𝑉𝐼𝑆𝐴. ⅌
   cerrado domingo, 15 abril-15 julio y 15 octubre-1 diciembre – **Comida** (sólo cena en invierno) carta 3700 a 4500.

X **Casa Turnay,** San Sebastián ℰ 64 02 92, Decoración rústica – 𝑉𝐼𝑆𝐴
   21 diciembre-21 marzo, 21 junio-21 septiembre y sólo fines de semana en otoño – **Comida** carta 2500 a 3600.

la carretera N 230 *S : 2,5 km* – ✉ 25530 Viella – ✪ 973 :

🏨🏨 **Parador de Viella** ⅍, ℰ 64 01 00, Fax 64 11 00, ≼ valle y montañas, 🔼 – ▮ 📺 ☎ ⟞ ❷ – 🛦 25/50. ⅌ ⓪ ⋿ 𝑉𝐼𝑆𝐴 𝐽𝐶𝐵. ⅌
   Comida 3200 – ⊆ 1200 – **135 hab** 8500/14500.

Garós *por la carretera de Salardú - E : 5 km* – ✉ 25539 Garós – ✪ 973 :

X Et Restillé, pl. Carrera 2 ℰ 64 15 39, Decoración rústica
   temp – **Comida** (sólo cena en invierno).

X Plaça Garós *con hab*, de la Torre 10 ℰ 64 17 74 – 📺
   4 hab.

Pont d'Arrós *NO : 6 km* – ✉ 25537 Pont d'Arrós – ✪ 973 :

🏨 **Peña,** carret. N 230 ℰ 64 08 86, Fax 64 23 29, ≼ – 📺 ☎ ❷. ⅌ ⋿ 𝑉𝐼𝑆𝐴
   cerrado noviembre – **Comida** 1600 – ⊆ 600 – **24 hab** 4800/7500 – PA 3200.

X **Cal Manel,** carret. N 230 ℰ 64 11 68 – ❷. ⋿ 𝑉𝐼𝑆𝐴. ⅌
   cerrado lunes, 25 junio-11 julio y del 2 al 20 de noviembre – **Comida** carta 2700 a 3800.

GO *36200 Pontevedra* **441** *F 3 – 278 050 h. alt. 31 –* ✪ *986.*
   Ver : *Emplazamiento* ★ – *El Castro* ≼★★ AZ.
   Alred. : *Ría de Vigo* ★★ – *Mirador de la Madroa* ★★ ≼★★ *por carret. del aeropuerto : 6 km* BZ.
   ⓕ *Aero Club de Vigo por* ② : 11 km ℰ 48 66 45, Fax 48 66 43.
   ⟨ *de Vigo por N 550 : 9 km* BZ ℰ 26 82 00 – *Iberia : Marqués de Valladares 13* ℰ 23 35 84 AY – *Aviaco : aeropuerto* ℰ 48 76 25.
   🚗 ℰ 22 35 97.
   ⟝ *Cía. Trasmediterránea, Luis Taboada, 6,* ✉ 36201, ℰ 43 03 11, Fax 43 14 30.
   🛈 *Estación Marítima de Trasatlánticos,* ✉ 36202, ℰ 43 05 77, Fax 43 05 77.
   Madrid 600 ② *– La Coruña/A Coruña 156* ① *– Orense/Ourense 101* ② *– Pontevedra 27* ① *– Porto 157* ②

Plano página siguiente

🏨🏨 **Los Galeones,** av. de Madrid 21, ✉ 36204, ℰ 48 04 05, Fax 48 06 66 – ▮ ▤ 📺 ☎ ⟞ – 🛦 25/270. ⅌ ⓪ ⋿ 𝑉𝐼𝑆𝐴. ⅌   BZ a
   Comida 3000 – ⊆ 1200 – **76 hab** 12000/15750, 4 suites – PA 6120.

🏨🏨 **Bahía de Vigo,** av. Cánovas del Castillo 24, ✉ 36202, ℰ 22 67 00, Telex 83014, Fax 43 74 87, ≼ – ▮ ▤ 📺 ☎ ⟞ – 🛦 25/400. ⅌ ⓪ ⋿ 𝑉𝐼𝑆𝐴. ⅌   AY n
   Comida 3200 – ⊆ 1000 – **108 hab** 11000/15000, 2 suites.

🏨🏨 Ciudad de Vigo, Concepción Arenal 5, ✉ 36201, ℰ 22 78 20, Telex 83307, Fax 43 98 71 – ▮ ▤ 📺 ☎ ⟞ – 🛦 25/220   BY z
   99 hab, 2 suites.

🏨🏨 **Coia,** Sanxenxo 1, ✉ 36209, ℰ 20 18 20, Telex 83462, Fax 20 95 06 – ▮ ▤ 📺 ☎ ⟞ ❷ – 🛦 25/600. ⅌ ⓪ ⋿ 𝑉𝐼𝑆𝐴. ⅌   por ③
   Comida 2200 – ⊆ 900 – **111 hab** 9800/13350, 15 suites – PA 5100.

🏨🏨 **Tres Luces,** Cuba 19, ✉ 36204, ℰ 48 02 50, Fax 48 33 27 – ▮ ▤ 📺 ☎ ⟞ – 🛦 25/150. ⅌ ⓪ ⋿ 𝑉𝐼𝑆𝐴. ⅌   BZ e
   Comida 2300 – ⊆ 800 – **70 hab** 8000/11300, 2 suites – PA 4590.

🏨🏨 **Vigo Real,** av. de la Florida, ✉ 36210, ℰ 29 66 00, Fax 29 18 00 – ▮ ▤ 📺 ☎ ⟞ – 🛦 25/200. ⅌ ⓪ ⋿ 𝑉𝐼𝑆𝐴. ⅌   por ③
   Comida 2500 – ⊆ 1000 – **122 hab** 12000/15000, 1 suite – PA 5000.

🏨🏨 **Lisboa,** Gran Vía 1, ✉ 36204, ℰ 41 72 55, Telex 83736, Fax 48 26 48 – ▮ 📺 ☎ – 🛦 25/120. ⅌ ⓪ ⋿ 𝑉𝐼𝑆𝐴. ⅌   BZ m
   Comida 2000 – ⊆ 675 – **99 hab** 9000/11250 – PA 3975.

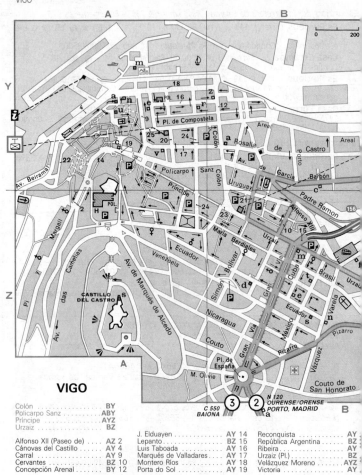

VIGO

Colón .... **BY**
Policarpo Sanz .... **ABY**
Príncipe .... **AYZ**
Urzaiz .... **BZ**

Alfonso XII (Paseo de) ... **AZ** 2
Cánovas del Castillo ..... **AY** 4
Carral .... **AY** 9
Cervantes .... **BZ** 10
Concepción Arenal ...... **BY** 12

J. Elduayen .... **AY** 14
Lepanto .... **BZ** 15
Luis Taboada .... **AY** 16
Marqués de Valladares ... **AY** 17
Montero Ríos .... **AY** 18
Porta do Sol .... **AY** 19

Reconquista .... **AY**
República Argentina ..... **BZ**
Ribeira .... **AY**
Urzaiz (Pl.) .... **BZ**
Velázquez Moreno ...... **AYZ**
Victoria .... **AY**

爺爺 Ipanema, Vázquez Varela 31, ⊠ 36204, ℘ 47 13 44, Telex 83671, Fax 48 20 80 – |劇
☎ ⇔ – 🔏 25/60.
54 hab, 6 suites.

爺爺 **México** sin rest. con cafetería, Vía del Norte 10, ⊠ 36204, ℘ 43 16 66, Fax 43 55
≼ – |劇 📺 ☎ ⇔ – 🔏 25/60. 🖭 ⓞ 🖹 𝘝𝘐𝘚𝘈. ⋘
⊊ 800 – **112 hab** 6900/11000.

爺 América sin rest, Pablo Morillo 6, ⊠ 36201, ℘ 43 89 22, Fax 43 70 56 – |劇 📺
45 hab.

爺 **Compostela** sin rest. con cafetería, García Olloqui 5, ⊠ 36201, ℘ 22 82
Fax 22 59 04 – |劇 📺 ☎. 🖭 ⓞ 🖹 𝘝𝘐𝘚𝘈. ⋘
⊊ 650 – **30 hab** 6500/8900.

爺 **Galicia** sin rest. con cafetería, Colón 11, ⊠ 36201, ℘ 43 40 22, Fax 22 32 28 – |劇
☎ – 🔏 25/60. 🖭 ⓞ 🖹 𝘝𝘐𝘚𝘈. ⋘
⊊ 600 – **53 hab** 6200/9000.

爺 **Canaima** sin rest. con cafetería, av. de García Barbón 42, ⊠ 36201, ℘ 43 09
Fax 22 13 85 – |劇 📺 ☎ ⇔. 🖭 ⓞ 🖹 𝘝𝘐𝘚𝘈. ⋘
⊊ 500 – **56 hab** 4200/7000.

556

🏛 **Puerta del Sol** sin rest, Porta do Sol 14, ⊠ 36202, ℰ 22 71 53, Fax 22 23 64 – |₤|
📺 ☎. ⒶⒺ ⓪ Ⅽ 𝗩𝗜𝗦𝗔
AY c
⊑ 475 – **16 hab** 5500/7000.

🏛 **Nilo** sin rest, Marqués de Valladares 8, ⊠ 36201, ℰ 43 28 99, Fax 43 44 74 – |₤| 📺 ☎.
ⒶⒺ ⓪ Ⅽ 𝗩𝗜𝗦𝗔. ⁓
AY v
⊑ 600 – **52 hab** 5500/8500.

🏛 Celta sin rest, México 22, ⊠ 36204, ℰ 41 46 99, Fax 48 06 56 – |₤| 📺 ⓟ   BZ t
45 hab.

XX **El Castillo,** paseo de Rosalía de Castro, ⊠ 36203, ℰ 42 11 11, Fax 42 12 99, ≤ ría de
Vigo y ciudad, « En un parque » – |₤| 🍽 ⓟ. ⒶⒺ ⓪ Ⅽ 𝗩𝗜𝗦𝗔   AZ s
cerrado domingo noche, lunes y Semana Santa – **Comida** carta aprox. 4300.

XX **Puesto Piloto Alcabre,** av. Atlántida 98, ⊠ 36208, ℰ 24 15 24, Fax 24 03 85, ≤
– 🍽 ⓟ. ⒶⒺ ⓪ Ⅽ 𝗩𝗜𝗦𝗔 ᴊᴄʙ. ⁓   por av. Beiramar : 5 km AY
cerrado domingo noche y 15 días en noviembre – **Comida** carta 3000 a 4550.

XX **Ancoradoiro,** As Avenidas, ⊠ 36202, ℰ 22 26 34, Fax 22 26 34, ≤ – 🍽. ⒶⒺ ⓪ Ⅽ
𝗩𝗜𝗦𝗔
AY m
cerrado domingo y 15 junio-15 julio – **Comida** carta aprox. 3750.

XX Las Bridas, Ecuador 56, ⊠ 36203, ℰ 43 00 37, Fax 43 13 91 – 🍽   BZ d

XX **La Oca,** Purificación Saavedra 8 - Teis, ⊠ 36207, ℰ 37 12 55 – ⒶⒺ 𝗩𝗜𝗦𝗔.
⁓   por av. de García Barbón BY
cerrado sábado, domingo, Semana Santa y agosto – Comida carta 2900 a 4500.

X **La Espuela,** Teófilo Llorente 2, ⊠ 36202, ℰ 43 73 07 – 🍽. ⒶⒺ ⓪ Ⅽ 𝗩𝗜𝗦𝗔. ⁓
cerrado 22 diciembre-15 enero – **Comida** carta 2200 a 4800.   AY a

X **José Luis,** av. de la Florida 34, ⊠ 36210, ℰ 29 95 22 – 🍽. ⒶⒺ ⓪ Ⅽ 𝗩𝗜𝗦𝗔 ᴊᴄʙ.
⁓   por ③
cerrado domingo – **Comida** carta aprox. 3800.

X **El Mosquito,** pl. da Pedra 4, ⊠ 36202, ℰ 43 35 70, Pescados y mariscos – 🍽. ⒶⒺ ⓪
Ⅽ 𝗩𝗜𝗦𝗔. ⁓
AY u
cerrado domingo y 15 agosto-15 septiembre – **Comida** carta 3300 a 5500.

X Laxeiro, Ecuador 80, ⊠ 36204, ℰ 42 52 04 – 🍽   BZ s

la playa de Samil por av. Beiramar : 6,5 km AY – ⊠ 36208 Vigo – ✆ 986 :

🏨 **G. H. Samil,** av. de Samil 15, ℰ 24 00 00, Telex 83263, Fax 24 19 00, ≤, ₣₅, ᴶ, ⁑
– 🍽 📺 ☎ ⓟ – 🔬 25/600. ⒶⒺ ⓪ Ⅽ 𝗩𝗜𝗦𝗔. ⁓
Comida 3400 – **135 hab** ⊑ 14000/17600, 2 suites – PA 6200.

la playa de La Barca por av. Beiramar : 7,5 km AY – ⊠ 36330 Corujo – ✆ 986 :

X **Timón Playa,** ℰ 49 08 15, Fax 49 11 26, ≤, Pescados y mariscos – ⓟ. ⒶⒺ 𝗩𝗜𝗦𝗔.
⁓
cerrado domingo y 24 diciembre-15 enero – Comida carta 3300 a 5000.
Ver también : **Chapela** por av. de García Barbón : 7 km BY
Canido por av. Beiramar : 10 km AY.

VILA JOIOSA Alicante – ver Villajoyosa.

A SACRA 17485 Gerona ⅢⅣⅢ F 39 – 414 h. – ✆ 972.
Madrid 746 – Gerona/Girona 30 – Perpignan 62.

XX **Hermes,** carret. de Rosas ℰ 50 98 07 – 🍽 ⓟ. Ⅽ 𝗩𝗜𝗦𝗔
cerrado martes – **Comida** carta 2050 a 3600.

ABOA 36141 Pontevedra ⅣⅣⅠ E 4 – 5 785 h. alt. 50 – ✆ 986.
Madrid 618 – Pontevedra 9 – Vigo 27.

🏛 El Edén sin rest. con cafetería, carret. N 550 ℰ 70 83 22, Fax 70 88 77, ≤, ᴶ, ⁑ – |₤|
🍽 📺 ☎ ₢ ⟸ ⓟ
73 hab.

Paredes SE : 2 km – ⊠ 36141 Vilaboa – ✆ 986 :

🏛 **Las Islas** sin rest, ℰ 70 88 92, Fax 70 84 84, ≤, ᴶ, ⁑ – 📺 ☎ ⟸ ⓟ. 𝗩𝗜𝗦𝗔.
⁓
⊑ 450 – **26 hab** 2700/5000.

🏠 **San Luis** sin rest, ℰ 70 83 11 – 📺 ⓟ. ⁓
⊑ 400 – **20 hab** 1300/3700.

VILADRAU 08553 Gerona **443** G 37 – 883 h. alt. 821 – **۞** 93.
  Madrid 647 – Barcelona 76 – Gerona/Girona 61.

🏨 **Xalet La Coromina**, carret. de Vic ℘ 884 92 64, Fax 884 81 60, « Antigua c
  señorial », ☞ – ▥ ☎ ℗. ஊ ᴇ ▦. ✍
  Comida 3350 – **8 hab** ☲ 4450/8900.

🏠 **De la Gloria** ᄲ, Torreventosa 12 ℘ 884 90 34, Fax 884 94 65, ◣ – ▥ ☎ ⇆
  🛆 25/200. ஊ. ✍
  cerrado 22 diciembre-7 enero – **Comida** 1850 – ☲ 850 – **23 hab** 4250/7500.

VILAFRAMIL Lugo – ver Villaframil.

VILAFRANCA DEL PENEDÈS Barcelona – ver Villafranca del Panadés.

VILAGRASSA 25330 Lérida **443** H 33 – 392 h. – **۞** 973.
  Madrid 510 – Barcelona 119 – Lérida/Lleida 41 – Tarragona 78.

🏨 **Del Carme**, antigua carret. N II ℘ 31 10 00, Fax 31 07 77, ◣, ☞, ✖ – ▤ ▦ rest
  ☎ ℗ – 🛆 25/300. ᴇ ▦. ✍ rest
  Comida carta 2850 a 3850 – ☲ 550 – **40 hab** 3500/6500.

🍴 **Cataluña**, Mayor 2 ℘ 31 14 65, Carnes a la brasa – ▦. ஊ ᴇ ▦. ✍
  cerrado domingo noche y lunes (salvo vísperas y festivos), y del 1 al 22 de julio – **Com**
  carta aprox. 3500.

VILAJUIGA 17493 Gerona **443** F 39 – 598 h. – **۞** 972.
  Madrid 758 – Figueras/Figueres 12 – Gerona/Girona 51.

🍴 **Can Maricanes**, Figueras 15 ℘ 53 00 37 – ▦ ℗. ஊ ◑ ᴇ ▦
  cerrado domingo noche y martes (salvo julio-agosto) y del 14 al 31 de octubre – **Com**
  carta 1950 a 3000.

VILALONGA Pontevedra – ver Villalonga.

VILANOVA I LA GELTRÚ Barcelona – ver Villanueva y Geltrú.

  Unsere Hotel-, Reiseführer und Straßenkarten ergänzen sich.
  Benutzen Sie sie zusammen.

VILAVELLA Orense – ver Villavieja.

VILLA DEL PRADO 28630 Madrid **444** L 17 – 3 290 h. alt. 510 – **۞** 91.
  Madrid 61 – Ávila 80 – Toledo 78.

🏠 **El Extremeño** ᄲ, av. del Generalísimo 18 ℘ 862 24 28, ☞ – ▦ rest ℗. ◑ ᴇ
  ✍
  Comida 1200 – ☲ 175 – **16 hab** 3600.

VILLABALTER 24191 León **441** E 13 – **۞** 987.
  Madrid 348 – León 6 – Ponferrada 109 – Palencia 134 – Oviedo 113.

🍴 **La Tahona de Ambrosia**, carret. C 623 - NE : 1,5 km ℘ 23 08 18, Fax 27 05 04,
  ⇆ Decorado rústica – ℗. ᴇ ▦. ✍
  cerrado lunes – **Comida** carta aprox. 3500.

VILLABONA 20150 Guipúzcoa **442** C 23 – 5 295 h. alt. 61 – **۞** 943.
  Madrid 451 – Pamplona/Iruñea 71 – San Sebastián/Donostia 20 – Vitoria/Gasteiz 9

en Amasa E : 1 km – ⊠ 20150 Villabona – **۞** 943 :

🍴 **Arantzabi**, ℘ 69 12 55, ≤, ☞, « Típico caserío vasco » – ℗. ஊ ᴇ ▦
  cerrado domingo noche, lunes y 15 diciembre-15 enero – **Comida** (sólo almuerzo
  octubre a junio salvo viernes y sábado) carta 3300 a 3800.

VILLACAÑAS 45860 Toledo **444** N 19 – 8 711 h. alt. 668 – **۞** 925.
  Madrid 109 – Alcázar de San Juan 35 – Aranjuez 48 – Toledo 72.

🏠 **Quico**, av. de La Mancha 34 ℘ 16 04 50 – ▦ rest ⇆
  Comida 1600 – ☲ 350 – **23 hab** 1950/3200.

LACARRILLO 23300 Jaén 446 R 20 – 10 925 h. alt. 785 – ۞ 953.
Madrid 349 – Albacete 172 – Úbeda 32.

🏠 **Las Villas**, carret. N 322 ℰ 44 01 25, Fax 44 01 25 – 📶 🍴 📺 ☎ 🚗 🅿 . **E** 𝐕𝐈𝐒𝐀. ✎
Comida 1200 – ☲ 375 – **37 hab** 3150/5300 – PA 2775.

LACASTÍN 40150 Segovia 442 J 16 – 1600 h. alt. 1 100 – ۞ 921.
Madrid 79 – Ávila 29 – Segovia 36 – Valladolid 105.

la autopista A 6 SE : 4,5 km – ✉ 40150 Villacastín – ۞ 921 :
🍴🍴 **Las Chimeneas**, ✉ apartado 11, ℰ 19 86 40, Fax 19 81 69 – 🍴 🅿 . 🖭 ⓞ **E** 𝐕𝐈𝐒𝐀.
✎
Comida carta aprox. 4100.

LADANGOS DEL PÁRAMO 24392 León 441 E 12 – 1019 h. – ۞ 987.
Madrid 331 – León 18 – Ponferrada 87.

🏨 **Avenida II**, carret. N 120 - NE : 1,5 km ℰ 39 03 11, Fax 39 01 12, ✖ – 📶 📺 ☎ 🚗
🅿 – 🔏 25/75. 🖭 ⓞ **E** 𝐕𝐈𝐒𝐀. ✎
Comida (ver rest. **Avenida II**) – ☲ 500 – **28 hab** 4500/7000.
🍴 **Avenida II** con hab, carret. N 120 - NE : 1,5 km ℰ 39 00 81, Fax 39 03 11, ✖ – 📺
☎ 🚗 🅿 . 🖭 ⓞ **E** 𝐕𝐈𝐒𝐀. ✎
Comida carta 1400 a 2350 – ☲ 500 – **10 hab** 3000/5500.

LADIEGO 09120 Burgos 442 E 17 – 2 125 h. alt. 842 – ۞ 947.
Madrid 282 – Burgos 39 – Palencia 84 – Santander 150.

🏠 **El Condestable**, av. Reyes Católicos 2 ℰ 36 17 32 – 🅿 . 𝐕𝐈𝐒𝐀. ✎
cerrado del 1 al 10 de marzo – Comida 1900 – ☲ 600 – **24 hab** 4800/6000.

LAFRAMIL o **VILAFRAMIL** 27797 Lugo 441 B 8 – ۞ 982.
Madrid 604 – La Coruña/A Coruña 14 – Lugo 98 – Ribadeo 5 – Oviedo 150.

🍴🍴 **La Villa**, carret. N 634 ℰ 12 30 01 – 🅿 . 🖭 ⓞ **E** 𝐕𝐈𝐒𝐀. ✎
cerrado martes (salvo julio-agosto) y del 16 al 31 de octubre – Comida carta 1700 a 3500.

LAFRANCA DEL BIERZO 24500 León 441 E 9 – 4 136 h. alt. 511 – ۞ 987.
Madrid 403 – León 130 – Lugo 101 – Ponferrada 21.

🏛 **Parador de Villafranca del Bierzo**, av. de Calvo Sotelo ℰ 54 01 75, Fax 54 00 10
– 🍴 rest 📺 ☎ 🅿 – 🔏 25/40. 🖭 ⓞ **E** 𝐕𝐈𝐒𝐀. ✎
Comida 3200 – ☲ 1200 – **40 hab** 12500.
🏠 **San Francisco** sin rest, pl. Mayor 6 ℰ 54 04 65 – 📺. ✎
☲ 430 – **20 hab** 4400/6300.
🏡 **Casa Méndez**, pl. de la Concepción ℰ 54 24 08 – 🍴 rest. **E** 𝐕𝐈𝐒𝐀. ✎
Comida 1200 – ☲ 350 – **12 hab** 2700/4500.

LAFRANCA DEL PANADÉS o **VILAFRANCA DEL PENEDÈS** 08720 Barcelona 443
H 35 – 28 018 h. alt. 218 – ۞ 93.
🅱 Cort 14, ℰ 892 03 58, Fax 892 11 66.
Madrid 572 – Barcelona 54 – Tarragona 54.

🏨 Domo, Francesc Macià 2 ℰ 817 24 26, Fax 817 08 53 – 📶 🍴 📺 ☎ 🕭 🚗 – 🔏 25/200.
44 hab.
🏨 **Pedro III el Grande**, pl. del Penedès 2 ℰ 890 31 00, Fax 890 39 21 – 📶 🍴 📺 🅿 .
🖭 ⓞ **E** 𝐕𝐈𝐒𝐀. ✎ rest
Comida 1550 – ☲ 750 – **52 hab** 4200/7800.
🍴🍴 **Cal Ton**, Casal 8 ℰ 890 37 41, 🌫 – 🍴 . 🖭 ⓞ **E** 𝐕𝐈𝐒𝐀
cerrado domingo noche y lunes – Comida carta 3050 a 4100.
🍴🍴 Airolo, rambla de Nostra Senyora 10 ℰ 892 17 98 – 🍴 .
🍴 **Casa Juan**, pl. de l'Estació 8 ℰ 890 31 71 – 🍴 . 🖭 **E** 𝐕𝐈𝐒𝐀. ✎
cerrado domingo, Semana Santa, del 16 al 31 de agosto y Navidades – Comida (sólo almuer-
zo salvo sábado) carta 3200 a 4500.

la carretera N 340 SO : 2,5 km – ✉ 08720 Villafranca del Panadés – ۞ 93 :
🏨 **Alfa Penedès**, ℰ 817 20 26, Fax 817 22 45 – 📶 🍴 📺 ☎ 🕭 🅿 – 🔏 25/200. 🖭 ⓞ
E 𝐕𝐈𝐒𝐀. ✎ rest
Gran Mercat : Comida 3000 – ☲ 945 – **59 hab** 9660/12075.

VILLAGARCÍA DE AROSA o **VILAGARCÍA DE AROUSA** 36600 Pontevedra **441** E 3 31760 h. – 986 – Playa.

Alred.: *Mirador de Lobeira★ S : 4 km.*

🖪 *Juan Carlos I-37, 🖉 51 01 44.*

Madrid 632 – Orense/Ourense 133 – Pontevedra 25 – Santiago de Compostela 42.

San Luis *sin rest*, av. de la Marina 16 🖉 50 73 18 – ☎. ⬜ VISA. ⬜
27 hab ⬜ 4000/5500.

León XIII *sin rest*, av. de la Marina 7 🖉 50 63 83 – **12 hab.**

Paco Feixó *con hab*, av. Rosalía de Castro 81 🖉 51 26 91, Fax 50 80 70, ≤ – ▤
☎. ⬜ ⬤ E VISA
Comida carta 3000 a 4600 – **14 hab** ⬜ 5500/10000.

VILLAGONZALO-PEDERNALES 09195 Burgos **442** F 18 – 456 h. alt. 900 – 947.

Madrid 231 – Aranda de Duero 76 – Burgos 8 – Palencia 81.

Rey Arturo, autovía N 620 - salida 6 🖉 27 33 99, Fax 27 33 88, ≤ – ▐ ⬜ ☎ ⬤
⬤. ⬜ ⬤ E VISA. ⬜ rest
Comida 1200 – ⬜ 450 – **52 hab** 6000/7500 – PA 2850.

VILLAJOYOSA o **La VILA JOIOSA** 03570 Alicante **445** Q 29 – 23160 h. – 96.

🖪 *Costera del Mar, 🖉 685 13 71, Fax 589 13 01.*

Madrid 450 – Alicante/Alacant 32 – Gandía 79.

El Brasero, av. del Puerto 32 🖉 589 03 33, ⬜ – ⬜ ⬤ E VISA
cerrado martes y 30 noviembre-25 enero – **Comida** carta 2700 a 4500.

por la carretera de Alicante *SO : 3 km* – ✉ 03570 Villajoyosa – 96 :

Montíboli ⬜, 🖉 589 02 50, Fax 589 38 57, ≤, ⬜, ⬜, ⬜, ⬜ – ▐ ▤ ⬜ ☎ ⬤
⬜ 25/65. ⬜ ⬤ E VISA
Emperador : Comida carta 4700 a 5650 - **Minarete** *(sólo almuerzo, cerrado lunes octubre-diciembre)* **Comida** carta 3500 a 4900 – **49 hab** ⬜ 14200/24500, 4 suites

Eurotennis, 🖉 589 12 50, Fax 589 11 94, ≤, ⬜, ⬜, ⬜, ⬜ – ▐ ▤ rest ⬜ ☎
– ⬜ 50/200. ⬜ ⬤ E VISA. ⬜ rest
junio-octubre – **Comida** carta aprox. 3250 – ⬜ 1500 – **98 hab** 10000/13000.

VILLALBA 27800 Lugo **441** C 6 – 15643 h. alt. 492 – 982.

Madrid 540 – La Coruña/A Coruña 87 – Lugo 36.

Parador de Villalba, Valeriano Valdesuso 🖉 51 00 11, Fax 51 00 90, « Instalado la torre de un castillo medieval » – ▐ ⬜ ☎ ⬤. ⬜ ⬤ E VISA. ⬜
Comida 3200 – ⬜ 1200 – **6 hab** 16500.

en la carretera de Meira *E : 1 km* – ✉ 27800 Villalba – 982 :

Villamartín, av. Tierra Llana 🖉 51 12 15, Fax 51 11 35, ⬜, ⬜ – ▐ ▤ rest ⬜ ☎
⬤ – ⬜ 25/200. ⬜ ⬤ E VISA. ⬜
Comida 1800 – ⬜ 500 – **60 hab** 6000/7500 – PA 3485.

VILLALBA DE LA SIERRA 16140 Cuenca **444** L 23 – 535 h. alt. 950 – 969.

Alred.: *E : Ventano del Diablo (≤ garganta del Júcar★).*

Madrid 183 – Cuenca 21.

Mesón Nelia, carret. de Cuenca 🖉 28 10 21, Fax 28 10 78 – ▤ ⬤. ⬜ E VISA.
cerrado 7 enero-7 febrero – **Comida** carta 2600 a 4200.

VILLALONGA o **VILALONGA** 36990 Pontevedra **441** E 3 – 986.

Madrid 629 – Pontevedra 23 – Santiago de Compostela 66.

Pazo El Revel ⬜, *sin rest*, camino de la Iglesia 🖉 74 30 00, Fax 74 33 90, « Pazo siglo XVII con jardín », ⬜, ⬜ – ☎ ⬤. E VISA. ⬜
junio-septiembre – **22 hab** ⬜ 7250/11600.

VILLALONGA 46720 Valencia **445** P 29 – 3564 h. – 96.

Madrid 427 – Alicante/Alacant 112 – Gandía 11 – Valencia 79.

Tarsan, Partida Reprimala - O : 2 km 🖉 280 50 79, ≤, ⬜ – ▤ ⬤. ⬜ ⬤ E VISA
Comida carta aprox. 2800.

LAMAYOR DEL RÍO 09259 Burgos 442 E 20 – 🕿 947.
Madrid 294 – Burgos 51 – Logroño 63 – Vitoria/Gasteiz 80.

X **León,** carret. N 120 🖋 58 02 37, Fax 58 02 37 – 🗏 **🄿**. 🖭 ⓞ 🄴 *VISA*. 🛠
cerrado domingo noche, lunes y del 1 al 15 de julio – **Comida** carta 2500 a 3200.

LANÚA 22870 Huesca 443 D 28 – 268 h. alt. 953 – 🕿 974.
Madrid 496 – Huesca 106 – Jaca 15.

🔒🄷 **Faus Hütte** *sin rest,* carret. N 330 🖋 37 81 36, Fax 37 81 98, ≤ – 🖭 🚗. 🖭 ⓞ 🄴
VISA
10 hab 🖃 5900/9700.

🔒 **Reno,** carret. N 330 🖋 37 80 66, Fax 37 80 66 – 🕿 **🄿**. 🖭 ⓞ 🄴 *VISA*. 🛠
cerrado mayo y noviembre – **Comida** 1700 – 🖃 500 – **15 hab** 4000/7000 – PA 3900.

LANUEVA DE ARGAÑO 09132 Burgos 442 E 18 – 124 h. alt. 838 – 🕿 947.
Madrid 264 – Burgos 21 – Palencia 78 – Valladolid 115.

XX **Las Postas de Argaño** *con hab,* av. Rodríguez de Valcarce 🖋 45 01 56, Fax 45 01 66
– 🗏 rest 🖭 🕿 🚗 **🄿**. 🖭 🄴 *VISA*. 🛠
cerrado febrero – **Comida** carta 2650 a 3550 – 🖃 450 – **11 hab** 4000/4750.

LANUEVA DE CÓRDOBA 14440 Córdoba 446 R 16 – 9534 h. alt. 724 – 🕿 957.
Madrid 340 – Ciudad Real 143 – Córdoba 67.

🏠 **Demetrius** *sin rest y sin* 🖃, av. de Cardeña 🖋 12 02 94
23 hab.

LANUEVA DE GÁLLEGO 50830 Zaragoza 443 G 27 – 2460 h. alt. 243 – 🕿 976.
Madrid 333 – Huesca 57 – Lérida/Lleida 156 – Pamplona/Iruñea 179 – Zaragoza 14.

XXX **La Val d'Onsella,** Aragón 🖋 18 03 88, Fax 18 61 13 – 🗏 **🄿**. 🖭 ⓞ *VISA*. 🛠
cerrado domingo noche, lunes y Semana Santa – **Comida** (sólo cena abril-mayo) carta 3000
a 4000.

X **La Casa del Ventero,** paseo 18 de Julio 24 🖋 18 51 87 – 🗏. 🖭 🄴 *VISA* JCB. 🛠
cerrado domingo noche, lunes y agosto – **Comida** carta 2650 a 3700.

LANUEVA DE LOS INFANTES 13320 Ciudad Real 444 P 21 – 5664 h. alt. 840 – 🕿 926.
Madrid 219 – Albacete 126 – Ciudad Real 100 – Valdepeñas 35.

🔒🄷 **Hospedería Real El Buscón de Quevedo,** Frailes 1 🖋 36 17 88, Fax 36 17 97,
Instalado en un convento del siglo XII – 🗏 🖭 🕿 🚗 **🄿** – 🔬 25/100. 🖭 ⓞ 🄴 *VISA*.
🛠 rest
Comida *(cerrado lunes)* 1975 – 🖃 495 – **24 hab** 4475/6975.

LANUEVA Y GELTRÚ o **VILANOVA I LA GELTRÚ** 08800 Barcelona 443 I 35 –
45883 h. – 🕿 93 – Playa.
Ver : Casa Papiol★.
🛈 passeig de Ribes Roges, 🖋 815 45 17, Fax 815 26 93.
Madrid 589 – Barcelona 50 – Lérida/Lleida 132 – Tarragona 46.

la zona de la playa :

🔒🄷 **César,** Isaac Peral 4 🖋 815 11 25, Telex 52075, Fax 815 67 19, 🌴, Terraza con arbolado
– 🛗 🗏 hab 🖭 🕿 – 🔬 25/120. ⓞ 🄴 *VISA*
Comida carta 3200 a 5025 - **La Fitorra :** **Comida** 2500 *(cerrado domingo noche, lunes,
15 días en octubre y 15 días en noviembre)* – 🖃 1000 – **30 hab** 9250/11550.

🔒🄷 **Ceferino,** passeig Ribes Roges 2 🖋 815 17 19, Fax 815 89 31, 🏊 – 🛗 🗏 🖭 🕿 🚗
30 hab.

🔒 **Solvi 70,** passeig Ribes Roges 1 🖋 815 12 45, Fax 815 70 02, ≤ – 🛗 🗏 🖭 🕿. 🛠
cerrado 14 octubre-14 noviembre – **Comida** 1500 – 🖃 500 – **30 hab** 4500/8500 – PA
3000.

🔒 **Ricard** *sin rest,* passeig Marítim 88 🖋 815 71 00, Fax 815 81 59 – 🛗 🖭. 🖭 ⓞ 🄴 *VISA*
🖃 550 – **12 hab** 7650.

XX **Peixerot,** passeig Marítim 56 🖋 815 06 25, Fax 815 04 50, 🌴, Pescados y mariscos
– 🗏. 🖭 ⓞ 🄴 *VISA*
cerrado domingo noche salvo verano – **Comida** carta 3950 a 4950.

X **Pere Peral,** Isaac Peral 15 🖋 815 29 96, 🌴, Terraza bajo los pinos – 🄴 *VISA*
cerrado lunes y noviembre-5 diciembre – **Comida** carta 3050 a 4200.

✗ La Botiga, passeig Marítim 75 ℰ 815 60 78, Telex 52095, 🍽, Pescados y mariscos ▬.

✗ **Chez Bernard et Marguerite,** Ramón Llull 4 ℰ 815 56 04, 🍽, Cocina francesa ▮▮ 🆅🆂🅰 ✕
cerrado domingo noche salvo verano – **Comida** carta 2750 a 4250.

✗ Avi Pep, Llibertat 128 ℰ 815 17 36.

en Racó de Santa Llúcia *O : 2,5 km* – ✉ *08800 Villanueva y Geltrú* – 🕾 *93* :

✗✗ **La Cucanya,** ℰ 815 19 34, Fax 815 43 54, ≤, Cocina italiana, 🍴 – 🍽 🅿 ▮▮ ⑩ 🄴 🆅🆂🅰
Comida carta 3125 a 3625.

VILLARCAYO *09550 Burgos* 🔢 *D 19* – *4 121 h. alt. 615* – 🕾 *947.*
🛈 *Santa Marina 10,* ℰ *13 04 42, Fax 13 04 42.*
Madrid 321 – Bilbao/Bilbo 81 – Burgos 78 – Santander 100.

🏠 **Plati,** Nuño Rasura 20 ℰ 13 10 15, 🍴 – 🅿. 🆅🆂🅰
Comida 1300 – ☕ 375 – **27 hab** 3500/6900 – PA 2975.

🏠 **Mini-Hostal** *sin rest.* con ☕ *sólo en verano,* Dr. Albiñana 70 ℰ 13 15 40 – 📺 🅿.
cerrado 15 diciembre-15 enero – ☕ 300 – **17 hab** 4000/5000.

🏠 La Rubia, av. de Alemania 3 ℰ 13 10 00 – ▤ rest
16 hab.

en Horna *S : 1 km* – ✉ *09554 Horna* – 🕾 *947* :

🏠🏠 **Doña Jimena,** ℰ 13 05 63, Fax 13 05 70 – ▐ 📺 🕾 🚗 🅿. 🆅🆂🅰 ✕
Comida (ver rest **Mesón El Cid**) – ☕ 450 – **21 hab** 6500/10500, 1 suite.

✗✗ **Mesón El Cid,** ℰ 13 11 71, Fax 13 05 70 – 🅿. 🆅🆂🅰 ✕
cerrado noviembre-6 diciembre – **Comida** carta 3500 a 5100.

VILLARLUENGO *44559 Teruel* 🔢 *K 28* – *245 h. alt. 1 119* – 🕾 *978.*
Madrid 370 – Teruel 94.

en la carretera de Ejulve *NO : 7 km* – ✉ *44559 Villarluengo* – 🕾 *974* :

🏠🏠 **La Trucha** 🌊, Las Fábricas ℰ 77 30 08, Telex 62614, Fax 77 31 00, 🏊, 🎾 – 🕾 ◀
🅿. ▮▮ ⑩ 🄴 🆅🆂🅰
Comida 3025 – ☕ 700 – **56 hab** 8235/10290.

VILLARREAL DE ÁLAVA o LEGUTIANO *01170 Álava* 🔢 *D 22* – *1 214 h. alt. 975* – 🕾 ▮
Madrid 370 – Bilbao/Bilbo 51 – Vitoria/Gasteiz 15.

✗✗ Astola, San Roque 1 ℰ 45 50 04, ≤ – ▤.

✗ **El Crucero,** Kurutxalde (carret. N 240) ℰ 45 50 33
🍽 🄴 🆅🆂🅰 ✕
Comida carta 2500 a 3200.

VILLARROBLEDO *02600 Albacete* 🔢 *O 22* – *20 396 h. alt. 724* – 🕾 *967.*
Madrid 183 – Albacete 84 – Alcázar de San Juan 82.

🏠 **Castillo** *sin rest,* av. Reyes Católicos 20 ℰ 14 33 11, Fax 14 33 11 – ▤ 📺 🕾 🅿 ◀
🆅🆂🅰 ✕
☕ 300 – **28 hab** 3500/6000.

en la carretera N 310 *SO : 6 km* – ✉ *02600 Villarrobledo* – 🕾 *967* :

🏠🏠 Gran Sol, ℰ 14 02 45, Fax 14 02 94 – ▤ 📺 🕾 🅿 – **33 hab.**

VILLARRODIS *La Coruña* – ver Arteijo.

VILLASANA DE MENA *09580 Burgos* 🔢 *C 20* – *alt. 312* – 🕾 *947.*
Madrid 358 – Bilbao/Bilbo 44 – Burgos 115 – Santander 101.

🏠 **Cadagua** 🌊, Ángel Nuño 26 ℰ 12 61 25, Fax 12 61 26, ≤, 🏊, 🍴 – 🅿. 🆅🆂🅰 ◀
Comida 1800 – **27 hab** ☕ 4000/6000.

VILLATOBAS *45310 Toledo* 🔢 *M 20* – *2 451 h. alt. 723* – 🕾 *925.*
Madrid 80 – Albacete 169 – Cuenca 129 – Toledo 71.

✗✗ **Seller** *con hab,* carret. N 301 – NO : 1,7 km ℰ 15 20 67, Fax 15 24 30 – ▤ 📺 ▮
▮▮ ⑩ 🄴 🆅🆂🅰 ✕
Comida carta 2400 a 3400 – ☕ 400 – **17 hab** 4500/6500.

LLAVERDE DE PONTONES 39793 Cantabria 442 B 18 – ۞ 942.
Madrid 387 – Bilbao/Bilbo 86 – Burgos 153 – Santander 14.

XX **Cenador de Amós,** pl. del Sol ℘ 50 82 43, Antigua casona señorial – ℗. VISA.
⇧ ✻
cerrado lunes mediodía en verano, domingo noche, lunes resto del año, del 10 al 31 de enero y 4ª semana de octubre – Comida carta 3300 a 4250
Espec. La crema del cocido con tres guarniciones. Lomo de bacalao con puerros al aceite de Baena. Crema de quesos con guirlache de galletas y Pedro Ximénez.

LLAVICIOSA Ávila – ver Solosancho.

LLAVICIOSA 33300 Asturias 441 B 13 – 15 093 h. alt. 4 – ۞ 98.
Madrid 493 – Gijón 30 – Oviedo 41.

🏨 **Carlos I** sin rest, pl. Carlos I-4 ℘ 589 01 21, Fax 589 00 51 – TV ☎. ⓞ ⴺ VISA. ✻
 ⌑ 420 – **14 hab** 8000.

🏨 **Avenida** sin rest, Carmen 10 ℘ 589 15 09, Fax 589 15 09 – TV ☎. AE ⓞ ⴺ VISA. ✻
 9 hab ⌑ 5500/8000.
*Ver también : **Amandi** S : 1,5 km.*

LLAVICIOSA DE ODÓN 28670 Madrid 444 K 18 – 13 143 h. alt. 672 – ۞ 91.
Madrid 21 – Toledo 69 – El Escorial 38.

XX **Asador Luxia,** Bispo (centro Puzzle) - carret. de San Martín de Valdeiglesias
 ℘ 616 58 74, 🍽 – ▤. AE ⴺ VISA
 Comida *(sólo almuerzo salvo fines de semana y vísperas de festivos)* carta 4450 a 4950.

LAVIEJA o VILAVELLA 32590 Orense 441 F 8 – ۞ 988.
Madrid 377 – Benavente 120 – Orense/Ourense 122 – Ponferrada 129.

🏨 Porta Galega, carret. N 525 ℘ 42 55 93, Fax 42 56 08 – 🚗 ℗
 38 hab.

LAVIEJA DEL LOZOYA 28739 Madrid 444 I 18 – 157 h. alt. 1066 – ۞ 91.
Madrid 86 – Guadalajara 92 – Segovia 85.

XX **Hospedería El Arco** con hab, El Arco 6 ℘ 868 09 11, Fax 868 13 20, ≤, Arco mudéjar
 original – TV ☎. AE ⴺ VISA. ✻ rest
 *15 junio-15 septiembre, fines de semana y festivos resto del año (salvo 23 diciembre-3 enero) – **Comida** carta 3600 a 4800 – ⌑ 600 – **8 hab** 5000/6500.*

LOLDO 34131 Palencia 442 F 16 – 558 h. alt. 790 – ۞ 979.
 Alred. : Villalcázar de Sirga (Iglesia de Santa María la Blanca : portada Sur★ - Sepulcros★)
 NE : 10 km - Carrión de los Condes : Monasterio de San Zoilo (claustro★).
 Madrid 253 – Burgos 96 – Palencia 27.

XX **Estrella del Bajo Carrión** 🏖 con hab, antigua carret. C 615 ℘ 82 70 05, Fax 82 72 69
 – ☎ ℗. ⴺ VISA. ✻
 Comida *(cerrado lunes en invierno salvo festivos y puentes)* carta aprox. 3800 – **20 hab**
 ⌑ 4500/6000.

VIESTRE DEL PINAR 09690 Burgos 442 G 20 – 764 h. alt. 1139 – ۞ 947.
Madrid 213 – Aranda de Duero 93 – Burgos 78 – Logroño 106 – Soria 75.

X **Mesón El Molino,** N : 2,5 km ℘ 39 06 76 – ℗
 *cerrado del 2 al 20 de septiembre – **Comida** carta aprox. 3800.*

AROZ o VINARÒS 12500 Castellón 445 K 31 – 19 902 h. – ۞ 964 – Playa.
 🄱 pl. Jovellar, ℘ 64 91 16, Fax 64 91 16.
 Madrid 498 – Castellón de la Plana/Castelló de la Plana 76 – Tarragona 109 – Tortosa 48.

🏨 **Teruel,** av. de Madrid 32 ℘ 40 04 24 – ▤ TV ☎. ⴺ VISA. ✻
 Comida 1200 – ⌑ 350 – **20 hab** 4000/5500.

🏨 **Miramar,** paseo Marítimo 12 ℘ 45 14 00, ≤ – 🛗. VISA. ✻
 Comida *(julio-septiembre)* 1600 – ⌑ 500 – **17 hab** 3600/5500.

🏨 **El Pino** sin rest y sin ⌑, San Pascual 47 ℘ 45 05 53 – ✻
 7 hab 2140/3480.

X **El Langostino de Oro,** San Francisco 31 ℘ 45 12 04, Fax 45 17 93, Pescados y ma cos – ■. ΑΕ ⓞ Ε 𝖵𝖨𝖲𝖠. ⫣
  cerrado lunes salvo vísperas de festivos – **Comida** carta 2600 a 6000.

X **La Cuina,** paseo Blasco Ibáñez 12 ℘ 45 47 36 – ΑΕ ⓞ Ε 𝖵𝖨𝖲𝖠. ⫣
  cerrado domingo noche en invierno – **Comida** carta 3100 a 4900.

X **La Isla,** San Pedro 5 ℘ 45 23 58, ≤ – ■. ΑΕ ⓞ Ε 𝖵𝖨𝖲𝖠. ⫣
  cerrado lunes y 15 octubre-15 noviembre – **Comida** carta 2775 a 4450.

X **Voramar,** av. Colón 34 ℘ 45 00 37 – ■. Ε 𝖵𝖨𝖲𝖠. ⫣
  Comida carta aprox. 3400.

en la carretera N 340 *S* : 2 km – ✉ 12500 Vinaroz – ☎ 964 :

🏠 **Roca,** ℘ 40 13 12, Fax 40 08 16, ☞, ⫣ – ■ rest 𝗍𝗏 ⇐ Ⓟ. Ε 𝖵𝖨𝖲𝖠. ⫣ rest
  Comida 1200 – 🖵 450 – **36 hab** 3700/5300 – PA 2600.

VIRGEN DE LA VEGA *Teruel – ver Alcalá de la Selva.*

VIRGEN DEL CAMINO 24198 León 𝟦𝟦𝟣 E 13 – ☎ 987.
  Madrid 333 – Burgos 198 – León 6 – Palencia 134.

XX **Las Redes,** ℘ 30 01 64, Pescados y mariscos – ■.

EL VISO DEL ALCOR 41520 Sevilla 𝟦𝟦𝟨 T 12 – 15 107 h. alt. 143 – ☎ 95.
  Madrid 524 – Córdoba 117 – Granada 252 – Sevilla 31.

🏠🏠 **Picasso,** av. del Trabajo 11 ℘ 574 09 00, Fax 594 63 67 – 🛗 ■ 𝗍𝗏 ☎ Ⓟ. ΑΕ Ε
  ⫣
  Comida 1700 – 🖵 500 – **44 hab** 10000/12000 – PA 3500.

VITORIA o GASTEIZ 01000 🄿 Álava 𝟦𝟦𝟤 D 21 y 22 – 209 704 h. alt. 524 – ☎ 945.
  Ver : *Museo de Arqueología (estela del jinete★)* BY **M1** – *Museo del Naipe "Fournier"*★
  M4 *Museo de Armería★* AZ **M3**.
  Alred. : *Gaceo★ (iglesia : frescos góticos★) 21 km por ②.*
  ✈ de Vitoria por ④ : 8 km ℘ 16 35 00 – Iberia : av. Gasteiz 84, ✉ 01012, ℘ 274
  AY.
  🄸 *parque de la Florida,* ✉ 01008, ℘ 13 13 21, Fax 13 02 93 – **R.A.C.V.N.** pl. San Ma
  4, ✉ 01009, ℘ 22 86 00, Fax 22 32 07.
  *Madrid 352 ③ – Bilbao/Bilbo 64 ④ – Burgos 111 ③ – Logroño 93 ③ – Pamplona/Irւ
  93 ② – San Sebastián/Donostia 115 ② – Zaragoza 260 ③.*

Plano página siguiente

🏠🏠🏠 **Gasteiz,** av. Gasteiz 45, ✉ 01009, ℘ 22 81 00, Fax 22 62 58 – 🛗 ■ 𝗍𝗏 ☎ ⇐
  🄰 25/250. ΑΕ ⓞ Ε 𝖵𝖨𝖲𝖠. ⫣   A
  Comida *(cerrado domingo y 10 agosto-10 septiembre)* 2000 – 🖵 1200 – **146**
  11105/16200, 4 suites.

🏠🏠🏠 **Ciudad de Vitoria,** Portal de Castilla 8, ✉ 01008, ℘ 14 11 00, Fax 14 36 16, ⬛
  🛗 ■ 𝗍𝗏 ☎ 🕭 ⇐ – 🄰 25/500. ΑΕ ⓞ Ε 𝖵𝖨𝖲𝖠. ⫣   A
  Comida 1800 – 🖵 1100 – **148 hab** 13200/14700, 1 suite – PA 4700.

🏠🏠🏠 **NH Canciller Ayala,** Ramón y Cajal 5, ✉ 01007, ℘ 13 00 00, Fax 13 35 05 – 🛗
  𝗍𝗏 ☎ ⇐ – 🄰 25/220. ΑΕ ⓞ Ε 𝖵𝖨𝖲𝖠 𝖩𝖢𝖡. ⫣   A
  Comida 2400 – 🖵 1450 – **175 hab** 14100/17500, 9 suites – PA 5600.

🏠🏠🏠 **General Álava** *sin rest. con cafetería,* av. Gasteiz 79, ✉ 01009, ℘ 22 22
  Telex 35468, Fax 24 83 95 – 🛗 𝗍𝗏 ☎ ⇐ – 🄰 25/150. ΑΕ ⓞ Ε 𝖵𝖨𝖲𝖠. ⫣   A
  🖵 1000 – **113 hab** 8000/13750, 1 suite.

🏠 **Páramo** *sin rest,* General Álava 11 (pasaje), ✉ 01005, ℘ 14 02 40, Fax 14 04 92
  𝗍𝗏 ☎. ΑΕ ⓞ Ε 𝖵𝖨𝖲𝖠   B
  cerrado del 23 al 31 de diciembre – 🖵 500 – **40 hab** 3900/6000.

🏠 **Achuri** *sin rest,* Rioja 11, ✉ 01005, ℘ 25 58 00, Fax 26 40 74 – 🛗 𝗍𝗏 ☎. ⓞ Ε
  ⫣   B
  🖵 450 – **40 hab** 3750/6000.

🏠 **Desiderio** *sin rest,* Colegio de San Prudencio 2, ✉ 01001, ℘ 25 17 00, Fax 25 1
  – 🛗 𝗍𝗏 ☎. ΑΕ ⓞ 𝖵𝖨𝖲𝖠. ⫣   B
  cerrado 23 diciembre-2 enero – 🖵 500 – **21 hab** 3750/6000.

🏠 **Dato** *sin rest y sin* 🖵, Dato 28, ✉ 01005, ℘ 14 72 30, Fax 23 23 20 – 𝗍𝗏 ☎. Α
  Ε 𝖵𝖨𝖲𝖠 𝖩𝖢𝖡   B
  14 hab 3725/4660.

GASTEIZ
VITORIA

Angulema	**BZ**	2
Becerro de Bengoa	**AZ**	5
Cadena y Eleta	**AZ**	8
Diputación	**BY**	15
Escuelas	**BZ**	18
España (Pl. de)	**BZ**	
Herrería	**AY**	24
Machete (Pl. del)	**BZ**	30
Madre Vedruna	**AZ**	33
Ortiz de Zárate	**BZ**	36
Pascual de Andagoya		
(Pl. de)	**AY**	39
Portal del Rey	**BZ**	42
Prado	**AZ**	45
San Francisco	**BZ**	48
Santa María		
(Cantón de)	**BY**	51
Virgen Blanca (Pl. de la)	**BZ**	55

....	**BZ**	
eiz (Av. de)	**AYZ**	
pendencia	**BZ**	27
as	**BZ**	

Ikea, Portal de Castilla 27, ⊠ 01007, ✆ 14 47 47, Fax 23 35 07, « Instalado en una villa »
– 🗐 **🄿**. **ﾑﾓ ⓪ ☰** *VISA*. ⋘ AZ f
cerrado domingo noche, lunes y del 9 al 31 de agosto – **Comida** carta 4850 a 5750.

El Portalón, Correría 151, ⊠ 01007, ✆ 14 27 55, Fax 14 42 01, « Posada del siglo XV »
– 🗐. **ﾑﾓ ⓪ ☰** *VISA*. ⋘ BY u
cerrado domingo, del 10 al 31 de agosto y 23 diciembre-5 enero – **Comida** carta 4200
a 5950.

Dos Hermanas, Madre Vedruna 10, ⊠ 01008, ✆ 13 29 34, Fax 13 16 43 – 🗐. **ﾑﾓ ⓪**
☰ *VISA*. ⋘ AZ e
cerrado domingo – **Comida** carta aprox. 4950.

Andere, Gorbea 8, ⊠ 01008, ✆ 24 54 05, Fax 22 88 44, 🍽 – 🗐 AY b

Zaldiarán, av. Gasteiz 21, ⊠ 01008, ✆ 13 48 22, Fax 13 45 95 – 🗐. **ﾑﾓ ⓪ ☰** *VISA*. ⋘
cerrado domingo y martes noche – **Comida** carta 4125 a 5325. AZ a

Teide, av. Gasteiz 61, ⊠ 01008, ✆ 22 10 23, Fax 24 21 49 – 🗐. **ﾑﾓ ⓪ ☰** *VISA*. ⋘
cerrado martes, Semana Santa y del 10 al 30 de agosto – **Comida** carta 2950
a 4500. AY t

Conde de Álava, Cruz Blanca 8, ⊠ 01012, ✆ 22 50 40, Fax 22 71 76 – 🗐. **ﾑﾓ ☰** *VISA*.
⋘
cerrado domingo noche, lunes y 10 agosto-4 septiembre – **Comida** carta 2200 a 3600.

XX **Olárizu,** Beato Tomás de Zumárraga 54, ✉ 01009, ☎ 24 77 52, Fax 22 88 46 – ▤. DC E VISA. ✻ AY
cerrado lunes, Semana Santa y del 11 al 28 de agosto – **Comida** carta 4C a 5125.

XX **Eli Rekondo,** Prado 28, ✉ 01005, ☎ 28 25 84 – ▤. AE DC E VISA. ✻ AZ
cerrado domingo y Semana Santa – **Comida** carta 3425 a 4250.

XX **Arkupe,** Mateo Moraza 13, ✉ 01001, ☎ 23 00 80, Fax 14 54 67 – ▤. AE DC VISA BZ
Comida carta 2900 a 3950.

X **Mesa,** Chile 1, ✉ 01009, ☎ 22 84 94 – ▤. VISA AY
cerrado miércoles y 10 agosto-10 septiembre – **Comida** carta 2200 a 3200.

X **Zabala,** Mateo Moraza 9, ✉ 01001, ☎ 23 00 09 – ✻ BZ
cerrado domingo y agosto – **Comida** carta 3100 a 3675.

X **Kintana,** Mateo Moraza 15, ✉ 01001, ☎ 23 00 10 – ▤. AE DC E VISA BZ
Comida carta aprox. 3850.

en Armentia *por ③ : 3 km – ✉ 01195 Armentia – ☎ 945 :*

XXX El Caserón ✿ *con hab*, camino del Monte 49 ☎ 23 00 48, Fax 23 00 04, ←, ⛱, ▤ rest TV ☎ P
4 hab, 1 suite.

Ver también : **Argómaniz** *por ② : 15 km.*

Es VIVÉ *Baleares – ver Baleares (Ibiza) : Ibiza.*

VIVERO o **VIVEIRO** *27850 Lugo 441 B 7 – 14 877 h. – ☎ 982.*

ℹ av. de Ramón Canosa, ☎ 56 08 79.

Madrid 602 – La Coruña/A Coruña 119 – Ferrol 88 – Lugo 98.

🏨 **Orfeo** *sin rest*, J. García Navia Castrillón 2 ☎ 56 21 01, Fax 56 04 53, ← – |♦| TV ☎ DC E VISA. ✻
☕ 500 – **32 hab** 5000/8000.

🏨 **Tebar** *sin rest*, av. Nicolás Cora Montenegro 70 ☎ 56 01 00, Fax 55 04 08 – TV ☎ AE DC E VISA JCB. ✻
☕ 375 – **27 hab** 4500/7500.

en la playa de Area *por la carretera C 642 - N : 4 km – ✉ 27850 Vivero – ☎ 982 :*

🏨 **Ego** ✿ *sin rest*, ☎ 56 09 87, Fax 56 17 62, ← – TV ☎ P. AE E VISA. ✻
☕ 600 – **29 hab** 8000/12000.

XX **Nito,** ☎ 56 09 87, Fax 56 17 62, ← ría y playa – P. AE E VISA. ✻
Comida carta 4500 a 5900.

XÀTIVA *Valencia – ver Játiva.*

XÀBIA *Alicante – ver Jávea.*

XUBIA *La Coruña – ver Jubia.*

YAIZA *Las Palmas – ver Canarias (Lanzarote).*

Los YÉBENES *45470 Toledo 444 N 18 – 6 720 h. – ☎ 925.*

Madrid 113 – Toledo 43.

🏨 **Montes de Toledo** ✿, carret. N 401 - NE : 1,6 km ☎ 32 10 99, Fax 34 81 83, ← oliv y sierra de las Alberquillas – ▤ rest TV ☎ P. E VISA. ✻
Comida 1300 – ☕ 550 – **39 hab** 5500/8000 – PA 3000.

X **Apelio** *con hab*, Real Arriba 1 ☎ 32 00 05, Fax 32 04 19 – ▤ rest. AE DC E VISA
Comida carta 2200 a 3850 – ☕ 300 – **13 hab** 1800/3600.

YÉQUEDA *22193 Huesca 443 F 28 – ☎ 974.*

Madrid 398 – Huesca 6 – Sabiñánigo 48.

🏠 **Fetra,** carret. N 330 ☎ 27 11 08, Fax 27 12 23, ← – |♦| ▤ TV ☎ P. E ✻ rest
Comida 1300 – ☕ 700 – **22 hab** 3000/5500.

ESA 31410 Navarra **442** E 26 – 296 h. alt. 492 – **✆** 948.
Madrid 419 – Jaca 64 – Pamplona/Iruñea 47.

🏠 **El Jabalí**, carret. de Jaca ℰ 88 40 86, Fax 88 40 42, ≤, ⟂ – **◑**. 𝗩𝗜𝗦𝗔
cerrado noviembre-marzo salvo sábado y domingo – **Comida** 1400 – ⟂ 450 – **21 hab**
3200/5200 – PA 3200.

✗ Arangoiti, Don Rene Petit 17 ℰ 88 41 22 – ▤.

JRRE o IGORRE 48140 Vizcaya **442** C 21 – 3 872 h. alt. 90 – **✆** 94.
Madrid 390 – Bilbao/Bilbo 23 – Vitoria/Gasteiz 44.

🏠 **Arantza**, carret. Bilbao-Vitoria km 22 ℰ 673 63 28, Fax 631 90 85 – **📺 ☎ ◑**. 𝗔𝗘 **◑**
E 𝗩𝗜𝗦𝗔. ✸
cerrado 20 diciembre-4 enero – **Comida** 1300 – ⟂ 600 – **34 hab** 6000/8500 – PA 2700.

JSO (Monasterio de) La Rioja – ver San Millán de la Cogolla.

ᴬFRA 06300 Badajoz **444** Q 10 – 14 065 h. alt. 509 – **✆** 924.
Ver : Las Plazas★.
🛈 pl. de España, ℰ 55 10 36.
Madrid 401 – Badajoz 76 – Mérida 58 – Sevilla 147.

🏰 **Parador de Zafra**, pl. Corazón de María 7 ℰ 55 45 40, Fax 55 10 18, « Instalado en un
castillo del siglo XV. Patio de estilo renacentista », ⟂ – **⧈ ▤ 📺 ☎. 𝗔𝗘 ◑ E 𝗩𝗜𝗦𝗔**. ✸
Comida 3500 – ⟂ 1200 – **45 hab** 14500.

🏠 **Huerta Honda**, López Asme 32 ℰ 55 41 00, Fax 55 25 04 – **⧈ ▤ 📺 ☎** ⟶ –
⧆ 25/200. 𝗔𝗘 **◑** E 𝗩𝗜𝗦𝗔. ✸
Barbacana (cerrado domingo noche y lunes. Cocina vasca) **Comida** carta 3200 a 3700
– ⟂ 700 – **46 hab** 6500/13800.

✗ **Josefina**, López Asme 1 ℰ 55 17 01
⊛ ▤. **E** 𝗩𝗜𝗦𝗔. ✸
cerrado domingo noche y 2ª quincena de agosto – **Comida** carta aprox. 3350.

✗ **El Ancla** con hab y sin ⟂, pl. de España 8 ℰ 55 43 82 – ▤ **📺 ☎**. ✸
Comida carta aprox. 3150 – **9 hab** 5000/8000.

ᴴARA DE LA SIERRA 11688 Cádiz **446** V 13 – 1 586 h. alt. 511 – **✆** 956.
Madrid 548 – Cádiz 116 – Ronda 34.

🏠 **Marqués de Zahara**, San Juan 3 ℰ 12 30 61, Fax 12 30 61 – **◑** **E** 𝗩𝗜𝗦𝗔. ✸
cerrado julio – **Comida** 1500 – ⟂ 450 – **10 hab** 3500/5500 – PA 3100.

ᴴARA DE LOS ATUNES 11393 Cádiz **446** X 12 – 1 591 h. – **✆** 956 – Playa.
Madrid 687 – Algeciras 62 – Cádiz 70 – Sevilla 179.

🏠 **Pozo del Duque**, carret. Atlanterra 32 ℰ 43 90 97, Fax 43 94 00, ≤, ⟂ – ▤ **📺 ☎**
⟶. **E** 𝗩𝗜𝗦𝗔. ✸
Comida 1800 – **23 hab** ⟂ 8400/9450.

🏠 **Gran Sol**, Dr. Sánchez Rodríguez ℰ 43 93 01, Fax 43 91 97, ≤, ⏚, ⟂ – ▤ **📺 ☎. 𝗔𝗘**
◑ E 𝗩𝗜𝗦𝗔 𝗝𝗖𝗕. ✸ rest
Comida 1800 – ⟂ 600 – **28 hab** 8000/9500 – PA 4000.

la carretera de Atlanterra – **✆** 956 :

🏨 **Sol Atlanterra** ⊗, SE : 4 km, ✉ 11380 apartado 11 Tarifa, ℰ 43 90 00, Fax 43 90 51,
⏚, ⟂, ⛱, ✗ – **⧈ ▤ 📺 ☎ ◑** – **⧆** 25/280. 𝗔𝗘 **◑ E** 𝗩𝗜𝗦𝗔. ✸
21 marzo-13 octubre – **Comida** (sólo buffet) 2200 – **281 hab** ⟂ 13100/20100.

🏠 **Antonio** ⊗, SE : 1 km, ✉ 11393 Zahara de los Atunes, ℰ 43 91 41, Fax 43 91 35, ≤,
⏚, ⟂ – ▤ **📺 ☎ ◑. 𝗔𝗘 ◑ E** 𝗩𝗜𝗦𝗔 𝗝𝗖𝗕. ✸
cerrado noviembre – **Comida** 2000 – **30 hab** ⟂ 7000/10500.

ᴸDIVIA o ZALDIBIA 20247 Guipúzcoa **442** C 23 – 1 518 h. alt. 164 – **✆** 943.
Madrid 428 – Pamplona/Iruñea 73 – San Sebastián/Donostia 45 – Vitoria/Gasteiz 71.

✗ Arrese, pl. Iztueta ℰ 88 17 14, ⏜.

ᴸLA 48860 Vizcaya **442** C 20 – 7 253 h. – **✆** 94.
Madrid 380 – Bilbao/Bilbo 23 – Burgos 132 – Santander 92.

✗ **Asador Zalla**, Juan F. Estefanía y Prieto 5 ℰ 667 06 15 – ▤. 𝗔𝗘 𝗩𝗜𝗦𝗔. ✸
cerrado domingo, lunes noche y agosto – **Comida** carta 2600 a 3950.

ZAMORA 49000 **P** **441** *H 12* – 68 202 h. alt. 650 – **☻** 980.

Ver : *Catedral*★ *(cimborrio*★*, sillería*★★*)* A - Museo Catedralicio (*tapices flamencos*★★
Iglesias románicas★ (La Magdalena, Santa María la Nueva, San Juan, Santa María de la O,
Santo Tomé, Santiago del Burgo) AB.

Alred. : *Arcenillas (Iglesia : Tablas de Fernando Gallego*★*) SE : 7 km - Iglesia visigoda de
Pedro de la Nave*★ *NO : 19 km por* ④.

🛈 *Santa Clara 20,* ⊠ *49014,* 𝒫 *53 18 45, Fax 53 38 13* – **R.A.C.E.** *av. Requejo 34,
49003,* 𝒫 *51 59 72, Fax 51 59 72.*

Madrid 246 ③ *– Benavente 66* ① *– Orense/Ourense 266* ① *– Salamanca 62* ③ *– Tordesi
67* ②*.*

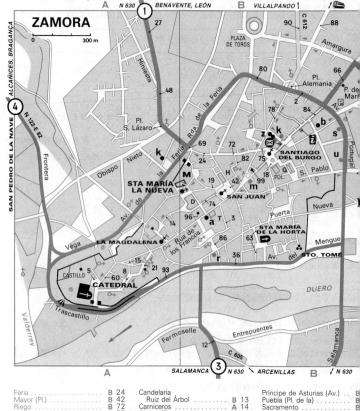

Feria		B 24
Mayor (Pl.)		B 42
Riego		B 72
Santiago		B 75
San Torcuato		B 78
Santa Clara		B 84
Alfonso IX		B 2
Alfonso XII		B 3
Antonio del Águila (Pl.)		A 5
Arias Gonzalo		A 8
Cabañales		B 12

Candelaria		
Ruiz del Árbol		B 13
Carniceros		A 14
Ciento (Pl. de los)		A 15
Constitución		B 18
Damas		B 19
Fray Diego de Deza (Pl.)		A 21
Galicia (Av. de)		A 27
Ignacio Gazapo		B 36
Morana (Cuesta de la)		A 48
Notarios		A 60
Plata		B 63

Príncipe de Asturias (Av.)		B
Puebla (Pl. de la)		B
Sacramento		B
San Torcuato (Ronda de)		B
San Vicente		B
Santa Lucía (Pl.)		B
Tres Cruces		
(Av. de las)		B
Víctor Gallego		B
Vigo (Av. de)		A
Viriato (Pl. de)		B
Zorrilla (Pl. de)		B

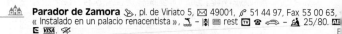

🏨🏨 **Parador de Zamora** ⤴, pl. de Viriato 5, ⊠ 49001, 𝒫 51 44 97, Fax 53 00 63,
« Instalado en un palacio renacentista », 🔟 – 🛗 🗐 rest 📺 ☎ ⟷ – 🔏 25/80. 🅰🄴
🄴 *VISA*. 🛰
Comida 3500 – 🖙 1200 – **47 hab** 18000, 5 suites.

🏨 **Il Infantas** *sin rest*, Cortinas de San Miguel 3, ⊠ 49015, 𝒫 53 28 75, Fax 53 35 4
🛗 🗐 📺 ☎ ⟷ – 🔏 25/50. 🅰🄴 🄾 🄴 *VISA*
🖙 575 – **68 hab** 7000/10250.

568

🏨 **Sayagués,** pl. Puentica 2, ✉ 49005, ☎ 52 55 11, Fax 51 34 51 – 🛗 ☰ rest 📺 ☎. 🖭
🗲 *VISA*. ❀ rest
A k
Comida 1600 – ☲ 550 – **52 hab** 6000/9500, 4 suites.

🏠 **Luz y Sol** *sin rest y sin* ☲, Benavente 2-3º, ✉ 49014, ☎ 53 31 52, Fax 53 31 52 – 🛗.
VISA. ❀
B z
29 hab 3000/4375.

🏠 **Chiqui** *sin rest y sin* ☲, Benavente 2-2º, ✉ 49014, ☎ 53 14 80 – 🛗 📺. ❀ B z
10 hab 3000/4500.

XXX **París,** av. de Portugal 14, ✉ 49015, ☎ 51 43 25, Fax 53 25 81 – ☰. 🖭 ① 🗲 *VISA*
Comida carta 2900 a 4500.
B s

XXX **Sancho 2,** parque de la Marina Española, ✉ 49014, ☎ 52 60 54, Fax 52 54 52, ☂ –
☰. 🖭 ① 🗲 *VISA*. ❀
B n
Comida carta 3400 a 4300.

XX **Serafín,** pl. Maestro Haedo 10, ✉ 49003, ☎ 53 14 22, Fax 52 49 56, ☂ – ☰. 🖭 ①
🗲 *VISA*. ❀
B m
Comida carta 2350 a 4350.

XX **Valderrey,** Benavente 9, ✉ 49014, ☎ 53 02 40 – ☰. 🖭 ① 🗲 *VISA* *JCB*.
❀
B k
Comida carta 2950 a 3750.

XX **La Posada,** Benavente 2, ✉ 49014, ☎ 51 64 74 – ☰. 🖭 ① 🗲 *VISA*. ❀ B k
cerrado domingo noche y del 1 al 15 de julio – **Comida** carta aprox. 4100.

XX El Figón, av. de Portugal 28, ✉ 49016, ☎ 53 31 59, Fax 53 61 94 – ☰ B u
X El Cordón, pl. Santa Lucía 4, ✉ 49002, ☎ 53 42 20, Decoración castellana – ☰ B r
X **Las Aceñas,** Aceñas de Pinilla, ✉ 49028, ☎ 53 38 78, ☂, Antiguo molino – ☰ ❷. 🖭
① 🗲 *VISA*
B v
Comida carta 2050 a 2850.

la carretera N 630 *por* ① : 2,5 km – ✉ 49024 Zamora – ✪ 980 :

🏨 **Rey Don Sancho,** ☎ 52 34 00, Fax 51 97 60 – 🛗 ☰ rest 📺 ☎ ❷ – 🔬 25/350. 🖭
① 🗲 *VISA*. ❀
Comida 1350 – ☲ 475 – **84 hab** 4150/7100, 2 suites.

ZARAGOZA 50000 🅿️443 H 27 – 622371 h. alt. 200 – ✪ 976.

Ver : *La Seo*★★ *(retablo del altar mayor*★, *cúpula*★ *mudéjar de la parroquieta, Museo capitular*★, *Museo de tapices*★★ *Y – La Lonja*★ *Y – Basílica de Nuestra Señora del Pilar*★ *(retablo del altar mayor*★, *Museo pilarista*★*)* Y – *Aljafería*★ *: artesonado de la sala del trono*★ AU.

🏌 *Aero Club de Zaragoza por* ⑤ *: 12 km* ☎ 21 43 78, Fax 48 66 43 – 🏌 *La Peñaza por* ⑤ *: 15 km* ☎ 34 28 00, Fax 34 28 00.

✈ *de Zaragoza por* ⑥ *: 9 km* ☎ 71 23 00 – Iberia : Bilbao 11, ✉ 50004, ☎ 32 62 62
Z.

🛈 gta. Pío XII-Torreón de la Zuda, ✉ 50003, ☎ 39 35 37, Fax 39 35 37 y pl. del Pilar, ✉ 50003, ☎ 20 12 91, Fax 20 06 35 – **R.A.C.E.** San Juan de la Cruz 2, ✉ 50006, ☎ 35 79 72, Fax 35 89 51.

Madrid 322 ⑤ – *Barcelona 307* ② – *Bilbao/Bilbo 305* ⑥ – *Lérida/Lleida 150* ② – *Valencia 330* ④.

Planos páginas siguientes

🏨 **Boston,** av. de Las Torres 28, ✉ 50008, ☎ 59 91 92, Fax 59 04 46, 🗖 – 🛗 ☰ 📺 ☎
♿ ☂ – 🔬 25/700. 🖭 ① 🗲 *VISA*. ❀
BV e
Comida 3500 – ☲ 1300 – **297 hab** 15500/19600, 16 suites – PA 8300.

🏨 **Meliá Zaragoza Corona,** av. César Augusto 13, ✉ 50004, ☎ 43 01 00, Telex 58828,
Fax 44 07 34, 🗖 – 🛗 ☰ 📺 ☎ ☂ – 🔬 25/300. 🖭 ① 🗲 *VISA* *JCB*. ❀ Z z
El Bearn : **Comida** carta 3650 a 4250 – ☲ 1300 – **237 hab** 13200/16900, 8 suites.

🏨 **Palafox,** Casa Jiménez, ✉ 50004, ☎ 23 77 00, Fax 23 47 05, 🗖, 🔟 – 🛗 ☰ 📺 ☎ ☂
– 🔬 25/600. 🖭 ① 🗲 *VISA*. ❀
Z k
Comida 2800 – ☲ 1200 – **180 hab** 12000/15000, 4 suites.

🏨 **NH Gran Hotel,** Joaquín Costa 5, ✉ 50001, ☎ 22 19 01, Telex 58010, Fax 23 67 13
– 🛗 ☰ 📺 ☎ – 🔬 25/450. 🖭 ① 🗲 *VISA*
BU d
Comida 3250 – ☲ 1400 – **120 hab** 14800/18250, 20 suites – PA 7900.

🏨 **Goya,** Cinco de Marzo 5, ✉ 50004, ☎ 22 93 31, Fax 23 21 54 – 🛗 ☰ 📺 ☎ ☂ –
🔬 25/300. 🖭 ① 🗲 *VISA*. ❀
Z a
Comida 2300 – ☲ 900 – **148 hab** 8900/13000.

ZARAGOZA

Alcalde Gómez Laguna
  (Av.) . . . . **AV** 2
América (Av. de) . . . . . . **BV** 5
Alonso V . . . . **BU** 6
Aragón (Pl.) . . . . **BU** 7
Autonomía (Av.) . . . . . . **AT** 8
Batalla de Lepanto . . . . **BV** 9
Capitán Oroquieta . . . . **BV** 12
Clavé (Av. de) . . . . **AU** 16
Colón (Paseo de) . . . . . **BV** 19
Constitución (Pas. de la) **BU** 22
Damas (Paseo de las) . . **BV** 24
Fernando el Católico
  (Paseo de) . . . . **AV** 26
Francia (Av. de) . . . . . . **AT** 27
Franco y López . . . . . . **AUV** 28
Jaime Ferrán . . . . **BT** 30
José Galiay . . . . **BV** 31
José García Sánchez . **AUV** 32
Juan Pablo Bonet . . . . . **BV** 36
Lapuyade . . . . **BV** 37
Luis Aula . . . . **BV** 39
Mariano Barbasán . . . . **AV** 46
Marqués de la Cadena . . **BT** 47
Mina (Paseo de la) . . . . **BU** 50
Paraíso (Pl.) . . . . **BUV** 51
Pintor Marín Bagués . . . **BV** 52
Privilegio de la Unión . . **BV** 53
Puente del Pilar
  (Av. de) . . . . **BU** 56
Rodrigo Rebolledo . . . . **BV** 57
San Fernando (Vía de) . **BV** 60
San Juan Bosco (Av.) . . **AV** 61
San Juan de la Cruz . . . **AV** 62
Silvestre Pérez . . . . . . **BU** 64
Sobrarbe . . . . **BT** 66
Tomás Higuera . . . . . . **BV** 68
Vado (Camino del) . . . . **BV** 69
Yolanda de Bar . . . . . . **BV** 70

Para viajar más rápido,
utilice los
mapas Michelin
"principales carreteras":

920 Europa
980 Grecia
984 Alemania
985 Escandinavia-
  Finlandia
986 Gran-Bretaña-
  Irlanda
987 Alemania-
  Austria-Benelux
988 Italia
989 Francia
990 España-Portugal
991 Yugoslavia.

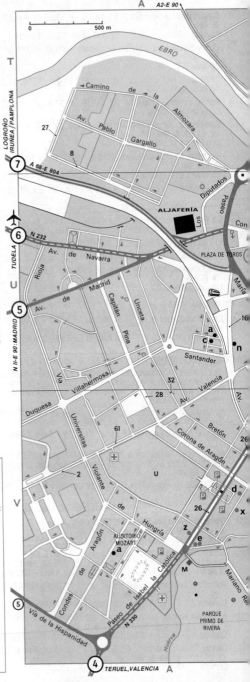

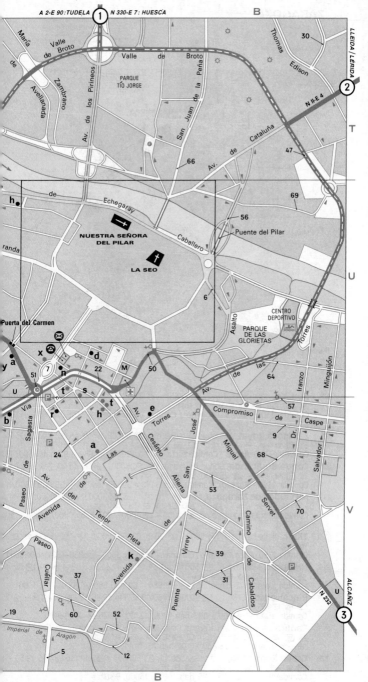

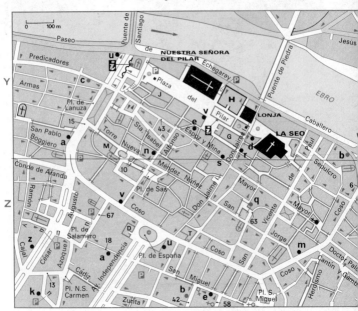

ZARAGOZA

Alfonso I	YZ
Alonso V	Z 6
Conde de Aranda	YZ
Coso	Z

Don Jaime I	YZ
Independencia (Av.)	Z
San Vicente de Paul	YZ
Candalija	Z 10
Capitán Portolés	Z 13
César Augusto (Av.)	Y 15

Cinco de Marzo	Z
Magdalena	ZY
Manifestación	Y
Sancho y Gil	YZ
San Pedro Nolasco (Pl. de)	Z
Teniente Coronel	
Valenzuela	Z

Don Yo, Juan Bruil 4 y 6, ⊠ 50001, ℰ 22 67 41, Fax 21 99 56 – |≢| ≣ ⊞ ☎
⩜ 25/150. ⒶⒺ ⓸ Ⓔ 𝘝𝘐𝘚𝘈. ⅏ rest   B
Comida 2600 - **Doña Taberna :** Comida carta aprox. 3400 – ⌖ 850 – **181** h
8400/12600, 4 suites.

Zaragoza Royal, Arzobispo Doménech 4, ⊠ 50006, ℰ 21 46 00, Fax 22 03 59
≣ ⊞ ☎ ⇐⇒ – ⩜ 25/200. ⒶⒺ ⓸ Ⓔ 𝘝𝘐𝘚𝘈. ⅏   B
Comida 1450 - **Ascot :** Comida carta 3000 a 3800 – ⌖ 850 – **92 hab** 8500/132

Conde de Aranda, Conde de Aranda 48, ⊠ 50003, ℰ 28 45 00, Fax 28 27 17
≣ ⊞ ☎ ⇐⇒ – ⩜ 25/300. ⒶⒺ ⓸ 𝘝𝘐𝘚𝘈. ⅏ rest   B
Comida 1350 - **Borsao :** Comida carta 3150 a 3900 – ⌖ 900 – **86 hab** 9800/12

NH Ciudad de Zaragoza, av. César Augusto 125, ⊠ 50003, ℰ 44 21 00, Fax 44 3
– |≢| ≣ ⊞ ☎ ⇐⇒ – ⩜ 25/200. ⒶⒺ ⓸ Ⓔ 𝘝𝘐𝘚𝘈. ⅏ rest
Comida *(cerrado domingo noche)* 2000 – ⌖ 1000 - **123 hab** 10500/14000, 2 suit
PA 4250.

Tibur, pl. de La Seo 2, ⊠ 50001, ℰ 20 20 00, Fax 20 20 02 – |≢| ≣ ⊞ ☎. ⒶⒺ ⓸
𝘝𝘐𝘚𝘈. ⅏
Comida 1750 - **Foro Romano :** Comida carta aprox. 3500 – ⌖ 850 - **50 hab** 9500/12

NH Sport, Moncayo 5, ⊠ 50010, ℰ 31 11 14, Fax 33 06 89 – |≢| ≣ ⊞ ☎ ⇐⇒
⩜ 25/110. ⒶⒺ ⓸ Ⓔ 𝘝𝘐𝘚𝘈 𝗝𝗖𝗕   A
Comida *(cerrado domingo)* 1600 – ⌖ 850 – **64 hab** 8600/12000 – PA 3900.

Rey Alfonso I, Coso 17, ⊠ 50003, ℰ 39 48 50, Fax 39 96 40 – |≢| ≣ ⊞ ☎ – ⩜ 25
ⒶⒺ ⓸ Ⓔ 𝘝𝘐𝘚𝘈. ⅏
Comida 1500 – ⌖ 800 – **113 hab** 9700/12400, 4 suites – PA 3800.

Ramiro I *sin rest. con cafetería,* Coso 123, ⊠ 50001, ℰ 29 82 00, Fax 39 89 52
≣ ⊞ ☎ ⇐⇒ – ⩜ 25/100. ⒶⒺ ⓸ Ⓔ 𝘝𝘐𝘚𝘈 𝗝𝗖𝗕. ⅏
cerrado diciembre – ⌖ 850 - **104 hab** 8300/11700.

Green Romareda, Asín y Palacios 11, ⊠ 50009, ℰ 35 11 00, Fax 35 19 50 – |≢|
⊞ ☎ ⇐⇒ – ⩜ 25/250. ⒶⒺ ⓸ Ⓔ 𝘝𝘐𝘚𝘈. ⅏ rest   A
Comida 1650 – ⌖ 850 – **85 hab** 10800/15000, 5 suites.

🏨 **Vía Romana,** Don Jaime I-54, ⊠ 50001, ℰ 39 82 15, Fax 29 05 11 – |‡| ▤ 📺 ☎. 𝔸𝔼
◎ 𝐄 *VISA*. ✀
Comida 1250 – ☲ 770 – **66 hab** 12500/8400.
Y r

🏨 **Conquistador** sin rest, Hernán Cortés 21, ⊠ 50005, ℰ 21 49 88, Fax 23 80 21 – |‡|
▤ 📺 ☎ ⇦. 𝔸𝔼 ◎ 𝐄 *VISA*
☲ 575 – **44 hab** 6500/11000.
BU y

🏨 **NH Orús** sin rest, Escoriaza y Fabro 45, ⊠ 50010, ℰ 53 66 00, Fax 53 61 63 – |‡| ▤
📺 ☎ ⇦. 𝔸𝔼 ◎ 𝐄 *VISA* ᴊᴄʙ
☲ 850 – **34 hab** 8500/11800.
AU a

🏨 **Cesaraugusta** sin rest, av. Anselmo Clavé 45, ⊠ 50004, ℰ 28 27 27, Fax 28 28 28
– ▤ 📺 ☎ ⇦. 𝔸𝔼 ◎ 𝐄 *VISA* ᴊᴄʙ
☲ 600 – **58 hab** 6000/9000.
AU n

🏨 **París** sin rest. con cafetería, Pedro María Ric 14, ⊠ 50008, ℰ 23 65 37, Fax 22 53 97
– |‡| ▤ 📺 ☎ - 🔬 25/150. 𝔸𝔼 ◎ 𝐄 *VISA*
☲ 750 – **62 hab** 7250/9950.
BV r

🏨 **Gran Vía** sin rest, Gran Vía 38, ⊠ 50005, ℰ 22 92 13, Fax 22 07 07 – ▤ 📺 ☎. 𝔸𝔼
◎ 𝐄 *VISA* ᴊᴄʙ. ✀
☲ 600 – **43 hab** 6900/8000, 1 suite.
BV f

🏨 **Las Torres** sin rest, pl. del Pilar 11, ⊠ 50003, ℰ 39 42 50, Fax 39 42 54 – |‡| ▤ 📺
☎ ⇦. *VISA*. ✀
☲ 400 – **40 hab** 5000/7500.
Y v

🏨 **Sauce** sin rest, Espoz y Mina 33, ⊠ 50003, ℰ 39 01 00, Fax 39 85 97 – |‡| ▤ 📺 ☎
⇦. 𝔸𝔼 𝐄 *VISA*. ✀
☲ 620 – **37 hab** 5400/8100.
YZ s

🏨 **Conde Blanco** sin rest. con cafetería, Predicadores 84, ⊠ 50003, ℰ 44 14 11,
Fax 28 03 39 – |‡| ▤ 📺 ☎ ⇦. 𝔸𝔼 𝐄 *VISA*. ✀
☲ 460 – **87 hab** 5250/7035.
BU h

🏨 **Avenida** sin rest, av. César Augusto 55, ⊠ 50003, ℰ 43 93 00, Fax 43 93 64 – |‡| ▤
📺 ☎. 𝔸𝔼 ◎ 𝐄 *VISA*
☲ 400 – **85 hab** 4500/7000.
Y a

🏨 Río Arga sin rest, Contamina 20, ⊠ 50003, ℰ 39 90 65, Fax 39 90 92 – |‡| ▤ 📺 ☎
⇦
24 hab.
Y n

🏨 Los Molinos, San Miguel 28, ⊠ 50001, ℰ 22 49 80, Fax 22 49 80 – |‡| ▤ 📺 ☎
42 hab.
Z e

🏨 **El Príncipe,** Santiago 12, ⊠ 50003, ℰ 29 41 01, Fax 29 90 47 – |‡| ▤ 📺 ☎ -
🔬 25/50. 𝔸𝔼 ◎ 𝐄 *VISA*. ✀
Comida 1675 – ☲ 600 – **45 hab** 6000/8000.
Y e

🏨 **Maza** sin rest, pl. de España 7, ⊠ 50001, ℰ 22 93 55, Fax 21 39 01 – |‡| ▤ 📺 ☎. 𝔸𝔼
◎ *VISA*
☲ 500 – **55 hab** 5500/7000.
Z u

🏨 **Paraíso** sin rest y sin ☲, paseo Pamplona 23-3º, ⊠ 50004, ℰ 21 76 08, Fax 21 76 07
– |‡| ▤ 📺 ☎. 𝐄 *VISA*. ✀
39 hab 3990/4990.
BU a

XX **La Mar,** pl. Aragón 12, ⊠ 50004, ℰ 21 22 64, Fax 21 22 64, « Decoración clásica
elegante » – ▤. 𝔸𝔼 𝐄 *VISA*. ✀
cerrado domingo y agosto – **Comida** carta 4600 a 5400.
BU x

XX **Risko-Mar,** Francisco Vitoria 16, ⊠ 50008, ℰ 22 50 53, Fax 22 63 49 – ▤. 𝔸𝔼 ◎ 𝐄
VISA. ✀
cerrado domingo noche y agosto – **Comida** carta 3450 a 4950.
BV h

XX Gurrea, San Ignacio de Loyola 14, ⊠ 50008, ℰ 23 31 61, Fax 23 71 44 – ▤
BU t

XX **Goyesco,** Manuel Lasala 44, ⊠ 50006, ℰ 35 68 70, Fax 35 68 70 – ▤. 𝔸𝔼 ◎ 𝐄 *VISA*.
✀
cerrado domingo y del 4 al 24 de agosto – **Comida** carta 3400 a 4425.
AV e

XX **La Bastilla,** Coso 177, ⊠ 50001, ℰ 29 84 49, Fax 29 10 81, Decoración regional – ▤
🅿. 𝔸𝔼 ◎ 𝐄 *VISA*
cerrado domingo – **Comida** carta aprox. 4200.
Y b

XX **El Flambé,** José Pellicer 7, ⊠ 50007, ℰ 27 87 31 – ▤. 𝔸𝔼 ◎ 𝐄 *VISA*. ✀
cerrado domingo noche – **Comida** carta aprox. 3350.
BV k

XX **El Chalet,** Santa Teresa 25, ⊠ 50006, ℰ 56 91 04, �།, « Villa con terraza » – ▤. 𝔸𝔼
◎ 𝐄 *VISA*. ✀
cerrado domingo (junio-15 octubre), lunes (15 octubre-mayo) y 15 días en SemanaSanta
– **Comida** carta 3600 a 4150.
AV x

XX **El Asador de Aranda,** Arquitecto Magdalena 6, ⊠ 50001, ℰ 22 64 17, Fax 22 64
🍴 – ▤. ◪ ⓞ ◪ 𝘝𝘐𝘚𝘈. ⅚
cerrado domingo noche y agosto – **Comida** carta 2915 a 3790.

XX **Guetaria,** Madre Vedruna 9, ⊠ 50008, ℰ 21 53 16, Fax 23 70 28, Asador vasco –
◪ ⓞ 𝘝𝘐𝘚𝘈. ⅚
Comida carta 3500 a 4000.

XX **Txalupa,** paseo Fernando el Católico 62, ⊠ 50009, ℰ 56 61 70 – ▤. ◪ ◪
⅚
cerrado domingo noche, lunes noche y Semana Santa – **Comida** carta 3500 a 4500

XX **Antonio,** pl. San Pedro Nolasco 5, ⊠ 50001, ℰ 39 74 74 – ▤. ◪ ⓞ ◪ 𝘝𝘐𝘚𝘈 𝙹𝘊𝙱.
cerrado domingo noche – **Comida** carta aprox. 3800.

XX **La Matilde,** Predicadores 7, ⊠ 50003, ℰ 44 10 08 – ▤. ◪ ◪ ⓞ ◪ 𝘝𝘐𝘚𝘈 𝙹𝘊𝙱. ⅚
🍴 *cerrado domingo, festivos, Semana Santa, agosto y Navidades* – **Comida** carta 3
a 4400.

XX **Aldaba,** Santa Teresa 26, ⊠ 50006, ℰ 35 63 79, Fax 35 63 79 – ▤. ◪ ◪ ⓞ ◪ 𝘝𝘐𝘚𝘈
⅚
cerrado domingo noche – **Comida** carta 3300 a 4200.

X El Serrablo, Manuel Lasala 44, ⊠ 50006, ℰ 35 62 06, Fax 56 67 51, Decoración rús
– ▤

X **Alberto,** Pedro María Ric 35, ⊠ 50008, ℰ 23 65 03 – ▤ 🚗. ◪ ◪ ⓞ 𝘝𝘐𝘚𝘈. ⅚
cerrado del 1 al 15 de agosto – **Comida** carta 3100 a 4200.

X **Churrasco,** Francisco Vitoria 19, ⊠ 50008, ℰ 22 91 60, Fax 22 63 49 – ▤. ◪ ◪
𝘝𝘐𝘚𝘈. ⅚
cerrado domingo en agosto – **Comida** carta 3050 a 4050.

X **Bonaparte,** av. de Goya 17, ⊠ 50006, ℰ 38 36 81, Cocina italiana – ▤. ◪ ◪ ⓞ 𝘝𝘐𝘚𝘈. ⅚
Comida carta aprox. 3900.

X **El Mangrullo,** Francisco Vitoria 19, ⊠ 50008, ℰ 21 24 29, Fax 23 70 95, Rest. ar
tino. Carnes – ▤. ◪ ◪ ⓞ ◪ 𝘝𝘐𝘚𝘈
Comida carta 2575 a 3550.

en la carretera N II *por* ⑤ *: 8 km* – ⊠ *50012 Zaragoza* – 🕿 *976 :*

XX **Venta de los Caballos,** ℰ 33 23 00, Fax 33 23 00 – ▤ ❷. ◪ ◪ ⓞ ◪ 𝘝𝘐𝘚𝘈. ⅚
cerrado domingo noche, lunes y 15 días en agosto – **Comida** carta 3175 a 4075.

en la carretera N 232 *por* ⑥ *: 4,5 km* – ⊠ *50011 Zaragoza* – 🕿 *976 :*

XX **El Cachirulo,** ℰ 33 16 74, Fax 53 42 78, « Conjunto típico aragonés » – ▤ ❷. ◪
◪ 𝘝𝘐𝘚𝘈. ⅚
cerrado domingo noche, festivos noche (salvo fines de semana) y del 1 al 15 de ag
– **Comida** carta 2800 a 4450.

en la carretera del aeropuerto *por* ⑥ *: 8 km* – ⊠ *50011 Zaragoza* – 🕿 *976 :*

XXX **Gayarre,** ℰ 34 43 86, Fax 31 16 86 – ▤ ❷. ◪ ◪ ⓞ ◪ 𝘝𝘐𝘚𝘈
cerrado domingo noche y lunes – **Comida** carta 3050 a 4400.
Ver también : **Alfajarín** *por* ② *: 23 km.*

ZARAUZ o ZARAUTZ *20800 Guipúzcoa* 𝟺𝟺𝟸 *C 23* – *18 154 h.* – 🕿 *943 – Playa.*
Alred. : *Carretera en cornisa*★★ *de Zarauz a Guetaria – Carretera de Orio* ≤★.
🏌 *Real Golf Club de Zarauz* ℰ 83 01 45, Fax 13 15 68.
🛈 *Nafarroa,* ℰ 83 09 90, Fax 83 56 28.
Madrid 482 – Bilbao/Bilbo 85 – Pamplona/Iruñea 103 – San Sebastián/Donostia 22

🏨 **Zarauz,** Nafarroa 26 ℰ 83 02 00, Fax 83 01 93 – |🛗| ▤ rest 📺 🕿 ❷ – 🔬 25. ◪
◪ 𝘝𝘐𝘚𝘈. ⅚ rest
cerrado 22 diciembre-7 enero – **Comida** *(cerrado domingo noche y lunes)* 1600 – ⊡
– **82 hab** 13000.

🏨 **Alameda,** Gipuzkoa ℰ 83 01 43, Fax 13 24 74, 🍽 – |🛗| ▤ rest 📺 🕿 🚗 – 🔬 2⑤
◪ ⓞ ◪ 𝘝𝘐𝘚𝘈. ⅚
cerrado 23 diciembre-8 enero – **Comida** 2050 – ⊡ 770 – **38 hab** 9450/12450 – PA 4

♢ **Txiki Polit,** pl. de la Musika ℰ 83 53 57 – |🛗| ▤ rest 📺. ◪ 𝘝𝘐𝘚𝘈
Comida 1000 – ⊡ 265 – **31 hab** 4000/6500.

XXX **Karlos Arguiñano** *con hab,* Mendilauta 13 ℰ 13 00 00, Fax 13 34 50, ≤ mar – ▤
🕸 🕿. ◪ ◪ ⓞ ◪ 𝘝𝘐𝘚𝘈. ⅚
cerrado 15 días en Navidades – **Comida** *(cerrado domingo noche, miércoles, 10 dí*
junio y 10 días en octubre) (cerrado lunes noche y martes noche de octubre a Se
Santa) carta 5750 a 7150 – ⊡ 1550 – **12 hab** 22000/29000
Espec. Ensalada de pasta fresca con pavo escabechado. Medallones de rape al vapo
varios purés. Lomo de corzo asado en su jugo (temp).

XXX **Aiten Etxe,** carret. de Guetaria 3 ℘ 83 18 25, Fax 13 18 39, ≤ mar y población – **P**.
«» ① **E** _VISA_
cerrado martes – **Comida** carta 2950 a 4650.

XX Otzarreta, Santa Klara 5 ℘ 13 12 43, Fax 83 26 80, 家 – ■ **P**.
X **Kirkilla,** Santa Marina 12 ℘ 13 19 82 – ■. «» ① **E** _VISA_. ※
cerrado domingo noche, lunes y del 15 al 31 de octubre – **Comida** carta 2800 a 3400.

el alto de Meagas *O : 4 km* – ✉ *20800 Zarauz* – ⑩ *943 :*

X **Azkue** ↏ *con hab,* ℘ 83 05 54, Fax 13 05 00, ≤, 家, 圈 – **P**. «» **E** _VISA_
cerrado diciembre – **Comida** *(cerrado martes)* carta 2150 a 3600 – ⊓ 500 – **16 hab** 4800.

RZALEJO *28293 Madrid* **444** *K 17* – *864 h. alt. 1 104* – ⑩ *91.*
Madrid 58 – *Ávila 59* – *Segovia 69.*

Este : *2,7 km :*

X **Duque,** av. de la Estación 65 ℘ 899 23 60, 家 – ■ **P**. _VISA_. ※
cerrado miércoles en invierno y del 15 al 30 de septiembre – **Comida** carta 2350 a 3075.

STOA *Guipúzcoa* – ver Cestona.

ERBENA *Vizcaya* – ver Ciérvana.

RDIA *Navarra* – ver Ciordia.

RNOTZA *Vizcaya* – ver Amorebieta.

ERA *50800 Zaragoza* **443** *G 27* – *5 206 h. alt. 279* – ⑩ *976.*
Madrid 349 – *Huesca 46* – *Zaragoza 26.*

🏨 **Las Galias,** carret. N 330 - E : 1 km ℘ 68 02 24, Fax 68 00 26, ⌲, ※ – ■ 📺 ☎ **P**
– ☕ 25/60. «» ① **E** _VISA_. ※ rest
Comida 1800 – ⊓ 500 – **26 hab** 6000/8000.

HEROS *14870 Córdoba* **446** *T 17* – *942 h. alt. 622* – ⑩ *957.*
Madrid 389 – *Antequera 82* – *Córdoba 81* – *Granada 103* – *Jaén 65.*

🏛 **Zuhayra,** Mirador 10 ℘ 69 46 93, Fax 69 47 02, ≤ – 🛗 ■ ☎. «» ① **E** _VISA_. ※
Comida 1300 – **18 hab** ⊓ 4200/6000 – PA 2600.

MÁRRAGA *20700 Guipúzcoa* **442** *C 23* – *10 899 h. alt. 354* – ⑩ *943.*
Madrid 410 – *Bilbao/Bilbo 65* – *San Sebastián/Donostia 57* – *Vitoria/Gasteiz 55.*

🏨 **Etxe-Berri** ↏, carret. de Azpeitia - N : 1 km ℘ 72 02 68, Fax 72 44 94, « Decoración
elegante » – 📺 ☎ ⇦ **P**. «» **E** _VISA_
Comida *(cerrado domingo noche)* 2500 – ⊓ 600 – **27 hab** 5950/7800.

Portugal

✿✿✿	*Las estrellas*
✿✿	*As estrelas*
✿	*Les étoiles*
	Le stelle
	Die Sterne
	The stars

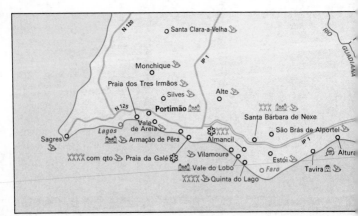 Refeição	*Refeições cuidadas a preços moderados*
	Buenas comidas a precios moderados
	Repas soignés à prix modérés
	Pasti accurati a prezzi contenut
	Sorgfältig zubereitete, preiswerte Mahlzeiten
	Good food at moderate prices

	Atractivos
	Atractivo y tranquilidad
✗	*L'agrément*
	Amenità e tranquillità
	Annehmlichkeit
	Peaceful atmosphere and settin

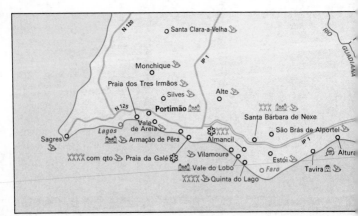

Símbolos essenciais
(lista completa p. 13 a 22)

O conforto

🏨	XXXXX	*Grande luxo e tradição*
🏨	XXXX	*Grande conforto*
🏨	XXX	*Muito confortável*
🏨	XX	*Confortável*
🏨	X	*Simples, mas confortável*
🏠		*Simples, mas aceitável*
sem rest		*O hotel não tem restaurante*
	com qto	*O restaurante tem quartos*

As boas mesas

✿	*Muito boa mesa na sua categoria*
🍴 Refeição	*Refeição cuidada a preço moderado*

Os atractivos

🏨 ... 🏠	*Hotéis agradáveis*
XXXXX ... X	*Restaurantes agradáveis*
« Parque »	*Elemento particularmente agradável*
⬧	*Hotel muito tranquilo ou isolado e tranquilo*
⬧	*Hotel tranquilo*
⟵ mar	*Vista excepcional*

As curiosidades

★★★	*De interesse excepcional*
★★	*Muito interessante*
★	*Interessante*

Os vinhos _____
Los vinos _____
Les vins _____
I vini _____
Weine _____
Wines _____

① Vinhos Verdes	⑨ a ⑫ Lagoa, Lagos, Portimão, Tavira
②, ③ Porto e Douro, Dão	
④ Bairrada	
⑤ a ⑧ Bucelas, Colares, Carcavelos, Setúbal	⑬ a ⑮ Borba, Redondo, Reguengos
	⑯ Madeira

Vinhos e especialidades regionais

*Portugal possui uma tradição vitivinícola muito antiga. A diversidade das regiõ[es]
vinícolas tem determinado a necessidade de regulamentar os seus vinhos
com Denominações de Origem, indicadas no mapa correspondente.*

Regiões e localização no mapa	Características dos vinhos	Especialidades regionais
Minho, Douro Litoral, Trás-Os-Montes, Alto Douro ① e ②	**Tintos** *encorpados, novos, ácidos* **Brancos** *aromáticos, suaves, frutados, delicados, encorpados* **Portos** *(Branco, Tinto, Ruby, Tawny) ricos em álcool*	*Caldo verde, Lampreia, Salmão, Bacalhau, Presun[to] Cozido, Feijoada, Tripas*
Beira Alta, Beira Baixa, Beira Litoral ③ e ④	**Tintos** *aromáticos, suaves, aveludados, equilibrados, encorpados* **Brancos** *cristalinos, frutados, delicados, aromáticos*	*Queijo da Serra, Papos d[e] Anjo, Mariscos, Caldeirad[a] Ensopado de enguias, Lei[tão] assado, Queijo de Tomar, Aguardentes*
Estremadura, Ribatejo ⑤ a ⑧	**Tintos** *de cor rubí, persistentes, secos, encorpados* **Brancos** *novos, delicados, aromáticos, frutados, elevada acidêz* **Moscatel de Setúbal,** *rico em álcool, de pouca acidêz*	*Amêijoas à bulhão pato, Mariscos, Caldeiradas, Queijadas de Sintra, Fati[as] de Tomar*
Algarve ⑨ a ⑫	**Tintos** *aveludados, suaves, frutados* **Brancos** *suaves*	*Peixes e mariscos na cataplana, Figos, Amênd[oa]*
Alentejo ⑬ a ⑮	**Tintos** *robustos e elegantes*	*Migas, Sericaia, Porco à Alentejana, Gaspacho, Açordas, Queijo de Serpa*
Madeira ⑯	*Ricos em álcool, secos, de subtil aroma*	*Espetadas (carne, peixe), Bolo de mel*

Vinos y especialidades regionales

Portugal posee una tradición vinícola muy antigua. La diversidad
de las regiones vinícolas ha determinado la necesidad de regular
los vinos con Denominaciones de Origen (Denominações de Origem),
indicadas en el mapa correspondiente.

Regiones y localización en el mapa	Características de los vinos	Especialidades regionales
Minho, Douro Litoral, Trás-Os-Montes, Alto Douro ① y ②	**Tintos** con cuerpo, jóvenes, ácidos **Blancos** aromáticos, suaves, afrutados, delicados, con cuerpo **Oportos** (Blanco, Tinto, Ruby, Tawny) ricos en alcohol	Caldo verde (Sopa de berza), Lamprea, Salmón, Bacalao, Jamón, Cocido, Feijoada (Fabada), Callos
Beira Alta, Beira Baixa, Beira Litoral ③ y ④	**Tintos** aromáticos, suaves, aterciopelados, equilibrados, con cuerpo **Blancos** cristalinos, afrutados, delicados, aromáticos	Queso de Serra, Papos de Anjo (Repostería), Mariscos, Calderetas, Guiso de pan y anguilas, Cochinillo asado, Queso de Tomar, Aguardientes
Estremadura, Ribatejo ⑤ al ⑧	**Tintos** de color rubí, persistentes, secos, con cuerpo **Blancos** jóvenes, delicados, aromáticos, afrutados, elevada acidez **Moscatel de Setúbal,** rico en alcohol, bajo en acidez	Almejas al ajo, Mariscos, Calderetas, Queijadas (Tarta de queso) de Sintra, Torrijas de Tomar
Algarve ⑨ al ⑫	**Tintos** aterciopelados, suaves **Blancos** suaves	Pescados y mariscos «na cataplana», Higos, Almendras
Alentejo ⑬ al ⑮	**Tintos** robustos y elegantes	Migas, Sericaia (Repostería), Cerdo a la Alentejana, Gaspacho (Sopa fría de tomate y cebolla), Açordas (Sopa de pan y ajo), Queso de Serpa
Madeira ⑯	Ricos en alcohol, secos, de sutil aroma	Brochetas (carne, pescado), Pastel de miel

583

Vins et spécialités régionales

La tradition viticole portugaise remonte aux temps les plus anciens. La diversité des régions rendit nécessaire la réglementation de ses vins. Les Appelations d'Origine (Denominações de Origem), sont indiquées sur la carte.

Régions et localisation sur la carte	Caractéristiques des vins	Spécialités régionales
Minho, Douro Litoral, Trás-Os-Montes, Alto Douro ① et ②	**Rouges** *corsés, jeunes, acidulés* **Blancs** *aromatiques, doux, fruités, délicats, corsés* **Portos** *(Blanc, Rouge, Ruby, Tawny) riches en alcool*	*Caldo verde (Soupe aux choux), Lamproie, Saumo[n] Morue, Jambon, Pôt-au-fe[u] Feijoada (Cassoulet au lard), Tripes*
Beira Alta, Beira Baixa, Beira Litoral ③ et ④	**Rouges** *aromatiques, doux, veloutés, équilibrés, corsés* **Blancs** *cristalins, fruités, délicats, aromatiques*	*Fromage de Serra, Papos de Anjo (Gâteau), Fruits de mer, Bouillabaisse, Ensopado de enguias (Bouillabaisse d'anguilles[)] Cochon de lait rôti, Fromage de Tomar, Eaux de vie*
Estremadura, Ribatejo ⑤ à ⑧	**Rouges** *de couleur rubis, amples, secs, corsés* **Blancs** *jeunes, délicats, aromatiques, fruités, acidulés* **Moscatel de Setúbal,** *riche en alcool, faible acidité*	*Palourdes à l'ail, Fruits de mer, Bouillabaisse, Queijadas de Sintra (Gât[eau] au fromage), Fatias de Tomar (Pain perdu)*
Algarve ⑨ à ⑫	**Rouges** *veloutés, légers, fruités* **Blancs** *doux*	*Poissons et fruits de mer « na cataplana », Figues, Amandes*
Alentejo ⑬ à ⑮	**Rouges** *robustes et élégants*	*Migas (Pain et lardons frits), Sericaia (Gâteau), Porc à l'Alentejana, Gaspacho (Soupe froide à la tomate et oignons), Açordas (Soupe au pain et ail), Fromage de Serp[a]*
Madeira ⑯	*Riches en alcool, secs, arôme délicat*	*Brochettes (viande, poissons), Gâteau au mie[l]*

ʹini e specialità regionali

*Portogallo possiede una tradizione vinicola molto antica. La diversità delle
ʹgioni ha reso necessaria la regolamentazione dei vini attraverso
ʹnominazioni d'Origine (Denominações de Origem), indicate sulla carta
ʹrrispondente.*

Regioni e localizzazione sulla carta	Caratteristiche dei vini	Specialità regionali
Minho, Douro Litoral, Trás-Os-Montes, Alto Douro ① e ②	**Rossi** *corposi, giovani, aciduli* **Bianchi** *aromatici, dolci, fruttati, delicati, corposi* **Porto** *(Bianco, Rosso Ruby, Tawny) ricchi in alcool*	*Caldo verde (Zuppa di cavolo), Lampreda, Salmone, Merluzzo, Prosciutto, Bollito, Feijoada (Stufato di lardo), Trippa*
Beira Alta, Beira Baixa, Beira Litoral ③ e ④	**Rossi** *aromatici, dolci, vellutati, equilibrati, corposi* **Bianchi** *cristallini, fruttati, delicati, aromatici*	*Formaggio di Serra, Papos de Anjo (Torta), Frutti di mare, Zuppa di pesce, Ensopado de enguias (Zuppa di anguilla), Maialino da latte arrosto, Formaggio di Tomar, Acquavite*
Estremadura, Ribatejo ⑤ a ⑧	**Rossi** *rubino, ampi, secchi, corposi* **Bianchi** *giovani, delicati, aromatici, fruttati, aciduli* **Moscatel de Setúbal,** *ricco in alcool, di bassa acidità*	*Vongole all'aglio, Frutti di mare, Zuppa di pesce, Queijadas de Sintra (Torta al formaggio), Fatias de Tomar (Frittella di pane)*
Algarve ⑨ a ⑫	**Rossi** *vellutati, leggeri, fruttati* **Bianchi** *dolci*	*Pesci e frutti di mare « na cataplana », Fichi, Mandorle*
Alentejo ⑬ a ⑮	**Rossi** *robusti ed eleganti*	*Migas (Pane e pancetta fritta), Sericaia (Torta), Maiale a l'Alentejana, Gaspacho (Zuppa fredda di pomodoro e cipolle), Açordas (Zuppa di pane ed aglio), Formaggio di Serpa*
Madeira ⑯	*Ricchi in alcool, secchi, aroma delicato*	*Spiedini (carne, pesce), Dolce al miele*

Weine und regionale Spezialitäten

Portugal besitzt eine sehr alte Weinbautradition. Die Vielzahl der Regionen, in denen Wein angebaut wird, macht eine Reglementierung der verschiedenen Weine durch geprüfte und und gesetzlich geschützte Herkunftsbezeichnungen (Denominaçoes de Origem) erforderlich.

Regionen und Lage auf der Karte	Charakteristik der Weine	Regionale Spezialitäten
Minho, Douro Litoral, Trás-Os-Montes, Alto Douro ① *und* ②	*Vollmundige, junge, säuerliche* **Rotweine** *Aromatische, liebliche, fruchtige, delikate, vollmundige* **Weißweine** **Portweine** *(Weiß, Rot, Ruby, Tawny), mit hohem Alkoholgehalt*	*Caldo verde (Krautsuppe), Neunauge, Lachs, Stockfisch, Schinken, Rindfleischeintopf, Feijoada (Bohneneintopf), Kutteln*
Beira Alta, Beira Baixa, Beira Litoral ③ *und* ④	*Aromatische, liebliche, volle und milde, ausgeglichene, körperreiche* **Rotweine** *Kristallklare, fruchtige, delikate, aromatische* **Weißweine**	*Käse von Serra, Papos de Anjo (Kuchen), Meeresfrüchte, Fischsuppe, Ensopado de enguias (Fischsuppe mit Aal), Gebratenes Spanferkel, Käse von Tomar, Schnaps*
Estremadura, Ribatejo ⑤ *bis* ⑧	**Rotweine** *von rubinroter Farbe, reich, trocken, vollmundig Junge, delikate, aromatische, fruchtige, säuerliche* **Weißweine** **Muskatwein von Setúbal,** *mit hohem Alkohol- und geringem Säuregehalt*	*Venusmuscheln mit Knoblauch, Meeresfrüchte, Fischsuppe, Queijadas (Käsekuchen) von Sintra, Fatias (in Eiermilch ausgebackenes Brot) von Tomar*
Algarve ⑨ *bis* ⑫	*Volle und milde, leichte, fruchtige* **Rotweine** *Liebliche* **Weißweine**	*Fische und Meeresfrüchte « na cataplana », Feigen, Mandeln*
Alentejo ⑬ *bis* ⑮	*Kräftige und elegante* **Rotweine**	*Migas (Brot und frischer Speck), Sericaia (Kuchen), Schweinefleisch nach der Art von Alentejo, Gaspacho (Kalte Tomaten und Zwiebelsuppe), Açordas (Knoblauch-Brot-Suppe), Käse von Serpa*
Madeira ⑯	*Weine mit hohem Alkoholgehalt, trocken, mit delikatem Aroma*	*Spieße (Fleisch, Fisch), Honigkuchen*

Wines and regional specialities

Portugal has a very old wine producing tradition. The diversity of the wine growing regions made it necessary to regulate those wines by the Appellation d'Origine (Denominações de Origem) indicated on the corresponding map.

Regions and location on the map	Wine's characteristics	Regional Specialities
Minho, Douro Litoral, Trás-Os-Montes, Alto Douro ① *and* ②	**Reds** *full bodied, young, acidic* **Whites** *aromatic, sweet, fruity, delicate, full bodied* **Port** *(White, Red, Ruby, Tawny), strong in alcohol*	*Caldo verde (Cabbage soup), Lamprey, Salmon, Codfish, Ham, Stew, Feijoada (Pork and bean stew), Tripes*
Beira Alta, Beira Baixa, Beira Litoral ③ *and* ④	**Reds** *aromatic, sweet, velvety, well balanced, full bodied* **Whites** *crystal-clear, fruity, delicate, aromatic*	*Serra Cheese, Papos de Anjo (Cake), Seafood, Fishsoup, Ensopado de enguias (Eel stew), Roast pork, Tomar Cheese, Aguardentes (distilled grape skins and pips)*
Estremadura, Ribatejo ⑤ *to* ⑧	*Ruby coloured* **reds,** *big, dry, full bodied* **Young whites** *delicate, aromatic, fruity, acidic* **Moscatel from Setúbal,** *strong in alcohol, slightly acidic*	*Clams with garlic, Seafood, Fish soup, Queijadas (Cheesecake) from Sintra, Fatias (Sweet bread) from Tomar*
Algarve ⑨ *to* ⑫	*Velvety* **reds,** *light, fruity* *Sweet* **whites**	*Fish and Seafood « na cataplana », Figs, Almonds*
Alentejo ⑬ *to* ⑮	*Robust elegant* **reds**	*Migas (Fried breadcrumbs), Sericaia (Cake), Alentejana pork style, Gaspacho (Cold tomato and onion soup), Açordas (Bread and garlic soup), Serpa Cheese*
Madeira ⑯	*Strong in alcohol, dry with a delicate aroma*	*Kebab (Meat, Fish), Honey cake*

LÉXICO NA ESTRADA	LÉXICO EN LA CARRETERA	LEXIQUE SUR LA ROUTE	LESSICO LUNGO LA STRADA	LEXIKON AUF DER STRASSE	LEXICON ON THE ROAD
acender as luzes	encender las luces	allumer les lanternes	accendere le luci	Licht einschalten	switch on lights
à direita	a la derecha	à droite	a destra	nach rechts	to the right
à esquerda	a la izquierda	à gauche	a sinistra	nach links	to the left
atenção! perigo!	¡atención, peligro!	attention! danger!	attenzione! pericolo!	Achtung! Gefahr!	caution! danger!
auto-estrada	autopista	autoroute	autostrada	Autobahn	motorway
bifurcação	bifurcación	bifurcation	bivio	Gabelung	road fork
cruzamento perigoso	cruce peligroso	croisement dangereux	incrocio pericoloso	gefährliche Kreuzung	dangerous crossing
curva perigosa	curva peligrosa	virage dangereux	curva pericolosa	gefährliche Kurve	dangerous bend
dê passagem	ceda el paso	cédez le passage	dare la precedenza	Vorfahrt achten	yield right of way
descida perigosa	bajada peligrosa	descente dangereuse	discesa pericolosa	gefährliches Gefälle	dangerous descent
esperem	esperen	attendez	attendete	warten	wait, halt
estacionamento proibido	prohibido aparcar	stationnement interdit	divieto di sosta	Parkverbot	no parking
estrada	carretera	route	strada	Straße	road
estrada escarpada	carretera en cornisa	route en corniche	strada panoramica	Höhenstraße	coastal road
estrada interrompida	carretera cortada	route coupée	strada interrotta	gesperrte Straße	road closed
estrada em mau estado	carretera en mal estado	route en mauvais état	strada in cattivo stato	Straße in schlechtem Zustand	road in poor condition
estrada nacional	carretera nacional	route nationale	strada statale	Staatsstraße	Primary road
gelo	hielo	verglas	ghiaccio	Glatteis	ice (on roads)
lentamente	despacio	lentement	adagio	langsam	slowly
neve	nieve	neige	neve	Schnee	snow
nevoeiro	niebla	brouillard	nebbia	Nebel	fog

				Halt!	compulsory stop
passagem de gado	paso de ganado	passage de troupeaux	passaggio di mandrie	Viehtrieb	cattle crossing
passagem de nível sem guarda	paso a nivel sin barreras	passage à niveau non gardé	passaggio a livello incustodito	unbewachter Bahnübergang	unattended level crossing
piso escorregadio	calzada resbaladiza	chaussée glissante	fondo sdrucciolevole	Rutschgefahr	slippery road
peões	peatones	piétons	pedoni	Fußgänger	pedestrians
perigo!	¡peligro!	danger!	pericolo!	Gefahr!	danger!
perigoso atravessar	travesía peligrosa	traversée dangereuse	attraversamento pericoloso	gefährliche Durchfahrt	dangerous crossing
ponte estreita	puente estrecho	pont étroit	ponte stretto	enge Brücke	narrow bridge
portagem	peaje	péage	pedaggio	Gebühr	toll
proibido	prohibido	interdit	vietato	verboten	prohibited
proibido ultrapassar	prohibido el adelantamiento	défense de doubler	divieto di sorpasso	Überholverbot	no overtaking
pronto socorro	puesto de socorro	poste de secours	pronto soccorso	Unfall-Hilfsposten	first aid station
prudência	precaución	prudence	prudenza	Vorsicht	caution
queda de pedras	desprendimientos	chute de pierres	caduta sassi	Steinschlag	falling rocks
rebanhos	cañada	troupeaux	greggi	Viehherde	cattle
saída de camiões	salida de camiones	sortie de camions	uscita camion	LKW-Ausfahrt	lorry exit
sentido proibido	dirección prohibida	sens interdit	senso vietato	Einfahrt verboten	no entry
sentido único	dirección única	sens unique	senso unico	Einbahnstraße	one way

PALAVRAS DE USO CORRENTE	PALABRAS DE USO CORRIENTE	MOTS USUELS	PAROLE D'USO CORRENTE	ALLGEMEINER WORTSCHATZ	COMMON WORDS
abadia	abadia	abbaye	abbazia	Abtei	abbey
aberto	abierto	ouvert	aperto	offen	open
abismo	abismo	gouffre	abisso	Abgrund, Tiefe	gulf, abyss
abóbada	bóveda	voûte	volta	Gewölbe, Wölbung	vault, arch
Abril	abril	avril	aprile	April	April
adega	bodega	chais, cave	cantina	Keller	cellar

agência de viagens	agencia de viajes	bureau de voyages	agenzia viaggi	Reisebüro	travel bureau
Agosto	agosto	août	agosto	August	August
água potável	agua potable	eau potable	acqua potabile	Trinkwasser	drinking water
albergue	albergue	auberge	albergo	Gasthof	inn
aldeia	pueblo	village	villaggio	Dorf	village
alfândega	aduana	douane	dogana	Zoll	customs
almoço	almuerzo	déjeuner	colazione	Mittagessen	lunch
andar	piso	étage	piano (di casa)	Etage	floor
antigo	antiguo	ancien	antico	alt	ancient
aqueduto	acueducto	aqueduc	acquedotto	Aquadukt	aqueduct
arquitectura	arquitectura	architecture	architettura	Baukunst	architecture
arredores	alrededores	environs	dintorni	Umgebung	surroundings
artificial	artificial	artificiel	artificiale	Kunstlicht	artificial
árvore	árbol	arbre	albero	Baum	tree
avenida	avenida	avenue	viale, corso	Boulevard, breite Straße	avenue
bagagem	equipaje	bagages	bagagli	Gepäck	luggage
baía	bahía	baie	baia	Bucht	bay
bairro	barrio	quartier	quartiere	Stadtteil	quarter, district
baixo-relevo	bajorrelieve	bas-relief	bassorilievo	Flachrelief	low relief
balaustrada	balaustrada	balustrade	balaustrata	Balustrade, Geländer	balustrade
barco	barco	bateau	battello	Schiff	boat
barragem	embalse	barrage	sbarramento	Talsperre	dam
beco	callejón sin salida	impasse	vicolo cieco	Sackgasse	no through road
beira-mar	orilla del mar	bord de mer	riva, litorale	Ufer, Küste	shore, strand
biblioteca	biblioteca	bibliothèque	biblioteca	Bibliothek	library
bilhete postal	tarjeta postal	carte postale	cartolina	Postkarte	postcard
bosque	bosque	bois	bosco	Wäldchen	wood
botânica	botánico	botanique	botanico	botanich	botanical
cabeleireiro	peluquería	coiffeur	parrucchiere	Friseur	hairdresser, barber
caça	caza	chasse	caccia	Jagd	hunting, shooting
cadeiras de coro	sillería del coro	stalles	stalli	Chorgestühl	choir stalls
caixa	caja	caisse	cassa	Kasse	cash-desk

				Glockenturm	belfry, steeple
campo	campo	campagne	campagna	auf dem Lande	country, countryside
capela	capilla	chapelle	cappella	Kapelle	chapel
capitel	capitel	chapiteau	capitello	Kapitell	capital (of column)
casa	casa	maison	casa	Haus	house
casa de jantar	comedor	salle à manger	sala da pranzo	Speisesaal	dining room
cascata	cascada	cascade	cascata	Wasserfall	waterfall
castelo	castillo	château	castello	Schloß	castle
casula	casulla	chasuble	pianeta	Meßgewand	chasuble
catedral	catedral	cathédrale	duomo	Dom, Münster	cathedral
centro urbano	centro urbano	centre ville	centro città	Stadtzentrum	town centre
chave	llave	clé	chiave	Schlüssel	key
cidade	ciudad	ville	città	Stadt	town
cinzeiro	cenicero	cendrier	portacenere	Aschenbecher	ashtray
claustro	claustro	cloître	chiostro	Kreuzgang	cloisters
climatizada (piscina)	climatizada (piscina)	chauffée (piscine)	riscaldata (piscina)	geheizt (Freibad)	heated (swimming pool)
climatizado	climatizado	climatisé	con aria condizionata	Klimatisiert	air conditioned
colecção	colección	collection	collezione	Sammlung	collection
colher	cuchara	cuillère	cucchiaio	Löffel	spoon
colina	colina	colline	colle, collina	Hügel	hill
confluência	confluencia	confluent	confluenza	Zusammenfluß	confluence
conforto	confort	confort	confort	Komfort	comfort
conta	cuenta	note	conto	Rechnung	bill
convento	convento	couvent	convento	Kloster	convent
copo	vaso	verre	bicchiere	Glas	glass
correios	correos	bureau de poste	ufficio postale	Postamt	post office
cozinha	cocina	cuisine	cucina	Kochkunst	kitchen
criado, empregado	camarero	garçon, serveur	cameriere	Ober, Kellner	waiter
crucifixo, cruz	crucifijo, cruz	crucifix, croix	crocifisso, croce	Kruzifix, Kreuz	crucifix, cross
cúpula	cúpula	coupole, dôme	cupola	Kuppel	dome, cupola
curiosidade	curiosidad	curiosité	curiosità	Sehenswürdigkeit	sight
decoração	decoración	décoration	decorazione	Schmuck, Ausstattung	decoration

591

dentista	dentista	dentiste	dentista	Zahnarzt	dentist
descida	bajada, descenso	descente	discesa	Gefälle	downward slope
desporto	deporte	sport	sport	Sport	sport
Dezembro	diciembre	décembre	dicembre	Dezember	December
Domingo	domingo	dimanche	domenica	Sonntag	Sunday
edifício	edificio	édifice	edificio	Bauwerk	building
encosta	ladera	versant	versante	Abhang	hillside
engomagem	planchado	repassage	stiratura	bügeln	pressing, ironing
envelopes	sobres	enveloppes	buste	Briefumschläge	envelopes
episcopal	episcopal	épiscopal	vescovile	bischöflich	episcopal
equestre	ecuestre	équestre	equestre	reiten	equestrian
escada	escalera	escalier	scala	Treppe	stairs
escultura	escultura	sculpture	scultura	Schnitzwerk	carving
esquadra de policia	comisaria	commissariat de police	commissariato di polizia	Polizeistation	police headquarters
estação	estación	gare	stazione	Bahnhof	station
estância balnear	estación balnearia	station balnéaire	stazione balneare	Seebad	seaside resort
estátua	estatua	statue	statua	Standbild	statue
estilo	estilo	style	stile	Stil	style
estuário	estuario	estuaire	estuario	Mündung	estuary
faca	cuchillo	couteau	coltello	Messer	knife
fachada	fachada	façade	facciata	Vorderseite	façade
faiança	loza	faïence	maiolica	Fayence	china
falésia	acantilado	falaise	scogliera	Klippe, Steilküste	cliff, c'face
farmácia	farmacia	pharmacie	farmacia	Apotheke	chemist
fechado	cerrado	fermé	chiuso	geschlossen	closed
2ª feira	lunes	lundi	lunedì	Montag	Monday
3ª feira	martes	mardi	martedì	Dienstag	Tuesday
4ª feira	miércoles	mercredi	mercoledì	Mittwoch	Wednesday
5ª feira	jueves	jeudi	giovedì	Donnerstag	Thursday

Fevereiro	febrero	février	febbraio	Februar	February
floresta	bosque	forêt	foresta	Wald	forest
florido	florido	fleuri	fiorito	blühend	in bloom
folclore	folclore	folklore	folclore	folklore	folklore
fonte, nascente	fuente	source	sorgente	Quelle	source, stream
fortificação	fortificación	fortification	fortificazione	Befestigung	fortification
fortaleza	fortaleza	forteresse, château fort	fortezza	Festung, Burg	fortress, fortified castle
fósforos	cerillas	allumettes	fiammiferi	Zündhölzer	matches
foz	desembocadura	embouchure	foce	Mündung	mouth
fronteira	frontera	frontière	frontiera	Grenze	frontier
garagem	garaje	garage	garage	Garage	garage
garfo	tenedor	fourchette	forchetta	Gabel	fork
garganta	garganta	gorge	gola	Schlucht	gorge
gasolina	gasolina	essence	benzina	Benzin	petrol
gorjeta	propina	pourboire	mancia	Trinkgeld	tip
gracioso	encantador	charmant	delizioso	reizend	charming
igreja	iglesia	église	chiesa	Kirche	church
ilha	isla	île	isola, isolotto	Insel	island
imagem	imagen	image	immagine	Bild	picture
informações	informaciones	renseignements	informazioni	Auskünfte	information
instalação	instalación	installation	installazione	Einrichtung	arrangement
interior	interior	intérieur	interno	Inneres	interior
Inverno	invierno	hiver	inverno	Winter	winter
Janeiro	enero	janvier	gennaio	Januar	January
janela	ventana	fenêtre	finestra	Fenster	window
jantar	cena	dîner	cena	Abendessen	dinner
jardim	jardín	jardin	giardino	Garten	garden
jornal	diario	journal	giornale	Zeitung	newspaper
Julho	julio	juillet	luglio	Juli	July
Junho	junio	juin	giugno	Juni	June

lagoa	lago, laguna	lac, lagune	lago, laguna	See, Lagune	lake, lagoon
...de roupa	lavado	blanchissage	lavanderia	Wäscherei	laundry
local	paraje	site	posizione	Lage	site
localidade	localidad	localité	località	Ortschaft	locality
...ça de barro, olaria	alfarería	poterie	stoviglie	Tongeschirr	pottery
luxuoso	lujoso	luxueux	sfarzoso	prachtvoll	luxurious
Maio	mayo	mai	maggio	Mai	May
mansão	mansión	manoir	maniero	Gutshaus	country house
mar	mar	mer	mare	Meer	sea
Março	marzo	mars	marzo	März	March
marfim	marfil	ivoire	avorio	Elfenbein	ivory
margem	ribera	rive, bord	riva, banchina	Ufer	shore (of lake), bank (of river)
mármore	mármol	marbre	marmo	Marmor	marble
médico	médico	médecin	medico	Arzt	doctor
medieval	medieval	médiéval	medioevale	mittelalterlich	mediaeval
miradouro	mirador	belvédère	belvedere	Aussichtspunkt	belvedere
mobiliário	mobiliario	ameublement	arredamento	Einrichtung	furniture
moinho	molino	moulin	mulino	Mühle	mill
montanha	montaña	montagne	montagna	Berg	mountain
mosteiro	monasterio	monastère	monastero	Kloster	monastery
muralha	muralla	muraille	muraglia	Mauer	walls
museu	museo	musée	museo	Museum	museum
Natal	Navidad	Noël	Natale	Weihnachten	Christmas
nave	nave	nef	navata	Kirchenschiff	nave
Novembro	noviembre	novembre	novembre	November	November
obra de arte	obra de arte	œuvre d'art	opera d'arte	Kunstwerk	work of art
oceano	oceano	océan	oceano	Ozean	ocean
oliveira	olivo	olivier	ulivo	Olivenbaum	olive-tree
órgão	órgano	orgue	organo	Orgel	organ
orla	linde	lisière	confine	Waldrand	forest boundary
	orfebrería	orfèvrerie	oreficeria	Goldschmiedekunst	goldsmith's work

ovelha	oveja	brebis	pecora	Schaf	ewe
pagar	pagar	payer	pagare	bezahlen	to pay
paisagem	paisaje	paysage	paesaggio	Landschaft	landscape
palácio, paço	palacio	palais	palazzo	Palast	palace
palmar	palmeral	palmeraie	palmeto	Palmenhain	palm grove
papel de carta	papel de carta	papier à lettre	carta da lettera	Briefpapier	writing paper
paragem	parada	arrêt	fermata	Haltestelle	stopping place
parque	parque	parc	parco	Park	park
parque de estacionamento	aparcamiento	parc à voitures	parcheggio	Parkplatz	car park
partida	salida	départ	partenza	Abfahrt	departure
Páscoa	Pascua	Pâques	Pasqua	Ostern	Easter
passageiros	pasajeros	passagers	passeggeri	Fahrgäste	passengers
passeio	paseo	promenade	passeggiata	Spaziergang, Promenade	walk, promenade
pelourinho	picote	pilori	gogna	Pranger	pillory
percurso	recorrido	parcours	percorso	Strecke	course
perspectiva	perspectiva	perspective	prospettiva	Perspektive	perspective
pesca, pescador	pesca, pescador	pêche, pêcheur	pesca, pescatore	Fischfang, Fischer	fishing, fisherman
pia baptismal	pila de bautismo	fonts baptismaux	fonte battisimale	Taufbecken	font
pinhal	pinar, pineda	pinède	pineta	Pinienhain	pine wood
pinheiro	pino	pin	pino	Kiefer	pine-tree
planície	llanura	plaine	pianura	Ebene	plain
poço	pozo	puits	pozzo	Brunnen	well
polícia	policía	gendarme	poliziotto	Polizist	policeman
ponte	puente	pont	ponte	Brücke	bridge
porcelana	porcelana	porcelaine	porcellana	Porzellan	porcelain
portal	portal	portail	portale	Tor	doorway
porteiro	conserje	concierge	portiere	Portier	porter
porto	puerto	port	porto	Hafen	harbour, port
povoação	burgo	bourg	borgo	kleiner Ort, Flecken	market town
praça de touros	plaza de toros	arènes	arena	Stierkampfarena	bull ring
praia	playa	plage	spiaggia	Strand	beach

prato	plato	assiette	piatto	Teller	plate
Primavera	primavera	printemps	primavera	Frühling	spring (season)
proibido fumar	prohibido fumar	défense de fumer	vietato fumare	Rauchen verboten	no smoking
promontório	promontorio	promontoire	promontorio	Vorgebirge	promontory
púlpito	púlpito	chaire	pulpito	Kanzel	pulpit
quadro, pintura	cuadro, pintura	tableau, peinture	quadro, pittura	Gemälde, Malerei	painting
quarto	habitación	chambre	camera	Zimmer	room
quinzena	quincena	quinzaine	quindicina	2 wochen	fortnight
recepção	recepción	réception	ricevimento	Empfang	reception
recife	arrecife	récif	scoglio	Klippe	reef
registado	certificado	recommandé (objet)	raccomandato	Einschreiben	registered
relógio	reloj	horloge	orologio	Uhr	clock
relvado	césped	pelouse	prato	Rasen	lawn
renda	encaje	dentelle	pizzo	Spitze	lace
retábulo	retablo	retable	pala d'altare	Altaraufsatz	altarpiece, retable
retrato	retrato	portrait	ritratto	Bildnis	portrait
rio	río	fleuve	fiume	Fluß	river
rochoso	rocoso	rocheux	roccioso	felsig	rocky
rua	calle	rue	via	Straße	street
ruinas	ruinas	ruines	ruderi	Ruinen	ruins
rústico	rústico	rustique	rustico	ländlich	rustic, rural
Sábado	sábado	samedi	sabato	Samstag	Saturday
sacristia	sacristia	sacristie	sagrestia	Sakristei	sacristy
saída de socorro	salida de socorro	sortie de secours	uscita di sicurezza	Notausgang	emergency exit
sala capitular	sala capitular	salle capitulaire	sala capitolare	Kapitelsaal	chapterhouse
salão, sala	salón	salon	salone	Salon	drawing room, sitting room
santuário	santuario	sanctuaire	santuario	Heiligtum	shrine
século	siglo	siècle	secolo	Jahrhundert	century
selo	sello	timbre-poste	francobollo	Briefmarke	stamp
sepulcro, túmulo	sepulcro, tumba	sépulcre, tombeau	sepolcro, tomba	Grabmal	tomb
serviço incluído	servicio incluido	service compris	servizio compreso	Bedienung inbegriffen	service included

sob pena de multa	bajo pena de multa	sous peine d'amende	passibile di contravvenzione	bei Geldstrafe	under penalty of fine
solar	casa solariega	manoir	maniero	Herrenhaus	manor
tabacaria	estanco	bureau de tabac	tabaccaio	Tabakladen	tobacconist
talha	tallas en madera	bois sculpté	sculture lignee	Holzschnitzerei	wood carving
tapeçarias	tapices	tapisseries	tappezzerie, arazzi	Wandteppiche	tapestries
tecto	techo	plafond	soffitto	Zimmerdecke	ceiling
telhado	tejado	toit	tetto	Dach	roof
termas	balneario	établissement thermal	stabilimento termale	Kurhaus	health resort
terraço	terraza	terrasse	terrazza	Terrasse	terrace
tesouro	tesoro	trésor	tesoro	Schatz	treasure, treasury
toilette, casa de banho	servicios	toilettes	gabinetti	Toiletten	toilets
tríptico	triptico	triptyque	trittico	Triptychon	triptych
túmulo	tumba	tombe	tomba	Grab	tomb
vale	valle	val, vallée	valle, vallata	Tal	valley
ver	ver	voir	vedere	sehen	see
Verão	verano	été	estate	Sommer	summer
vila	pueblo	village	villaggio	Dorf	village
vinhedos, vinhas	viñedos	vignes, vignoble	vigne, vigneto	Reben, Weinberg	vines, vineyard
vista	vista	vue	vista	Aussicht	view
vitral	vidriera	verrière, vitrail	vetrata	Kirchenfenster	stained glass windows
vivenda	morada	demeure	dimora	Wohnsitz	residence

COMIDAS E BEBIDAS — COMIDA Y BEBIDAS — NOURRITURE ET BOISSONS — CIBI E BEVANDE — SPEISEN UND GETRÄNKE — FOOD AND DRINK

açúcar	azúcar	sucre	zucchero	Zucker	sugar
água gaseificada	agua con gas	eau gazeuse	acqua gasata	Sprudel	soda water
água mineral	agua mineral	eau minérale	acqua minerale	Mineralwasser	mineral water
alcachofra	alcachofa	artichaut	carciofo	Artischocke	artichoke
alho	ajo	ail	aglio	Knoblauch	garlic

ameixas	ciruelas	prunes	prugne	Pflaumen	plums
amêndoas	almendras	amandes	mandorle	Mandeln	almonds
anchovas	anchoas	anchois	acciughe	Sardellen	anchovies
arroz	arroz	riz	riso	Reis	rice
assado	asado	rôti	arrosto	gebraten	roast
atum	atún	thon	tonno	Thunfish	tunny
aves, criação	ave	volaille	pollame	Geflügel	poultry
azeite	aceite de oliva	huile d'olive	olio d'oliva	Olivenöl	olive oil
azeitonas	aceitunas	olives	olive	Oliven	olives
bacalhau fresco	bacalao	morue fraîche, cabillaud	merluzzo	Kabeljau, Dorsch	cod
bacalhau salgado	bacalao en salazón	morue salée	baccalà, stoccafisso	Stockfisch	dried cod
banana	plátano	banane	banana	Banane	banana
bebidas	bebidas	boissons	bevande	Getränke	drinks
beringela	berenjena	aubergine	melanzana	Aubergine	aubergine
besugo, dourada	besugo, dorada	daurade	orata	Goldbrassen	sea bream
batatas	patatas	pommes de terre	patate	Kartoffeln	potatoes
bolachas	galletas	gâteaux secs	biscotti secchi	Gebäck	biscuits
bolos	pasteles	pâtisseries	dolci, particceria	Süßigkeiten	pastries
cabrito	cabrito	chevreau	capretto	Zicklein	kid
café com leite	café con leche	café au lait	caffelatte	Milchkaffee	coffee with milk
café simples	café solo	café nature	caffè nero	schwarzer Kaffee	black coffee
caldo	caldo	bouillon	brodo	Fleischbrühe	clear soup
camarões	gambas	crevettes roses	gamberetti	Granat	shrimps
camarões grandes	gambas	crevettes (bouquets)	gamberetti	Garnelen	prawns
carne	carne	viande	carne	Fleisch	meat
carne de vitela	ternera	veau	vitello	Kalbfleisch	veal
carneiro	cordero	mouton	montone	Hammelfleisch	mutton
carnes frias	fiambres	viandes froides	carni fredde	kaltes Fleisch	cold meat
castanhas	castañas	châtaignes	castagne	Kastanien	chestnuts
cebola	cebolla	oignon	cipolla	Zwiebel	onion
cerejas	cerezas	cerises	ciliegie	Kirschen	cherries
cerveja	cerveza	bière	birra	Bier	beer

598

chouriço	chorizo	saucisses au piment	salsicce piccanti	Pfefferwurst	spiced sausages
cidra	sidra	cidre	sidro	Apfelwein	cider
cogumelos	setas	champignons	funghi	Pilze	mushrooms
cordeiro	cordero lechal	agneau de lait	agnello	Lammfleisch	lamb
costeleta	costilla, chuleta	côtelette	costoletta	Kotelett	chop, cutlet
couve	col	chou	cavolo	Kohl, Kraut	cabbage
enguia	anguila	anguille	anguilla	Aal	eel
entrada	entremeses	hors-d'œuvre	antipasti	Vorspeise	hors d'œuvre
espargos	espárragos	asperges	asparagi	Spargel	asparagus
espinafres	espinacas	épinards	spinaci	Spinat	spinach
ervilhas	guisantes	petits pois	piselli	junge Erbsen	garden peas
faisão	faisán	faisan	fagiano	Fasan	pheasant
feijão verde	judías verdes	haricots verts	fagiolini	grüne Bohnen	French beans
fígado	hígado	foie	fegato	Leber	liver
figos	higos	figues	fichi	Feigen	figs
frango	pollo	poulet	pollo	Hähnchen	chicken
fricassé	pepitoria	fricassée	fricassea	Frikassee	fricassée
fruta	frutas	fruits	frutta	Früchte	fruit
fruta em calda	frutas en almíbar	fruits au sirop	frutta sciroppata	Früchte in Sirup	fruit in syrup
gamba	gamba	crevette géante	gamberone	große Garnele	prawns
gelado	helado	glace	gelato	Speiseeis	ice cream
grão	garbanzos	pois chiches	ceci	Kichererbsen	chick peas
grelhado	a la parrilla	à la broche, grillé	allo spiedo	am Spieß, gegrillt	grilled
lagosta	langosta	langouste	aragosta	Languste	crawfish
lagostins	cigalas	langoustines	scampi	Meerkrebse, Langustinen	crayfish
lavagante	bogavante	homard	astice	Hummer	lobster
legumes	legumbres	légumes	verdura	Gemüse	vegetables
laranja	naranja	orange	arancia	Orange	orange
leitão assado	cochinillo, tostón	cochon de lait grillé	maialino grigliato, porchetta	Spanferkelbraten	roast suckling pig

lentilhas	lentejas	lentilles	lenticchie	Linsen	lentils
limão	limón	citron	limone	Zitrone	lemon
língua	lengua	langue	lingua	Zunge	tongue
linguado	lenguado	sole	sogliola	Seezunge	sole
lombo de porco	lomo	échine	lombata, lombo	Rückenstück	loin, chine
lombo de vaca	filete, solomillo	filet	filetto	Filetsteak	fillet
lota	rape	lotte	rana pescatrice, coda di rospo	Seeteufel	monkfish, angler fish
lulas, chocos	calamares	calmars	calamari	Tintenfische	squid
maçã	manzana	pomme	mela	Apfel	apple
manteiga	mantequilla	beurre	burro	Butter	butter
mariscos	mariscos	fruits de mer	frutti di mare	Meeresfrüchte	seafood
mel	miel	miel	miele	Honig	honey
melancia	sandia	pastèque	cocomero	Wassermelone	water melon
mexilhões	mejillones	moules	cozze	Muscheln	mussels
miolos, mioleira	sesos	cervelle	cervella	Hirn	brains
molho	salsa	sauce	salsa	Sauce	sauce
morangos	fresas	fraises	fragole	Erdbeeren	strawberries
nata	nata	crème fraiche	panna	Sahne	cream
omelete	tortilla	omelette	frittata	Omelett	omelette
ostras	ostras	huîtres	ostriche	Austern	oysters
ovo cozido	huevo duro	oeuf dur	uovo sodo	hartes Ei	hard boiled egg
ovo quente	huevo pasado por agua	oeuf à la coque	uovo à la coque	weiches Ei	soft boiled egg
ovos estrelados	huevos al plato	oeufs au plat	uova fritte	Spiegeleier	fried eggs
pão	pan	pain	pane	Brot	bread
pato	pato	canard	anitra	Ente	duck
peixe	pescado	poisson	pesce	Fisch	fish
pepino	pepino, pepinillo	concombre, cornichon	cetriolo, cetriolino	Gurke, Essiggürkchen	cucumber, gherkin
pêra	pera	poire	pera	Birne	pear

pêssego	melocotón	pêche	pesca	Pfirsich	peach
pimenta	pimienta	poivre	pepe	Pfeffer	pepper
pimento	pimiento	poivron	peperone	Pfefferschote	pimento
pombo, borracho	paloma, pichón	palombe, pigeon	piccione	Taube	pigeon
porco	cerdo	porc	maiale	Schweinefleisch	pork
pregado, rodovalho	rodaballo	turbot	rombo	Steinbutt	turbot
presunto, fiambre	jamón	jambon	prosciutto	Schinken	ham
	(serrano, cocido)	(cru ou cuit)	(crudo o cotto)	(roh, gekocht)	(raw or cooked)
queijo	queso	fromage	formaggio	Käse	cheese
raia	raya	raie	razza	Rochen	skate
rins	riñones	rognons	rognoni	Nieren	kidneys
robalo	lubina	bar	spigola	Barsch	bass
sal	sal	sel	sale	Salz	salt
salada	ensalada	salade	insalata	Salat	green salad
salmão	salmón	saumon	salmone	Lachs	salmon
salpicão	salchichón	saucisson	salame	Hartwurst, Salami	salami, sausage
salsichas	salchichas	saucisses	salsicce	Würstchen	sausages
sopa	potaje, sopa	potage, soupe	minestra, zuppa	Suppe	soup
sobremesa	postre	dessert	dessert	Nachspeise	dessert
sumo de frutas	zumo de frutas	jus de fruits	succo di frutta	Fruchtsaft	fruit juice
torta, tarte	tarta	tarte, grand gâteau	torta	Torte, Kuchen	tart, pie
truta	trucha	truite	trota	Forelle	trout
uva	uva	raisin	uva	Traube	grapes
vaca	vaca	bœuf	manzo	Rindfleisch	beef
vinagre	vinagre	vinaigre	aceto	Essig	vinegar
vinho branco doce	vino blanco dulce	vin blanc doux	vino bianco amabile	süßer Weißwein	sweet white wine
vinho branco seco	vino blanco seco	vin blanc sec	vino bianco secco	herber Weißwein	dry white wine
vinho « rosé »	vino rosado	vin rosé	vino rosato	Roséwein	rosé wine
vinho de marca	vino de marca	grand vin	vino pregiato	Prädikatswein	fine wine
vinho tinto	vino tinto	vin rouge	vino rosso	Rotwein	red wine

MAPAS E GUIAS MICHELIN
MICHELIN MAPS AND GUIDES
CARTES ET GUIDES MICHELIN

MICHELIN - COMPANHIA LUSO PNEU, LDA
Edifício MICHELIN - Quinta do Marchante
Prior Velho
2685 SACAVÉM

Tél. : 941 13 09 - Fax : 941 12 90

Cidades _____

Poblaciones _____

Villes _____

Città _____

Städte _____

Towns _____

ABRANTES 2200 Santarém 🗷🗷🗷 N 5 – 19410 h. alt. 188 – 🔵 041.

Ver : Sítio★.

🇧 Largo 1º de Maio ℰ 225 55.

Lisboa 142 – Santarém 61.

AGUADA DE CIMA Aveiro – ver Águeda.

ÁGUEDA 3750 Aveiro 🗷🗷🗷 K 4 – 6 726 h. – 🔵 034.

🇧 Largo Dr. João Elisio Sucena ℰ 60 14 12.

Lisboa 250 – Aveiro 22 – Coimbra 42 – Porto 85.

em Aguada de Cima SE : 9,5 km – ⊠ 3750 Águeda – 🔵 034 :

   ✗ **Adega do Fidalgo,** Almas da Areosa ℰ 66 62 26, Fax 66 72 26, Rest. típico. Grelhac
      – 🖭 🗉 𝘝𝘐𝘚𝘈. ✪
      Refeição lista aprox. 5150.

ALBERGARIA-A-VELHA 3850 Aveiro 🗷🗷🗷 J 4 – 4031 h. alt. 126 – 🔵 034.

Lisboa 259 – Aveiro 19 – Coimbra 57.

na estrada N 1 S : 4 km – ⊠ 3750 Serém-Águeda – 🔵 034 :

   🏨 **Pousada de Santo António** ◊, ℰ 52 32 30, Telex 37150, Fax 52 31 92, ≤ v
      do Vouga e montanha, 🏊, 🐾, 🎾 – 🖭 🕿 🔄 🅟. 🖭 ⓞ 🗉 𝘝𝘐𝘚𝘈. ✪
      Refeição 3650 – **13 qto** ⊇ 12500/14500.

ALBUFEIRA 8200 Faro 🗷🗷🗷 U 5 – 4324 h. – 🔵 089 – Praia.

Ver : Sítio★.

🇧 Rua 5 de Outubro ℰ 51 21 44.

Lisboa 326 – Faro 38 – Lagos 52.

   🏤 **Alísios,** Av. Infante Dom Henrique ℰ 58 92 84, Telex 56410, Fax 58 92 88, ≤, 🔳 –
      🗉 🖭 🕿 🅟. 🖭 ⓞ 🗉 𝘝𝘐𝘚𝘈. ✪
      Refeição (só jantar salvo no verão) 3950 – **100 qto** ⊇ 18000/30000.

   🏤 **Cerro Alagoa,** Cerro da Alagoa ℰ 580 21 00, Telex 58290, Fax 580 21 99, 🍽, 🖡
      🏊, 🔳 – 🛗 🗉 🖭 🕿 🔄 🅟 – 🛃 25/150. 🖭 ⓞ 🗉 𝘝𝘐𝘚𝘈. ✪
      Refeição 3200 – **242 qto** ⊇ 18900/25200, 15 suites – PA 5700.

   🏤 Brisa Sol, Cerro da Alagoa ℰ 58 94 18, Telex 58283, Fax 58 82 54, 𝐼𝑎, 🏊, 🔳, 🎾 –
      🗉 🖭 🕿 🔄 🅟 – 🛃 25/260
      Refeição (só jantar) – **94 qto,** 71 apartamentos.

   ✗ **O Cabaz da Praia,** Praça Miguel Bombarda 7 ℰ 51 21 37, 🍽 – 🖭 🗉 𝘝
      ✪
      fechado 5ª feira e janeiro – **Refeição** lista 3950 a 6050.

em Areias de São João E : 2,5 km – ⊠ 8200 Albufeira – 🔵 089 :

   🏤 **Ondamar,** ℰ 58 67 74, Telex 58931, Fax 58 86 16, 𝐼𝑎, 🏊, 🔳 – 🛗 🗉 🖭 🕿 🄶
      🛃 25/50. 🖭 ⓞ 🗉 𝘝𝘐𝘚𝘈. ✪
      Refeição 2300 – **16 qto** ⊇ 17000/19000, 76 apartamentos – PA 4600.

   ✗ Três Palmeiras, Av. Infante D. Henrique 51 ℰ 51 54 23, Fax 51 54 23 – 🗉.

em Montechoro NE : 3,5 km – ⊠ 8200 Albufeira – 🔵 089 :

   🏨 **Montechoro,** ℰ 58 94 24, Telex 56288, Fax 58 99 47, ≤, 🍽, 𝐼𝑎, 🏊, 🎾 – 🛗 🗉
      🕿 🅟 – 🛃 25/1200. 🖭 ⓞ 🗉 𝘝𝘐𝘚𝘈 𝙹𝙲𝙱. ✪
      Grill das Amendoeiras (só jantar) **Refeição** lista 3000 a 4300 – **322 (**
      ⊇ 21500/26000, 40 suites.

na Praia da Galé O : 6,5 km – ⊠ 8200 Albufeira – 🔵 089 :

   🏨 Vila Galé Praia, ℰ 59 10 50, Fax 59 14 36, 🏊, 🎾 – 🛗 🗉 🖭 🕿 🅟
      40 qto.

   ✗✗✗✗ **Vila Joya** ◊ com qto, ℰ 59 17 95, Fax 59 12 01, 🍽, « Belo jardim e 🏊 climatiz
    🕸 numa elegante vila com ≤ mar » – 🕿 🅟. 🖭 ⓞ 🗉 𝘝𝘐𝘚𝘈. ✪
      fechado 11 novembro-21 dezembro e 7 janeiro-10 fevereiro – **Refeição** (aconselha-r
      reservar ao jantar) 9500 e lista 5200 a 8200 – **15 qto** ⊇ 54000/66000, 2 suites
      Espec. Meia lagosta salteada com molho de trufas. Codorniz e fígado de pato fum
      com puré de aipo e uvas. Almôndega de requeijão e frambuesas com molho
      rum.

Praia da Falésia E : 10 km – ⊠ 8200 Albufeira – ☎ 089 :

Sheraton Algarve ⑤, ℰ 50 19 99, Telex 58524, Fax 50 19 50, ≤ mar e campo de golfe, 🏤, « No alto de uma falésia rodeado de zonas verdes », ℹ5, ⊒, ⊠, ▲G, 🚗, ※, 🔟 – ⊠ 🖩 🔟 ☎ 🔌 🅿 – ▲ 25/230. ஊ ◍ �ⴹ 🚾 JCB. ※
Além-Mar : Refeição lista 4800 a 6900 - **Portulano** (só jantar, fechado 2ª e 3ª feira)
Refeição lista 6600 a 9500 – **203 qto** ⊑ 53000/60000, 12 suites.

Falésia H. ⑤, Pinhal, ⊠ apartado 785, ℰ 50 12 37, Telex 58204, Fax 50 12 70, ≤, ⊒, ⊠, 🚗, ※ – ⊠ 🖩 🔟 ☎ 🅿 – ▲ 25/300. ஊ ⴹ 🚾. ※
Refeição (só jantar) 3000 - **169 qto** ⊑ 17700/22700.

ALCABIDECHE Lisboa 440 P 1 – 25 178 h. – ⊠ 2765 Estoril – ☎ 01.
Lisboa 36 – Cascais 4 – Sintra 12.

Pingo, Rua Conde Barão 1016 ℰ 469 01 37 – 🖩. ஊ ◍ ⴹ 🚾. ※
fechado 3ª feira – Refeição lista 2100 a 4600.

em **Alcoitão** E : 1,3 km – ⊠ 2765 Estoril – ☎ 01 :

Recta de Alcoitão, Estrada N 9 ℰ 469 03 98 – 🖩. ஊ ◍ ⴹ 🚾
fechado 3ª feira – Refeição lista 3950 a 6100.

na **estrada de Sintra** NE : 2 km – ⊠ 2765 Estoril – ☎ 01 :

Atlantis Sintra-Estoril, junto ao autódromo ℰ 469 07 20, Telex 16891, Fax 469 07 40, ≤, ℹ5, ⊒, 🚗, ※ – ⊠ 🖩 🔟 ☎ 🅿 – ▲ 25/200
187 qto.

ALCOBAÇA 2460 Leiria 440 N 3 – 11 093 h. alt. 42 – ☎ 062.
Ver : Mosteiro de Santa Maria★★ : igreja★★ (túmulo de D. Inês de Castro★★, túmulo de D. Pedro★★), edifícios da abadia★★ (sala capitular★★, sala dos monges★★).
🄑 Praça 25 de Abril ℰ 423 77.
Lisboa 110 – Leiria 32 – Santarém 60.

Santa Maria sem rest, Rua Dr. Francisco Zagalo 20 ℰ 59 73 95, Fax 59 67 15 – 🖩 🔟 🚗. ஊ ⴹ 🚾.
30 qto ⊑ 8000/10000.

O Telheiro, Rua da Levadinha - Quinta do Telheiro S : 1 km ℰ 59 60 29, 🏤 – 🖩 🅿.

na **estrada da Nazaré** NO : 3,5 km – ⊠ 2460 Alcobaça – ☎ 062 :

Termas da Piedade ⑤, ℰ 420 65, Fax 59 69 71, ⊒, ※ – 🖩 🖩 🔟 ☎ 🅿 – ▲ 25/250. ஊ ◍ ⴹ 🚾. ※
Refeição 2500 – **60 qto** ⊑ 7500/13000, 3 suites.

em **Aljubarrota** NE : 6,5 km – ⊠ 2460 Alcobaça – ☎ 062 :

Casa da Padeira sem rest, Estrada N 8 ℰ 50 82 72, Fax 50 82 72, Situado no campo com ≤, ⊒ – 🅿. ஊ ⴹ 🚾
8 qto ⊑ 10000/13000.

Casa da Sofía, Rua Misericórdia 8 ℰ 50 86 45
🖩. ஊ ⴹ 🚾. ※
fechado 2ª feira – Refeição lista 2850 a 5900.

ALCOCHETE 2890 Setúbal 440 P 3 – ☎ 01.
Lisboa 59 – Évora 101 – Santarém 81 – Setúbal 29.

Al Foz, Av. D. Manuel I ℰ 234 11 79, Fax 234 11 90 – 🖩 🖩 🔟 ☎ 🔌 🚗 – ▲ 25/50. ஊ ◍ ⴹ 🚾. ※
Refeição (ver rest. **Al Foz**) – **32 qto** ⊑ 7500/9000.

Al Foz, Av. D. Manuel I ℰ 234 19 37, Fax 234 21 32, ≤, 🏤 – 🖩 🅿. ※
Refeição lista 2850 a 4600.

ALCOITÃO Lisboa – ver Alcabideche.

ALDEIA DA SERRA Évora – ver Redondo.

ALFERRAREDE 2200 Santarém 440 N 5 – ☎ 041.
Lisboa 145 – Abrantes 2 – Santarém 79.

Cascata, Rua D-1º ℰ 210 11, Fax 210 11 – 🖩. ⴹ 🚾. ※
fechado 2ª feira e outubro – Refeição lista 1900 a 3200.

ALIJÓ 5070 Vila Real **440** I 7 – 2829 h. – **☎** 059.
Lisboa 411 – Bragança 115 – Vila Real 44 – Viseu 117.

🏨 **Pousada do Barão de Forrester,** ℘ 95 92 15, Telex 26364, Fax 95 93 04, 🌊, ☞
※ – **Ⓟ**. **AE ⓞ E VISA**. ✦
Refeição 3650 – **11 qto** ☲ 12500/14500.

🏨 **Europa** sem rest, Av. Dr. Francisco Sá Carneiro 16 ℘ 95 94 52, Fax 95 99 37 – ▤ 🅲
☎. **E VISA**
fechado do 1 ao 15 de maio – **12 qto** ☲ 5000/7500.

ALJEZUR 8670 Faro **440** U 3 – 5059 h. – **☎** 082.
Lisboa 249 – Faro 110.

no Vale da Telha SO : 7,5 km – ⊠ 8670 Aljezur – **☎** 082 :

🏨 **Vale da Telha** sem rest, ℘ 981 80, Fax 981 76, 🌊, ※ – **Ⓟ**. **AE ⓞ E VISA**. ✦
junho-outubro – **26 qto** ☲ 5900/7900.

Wenn Sie ein ruhiges Hotel suchen,
benutzen Sie zuerst die Karte in der Einleitung
oder wählen Sie im Text ein Hotel mit dem Zeichen ⑤ bzw. ⑤

ALJUBARROTA Leiria – ver Alcobaça.

ALMAÇA Viseu **440** K 5 – alt. 100 – ⊠ 3450 Mortágua – **☎** 031.
Lisboa 235 – Coimbra 35 – Viseu 55.

na estrada N 2 NE : 2 km – ⊠ 3450 Mortágua – **☎** 031 :

🏨 Vila Nancy, ℘ 92 01 13, ☞ – **Ⓟ**
38 qto.

ALMANCIL 8135 Faro **440** U 5 – 5945 h. – **☎** 089.
Ver : Igreja de S. Lourenço★ (azulejos★★).
🕤 🕤 🕤 Club Golf do Vale do Lobo SO : 6 km ℘ 941 45 – 🕤 Campo de Golf da Quin
do Lago ℘ 39 60 02.
Lisboa 306 – Faro 12 – Huelva 115 – Lagos 68.

XXX **Pequeno Mundo,** Pereiras - O : 1,5 km ℘ 39 98 66, Fax 39 98 67, ☞, « Antï
quinta » – ▤ **Ⓟ**. **AE E VISA**. ✦
fechado 2ª feira e 15 novembro-dezembro – **Refeição** lista 4500 a 5850.

XX **O Tradicional,** Estrada da Fonte Santa ℘ 39 90 93, Fax 59 15 86 – ▤ **Ⓟ**. **AE E VIS**
✦
fechado domingo e do 1 ao 29 de dezembro – **Refeição** (só jantar) lista 4650 a 745

XX **Les Lauriers,** Estrada N 125 - NO : 1,5 km ℘ 39 75 75, Fax 39 72 11, ☞ – **Ⓟ**. **AE** ①
E VISA
fechado domingo e janeiro – **Refeição** (só jantar) lista aprox. 4250.

XX **Golfer's Inn,** Rua 25 de Abril 35 ℘ 39 57 25, ☞ – ▤. **AE ⓞ E VISA JCB**. ✦
Refeição (só jantar) lista aprox. 4300.

X **Dom Gonçalves,** Rua Duarte Pacheco 39 ℘ 39 53 41, ☞ – ▤ **Ⓟ**. **AE E VISA**
fechado domingo – **Refeição** lista 1900 a 3300.

X **Bistro des Z'Arts,** Rua do Calvário 69 ℘ 39 51 14, Fax 39 51 14, ☞, Bistro franc
– ▤. **AE E VISA**. ✦
fechado 15 novembro-15 dezembro – **Refeição** (só jantar) lista 3000 a 4250.

ao Suloeste :

XXX **Ermitage,** 3 km ℘ 39 43 29, Fax 39 43 29, ☞, « Bela decoração. Terraço co
❀ plantas » – ▤ **Ⓟ**. **AE E VISA**. ✦
fechado 2ª feira, do 1 ao 23 de dezembro e 23 junho-7 julho – **Refeição** (só jantar) 74
e lista aprox. 7100
Espec. Salada de fettuchini com gambas e molho de soja. Selecção de peixe ɛ
molho holandês com ervas. Parfait de nozes com molho de mocca.

XXX **São Gabriel,** Estrada de Vale do Lobo a Quinta do Lago - 4 km ℘ 39 45 21, Fax 39 64 ❀
❀ ☞, « Vila com terraço » – **Ⓟ**. **AE E VISA**. ✦
fechado 2ª feira, 13 janeiro-16 fevereiro e 26 maio-9 junho – **Refeição** (só jantar) lis
4500 a 7200
Espec. Ravioli de marisco. Sopa de peixe francesa com pregado, peixe galo, salmão, cam
rões e legumes com açafrão. Parfait de nogado com molho de canela.

m Vale do Lobo *SO : 6 km* – ⊠ *8135 Almancil* – ☎ *089 :*

🏨🏨🏨 **Dona Filipa** ⑤, ☎ 39 41 41, Telex 56848, Fax 39 42 88, ≤ pinhal, campo de golfe e mar, 🏤, 🏊 climatizada, 🐎, ☞, ✵ – 🛗 🔲 🔟 ☎ 🅿 – 🏛 25/110. 🆎 ⊙ 🖻 🗺. ✵ rest
Primavera (fechado domingo noite) **Refeição** lista aprox. 4500 - ***Dom Duarte** (só jantar buffet)* **Refeição** 4800 - ***Grill San Lorenzo** (só jantar, fechado domingo)* **Refeição** lista 4200 a 7400 – **141 qto** �???? 35500/45000, 6 suites.

🍴 **O Favo,** ☎ 39 46 53, Fax 39 46 53, 🏤 – ▤. 🆎 🖻 🗺. ✵
Refeição lista 2710 a 5580.

a Quinta do Lago *S : 8,5 km* – ⊠ *8135 Almancil* – ☎ *089 :*

🏨🏨🏨 **Quinta do Lago** ⑤, ☎ 39 66 66, Telex 57118, Fax 39 63 93, ≤ o Atlântico e ria Formosa, 🏤, 🎣, 🏊 climatizada, 🔲, 🐎, ☞, ✵ – 🛗 🔲 🔟 ☎ 🅿 – 🏛 25/200. 🆎 ⊙ 🖻 🗺. ✵
Ca d'Oro (Cozinha italiana, só jantar, fechado 3ª feira) **Refeição** lista 5200 a 8100 - ***Navegadores :*** **Refeição** lista 2590 a 6600 – **132 qto** �???? 51300/61300, 9 suites.

🍴🍴🍴🍴 **Casa Velha,** ☎ 39 49 83, Fax 59 15 86, 🏤, Antiga quinta com bela explanada. Cozinha francesa – ▤ 🅿. 🆎 🖻 🗺 🚲🖻. ✵
fechado domingo e 30 novembro-29 dezembro – **Refeição** *(só jantar)* lista 4850 a 6250.

LMEIDA *6350 Guarda* 🗾🗾🗾 *J 9 – 1 487 h.* – ☎ *071.*
Lisboa 410 – Ciudad Rodrigo 43 – Guarda 49.

🏨🏨 **Pousada Senhora das Neves** ⑤, ☎ 542 90, Fax 543 20, ≤ – ▤ 🔟 ☎ 🅿. 🆎 ⊙ 🖻 🗺. ✵
Refeição 3650 – **21 qto** �???? 14500/16500.

LMEIRIM *2080 Santarém* 🗾🗾🗾 *O 4* – ☎ *043.*
Lisboa 88 – Santarém 7 – Setúbal 116.

🏨🏨 **O Novo Príncipe** *sem rest,* Timor 1 ☎ 524 38, Fax 513 23 – ▤ 🔟 ☎ 🕭 🚗 🅿 – 🏛 25. 🖻 🗺. ✵
40 qto �???? 5500/7500.

🍴 **Aquárius,** Rua António Sérgio 4 C ☎ 51 444 – ▤. 🆎 🖻 🗺. ✵
fechado 2ª feira e agosto – **Refeição** lista aprox. 3700.

LMOUROL (Castelo de) *Santarém* 🗾🗾🗾 *N 4.*
Ver : *Castelo★★ (sítio★★, ≤★).*
Hotéis e restaurantes ver : **Abrantes** *E : 18 km.*

LTE *Faro* 🗾🗾🗾 *U 5* – ⊠ *8100 Loulé* – ☎ *089.*
Lisboa 314 – Albufeira 27 – Faro 46 – Lagos 63.

🏨🏨 **Alte H.** ⑤, Montinho - NE : 1 km ☎ 685 23, Fax 686 46, ≤, 🏊, ✵ – 🛗 ▤ 🔟 ☎ 🅿 – 🏛 25/150. 🆎 ⊙ 🖻 🗺. ✵
Refeição 2000 – **24 qto** �???? 10000/12720, 2 suites.

LTO DA SERRA *Santarém* – ver *Rio Maior.*

LTURA *Faro* 🗾🗾🗾 *U 7* – ⊠ *8950 Castro Marim* – ☎ *081* – *Praia.*
Lisboa 352 – Ayamonte 6,5 – Faro 47.

🏨 **Azul Praia** *sem rest,* Sítio da Alagoa - S : 1 km ☎ 95 68 71, Fax 95 68 87 – 🛗 ▤ ☎ 🅿
27 qto.

🍴🍴 **O Infante,** Estrada N 125 - E : 1 km ☎ 95 68 17 – ▤ 🅿. 🆎 ⊙ 🖻 🗺. ✵
fechado 4ª feira e do 1 ao 15 de março – **Refeição** lista aprox. 2850.

🍴 **A Chaminé,** Sítio da Alagoa - S : 1 km ☎ 95 65 61, Fax 95 65 61 – ▤. 🆎 ⊙ 🖻 🗺.
🚲 ✵
fechado 3ª feira – **Refeição** lista 2150 a 3450.

.VITO *7920 Beja* 🗾🗾🗾 *R 6 – 1 403 h.* – ☎ *084.*
Lisboa 161 – Beja 39 – Grândola 73.

🏨🏨🏨 **Pousada Castelo de Alvito** ⑤, Largo do Castelo ☎ 483 43, Fax 483 83, « Antigo castelo. Belo jardim con 🏊 » – 🛗 ▤ 🔟 ☎ 🕭 – 🏛 25. 🆎 ⊙ 🖻 🗺. ✵
Refeição 3650 – **20 qto** �???? 20000/23000.

AMARANTE 4600 Porto 440 I 5 – 10 738 h. alt. 100 – 🕸 055.

> Ver : Local★, Igreja do convento de S. Gonçalo (órgão★) – Igreja de S. Pedro (tecto★).
>
> Arred. : Travanca : Igreja (capitéis★) NO : 18 km por N 15, Estrada de Amarante a Vila Real ≤★, Picão de Marão★★.
>
> 🛈 Alameda Teixeira de Pascoaes ✆ 43 22 59.
>
> Lisboa 372 – Porto 64 – Vila Real 49.

🏨 **Navarras,** Rua António Carneiro ✆ 43 10 36, Fax 43 29 91, 🔲 – 🛗 ≣ 📺 ☎ 🅿
25/150. 🖭 ⑩ 🖪 VISA. ⬩
Refeição lista aprox. 4500 – **61 qto** 🖵 9500/12000.

🏨 Albergaria Dona Margaritta *sem rest*, Rua Cândido dos Reis 53 ✆ 43 21 10,
Fax 43 79 77, ≤ – 🛗 ≣ 📺 ☎
22 qto.

✕✕ **Zé da Calçada** *com qto*, Rua 31 de Janeiro ✆ 42 20 23, ≤, 🛱, « Decoração rústica agrádavel terraço » – 📺
7 qto.

na estrada N 15 SE : 19,5 km – ⊠ 4600 Amarante – 🕸 055 :

✕✕ **Pousada de S. Gonçalo** *com qto*, Serra do Marão – alt. 885 ✆ 46 11 23, Fax 46 13 53,
≤ Serra do Marão – ≣ rest 📺 ☎ 🅿. 🖭 ⑩ 🖪 VISA. ⬩
Refeição lista aprox. 3800 – **15 qto** 🖵 12500/14500.

APÚLIA Braga – ver Fão.

ARCOS DE VALDEVEZ 4970 Viana do Castelo 440 G 4 – 🕸 058.

> 🛈 Av. Marginal ✆ 66 00 1.
> Lisboa 416 – Braga 36 – Viana do Castelo 45.

🏨 **Costa do Vez,** Estrada de Monção ✆ 52 12 26, Fax 52 11 57 – ≣ 📺 ☎ 🅿
Refeição (ver rest. Grill Costa do Vez) – **15 qto.**

✕ **Grill Costa do Vez,** Estrada de Monção ✆ 661 22, Grelhados – 🅿.

AREIAS DE PORCHES Faro – ver Armação de Pêra.

AREIAS DE SÃO JÕAO Faro – ver Albufeira.

ARGANIL 3300 Coimbra 440 L 5 – 3 163 h. alt. 115 – 🕸 035.

> 🛈 Praça Simões Dias ✆ 258 59, Fax 252 77.
> Lisboa 260 – Coimbra 60 – Viseu 80.

🏨 **De Arganil** *sem rest*, Av. das Forças Armadas ✆ 259 59, Fax 251 23 – 🛗 📺 ☎
25/150. 🖭 🖪 VISA. ⬩
34 qto 🖵 7000/9000.

🏠 **Canário** *sem rest*, Rua Oliveira Matos ✆ 224 57, Fax 253 68 – 🛗 ≣ 📺 ☎. 🖭 🖪 VISA.
⬩
24 qto 🖵 7000/9000.

ARMAÇÃO DE PÊRA 8365 Faro 440 U 4 – 2 894 h. – 🕸 082 – Praia.

> Ver : passeio de barco★★ : grutas marinhas★★.
> 🛈 Av. Marginal ✆ 31 21 45.
> Lisboa 315 – Faro 47 – Lagos 41.

🏨🏨 **Náutico,** Vale do Olival ✆ 310 60 00, Fax 310 60 60, 🛱, Ⅰ₆, ⬩, 🔲 – 🛗 ≣ 📺 ☎ ⇆
🅿 – 25/140. 🖭 ⑩ 🖪 VISA JCB. ⬩
Refeição 3000 – **211 qto** 🖵 18000/24000 – PA 5700.

🏨🏨 **Garbe,** Av. Marginal ✆ 31 51 87, Telex 58590, Fax 31 50 87, ≤, 🛱, ⬩ climatizada
🛗 ≣ 📺 ☎ 🅿. 🖭. ⬩
Refeição 2900 – **152 qto** 🖵 17700/29500.

🏨🏨 **Algar** *sem rest*, Av. Beira Mar ✆ 31 47 32, Telex 58715, Fax 31 47 33, ≤ – 🛗 ≣
☎. 🖭 🖪 VISA. ⬩
🖵 1000 – **47 apartamentos** 20000.

✕ **Santola,** Largo da Fortaleza ✆ 31 23 32, Fax 31 36 51, ≤, 🛱 – 🖭 ⑩ 🖪 VISA JCB
⬩
Refeição lista aprox. 3500.

o Oeste :

Vila Vita Parc ⚐, Alporchinhos - 2 km ℰ 31 53 10, Fax 31 53 33, ≤, 🏠, Serviços de terapêutica, « Conjunto em bela harmonia rodeado de jardins junto ao mar », ⨳, 🛋, 🔲, 🐾, ✕, 🖇 - 🛗 ⬜ 📺 ☎ 👤 ➡ 🅿 - 🔏 25/500. 🆎 ⓪ 🅴 𝒱𝒾𝒮𝒜. ✆
Refeição 7500 - **Aladin Grill** (só jantar) Refeição lista aprox. 8500 - **Atlántico** (só jantar) Refeição lista aprox. 8500 - **Bela Vita** (só jantar salvo novembro-março) Refeição lista aprox. 7800 - **151 qto** ⊐ 44500/56400, 19 suites 24 apartamentos - PA 15000.

Vilalara, Praia das Gaivotas - 2,5 km ℰ 31 49 10, Telex 57460, Fax 31 49 56, ≤, 🏠, « Situado num complexo de luxo rodeado de magníficos jardins floridos » - 🅿. 🆎 ⓪ 🅴 𝒱𝒾𝒮𝒜.
Refeição lista 4350 a 6300.

m Areias de Porches NO : 4 km - ✉ 8400 Lagoa - ☎ 082 :

Albergaria D. Manuel, ℰ 31 38 03, Fax 31 32 66, 🏠, 🔲 - 🛗 📺 ☎ 🅿. 🆎 ⓪ 🅴 𝒱𝒾𝒮𝒜. ✆
fevereiro-outubro - Refeição 1900 - **43 qto** ⊐ 8200/12000 - PA 3500.

VEIRO 3800 ℗ 𝟜𝟜𝟘 K 4 - 39 079 h. - ☎ 034.
Ver : Bairro dos canais★ (canal Central, canal de São Roque) Y - Antigo Convento de Jesus★ : igreja★ (capela-mor★★, túmulo da princesa Santa Joana★), Museu★ (retrato da princesa Santa Joana★) Z.
Arred. : Ria de Aveiro★.
🚗 244 85.
🗓 Rua João Mendonça 8 ℰ 236 80, Fax 283 26 - A.C.P. Av. Dr. Lourenço Peixinho 89 - D ℰ 225 71, Fax 252 20.
Lisboa 252 ③ - Coimbra 56 ③ - Porto 70 ② - Vila Real 170 ② - Viseu 96 ②.
Plano página seguinte

Imperial, Rua Dr. Nascimento Leitão, ✉ 3810, ℰ 221 41, Fax 241 48 - 🛗 🗐 📺 ☎ - 🔏 25/250. 🆎 ⓪ 🅴 𝒱𝒾𝒮𝒜 𝒿𝒸𝒷. ✆ rest   Z u
Refeição 2250 - **103 qto** ⊐ 9900/12700, 4 suites - PA 4500.

Afonso V ⚐, Rua Dr. Manuel das Neves 65, ✉ 3810, ℰ 251 91, Fax 38 11 11 - 🛗 🗐 📺 ☎ ➡ - 🔏 25/450. 🅴 𝒱𝒾𝒮𝒜   Z b
Refeição (ver rest. **A Cozinha do Rei**) - **76 qto** ⊐ 11000/14000, 4 suites.

As Américas ⚐ sem rest, Rua Eng. Von Hafe 20 ℰ 38 46 40, Fax 38 42 58 - 🛗 🗐 📺 ☎ ➡ - 🔏 25/150. 🆎 ⓪ 🅴 𝒱𝒾𝒮𝒜. ✆   Y k
68 qto ⊐ 11000/14000, 2 suites.

Paloma Blanca sem rest, Rua Luís Gomes de Carvalho 23 ℰ 38 19 92, Fax 38 18 44 - 🛗 🗐 📺 ☎ ➡ 🅿. 🆎 ⓪ 🅴 𝒱𝒾𝒮𝒜.   X d
49 qto ⊐ 10100/13500, 1 suite.

Jardim Afonso V ⚐, Praceta D. Afonso V, ✉ 3810, ℰ 265 42, Fax 241 33 - 🛗 🗐 📺 ☎ ➡ - 🔏 25/40. 🅴 𝒱𝒾𝒮𝒜   Z t
Refeição (ver rest. **A Cozinha do Rei**) - **40 qto** ⊐ 11000/15000, 8 apartamentos.

Arcada sem rest, Rua Viana do Castelo 4 ℰ 230 01, Fax 218 86 - 🛗 📺 ☎. 🆎 ⓪ 🅴 𝒱𝒾𝒮𝒜   Y e
43 qto ⊐ 7800/9600, 6 suites.

Do Alboi sem rest, Rua da Arrochela 6 ℰ 251 21, Fax 220 63 - 📺 ☎. 🅴 𝒱𝒾𝒮𝒜. ✆   Z s
22 qto ⊐ 6800/9000.

A Cozinha do Rei, Rua Dr. Manuel das Neves 66 ℰ 268 02, Fax 288 20 - 🗐. 🆎 ⓪ 🅴 𝒱𝒾𝒮𝒜   Z b
Refeição lista 2050 a 2600.

Salpoente, Rua Canal São Roque 83 ℰ 38 26 74, Fax 252 10, Antigo armazém de sal - 🗐. 🅴 𝒱𝒾𝒮𝒜. ✆   X b
fechado domingo e do 18 ao 23 de novembro - Refeição lista 2300 a 3100.

Centenário, Praça do Mercado 9 ℰ 227 98, 🏠 - 🗐. 🅴 𝒱𝒾𝒮𝒜. ✆   Y r
fechado 3ª feira e do 16 ao 31 de outubro - Refeição lista aprox. 3100.

Alexandre 2, Rua Cais do Alboi 14 ℰ 204 94, Grelhados - 🗐   Z e

Alho Porro, Rua da Arrochea 23 ℰ 202 85 -   Z a

O Moliceiro, Largo do Rossio 6 ℰ 208 58 - 🅴 𝒱𝒾𝒮𝒜. ✆   Y s
fechado 5ª feira, do 15 ao 30 de junho e do 15 ao 31 de outubro - Refeição lista 2100 a 3650.

n Cacia por ① : 7 km - ✉ 3800 Aveiro - ☎ 034 :

João Padeiro, Rua da República ℰ 91 13 26, Fax 91 27 51, « Elegante decoração » - 🛗 📺 ☎ 🅿. 🆎 ⓪ 🅴 𝒱𝒾𝒮𝒜. ✆
Refeição lista aprox. 3800 - **27 qto** ⊐ 5600/8800.

AVEIRO

Coimbra (R.) . . . . Y 12
Comb. da Grande
  Guerra (R.) . . . . Z 13
Dr Lourenço Peixinho (Av.) . Y
José Estêvão (R.) . . . . Y 24
Luís de Magalhães
  (R. do C.) . . . . Y 28
Viana do Castelo (R.) . . . . Y 40
14 de Julho (Praça) . . . . . Y

Antónia Rodrigues (R.) . . . Y 3
Apresentação (Largo da) . Y 4
Belém do Pará . . . . Y 6
Bourges (Rua de) . . . . . . X 7
Capitão Sousa Pizarro (R.) . Z 9
Clube dos Galitos (R.) . . . Y 10
Dr Francisco Sá
  Carneiro (R.) . . . . X 12
Eça de Queirós (R.) . . . . . Z 14
Eng. Adelino Anaro da
  Costa (R.) . . . . X 15
Eng. Pereira da Silva (R.) . Y 16
Gustavo F.P.-Basto (R.) . . . Z 18
Hintze Ribeiro (R.) . . . . . X 19
Humberto Delgado (Praça) . Y 21
Jorge de Lencastre (R.) . . Y 22
José Luciano de Castro (R.) . X 25
José Rabumba (R.) . . . . . Y 27
Mario Sacramento (R.) . . . X 30
Marquês de Pombal
  (Praça) . . . . Z 31
Milenário (Praça do) . . . . Z 33
República (Praça de) . . . . Y 34
Sá (Rua de) . . . . X 36
Santa Joana (Rua) . . . . . Z 37
Santo António (Largo de) . Z 39
5 de Outubro (Av.) . . . . . Y 42

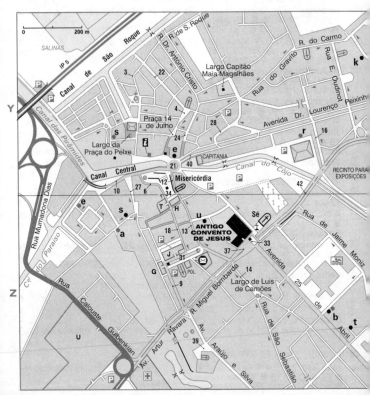

ela estrada de Cantanhede N 335 *por ③ : 8 km –* ⊠ *3800 Aveiro –* 🕿 *034 :*

🏛 **João Capela** ⊗, Quinta do Picado (saída pela Rua Dr. Mario Sacramento) 🖉 94 14 50, Fax 94 15 97, ⤴, ⅋ – 📺 🕿 🅿. 🖭 ⓞ 🗲 *VISA* JCB. ⅋
Refeição lista 2200 a 2900 – **30 qto** ⊊ 5000/6500.

AZAMBUJA *2050 Lisboa* 🄳🄳🄳 *Q 3 –* 🕿 *063.*
Lisboa 51 – Évora 134 – Santarém 28.

🏠🏠 Gaibéu, Antigo Campo da Feira - E.N.3 🖉 416 41, Fax 417 47 – 🖿 📺 🕿 🅿 – 🛗 25/150
40 qto.

AZOIA *Lisboa – ver Colares.*

AZURARA *Porto – ver Vila do Conde.*

BARCELOS *4750 Braga* 🄳🄳🄳 *H 4 – 9 689 h. alt. 39 –* 🕿 *053.*
Ver : *Interior* ⋆ *da Igreja Matriz, Igreja de Nossa Senhora do Terço* ⋆*, (azulejos* ⋆*).*
🛈 *Torre da Porta Nova* 🖉 81 18 82, Fax 82 21 88.
Lisboa 366 – Braga 18 – Porto 48.

🏛 Dom Nuno *sem rest,* Av. D. Nuno Álvares Pereira 141 🖉 81 28 10, Fax 81 63 36 – 🛗 📺
27 qto.

🏡 Solar da Estação, Largo da Estação 1 🖉 81 17 41 – 📺
9 qto.

🕴🕴 **Pérola,** Av. D. Nuno Álvares Pereira 50 🖉 82 13 63, Fax 81 63 12 – 🖿. 🖭 🗲 *VISA*.
🍴 ⅋
Refeição lista aprox. 2500.

BATALHA *2440 Leiria* 🄳🄳🄳 *N 3 – 3 209 h. alt. 71 –* 🕿 *044.*
Ver : *Mosteiro* ⋆⋆⋆ *: Claustro Real* ⋆⋆⋆*, igreja* ⋆⋆ *(vitrais* ⋆*, capela do Fundador* ⋆*), Sala do Capítulo* ⋆⋆ *(abóbada* ⋆⋆⋆*, vitral* ⋆*), Capelas imperfeitas* ⋆⋆ *(portal* ⋆⋆*) – Lavabo dos Monges* ⋆*, Claustro de D. Afonso V* ⋆*.*
🛈 *Praça Mouzinho de Albuquerque* 🖉 961 80.
Lisboa 120 – Coimbra 82 – Leiria 11.

🏠🏠 **Pousada do Mestre Afonso Domingues,** 🖉 962 60, Fax 962 47 – 🖿 📺 🕿 🅿.
🖭 ⓞ 🗲 *VISA*. ⅋
Refeição 3650 – **19 qto** ⊊ 17000/19000, 2 suites.

🏠🏠 **Batalha** *sem rest,* Largo da Igreja 🖉 76 75 00, Fax 76 74 67 – 🖿 📺 🕿 🅿. 🖭 ⓞ 🗲
VISA JCB
22 qto ⊊ 7000/9000.

🏡 **Casa do Outeiro** *sem rest,* Largo Carvalho do Outeiro 4 🖉 968 06, Fax 968 06, ≼, ⤴
– 📺 🅿
6 qto ⊊ 6000/7500.

a estrada N 1 *SO : 1,7 km –* ⊠ *2440 Batalha –* 🕿 *044 :*

🏛 **São Jorge** ⊗, Casal da Amieira 🖉 962 10, Fax 963 13, ≼, ⤴, 🌳, ⅋ – 🖿 📺 🕿 🅿
– 🛗 25/90. 🗲 *VISA*. ⅋
Refeição *(fechado 3ª feira)* 1800 – **47 qto** ⊊ 7000/8500, 10 apartamentos – PA 3600.

BEJA *7800* 🄿 🄳🄳🄳 *R 6 – 19 212 h. alt. 277 –* 🕿 *084.*
Ver : *Antigo Convento da Conceição* ⋆*, Castelo (torre de menagem* ⋆*).*
🛈 *Rua Capitão João Francisco de Sousa 25* 🖉 236 93.
Lisboa 194 – Évora 78 – Faro 186 – Huelva 177 – Santarém 182 – Setúbal 143 – Sevilla 223.

🏠🏠🏠 **Pousada de São Francisco,** Largo D. Nuno Álvares Pereira 🖉 32 84 41, Fax 32 91 43,
« Instalado num convento do século XIII. Capela », ⤴, 🌳, ⅋ – 🛗 🖿 📺 🕿 🕭 🅿 –
🛗 25/400. 🖭 ⓞ 🗲 *VISA*. ⅋
Refeição 3650 – **34 qto** ⊊ 20000/23000, 1 suite.

🏠🏠 **Melius,** Av. Fialho de Almeida 🖉 32 18 22, Fax 32 18 25, 🝙 – 🛗 🖿 📺 🕿 🕭 🚐 –
🛗 25/100. 🖭 ⓞ 🗲 *VISA*. ⅋
Refeição *(ver rest. Melius)* – **54 qto** ⊊ 8000/10000, 6 suites.

🏛 **Cristina** *sem rest,* Rua da Mértola 71 🖉 32 30 35, Fax 32 98 74 – 🛗 🖿 📺 🕿. 🖭 ⓞ
🗲 *VISA*. ⅋
31 qto ⊊ 6750/8500.

Santa Bárbara sem rest, Rua da Mértola 56 ℘ 32 20 28, Fax 32 12 31 – |₿| ▤ 📺
AE E VISA. ⌘
26 qto ⊐ 5000/7000.

Melius, Av. Fialho de Almeida 68 ℘ 32 98 69, Fax 32 18 25 – ▤. AE E VISA. ⌘
fechado 2ª feira – **Refeição** lista 2500 a 3700.

Os infantes, Rua dos Infantes 14 ℘ 227 89
▤. AE E VISA.
Refeição lista aprox. 2650.

BELMONTE 6250 Castelo Branco **440** K 7 – ⊕ 075.
Ver : Castelo (⁕⁕)- Torre romana de Centum Cellas⁕ N : 4 km.
🅱 Praça da República 18, ℘ 91 14 88.
Lisboa 338 – Castelo Branco 82 – Guarda 20.

na estrada N 18 NO : 3 km – ⊠ 6250 Belmonte – ⊕ 075 :

Belsol, ℘ 91 22 06, Fax 91 23 15, ≼, ⅀ – |₿| ▤ 📺 ☎ 🅿 – 🕭 25/300. ⓞ E VI
⌘
Refeição 2000 – 55 qto ⊐ 5500/8000.

BOAVISTA 2410 Leiria **440** M 3 – ⊕ 044.
Lisboa 136 – Coimbra 64 – Fátima 52 – Leiria 7.

Morgatões, Estrada N I - N : 1,5 km ℘ 911 02, Fax 915 74 – ▤ 🅿. ⌘
fechado 2ª feira e 23 junho-23 julho – **Refeição** lista aprox. 2250.

BOM JESUS DO MONTE Braga – ver Braga.

BOTICAS 5460 Vila Real **440** G 7 – 852 h. alt. 490 – ⊕ 076 – Termas.
Lisboa 471 – Vila Real 62.

em Carvalhelhos O : 9 km – ⊠ 5460 Boticas – ⊕ 076 :

Estal. de Carvalhelhos ⌘, ℘ 421 16, Telex 20527, Fax 421 74, Num quadro
verdura, ⌘ – 📺 🅿. E VISA. ⌘
Refeição 1950 – **20 qto** ⊐ 5500/6500 – PA 3900.

BRAGA 4700 🅿 **440** H 4 – 86 316 h. alt. 190 – ⊕ 053.
Ver : Sé Catedral⁕ B : estátua da Senhora do Leite⁕, interior⁕ (abóbada⁕, alt
flamejante⁕, caixas de órgãos⁕) – Tesouro⁕, capela da Glória⁕ (túmulo⁕) - Capela d
Coimbras (esculturais⁕) B B.
Arred. : Santuário de Bom Jesus do Monte⁕⁕ (perpectiva⁕) 6 km por ① – Capela de S
Fructuoso de Montélios⁕ 3,5 km por ⑥ -Monte Sameiro⁕ (⁕⁕⁕) 9 km por ①.
Excurs. : NE : Cávado (Vale superior do)⁕ 171 km por ①.
🅱 Av. da Liberdade 1 ℘ 225 50 – **A.C.P.** Av. Conde D. Henrique 72, ℘ 21 70 51, F
61 67 00.
Lisboa 368 ③ – Bragança 223 ⑤ – Pontevedra 122 ① – Porto 54 ③ – Vigo 103 ⑨
Plano página seguinte

Turismo, Praceta João XXI ℘ 61 22 00, Fax 61 22 11, ⅀ – |₿| ▤ 📺 ☎ ⌘
🕭 25/300. AE ⓞ E VISA. ⌘
B
Refeição lista aprox. 5550 – **110 qto** ⊐ 10000/12600, 22 suites.

Albergaria Senhora-a-Branca sem rest, Largo da Senhora-a-Branca 58 ℘ 299 ³
Fax 299 37 – |₿| ▤ 📺 ☎ ⌘. AE ⓞ E VISA. ⌘
A
20 qto ⊐ 6500/8500.

Comfort Inn, Estrada N 14 (Ferreiros) ℘ 67 38 65, Fax 67 38 72 – ▤ 📺 ☎ 🅿
🕭 25/50. AE ⓞ E VISA. JCB. ⌘ rest   por ④
Refeição 2600 – **72 qto** ⊐ 10000/11500.

D. Sofia sem rest, Largo S. João do Souto 131 ℘ 231 60, Fax 61 12 45 – |₿| 📺 ☎
🕭 25/60. E VISA. ⌘
B
34 qto ⊐ 9000/12000.

Dom Vilas sem rest, Rua Conselheiro Lobato 434 ℘ 61 68 18, Fax 61 68 19 – |₿|
☎. ⓞ E VISA
B
32 qto ⊐ 6500/8000.

Carandá sem rest, Av. da Liberdade 96 ℘ 61 45 00, Fax 61 45 50 – |₿| ▤ 📺 ☎.
ⓞ E VISA. ⌘
B
100 qto ⊐ 7300/10400.

BRAGA

pelistas (R. dos)	**A 7**	Abade Loureira (Rua)	**A 3**	Dom Gonç. Pereira (Rua) . .	**B 18**
m Diogo de Sousa		Biscainhos (Rua dos)	**A 4**	Dom Paio Mendes (Rua) . .	**B 19**
Rua)	**AB 16**	Caetano Brandão (Rua) . . .	**B 6**	Dr. Gonçalo Sampaio (Rua).	**B 21**
nc. Sanches (Rua)	**B 22**	Carmo (Rua do)	**A 9**	General Norton de Matos (Av.) .	**A 24**
o Marcos (Rua)	**AB 28**	Central (Avenida)	**A 10**	Nespereira (Avenida)	**A 25**
uto (Rua do)	**AB 33**	Chãos (Rua dos)	**A 12**	São João do Souto (Praça) .	**B 27**
		Conde de Agrolongo (Praça) .	**A 13**	São Martinho (Rua de)	**A 30**
		Dom Afonso Henriques (Rua) .	**B 15**	São Tiago (Largo de)	**B 31**

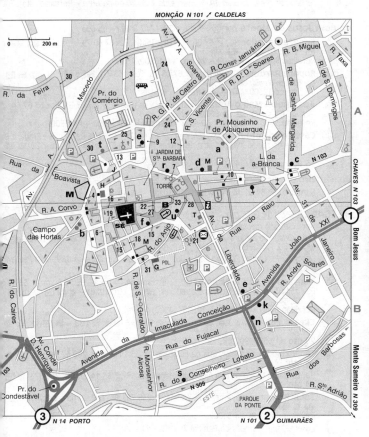

MONÇÃO N 101 / CALDELAS

🏨	**João XXI,** Av. João XXI-849 ℘ 61 66 30, Fax 61 66 31 – 🛗 🍴 rest 📺 ☎. 🖭 ⓞ 🗲 𝘝𝘐𝘚𝘈 Refeição 1850 – **28 qto** ⊇ 8500/10000.	**B k**
🏨	**São Marcos** sem rest, Rua de São Marcos 80 ℘ 771 77, Fax 771 77 – 🛗 🍴 📺 ☎. 🗲 𝘝𝘐𝘚𝘈. ⌘ **13 qto** ⊇ 8500/9000.	**B u**
🏠	**Ibis Braga** sem rest, Rua do Carmo 13 ℘ 61 08 60, Fax 61 08 63 – 🛗 🍴 📺 ☎ ও. – 🛁 25/50. 🖭 ⓞ 🗲 𝘝𝘐𝘚𝘈 ⊇ 750 – **70 qto** 7500.	**A e**
🏠	**Dos Terceiros** sem rest, Rua dos Capelistas 85 ℘ 704 66, Fax 757 67 – 🛗 📺 ☎. 🖭 ⓞ 🗲 𝘝𝘐𝘚𝘈. ⌘ **21 qto** ⊇ 7900/8900.	**A r**
🏠	**Centro Avenida** sem rest, Av. Central 27 ℘ 757 34, Fax 61 63 63 – 🛗 📺 ☎. 🗲 𝘝𝘐𝘚𝘈. ⌘ **48 qto** ⊇ 6300/7300.	**A d**
✗✗	**Brito's,** Praça Mouzinho de Alburquerque 49 A ℘ 61 75 76 – 🍴. 🖭 🗲 𝘝𝘐𝘚𝘈. ⌘ fechado 4ª feira e do 1 ao 15 de setembro – **Refeição** lista 2600 a 3650.	**A a**

XX **Pópulo,** Praça Conde de Agrolongo 116 ℰ 21 51 47 – ▤. ◪ ⓪ ◪ ꟾ⟊⟊. ⅏ A
    fechado 2ª feira – **Refeição** lista 4100 a 6100.

X Inácio, Campo das Hortas 4 ℰ 61 32 35, Rest. típico B

X **Cruz Sobral,** Campo das Hortas 7-8 ℰ 61 66 48 – ▤. ◪ ⓪ ◪ ꟾ⟊⟊. ⅏ B
    fechado 2ª feira, do 6 ao 19 de maio e de 7 ao 20 de outubro – **Refeição** lista 270€
    4100.

no Bom Jesus do Monte *por* ② *: 6 km* – ✉ *4710 Braga* – ⬢ *053 :*

🏨 **Sopete Elevador** ⍏, ℰ 67 66 11, Telex 33401, Fax 67 66 79, ≤ vale e Braga – ▤ re
    ⊞ ☎ 🅿. ◪ ⓪ ◪ ꟾ⟊⟊. ⅏
    Refeição lista aprox. 3800 – **24 qto** ⌑ 10800/13300.

🏨 **Sopete Parque** ⍏ *sem rest,* ℰ 67 65 48, Telex 33401, Fax 67 66 79 – 🛗 ▤ ⊞
    🅿. ◪ ⓪ ◪ ꟾ⟊⟊. ⅏
    45 qto ⌑ 12300/14700, 4 suites.

🏨 **Aparthotel Mãe d'Água** ⍏, Lugar da Mãe d'Água ℰ 67 65 81, Fax 67 67 64,
    – 🛗 ▤ ⊞ ☎ 🅿. ◪ ⓪ ◪ ꟾ⟊⟊. ⅏
    Refeição 1850 – ⌑ 750 – **30 apartamentos** 8000/11000 – PA 3500.

🏠 **Castelo do Bom Jesus** ⍏ *sem rest,* ℰ 67 65 66, Fax 67 76 91, ≤ vale e Braga, « B
    palacete do século XVIII rodeado de jardins », ⅏ – 🛗 ⊞ ☎ 🅿 – 🔏 25/120. ◪ ⓪
    ꟾ⟊⟊ ᴊᴄв. ⅏
    13 qto ⌑ 13000/14000.

no Sameiro *por Avenida 31 de Janeiro : 9 km* – ✉ *4710 Braga* – ⬢ *053 :*

X Sameiro, ℰ 67 51 14, Ao lado do Santuário – ▤ 🅿.

BRAGANÇA 5300 ℙ 🖳 *G 9* – *15 624 h. alt. 660* – ⬢ *073.*
    Ver : *Cidadela medieval★.*
    🛈 *Av. Cidade de Zamora ℰ 38 12 73* – **A.C.P.** *Av. Sá Carneiro, edifício Montezinho, loja A*
    ℰ 250 70, Fax 250 71.
    Lisboa 521 – Ciudad Rodrigo 221 – Guarda 206 – Orense/Ourense 189 – Vila Real 14€
    Zamora 114.

🏨 **Pousada de São Bartolomeu** ⍏, Estrada de Turismo - SE : 0,5 km ℰ 33 14
    Fax 234 53, ≤ cidade, castelo e arredores, 🌇, ⅏ climatizada – 🛗 ▤ ⊞ ☎ 🅿. ◪
    ◪ ꟾ⟊⟊. ⅏
    Refeição 3650 – **27 qto** ⌑ 12500/14500, 1 suite.

🏠 **Classis** *sem rest,* Av. João da Cruz 102 ℰ 33 16 31, Fax 234 58 – ▤ ⊞ ☎. ◪ ⓪
    ꟾ⟊⟊. ⅏
    20 qto ⌑ 6500/9000.

🏨 São Roque ⍏ *sem rest,* Rua da Estacada ℰ 38 14 81, Fax 269 37, ≤ – 🛗 ⊞ ☎
    36 qto.

🏨 Santa Isabel *sem rest,* Rua Alexandre Herculano 67 ℰ 33 14 27, Fax 269 37 – 🛗 ⊞
    14 qto.

X **Solar Bragançano,** Praça da Sé 34-1° ℰ 238 75, 🌇, Edifício do século XVIII – ▤.
@ ⓪ ◪ ꟾ⟊⟊ ᴊᴄв. ⅏
    Refeição lista 1900 a 5100.

X Lá em Casa, Marquês de Pombal 7 ℰ 221 11 – ▤.

na estrada de Chaves N 103 *0 : 1,7 km* – ✉ *5300 Bragança* – ⬢ *073 :*

🏨 **Nordeste Shalom** *sem rest,* Av. Abade de Baçal 39 ℰ 33 16 67, Fax 33 16 28 –
    ⊞ ☎ ⇦. ◪ ⓪ ◪ ꟾ⟊⟊. ⅏
    30 qto ⌑ 5700/7500.

BUARCOS *Coimbra – ver Figueira da Foz.*

BUÇACO *Aveiro* 🖳 *K 4 – alt. 545* – ✉ *3050 Mealhada* – ⬢ *031.*
    Ver : *Mata★★ : Cruz Alta ⚹★★, Via Sacra★, Obelisco ≤★..*
    🛈 *Junta de Turismo Luso e Buçaco ℰ 93 91 33.*
    Lisboa 233 – Aveiro 47 – Coimbra 31 – Porto 109.

🏨 **Palace H. do Buçaco** ⍏, Floresta do Buçaco - alt. 380 ℰ 93 01 01, Fax 93 16
    ≤, 🌇, « Luxuosas instalações num imponente palácio de estilo manuelino no centro
    uma magnífica floresta », 🌿, ℵ – 🛗 ▤ ⊞ ☎ ⇦ 🅿 – 🔏 25/100. ◪ ⓪ ◪ ꟾ⟊⟊ ᴊ
    ⅏
    Refeição lista aprox. 6500 – **64 qto** ⌑ 25000/33000.

BUCELAS Lisboa 440 P 2 – 5 097 h. alt. 100 – ⊠ 2670 Loures – ✪ 01.
Lisboa 24 – Santarém 62 – Sintra 40.

❌ **Barrete Saloio,** Rua Luís de Camões 28 ℘ 969 40 04, Decoração regional – ⴺ
⊗ *VISA*
fechado 3ª feira e agosto – Refeição lista 2000 a 4430.

PUDENS 8650 Faro 440 U 3 – 1 709 h. – ✪ 082.
Lisboa 305 – Faro 97 – Lagos 15.

a Praia da Salema S : 4 km – ⊠ 8650 Vila do Bispo – ✪ 082 :

🏛 **Salema** sem rest, Rua 28 de Janeiro ℘ 653 28, Fax 653 29, ≤ – ⴘ 🍴 ☎. ⴀ ⴺ *VISA*.
⊗
14 março-outubro – **32 qto** ⴑ 10000/11000.

🏛 **Estal. Infante do Mar** ⴄ, ℘ 651 37, Fax 650 57, ≤ mar, ⵎ – ⴾ. ⴀ ⴔ ⴺ *VISA*.
⊗
Refeição 2000 – **30 qto** ⴑ 12200/13000 – PA 4000.

ABANÕES Viseu – ver Viseu.

ACIA Aveiro – ver Aveiro.

ALDAS DA FELGUEIRA Viseu 440 K 6 – 2 204 h. alt. 200 – ⊠ 3525 Canas de Senhorim
– ✪ 032 – Termas.
🖪 Em Nelas : Largo Dr. Veiga Simão ℘ 94 43 48.
Lisboa 284 – Coimbra 82 – Viseu 40.

🏛 **Grande Hotel** ⴄ, ℘ 94 90 99, Telex 52677, Fax 94 94 87, ⵎ, ⵚ – ⴘ ⴁ ☎ ⴾ. ⴀⴔ
ⴔ ⴺ *VISA*. ⊗
Refeição 2650 – **86 qto** ⴑ 10900/15500 – PA 5000.

ALDAS DA RAINHA 2500 Leiria 440 N 2 – 21 070 h. alt. 50 – ✪ 062 – Termas.
Ver : Grande Parque das Termas★, Igreja de N. S. do Pópulo (tríptico★).
🖪 Praça 25 de Abril (Câmara Municipal) ℘ 83 10 03, Fax 84 23 20 e Praça da República
℘ 83 10 07.
Lisboa 92 – Leiria 59 – Nazaré 29.

🏛 **Caldas Internacional H.,** Rua Dr. Figueirôa Rego 45 ℘ 83 23 07, Fax 84 44 82, ⵎ
– ⴘ ⴁ ⴁ ☎ ⴕ ⴾ – ⵌ 25/180. ⴀ ⴔ ⴺ *VISA* ⱼⱼⱼ. ⊗
Refeição 2500 – **80 qto** ⴑ 7400/10500, 3 suites – PA 5000.

🏛 **Malhoa,** Rua António Sérgio 31 ℘ 84 21 80, Telex 44258, Fax 84 26 21, ⵎ – ⴘ ⴁ ⴁ
☎ ⴖ. ⴀ *VISA*. ⊗
Refeição (fechado domingo noite) lista aprox. 3900 – **113 qto** ⴑ 6500/9000.

🏛 **Dona Leonor** sem rest, Hemiciclo João Paulo II-9 ℘ 84 21 71, Fax 84 21 72 – ⴘ ⴁ
☎ ⴾ – ⵌ 25/50. ⴀ ⴔ ⴺ *VISA*. ⊗
30 qto ⴑ 5000/7000.

🏛 **Europeia** sem rest, Centro Comercial Rua das Montras ℘ 347 92, Fax 83 15 09 – ⴘ ⴁ
☎. ⴀ ⴔ ⴺ *VISA*. ⊗
52 qto ⴑ 5500/8000.

ALDAS DE MONCHIQUE Faro – ver Monchique.

ALDAS DE VIZELA 4815 Braga 440 H 5 – 2 234 h. alt. 150 – ✪ 053 – Termas.
🖪 Rua Dr. Alfredo Pinto ℘ 48 12 68.
Lisboa 358 – Braga 33 – Porto 40.

🏛 **Sul Americano,** Rua Dr. Abílio Torres 855 ℘ 48 12 37, Fax 48 27 73 – ⴘ ⴁ ⴾ
64 qto.

ALDELAS Braga 440 G 4 – 1 120 h. alt. 150 – ⊠ 4720 Amares – ✪ 053 – Termas.
🖪 Av. Afonso Manuel Azevedo ℘ 36 11 24.
Lisboa 385 – Braga 17 – Porto 67.

🏛 **Grande H. da Bela Vista** ⴄ, ℘ 36 15 02, Fax 36 11 36, « Amplo terraço com árvores
e ≤ », ⵎ, ⵚ, ⵚ – ⴘ ⴖ ⴾ. ⴀ ⴔ ⴺ *VISA*. ⊗
maio-outubro – Refeição 3000 – **70 qto** ⴑ 11000/18000.

🏛 **De Paços** ⴄ, Av. Afonso Manuel ℘ 36 11 01 – ⴾ
15 maio-15 outubro – Refeição 2500 – **50 qto** ⴑ 3700/6700 – PA 5000.

🏠 **Universal** ⑤, Av. Afonso Manuel ℘ 36 12 36, Fax 36 12 45 – ☎. 🝅 ⓞ Ɛ 𝘝𝘐𝘚𝘈. ℀
　　Refeição 2000 – **22 qto** ⊊ 4800/7500.

🏠 Corredoura ⑤, Av. Afonso Manuel ℘ 36 14 10 – ☎ ⓟ
　　temp – **30 qto**.

🍴 **Nascimento** ⑤, Lugar do Pereiro ℘ 36 11 27 – ⓟ. ℀ rest
　　junho-setembro – **Refeição** 2000 – **28 qto** ⊊ 4000/6500.

CAMINHA 4910 Viana do Castelo 𝟜𝟜𝟘 G 3 – 1870 h. – ✪ 058.
　　Ver : Igreja Matriz (tecto★).
　　🛈 Rua Ricardo Joaquim de Sousa ℘ 92 19 52.
　　Lisboa 411 – Porto 93 – Vigo 60.

🏨 **Porta do Sol,** Av. Marginal ℘ 72 23 40, Fax 72 23 47, ≤ foz do Minho e monte de Sant
　　Tecla, ⅃, ℀ – 🛗 ⊟ 𝐓𝐕 ☎ ᕦ ⟷ ⓟ – ⚿ 25/200. 🝅 ⓞ Ɛ 𝘝𝘐𝘚𝘈. ℀
　　Refeição 2750 – **84 qto** ⊊ 10500/15500, 4 suites – PA 5000.

🍴🍴 **O Barão,** Rua Barão de São Roque 33 ℘ 72 11 30 – ⊟. ⓞ Ɛ 𝘝𝘐𝘚𝘈. ℀
　　fechado 2ª feira noite, 3ª feira e 15 dezembro-15 janeiro – Refeição lista 195
　　a 4050.

🍴 **Solar do Pescado,** Rua Visconde Sousa Rego 85 ℘ 92 27 94, Peixes e mariscos – 🄰
　　Ɛ 𝘝𝘐𝘚𝘈. ℀
　　fechado 2ª feira (outubro-junho) – **Refeição** lista 2250 a 5500.

em Seixas NE : 2,5 km – ⊠ 4910 Caminha – ✪ 058 :

🏠 **São Pedro** ⑤, ℘ 72 74 86, Fax 72 74 75, ⅃, 🝅 – 𝐓𝐕 ☎ ⓟ. 🝅 ⓞ Ɛ 𝘝𝘐𝘚𝘈. ℀
　　Refeição (fechado outubro-maio) 1600 – **34 qto** ⊊ 7000/8500.

em Lanhelas NE : 5 km – ⊠ 4910 Caminha – ✪ 058 :

🍴 **A Adega** com qto, Lugar da Aldeia ℘ 72 73 55, Telex 60700, Fax 72 73 55, 🛋 – ⊟
　　Ɛ 𝘝𝘐𝘚𝘈. ℀
　　fechado outubro – **Refeição** (fechado 3ª feira salvo agosto) lista 3100 a 3600 – ⊊ 5C
　　– **4 qto** 6000.

CAMPO MAIOR 7370 Portalegre 𝟜𝟜𝟘 O 8 – 6 940 h. – ✪ 068.
　　Lisboa 244 – Badajoz 16 – Évora 105 – Portalegre 50.

🏠 **Santa Beatriz,** Av. Combatentes da Grande Guerra ℘ 68 89 33, Fax 68 81 09 – 🛗 ⊟
　　𝐓𝐕 ☎ ⓟ. 🝅 ⓞ Ɛ 𝘝𝘐𝘚𝘈. ℀
　　Refeição 1800 – **37 qto** ⊊ 11500/13500.

CANIÇADA Braga – ver Vieira do Minho.

CANIÇO Madeira – ver Madeira (Arquipélago da).

CANIÇO DE BAIXO Madeira – ver Madeira (Arquipélago da) : Caniço.

CANTANHEDE 3060 Coimbra 𝟜𝟜𝟘 K 4 – 6 330 h. – ✪ 031.
　　Arred. : Varziela : retábulo★ NE : 4 km.
　　Lisboa 222 – Aveiro 42 – Coimbra 23 – Porto 112.

🍴🍴 **Marquês de Marialva,** Largo do Romal ℘ 42 00 10, Fax 42 91 83, 🛋 – 🝅 ⓞ
　　𝘝𝘐𝘚𝘈
　　Refeição lista aprox. 4500.

🍴 **Gandarez** com snack-bar, Rua Dr. Jaime Cortesão 6 ℘ 42 01 44 – 🝅 ⓞ Ɛ 𝘝𝘐𝘚𝘈.
　　fechado domingo noite – **Refeição** lista aprox. 3150.

CARAMULO 3475 Viseu 𝟜𝟜𝟘 K 5 – 1546 h. alt. 800 – ✪ 032.
　　Ver : Museu de Caramulo★ (Exposição de automóveis★).
　　Arred. : Caramulinho★★ (miradouro) SO : 4 km – Pinoucas★ : ﹡ NO : 3 km.
　　🛈 Estrada Principal do Caramulo ℘ 86 14 37.
　　Lisboa 280 – Coimbra 78 – Viseu 38.

na estrada N 230 E : 1,5 km – ⊠ 3475 Caramulo – ✪ 032 :

🍴🍴 **Pousada de São Jerónimo** ⑤, com qto, ℘ 86 12 91, Telex 53512, Fax 86 16 ⏴
　　≤ vale e Serra da Estrela, « Jardim », ⅃, – ⊟ rest ⓟ. 🝅 ⓞ Ɛ 𝘝𝘐𝘚𝘈. ℀
　　Refeição 3650 – **12 qto** ⊊ 12500/14500.

ARCAVELOS Lisboa **440** P 1 – 12 717 h. – ⌧ 2775 Parede – ☎ 01 – Praia.
Lisboa 21 – Sintra 15.

praia :

🏨 **Praia-Mar,** Rua do Gurué 16 ℘ 457 31 31, Telex 42283, Fax 457 31 30, ≤ mar, ⌐ –
📶 🗎 📺 ☎ 🅿 – 🛗 25/170. 🆎 ⓪ 🅴 *VISA*. ❄
Refeição 2600 – **153 qto** ⌸ 13000/19000, 5 suites – PA 5000.

🍴 **A Pastorinha,** Av. Marginal ℘ 457 18 92, Fax 458 05 32, ≤, 🍽, Peixes e mariscos –
🗎 🅿. 🆎 🅴 *VISA*. ❄
fechado 3ª feira – **Refeição** lista 4200 a 7300.

ARVALHAL Viseu **440** J 6 – ⌧ 3600 Castro Daire – ☎ 032 – Termas.
Lisboa 331 – Aveiro 114 – Viseu 30 – Vila Real 76.

🏨 **Montemuro** 🦌, nas Termas ℘ 311 54, Fax 311 12, ≤ – 📶 🗎 📺 ☎ 🅿 – 🛗 25/300.
🅴 *VISA*. ❄
Refeição 1300 – **78 qto** ⌸ 6000/8000, 2 suites.

ARVALHELHOS Vila Real – ver Boticas.

ARVALHOS 4415 Porto **440** I 4 – ☎ 02.
Lisboa 310 – Amarante 72 – Braga 62 – Porto 8.

🍴 **Mario Luso,** Largo França Borges 308 ℘ 784 21 11, Fax 783 28 45 – 🗎. 🆎 ⓪ 🅴 *VISA*.
❄
fechado 2ª feira – **Refeição** lista 2800 a 3300.

ASCAIS 2750 Lisboa **440** P 1 – 29 882 h. – ☎ 01 – Praia.
Arred. : *Estrada de Cascais a Praia do Guincho★ – SO : Boca do Inferno★ (precipício★)* AY
– Praia do Guincho★ por ③ : 9 km.
🏌 *Quinta da Marinha O : 3 km ℘ 486 98 81.*
🛈 *Alameda Combatentes da Grande Guerra 25 ℘ 486 82 04.*
Lisboa 30 ② – Setúbal 72 ② – Sintra 16 ④.

Plano página seguinte

🏩 **Estoril Sol,** Parque Palmela ℘ 483 28 31, Fax 483 22 80, ≤ baía e Cascais, 🖐, ⌐ –
📶 🗎 📺 ☎ & 🚭 🅿 – 🛗 25/550. 🆎 ⓪ *VISA*. ❄
Refeição 4800 - **Grill : Refeição** lista 4600 a 7700 – **293 qto** ⌸ 26000/29000, 17 suites
– PA 9600.   BX h

🏨 **Albatroz,** Rua Frederico Arouca 100 ℘ 483 28 21, Telex 16052, Fax 484 48 27, ≤ baía
e Cascais, ⌐ – 📶 🗎 📺 ☎ & – 🛗 25. 🆎 ⓪ 🅴 *VISA* 🇯🇨🇧. ❄   AZ e
Refeição lista 5100 a 6900 – **37 qto** ⌸ 30500/42000, 3 suites.

🏨 **Village Cascais,** Rua Frei Nicolau de Oliveira - Parque da Gandarinha ℘ 483 70 44,
Telex 60712, Fax 483 73 19, ≤, 🍽, ⌐ – 📶 🗎 📺 ☎ 🅿 – 🛗 25/80. 🆎 ⓪ 🅴 *VISA* 🇯🇨🇧. ❄
Refeição 3500 – **163 qto** ⌸ 23500/26750, 70 suites – PA 5700.   AY a

🏨 **Cidadela,** Av. 25 de Abril ℘ 483 29 21, Fax 486 72 26, ≤, ⌐ – 📶 🗎 📺 ☎ 🅿 –
🛗 25/100. 🆎 ⓪ 🅴 *VISA* 🇯🇨🇧. ❄   AZ c
Refeição 3500 – **110 qto** ⌸ 18000/25000, 4 suites, 14 apartamentos.

🏨 **Atlantic Gardens,** Av. Manuel Julio Carvalho e Costa 115 ℘ 483 37 37, Telex 607 00,
Fax 483 52 26, ≤, 🖐, ⌐, 🖼, 🌱, ⌘ – 📶 🗎 📺 ☎ & 🅿 – 🛗 15/300. 🆎 ⓪ 🅴 *VISA*
🇯🇨🇧. ❄   perto da Praça de Touros AY
Refeição 3200 – ⌸ 1250 – **142 qto** 20000/22200, 7 suites – PA 5900.

🏨 **Baia,** Av. Marginal ℘ 483 10 33, Fax 483 10 95, ≤, 🍽, 🖼 – 📶 🗎 📺 ☎ & 🅿 –
🛗 25/180. 🆎 ⓪ 🅴 *VISA*. ❄   AZ u
Refeição 2500 – **105 qto** ⌸ 16200/19500, 8 suites – PA 4250.

🏨 **Casa da Pérgola** *sem rest,* Av. Valbom 13 ℘ 484 00 40, Fax 483 47 91, « Moradia
senhorial », ⌘ – 🗎. ❄   AZ y
15 março-novembro – **10 qto** ⌸ 14000/18000.

🏨 **Nau,** Rua Dra. Iracy Doyle 14 ℘ 483 28 61, Telex 42289, Fax 483 28 66 – 📶 🗎 📺 ☎
🚭. 🆎 ⓪ 🅴 *VISA*. ❄   AZ r
Refeição 2000 – **59 qto** ⌸ 14000/14500 – PA 4000.

🏨 **Albergaria Valbom** *sem rest,* Av. Valbom 14 ℘ 486 58 01, Fax 486 58 05 – 📶 🗎 ☎
🚭. 🆎 ⓪ *VISA*. ❄   AZ y
40 qto ⌸ 9500/12500.

🍴 **Visconde da Luz,** Jardim Visconde da Luz ℘ 486 68 48, Fax 486 85 08, 🍽, Peixes
e mariscos – 🗎. 🆎 ⓪ 🅴 *VISA* 🇯🇨🇧. ❄   AZ d
fechado 3ª feira – **Refeição** lista 4780 a 6700.

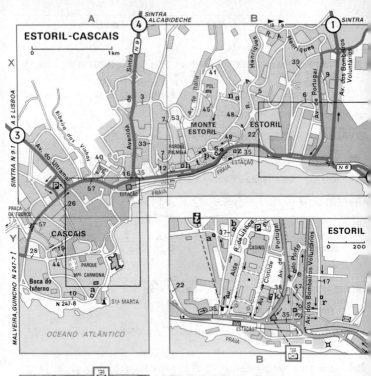

ESTORIL-CASCAIS

MONTE ESTORIL

ESTORIL

CASCAIS

OCEANO ATLÂNTICO

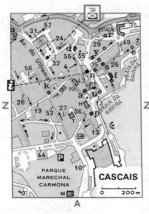

CASCAIS

Frederico Arouca (R.)	**AZ** 25	Francisco de Avilez (R.) **AZ**
Marginal (Estrada)	**AZ, BY** 35	Freitas Reis (R.) . . . . . . **AZ**
Regimento de Inf. 19		Gomes Freire (R.) . . . . **AZ**
(R.)	**AZ** 43	Guincho (Estrada do) . **AY**
Sebastião J. de Carvalho		Iracy Doyle (R.) . . . . . . **AZ**
e Melo (R.)	**AZ** 49	José Maria Loureiro (R.) **AZ**
25 de Abril (Av.)	**AYZ** 57	Manuel J. Avelar (R.) . . **AZ**
		Marechal Carmona (Av.) **AX**
Alcaide (R. do)	**AX** 3	Marquês Leal Pancada
Alexandre Herculano		(R.) . . . . **AZ**
(R.)	**AZ** 4	Melo e Sousa (R.) . . . **BY**
Algarve (R. do)	**BX** 5	Nice (Av. de) . . . . **BY**
Almeida Garrett (Pr.) . .	**BY** 6	Nuno Álvares Pereira
Argentina (Av. de)	**ABX** 7	(Av. D.) . . . . **BX**
Beira Litoral (R. da) . . .	**BX** 9	Padre Moisés da Silva
Boca do Inferno		(R.) . . . . **AX**
(Est. da)	**AYZ** 10	Piemonte (Av.) . . . . . . **BX**
Brasil (Av. do)	**AX** 12	República (Av. da) . . . . **AZ**
Carlos (Av. D.)	**AZ** 13	S. Pedro (Av. de) . . . . **BX**
Combatentes G. Guerra		S. Remo (Av.) . . . . . . **BY**
(Alameda)	**AZ** 15	Sabóia (Av.) . . . . **BX**
Costa Pinto (Av.)	**AX** 16	Vasco da Gama (Av.) . **AZ**
Dr. António Martins		Venezuela (Av. da) . . . **BX**
(R.)	**BY** 17	Visconde da Luz (R.) . . **AZ**
Emídio Navarro (Av.) . .	**AZ** 19	Vista Alegre (R. da) . . . **AZ**
Fausto Figueiredo (Av.)	**BY** 22	

XX **Reijos,** Rua Frederico Arouca 35 ℰ 483 03 11, � – 🍴. 🆎 ⓞ ☰ 𝘝𝘐𝘚𝘈 🎜
⅗ AZ
fechado domingo e do 15 ao 30 de dezembro – **Refeição** lista 3000 a 4000.

XX **Pimentão,** Rua das Flores 16 ℰ 484 09 94, Peixes e mariscos – 🍴. 🆎 ⓞ ☰ 𝘝𝘐𝘚𝘈 🎜
⅗ AZ
Refeição lista aprox. 6500.

XX **Casa Velha,** Av. Valbom 1 ℰ 483 25 86, Fax 482 02 30, 🌭, Decoração rústica – ▪
🆎 ⓞ ☰ 𝘝𝘐𝘚𝘈. ⅗ AZ
fechado 4ª feira – **Refeição** lista 3200 a 5000.

XX **O Pipas,** Rua das Flores 18 ℘ 486 45 01, Fax 484 07 80, Peixes e mariscos – ▤. AE ⓓ E VISA. ⊘ — AZ f
Refeição lista 4600 a 7400.

X **Novomar,** Beco Torto 1 ℘ 484 42 96, Fax 482 10 54, ⛱ – ▤. AE ⓓ E VISA. ⊘ — AZ a
fechado 4ª feira – **Refeição** lista aprox. 4000.

X **Os Morgados,** Praça de Touros ℘ 486 87 51, Fax 486 87 51, Nos pórticos da Praça de Touros – ▤. AE ⓓ E VISA JCB. ⊘ — por AY
fechado 2ª feira e novembro – **Refeição** lista aprox. 3300.

X **Dom Leitão,** Av. Vasco da Gama 36 ℘ 486 54 87, Fax 484 21 09, Espec. em carnes – ▤. AE ⓓ E VISA. ⊘ — AZ k
fechado 4ª feira e do 1 ao 15 de janeiro – **Refeição** lista 2890 a 3790.

X **Beira Mar,** Rua das Flores 6 ℘ 483 01 52, Fax 483 52 73 – ▤. AE ⓓ E VISA. ⊘ — AZ f
fechado 3ª feira e do 4 ao 12 de junho – **Refeição** lista 3900 a 8400.

X **Luzmar,** Av. Marginal 48 ℘ 484 57 04, Fax 486 85 08, ⛱ – ▤. AE ⓓ E VISA JCB. ⊘ — AZ n
fechado 2ª feira – **Refeição** lista aprox. 5160.

X **Sol e Mar,** Av. D. Carlos I-48 ℘ 484 02 58, ‹ – AE E VISA. ⊘ — AZ p
Refeição lista aprox. 4350.

X **Sagres,** Rua das Flores 10-A ℘ 483 08 30, ⛱ – ▤. AE ⓓ E VISA JCB. ⊘ — AZ f
fechado 4ª feira e janeiro – **Refeição** lista aprox. 4700.

a estrada do Guincho *por Av. 25 de Abril* AYZ – ✉ *2750 Cascais* – ☏ *01* :

🏨 **Estal. Sra. da Guia,** 3,5 km ℘ 486 92 39, Fax 486 92 27, ‹, ⛱, « Bonita decoração », 🏊, 🌳 – ▤ qto 📺 ☎ Ⓟ – 🎤 25/80. AE ⓓ E VISA. ⊘
Refeição lista aprox. 4200 – **41 qto** ☕ 24000/26000, 2 suites.

🏨 **Cascais Atrium** *sem rest*, Edifício Cascais Atrium - 2,5 km ℘ 483 00 11, Fax 483 52 70, 🏊 – ⇅ ▤ 📺 ☎ 🚗. AE ⓓ E VISA. ⊘
☕ 1000 – **35 apartamentos** 16600/23400.

XX **Monte-Mar,** 5 km ℘ 486 92 70, Fax 486 93 56, ‹, ⛱ – ▤ Ⓟ. AE ⓓ E VISA JCB. ⊘
fechado 2ª feira e do 15 ao 30 de outubro – **Refeição** lista 4500 a 7100.

XX **Furnas do Guincho,** 3,5 km ℘ 486 92 43, Fax 486 90 70, ‹, ⛱ – Ⓟ. AE ⓓ E VISA. ⊘
Refeição lista 4800 a 5300.

X **Le Café Fernando,** Edifício Cascais Atrium - 2,5 km ℘ 483 00 11, Fax 483 52 70, ⛱ – ▤. VISA. ⊘
Refeição lista aprox. 3500.

a Praia do Guincho *por Av. 25 de Abril : 9 km* AYZ – ✉ *2750 Cascais* – ☏ *01* :

🏨 **Do Guincho** 🐦, ℘ 487 04 91, Telex 43138, Fax 487 04 31, ‹, « Antiga fortaleza num promontório rochoso » – ⇅ ▤ 📺 ☎ Ⓟ – 🎤 25/200. AE ⓓ E VISA JCB. ⊘
Refeição lista aprox. 6800 – **31 qto** ☕ 27000/29000.

XX ✿ **Porto de Santa Maria,** ℘ 487 02 40, Fax 485 09 49, ‹, Peixes e mariscos – ▤ Ⓟ. AE ⓓ E VISA JCB
fechado 2ª feira – **Refeição** lista 8850 a 12000
Espec. Peixe assado em sal e no pão. Misto de mariscos ao natural ou grelhado. Arroz de marisco.

X **Panorama,** ℘ 487 00 62, Fax 485 09 49, ‹, ⛱, Peixes e mariscos – ▤ Ⓟ. AE ⓓ E VISA JCB
fechado 3ª feira – **Refeição** lista 5400 a 8100.

X **Mestre Zé,** ℘ 487 02 75, Fax 485 16 33, ‹, ⛱ – ▤ Ⓟ. AE VISA. ⊘
Refeição lista 4100 a 7300.

X **O Faroleiro,** ℘ 487 02 25, Fax 487 02 25, ‹ – ▤ Ⓟ. AE ⓓ E VISA JCB. ⊘
Refeição lista 3300 a 5700.

STELO BRANCO *6000* Ⓟ 440 *M 7 – 30 624 h. alt. 375 –* ☏ *072.*

Ver : *Jardim do Antigo Paço Episcopal*★.
🚗 ℘ *222 83.*
ℹ *Alameda da Liberdade* ℘ *210 02.*
Lisboa 256 ③ – Cáceres 137 ② – Coimbra 155 ① – Portalegre 82 ③ – Santarém 176 ③.

Plano página seguinte

🏨 **Rainha D. Amélia,** Rua de Santiago 15 ℘ 32 63 15, Fax 32 63 90 – ⇅ ▤ 📺 ☎ ♿ 🚗 – 🎤 25/350. AE E VISA. ⊘ — b
Refeição 2300 – **64 qto** ☕ 10300/13100 – PA 4600.

🏨 **Colina do Castelo** 🐦, Rua da Piscina ℘ 32 98 56, Fax 32 97 59, ‹ campo e serra, 🏋, 🏊, 🎾 – ⇅ ▤ 📺 ☎ ♿ 🚗 Ⓟ – 🎤 25/400. AE E VISA. ⊘ — e
Refeição lista aprox. 2500 – **97 qto** ☕ 10500/12500, 6 suites.

CASTELO BRANCO

João C. Abrunho 16
Liberdade (Alameda da) 18
Rei D. Dinis 28
Sidónio Pais 43
1º de Maio (Av.) 46

Arco (Rua do) 3
Arressário (Rua do) 4
Bairreiro (Largo do) 6
Bairreiro (Rua do) 7
Camilo Castelo Branco
  (Rua de) 9
Espírito Santo (Largo do) . . . 10
Espírito Santo (Rua do) 12
Ferreiros (Rua dos) 13
Frei Bartolomeu da Costa
  (Rua de) 15
Luís de Camões (Praça) 19
Mercado (Rua do) 21
Olarias (Rua das) 22
Pátria (Campo da) 24
Prazeres (Rua dos) 25
Quinta Nova (Rua da) 27
Relógio (Rua do) 30
Santa Maria (Rua da) 31
São João (Largo de) 33
São João de Deus (Rua) 34
São Marcos (Largo de) 36
São Sebastião (Rua) 37
Sé (Rua da) 40
Senhora da Piedade
  (Rua de) 42
Vaz Preto (Rua de) 45

> **Arraiana** sem rest, Av. 1º de Maio 18 ℰ 216 34, Fax 33 18 84 – 🗏 📺 ☎. ᴇ 𝘝𝘐𝘚𝘈.
> 31 qto ⌧ 5000/8500.

> **Praça Velha,** Largo Luís de Camões 17 ℰ 32 86 40, Fax 32 86 20, Decoração rústi
> – 🖐 🅿. 🆎 ⓞ ᴇ 𝘝𝘐𝘚𝘈. 🛠
> fechado 2ª feira – Refeição lista 2250 a 3400.

Ver também : **Retaxo** por ③ : 10 km.

CASTELO DE BODE Santarém – ver Tomar.

CASTELO DE VIDE 7320 Portalegre 🔢 N 7 – 2 663 h. alt. 575 – 🕲 045 – Termas.

Ver : Castelo ≤★ – Judiaria★.
Arred. : Capela de Na. Sra. de Penha ≤★ S : 5 km – Estrada★ escarpada de Castelo
Vide a Portalegre por Carreiras S : 17 km
🅱 Rua Bartolomeu Álvares da Santa 81 ℰ 913 61.
Lisboa 213 – Cáceres 126 – Portalegre 22.

> **Garcia d'Orta,** Estrada de São Vicente ℰ 911 00, Fax 912 00, ≤, ⽔ – 🖐 🗏 📺 ☎
> 🅿 – 🖐 25/80. 🆎 ⓞ ᴇ 𝘝𝘐𝘚𝘈
> Refeição (ver rest. **A Castanha**) – 52 qto ⌧ 12800/14400, 1 suite.

> **Sol e Serra,** Estrada de São Vicente ℰ 913 01, Telex 43332, Fax 913 37, ⽔ – 🖐
> 📺 ☎ 🅿 – 🖐 25/120. 🆎 ⓞ ᴇ 𝘝𝘐𝘚𝘈. 🛠
> Refeição 2500 – **50 qto** ⌧ 9000/12500 – PA 5000.

> **Casa do Parque** ⽝, Av. da Aramenha 37 ℰ 912 50, Fax 912 28 – 🗏. 𝘝𝘐𝘚𝘈. 🛠
> Refeição (fechado 3ª feira) 2000 – **28 qto** ⌧ 6000/9000.

> **Isabelinha** sem rest, Paço Novo ℰ 918 96 – 🗏 📺 ☎. 🛠
> 11 qto ⌧ 6000/7000.

> **A Castanha,** Estrada de São Vicente ℰ 911 00, Fax 912 00, ≤ – 🗏 🅿. 🆎 ⓞ ᴇ 𝘝𝘐𝘚𝘈. 🛠
> Refeição lista 3900 a 6400.

> **D. Pedro V,** Praça D. Pedro V-10 ℰ 912 36, Fax 912 36 – 🗏. ⓞ ᴇ 𝘝𝘐𝘚𝘈. 🛠
> fechado 2ª feira e 25 junho-15 julho – Refeição lista aprox. 2950.

CAXIAS Lisboa 🔢 P 2 – 4 907 h. – ⊠ 2780 Oeiras – 🕲 01 – Praia.

Lisboa 13 – Cascais 17.

> **Mónaco,** Rua Direita 9 (Estrada Marginal) ℰ 443 23 39, Fax 443 12 17, ≤, 🍴, Mús
> ao jantar – 🗏 🅿.

ELORICO DA BEIRA *6360 Guarda* **440** *K 7 – 2 750 h.* – ✪ *071.*

 🛈 *Estrada N 17* ✆ *721 09.*
 Lisboa 337 – Coimbra 138 – Guarda 27 – Viseu 54.

🏨 **Mira Serra,** Estrada N 17 ✆ 726 04, Telex 53192, Fax 74 13 82, ≼ – |≢| 🗏 📺 ☎ ⇦
 🄿 – 🛄 25/100. ⅍ ⓪ **E** *VISA*. ⅍ rest
 Refeição 3000 – **42 qto** ⇌ 7000/11000.

☝ **Parque** *sem rest*, Rua Andrade Corvo 48 ✆ 721 97, Fax 737 98 – 📺 ☎ **🄿**. ⅍ ⓪ **E** *VISA*
 27 qto ⇌ 4000/6000.

ERDEIRINHAS *Braga – ver Vieira do Minho.*

ERNACHE DO BONJARDIM *Castelo Branco* **440** *M 5 – 3 627 h.* – ✉ *6100 Sertã* – ✪ *074.*
 Lisboa 187 – Castelo Branco 81 – Santarém 110.

ela estrada N 238 *SO : 10 km* – ✉ *6100 Sertã* – ✪ *074 :*

🏨 **Estal. Vale da Ursa** ☍, ✆ 909 81, Fax 909 82, ≼, ☆, « Na margem do rio Zêzere »,
 ⫘, ⅍ – |≢| 🗏 📺 ☎ **🄿**. **E** *VISA*. ⅍ rest
 Refeição *(fechado 2ª feira e novembro)* 2400 – **17 qto** ⇌ 12500/16000 – PA 4500.

HAMUSCA *2140 Santarém* **440** *N 4 – 3 497 h.* – ✪ *049.*
 Lisboa 121 – Castelo Branco 136 – Leiria 79 – Portalegre 118 – Santarém 31.

o cruzamento das estradas N 118 e N 243 *NE : 3,5 km* – ✉ *2140 Chamusca* – ✪ *049 :*

🍴 **Paragem da Ponte,** Ponte da Chamusca ✆ 76 04 06 – 🗏 **🄿**. ⅍ **E** *VISA*. ⅍
 Refeição lista aprox. 3400.

HAVES *5400 Vila Real* **440** *G 7 – 13 759 h. alt. 350* – ✪ *076 – Termas.*
 Ver : Igreja da Misericórdia★ - Museu da Região Flaviense★.
 Excurs. : O : Cávado (Alto vale do)★ : estrada de Chaves a Braga pelas barragens do Alto
 Rabagão★), da Paradela★ (local★), da Caniçada (≼★) – e ≼★★ do vale e Serra do Gerês
 - Montalegre (local★).
 🏌 *Vidago SO : 20 km* ✆ *996 62 Fax 996 62.*
 🛈 *Terreiro de Cavalaria* ✆ *33 30 29, Fax 214 19.*
 Lisboa 475 – Orense/Ourense 99 – Vila Real 66.

🏫 Aquae Flaviae, Praça do Brasil ✆ 330 90 00, Telex 25078, Fax 33 29 10, ≼, ⅍ – |≢| 🗏
 📺 ☎ ⇦ **🄿** – 🛄 25/1000
 166 qto.

🏨 **Trajano,** Travessa Cândido dos Reis ✆ 33 24 15, Fax 270 02 – |≢| 🗏 rest 📺. **E** *VISA*. ⅍
 Refeição 1500 – **39 qto** ⇌ 5500/7500 – PA 3000.

🏠 **Santiago,** Rua do Olival ✆ 225 45, ≼ – ⅍
 junho-setembro – **Refeição** 2000 – **32 qto** ⇌ 6000/6900 – PA 4000.

🏠 **Brites** *sem rest*, Av. Duarte Pacheco (Estrada de Espanha) ✆ 33 27 77, Fax 33 22 21,
 ≼ – 🗏 📺 ☎ **🄿**. **E** *VISA*. ⅍
 28 qto ⇌ 5000/7000.

🏠 **São Neutel** *sem rest*, Estrada de Outeiro Seco (junto ao Estadio Municipal) ✆ 33 36 32,
 Fax 33 36 20, ≼ – 🗏 📺 ☎ ⇦ **🄿**. **E** *VISA*. ⅍
 31 qto ⇌ 4500/7000.

🏠 **Jardim das Caldas,** Alameda do Tabolado 5 ✆ 33 11 89 – 📺 ☎. ⅍ **E** *VISA*. ⅍
 Chave d'Ouro 2 : Refeição lista aprox. 3500 – **20 qto** ⇌ 6000/8000.

🏠 **4 Estações** *sem rest*, Av. Duarte Pacheco (Estrada de Espanha) ✆ 33 39 86,
 Fax 33 39 86 – 📺 **🄿**. ⅍ **E** *VISA*
 ⇌ 250 – **20 qto** 3500/6000.

IMBRA *3000* **🅿** **440** *L 4 – 89 639 h. alt. 75* – ✪ *039.*
 Ver : Sítio★ - Sé Velha★★ (retábulo★, Capela do Sacramento★) Z – Museu Nacional Ma-
 *chado de Castro★★ (cavaleiro medieval★) Z **M1** – Velha Universidade★★ (balcão ≼★) :*
 capela★ (caixa de órgão★★), biblioteca★★ Z – Mosteiro de Santa Cruz★ : igreja★ (púlpito★),
 claustro do Silêncio★, coro (cadeiral★) Y L – Mosteiro de Celas (púlpito★) V – Mosteiro de
 Santa Clara a Nova (túmulo★) X.
 Arred. : Miradouro do Vale do Inferno★ 4 km por ③ – Ruinas de Conimbriga★ (Casa de
 Cantaber★, casa dos Repuxos★★ : mosaicos★★) 17 km por ③.
 ⇦ ✆ 349 98.
 🛈 *Largo da Portagem* ✆ *238 86, Fax 255 76, Largo D. Dinis* ✆ *325 91 e Praça da República*
 ✆ *332 02 –* **A.C.P.** *Rua da Sofia 173 e 175,* ✆ *268 13, Fax 350 03.*
 Lisboa 200 ③ – Cáceres 292 ② – Porto 118 ① – Salamanca 324 ②.

COIMBRA

Antero de Quental (Rua) . . . . V 4
António Augusto Gonçalves (Rua) . X 6
Augusta (Rua) . . . . V 7
Aveiro (Rua de) . . . . V 9
Combatentes
da Gde Guerra (Rua) . . . . X 12

Dom Afonso Henriques
(Av.) . . . . V 13
Dr Augusto Rocha (Rua) . . . V 15
Dr B. de Albuquerque (Rua) . V 16
Dr Júlio Henriques
(Alameda) . . . . X 21
Dr L. de Almeida Azevedo
(Rua) . . . . V 22

Dr Marnoco e Sousa
(Av.) X
Figueira da Foz (Rua da) V
Guerra Junqueiro (Rua) V
Jardim (Arcos do) X
João das Regras (Av.) X
República (Praça da) V
Santa Teresa (Rua de) X

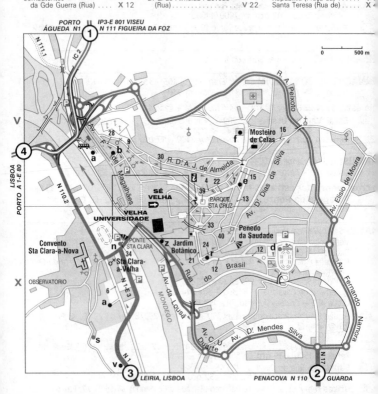

Quinta das Lágrimas ⬧, Santa Clara ℘ 44 16 15, Fax 44 16 95, 斎, « Palácio século XVIII com parque florestal », ⬛ – ⬢ ▤ 📺 🅿 ⬧ ℗ – ⌃ 25/100. 🆎 ⓞ 🄴 🎒
🎉
Refeição 4000 – **35 qto** ⬓ 18000/21000, 4 suites – PA 8000.

Tivoli Coimbra, Rua João Machado 4 ℘ 269 34, Fax 268 27, ⌟, ⬛ – ⬢ ▤ 📺 ⬅ – ⌃ 25/120. 🆎 ⓞ 🄴 🎴 🎉
Refeição lista aprox. 3200 – **55 qto** ⬓ 14000/16000, 5 suites.

Dona Inês, Rua Abel Dias Urbano 12 ℘ 257 91, Fax 256 11, ≼, 🎾 – ⬢ ▤ 📺 ☎ ⬅ – ⌃ 25/300. 🆎 ⓞ 🄴 🎉
Refeição 2700 – **72 qto** ⬓ 10400/11900, 12 suites.

Meliá Confort Coimbra, Av. Armando Gonçalves-Lote 20 ℘ 48 45 00, Fax 48 43 – ⬢ ▤ 📺 ☎ ⬧ ⬅ – ⌃ 25/150. 🆎 ⓞ 🄴 🎉
Refeição lista aprox. 3500 – **140 qto** ⬓ 16000/18000.

D. Luís, Santa Clara ℘ 44 25 10, Fax 44 51 96, ≼ cidade e rio Mondego – ⬢ ▤ 📺 ℗ – ⌃ 25/200. 🆎 ⓞ 🄴 🎉
Refeição 2750 – **98 qto** ⬓ 11500/13500, 2 suites.

Almedina Coimbra H. sem rest, Av. Fernão de Magalhães 199 ℘ 291 61, Telex 521 Fax 299 06 – ⬢ ▤ 📺 ☎ ⬧ – ⌃ 25/70. 🆎 ⓞ 🄴 🎉
75 qto ⬓ 8600/9900.

Bragança, Largo das Ameias 10 ℘ 221 71, Fax 361 35 – ⬢ ▤ 📺 ☎. 🄴 🎉
Refeição 1900 – **83 qto** ⬓ 5000/9500.

622

Ameias (Largo das)	Z 3		Fernandes Tomás (Rua de)	Z 25
mércio (Praça do)	Z	Antero de Quental (Rua)	Y 4	Guilherme Moreira (Rua)	Z 31
não de Magalhães (Avenida)	Y	Borges Carneiro		Portagem (Largo da)	Z 36
rreira Borges (Rua)	Z 27	(Rua de)	Z 10	Quebra-Costas
fia (Rua da)	Y	Dr João Jacinto		(Escadas de)	Z 31
conde da Luz (Rua)	Y 43	(Rua do)	Y 18	Sobre-Ripas (Rua de)	Z 42
		Dr José Falcão (Rua)	Z 19	8 de Maio (Praça)	Y 45

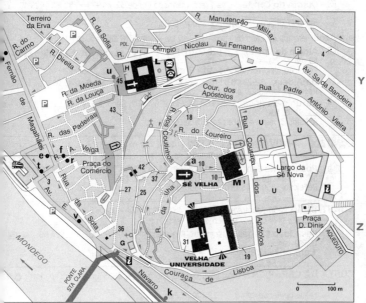

🏨 **Astória**, Av. Emídio Navarro 21 ℰ 220 55, Telex 42859, Fax 220 57, ⋞ – |‡| 🖭 rest 🖭 ☎. 🖭 ⓞ 🗉 ⱽⁱˢᴬ ᴶᶜᴮ.
  Refeição lista aprox. 3800 – **64 qto** ⌖ 12000/15000.
  Z v

🏨 **Oslo** sem rest, Av. Fernão de Magalhães 25 ℰ 290 71, Fax 206 14 – |‡| 🖭 🖭 ☎. 🖭 ⓞ 🗉 ⱽⁱˢᴬ. ℀ – **33 qto** ⌖ 7000/9000.
  YZ e

🏨 **Ibis Coimbra**, Av. Emídio Navarro ℰ 49 15 59, Fax 49 17 73 – |‡| 🖭 🖭 ☎ & ⌑ – ᐃ 25/120. 🖭 ⓞ 🗉 ⱽⁱˢᴬ. ℀ rest
  Refeição lista aprox. 2200 – ⌖ 750 – **110 qto** 7800.
  X z

🏨 **Botánico** sem rest, Rua Combatentes da Grande Guerra (Ao cimo)-Bairro São José 11 ℰ 71 48 24, Fax 40 51 24 – |‡| 🖭 🖭 ☎. 🗉 ⱽⁱˢᴬ. ℀
  24 qto ⌖ 5500/7500.
  X r

🏠 **Alentejana** sem rest, Rua Dr. António Henriques Seco 1 ℰ 259 03, Fax 40 51 24 – 🖭 ☎. 🗉 ⱽⁱˢᴬ. ℀ – **15 qto** ⌖ 4000/5500.
  V e

🏠 **Moderna** sem rest, Rua Adelino Veiga 49-2° ℰ 254 13, Fax 254 13 – 🖭 🖭 ☎. ⌖ 350 – **18 qto** 5000/6700.
  Z r

🏠 **Domus** sem rest, Rua Adelino Veiga 62 ℰ 285 84, Fax 388 18 – 🖭 ☎. 🖭 🗉 ⱽⁱˢᴬ. ℀ ⌖ 300 – **20 qto** 4500/7100.
  YZ f

🍴 Piscinas, Rua D. Manuel-2° ℰ 71 70 13, Fax 71 41 64 – 🖭
  X d

🍴 **Dom Pedro**, Av. Emídio Navarro 58 ℰ 291 08, Fax 246 11 – 🖭. 🖭 ⓞ 🗉 ⱽⁱˢᴬ. ℀
  Refeição lista aprox. 4250.
  Z k

🍴 **Trovador**, Largo da Sé Velha 17 ℰ 254 75 – 🗉 ⱽⁱˢᴬ. ℀
  fechado domingo – **Refeição** lista aprox. 4200.
  Z a

🍴 **Real das Canas**, Vila Méndes 7 ℰ 81 48 77, Fax 524 25, ⋞ – 🖭. 🖭 ⓞ 🗉 ⱽⁱˢᴬ
  fechado 4ª feira – Refeição lista 2130 a 2900.
  X s

🍴 O Alfredo, Av. João das Regras 32 ℰ 44 15 22, Fax 44 15 00 – 🖭
  X n

🍴 **Carmina de Matos**, Praça 8 de Maio 2 ℰ 235 10 – 🖭. 🖭 ⓞ ⱽⁱˢᴬ
  fechado sábado ou 2ª feira e setembro – **Refeição** lista 1500 a 4400.
  Y u

COLARES Lisboa 440 P 1 – 6 921 h. alt. 50 – ⊠ 2710 Sintra – 🕓 01.

Arred. : Azenhas do Mar★ (sítio★) NO : 7 km.

🖪 Alameda Coronel Linhares de Lima (Várzea de Colares) ℘ 929 26 38.

Lisboa 36 – Sintra 8.

🏠 **Quinta do Conde** ⊗ sem rest, Quinta do Conde 32 ℘ 929 16 52, Fax 929 16 02, – ☎. ⁞
fechado janeiro – **11 qto** � 6500/13000.

em Azoia estrada do Cabo da Roca – SO : 10 km – ⊠ 2710 Sintra – 🕓 01 :

🏛 **Aldeia da Roca** ⊗, ℘ 928 00 01, Fax 928 01 63, 🔾, ⁞ – ▤ 📺 ☎ ℗ – 🛃 25/4
🕮 ⓞ ⋿ 𝗩𝗜𝗦𝗔. ⁞
Refeição (ver rest. **Da Aldeia**) – **7 qto** ⊏ 12000/14500, 7 suites.

🏛 **Da Aldeia,** ℘ 928 00 01, Fax 928 01 63, 🏤 – ▤. 🕮 ⓞ ⋿ 𝗩𝗜𝗦𝗔. ⁞
Refeição lista 3500 a 5100.

🏛 **Refúgio da Roca,** ℘ 929 08 98, Fax 929 17 52, Decoração rústica. Rest. típico – ▤
🕮 ⓞ ⋿ 𝗩𝗜𝗦𝗔. ⁞
fechado 3ª feira – **Refeição** lista 3800 a 5900.

CONDEIXA-A-NOVA 3150 Coimbra 440 L 4 – 2 759 h. – 🕓 039.

Lisboa 192 – Coimbra 15 – Figueira da Foz 34 – Leiria 62.

🏛 **Pousada de Santa Cristina** ⊗, ℘ 94 40 25, Fax 94 30 97, ≼, « Relvado con 🔾
⁞ – ⁞▤ 📺 ☎ ℗ – 🛃 25/50. 🕮 ⓞ ⋿ 𝗩𝗜𝗦𝗔. ⁞
Refeição 3650 – **45 qto** ⊏ 14500/16500.

CONSTÂNCIA 2250 Santarém 440 N 4 – 4 160 h. alt. 74 – 🕓 049.

Lisboa 131 – Castelo Branco 124 – Leiria 70.

🏠 **Casa João Chagas** ⊗ sem rest, Rua João Chagas ℘ 994 03, Fax 994 58 – ▤ 📺 ⁞
⋿ 𝗩𝗜𝗦𝗔. ⁞
7 qto ⊏ 7500/8500.

COSTA DA CAPARICA Setúbal 440 Q 2 – 9 796 h. – ⊠ 2825 Monte da Caparica – 🕓 01
Praia.

🖪 Av. da República 18, ℘ 290 00 71 Fax 290 02 10.

Lisboa 21 – Setúbal 51.

🏛 **Costa da Caparica,** Av. General Humberto Delgado 47 ℘ 291 03 10, Fax 291 06 ▤
≼, 🔾 – ⁞▤ ▤ 📺 ☎ ⅙ ⬅ ℗ – 🛃 25/400. 🕮 ⓞ ⋿ 𝗩𝗜𝗦𝗔. ⁞
Refeição 3000 – **340 qto** ⊏ 19000/23000, 13 suites.

🏠 **Praia do Sol** sem rest, Rua dos Pescadores 12 ℘ 290 00 12, Telex 639 ▤
Fax 290 25 41 – ⁞▤ 📺 ☎. 🕮 ⓞ ⋿ 𝗩𝗜𝗦𝗔 𝗝𝗖𝗕. ⁞
53 qto ⊏ 6750/8500.

🏛 **Maniés,** Av. General Humberto Delgado 7 E ℘ 290 33 98, 🏤 – 🕮 ⓞ ⋿ 𝗩𝗜𝗦𝗔. ⁞
fechado 2ª feira no inverno – **Refeição** lista 2150 a 4300.

em São João da Caparica N : 2,5 km – ⊠ 2825 Monte da Caparica – 🕓 01 :

🏛 **Centyonze,** Estrada N 10-1,111 ℘ 290 39 68, 🏤 – ▤. ⋿ 𝗩𝗜𝗦𝗔. ⁞
fechado domingo noite, 2ª feira e do 15 ao 30 de setembro – **Refeição** lista 2300 a 39▤

COVA DA IRIA Santarém – ver Fátima.

COVILHÃ 6200 Castelo Branco 440 L 7 – 30 224 h. alt. 675 – 🕓 075 – Desportos de inver▤
na Serra da Estrela : ⅍3.

Arred. : Estrada★★ da Covilhã a Seia (≼★, Torre ⁂★★ 49 km – Estrada★★ da Covilh▤
Gouveia (vale glaciário de Zêzere★★ (≼★), Poço do Inferno★ : cascata★, (≼★) por M▤
teigas : 65 km – Unhais da Serra (sítio★) SO : 21 km.

🖪 Praça do Município ℘ 32 21 70, Fax 31 33 64.

Lisboa 301 – Castelo Branco 62 – Guarda 45.

ao Sueste :

🏛 **Turismo da Covilhã,** Acesso à Estrada N 18 - 3,5 km ℘ 32 45 45, Fax 32 46 30,
– ⁞▤ ▤ 📺 ☎ ⅙ ⬅ ℗ – 🛃 25/60. 🕮 ⓞ ⋿ 𝗩𝗜𝗦𝗔. ⁞ rest
Refeição 2000 - **Piornos : Refeição** lista 2300 a 3100 – **55 qto** ⊏ 10000/15000, 5 sui▤
– PA 4000.

🏠 **Santa Eufêmia** sem rest, Sítio da Palmatória - 2 km ℘ 31 33 08, Fax 31 41 84, ≼
⁞▤ ▤ 📺 ℗. ⁞
77 qto ⊏ 5500/8000.

624

RATO 7430 Portalegre **440** 07 – 2 123 h. – ✪ 045.
Ver : *Mosteiro de Flor da Rosa*★ : *igreja*★ (N : 2km).
Lisboa 206 – Badajoz 84 – Estremoz 61 – Portalegre 20.

m Flor da Rosa N : 2 km – ⊠ 7430 Crato – ✪ 045 :

🏤 **Pousada Flor da Rosa** ⤢, 𝒫 99 72 10, Fax 99 72 12, ≼, « Num mosteiro do século XIV », ⤢, 🛋, 🚗 – 📲 🗐 📺 ☎ 🅿. 🆎 ⓞ 🅴 𝑉𝐼𝑆𝐴. ❄
Refeição 3650 – **24 qto** ⇆ 20000/23000.

URIA Aveiro **440** K 4 – 2 704 h. alt. 40 – ⊠ 3780 Anadia – ✪ 031 – Termas.
🛈 Largo da Rotunda 𝒫 51 22 48 Fax 51 29 66.
Lisboa 229 – Coimbra 27 – Porto 93.

🏨 **Das Termas** ⤢, 𝒫 51 21 85, Fax 51 58 38, « Num parque com árvores », 🛋, ❦ –
📲 🗐 📺 ☎ 🅿 – 🖽 25/100. 🆎 ⓞ 🅴 𝑉𝐼𝑆𝐴. ❄
Refeição 2700 – **57 qto** ⇆ 12000/17500 – PA 5500.

🏨 **Grande H. da Curia** ⤢, 𝒫 51 57 20, Fax 51 53 17, « Instalado num singular edifício de fins do século XIX », 𝐼𝟼, 🛋, 🚗 – 📲 🗐 📺 ☎ 🅿 – 🖽 25/200. 🆎 ⓞ 🅴 𝑉𝐼𝑆𝐴 𝐽𝐶𝐵. ❄
Refeição lista 2250 a 3350 – **84 qto** ⇆ 11500/14000.

🏠 **Do Parque** ⤢ sem rest, 𝒫 51 20 31 – 🅿. 🆎 ⓞ 🅴 𝑉𝐼𝑆𝐴
junho-setembro – **22 qto** ⇆ 3500/5000.

OMINGUISO Castelo Branco **440** L 7 – 1 137 h. – ⊠ 6205 Tortosendo – ✪ 075.
Lisboa 304 – Castelo Branco 65 – Covilhã 10 – Guarda 55.

🏠 Fonte Velha sem rest, Rua Pinhos Mansos 𝒫 95 97 77, Fax 95 97 78 – 🗐 📺 ☎
16 qto.

VAS 7350 Portalegre **440** P 8 – 13 187 h. alt. 300 – ✪ 068.
Ver : *Muralhas*★★ – *Aqueduto da Amoreira*★ – *Largo de Santa Clara*★ (pelourinho★) – *Igreja de N. S. da Consolação*★ (azulejos★).
🛈 Praça da República 𝒫 62 22 36.
Lisboa 222 – Portalegre 55.

🏨 **Pousada de Santa Luzia,** Av. de Badajoz (Estrada N 4) 𝒫 62 21 94, Fax 62 21 27, 🛋, ❦ – 🗐 📺 ☎ 🅿. 🆎 ⓞ 🅴 𝑉𝐼𝑆𝐴. ❄
Refeição 3650 – **25 qto** ⇆ 14500/16500.

🏨 **D. Luís** sem rest, Av. de Badajoz (Estrada N 4) 𝒫 62 27 56, Fax 62 07 33 – 📲 🗐 📺 ☎ – 🖽 25/50. 🆎 ⓞ 🅴 𝑉𝐼𝑆𝐴. ❄
90 qto ⇆ 10000/12500.

✗ Flor do Jardim, Jardim Municipal (Estrada N 4) 𝒫 62 31 74, 🛋 – 🗐.

la estrada de Portalegre – ⊠ 7350 Elvas – ✪ 068 :

🏨 **Estal. Quinta de Santo António** ⤢, NO : 3,5 km e desvio a esquerda pela estrada de Barbacena 4,5 km 𝒫 62 84 06, Fax 62 50 50, 🛋, « Antiga quinta com capela e amplo jardim », 𝐼𝟼, 🛋, ❦ – 🗐 📺 ☎ 🖐 🅿 – 🖽 25/120. 🆎 ⓞ 🅴 𝑉𝐼𝑆𝐴. ❄
Refeição 3500 – **29 qto** ⇆ 12000/15000, 1 suite – PA 7000.

⟁ Luso-Espanhola sem rest, Rui de Melo - N : 2 km 𝒫 62 30 92 – 🗐 📺 ☎
14 qto.

estrada N 4 – ⊠ 7350 Elvas – ✪ 068 :

🏨 **Varchotel,** Varche - O : 5,5 km 𝒫 62 16 21, Fax 62 15 96, 🛋, ❦ – 📲 🗐 📺 ☎ 🖐. 🆎 🅴 𝑉𝐼𝑆𝐴. ❄
Refeição (fechado 2ª feira) lista aprox. 2000 – **43 qto** ⇆ 6000/9500.

🏨 **Albergaria Elxadai Parque,** Varche - O : 5 km 𝒫 62 13 97, Fax 62 19 21, ≼ Elvas, Badajoz e Olivença, 🛋 – 📲 🗐 📺 ☎ 🅿. 🆎 ⓞ 🅴 𝑉𝐼𝑆𝐴. ❄
Refeição (ver rest. *Guadicaia*) – **28 qto** ⇆ 9900/12300.

✗✗ Albergaria Jardim com qto, Sítio das Pias - E : 3km 𝒫 62 10 50, Fax 62 10 51, 🛋 – 🗐 📺 ☎ 🅿
11 qto.

✗ **Guadicaia,** Varche - O : 5 km 𝒫 62 13 76, Fax 62 19 21, ≼, 🛋, 🛋 – 🗐 🅿. 🆎 ⓞ 🅴 𝑉𝐼𝑆𝐴. ❄
Refeição lista aprox. 3500.

✗ **Dom Quixote,** O : 3 km 𝒫 62 20 14, 🛋 – 🗐 🅿. 🆎 ⓞ 🅴 𝑉𝐼𝑆𝐴. ❄
Refeição lista 2400 a 4500.

ENTRE-OS-RIOS *4575 Porto 440 I 5 - alt. 50 - ☎ 055 - Termas.*
Lisboa 331 - Porto 49 - Vila Real 96.

Miradouro, Estrada N 108 ☎ 624 22, Fax 61 42 14, ←, 🏞, Lampreia - E V
fechado 2ª feira e do 15 ao 31 de dezembro - **Refeição** lista aprox. 3000.

ENTRONCAMENTO *2330 Santarém 440 N 4 - 13 925 h. - ☎ 049.*
Praça da República, ☎ 71 92 29.
Lisboa 127 - Castelo Branco 132 - Leiria 55 - Portalegre 114 - Santarém 45.

Gameiro *sem rest*, Rua Abílio César Afonso (frente à Estação dos Caminhos de Fer
☎ 668 34, Fax 71 87 08 - |♦| ▤ TV ☎ P. AE E VISA
34 qto ▭ 5500/8000.

ERICEIRA *2655 Lisboa 440 P 1 - 4 604 h. - ☎ 061 - Praia.*
Ver : *Pitoresco porto piscatório★.*
Rua Mendes Leal ☎ 629 20.
Lisboa 51 - Sintra 24.

Morais *sem rest*, Rua Dr. Miguel Bombarda 3 ☎ 86 42 00, Fax 86 43 08, Fō, ⛱ - |♦|
40 qto.

Vilazul, Calçada da Baleia 10 ☎ 86 41 01, Fax 629 27 - |♦| ▤ TV ☎. AE ⓞ E VISA.
O Poço *(fechado 2ª feira no inverno)* **Refeição** lista 2400 a 3100 - **21 qto** ▭ 120

Pedro o Pescador *sem rest*, Rua Dr. Eduardo Burnay 22 ☎ 86 40 32, Fax 623 21 -
25 qto.

O Barco, Capitão João Lopes ☎ 627 59, ← - ▤. AE E VISA
fechado 5ª feira e do 2 ao 30 de novembro - **Refeição** lista 2750 a 4480.

na estrada N 247 *N : 2 km - ✉ 2655 Ericeira - ☎ 061 :*

Cesar, ☎ 629 26, Fax 621 33, ←, Mariscos. Viveiro próprio - P. AE ⓞ E VISA.
fechado 3ª feira, 15 dias em maio e 15 dias em outubro - **Refeição** lista 2600 a 39

ESPINHO *4500 Aveiro 440 I 4 - 33 414 h. - ☎ 02 - Praia.*
18 Oporto ☎ 72 20 08.
Ângulo das Ruas 6 e 23 ☎ 72 09 11 Fax 731 10 53.
Lisboa 308 - Aveiro 54 - Porto 16.

Praiagolfe, Rua 6 ☎ 731 33 85, Telex 23727, Fax 731 33 97, ←, Fō, ⛱ - |♦| ▤
☎ ♿ - 🏛 25/300. AE ⓞ E VISA.
Refeição 2900 - **133 qto** ▭ 18500/21000, 6 suites - PA 5200.

Aparthotel Solverde *sem rest*, Rua 21-77 ☎ 731 31 44, Telex 27920, Fax 731 31
← - |♦| TV ☎. AE ⓞ E VISA.
▭ 1000 - **83 apartamentos** 14500.

Néry *sem rest*, Avenida 8-826 ☎ 72 73 64, Fax 72 85 96, ← - |♦| ▤ TV ☎. AE ⓞ
VISA.
43 qto ▭ 8000/10000.

A Cabana *com snack-bar*, Avenida 8 - Rotunda da Praia Seca ☎ 72 19 66, ←, 🏞 - ▤ P.

Aquário, Rua 4-540 ☎ 72 03 77, Fax 72 87 62, 🏞 - ▤. AE ⓞ E VISA.
Refeição lista 2160 a 4870.

Avenida, Avenida 8 ☎ 72 01 11, 🏞 - ▤.

ESPOSENDE *4740 Braga 440 H 3 - 2 789 h. - ☎ 053 - Praia.*
Av. Arantes de Oliveira, ☎ 970 00 00.
Lisboa 367 - Braga 33 - Porto 49 - Viana do Castelo 21.

Suave Mar ⛱, Av. Eng. Arantes e Oliveira ☎ 96 54 45, Fax 96 52 49, ←, ⛱, 🎾 -
▤ TV ☎ 🚗 P. AE ⓞ E VISA.
Refeição 2200 - **84 qto** ▭ 12000/13500.

Nélia, Av. Valentin Ribeiro ☎ 96 55 28, Fax 96 48 20, ⛱ - |♦| ▤ TV ☎. AE ⓞ E
Refeição 2500 - **42 qto** ▭ 10000/12000.

Estal. Zende, Estrada N 13 ☎ 96 46 64, Fax 96 50 18 - ▤ TV ☎ P - 🏛 25/60.
ⓞ E VISA. rest
Refeição 1700 - ***Martins :*** **Refeição** lista aprox. 2660 - ▭ 500 - **25 qto** 8000/10
- PA 3200.

Acropole *sem rest*, Praça D. Sebastião ☎ 96 19 41, Fax 96 42 38 - |♦| TV ☎. E VISA.
30 qto ▭ 5500/8000.

STEFÂNIA Lisboa – ver Sintra.

STÓI Faro – ver Faro.

STORIL 2765 Lisboa 𝟰𝟰𝟬 P 1 - 25 230 h. - ✪ 01 - Praia.
Ver : Estância balnear★.
🛆 🛆 Club de Golf do Estoril ℰ 468 01 76 BX.
🛈 Arcadas do Parque ℰ 466 38 13, Fax 467 22 80.
Lisboa 28 ② – Sintra 13 ①.

Ver plano de Cascais

🏨🏨🏨 **Palácio,** Rua do Parque ℰ 468 04 00, Telex 12757, Fax 468 48 67, ≼, 🅈, 🏖 – 🛗 🗏 📺 ☎ 🅿 – 🔬 25/400. 🖭 ⓞ 🅴 𝘝𝘐𝘚𝘈 𝘑𝘤𝘣. ⅍ BY k
Refeição (ver rest. **Four Seasons**) - **131 qto** ⌑ 33000/35000, 31 suites.

🏨🏨 **Estal. Lennox Country Club** ⌕, Rua Eng. Álvaro Pedro de Sousa 5 ℰ 468 04 24, Fax 467 08 59, 🏤, « Terraços floridos », 🅈 climatizada – 🗏 📺 ☎ 🅿. 🖭 ⓞ 🅴 𝘝𝘐𝘚𝘈. ⅍ BY a
Refeição 3500 – **30 qto** ⌑ 13500/15800, 2 suites, 2 apartamentos.

🏨🏨 **Inglaterra,** Rua do Porto 1 ℰ 468 44 61, Fax 468 21 08, ≼, 🅈 – 🛗 🗏 📺 ☎ – 🔬 25/80. 🖭 ⓞ 🅴 𝘝𝘐𝘚𝘈. ⅍ BY e
Refeição 3500 – **50 qto** ⌑ 14300/23100, 2 suites.

🏨 **Alvorada** sem rest, Rua de Lisboa 3 ℰ 468 00 70, Fax 468 72 50 – 🛗 🗏 📺 ☎ 🅿. 🖭 ⓞ 🅴 𝘝𝘐𝘚𝘈. ⅍ BY b
54 qto ⌑ 8250/17000.

🏨 **Estal. Belvedere,** Rua Dr. António Martins 8 ℰ 466 02 08, Fax 467 14 33, 𝑓ₒ, 🅈 – 🛗 🗏 📺 ☎. ⅍ BY r
fechado janeiro – Refeição lista aprox. 5100 – **24 qto** ⌑ 15350/16100.

🗙🗙🗙 **Four Seasons,** Rua do Parque ℰ 468 04 00, Telex 12757, Fax 468 48 67 – 🗏 🅿. 🖭 ⓞ 🅴 𝘝𝘐𝘚𝘈 𝘑𝘤𝘣. ⅍ BY k
Refeição lista 4100 a 6990.

◗ Monte Estoril - BX – ✉ 2765 Estoril – ✪ 01 :

🏨🏨 **Aparthotel Clube Mimosa** ⌕, Av. do Lago 4 ℰ 467 00 37, Telex 44308, Fax 467 03 74, 𝑓ₒ, 🅈, 🄴, ⅏ – 🛗 🗏 📺 ☎ – 🔬 25/100. 🖭 ⓞ 🅴 𝘝𝘐𝘚𝘈. ⅍ BX n
Refeição 2500 – **58 apartamentos** ⌑ 22100 – PA 5000.

🏨🏨 **Aparthotel Estoril Eden,** Av. Sabóia 209 ℰ 467 05 73, Telex 42093, Fax 467 08 48, ≼, 🅈, 🄴 – 🛗 🗏 📺 ☎ – 🔬 25/180. 🖭 ⓞ 🅴 𝘝𝘐𝘚𝘈. ⅍ BX s
Refeição 3000 – ⌑ 1200 – **162 apartamentos** 19400/22700 – PA 6000.

🏨🏨 **Atlântico,** Estrada Marginal 8023 ℰ 468 02 70, Telex 18125, Fax 468 36 19, ≼, 🅈 – 🛗 🗏 📺 🅿 – 🔬 25/180. 🖭 ⓞ 🅴 𝘝𝘐𝘚𝘈. ⅍ BX z
Refeição 4000 – **175 qto** ⌑ 15000/25000 – PA 6000.

🗙🗙 **English-Bar,** Estrada Marginal ℰ 468 04 13, Fax 468 12 54, ≼, « Decoração inglesa » – 🗏 🅿. 🖭 ⓞ 🅴 𝘝𝘐𝘚𝘈. ⅍ BX s
fechado domingo, 2ª e 3ª semana de agosto – Refeição lista 4800 a 6000.

◗ São João do Estoril por ② : 2 km – ✉ 2765 Estoril – ✪ 01 :

🗙🗙 **A Choupana,** Av. Marginal 5579 ℰ 468 30 99, Fax 467 43 44, ≼ – 🗏 🅿. 🖭 ⓞ 𝘝𝘐𝘚𝘈. ⅍
fechado domingo e do 5 ao 30 de agosto – Refeição lista 3500 a 6100.

STREMOZ 7100 Évora 𝟰𝟰𝟬 P 7 - 7869 h. alt. 425 - ✪ 068.
Ver : A Vila Velha★ - Sala de Audiência de D. Dinis (colunata gótica★).
Arred. : Évoramonte : Sítio★, castelo★ (❄★) SO : 18 km.
🛈 Rossio Marquês de Pombal ℰ 33 20 71.
Lisboa 179 – Badajoz 62 – Évora 46.

🏨🏨🏨 **Pousada da Rainha Santa Isabel** ⌕, Largo D. Diniz - Castelo de Estremoz ℰ 33 20 75, Fax 33 20 79, ≼, « Luxuosa pousada instalada num belo castelo medieval », 🅈 – 🛗 🗏 📺 ☎ – 🔬 25. 🖭 ⓞ 🅴 𝘝𝘐𝘚𝘈. ⅍
Refeição 3650 – **32 qto** ⌑ 25000/28000, 1 suite.

🏨 **D. Dinis** sem rest, Rua 31 de Janeiro 46 ℰ 33 27 17, Fax 226 10 – 🗏 📺 ☎. 🅴 𝘝𝘐𝘚𝘈. ⌑ 1500 – **8 qto** 12500/15000.

🗙🗙 **Águias d'Ouro,** Rossio Marquês de Pombal 27 ℰ 33 33 26 – 🗏. 🖭 ⓞ 🅴 𝘝𝘐𝘚𝘈. ⅍
Refeição lista 2500 a 3600.

◗ estrada N 4 O : 2,5 km – ✉ 7100 Estremoz – ✪ 068 :

🏨 **Imperador,** Fonte do Imperador ℰ 33 20 83, Fax 33 27 20 – 🛗 🗏 📺 ☎ 🕭 �_ 🅿. 🖭 ⓞ 🅴 𝘝𝘐𝘚𝘈. ⅍
Bife na Pedra : Refeição lista 2200 a 3100 - **O Gato :** Refeição lista 2200 a 3100 – **65 qto** ⌑ 8000/11000, 3 suites.

ÉVORA

Giraldo (Praça do)	**BZ**
João de Deus (Rua)	**AY** 16
República (Rua da)	**BZ**
5 de Outubro (Rua)	**BYZ**
Álvaro Velho (Largo)	**BZ** 3
Aviz (Rua de)	**BY** 4
Bombeiros Voluntários de Évora (Av.)	**CZ** 6
Caraça (Trav. da)	**BZ** 7
Cenáculo (Rua do)	**BY** 9
Combatentes da Grande Guerra (Av. dos)	**BZ** 10
Conde de Vila-Flor (Largo)	**BY** 12
Diogo Cão (Rua)	**BZ** 13
Freiria de Baixo (Rua da)	**BY** 15
José Elias Garcia (Rua)	**AY** 18
Lagar dos Dízimos (Rua do)	**BZ** 19
Luís de Camões (Largo)	**AY** 21
Marquês de Marialva (Largo)	**BY** 22
Menino Jesus (R. do)	**BY** 24
Misericórdia (Largo)	**BZ** 25
Penedos (Largo dos)	**AY** 28
Santa Clara (R. de)	**AZ** 30
São Manços (Rua de)	**BZ** 31
Senhor da Pobreza (Largo)	**CZ** 33
Torta (Trav.)	**AZ** 34
Vasco da Gama (Rua)	**BY** 36
1º de Maio (Praça)	**BZ** 37

Este guia não é uma lista de todos os hotéis e restaurantes, nem sequer de todos os bons hotéis e restaurantes de Espanha e Portugal.

Como procuramos servir todos os turistas, vemo-nos obrigados a indicar estabelecimentos de todas as categorias e a citar apenas alguns de cada uma delas.

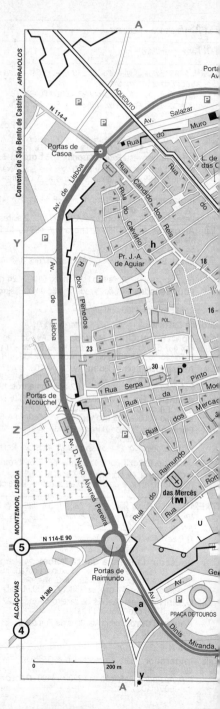

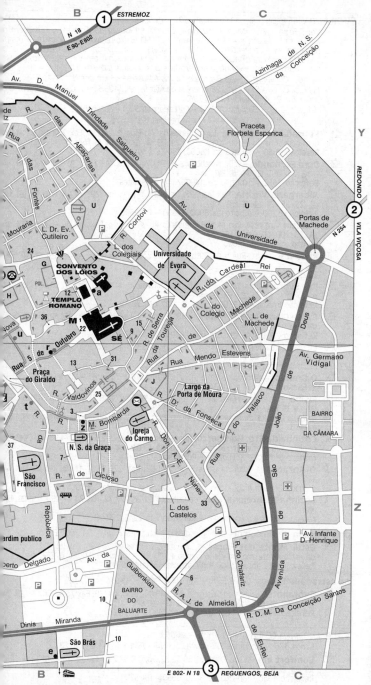

ÉVORA 7000 🅿 **440** Q 6 – 37 965 h. alt. 301 – 🚨 066.

Ver : Sé★★ BY : interior★ (cúpula★, cadeiral★,) Museu de Arte sacra★ (Virgem d' Paraíso★★), Claustro★ – Museu de Évora★ BY **M1** (Baixo-relevo★, Anunciação★) – Temp' romano★ BY – Convento dos Lóios★ BY : Igreja★, Edifícios conventuais (portal★) – Larg' da Porta de Moura (fonte★) BCZ – Igreja de São Francisco (interior★, capela dos Ossos★ BZ – Fortificações★ – Antiga universidade dos Jesuítas (claustro★) CY.

Arred. : Convento de São Bento de Castris (claustro★) 3 km por N 114-4.

🅱 Praça do Giraldo 73 🝰 226 71 e Rua de Aviz 90 🝰 74 25 34 – **A.C.P.** Rua Alcarcova c Baixo 7 e 9, 🝰 275 33, Fax 296 96.

Lisboa 153 ⑤ – Badajoz 102 ② – Portalegre 105 ② – Setúbal 102 ⑤.

Planos páginas 628 e 629

🏨 **Pousada dos Lóios** 🦢, Largo Conde de Vila Flor 🝰 240 51, Fax 272 48, « Instalac num convento do século XVI », 🏊, – 🍴 📺 ☎ 🅿. 🖭 ⓞ 🎟 *VISA*. ⅏　　　BY
Refeição 3650 – **30 qto** ⇆ 25000/28000, 2 suites.

🏨 **Dom Fernando**, Av. Dr. Barahona 2 🝰 74 17 17, Fax 74 17 16, 🏊 – 🛗 🍴 📺 ☎ ⇐ – 🎿 25/200. 🖭 ⓞ 🎟 *VISA*. ⅏　　　BZ
Refeição 2350 – **102 qto** ⇆ 11000/14000, 2 suites.

🏩 **Albergaria Vitória**, Rua Diana de Lis 5 🝰 271 74, Fax 209 74, ⩻ – 🛗 🍴 📺 ☎ 🎿 25/55. 🖭 ⓞ 🎟 *VISA*. ⅏　　　AZ
Refeição 3200 – **48 qto** ⇆ 8900/11300 – PA 5500.

🏩 **Planície** sem rest, Rua Miguel Bombarda 40 🝰 240 26, Fax 298 80 – 🛗 🍴 📺 ☎ 🎿 25/100. 🖭 ⓞ 🎟 *VISA*. ⅏　　　BZ
33 qto ⇆ 10000/12000.

🏩 **Riviera** sem rest, Rua 5 de Outubro 49 🝰 233 04, Fax 204 67 – 🍴 📺 ☎. 🖭 ⓞ *VISA*　　　BZ
22 qto ⇆ 9500/14000.

🏠 **Ibis Évora**, Quinta da Tapada - Urb. da Muralha 🝰 74 46 20, Fax 74 46 32 – 🛗 🍴 🄳 ☎ ⅙ 🅿 – 🎿 25. 🖭 ⓞ 🎟 *VISA*　　　AZ
Refeição lista aprox. 2500 – ⇆ 750 – **87 qto** 7800.

🏠 **Santa Clara**, Travessa da Milheira 19 🝰 241 41, Fax 265 44 – 🍴 📺 ☎. 🖭 ⓞ 🎟 *VI* ⅏ rest　　　AZ
Refeição 2300 – **43 qto** ⇆ 7600/9700 – PA 4600.

🍴🍴 **La Cave**, Rua da República 26 🝰 239 11, Fax 239 11, « Decoração original num ambien' rústico » – 🍴. 🖭 🎟 *VISA*　　　BZ
fechado 2ª feira – **Refeição** lista 2630 a 3180.

🍴🍴 **O Gremio**, Alcárcova de Cima 10 🝰 74 29 31, Fax 74 41 67 – 🍴 🎟 *VISA*. ⅏
Refeição lista 3100 a 3450.　　　BY

🍴 **Fialho**, Travessa das Mascarenhas 14 🝰 230 79, Fax 74 48 73, Decoração regional – 🍴 🖭 ⓞ 🎟 *VISA*. ⅏　　　AY
fechado 2ª feira, 24 dezembro-2 janeiro e do 2 ao 23 de setembro – **Refeição** lista 34 a 5460.

🍴 **Cozinha de Sto. Humberto**, Rua da Moeda 39 🝰 242 51, Fax 74 23 67, Decoraç original com motivos regionais – 🍴. 🖭 ⓞ 🎟 *VISA*. ⅏　　　AZ
fechado 5ª feira e novembro – **Refeição** lista 2800 a 3500.

🍴 **O Antão**, Rua João de Deus 5 🝰 264 59, Fax 270 36 – 🍴. 🖭 ⓞ 🎟 *VISA* J'
🎨 ⅏　　　BY
fechado 2ª feira e 23 junho-7 julho – Refeição lista aprox. 3600.

🍴 **Cozinha Alentejana**, Rua 5 de Outubro 51 🝰 227 72, Fax 74 47 16 – 🍴. 🖭 ⓞ *VISA*　　　BZ
fechado 4ª feira e novembro – **Refeição** lista 2245 a 3500.

pela estrada de Alcáçovas por ④ e desvio particular : 6 km – ⊠ 7000 Évora – 🚨 06'

🏩 **Estal. Monte das Flores** 🦢, Monte das Flores 🝰 254 90, Fax 275 64, « Conjur' de estilo alentejano em pleno campo », 🏊, ⅋ – 🍴 🅿. 🖭 ⓞ 🎟 *VISA*. ⅏
Refeição lista aprox. 3300 – **17 qto** ⇆ 13300/14900.

na estrada N 114 por ⑤ : 2,5 km – ⊠ 7000 Évora – 🚨 066 :

🏩 **Évorahotel**, Quinta do Cruzeiro 🝰 73 48 00, Telex 44279, Fax 73 48 06, ⩻, 🏊, ⅋ 🛗 🍴 📺 ☎ 🅿 – 🎿 25/450. 🖭 ⓞ 🎟 *VISA*. ⅏
Refeição 2600 – **114 qto** ⇆ 11750/14450 – PA 5200.

FAFE 4820 Braga **440** H 5 – 11 713 h. – 🚨 053.
Lisboa 375 – Amarante 37 – Guimarães 14 – Porto 67 – Vila Real 72.

🏩 **Comfort Inn**, Av. do Brasil 🝰 59 52 22, Fax 59 52 29 – 🍴 📺 ☎ ⅙ 🅿 – 🎿 25/ 🖭 ⓞ 🎟 *VISA*. ⅏ rest
Refeição 1950 – **60 qto** ⇆ 6000/6950 – PA 3700.

IAL Madeira – ver Madeira (Arquipélago da).

O Braga 🔢 H 3 – 2 185 h. – ⊠ 4740 Esposende – ☎ 053 – Praia.
   Lisboa 365 – Braga 35 – Porto 47.

Praia de Ofir – ⊠ 4740 Esposende – ☎ 053 :

🏨 **Sopete Ofir** ⑤, Av. Raul Sousa Martins ℱ 98 13 83, Fax 98 18 71, ⩽, ⌁, ℁ – 📶 ▤
   📺 ☎ ℗ – ⚒ 25/600. 🆎 ⓞ ∈ 𝑉𝐼𝑆𝐴 𝐽𝐶𝐵. ℅
   Refeição 2650 – **191 qto** ⊆ 13000/16000 – PA 5300.

🏨 **Estal. Parque do Rio** ⑤, ℱ 98 15 21, Fax 98 15 24, « Num pinhal », ⌁, 🌳, ℁ –
   📶 ▤ rest ☎ ℗. 🆎 ⓞ ∈ 𝑉𝐼𝑆𝐴. ℅
   abril-outubro – **Refeição** lista aprox. 2800 – **36 qto** ⊆ 11000/15500.

h Apúlia S : 6,3 km pela estrada N 13 – ⊠ 4740 Esposende – ☎ 053 :

🏨 **San Remo** sem rest, Av. da Praia 45 ℱ 98 15 85, Fax 98 15 86 – ☎. ∈ 𝑉𝐼𝑆𝐴. ℅
   29 qto ⊆ 5500/7000.

ARO 8000 📵 🔢 U 6 – 33 664 h. – ☎ 089 – Praia.
   Ver : Vila-a-dentro★-Miradouro de Santo António ※★ B.
   Arred. : Praia de Faro ⩽★ 9 km por ① – Olhão (campanário da igreja ※★) 8 km por ③.
   🏌 🏌 🏌 🏌 🏌 Club Golf de Vilamoura 23 km por ① ℱ 38 07 22 – 🏌 🏌 🏌 Club Golf do
   Vale do Lobo 20 km por ① ℱ 39 39 39 Ext. 5612 – 🏌, 🏌 Campo de Golf da Quinta do
   Lago 16 km por ① ℱ 39 60 02.
   ✈ de Faro 7 km por ① ℱ 80 08 00 – T.A.P., Rua D. Francisco Gomes 8 ℱ 80 32 41.
   🚗 ℱ 82 27 69.
   🖪 Rua da Misericórdia 8 ℱ 80 36 04 – **A.C.P.** Rua Francisco Barreto 26 A, ℱ 80 57 53,
   Fax 80 21 32.
   Lisboa 309 ② – Huelva 105 ③ – Setúbal 258 ②.

FARO

nselheiro Bivar (Rua)	A 9	Alex. Herculano (Praça)	A 3	
F. Gomes (Pr. e Rua)	A 12	Ataíde de Oliveira (Rua)	B 4	
ns (Rua)	A 20	Bocage (Rua do)	A 6	
to António (Rua de)	A 27	Carmo (Largo de)	A 7	
de Maio (Rua)	A 31	Cruz das Mestras (Rua)	A 10	
		Dr Teixeira Guedes (Rua)	B 13	
		Eça de Queirós	B 15	
		Ferreira de Almeida (Praça)	A 16	
Filipe Alistão (Rua)	A 18
Francisco Barreto (Rua)	A 19
Lethes (Rua)	A 21
Moagem (Rua da)	A 22
Mouras Velhas (Largo das)	A 23
Pé da Cruz (Largo do)	B 24
S. Pedro (Largo de)	A 25
São Sebastião (Largo de)	A 28

FARO

🏨 **Dom Bernardo** *sem rest*, Rua General Teófilo da Trindade 20 ℰ 80 68 06, Fax 80 68
– |⊉| 🔳 📺 ☎. 🖭 🖂 *VISA*
43 qto ⊊ 9300/11900.

🏨 **Alnacir** *sem rest*, Estrada da Senhora da Saúde 24 ℰ 80 36 78, Fax 80 35 48 – |⊉|
☎ – 🛗 25/70. 🖭 ⓞ 🖂 *VISA*. ⅏
53 qto ⊊ 9000/11000.

🏨 **Afonso III** *sem rest*, Rua Miguel Bombarda 64 ℰ 80 35 42, Fax 80 51 85 – |⊉| 🔳 📺
40 qto.

🏨 **Solar do Alto** ⅏ *sem rest*, Rua de Berlim 55 ℰ 80 58 75, ≼ – 🔳 📺
20 qto.

🏨 **O Faraó** *sem rest*, Largo da Madalena 4 ℰ 82 33 56, Fax 80 49 97
30 qto.

🏨 **York** ⅏ *sem rest*, Rua de Berlim 39 ℰ 82 39 73, ≼ – 📺 ☎. 🖂
21 qto ⊊ 8000/11000.

🏨 **Alameda** *sem rest*, Rua Dr. José de Matos 31 ℰ 80 19 62 – ☎
14 qto ⊊ 6000/8000.

🍴🍴 **Cidade Velha**, Rua Domingos Guieiro 19 ℰ 271 45 – 🔳. 🖭 🖂 *VISA*. ⅏
fechado domingo e feriados – **Refeição** lista 2090 a 3540.

na estrada N 125 *por* ① : *2,5 km* – ⊠ *8000 Faro* – 🕿 *089* :

🏨 **Ibis Faro**, Pontes de Marchil ℰ 80 67 71, Telex 56168, Fax 80 69 30, ⅏, 🏊 – |⊉|
📺 ☎ 🕭 ☻ – 🛗 25/75. 🖭 ⓞ 🖂 *VISA* ᴊᴄʙ
Refeição 2500 – ⊊ 750 – **81 qto** 9300.

na estrada do aeroporto *por* ① : *4 km* – ⊠ *8000 Faro* – 🕿 *089* :

🏨 **Mónaco** *sem rest*, ℰ 81 81 06, Fax 81 89 23 – |⊉| 🔳 📺 ☎ ☻ – 🛗 25/150. 🖭 🖂 *VI*
61 qto ⊊ 12500/15000, 3 suites.

na Praia de Faro *por* ① : *9 km* – ⊠ *8000 Faro* – 🕿 *089* :

🍴🍴 **Camané**, Av. Nascente ℰ 81 75 39, Fax 81 72 36, ≼, ⅏, Peixes e mariscos – 🔳.
VISA. ⅏
fechado 2ª feira e outubro – **Refeição** lista 5150 a 10000.

em Santa Bárbara de Nexe *por* ① : *12 km* – ⊠ *8000 Faro* – 🕿 *089* :

🏨 **La Réserve** ⅏, Estrada de Esteval ℰ 904 74, Fax 904 02, ≼, « Extenso e belo jard
com 🏊 », ⅏ – 🔳 📺 ☎ ☻. ⅏
Refeição (ver rest. **La Réserve**) – **20 apartamentos** ⊊ 30000/40000.

🍴🍴🍴 **La Réserve**, Estrada de Esteval ℰ 902 34, Fax 904 02, ⅏ – 🔳 ☻. ⅏
fechado 3ª feira – **Refeição** (só jantar) lista 5400 a 7300.

em Estói *por* ② : *11 km* – ⊠ *8000 Faro* – 🕿 *089* :

🏨 **Monte do Casal** ⅏, Estrada de Moncarapacho - SE : 3 km ℰ 915 03, Fax 913 41,
⅏, « Antiga casa de campo », 🏊 climatizada, ⅏ – 🔳 qto ☎ ☻. 🖂 *VISA*. ⅏
fechado dezembro-janeiro – **Refeição** lista 4500 a 5600 – **9 qto** ⊊ 19875/3550
5 suites.

FÁTIMA *2495 Santarém* 🔢🔢🔢 *N 4* – *7 298 h. alt. 346* – 🕿 *049*.
Arred. : *Parque natural das serras de Aire e de Candeeiros★ : SO Grutas de Mira de Aire*
o dos Moinhos Velhos.
🛈 *Av. D. José Alves Correia da Silva* ℰ *53 11 39.*
Lisboa 135 – Leiria 26 – Santarém 64.

🍴🍴 **Tia Alice**, Rua do Adro ℰ 53 17 37, Fax 53 17 37, « Decoração rústica » – 🔳. 🖭
VISA. ⅏
fechado domingo noite, 2ª feira e julho – **Refeição** lista 3350 a 5250.

na Cova da Iria *NO* : *2 km* – ⊠ *2495 Fátima* – 🕿 *049* :

🏨 **De Fátima**, João Paulo II ℰ 53 33 51, Fax 53 26 91 – |⊉| 🔳 📺 ☎ ☻ ⇦ ☻ – 🛗 25/5
🖭 ⓞ 🖂 *VISA*. ⅏
Refeição 3500 – **124 qto** ⊊ 11900/14060, 9 suites – PA 7000.

🏨 **Dom Gonçalo**, Rua Jacinta Marto 100 ℰ 53 30 62, Fax 53 20 88 – |⊉| 🔳 📺 ☎ ☻
🛗 25/250. 🖭 ⓞ 🖂 *VISA*. ⅏ rest
Refeição lista 3050 a 3550 – **42 qto** ⊊ 9000/11000.

🏨 **Cinquentenário**, Rua Francisco Marto 175 ℰ 53 34 65, Fax 53 29 92 – |⊉| 🔳 📺
☻ – 🛗 25/80. 🖭 ⓞ 🖂 *VISA*. ⅏
Refeição 2600 – **132 qto** ⊊ 8400/11500.

🏛 **Santa Maria,** Rua de Santo António ℘ 53 30 15, Telex 43108, Fax 53 21 97 – 🛗 ▤
🔟 ☎ 🅟. ﷼ 🄴 ₩. ⅏
Refeição 2500 – **59 qto** ⌑ 7500/9000 – PA 5100.

🏛 **São José,** Av. D. José Alves Correia da Silva ℘ 53 22 15, Fax 53 21 97 – 🛗 ▤ 🔟 ☎
🅟 – 🔏 25/250. ﷼ 🄴 ₩.
Refeição 2500 – **80 qto** ⌑ 7500/9000 – PA 5100.

🏛 Regina, Rua Dr. Cónego Manuel Formigão ℘ 53 23 03, Fax 53 26 63 – 🛗 ▤ 🔟 ☎
100 qto

🏛 **Casa das Irmãs Dominicanas,** Rua Francisco Marto 50 ℘ 53 33 17, Fax 53 26 88
– 🛗 🔟 ☎ ♿ 🅟 – 🔏 25/100. ⅏
Refeição 1650 – **103 qto** ⌑ 5000/7000 – PA 3300.

🏛 **Estrela de Fátima,** Rua Dr. Cónego Manuel Formigão ℘ 53 11 50, Fax 53 21 60 – 🛗
▤ 🔟 ☎ ⇌ – 🔏 25/150. ﷼ ⓞ 🄴 ₩. ⅏
Refeição 1950 – **57 qto** ⌑ 8000/9000.

🏛 **Santo António,** Rua de São José 10 ℘ 53 36 37, Fax 53 36 34 – 🛗 ▤ rest 🔟 ☎ ⇌. ⅏
Refeição 1800 – **39 qto** ⌑ 5000/6500 – PA 3600.

🏛 **Alecrim,** Rua Francisco Marto 84 ℘ 53 13 76, Fax 53 28 17 – 🛗 ☎. ﷼ 🄴 ₩. ⅏ rest
Refeição (fechado novembro-fevereiro) 1800 – **53 qto** ⌑ 5000/9000.

🏛 **Casa Beato Nuno,** Av. Beato Nuno 51 ℘ 53 30 69, Telex 43273, Fax 53 27 57 – 🛗
▤ rest ☎ 🅟 – 🔏 25/200. ﷼ 🄴 ₩. ⅏
Refeição 2000 – **135 qto** ⌑ 5500/6500.

🏛 **Cruz Alta** sem rest, Rua Dr. Cónego Manuel Formigão ℘ 53 14 81, Fax 53 21 60 – 🛗
🔟 ☎ 🅟. ﷼ 🄴 🄴 ₩. ⅏
22 qto ⌑ 8000/9000.

🏛 **Floresta,** Estrada da Batalha ℘ 53 14 66, Fax 53 31 38 – 🛗 ▤ rest 🅟. ﷼ ⓞ ₩. ⅏
Refeição 1700 – **31 qto** ⌑ 6500/9000.

🏛 São Paulo sem rest, Rua de São Paulo 10 ℘ 53 15 72, Fax 53 32 57 – 🛗 ☎
58 qto.

XX **Arcos de Fátima,** Av. D. José Alves Correia da Silva 58 ℘ 53 37 80, Fax 53 37 80 –
▤. ﷼ 🄴 ₩. ⅏
fechado fevereiro – **Refeição** lista 2050 a 2900.

XX **O Recinto,** Av. D. José Alves Correia da Silva (Galerias do Parque) ℘ 53 30 55,
Fax 53 30 28, 🍴 – ▤ 🅟. ⓞ 🄴 ₩. ⅏
Refeição lista aprox. 3100.

ELGUEIRAS 4610 Porto 🄳🄳🄳 H 5 – 165 h. – ✆ 055.
Lisboa 379 – Braga 38 – Porto 65 – Vila Real 57.

🏛🏛 **Horus** sem rest, Av. Dr. Leonardo Coimbra ℘ 31 24 00, Fax 31 23 22, 🌶, 🔲 – 🛗 ▤
🔟 ☎ ♿ ⇌ – 🔏 25/100. ﷼ ⓞ 🄴 ₩. ⅏
46 qto ⌑ 7800/10900, 12 apartamentos.

ERMENTELOS 3750 Aveiro 🄳🄳🄳 K 4 – 2 183 h. – ✆ 034.
Lisboa 244 – Aveiro 20 – Coimbra 42.

🏛 **Ferpenta,** Largo do Cruzeiro ℘ 72 20 92, Fax 72 13 40 – 🛗 🔟 🅟. 🄴 ₩. ⅏
Refeição 1500 – **42 qto** ⌑ 4000/6000.

margem do lago NE : 1 km – ✉ 3750 Fermentelos – ✆ 034 :

🏛 **Estal. da Pateira** 🅢, Rua da Pateira 84 ℘ 72 12 05, Fax 72 21 81, ≼, 🔲, 🔲 – 🛗
▤ 🔟 ☎ 🅟. 🄴 ₩. ⅏
Refeição 2500 – **66 qto** ⌑ 8500/12000 – PA 5000.

RNÃO FERRO Setúbal 🄳🄳🄳 Q 2 – ✉ 2840 Seixal – ✆ 01.
Lisboa 26 – Sesimbra 16 – Setúbal 34.

🏛🏛 **Orión,** Estrada N 378 ℘ 212 18 34, Fax 212 20 13, 🌶, 🔲, ⚒ – 🛗 ▤ 🔟 ☎ 🅟 –
🔏 25/80. ﷼ ⓞ 🄴 ₩. ⅏
Refeição 1800 – ⌑ 800 – **34 qto** 9000/10500.

RRAGUDO 8400 Faro 🄳🄳🄳 U 4 – 1911 h. – ✆ 082 – Praia.
Lisboa 288 – Faro 65 – Lagos 21 – Portimão 3.

Vale de Areia S : 2 km – ✉ 8400 Ferragudo – ✆ 082 :

🏛🏛🏛 **Casabela H.** 🅢, Praia Grande ℘ 46 15 80, Telex 57100, Fax 46 15 81, ≼ Praia da Rocha
e mar, 🍴, 🔲 climatizada, 🌿, ⚒ – 🛗 ▤ 🔟 ☎ 🅟 – 🔏 25/30. ⅏
Refeição lista aprox. 4700 – **63 qto** ⌑ 27000/30000.

FERREIRA DO ZÊZERE *2240 Santarém 440 M 5 – 1 974 h. – ☎ 049.*
Lisboa 166 – Castelo Branco 107 – Coimbra 61 – Leiria 66.

na margem do rio Zêzere *pela N 348 - SE : 8 km – ✉ 2240 Ferreira do Zêzere – ☎ 0*

Estal. Lago Azul, ☎ 36 14 45, Fax 36 16 64, ≤, « Na margem do rio Zêzere »,
– 25/90
20 qto.

FIGUEIRA DA FOZ *3080 Coimbra 440 L 3 – 25 929 h. – ☎ 033 – Praia.*
Ver : *Localidade★.*
☎ 28316.
Av. 25 de Abril ☎ 226 10, Fax 285 49 – **A.C.P.** *Av. Saraiva de Carvalho 140, ☎ 241*
Fax 293 18.
Lisboa 181 ② – Coimbra 44 ②.

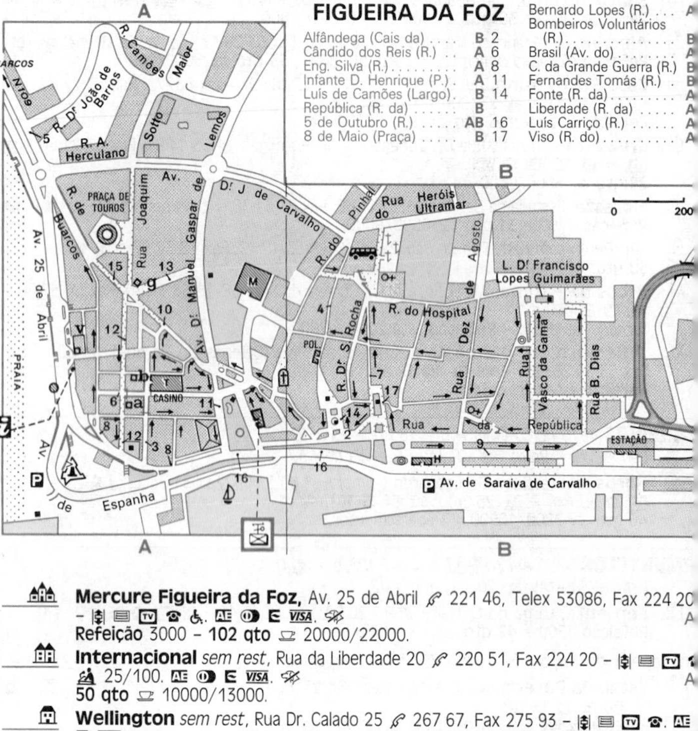

Alfândega (Cais da) . . . . B 2
Cândido dos Reis (R.) . . A 6
Eng. Silva (R.) . . . . A 8
Infante D. Henrique (P.) . A 11
Luís de Camões (Largo) . B 14
República (R. da) . . . . . . B
5 de Outubro (R.) . . . . . AB 16
8 de Maio (Praça) . . . . . B 17
Bernardo Lopes (R.) . . . A
Bombeiros Voluntários (R.) . . . . B
Brasil (Av. do) . . . . A
C. da Grande Guerra (R.) B
Fernandes Tomás (R.) . B
Fonte (R. da) . . . . A
Liberdade (R. da) . . . . . A
Luís Carriço (R.) . . . . . . A
Viso (R. do) . . . . A

Mercure Figueira da Foz, Av. 25 de Abril ☎ 221 46, Telex 53086, Fax 224 20
– AE VISA. A
Refeição 3000 – **102 qto** 20000/22000.

Internacional *sem rest*, Rua da Liberdade 20 ☎ 220 51, Fax 224 20 –
25/100. AE VISA. A
50 qto 10000/13000.

Wellington *sem rest*, Rua Dr. Calado 25 ☎ 267 67, Fax 275 93 – AE
VISA A
34 qto 8000/9000.

Bela Vista *sem rest*, Rua Joaquim Sotto Maior 6 ☎ 224 64 – VISA. A
18 qto 4500/6500.

em Buarcos A – ✉ *3080 Figueira da Foz* – ☎ *033* :

Atlântida Sol, Estrada do Cabo Mondego - NO : 4,5 km ☎ 219 97, Fax 210 67, ≤,
– 25/400
138 qto, 8 suites.

Tamargueira, Estrada do Cabo Mondego - NO : 3 km ☎ 325 14, Fax 337 59, ≤,
– AE VISA.
Refeição 2000 – **86 qto** 10000/11000 – PA 4000.

Teimoso *com qto*, Estrada do Cabo Mondego - NO : 5 km ☎ 327 85, Fax 210 17,
rest. AE VISA.
Refeição lista aprox. 2700 – **14 qto** 8000.

n Lavos - ao Sul *por* ① : *11 km* – ⊠ *3080 Figueira da Foz* – ☎ *033* :

XX **O Solar de Lavos,** ℰ 94 67 87, Fax 94 67 87
🏡 ☔ – 🗏 **℗**. ⓪ **E** 𝑉𝐼𝑆𝐴
Refeição lista 2500 a 3500.

GUEIRÓ DOS VINHOS *3260 Leiria* 🔠🔠🔠 *M 5* – *4662 h. alt. 450* – ☎ *036.*
Arred. : *Percurso*★ *de Figueiró dos Vinhos a Pontão 16 km.*
🟥 *Av. Padre Diogo de Vasconcelos* ℰ *521 78.*
Lisboa 205 – Coimbra 59 – Leiria 74.

X **Panorama,** Rua Major Neutel de Abreu 24 ℰ 521 15, Fax 528 87 – 🗏. 𝐴𝐸 **E** 𝑉𝐼𝑆𝐴
fechado do 1 ao 15 de setembro – Refeição lista 2700 a 3300.

OR DA ROSA *Portalegre* – *ver Crato.*

Es ist empfehlenswert, in der Hauptsaison
und vor allem in Urlaubsorten Hotelzimmer im voraus zu bestellen.

•LGADOS *Lisboa* – *ver Sobral de Monte Agraço.*

•Z DO ARELHO *2500 Leiria* 🔠🔠🔠 *N 2* – *1086 h.* – ☎ *062.*
Lisboa 101 – Leiria 62 – Nazaré 27.

🏠 **Penedo Furado** *sem rest,* Rua dos Camarções 3 ℰ 97 96 10, Fax 97 98 32 – 📺 **℗**.
E 𝑉𝐼𝑆𝐴. ⌘
28 qto ⇌ 7000/8500.

•Z DO DOURO *Porto* – *ver Porto.*

NCHAL *Madeira* – *ver Madeira (Arquipélago da).*

NDÃO *6230 Castelo Branco* 🔠🔠🔠 *L 7* – *5900 h.* – ☎ *075.*
🟥 *Av. da Liberdade* ℰ *527 70.*
Lisboa 303 – Castelo Branco 44 – Coimbra 151 – Guarda 63.

🏨 **Samasa,** Rua Vasco da Gama ℰ 712 99, Fax 718 09 – 📶 🗏 📺 ☎. 𝐴𝐸 ⓪ **E** 𝑉𝐼𝑆𝐴
Refeição (ver rest. **Hermínia**) – 50 qto ⇌ 8000/11000.
XX **Hermínia,** Av. da Liberdade 123 ℰ 525 37 – 🗏. 𝐴𝐸 ⓪ **E** 𝑉𝐼𝑆𝐴. ⌘
Refeição lista aprox. 2550.

estrada N 18 *N : 2,5 km* – ⊠ *6230 Fundão* – ☎ *075 :*

🏠 O Alambique, ℰ 741 69, Fax 740 21, ♨ – 📶 🗏 📺 ☎ **℗**
103 qto.

•RÊS *4845 Braga* 🔠🔠🔠 *G 5* – *alt. 400* – ☎ *053* – *Termas.*
Excurs. : *Parque Nacional da Peneda-Gerês*★★ : *estrada de subida para Campo de Gerês*★★
– *Miradouro de Junceda*★, *represa de Vilarinho das Furnas*★, *Vestígios da via romana*★.
🟥 *Av. Manuel Ferreira da Costa* ℰ *391 11 33.*
Lisboa 412 – Braga 44.

NDARÉM *Viana do Castelo* – *ver Vila Nova de Cerveira.*

•UVEIA *6290 Guarda* 🔠🔠🔠 *K 7* – *3738 h. alt. 650* – ☎ *038.*
Arred. : *Estrada*★★ *de Gouveia a Covilhã* (≤★, *Poço do Inferno*★ : *cascata*★, *vale glaciário*
do Zêzere★★, ≤★) *por Manteigas : 65 km.*
Lisboa 310 – Coimbra 111 – Guarda 59.

🏨 **De Gouveia,** Av. 1º de Maio ℰ 49 10 10, Fax 413 70, ≤ – 📶 🗏 rest 📺 ☎ **℗** – 🏛 25.
𝐴𝐸 ⓪ **E** 𝑉𝐼𝑆𝐴. ⌘
O Foral : Refeição lista 2000 a 3100 – 31 qto ⇌ 7800/10500.

•UVEIA *Lisboa* 🔠🔠🔠 *P 1* – ⊠ *2710 Sintra* – u *01.*
Lisboa 29 – Sintra 6.
X A Lanterna, Estrada N 375 ℰ 929 21 17 – 🗏 **℗**.

GRANJA Porto **440** I 4 – ⊠ 4405 Valadares – ✪ 02 – Praia.
Lisboa 317 – Amarante 79 – Braga 69 – Porto 17.

🏨🏨🏨 **Solverde,** Estrada N 109 ✆ 731 31 62, Telex 25982, Fax 731 32 00, ≼, ♨, ⊇, ⊠,
– |劇| ☰ 📺 ☎ ⟷ 🅿 – 🛦 25/500. 🅰🅴 ① 🅴 🆅🅸🆂🅰. ❄
Refeição 4000 – **174 qto** ⊇ 23000/26000 – PA 7200.

GUARDA 6300 🅿 **440** K 8 – 17 481 h. alt. 1 000 – ✪ 071.
Ver : Sé★ (interior★).
🚗 ✆ 21 15 65.
🄱 *Praça Luís de Camões,* ✆ 22 22 51.
Lisboa 361 – Castelo Branco 107 – Ciudad Rodrigo 74 – Coimbra 161 – Viseu 85.

🏨🏨 **De Turismo,** Praça do Município ✆ 22 33 66, Fax 22 33 99, ≼, ⊇, – |劇| ☰ rest 📺
⟷ – 🛦 25/300. 🅰🅴 ① 🅴 🆅🅸🆂🅰. ❄
Refeição lista 3000 a 3900 – **103 qto** ⊇ 11500/14100, 2 suites.

XX **O Telheiro,** Estrada N 16 - E : 1,5 km ✆ 21 13 56, Fax 22 17 27, ≼, 😤 – ☰ 🅿.
🚗 🅴 🆅🅸🆂🅰. ❄
Refeição lista 3250 a 4000.

X D'Oliveira, Rua do Encontro 1-1º ✆ 21 44 46 – ☰.

na estrada N 16 NE : 7 km – ⊠ 6300 Guarda – ✪ 071 :

X **Pombeira,** ✆ 23 96 95, Fax 23 09 91 – ☰ 🅿. 🅰🅴 ① 🅴 🆅🅸🆂🅰 �🅹🅲🄱
Refeição lista aprox. 2500.

GUARDEIRAS Porto **440** I 4 – ⊠ 4470 Maia – ✪ 02.
Lisboa 326 – Amarante 76 – Braga 43 – Porto 12.

X Estal. Lidador com qto, Estrada N 13 ✆ 944 91 09 – ☰ rest 🅿
7 qto.

GUIMARÃES 4800 Braga **440** H 5 – 54 069 h. alt. 175 – ✪ 053.
Ver : Castelo★ – Paço dos Duques★ (tectos★, tapeçarias★) – Museu Alberto Sampa
(estátua jacente★, ourivesaria★, tríptico★, cruz processional★) – Praça de San Tiago
Igreja de São Francisco (azulejos★, sacristia★).
Arred. : Penha (🔭★) SE : 8 km - Trofa★ (SE : 7,5 km).
🄱 *Av. da Resistência ao Fascismo 83* ✆ 41 24 50.
Lisboa 364 – Braga 22 – Porto 49 – Viana do Castelo 70.

🏨🏨🏨 **De Guimarães,** Rua Eduardo de Almeida ✆ 51 58 88, Telex 33836, Fax 51 62 34,
♨, ⊠, 🌿 – |劇| ☰ 📺 ☎ ⟷ 🅿 – 🛦 25/250. 🅰🅴 ① 🅴 🆅🅸🆂🅰 �🅹🅲🄱. ❄
Refeição 2600 – **72 qto** ⊇ 12000/14000.

🏨🏨 **Pousada de Nossa Senhora da Oliveira,** Rua de Santa Maria ✆ 51 41
Fax 51 42 04 – |劇| ☰ rest 📺 ☎ 🅿. 🅰🅴 ① 🅴 🆅🅸🆂🅰. ❄
Refeição 3650 – **9 qto** ⊇ 16000/18000, 6 suites.

🏨🏨 **Fundador** sem rest, Av. Afonso Henriques 740, ⊠ 4810, ✆ 51 37 81, Fax 51 37
≼ – |劇| ☰ 📺 ☎ ⟷ – 🛦 25/100. 🅰🅴 ① 🅴 🆅🅸🆂🅰
63 qto ⊇ 11000/13000.

🏨🏨 **Toural** sem rest, Largo do Toural ✆ 51 71 84, Fax 51 71 49 – |劇| ☰ 📺 ☎ 🅿 – 🛦 25/
🅰🅴 ① 🅴 🆅🅸🆂🅰
30 qto ⊇ 11000/13000.

🏨 **Albergaria Palmeiras** sem rest, Rua Gil Vicente (Centro Comercial das Palmei
✆ 41 03 24, Fax 41 72 61 – |劇| ☰ 📺 ☎ ⟷. 🅰🅴 ① 🅴 🆅🅸🆂🅰. ❄
22 qto ⊇ 9000/12000.

na estrada da Penha E : 2,5 km – ⊠ 4800 Guimarães – ✪ 053 :

🏨🏨🏨 **Pousada de Santa Marinha** ⧈, ✆ 51 44 53, Fax 51 44 59, ≼ Guimarães, « Instal
num antigo convento », 🌿 – |劇| ☰ 📺 ☎ 🅿. 🅰🅴 ① 🅴 🆅🅸🆂🅰. ❄
Refeição 3650 – **49 qto** ⊇ 20000/23000, 2 suites.

LADOEIRO Castelo Branco **440** M 8 – 1617 h. – ⊠ 6060 Idanha-a-Nova – ✪ 077.
Lisboa 269 – Cáceres 115 – Castelo Branco 26 – Coimbra 172 – Portalegre 107.

na estrada N 240 E : 3,7 km – ⊠ 6060 Idanha-a-Nova – ✪ 077 :

🏨 **Idanhacaça** ⧈, ✆ 921 30, Fax 925 15, ≼, 😤, ⊇, ❊ – |劇| ☰ 📺 ☎ ὲ 🅿 – 🛦 25/
🅴 🆅🅸🆂🅰. ❄
Refeição 2000 – **44 qto** ⊇ 6500/9000, 6 suites – PA 4000.

GOA 8400 Faro **440** U 4 – 3 483 h. – ❸ 082 – Praia.

Arred.: *Carvoeiro : Algar Seco (sítio marinho★★) S : 6 km.*

🅱 *Largo da Praia, Praia do Carvoeiro 𝒫 35 77 28.*

Lisboa 300 – Faro 54 – Lagos 26.

■ **Praia do Carvoeiro** S : 5 km – ✉ 8400 Lagoa – ❸ 082 :

🏠 **Almansor,** Estrada do Farol 𝒫 35 80 26, Telex 57194, Fax 35 87 70, ≤, 🍽, « Relvado com 🛁 e belos socalcos ajardinados », 🏖 – 🕸 🗏 📺 ☎ 🅿 – 🔬 25/700. 🖭 ⓞ 🝙 𝘝𝘐𝘚𝘈. 🍴 rest **Refeição** 3600 - **A Varanda** (*só jantar*) **Refeição** lista aprox. 4100 – **289 qto** ⊡ 26400/29900, 4 suites.

🏠 Cristal ⊛, Vale Centianes 𝒫 35 86 01, Telex 58705, Fax 35 86 48, ≤, 🍽, 𝓕𝓼, 🛁, 🔲, 🏖 – 🕸 🗏 📺 ☎ 🅿 119 qto.

✕✕ **Centianes,** Vale Centianes 𝒫 35 87 24, Fax 35 81 00, 🍽 – 🗏. 🖭 ⓞ 🝙 𝘝𝘐𝘚𝘈 𝙹𝘤𝘉 *fechado domingo e janeiro-fevereiro* – **Refeição** (*só jantar*) lista 2650 a 5400.

✕✕ **O Castelo,** Rua do Casino 𝒫 35 72 18, ≤, 🍽 – 🖭 ⓞ 🝙 𝘝𝘐𝘚𝘈. 🍴 *fechado 2ª feira e 9 janeiro-9 fevereiro* – **Refeição** (*só jantar*) lista 2800 a 4580.

✕ **O Pátio,** Largo da Praia 6 𝒫 35 62 46, Fax 35 62 47, 🍽, Decoração rústica – 🗏. 🖭 🝙 𝘝𝘐𝘚𝘈. *fechado dezembro-fevereiro* – **Refeição** lista 2915 a 5135.

✕ A Rede, Estrada do Farol 𝒫 35 85 13, Fax 31 36 51, 🍽 – 🗏 **Refeição** (*só jantar*).

✕ **Togi,** Rua das Flores 12 - Algar Sêco 𝒫 35 85 17, 🍽, Decoração regional – 🍴 *fechado 15 novembro-28 fevereiro* – **Refeição** (*só jantar*) lista 3520 a 6100.

GOS 8600 Faro **440** U 3 – 11 746 h. – ❸ 082 – Praia.

Ver : *Sítio ≤★ - Igreja de Santo António★ (decoração barroca★) Z B.*

Arred. : *Ponta da Piedade★★ (sítio★★, ≤★), Praia de Dona Ana★ S : 3 km – Barragem da Bravura★ 15 km por ②.*

🏌₁₈ *Campo de Palmares Meia Praia por ②. 𝒫 76 29 53.*

🅱 *Largo Marquês de Pombal 𝒫 76 30 31 Fax 76 25 34.*

Lisboa 290 ① – Beja 167 ① – Faro 82 ② – Setúbal 239 ①.

Plano página seguinte

🏠 **De Lagos,** Rua Nova da Aldeia 𝒫 76 99 67, Telex 57477, Fax 76 99 20, 🍽, 𝓕𝓼, 🛁 climatizada, 🔲, 🌴 – 🕸 🗏 📺 ☎ 🚗 – 🔬 25/150. 🖭 ⓞ 🝙 𝘝𝘐𝘚𝘈. 🍴 rest Y e **Lacóbriga** (*só jantar*) **Refeição** 2700 - **Cantinho Italiano** : **Refeição** lista 2790 a 3240 - **Pateo Velho** (*só jantar*) **Refeição** lista 3600 a 4300 – **304 qto** ⊡ 16500/24300, 11 suites.

🏨 **Marina Rio** sem rest, Av. dos Descobrimentos 𝒫 76 98 59, Fax 76 99 60, ≤, 🛁 – 🕸 🗏 📺 ☎. 🝙 𝘝𝘐𝘚𝘈 Y a *fechado 22 novembro-26 dezembro* – **36 qto** ⊡ 15000/16000.

🏨 **Montemar** sem rest, Rua da Torraltinha-Lote 33 𝒫 76 20 85, Telex 57454, Fax 76 20 88 – 🕸 🗏 📺 ☎ 🚗. 🖭 ⓞ 🝙 𝘝𝘐𝘚𝘈. 🍴 Z a 65 qto ⊡ 9000/13000.

🏠 **Sol a Sol** sem rest, Rua Lançarote de Freitas 22 𝒫 76 12 90, Fax 76 19 55 – 🕸 📺 ☎. 🍴 *abril-outubro* – **15 qto** ⊡ 9000/10000. Z b

🏠 **Lagosmar** sem rest, Rua Dr. Faria e Silva 13 𝒫 76 37 22, Fax 76 73 24 – 🕸 📺 ☎. 🝙 𝘝𝘐𝘚𝘈. 🍴 45 qto ⊡ 8000/10500. Z c

🏠 **Cidade Velha** sem rest, Rua Dr. Joaquim Tello 7 𝒫 76 20 41, Fax 76 19 55 – 🕸 📺 ☎. 🍴 *abril-outubro* – **17 qto** ⊡ 9000/10000. Z k

🏠 **Marazul** sem rest, Rua 25 de Abril 13 𝒫 76 97 49, Telex 58760, Fax 76 99 60 – ☎. 🍴 *fechado novembro-janeiro* – **18 qto** ⊡ 8700/9000. Y u

✕✕ **O Castelo,** Rua 25 de Abril 47 𝒫 76 09 57 – 🗏. 🖭 ⓞ 🝙 𝘝𝘐𝘚𝘈. 🍴 Y f **Refeição** lista 2230 a 3100.

✕ **Dom Sebastião,** Rua 25 de Abril 20 𝒫 76 27 95, Fax 76 99 60, 🍽, Decoração rústica – 🗏. 🖭 ⓞ 🝙 𝘝𝘐𝘚𝘈 𝙹𝘤𝘉. 🍴 Y r *fechado 22 novembro-26 dezembro* – **Refeição** lista 2050 a 3280.

✕ **No Pátio,** Rua Lançarote de Freitas 46 𝒫 76 37 77, 🍽 – 🖭 ⓞ 🝙 𝘝𝘐𝘚𝘈. 🍴 *fechado 2ª feira, domingo (salvo junho-setembro) e novembro-março* – **Refeição** (*só jantar*) lista aprox. 4650.

✕ **O Galeão,** Rua da Laranjeira 1 𝒫 76 39 09 – 🗏. 🖭 ⓞ 🝙 𝘝𝘐𝘚𝘈. 🍴 Z x *fechado domingo e 26 novembro-27 dezembro* – **Refeição** lista 1910 a 3130.

✕ **A Lagosteira,** Rua 1º de Maio 20 𝒫 76 24 86, Fax 76 04 27 – 🗏. 🝙 𝘝𝘐𝘚𝘈. 🍴 Y n *fechado sábado meio-dia, domingo meio-dia e 10 janeiro-10 fevereiro* – **Refeição** lista 1630 a 4050.

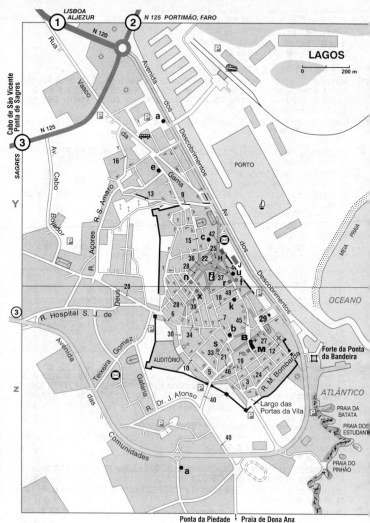

LAGOS

0   200 m

Afonso de Almeida (Rua) . .	Y 4	
Cândido dos Reis (Rua) . . .	Z 7	
Garrett (Rua)	Y 22	
Gil Eanes (Praça)	Y 25	
Marquês de Pombal (Rua) .	Y 37	
Porta de Portugal (Rua da) .	Y 42	
Adro (Rua do)	Z 3	
Armas (Praça d')	Z 5	
Atalaia (Rua da)	Z 6	
Capelinha (Rua da)	Y 9	

Cardeal Netto (Rua)	Z 10	
Castelo dos Governadores .	Z 12	
Cemitério (Rua do)	Y 13	
Conselheiro		
J. Machado (Rua)	Y 15	
Conv. da Sra da Glória (Rua).	Y 16	
Dr. Joaquim Tello (Rua) . . .	Z 18	
Dr. Mendonça (Rua)	Z 19	
Forno (Travessa do)	Z 21	
Gen. Alberto Silveira (Rua) .	Z 24	
Henrique C. da Silva (Rua).	Z 27	

Infante de Sagres (Rua) . . .	YZ	
Infante D. Henrique (Praça) .	Z	
João Bonança (Rua)	Z	
Lançarote de Freitas (Rua) .	Z	
Luís de Azevedo (Rua)	Z	
Luís de Camões (Praça) . . .	Y	
Marreiros Netto (Rua).	YZ	
Ponta da Piedade (Estr. da).	Z	
Silva Lopes (Rua da)	Z	
5 de Outubro (Rua)	Z	
25 de Abril (Rua)	Z	

*Um conselho da **Michelin** :*

para ser bem sucedido nas suas viagens, prepare-as com antecedência.

*Os **mapas** e **guias** Michelin dão-lhe todas as indicações úteis sobre :*
itinerários, visitas aos pontos com interesse, alojamento, preços, etc...

estrada da Meia Praia por ② – ⊠ 8600 Lagos – ✆ 082 :

🏠 **Marina São Roque,** 1,5 km ℘ 76 37 61, Fax 76 39 76, ≼, 🍽, 🏊 – 🛗 🗏 📺 ☎. 🖭
Ⓞ 🖪 𝘝𝘐𝘚𝘈. ⅏
fechado 15 novembro-dezembro – **Refeição** 2000 – ☲ 500 – **21 qto** 9800/15000.

✗ **Atlântico,** 3 km ℘ 79 20 86, Fax 79 20 86, 🍽 – 🖪 𝘝𝘐𝘚𝘈
fechado novembro-dezembro – **Refeição** lista 3200 a 4750.

Praia de Dona Ana S : 2 km – ⊠ 8600 Lagos – ✆ 082 :

🏠 **Golfinho,** ℘ 76 99 00, Telex 57497, Fax 76 99 99, ≼, 🏊, 🗏 – 🛗 🗏 📺 ☎ ⟲ Ⓟ
– 🛗 25/400. 🖭 Ⓞ 🖪 𝘝𝘐𝘚𝘈 𝘑𝘊𝘉. ⅏
Refeição 3000 – **262 qto** ☲ 27800/31000 – PA 6000.

Praia da Luz por ③ : 6,5 km – ⊠ 8600 Lagos – ✆ 082 :

✗ Fortaleza da Luz, Rua da Igreja 3 ℘ 78 99 26, ≼, 🍽, Decoração rústica, « Agradável
terraço junto ao mar » – 🗏.

∎MEGO 5100 Viseu 𝟺𝟺𝟶 I 6 – 9233 h. alt. 500 – ✆ 054.
Ver : Museu de Lamego★ (pinturas sobre madeira★) – Capela do Desterro (tecto★).
Arred. : Miradouro da Boa Vista★ N : 5 km – São João de Tarouca : Igreja S. Pedro★ SE :
15,5 km.
🛈 Av. Visconde Guedes Teixeira ℘ 620 05, Fax 640 14.
Lisboa 369 – Viseu 70 – Vila Real 40.

🏠 **Albergaria do Cerrado** sem rest. com snack-bar, Estrada do Peso da Régua - Lugar
do Cerrado ℘ 631 64, Fax 654 64, ≼ – 🛗 🗏 📺 ☎ ⟲. 🖭 🖪 𝘝𝘐𝘚𝘈. ⅏
30 qto ☲ 14500/16900.

🏠 **São Paulo** sem rest, Av. 5 de Outubro ℘ 631 14 – 🛗 ⟲. ⅏
34 qto ☲ 3500/6500.

🏠 Solar do Espírito Santo sem rest, Alexandre Herculano 1 ℘ 65 50 60, Fax 628 86 – 🛗
🗏 📺 ☎ ⟲
28 qto.

🏠 Solar sem rest, Av. Visconde Guedes Teixeira ℘ 620 60
30 qto.

✗ O Marquês, Estrada do Peso da Régua - Urb. da Ortigosa ℘ 644 88, 🍽

∎a estrada N 2 S : 1,5 km – ⊠ 5100 Lamego – ✆ 054 :

🏠 **Parque** ⅍, Santuário de Na. Sra. dos Remédios ℘ 621 05, Telex 27723, Fax 652 03,
🍽 – 📺 Ⓟ – 🛗 25/130. 🖭 Ⓞ 🖪 𝘝𝘐𝘚𝘈. ⅏ rest
Refeição lista aprox. 4100 – **36 qto** ☲ 8000/9800.

∎NHELAS Viana do Castelo – ver Caminha.

∎UNDOS Porto 𝟺𝟺𝟶 H 3 – 1679 h. – ⊠ 4490 Póvoa de Varzim – ✆ 052.
Lisboa 343 – Braga 35 – Porto 37 – Viana do Castelo 47.

🏠 Sopete São Félix Estal. ⅍, Monte de São Félix - NE : 1,5 km ℘ 60 71 76, Fax 60 74 44,
≼ campo com o mar ao fundo, 🏊 – 🛗 🗏 📺 ☎ ⟲ Ⓟ – 🛗 25/200
32 qto, 1 suite.

∎VOS Coimbra – ver Figueira da Foz.

∎VRA Porto 𝟺𝟺𝟶 I 3 – 9183 h. – ⊠ 4450 Matosinhos – ✆ 02.
Lisboa 321 – Braga 53 – Porto 12 – Viana do Castelo 62.

✗ Asi me Gusta, Av. Praia de Angeiras ℘ 927 04 80, 🍽 – 🗏.

∎ÇA DA PALMEIRA Porto 𝟺𝟺𝟶 I 3 – ⊠ 4450 Matosinhos – ✆ 02 – Praia.
Lisboa 322 – Amarante 76 – Braga 55 – Porto 8.
ver plano de Porto aglomeração

✗✗✗ **Garrafão,** Rua António Nobre 53 ℘ 995 16 60, 🍽, Peixes e mariscos – 🗏. 🖭 Ⓞ 🖪
𝘝𝘐𝘚𝘈 𝘑𝘊𝘉. ⅏   AU t
fechado domingo e do 15 ao 31 de agosto – **Refeição** lista aprox. 8900.

✗✗✗ **O Chanquinhas,** Rua de Santana 243 ℘ 995 18 84, Fax 996 06 19 – 🗏 Ⓟ. 🖭 Ⓞ 🖪
𝘝𝘐𝘚𝘈 𝘑𝘊𝘉. ⅏   AU s
fechado domingo – **Refeição** lista aprox. 4600.

XX **Solar de Leça,** Rua Pinto de Araújo 110 ℰ 995 89 63, Fax 996 26 90 – ▤. ◭ ◑
VISA. ⅙
AU
Refeição lista 4100 a 5500.

XX Boa Nova, Praia de Boa Nova - O : 1 km ℰ 995 17 85, Fax 995 21 82, ≤ mar
▤ ◗.
AU

X Fonte do Mar, Largo da Fonte Seca 4 ℰ 995 24 39 – ▤
AU

X A Cozinha da Maria, Rua Fresca 187 ℰ 995 55 35 – ▤
AU

LEÇA DO BALIO Porto ◍◍◍ I 4 – ⊠ 4465 São Mamede de Infesta – ◷ 02.
Ver : Igreja do Mosteiro★ ; pia baptismal★.
Lisboa 312 – Amarante 58 – Braga 48 – Porto 7.

na estrada N 13 O : 2 km – ⊠ 4465 São Mamede de Infesta – ◷ 02 :

🏨 **Estal. Via Norte,** ℰ 944 82 94, Fax 944 83 22, ⤴ – ▥▤ ▥ ⊺ ◗ – ⚐ 25/2
◭ ◑ ▤ **VISA**. ⅙
Refeição lista 2800 a 5100 – **47 qto** ⊊ 13000/15000, 3 suites.

LEIRIA 2400 ℗ ◍◍◍ M 3 – 29 808 h. alt. 50 – ◷ 044.
Ver : Castelo★ (sítio★).
🛈 Jardim Luís de Camões ℰ 82 37 73, Fax 335 33 – **A.C.P.** Rua do Município, Lote B
Loja C, ℰ 82 36 32, Fax 81 22 22.
Lisboa 129 – Coimbra 71 – Portalegre 176 – Santarém 83.

🏚 **Eurosol e Eurosol Jardim,** Rua D. José Alves Correia da Silva ℰ 81 22 ◗
Telex 42031, Fax 81 12 05, ≤, ₤, ⤴ – ▥▤ ▥ ⊺ ⇆ ◗ – ⚐ 25/400. ◭ ◑ ▤ ◗
JCB. ⅙
Refeição 3500 – ⊊ 1000 – **134 qto** 7900/12000, 1 suite – PA 7000.

🏚 **Dom João III,** Av. D. João III ℰ 81 25 00, Fax 81 22 35, ≤ – ▥▤ ▥ ⊺ ⇆
⚐ 25/350. ◭ ◑ ▤ **VISA**. ⅙
Refeição 2800 – **54 qto** ⊊ 9000/11000, 10 suites – PA 5600.

🏨 Albergaria do Terreiro sem rest, Largo Cândido dos Reis 17 ℰ 81 35 80, Fax 351 ◗
– ▥▤ ▥ ⊺ ◗ – ⚐ 25
31 qto.

🏨 **S. Luís** sem rest, Rua Henrique Sommer ℰ 81 31 97, Fax 81 38 97 – ▥▤ ▥ ⊺.
◑ ▤ **VISA**. ⅙
47 qto ⊊ 7000/8500.

🏛 **S. Francisco** sem rest, Rua São Francisco 26-9° ℰ 82 31 10, Fax 81 26 77, ≤ – ▥
▥ ⊺. ◭ ▤ **VISA**. ⅙
18 qto ⊊ 6500/8500.

🏛 **Ramalhete** sem rest, Rua Dr. Correia Mateus 30-2° ℰ 81 28 02, Fax 81 50 99 – ▥
◭ ◑ ▤ **VISA**. ⅙
28 qto ⊊ 5000/7000.

em Marrazes na estrada N 109 - N : 1 km – ⊠ 2400 Leiria – ◷ 044 :

XX **Tromba Rija,** Rua Professores Portelas 22 ℰ 85 50 72, Fax 85 61 60, Rest. típico –
◗. ◭ ◑ ▤ **VISA**
fechado domingo, 2ª feira ao meio-dia e do 4 ao 31 de agosto – Refeição lista 350◗
6500.

X **O Cardápio do Visconde,** Rua Nossa Senhora do Amparo 76 ℰ 81 27 2
Fax 81 25 90, Decoração original numa antiga adega – ◗. ◭ ◑ ▤ **VISA**. ⅙
fechado domingo noite e 3ª feira – **Refeição** lista aprox. 3550.

pela estrada N I SO : 4,5 km – ⊠ 2400 Leiria – ◷ 044 :

XX **O Casarão,** Cruzamento de Azóia ℰ 87 10 80, Fax 87 21 55 – ▤ ◗. ◭ ◑ ▤ **VISA** ◗
⅙
fechado 2ª feira – Refeição lista 2750 a 3500.

With this guide use Michelin Maps :
no ◎◎◎ SPAIN-PORTUGAL Main Roads (1 inch : 16 miles),
nos ◍◍◍, ◍◍◍, ◍◍◍, ◍◍◍, ◍◍◍ and ◍◍◍ SPAIN
(regional maps) (1 inch : 6.30 miles),
no ◍◍◍ PORTUGAL (1 inch : 6.30 miles),
and the ATLAS Michelin Spain Portugal (1 inch : 630 miles).

LISBOA

1100 🅿 🔢 P 2 – 662 782 h. alt. 111 – 🕓 01.

Madrid 658 ① – Bilbao/Bilbo 907 ① – Paris 1820 ① – Porto 314 ① – Sevilla 417 ②.

Curiosidades	p. 2
Planos de Lisboa	
Aglomeração	p. 4 e 5
Geral	p. 6 e 7
Centro	p. 8 e 9
Repertório das Ruas (das plantas)	p. 10 e 11
Lista alfabética de hotéis e restaurantes	p. 11 e 12

POSTOS DE TURISMO

🛈 *Palácio Foz, Praça dos Restauradores,* ✉ *1200,* ℘ *346 63 07, Fax 346 87 72.*
🛈 *Aeroporto,* ℘ *849 36 89.*

INFORMAÇÕES PRÁTICAS

BANCOS E CASAS DE CÂMBIO

Todos os bancos : *Abertos de 2ª a 6ª feira das 8,30 h. às 15 h. Encerram aos sábados, domingos e feriados.*
Para câmbio estão abertos ao sábado e dentro dos horários seguintes, as dependências dos bancos :
Banco Espírito Santo e Comercial de Lisboa (Rossio) : das 9 h. às 12 h. Crédit Lyonnais (Alvalade) : das 9 h. às 12 h.

TRANSPORTES

Taxi : *Dístico com a palavra « Táxi » iluminado sempre que está livre. Companhias de rádio-táxi.*
Metro, carro eléctrico e autocarros : *Rede de metro, eléctricos e autocarros que ligam as diferentes zonas de Lisboa.*
Para o aeroporto existe uma linha de autocarros -aerobus- com terminal no Cais do Sodré.
Aeroporto e Companhias Aéreas :
✈ *Aeroporto de Lisboa, N : 8 km,* ℘ *848 11 01 CDU.*
T.A.P., Praça Marquês de Pombal 3, ✉ *1200,* ℘ *386 40 80 e no aeroporto,* ℘ *841 50 00.*

ESTAÇÕES DE COMBÓIOS

Santa Apolónia, 🚗 ℘ *887 75 09.*
Rossio, ℘ *346 50 22.*
Cais do Sodré, ℘ *347 01 81 (Lisboa-Cascais).*

COMPANHIAS MARÍTIMAS

⛴ *para a Madeira : E.N.M., Rua de São Julião 5 – 1º,* ✉ *1100,* ℘ *887 01 21.*

ACP *(Automóvel Club de Portugal)*
Rua Rosa Araújo 24, ✉ *1200,* ℘ *356 39 31, Fax 357 47 32.*

CAMPOS DE GOLF

⛳ *Lisbon Sports Club 20 km por ⑤,* ℘ *431 00 77*
⛳ *Club de Campo da Aroreira 15 km por ②,* ℘ *297 13 14 Aroeira, Monte da Caparica.*

ALUGUER DE VIATURAS

AVIS, ☎ 346 11 77 – EUROPCAR, ☎ 942 23 06 – HERTZ, ☎ 941 15 07 – BUDGET, ☎ 796 10 28 – EURODOLLAR ATESA, ☎ 796 76 14.

CURIOSIDADES

PANORÂMICAS DE LISBOA

Ponte 25 de Abril por ② : ≼ ★★ – Cristo Rei por ② : ☀ ★★ – Castelo de São Jorge★★ : ≼ ★★ LX – Miradouro de Santa Luzia : ≼ ★ LY C – Elevador de Santa Justa : ≼ ★ KY – Miradouro de São Pedro de Alcântara★ : ≼ ★ JX A.

MUSEUS

Museu Nacional de Arte Antiga★★★ (políptico da Adoração de S. Vicente★★★, Tentação de Santo Antão★★★, Biombos japoneses★★, Doze Apóstolos★, Anunciação★, Capela★) EU **M⁷** *– Museu Calouste Gulbenkian★★★ (Colecções de arte) FR – Museu da Marinha★★ AQ* **M⁵** *– Museu Nacional dos Coches★★ AQ* **M⁶** *– Museu do Azulejo★★ DP* **M⁹** *– Centro de Arte Moderna★ FR* **M⁴** *– Museu da Água da EPAL★ HT* **M⁸** *– Museu Nacional do Traje★ BN* **M¹⁴** *– Museu Militar (tectos★) MY* **M¹⁰** *– Museu de Artes Decorativas★ (Fundação Ricardo do Espírito Santo Silva) LY* **M³** *– Museu Arqueológico – Igreja do Carmo★ KY* **M¹** *– Museu de Arte Sacra de São Roque★ (ornamentos sacerdotais★) JKX* **M².**

IGREJAS E MOSTEIROS

Sé★★ (túmulos góticos★, grade★, tesouro★) LY – Mosteiro dos Jerónimos★★ : Igreja de Santa Maria★★★ (abóbada★★, claustro★★★, tesouro★) AQ – Igreja da Madre de Deus★★ (sala do capítulo★) DP – Igreja de São Roque★ (Capela de São João Baptista★★) JX – Igreja de São Vicente de Fora (azulejos★) MX – Igreja de Nossa Senhora de Fátima (vitrais★) FR K – Basílica da Estrela (cúpula★, jardim★) EU L – Igreja da Conceição Velha (fachada sul★) LZ V.

BAIRROS HISTÓRICOS

Belém★★ AQ – A Lisboa medieval★★ LXY – A Baixa pombalina★ JKXYZ – Alfama★ LY – Chiado e Bairro Alto★ KJY.

LUGARES PITORESCOS

Praça do Comércio★★ KZ – Torre de Belém★★ AQ – Palácio dos Marqueses de Fronteira★★ (azulejos★★) ER – Rossio (Praça★) KX – Rua Garrett★ KY – Avenida da Liberdade★ JV – Parque Eduardo VII★ (Estufa fria★) FS – Padrão dos Descobrimentos★ AQ – Jardim Zoológico★ ER – Aqueduto das Águas Livres★ ES – Jardim Botânico★ JV – Parque florestal de Monsanto★ APQ – Campo de Santa Clara★ MX.

COMPRAS

Bairros comerciais : *Baixa (Rua Augusta), Chiado (Rua Garrett).*

Antiguidades : *Rua D. Pedro V, Rua da Escola Politécnica, Feira da Ladra (3ª feira e sábado).*

Centro comercial : *Torres Amoreiras.*

Desenhadores : *Bairro Alto.*

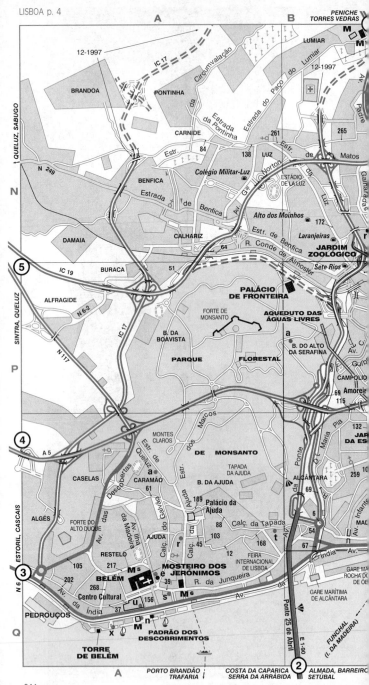

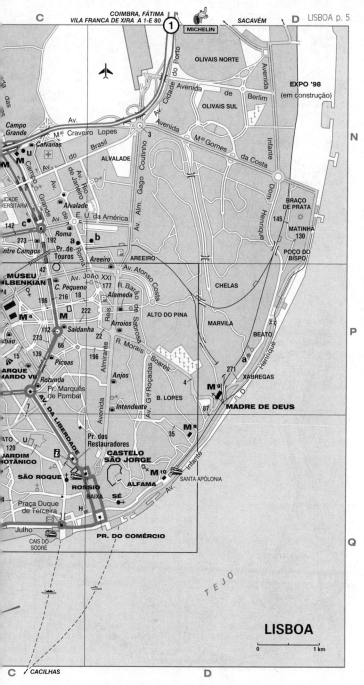

COIMBRA, FÁTIMA
VILA FRANCA DE XIRA A 1-E 80

MICHELIN

SACAVÉM

D

N

OLIVAIS NORTE

Avenida

EXPO '98
(em construção)

de

Berlim

OLIVAIS SUL

Av.

Av.

Avenida

M^{al} Gomes

Infante

da Costa

Campo
Grande

Calvanas

M^{al} Craveiro Lopes

3

Brasil

do

Av.

M

u

ALVALADE

Av. Rio de Janeiro

Av.

Av. Alm. Gago Coutinho

Avenida

Cidade do Porto

Dom

BRAÇO
DE PRATA

IDADE
ERSITÁRIA

Av. de

Alvalade

E. U. da América

145

MATINHA
130

142

c

Roma

Av. de

b

Henrique

POÇO DO
BISPO

273

192

a

Pr. de
Touros

Roma

AREEIRO

Areeiro

P

ntre Campos

42

Av. Afonso Costa

CHELAS

MÚSEU
LBENKIAN

C. Pequeno

Av. João XXI

177

R. Barão

Alameda

P

186

216

18

Rels

MARVILA

BEATO

Henrique

M

4

M

222

Arroios

de

ALTO DO PINA

stião

112

Saldanha

22

Sabrosa

a

271

15

273

66

R. Morais

Soares

XABREGAS

139

Picoas

196

Almirante

M

9

ARQUE
ARDO VII

Rotunda

Anjos

4

MADRE DE DEUS

7

Pr. Marquês
de Pombal

Gal Roçadas

B. LOPES

87

AV. DA LIBERDADE

Avenida

Intendente

M

8

ATO

U

120

35

JARDIM
OTÂNICO

Pr. dos
Restauradores

CASTELO
SÃO JORGE

SÃO ROQUE

ROSSIO

M

10

SANTA APÓLONIA

ALFAMA

Infante

BAIXA

SÉ

Praça Duque
de Terceira

H

Julho

CAIS DO
SODRÉ

PR. DO COMÉRCIO

T E J O

LISBOA

0   1 km

C   CACILHAS   D

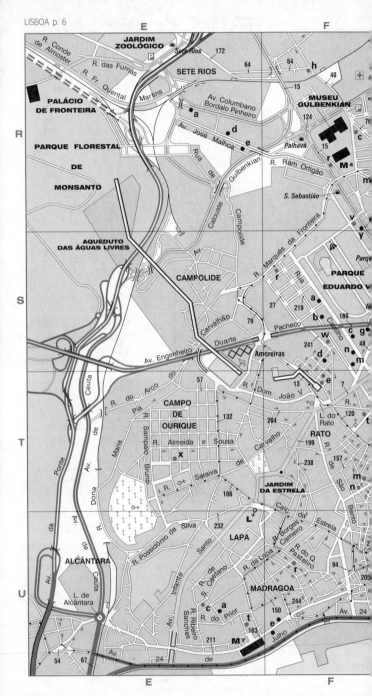

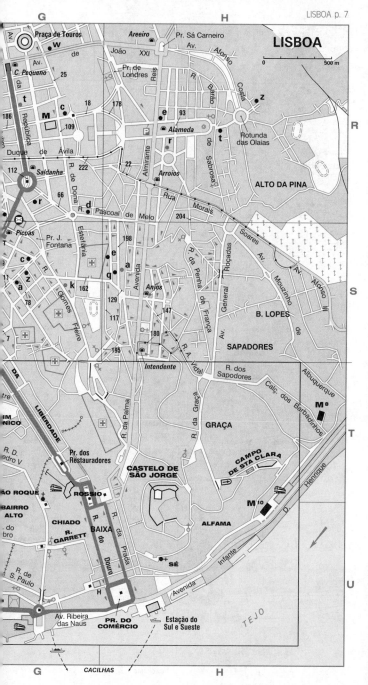

LISBOA

0 ——— 500 m

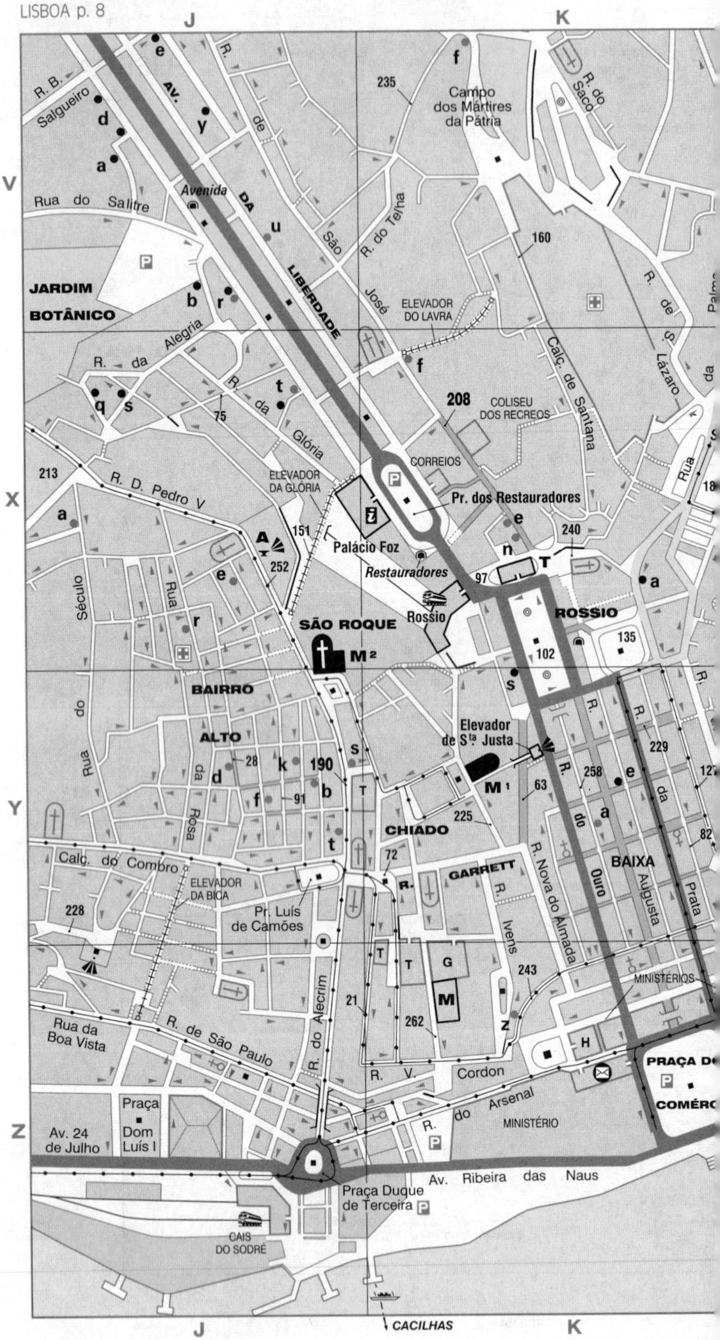

R. B.
Salgueiro
d
a
e
y

J

V

Rua do Salitre

Avenida

R.
de
São
José

235

Campo
dos Mártires
da Pátria

f

R. do Saco

K

160

JARDIM
BOTÂNICO

P

b r

u

q s

R. da Alegria

t

75

R. da Glória

Calç. de Santana

ELEVADOR
DO LAVRA

f

f

208

COLISEU
DOS RECREIOS

R.
de
S.
Lázaro

R.
da
Palma

213

R. D. Pedro V

X

a

A

151

252

ELEVADOR
DA GLÓRIA

Palácio Foz

Restauradores

Rossio

i

CORREIOS

P

Pr. dos Restauradores

e

97

n

T

240

a

180

Século

Rua

e

r

SÃO ROQUE

M²

ROSSIO

102

135

BAIRRO

ALTO

Rua do

Rua da Rosa

d

28 k 190

f 91 b

s

t

T

ELEVADOR
DE S.
JUSTA

M¹

63

s

258

e

a

R. do Ouro

229

R. da Prata

12

82

BAIXA

Calç. do Combro

228

ELEVADOR
DA BICA

Pr. Luís
de Camões

CHIADO

72

225

R. GARRETT

T

21

262

T

G

M

Ivens

243

R. Nova do Almada

R. Augusta

Z

H

MINISTÉRIOS

Rua da
Boa Vista

R. de São Paulo

R. V. Cordon

R. do Arsenal

MINISTÉRIO

PRAÇA DO

P

COMÉRC

Av. 24
de Julho

Praça
Dom
Luís I

Z

CAIS
DO SODRÉ

Praça Duque
de Terceira

P

Av. Ribeira das Naus

J

CACILHAS

K

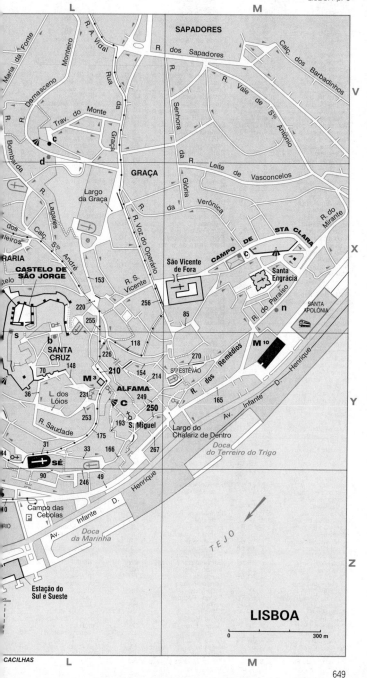

SAPADORES

R. dos Sapadores

Calç. dos Barbadinhos

R. Vale de Sto António

R. Maria da Fonte

R. A. Vidal

Rua da Monteiro

R. Damasceno

Trav. do Monte

R. da Graça

Senhora da Glória

R. Leite de Vasconcelos

R. Bombarda

GRAÇA

Largo da Graça

Verônica

R. da

R. do Mirante

dos leiros

Calç. Sto André

Lagarés

R. Voz do Operário

STA CLARA

CAMPO DE

c

Santa Engrácia

R. do Paraíso

SANTA APOLÓNIA

RARIA

CASTELO DE SÃO JORGE

153

São Vicente de Fora

R. S. Vicente

256

85

n

220

255

118

270

M 10

R. dos Remédios

R. D. Henrique

s

b

SANTA CRUZ

226

210

154

214

ST ESTÊVÃO

70

148

M 3

231

ALFAMA

249

165

Av. Infante D. Henrique

36

L. dos Lóios

250

R. Saudade

253

193

S. Miguel

c

S. Miguel

Largo do Chafariz de Dentro

31

175

Doca do Terreiro do Trigo

33

166

267

SÉ

90

246

49

Henrique

Campo das Cebolas

Infante D.

RIO

Av. Doca da Marinha

TEJO

Estação do Sul e Sueste

LISBOA

0   300 m

Augusta (R.) . . . . p. 8 **KY**
Carmo (R. do) . . . . p. 8 **KY** 63
Garrett (R.) (Chiado) . . . p. 8 **KY**
Ouro (R. do) . . . . p. 8 **KY**
Prata (R. da) . . . . p. 8 **KY**

Aeroporto
(Rotunda do) . . . . . . p. 5 **DN** 3
Afonso Costa (Av.) . . . . p. 7 **HR**
Afonso III (Av.) . . . . p. 5 **DP** 4
Ajuda (Calç. da) . . . . . . p. 4 **AQ**
Alcântara (L. de) . . . . . . p. 4 **BQ** 6
Alecrim (R. do) . . . . p. 8 **JZ**
Alegria (R. da) . . . . p. 8 **JX**
Alexandre
Herculano (R.) . . . . . p. 6 **FT** 7
Alfândega (R. da) . . . . . p. 9 **LZ** 10
Aliança Operária (R.) . . . p. 4 **AQ** 12
Almeida e Sousa (R.) . . p. 6 **ET**
Almirante Gago
Coutinho (Av.) . . . . . p. 5 **DN**
Almirante Reis (Av.) . . . p. 7 **HR**
Amoreiras (R. das) . . . . p. 6 **FT** 13
Angelina Vidal (R.) . . . . p. 9 **LV**
António Augusto
de Aguiar (Av.) . . . . . p. 6 **FR** 15
António José
de Almeida (Av.) . . . p. 7 **GR** 18
António Maria
Cardoso (R.) . . . . p. 8 **JZ** 21
António Pereira
Carrilho (R.) . . . . p. 7 **HR** 22
Arco do Carvalhão
(R. do) . . . . p. 6 **ET**
Arco do Cego (R.) . . . . . p. 7 **GR** 25
Arsenal (R. do) . . . . p. 8 **KZ**
Artilharia Um (R. da) . . . p. 6 **FS** 27
Atalaia (R. da) . . . . p. 8 **JY** 28
Augusto Rosa (R.) . . . . . p. 9 **LY** 31
Barão (R.) . . . . p. 9 **LY** 33
Barão de Sabrosa (R.) . . p. 7 **HR**
Barata Salgueiro (R.) . . . p. 6 **FT** 34
Barbadinhos
(Calç. dos) . . . . p. 9 **MV**
Bartolomeu
de Gusmão (R.) . . . . p. 9 **LY** 36
Bartolomeu Dias (R.) . . . p. 4 **AQ** 37
Belém (R. de) . . . . p. 4 **AQ** 39
Beneficência (R. da) . . . p. 6 **FR** 40
Benfica (Estr. de) . . . . . p. 4 **AN**
Berlim (Av. de) . . . . p. 5 **DN**
Berna (Av. de) . . . . p. 6 **FR** 42
Bica do Marquês
(R. da) . . . . p. 4 **AQ** 45
Boa Vista (R. da) . . . . . . p. 6 **FU** 46
Bombarda (R.) . . . . p. 9 **LV**
Borges Carneiro (R.) . . . p. 6 **FU**
Braancamp (R.) . . . . p. 6 **FS** 48
Brasil (R. do) . . . . p. 5 **DN**
Cais de Santarém (R.) . . p. 9 **LZ** 49
Calhariz de Benfica
(Estr.) . . . . p. 4 **AP** 51
Calouste Gulbenkian
(Av.) . . . . p. 6 **ER**
Calvário (L. do) . . . . p. 6 **EU** 54
Campo das Cebolas . . . p. 9 **LZ**
Campo de Ourique
(R. do) . . . . p. 6 **ET** 57
Campo de Santa Clara . p. 9 **MX**
Campo dos Mártires
da Pátria . . . . p. 8 **KV**
Campo Grande . . . . p. 5 **CN**
Campolide (R. de) . . . . . p. 4 **BP** 60
Caramão (Estr. do) . . . . p. 4 **AQ** 61
Carolina
M. Vasconcelos (R.) . p. 4 **AN** 64
Casal Ribeiro (Av.) . . . . p. 7 **GR** 64
Cascais (R.) . . . . p. 6 **EU** 67
Castilho (R.) . . . . p. 6 **FS**
Cavaleiros (R. dos) . . . . p. 9 **LX**
Ceuta (Av. de) . . . . p. 4 **BQ** 69
Chafariz de Dentro
(L. do) . . . . p. 9 **MY**
Chão da Feira (R. do) . . p. 9 **LY** 70
Chiado (L. do) . . . . p. 8 **KY** 72
Cidade do Porto (Av.) . . p. 5 **DN**
Columbano Bordalo
Pinheiro (Av.) . . . . . . p. 4 **BP** 73
Combatentes
(Av. dos) . . . . p. 4 **BN** 74
Combro (Calç. do) . . . . . p. 8 **JY**
Comércio (Pr. do)
(Terreiro do Paço) . . p. 8 **KZ**

650

Conceição da Glória
(R.) . . . . p. 8 **JX** 75
Conde de Almoster
(R.) . . . . p. 6 **ER**
Conde de Valbom
(Av.) . . . . p. 6 **FR** 76
Conde Redondo (R.) . . . p. 7 **GS** 78
Conselheiro
F. de Sousa (Av.) . . . p. 6 **FS** 79
Correeiros (R. dos) . . . . p. 8 **KY** 82
Correia (Estr. da) . . . . . p. 4 **AN** 84
Corvos (R. dos) . . . . p. 9 **MX** 85
Costa do Castelo . . . . . p. 9 **LX**
Cruz da Pedra
(Calç. da) . . . . p. 5 **DP** 87
Cruzeiro (R. do) . . . . . . p. 4 **AQ** 88
Cruzes da Sé (R.) . . . . . p. 9 **LZ** 90
Damasceno Monteiro
(R.) . . . . p. 9 **LV**
Descobertas (Av. das) . p. 4 **AQ**
Diário de Notícias
(R. do) . . . . p. 8 **JY** 91
Dom Afonso
Henriques (Alameda) . p. 7 **HR** 93
Dom Carlos I (Av.) . . . . p. 6 **FU** 94
Dom João da Câmara
(Pr.) . . . . p. 8 **KX** 97
Dom João V (R.) . . . . . . p. 6 **CQ** 99
Dom Luís I (R.) . . . . p. 8 **JZ**
Dom Pedro IV (Pr.)
(Rossio) . . . . p. 8 **KX** 102
Dom Pedro V (R.) . . . . . p. 8 **JX**
Dom Vasco (R. de) . . . . p. 4 **AQ** 103
Dom Vasco da Gama
(Av.) . . . . p. 4 **AQ** 105
Domingos Sequeira
(R.) . . . . p. 6 **ET** 106
Dona Estefânia
(R. de) . . . . p. 7 **GS**
Dona Filipa
de Vilhena (Av.) . . . . p. 7 **GR** 109
Dona Maria Pia (R.) . . . p. 6 **ET**
Duque de Ávila (Av.) . . . p. 7 **GR**
Duque de Loulé (Av.) . . p. 6 **GS** 111
Duque de Saldanha
(Pr.) . . . . p. 7 **GR** 112
Duque de Terceira
(Pr.) . . . . p. 8 **JZ**
Engenheiro Duarte
Pacheco (Av.) . . . . . . p. 4 **BP** 115
Escola do Exército
(R.) . . . . p. 7 **HS** 117
Escolas Gerais
(R. das) . . . . p. 9 **LY** 118
Escola Politécnica
(R. da) . . . . p. 6 **FT** 120
Espanha (Pr. de) . . . . . . p. 6 **FR** 124
Estados Unidos
da América (Av.) . . . p. 5 **DN**
Estrela (Calç. da) . . . . . p. 6 **FU**
Fanqueiros (R. dos) . . . . p. 8 **KY** 127
Febo Moniz (R.) . . . . . . p. 7 **HS** 129
Fernando Palha (R.) . . . p. 5 **DN** 130
Ferreira Borges (R.) . . . p. 6 **ET** 132
Figueira (Pr. da) . . . . . . p. 8 **KX** 135
Filipe da Mata (R.) . . . . p. 6 **FR** 136
Fonte (R. da) . . . . p. 4 **AN** 138
Fontes Pereira
de Melo (Av.) . . . . . . p. 7 **GS** 139
Forças Armadas
(Av. das) . . . . p. 5 **CN** 142
Formoso de Baixo
(R. do) . . . . p. 5 **DN** 145
Forno do Tijolo (R.) . . . p. 7 **HS** 147
Francisco Quental
Martins (R.) . . . . p. 4 **ER**
Funil (Trav. do) . . . . p. 9 **LY** 148
Furnas (R. das) . . . . p. 6 **ER**
Galharadas (Az. das) . . p. 4 **BN**
Galvão (Calç. do) . . . . . p. 4 **AQ**
Garcia da Horta (R.) . . . p. 6 **FU** 150
General Norton
de Matos (Av.) . . . . . p. 4 **BN**
General Roçadas
(Av.) . . . . p. 7 **HS**
Glória (Calç. da) . . . . . . p. 8 **JX** 151
Glória (R. da) . . . . p. 8 **JX**
Gomes Freire (R.) . . . . . p. 7 **GS**
Graça (Calç. da) . . . . . . p. 9 **LX** 153
Graça (L. da) . . . . p. 9 **LX**
Graça (R. da) . . . . p. 9 **LV**
Guilherme Braga (R.) . . p. 9 **LY** 154
Ilha da Madeira (Av.) . . p. 4 **AQ**

Império (Pr. do) . . . . . . p. 4 **AQ**
Imprensa Nacional
(R.) . . . . p. 6 **FT**
Índia (Av. da) . . . . p. 4 **AQ**
Infante D. Henrique
(Av.) . . . . p. 9 **MY**
Infante Santo (Av.) . . . . p. 6 **EU**
Instituto Bacteriológico
(R.) . . . . p. 8 **KV**
Ivens (R.) . . . . p. 8 **KY**
Jacinta Marto (R.) . . . . . p. 7 **GS**
Janelas Verdes
(R. das) . . . . p. 6 **EU**
Jardim do Tabaco
(R. do) . . . . p. 9 **MY**
João da Praça
(R. de) . . . . p. 9 **LY**
João de Barros (R.) . . . . p. 4 **AQ**
João XXI (Av. de) . . . . . p. 7 **HR**
Joaquim António
de Aguiar (R.) . . . . . . p. 6 **FS**
José Fontana (Pr.) . . . . . p. 7 **GS**
José Malhoa (Av.) . . . . . p. 6 **ER**
Junqueira (R. da) . . . . . p. 4 **AQ**
Lagares (R.) . . . . p. 9 **LX**
Lapa (R. da) . . . . p. 6 **EU**
Laranjeiras (Estr. das) . . p. 6 **ER**
Liete de Vasconcelos
(R.) . . . . p. 9 **MX**
Liberdade (Av. da) . . . . p. 8 **JV**
Limoeiro (L. do) . . . . . . p. 9 **LY**
Linhas de Torres
(Alameda das) . . . . . p. 5 **CN**
Lóios (L. dos) . . . . p. 9 **LY**
Londres (Pr. de) . . . . . . p. 5 **DP**
Luís de Camões (Pr.) . . p. 8 **JY**
Luz (Estrada da) . . . . . . p. 4 **BN**
Madalena (R. da) . . . . . p. 8 **KY**
Manuel da Maia (Av.) . . p. 7 **HR**
Marcos (Estr. dos) . . . . p. 4 **AQ**
Marechal Craveiro
Lopes (Av.) . . . . p. 5 **CN**
Marechal Gomes
da Costa (Av.) . . . . . p. 5 **DN**
Maria Andrade (R.) . . . . p. 7 **HS**
Maria da Fonte (R.) . . . . p. 9 **LV**
Marquês da Fronteira
(R.) . . . . p. 5 **CP**
Marquês de Pombal
(Pr.) . . . . p. 6 **FS**
Martim Moniz (L.) . . . . . p. 8 **KX**
Miguel Bombarda
(Av.) . . . . p. 7 **GR**
Mirante (Calç. do) . . . . . p. 4 **AQ**
Mirante (R. do) . . . . p. 9 **MX**
Misericórdia (R. da) . . . p. 8 **JY**
Monte (Trav. do) . . . . . . p. 9 **LV**
Morais Soares (R.) . . . . p. 7 **HR**
Mouzinho de
Albuquerque (Av.) . . p. 7 **HS**
Mouzinho de
Albuquerque (Pr.) . . p. 5 **CN**
Norberto de Araújo
(R.) . . . . p. 9 **LY**
Nova do Almada (R.) . . . p. 8 **KY**
Olaias (Rotunda das) . . p. 7 **HR**
Paço da Rainha . . . . . . p. 7 **HS**
Paço do Lumiar
(Estr.) . . . . p. 4 **AN**
Padre Cruz (Av.) . . . . . . p. 4 **BN**
Palma (R. da) . . . . p. 8 **KV**
Paraíso (R. do) . . . . p. 9 **MX**
Pascoal de Melo (R.) . . p. 5 **DP**
Passos Manuel (R.) . . . p. 7 **HS**
Pedro Álvares Cabral
(Av.) . . . . p. 6 **FT**
Pedrouços (R. de) . . . . . p. 4 **AQ**
Penha de França
(R. da) . . . . p. 7 **HS**
Poço dos Mouros
(Calç. do) . . . . p. 7 **HR**
Poço dos Negros
(R. do) . . . . p. 6 **FU**
Poiais de S. Bento
(R.) . . . . p. 6 **FU**
Ponte (Av. da) . . . . p. 6 **ET**
Pontinha (Estr. da) . . . . p. 4 **AN**
Portas de
Santo Antão (R.) . . . p. 8 **KX**
Portas do Sol
(L. das) . . . . p. 9 **LY**
Possidónio da Silva
(R.) . . . . p. 6 **EU**

esidente Arriaga
(R.) . . . . p. 6 **EU** 211
incipe Real
(Pr. do) . . . . p. 8 **JX** 213
ior (R. do) . . . . p. 6 **EU**
elhas Pasteleiro
(R. do) . . . . p. 6 **FU**
eluz (Estr. de) . . . . p. 4 **AQ**
malho Ortigão (R.) . . p. 6 **FR**
to (L. do) . . . . p. 6 **FT**
gueira (R. da) . . . . . p. 9 **LY** 214
médios (R. dos) . . . p. 9 **MY**
pública (Av. da) . . . p. 5 **CP** 216
stauradores
(Pr. dos) . . . . p. 8 **KX**
stelo (Av. do) . . . . . p. 4 **AQ** 217
peira das Naus
(Av.) . . . . p. 8 **KZ**
peiro Sanches
(R.) . . . . p. 6 **EU**
o de Janeiro (Av.) . . p. 5 **CN**
drigo da Fonseca
(R.) . . . . p. 6 **FS** 219
drigues de Freitas
(L.) . . . . p. 9 **LX** 220
ma (Av. de) . . . . . p. 5 **CN**
sa (R. da) . . . . p. 8 **JY**
visco Pais (Av.) . . . p. 7 **GR** 222
Carneiro (Pr.) . . . p. 7 **HR**
co (R. do) . . . . p. 8 **KV**
cramento
Calç. do) . . . . p. 8 **KY** 225

Salitre (R. do) . . . . . p. 8 **JV**
Salvador (R. do) . . . . p. 9 **LY** 226
Sampaio Bruno (R.) . . p. 6 **ET**
Santa Catarina
(R. de) . . . . p. 8 **JY** 228
Santa Justa (R. de) . . p. 8 **KY** 229
Santa Luzia
(Trav. de) . . . . p. 9 **LY** 231
Santana (Calç. de) . . p. 8 **KX**
Santo André
(Calç. de) . . . . . . p. 9 **LX**
Santo António (R. de). p. 6 **EU** 232
Santo António da Sé
(L.) . . . . p. 9 **LY** 234
Santo António dos
Capuchos (R.) . . . . p. 8 **KV** 235
S. Bento (R. de) . . . . p. 5 **CQ** 237
S. Bernardo (R. de) . . p. 6 **FT** 238
S. Caetano (R. de) . . p. 6 **EU**
S. Domingos (L. de) . p. 8 **KX** 240
S. Filipe de Nery (R.). p. 6 **FS** 241
S. Francisco
(Calç. de) . . . . p. 8 **KZ** 243
S. João da Mata (R.) . p. 6 **FU** 244
S. João da Praça
(R.) . . . . p. 9 **LZ** 246
S. José (R. de) . . . . . p. 8 **JV**
S. Lázaro (R. de) . . . p. 8 **KX**
S. Marçal (R. de) . . . p. 6 **FT** 247
S. Miguel (R. de) . . . p. 9 **LY** 249
S. Paulo (R. de) . . . . p. 8 **JZ**
S. Pedro (R. de) . . . . p. 9 **LY** 250

S. Pedro de Alcântara
(R. de) . . . . p. 8 **JX** 252
S. Tiago (R. de) . . . . p. 9 **LY** 253
S. Tomé (R. de) . . . . p. 9 **LX** 255
S. Vicente (Calç. de) . p. 9 **LX** 256
S. Vicente (R.) . . . . . p. 9 **LX**
Sapadores (R. dos) . . p. 9 **MV**
Sapateiros (R. dos) . . p. 8 **KY** 258
Saraiva de Carvalho
(R.) . . . . p. 4 **BQ** 259
Saudade (R.) . . . . . . p. 9 **LY**
Século (R. do) . . . . . p. 8 **JX**
Seminário (R. do) . . . p. 4 **AN** 261
Senhora da Glória
(R.) . . . . p. 9 **MV**
Serpa Pinto (R.) . . . . p. 8 **KZ** 262
Sol ao Rato (R. do) . . p. 6 **FT** 264
Tapada (Calç. da) . . . p. 4 **AQ**
Telha (R. do) . . . . . . p. 8 **KV**
Telheiras (Estr. de) . . p. 4 **BN** 265
Terreiro do Trigo
(R. do) . . . . p. 9 **LY** 267
Vale de Sto António
(R.) . . . . p. 9 **MV**
Verónica (R. da) . . . . p. 9 **MX**
Victor Cordon (R.) . . . p. 8 **KZ**
Vigário (R. do) . . . . . p. 9 **MY** 270
Voz do Operário (R.) . p. 9 **LX**
Xabregas (R. de) . . . p. 5 **DP** 271
5 de Outubro (Av.) . . p. 5 **CN** 273
24 de Julho (Av.) . . . p. 6 **FU**

Lista alfabética de hotéis e restaurantes
Lista alfabética de hoteles y restaurantes
Liste alphabétique des hôtels et restaurants
Elenco alfabetico degli alberghi e ristoranti
Alphabetisches Hotel-und Restaurantverzeichnis
Alphabetical list of hotels and restaurants

A

19 Adega Machado
18 Adega Tia Matilde
16 Afonso Henriques (D.)
16 Albergaria Pax
14 Albergaria Senhora do Monte
16 Alfa Lisboa
16 Alicante
15 Alif
17 Altis
15 Altis Park H.
17 Amazónia H.
16 António Clara-Clube de Empresários
15 A.S. Lisboa
18 Avenida Alameda
19 Avis (D')

B

14 Bachus
17 Barcelona
18 Berna
14 Botánico
14 Britania

C

15 Cais da Avenida
16 Capitol
18 Casa da Comida
15 Casa do Leão
19 Caseiro
16 Celta
18 Chester
16 Chez Armand
14 Clara
19 Coelho da Rocha
18 Commenda (A)
17 Continental
18 Conventual

D – E

19 Delfim
17 Diplomático
16 Dom Carlos
16 Dom João
17 Dom Manuel I
17 Dom Rodrigo Suite H.
18 Eduardo VII
16 Embaixador
14 Escorial
18 Espelho d'Água
17 Executive Inn

F

19 Faia (O)
15 Faz Figura (O)
17 Fenix
18 Flamingo
17 Flórida
19 Forcado (O)
19 Frei Papinhas
19 Funil (O)

G – H

14 Gambrinus
19 Gatsby
15 Holiday Inn Crowne Plaza
15 Holiday Inn Lisboa

I – J

18 Ibis Lisboa-Centro
18 Imperador
14 Insulana
17 Janelas Verdes (As)
15 Jardim Tropical

L

16 Lapa (Da)
14 Lisboa
17 Lisboa Penta
14 Lisboa Plaza
15 Lutécia

M

19 Mãe d'Água
15 Mercado de Santa Clara
19 Mercado do Peixe (O)
16 Meridien Lisboa (Le)
14 Metropole
17 Miraparque
14 Mundial

N

17 Nacional
18 Nazareth
18 Nobre (O)
17 Novotel Lisboa

P

18 Pabe
15 Pap'Açorda
19 Papagaio da Serafina
15 Paris
15 Patchuka
19 Polícia (O)
15 Porta Branca
15 Presidente
18 Príncipe
14 Príncipe Real

Q – R

17 Quality H.
18 Quinta dos Frades
17 Real Parque

14 Residência Roma
16 Ritz Inter-Continental
16 Roma

S

15 Sancho
19 São Caetano
18 São Jerónimo
18 Saraiva's
19 Severa (A)
16 Sheraton Lisboa H.
14 Sofitel Lisboa
15 Sol Lisboa
19 Solar dos Nunes
19 Sr. Vinho
19 Sua Excelencia

T

14 Tágide
14 Tavares
14 Tivoli Jardim
14 Tivoli Lisboa
18 Torre (Da)

V

16 Vasku's Grill
18 Vela Latina
14 Veneza
15 Verdemar
15 Via Graça
16 Vip

X – Y

19 Xele Bananas
17 York House

Z

17 Zurique

Centro : Av. da Liberdade, Rua Augusta, Rua do Ouro, Praça do Comércio, Praça Do Pedro IV (Rossio), Praça dos Restauradores (planos p. 7 e 8)

🖾🖾🖾 **Tivoli Lisboa,** Av. da Liberdade 185, ⊠ 1200, 𝒫 353 01 81, Telex 12588, Fax 57 94 6
🍴, « Terraço com ≤ cidade », ⤓ climatizada, 🎾 – 🛗 🗐 📺 ☎ ⇦ – 🔬 40/200.
◑ 🖾 *VISA* ᴊᴄʙ. 🎖
Refeição 4800 - **Grill Terraço** : Refeição lista 5650 a 8450 - **Zodíaco** : Refeição lis 5100 a 5300 – **298 qto** ⊇ 30000/34000, 29 suites.
JV

🖾🖾🖾 **Sofitel Lisboa,** Av. da Liberdade 125, ⊠ 1250, 𝒫 342 92 02, Telex 4255
Fax 342 92 22 – 🛗 🗐 📺 ☎ 🕭 ⇦ – 🔬 25/300. 🖾 ◑ 🖾 *VISA* ᴊᴄʙ   JV
Refeição (ver rest. **Cais da Avenida**) – ⊇ 2500 – **166 qto** 35000, 4 suites.

🖾🖾🖾 **Lisboa Plaza,** Travessa do Salitre 7, ⊠ 1250, 𝒫 346 39 22, Telex 16402, Fax 347 16
– 🛗 🗐 📺 ☎ – 🔬 25/140. 🖾 ◑ 🖾 *VISA* ᴊᴄʙ. 🎖   JV
Refeição 4400 – **94 qto** ⊇ 24500/27000, 12 suites – PA 8800.

🖾🖾🖾 **Tivoli Jardim,** Rua Julio Cesar Machado 7, ⊠ 1200, 𝒫 353 99 71, Telex 1217
Fax 355 65 66, ⤓ climatizada, 🎾 – 🛗 🗐 📺 ☎ 🅿. 🖾 ◑ 🖾 *VISA* ᴊᴄʙ. 🎖   JV
Refeição 4500 – **119 qto** ⊇ 23000/27000 – PA 9000.

🖾🖾🖾 **Mundial,** Rua D. Duarte 4, ⊠ 1100, 𝒫 886 31 01, Telex 12308, Fax 887 91 29, ≤ –
🗐 📺 ☎ 🅿 – 🔬 25/120. 🖾 ◑ 🖾 *VISA* ᴊᴄʙ. 🎖   KX
Refeição 3950 – **141 qto** ⊇ 15750/19000, 6 suites – PA 7900.

🖾🖾🖾 **Lisboa** sem rest. com snack-bar, Rua Barata Salgueiro 5, ⊠ 1150, 𝒫 355 41
Telex 60228, Fax 355 41 39 – 🛗 🗐 📺 ☎ ⇦. 🖾 ◑ 🖾 *VISA* ᴊᴄʙ. 🎖   JV
55 qto ⊇ 16800/20000, 6 suites.

🖾🖾 **Veneza** sem rest, Av. da Liberdade 189, ⊠ 1250, 𝒫 352 26 18, Fax 352 66
« Instalado num antigo palacete » – 🛗 🗐 📺 ☎ 🅿. 🖾 ◑ 🖾 *VISA* ᴊᴄʙ. 🎖   JV
36 qto ⊇ 13500/17000.

🖾🖾 **Príncipe Real,** Rua da Alegria 53, ⊠ 1250, 𝒫 346 01 16, Fax 342 21 04 – 🛗 🗐
☎. 🖾 ◑ 🖾 *VISA* ᴊᴄʙ. 🎖   JX
Refeição 2750 – **24 qto** ⊇ 15500/19500 – PA 5250.

🖾🖾 **Britânia** sem rest, Rua Rodrigues Sampaio 17, ⊠ 1150, 𝒫 315 50 16, Telex 164
Fax 315 50 21 – 🛗 🗐 📺 ☎. 🖾 ◑ 🖾 *VISA* ᴊᴄʙ. 🎖   JV
30 qto ⊇ 19900/22300.

🖾🖾 **Metropole** sem rest, Praça do Rossio 30, ⊠ 1100, 𝒫 346 91 64, Fax 346 91 66 –
🗐 📺 ☎. 🖾 ◑ 🖾 *VISA* ᴊᴄʙ   KY
36 qto ⊇ 17000/19000.

🖾🖾 **Botánico** sem rest, Rua Mãe de Água 16, ⊠ 1250, 𝒫 342 03 92, Fax 342 01 25 –
🗐 📺 ☎. 🖾 ◑ 🖾 *VISA* ᴊᴄʙ. 🎖   JX
30 qto ⊇ 10500/13000.

🖾🖾 **Albergaria Senhora do Monte** sem rest, Calçada do Monte 39, ⊠ 11
𝒫 886 60 02, Fax 887 77 83, ≤ Castelo de São Jorge, cidade e rio Tejo – 🛗 🗐 📺
🖾 ◑ 🖾 *VISA*. 🎖   LV
28 qto ⊇ 14000/17500.

🖾 **Insulana** sem rest, Rua da Assunção 52, ⊠ 1100, 𝒫 342 76 25 – 🛗 🗐 📺 ☎. 🖾
🖾 *VISA*. 🎖   KY
32 qto ⊇ 7500/9000.

🖾 **Residencia Roma** sem rest, Travessa da Glória 22 A, ⊠ 1250, 𝒫 346 05
Fax 346 05 57 – 📺 ☎. 🖾 🖾 *VISA*. 🎖   JX
24 qto ⊇ 7000/9500.

XXXX **Tágide,** Largo da Académia Nacional de Belas Artes 18, ⊠ 1200, 𝒫 342 07
Fax 347 18 80, ≤ – 🗐. 🖾 *VISA*. 🎖   K
fechado sábado meio-dia e domingo – **Refeição** lista 6100 a 7600.

XXXX **Clara,** Campo dos Mártires da Pátria 49, ⊠ 1150, 𝒫 885 30 53, Fax 885 20 82,
Terraço-jardim – 🗐. 🖾 ◑ 🖾 *VISA*. 🎖   K
fechado sábado meio-dia, domingo e do 1 ao 15 de agosto – **Refeição** lista aprox. 5

XXXX **Tavares,** Rua da Misericórdia 37, ⊠ 1200, 𝒫 342 11 12, Fax 347 81 25, Estilo fin século XIX – 🗐. 🖾 ◑ 🖾 *VISA*. 🎖   J
fechado sábado e domingo ao meio-dia – **Refeição** lista aprox. 7500.

XXX **Bachus,** Largo da Trindade 9, ⊠ 1200, 𝒫 342 28 28, Fax 342 12 60 – 🗐. 🖾 ◑
VISA. 🎖   J
fechado sábado meio-dia e domingo – **Refeição** lista aprox. 6800.

XXX **Gambrinus,** Rua das Portas de Santo Antão 25, ⊠ 1100, 𝒫 342 14 66, Fax 346 5
– 🗐. 🖾 *VISA*. 🎖   K
Refeição lista 11000 a 14000.

XXX **Escorial,** Rua das Portas de Santo Antão 47, ⊠ 1100, 𝒫 346 44 29, Fax 346 37
🗐. 🖾 ◑ 🖾 *VISA* ᴊᴄʙ. 🎖   K
Refeição lista aprox. 5840.

XXX **Cais da Avenida,** Av. da Liberdade 123, ⊠ 1250, ℰ 342 92 24, Fax 342 92 22 – ▤
🍴. 🆎 ⓞ 🇪 𝘝𝘐𝘚𝘈 𝙅𝘾𝘽.
JV r
Refeição lista 3050 a 5150.

XXX **Jardim Tropical** com self-service, Av. da Liberdade 144, ⊠ 1200, ℰ 342 20 70,
Fax 342 31 24, « Jardim interior de inspiração tropical » – ▤ 🍴. 🆎 ⓞ 🇪 𝘝𝘐𝘚𝘈 𝙅𝘾𝘽.
JV u
Refeição lista 3050 a 8300.

XXX **Casa do Leão,** Castelo de São Jorge, ⊠ 1100, ℰ 887 59 62, Fax 887 63 29, ≼ – ▤.
🆎 ⓞ 🇪 𝘝𝘐𝘚𝘈. ✦
LXY s
Refeição lista 4450 a 6950.

XX **Via Graça,** Rua Damasceno Monteiro 9 B, ⊠ 1170, ℰ 887 08 30, Fax 887 03 05, ≼
Castelo de São Jorge, cidade e rio Tejo – ▤. 🆎 ⓞ 🇪 𝘝𝘐𝘚𝘈 𝙅𝘾𝘽. ✦
LV d
fechado sábado meio-dia e domingo – **Refeição** lista 2950 a 4950.

XX **O Faz Figura,** Rua do Paraíso 15 B, ⊠ 1100, ℰ 886 89 81, ≼, 🍽 – ▤. 🆎 ⓞ 🇪 𝘝𝘐𝘚𝘈.
✦
MX n
fechado domingo e feriados – **Refeição** lista aprox. 6500.

XX **Verdemar,** Rua das Portas de Santo Antão 142, ⊠ 1100, ℰ 346 44 01 – ▤. 🆎 ⓞ
🇪 𝘝𝘐𝘚𝘈. ✦
KX f
fechado sábado – **Refeição** lista 2790 a 4900.

XX **Sancho,** Travessa da Glória 14, ⊠ 1250, ℰ 346 97 80 – ▤. 🆎 🇪 𝘝𝘐𝘚𝘈.
✦
JX t
fechado domingo e feriados – **Refeição** lista 2500 a 3920.

X **Pap'Açorda,** Rua da Atalaia 57, ⊠ 1200, ℰ 346 48 11, Fax 342 97 05 – ▤. 🆎 ⓞ 🇪
𝘝𝘐𝘚𝘈
JY d
fechado domingo, 2ª feira meio-dia, 15 dias em julho e 15 dias em novembro – **Refeição**
lista aprox. 6100.

X **Porta Branca,** Rua do Teixeira 35, ⊠ 1250, ℰ 342 10 24, Fax 347 92 57 – ▤. 🇪 𝘝𝘐𝘚𝘈
𝙅𝘾𝘽. ✦
JX e
fechado sábado meio-dia, domingo, feriados e agosto – **Refeição** lista aprox. 3910.

X **Paris,** Rua dos Sapateiros 126, ⊠ 1100, ℰ 346 97 97 – ▤. 🆎 ⓞ 🇪 𝘝𝘐𝘚𝘈. ✦
KY a
Refeição lista 2700 a 4800.

X **Patchuka,** Rua do Século 149 A, ⊠ 1200, ℰ 346 45 78 – ▤. 𝘝𝘐𝘚𝘈. ✦
JX a
fechado sábado meio-dia, domingo e 15 agosto-15 setembro – **Refeição** lista aprox. 3150.

X **Mercado de Santa Clara,** Campo de Santa Clara (no mercado), ⊠ 1170,
ℰ 887 39 86, Fax 887 39 86, ≼ – ▤. 🆎 ⓞ 🇪 𝘝𝘐𝘚𝘈. ✦
MX c
fechado domingo noite, 2ª feira e 5 agosto-6 setembro – **Refeição** lista 3300 a 4800.

Este : Av. da Liberdade, Av. Almirante Reis, Av. Estados Unidos de América, Av. de Roma,
Av. João XXI, Av. da República, Praça Marquês de Pombal (planos p. 4 e 5)

🏨🏨 **Holiday Inn Crowne Plaza,** Av. Marechal Craveiro Lopes 390, ⊠ 1700, ℰ 759 96 39,
Telex 61170, Fax 758 66 05, 🗜 – 🛗 ▤ 📺 ☎ 👌 🍴 – 🔏 25/200. 🆎 ⓞ 🇪 𝘝𝘐𝘚𝘈 𝙅𝘾𝘽.
✦
CN u
Refeição 4200 – **205 qto** ⊑ 31500/33000, 16 suites.

🏨🏨 **Holiday Inn Lisboa,** Av. António José de Almeida 28 A, ⊠ 1000, ℰ 793 52 22,
Telex 60330, Fax 793 66 72, 🗜 – 🛗 ▤ 📺 ☎ 👌 🍴 – 🔏 25/250. 🆎 ⓞ 🇪 𝘝𝘐𝘚𝘈 𝙅𝘾𝘽.
✦
GR c
Refeição 3750 – ⊑ 1500 – **161 qto** 29000/34000, 8 suites.

🏨🏨 **Altis Park H.,** Av. Engenheiro Arantes e Oliveira 9, ⊠ 1900, ℰ 846 08 66, Fax 846 08 38
– 🛗 ▤ 📺 ☎ 👌 🍴 – 🔏 25/400. 🆎 ⓞ 🇪 𝘝𝘐𝘚𝘈. ✦ rest
HR z
Refeição 3650 – **285 qto** ⊑ 16000/17600, 15 suites – PA 7200.

🏨🏨 **Lutécia,** Av. Frei Miguel Contreiras 52, ⊠ 1700, ℰ 840 31 21, Telex 12457,
Fax 840 78 18, ≼ – 🛗 ▤ 📺 ☎ – 🔏 25/100. 🆎 ⓞ 🇪 𝘝𝘐𝘚𝘈 𝙅𝘾𝘽. ✦
DN b
Refeição lista 3450 a 5400 – **142 qto** ⊑ 18000/21000, 8 suites.

🏨🏨 **Alif** sem rest, Campo Pequeno 51, ⊠ 1000, ℰ 795 24 64, Telex 64460, Fax 795 41 16
– 🛗 ▤ 📺 ☎ 👌 🍴 – 🔏 25/40. 🆎 ⓞ 🇪 𝘝𝘐𝘚𝘈. ✦
GR w
107 qto ⊑ 12900/14500, 8 suites.

🏨🏨 **Sol Lisboa,** Av. Duque de Loulé 45, ⊠ 1050, ℰ 353 21 08, Telex 65522, Fax 353 18 65,
🔼 – 🛗 ▤ 📺 ☎ 👌 🍴. 🆎 ⓞ 🇪 𝘝𝘐𝘚𝘈 𝙅𝘾𝘽. ✦
GS z
Refeição (fechado domingo) lista 3300 a 4500 – **80 qto** ⊑ 24000/26000, 4 suites.

🏨 **A. S. Lisboa** sem rest, Av. Almirante Reis 188, ⊠ 1000, ℰ 847 30 25, Telex 44257,
Fax 847 30 34 – 🛗 ▤ 📺 ☎ – 🔏 25/80. 🆎 ⓞ 🇪 𝘝𝘐𝘚𝘈. ✦
HR e
75 qto ⊑ 11900/13900.

🏨 **Presidente** sem rest. com snack-bar, Rua Alexandre Herculano 13, ⊠ 1150,
ℰ 353 95 01, Fax 352 02 72 – 🛗 ▤ 📺 ☎ – 🔏 25/40. 🆎 ⓞ 🇪 𝘝𝘐𝘚𝘈. ✦
GS t
59 qto ⊑ 12000/14500.

🏨🏨 **Embaixador** *sem rest*, Av. Duque de Loulé 73, ⊠ 1050, 𝒫 353 01 71, Fax 355 75 9
– |≑| 🗐 📺 ☎ – 🔬 25/80   GS
96 qto.

🏨🏨 **Dom Carlos** *sem rest*, Av. Duque de Loulé 121, ⊠ 1050, 𝒫 353 90 71, Fax 352 07 2
– |≑| 🗐 📺 ☎ – 🔬 25/40. 🖭 ⓪ 🗜 𝓥𝓘𝓢𝓐. 𝕾𝕾   GS
76 qto ⊊ 13000/15500.

🏨🏨 **Roma,** Av. de Roma 33, ⊠ 1700, 𝒫 796 77 61, Telex 16586, Fax 793 29 81, ≼, 🔲
|≑| 🗐 📺 ☎ – 🔬 25/230. 🖭 ⓪ 🗜 𝓥𝓘𝓢𝓐 ᴊᴄʙ. 𝕾𝕾   CN
Refeição 2950 – **263 qto** ⊊ 11500/13500 – PA 5200.

🏨🏨 **Vip** *sem rest*, Rua Fernão Lopes 25, ⊠ 1000, 𝒫 352 19 23, Fax 315 87 73 – |≑| 🗐 ■
☎. 🖭 ⓪ 🗜 𝓥𝓘𝓢𝓐. 𝕾𝕾   GR
52 qto ⊊ 7000/8000, 2 suites.

🏨🏨 **Capitol** *sem rest*, Rua Eça de Queiroz 24, ⊠ 1000, 𝒫 353 68 11, Telex 137C
Fax 352 61 65 – |≑| 🗐 📺 ☎. 🖭 ⓪ 🗜 𝓥𝓘𝓢𝓐   GS
52 qto ⊊ 17000/19000, 5 suites.

🏨 **D. Afonso Henriques** *sem rest*, Rua Cristóvão Falcão 8, ⊠ 1900, 𝒫 814 65 7
Fax 812 33 75 – |≑| 🗐 📺 ☎ ⤙ – 🔬 25/80. 🖭 🗜 𝓥𝓘𝓢𝓐 ᴊᴄʙ   HR
39 qto ⊊ 9000/9900.

🏨 **Dom João** *sem rest*, Rua José Estêvão 43, ⊠ 1100, 𝒫 52 41 71, Fax 352 45 69 –
🗐 📺 ☎. 𝕾𝕾   HS
18 qto ⊊ 7000/8000.

🏨 **Alicante** *sem rest*, Av. Duque de Loulé 20, ⊠ 1050, 𝒫 353 05 14, Fax 352 02 50 –
📺 ☎. 🖭 ⓪ 🗜 𝓥𝓘𝓢𝓐. 𝕾𝕾   GS
42 qto ⊊ 6900/8400.

🏨 **Albergaria Pax** *sem rest*, Rua José Estêvão 20, ⊠ 1150, 𝒫 356 18 61, Fax 315 57
– |≑| 🗐 ☎. 🖭 ⓪ 🗜 𝓥𝓘𝓢𝓐. 𝕾𝕾   HS
34 qto ⊊ 6000/8000.

ⅩⅩⅩⅩ **Antonio Clara - Clube de Empresários,** Av. da República 38, ⊠ 105
𝒫 796 63 80, Fax 797 41 44, « Instalado num antigo palacete » – 🗐 🅿. 🖭 ⓪ 🗜
ᴊᴄʙ. 𝕾𝕾   GR
fechado domingo, feriados e do 15 ao 31 de agosto – **Refeição** lista aprox. 6500.

Ⅹ **Chez Armand,** Rua Carlos Mardel 38, ⊠ 1900, 𝒫 847 57 70, Fax 316 27 75, Cozi
francesa – 🗐. 🖭 ⓪ 🗜 𝓥𝓘𝓢𝓐. 𝕾𝕾   HR
fechado domingo e agosto – **Refeição** lista 3580 a 4300.

Ⅹ **Vasku's Grill,** Rua Passos Manuel 30, ⊠ 1150, 𝒫 352 22 93, Fax 315 54 32, Grelhad
– 🗐. 🖭 ⓪ 🗜 𝓥𝓘𝓢𝓐. 𝕾𝕾   HS
fechado domingo e do 12 ao 29 de agosto – **Refeição** lista aprox. 4800.

Ⅹ **Celta,** Rua Gomes Freire 148, ⊠ 1150, 𝒫 357 30 69 – 🗐. 🖭 🗜 𝓥𝓘𝓢𝓐. 𝕾𝕾   GS
fechado domingo – **Refeição** lista 2950 a 4660.

Oeste : Av. da Liberdade, Av. 24 de Julho, Av. da India, Av. Infante Santo, Av. de Ber
Av. António Augusto de Aguiar, Largo de Alcântara, Praça Marquês de Pombal, Praça
Espanha (planos p. 4 a 7)

🏨🏨🏨🏨 **Ritz Inter-Continental,** Rua Rodrigo da Fonseca 88, ⊠ 1093, 𝒫 69 20
Telex 12589, Fax 69 17 83, ≼, 🍴 – |≑| 🗐 📺 ☎ ৬ ⤙ 🅿 – 🔬 25/600. 🖭 ⓪ 🗜
ᴊᴄʙ.   FS
Varanda : **Refeição** lista 5050 a 8400 – ⊊ 2500 – **265 qto** 34000/38000, 20 sui

🏨🏨🏨🏨 **Sheraton Lisboa H.,** Rua Latino Coelho 1, ⊠ 1097, 𝒫 357 57 57, Telex 127
Fax 354 71 64, ≼, 🖪, 🔄 climatizada – |≑| 🗐 📺 ☎ ৬ ⤙ – 🔬 25/550. 🖭 ⓪ 🗜
ᴊᴄʙ.   GR
Refeição 4800 - ***Alfama Grill*** *(fechado sábado, domingo e feriados)* **Refeição** lista 6
a 11700 - ***Caravela :*** **Refeição** lista 4950 a 7600 – ⊊ 2250 – **377 qto** 35000/380
7 suites.

🏨🏨🏨 **Da Lapa** ≫, Rua do Pau de Bandeira 4, ⊠ 1200, 𝒫 395 00 05, Fax 395 06 65, ≼,
« Belo jardim entre árvores com cascata e 🔄 » – |≑| 🗐 📺 ☎ ৬ ⤙ 🅿 – 🔬 25/2
🖭 ⓪ 🗜 𝓥𝓘𝓢𝓐. 𝕾𝕾   EL
Refeição lista aprox. 6500 – ⊊ 2750 – **78 qto** 42000/44000, 8 suites.

🏨🏨🏨 **Le Meridien Lisboa,** Rua Castilho 149, ⊠ 1070, 𝒫 383 09 00, Telex 643
Fax 383 32 31, ≼ – |≑| 🗐 📺 ☎ ⤙ – 🔬 25/550. 🖭 ⓪ 🗜 𝓥𝓘𝓢𝓐 ᴊᴄʙ. 𝕾𝕾   FS
Refeição 5000 - ***Brasserie des Amis :*** **Refeição** lista 6000 a 6400 – ⊊ 2300 – **313 ■**
33500/43500, 17 suites.

🏨🏨🏨 **Alfa Lisboa,** Av. Columbano Bordalo Pinheiro, ⊠ 1070, 𝒫 726 21 21, Telex 184
Fax 726 30 31, ≼, 🖪, 🔄 – |≑| 🗐 📺 ☎ ⤙ – 🔬 25/600. 🖭 ⓪ 🗜 𝓥𝓘𝓢𝓐. 𝕾𝕾 EF
A Aldeia : **Refeição** lista 3850 a 4150 - ***Grill Pombalino*** *(fechado sábado, domir*
feriados e agosto) **Refeição** lista 5100 a 5300 - **440 qto** ⊊ 25000/30000.

Altis, Rua Castilho 11, ⌧ 1200, ℰ 357 92 62, Telex 13314, Fax 354 86 96, *ⓕ₆*, ▣ –
🛗 ≣ 🖂 ☎ ⇌ – ⚑ 25/700. 🖭 ⓞ 🗉 ᴠɪꜱᴀ. ⁓
FT z
Refeição 4500 - *Girassol :* Refeição lista 4300 a 7400 - *Grill Dom Fernando :* Refeição
lista 4300 a 7400 – **290 qto** ⌧ 24000/28000, 13 suites – PA 9000.

Novotel Lisboa, Av. José Malhoa 1642, ⌧ 1000, ℰ 726 60 22, Telex 40114,
Fax 726 64 96, ≼, ⅀ – 🛗 ≣ 🖂 ☎ ⇌ – ⚑ 25/300. 🖭 ⓞ 🗉 ᴠɪꜱᴀ
ER e
Refeição 3100 – ⌧ 1100 – **246 qto** 14500/15750.

Continental, Rua Laura Alves 9, ⌧ 1050, ℰ 793 50 05, Telex 65632, Fax 793 42 87
– 🛗 ≣ 🖂 ☎ ⇌ – ⚑ 25/180. 🖭 🗉 ⁓
FR q
D. Miguel (fechado sábado e domingo) Refeição lista aprox. 5700 - *Coffee Shop Continental :* Refeição lista aprox. 4300 – **210 qto** ⌧ 23000/26000, 10 suites.

Real Parque, Av. Luís Bivar 67, ⌧ 1050, ℰ 357 01 01, Fax 357 07 50 – 🛗 ≣ 🖂 ☎
🕭 ⇌ – ⚑ 25/100. 🖭 ⓞ 🗉 ᴠɪꜱᴀ. ⁓
FR a
Refeição 4500 -*Cozinha do Real :* Refeição lista 4900 a 6300 – **147 qto**
⌧ 25000/28000, 6 suites.

Lisboa Penta, Av. dos Combatentes, ⌧ 1600, ℰ 726 40 54, Telex 18437,
Fax 726 42 81, ≼, *ⓕ₆*, ⅀ – 🛗 ≣ 🖂 ☎ ⇌ ℗ – ⚑ 25/600. 🖭 ⓞ 🗉 ᴠɪꜱᴀ ᴊᴄʙ. ⁓ rest
Refeição 2700 - *Grill Passarola :* Refeição lista aprox. 7210 - *Verde Pino :* Refeição lista
aprox. 3500 – **584 qto** ⌧ 20000/24000, 4 suites – PA 5400.
BN r

Fénix, Praça Marquês de Pombal 8, ⌧ 1250, ℰ 386 21 21, Telex 12170, Fax 386 01 31
– 🛗 ≣ 🖂 ☎ 🕭 – ⚑ 25/100. 🖭 ⓞ 🗉 ᴠɪꜱᴀ ᴊᴄʙ. ⁓
FS g
Bodegón : Refeição lista aprox. 6350 – **119 qto** ⌧ 18500/20500, 4 suites.

Zurique, Rua Ivone Silva 18, ⌧ 1050, ℰ 793 71 11, Telex 65349, Fax 793 72 90, ⅀
– 🛗 ≣ 🖂 ☎ ⇌ – ⚑ 25/150. 🖭 ⓞ 🗉 ᴠɪꜱᴀ. ⁓
FR s
Refeição 3250 – **248 qto** ⌧ 13000/15000, 4 suites – PA 6500.

Diplomático, Rua Castilho 74, ⌧ 1200, ℰ 386 20 41, Telex 13713, Fax 386 21 55 –
🛗 ≣ 🖂 ☎ – ⚑ 25/60. 🖭 ⓞ 🗉 ᴠɪꜱᴀ ᴊᴄʙ. ⁓ rest
FS c
Refeição lista 2900 a 4500 – **73 qto** ⌧ 10000/17500, 17 suites.

Flórida *sem rest*, Rua Duque de Palmela 32, ⌧ 1250, ℰ 357 61 45, Fax 354 35 84 –
🛗 ≣ 🖂 ☎ – ⚑ 25/100. 🖭 ⓞ 🗉 ᴠɪꜱᴀ ᴊᴄʙ. ⁓
FS x
108 qto ⌧ 15000/18000.

Barcelona *sem rest*, Rua Laura Alves 10, ⌧ 1000, ℰ 795 42 73, Fax 795 42 81, *ⓕ₆*
– 🛗 ≣ 🖂 ☎ 🕭 ⇌ – ⚑ 25/230. 🖭 ⓞ ᴠɪꜱᴀ. ⁓
FR z
120 qto ⌧ 16500/19500, 5 suites.

Quality H., Campo Grande 7, ⌧ 1700, ℰ 795 75 55, Fax 795 75 00 – 🛗 ≣ 🖂 ☎ 🕭
⇌ – ⚑ 25/50. 🖭 ⓞ 🗉 ᴠɪꜱᴀ ᴊᴄʙ. ⁓
CN c
Refeição 3500 – **80 qto** ⌧ 20000/23000, 2 suites – PA 6000.

Executive Inn *sem rest*, Av. Conde Valbom 56, ⌧ 1050, ℰ 795 11 57, Telex 65618,
Fax 795 11 66 – 🛗 ≣ 🖂 ☎ ⇌. 🖭 ⓞ 🗉 ᴠɪꜱᴀ. ⁓
FR g
72 qto ⌧ 11000/13000.

Amazónia H. *sem rest. com snack-bar*, Travessa Fábrica dos Pentes 12, ⌧ 1250,
ℰ 387 70 06, Telex 66361, Fax 387 90 90, ⅀ climatizada – 🛗 ≣ 🖂 ☎ ⇌ – ⚑ 25/200.
🖭 ⓞ 🗉 ᴠɪꜱᴀ. ⁓
FS d
192 qto ⌧ 12100/13800.

Dom Manuel I *sem rest*, Av. Duque de Ávila 189, ⌧ 1050, ℰ 357 61 60, Telex 43558,
Fax 357 69 85, « Bela decoração » – 🛗 ≣ 🖂 ☎. 🖭 ⓞ 🗉 ᴠɪꜱᴀ. ⁓
FR p
64 qto ⌧ 11500/13000.

Dom Rodrigo Suite H. *sem rest. com snack-bar*, Rua Rodrigo da Fonseca 44, ⌧ 1200,
ℰ 386 38 00, Fax 386 30 00, ⅀ – 🛗 ≣ 🖂 ☎ ⇌. 🖭 ⓞ ᴠɪꜱᴀ. ⁓
FS m
⌧ 850 – **57 apartamentos** 19500/24000.

Nacional *sem rest*, Rua Castilho 34, ⌧ 1250, ℰ 355 44 33, Fax 356 11 22 – 🛗 ≣ 🖂
☎ ⇌. 🖭 ⓞ 🗉 ᴠɪꜱᴀ. ⁓
FST s
59 qto ⌧ 13200/15400, 2 suites.

York House, Rua das Janelas Verdes 32, ⌧ 1200, ℰ 396 25 44, Telex 16791,
Fax 397 27 93, ⁂, « Instalado num convento do século XVI decorado num estilo
português » – 🖂 ☎. 🖭 ⓞ 🗉 ᴠɪꜱᴀ ᴊᴄʙ. ⁓
FU e
Refeição lista aprox. 5000 – **31 qto** ⌧ 23500/27500, 3 suites.

Miraparque, Av. Sidónio Pais 12, ⌧ 1050, ℰ 352 42 86, Telex 16745, Fax 357 89 20
– 🛗 ≣ 🖂 ☎. 🖭 ⓞ 🗉 ᴠɪꜱᴀ. ⁓
FS k
Refeição 3000 – **101 qto** ⌧ 10700/12800 – PA 6000.

As Janelas Verdes *sem rest*, Rua das Janelas Verdes 47, ⌧ 1200, ℰ 396 81 43,
Telex 164 02, Fax 396 81 44, Mansão de fim do século XVIII com belo patio – ≣ 🖂 ☎.
🖭 🗉 ᴠɪꜱᴀ ᴊᴄʙ. ⁓
FU e
17 qto ⌧ 26000/28500.

Da Torre, Rua dos Jerónimos 8, ⊠ 1400, ☎ 363 62 62, Fax 364 59 95 – 📶 ▤ 📺
– 🛗 25/50. 🖭 ⓞ ᴇ 𝗩𝗜𝗦𝗔 𝗝𝗖𝗕. AQ
Refeição (ver rest. *São Jerónimo*) – 50 qto � 11850/14700.

Flamingo, Rua Castilho 41, ⊠ 1250, ☎ 386 21 91, Fax 386 12 16 – 📶 ▤ 📺 ☎.
ⓞ ᴇ 𝗩𝗜𝗦𝗔. ⪥ FS
Refeição 3000 – 39 qto ⊑ 13500/16500 – PA 6000.

Berna sem rest, Av. António Serpa 13, ⊠ 1050, ☎ 793 67 67, Telex 6251
Fax 793 62 78 – 📶 ▤ 📺 ☎ ⇌ – 🛗 25/140. 🖭 ⓞ ᴇ 𝗩𝗜𝗦𝗔. ⪥ GR
240 qto ⊑ 10500/11500.

Príncipe, Av. Duque de Ávila 201, ⊠ 1050, ☎ 353 61 51, Fax 353 43 14 – 📶 ▤
☎ ⓟ. 🖭 ⓞ ᴇ 𝗩𝗜𝗦𝗔 𝗝𝗖𝗕. ⪥ rest FR
Refeição lista aprox. 3150 – 67 qto ⊑ 9000/12000.

Eduardo VII, Av. Fontes Pereira de Melo 5, ⊠ 1050, ☎ 353 01 41, Fax 353 38 79,
– 📶 ▤ 📺 ☎ – 🛗 25/60. 🖭 ⓞ ᴇ 𝗩𝗜𝗦𝗔. ⪥ FS
Refeição lista 3500 a 4500 – 119 qto ⊑ 12500/14700, 2 suites.

Avenida Alameda sem rest, Av. Sidónio Pais 4, ⊠ 1050, ☎ 353 21 86, Fax 352 67
– 📶 ▤ 📺 ☎. ᴇ 𝗩𝗜𝗦𝗔 FS
28 qto ⊑ 7500/9500.

Ibis Lisboa-Centro, Av. José Malhoa-Lote H, ⊠ 1070, ☎ 727 31 81, Telex 6101
Fax 727 32 87 – 📶 ▤ 📺 ☎ & ⇌ – 🛗 25/120. 🖭 ⓞ ᴇ 𝗩𝗜𝗦𝗔 ER
Refeição aprox. 2700 – 750 – 211 qto 8800.

Nazareth sem rest, Av. António Augusto de Aguiar 25-4º, ⊠ 1050, ☎ 354 20
Fax 356 08 36 – 📶 ▤ 📺 ☎. 🖭 ⓞ ᴇ 𝗩𝗜𝗦𝗔. ⪥ FRS
32 qto ⊑ 6500/8500.

Imperador sem rest, Av. 5 de Outubro 55, ⊠ 1050, ☎ 352 48 84, Fax 352 65 37
📶 ▤ 📺 ☎. 🖭 ⓞ ᴇ 𝗩𝗜𝗦𝗔. ⪥ GR
43 qto ⊑ 8000/9000.

Casa da Comida, Travessa das Amoreiras 1, ⊠ 1200, ☎ 388 53 76, Fax 387 51
« Patio com plantas » – ▤. 🖭 ⓞ ᴇ 𝗩𝗜𝗦𝗔. ⪥ FT
fechado sábado meio-dia e domingo – **Refeição** lista 6500 a 10900.

Pabe, Rua Duque de Palmela 27 A, ⊠ 1250, ☎ 353 74 84, Fax 353 64 37, Pub ing
– ▤. 🖭 ⓞ ᴇ 𝗩𝗜𝗦𝗔. ⪥ FS
Refeição lista 5700 a 8300.

Conventual, Praça das Flores 45, ⊠ 1200, ☎ 60 91 96, Fax 60 91 96 – ▤. 🖭 ⓞ
𝗩𝗜𝗦𝗔 FT
fechado sábado meio-dia, feriados meio-dia e domingo – **Refeição** lista 3800 a 630
Espec. Concha de mariscos gratinada. Lombo de linguado com molho de marisco. P
com champagne e pimenta rosa.

São Jerónimo, Rua dos Jerónimos 12, ⊠ 1400, ☎ 364 87 97, Fax 363 26
Decoração moderna – ▤. 🖭 ⓞ ᴇ 𝗩𝗜𝗦𝗔 𝗝𝗖𝗕. ⪥ AQ
fechado sábado meio-dia e domingo – **Refeição** lista aprox. 5200.

Chester, Rua Rodrigo da Fonseca 87 D, ⊠ 1250, ☎ 385 73 47, Fax 388 78 11, Car
– ▤. 🖭 ⓞ ᴇ 𝗩𝗜𝗦𝗔 𝗝𝗖𝗕. ⪥ FS
fechado domingo – **Refeição** lista 4650 a 6980.

Quinta dos Frades, Rua Luís Freitas Branco 5 D, ⊠ 1600, ☎ 759 89 80, Fax 758 67
– ▤ ⓟ. 🖭 ⓞ ᴇ 𝗩𝗜𝗦𝗔. ⪥ CN
fechado domingo, feriados e agosto – **Refeição** lista aprox. 3680.

Vela Latina, Doca do Bom Sucesso, ⊠ 1400, ☎ 301 71 18, Fax 301 93 11, « Agrad
terraço com ≤ » – ▤. 🖭 ⓞ ᴇ 𝗩𝗜𝗦𝗔. ⪥ AC
fechado domingo – **Refeição** lista aprox. 5500.

Saraiva's, Rua Eng. Canto Resende 3, ⊠ 1050, ☎ 354 06 09, Fax 353 19 87, Decora
moderna – ▤. 🖭 ⓞ ᴇ 𝗩𝗜𝗦𝗔 𝗝𝗖𝗕. ⪥ FF
fechado sábado e feriados – **Refeição** lista aprox. 5300.

Espelho d'Água, Av. de Brasilia, ⊠ 1400, ☎ 301 73 73, Fax 363 26 92, ≤, 🏠, Situ
num pequeno lago artificial – ▤. 🖭 ⓞ ᴇ 𝗩𝗜𝗦𝗔 𝗝𝗖𝗕. ⪥ AC
fechado domingo – **Refeição** lista aprox. 5800.

A Commenda, Praça do Império (Centro Cultural de Belém-1º) ☎ 364 85
Fax 364 85 90, 🏠, Esplanada con ≤ – ▤. 🖭 ⓞ ᴇ 𝗩𝗜𝗦𝗔. ⪥ AC
fechado sábado e domingo noite (buffet ao almoço) lista aprox. 6200.

Adega Tía Matilde, Rua da Beneficência 77, ⊠ 1600, ☎ 797 21 72, Fax 793 9
– ▤. 🖭 ⓞ ᴇ 𝗩𝗜𝗦𝗔. ⪥ FI
fechado sábado noite e domingo – **Refeição** lista 3500 a 5400.

O Nobre, Rua das Mercês 71, ⊠ 1300, ☎ 363 38 27, Fax 364 91 07 – ▤. 🖭 ᴇ
fechado sábado meio-dia e domingo – **Refeição** lista 4140 a 5840. AC

XX **Gatsby,** Av. António Augusto de Aguiar 150 C, ⊠ 1050, ℰ 387 56 47, Fax 387 43 08 – 🗐. 🕮 ⑩ 🗲 𝚅𝙸𝚂𝙰. ℅ FR r
fechado sábado meio-dia e domingo – **Refeição** lista 3100 a 5600.

XX O Mercado do Peixe, Estrada do Casal Pedro Teixeira-Caramão da Ajuda, ⊠ 1400, ℰ 362 31 40, Peixes e mariscos – 🗐 AQ a

XX **O Polícia,** Rua Marquês Sá da Bandeira 112, ⊠ 1050, ℰ 796 35 05, Fax 796 02 19 – 🗐. 🗲 𝚅𝙸𝚂𝙰. ℅ FR c
fechado sábado noite e domingo – **Refeição** lista 3400 a 4200.

XX **Papagaio da Serafina,** Parque Recreativo do Alto da Serafina-Monsanto, ⊠ 1500, ℰ 774 28 88, Fax 778 80 81, ≤, 🛱, Pavilhão moderno num belo parque – 🗐 ℗. 🗲 𝚅𝙸𝚂𝙰 𝙹𝙲𝙱. ℅ BP a
fechado 2ª feira – **Refeição** lista aprox. 5900.

XX **São Caetano,** Rua de São Caetano 27, ⊠ 1200, ℰ 397 47 92, Fados ao jantar – 🗐. 🕮 ⑩ 🗲 𝚅𝙸𝚂𝙰 EU c
fechado domingo – **Refeição** lista 2750 a 4850.

X **Frei Papinhas,** Rua D. Francisco Manuel de Melo 32, ⊠ 1070, ℰ 385 87 57, Fax 383 14 59, Decoração rústica – 🗐. 🕮 ⑩ 🗲 𝚅𝙸𝚂𝙰 𝙹𝙲𝙱. ℅ FS r
Refeição lista 2750 a 5650.

X **Xêlê Bananas,** Praça das Flores 29, ⊠ 1200, ℰ 395 25 15, Inspiração decorativa tropical – 🗐. 🕮 ⑩ 🗲 𝚅𝙸𝚂𝙰 FT n
fechado sábado meio-dia e domingo – **Refeição** lista 3250 a 5750.

X **Mãe d'Água,** Travessa das Amoreiras 10, ⊠ 1250, ℰ 388 28 20, Fax 387 12 66 – 🗐. 🕮 ⑩ 🗲 𝚅𝙸𝚂𝙰. ℅ FT e
fechado domingo – **Refeição** lista aprox. 4600.

X **Solar dos Nunes,** Rua dos Lusíadas 68-72, ⊠ 1300, ℰ 364 73 59 – 🗐. ⑩ 🗲 𝚅𝙸𝚂𝙰. ℅ AQ t
fechado domingo e do 4 ao 17 de agosto – **Refeição** lista 3000 a 4500.

X **Coelho da Rocha,** Rua Coelho da Rocha 104 A, ⊠ 1350, ℰ 60 08 31 – 🗐. 🗲 𝚅𝙸𝚂𝙰. ℅ ET x
fechado domingo e agosto – **Refeição** lista 4850 a 5200.

X **Sua Excelência,** Rua do Conde 34, ⊠ 1200, ℰ 60 36 14, Fax 396 75 85 – 🗐. 🕮 🗲 𝚅𝙸𝚂𝙰 𝙹𝙲𝙱 EU t
fechado sábado meio-dia, domingo meio-dia, 4ª feira e setembro – **Refeição** lista 4200 a 7700.

X **O Funil,** Av. Elias Garcia 82 A, ⊠ 1050, ℰ 796 60 07 – 🗐. 🗲 𝚅𝙸𝚂𝙰. ℅ GR n
fechado domingo noite e 2ª feira – **Refeição** lista 2360 a 4500.

X **Delfim,** Rua Nova de São Mamede 25, ⊠ 1250, ℰ 383 05 32 – 🗐. 🕮 ⑩ 🗲 𝚅𝙸𝚂𝙰
fechado sábado – **Refeição** lista aprox. 3840. FT t

RESTAURANTES TÍPICOS

XX **O Faia,** Rua da Barroca 56, ⊠ 1200, ℰ 342 67 42, Fax 342 19 23, Fados – 🗐. 🕮 ⑩ 🗲 𝚅𝙸𝚂𝙰 𝙹𝙲𝙱. ℅ JY f
fechado domingo – **Refeição** (só jantar) lista 3850 a 7300.

XX **Sr. Vinho,** Rua do Meio-à-Lapa 18, ⊠ 1200, ℰ 397 74 56, Fax 395 20 72, Fados – 🗐. 🕮 ⑩ 🗲 𝚅𝙸𝚂𝙰. ℅ FU r
fechado domingo – **Refeição** (só jantar) lista aprox. 7500.

XX **A Severa,** Rua das Gáveas 51, ⊠ 1200, ℰ 342 83 14, Fax 346 40 06, Fados ao jantar – 🗐. 🕮 ⑩ 🗲 𝚅𝙸𝚂𝙰 𝙹𝙲𝙱. ℅ JY b
fechado 5ª feira – **Refeição** lista 5800 a 7900.

X **Adega Machado,** Rua do Norte 91, ⊠ 1200, ℰ 342 87 13, Fax 346 75 07, Fados – 🗐. 🕮 ⑩ 🗲 𝚅𝙸𝚂𝙰 𝙹𝙲𝙱. ℅ JY k
fechado 2ª feira – **Refeição** (só jantar) lista 7500 a 9000.

X **D'Avis,** Rua do Grilo 98, ⊠ 1900, ℰ 868 13 54, Fax 868 13 54, Cozinha alentejana, « Decoração típica » – 🗐. 🕮 ⑩ 🗲 𝚅𝙸𝚂𝙰 𝙹𝙲𝙱 DP a
fechado domingo e agosto – **Refeição** lista aprox. 2500.

X **O Forcado,** Rua da Rosa 221, ⊠ 1200, ℰ 346 85 79, Fax 347 48 87, Fados – 🗐. ℅ JX r
fechado 4ª feira – **Refeição** (só jantar) lista 4400 a 7800.

X **Caseiro,** Rua de Belém 35, ⊠ 1300, ℰ 363 88 03, Decoração rústica – 🗐. 🕮 ⑩ 🗲 𝚅𝙸𝚂𝙰 𝙹𝙲𝙱. ℅ AQ s
fechado domingo e agosto – **Refeição** lista 4105 a 5480.

Ver também : **Cascais** *por* ④ *: 30 km*
  Estoril *por* ④ *: 28 km*
  Queluz *por* ⑤ *: 12 km*
  Sintra *por* ⑤ *: 28 km.*

MICHELIN, **Companhia Luso-Pneu, Lda** Edifício Michelin, Quinta do Marchante/Prior-Velho, SACAVÉM por ①, ⊠ 2685 ℰ 941 13 09, Fax 941 12 90

LOMBO DE BAIXO Madeira – ver Madeira (Arquipélago da) : Faial.

LOULÉ 8100 Faro **440** U 5 – 19 398 h. – 🕲 089.
🛈 Edifício do Castelo 🖉 46 39 00.
Lisboa 299 – Faro 16.

🏨 **Loulé Jardim H.** sem rest, Praça Manuel de Arriaga 🖉 41 30 94, Fax 46 31 77, 🍳 🛗 🗏 📺 ☎ 🚗 – 🔬 25/100. 🖭 ⓞ 🖪 𝘝𝘐𝘚𝘈
52 qto 🖙 9000/11000.

🏨 **Ibérica** sem rest, Av. Marçal Pacheco 157 🖉 41 41 00 – 🛗 📺 ☎ 🅟 🖪 𝘝𝘐𝘚𝘈. 🛠
54 qto 🖙 4000/7000.

🕆 **O Avenida**, Av. José da Costa Mealha 13 🖉 46 21 06 – 🗏. 🖭 ⓞ 🖪 𝘝𝘐𝘚𝘈. 🛠
fechado domingo e novembro – **Refeição** lista 3100 a 4100.

🕆 **Bica Velha**, Rua Martin Moniz 17 🖉 46 33 76, Fax 46 33 76, Decoração rústica – 🖭 🖲
🖪 𝘝𝘐𝘚𝘈. 🛠
fechado domingo meio-dia e do 15 ao 30 de novembro – **Refeição** lista 2810 a 350

🕆 **Aux Bons Enfants,** Rua Engenheiro Duarte Pacheco 116 🖉 46 20 96, Cozinha france
– 🗏. 🛠
fechado domingo e 20 novembro-15 dezembro – **Refeição** (só jantar) lista 3650 a 440

LOURINHÃ 2530 Lisboa **440** O 2 – 2671 h. – 🕲 061 – Praia.
Lisboa 74 – Leiria 94 – Santarém 81.

🏨 Estal. Bela Vista 🐟, Rua D. Sancho I - Santo André 🖉 41 41 61, Fax 41 41 38, 🍳 🟍
– ☎ 🅟
31 qto.

🏚 **Figueiredo** 🐟 sem rest, Largo Mestre Anacleto Marcos da Silva 🖉 42 25 37 – 📺. 🟍
18 qto 🖙 5000/6000.

LOUSÃ 3200 Coimbra **440** L 5 – alt. 200 – 🕲 039.
Lisboa 212 – Coimbra 36 – Leiria 83.

🏚 Martinho sem rest, Rua Movimento das Forças Armadas 🖉 99 13 97, Fax 99 43 35 – 🕽
☎ 🅟
13 qto.

LUSO Aveiro **440** K 4 – 2726 h. alt. 200 – ✉ 3050 Mealhada – 🕲 031 – Termas.
🛈 Rua Emídio Navarro 🖉 93 91 33.
Lisboa 230 – Aveiro 44 – Coimbra 28 – Viseu 69.

🏨 **Grande H. das Termas do Luso** 🐟, 🖉 93 04 50, Fax 93 03 50, 🍳, 🟥, 🗨, 🕽
– 🛗 🗏 📺 ☎ 🅟 – 🔬 25/205. 🖭 ⓞ 🖪 𝘝𝘐𝘚𝘈. 🛠
Refeição 3000 – **143 qto** 🖙 12500/15500 – PA 5750.

🏨 **Eden,** Rua Emídio Navarro 🖉 93 01 91, Fax 93 01 93 – 🛗 🗏 📺 ☎ 🅟 – 🔬 25/1🕽
🖭 🖪 𝘝𝘐𝘚𝘈. 🛠
Refeição 1900 – **57 qto** 🖙 6500/8000 – PA 3400.

MACEDO DE CAVALEIROS 5340 Bragança **440** H 9 – 4435 h. alt. 580 – 🕲 078.
Lisboa 510 – Bragança 42 – Vila Real 101.

🏨 **Estal. do Caçador,** Largo Manuel Pinto de Azevedo 🖉 42 63 54, Fax 42 63 81, 🖀
🍳 – 🛗 📺 ☎ 🚗. 🖭 ⓞ 🖪 𝘝𝘐𝘚𝘈. 🛠 rest
Refeição 3500 – 🖙 1000 – **25 qto** 11500/15200.

🏚 Muchacho, Pereira Charula 🖉 42 16 40 – 📺 ☎
20 qto.

na estrada de Mirandela NO : 1,7 km – ✉ 5340 Macedo de Cavaleiros – 🕲 078 :

🏚 **Costa do Sol,** 🖉 42 63 75, Fax 42 63 75 – 📺 ☎ 🅟. 🖪 𝘝𝘐𝘚𝘈. 🛠
Refeição (fechado 2ª feira) 2000 – **30 qto** 🖙 6000 – PA 3750.

PARA AS SUAS VIAGENS NA EUROPA UTILIZE :

Os Mapas Michelin **Grandes Estradas** ;

Os Mapas Michelin de países e pormenorizados ;

Os Guias Michelin Vermelhos (hotéis e restaurantes)

Benelux, Deutschland, Europe, France, Great Britain and Ireland, Italia, Suisse

Os Guias Verdes Michelin (curiosidades e percursos turísticos).

MACHICO Madeira – ver Madeira (Arquipélago da).

MADEIRA (Arquipélago da) 𝟒𝟒𝟎 – 253 426 h. – ✪ 091

MADEIRA

Caniço 9125 – 7 249 h. – ✪ 091.
Funchal 8.

🏠 A Lareira, Sítio da Vargem ℘ 93 42 84 – 🛗 🖵 ☎
17 qto.

em Caniço de Baixo S : 2,5 km – ⊠ 9125 Caniço – ✪ 091 :

🏨 **Oasis Atlantic** ⊗, ℘ 93 44 44, Fax 93 41 11, ≤, ⊅ climatizada – 🛗 🖃 🖵 ☎ ⓟ –
🕹 25/250. ⅀ ⓞ ⅀ 𝒱𝐼𝑆𝐴. ✼
Atalaia (só jantar, fechado 3ª feira) **Refeição** lista 3500 a 4200 - *Acquamarina :* Refeição
3500 – **55 qto** ⊇ 15000/18000, 67 apartamentos.

🏨 **Ondamar** ⊗, ℘ 93 45 66, Fax 93 45 55, ≤, ⊅ – 🛗 🖵 ☎ ⓟ. ⅀ ⓞ ⅀ 𝒱𝐼𝑆𝐴. ✼
Espetada (Carnes. só jantar, fechado 5ª feira) **Refeição** lista 2130 a 3100 – **51 qto**
⊇ 8250/12800, 2 suites.

🏨 **Tropical** ⊗, ℘ 93 49 91, Fax 93 49 93, ≤, ⊅ – 🛗 🖵 ☎. ⅀ ⓞ ⅀ 𝒱𝐼𝑆𝐴. ✼
Refeição (no Hotel *Roca Mar*) – ⊇ 1250 – **33 apartamentos** 13750/16500.

🏨 **Roca Mar** ⊗, ℘ 93 43 34, Telex 72391, Fax 93 40 44, ≤, 😤, ⊅ – 🛗 🖵 ☎. ⅀ ⓞ
⅀ 𝒱𝐼𝑆𝐴. ✼
Refeição 2750 – **100 qto** ⊇ 17000/19000 – PA 3950.

🏨 **Galomar** ⊗, ℘ 93 44 10, Fax 93 45 55, ≤, Ⅰ∂ – 🛗 🖵 ☎. ⅀ ⓞ ⅀ 𝒱𝐼𝑆𝐴. ✼
O Galo (fechado 2ª feira) **Refeição** lista 2390 a 4500 – **45 qto** ⊇ 6250/9750.

🏨 **Galosol** ⊗ sem rest. com snack-bar, ℘ 93 45 66, Fax 93 45 55, ≤, ⊅ – 🛗 🖵 ☎. ⅀
ⓞ ⅀ 𝒱𝐼𝑆𝐴. ✼
43 apartamentos ⊇ 8250/12800.

Faial – 2 622 h. – ⊠ 9225 Porto da Cruz – ✪ 091.
Arred. : Santana★ (estrada ≤★) NO : 8 km – Estrada do Porto da Cruz (≤★) SE : 8 km.
Funchal 54.

em Lombo de Baixo na estrada do Funchal - S : 2,5 km – ⊠ 9225 Porto da Cruz – ✪ 091 :

🍴 Casa de Chá do Faial, Estrada do Funchal ℘ 57 22 23, ≤ vale e montanha, 😤 – ⓟ.

Funchal 9000 – 99 244 h. – ⊠ 9000 – ✪ 091.
Ver : ≤★ de ponta da angra BZ **V** – Sé★ (tecto★) BZ – Museu de Arte Sacra (colecçaõ
de quadros★) BY **M1** - Museu Frederico de Freitas★ BY – Quinta das Cruzes★★ AY – Largo
do Campo Santo★ DZ – Jardim Botânico★ ≤★ Y.
Arred. : Miradouro do Pináculo★★ 4 km por ② - Pico dos Barcelos★★ (✳★★) 3 km por
③ - Monte (localidade★) 5 km por ① – Quinta do Palheiro Ferreiro★★ 5 km por ② – Câmara
de Lobos (local ★, estrada ≤★) passeio pela levada do Norte★ - Cabo Girão★ 9 km por
③ X – Eira do Serrado ✳★★★ (estrada ≤★★, ≤★) NO : 13 km pela Rua Dr. Pita – Curral
das Freiras (local★, ≤★) NO : 17 km pela Rua Dr. Pita.
🏌 do Santo da Serra 25 km por ② ℘ 55 23 21 Fax 55 23 67.
✈ do Funchal 23 km por ② - Direcção dos aeroportos da Madeira ℘ 52 49 41.
🚢 para Porto Santo : Porto Santo Line ℘ 22 65 11.
🅱 Av. Arriaga 18 ℘ 22 56 58 – **A.C.P.** Rua Dr. Antonio José de Almeida 17, ℘ 22 36 59,
Fax 22 05 52.

Planos páginas seguintes

🏨🏨 **Reid's H.,** Estrada Monumental 139 ℘ 700 71 71, Telex 72139, Fax 700 71 77, ≤ baía
do Funchal, « Magnifico jardim semi-tropical sob um promontório rochoso »,
⊅ climatizada, ✼ – 🛗 🖃 🖵 ☎ ⓟ. ⅀ ⓞ ⅀ 𝒱𝐼𝑆𝐴 𝒥𝒸𝒷. ✼ rest   X z
Garden (só almoço) **Refeição** lista 3750 a 4700 - *Villa Cliff (Cozinha italiana)* **Refeição**
lista 4000 a 4800 - *Les Faunes (só jantar, fechado domingo)* **Refeição** lista aprox. 6800
– **148 qto** ⊇ 49000/73000, 21 suites.

🏨🏨 **Cliff Bay Resort H.** ⊗, Estrada Monumental 147 ℘ 707 07 07, Telex 72232,
Fax 76 25 25, ≤, 😤, Ⅰ∂, ⊅ climatizada, ⃞, ✼ – 🛗 🖃 🖵 ☎ ⅍ ⓟ – 🕹 25/80. ⅀
ⓞ ⅀ 𝒱𝐼𝑆𝐴. ✼
Il Gallo D'Oro (Cozinha italiana, só jantar, fechado domingo) **Refeição** lista 3660 a 5580   X c
The Rose Garden (só jantar) **Refeição** lista 3280 a 5150 - *Blue Lagoon (só almoço buffet)*
Refeição lista 3560 a 4550 – **97 qto** ⊇ 52000/63500, 4 suites.

Carne Azeda (R. da)	V 12
Carvalho Araújo (R.)	X 15
Casa Branca (Caminho da)	X 18
Comboio (R. do)	V 21

Dom João Abel de Freitas (Estr.)	V 27
Favila (R.)	X 31
Gorgulho (R.)	X 33
Lazarêto (Caminho do)	X 42
Levada dos Barreiros (R.)	X 43
Luís de Camões (Av.)	X 45
Maravilhas (R.)	X 46

Nova (Estr.)	V 5
Palheiro (Caminho do)	X 5
Pedro José Ornelas (R.)	V 5
Rochinha (R. da)	V 6
São Roque (Caminho de)	V 7
V. Cacongo (Estr.)	V 7
Velho da Ajuda (Caminho)	X 7
Voltas (Caminho das)	V 7

🏨🏨🏨 **Savoy,** Av. do Infante ℰ 22 20 31, Telex 72153, Fax 22 31 03, ≼, 🍸, « Terraço co 🏊 climatizada à beira-mar », 🖺, 🏊, 🛩 – 🛗 🔲 🗐 🕿 🅿 – 🔬 25/300. 🖭 ⓪ 🗉 ⱽⁱˢ
X
Grill Fleur de Lys (só jantar) **Refeição** lista 3700 a 6200 - ***Bellevue** (só jantar)* **Refeiçã** lista 3500 a 4600 – **338 qto** 🖙 36300/60500, 12 suites.

🏨🏨🏨 **Madeira Carlton H.,** Largo António Nobre ℰ 23 10 31, Fax 22 33 77, ≼, 🍸, ß 🏊 climatizada, 🛩 – 🛗 🔲 🗐 🕿 🅿 – 🔬 25/450. 🖭 ⓪ 🗉 ⱽⁱˢᴬ. 🛠
X
Taverna Grill (só jantar) **Refeição** lista aprox. 5340 - ***Os Arcos** (só jantar)* **Refeição** lis 3200 a 5500 - ***Buffet Garden Pool** (só almoço)* **Refeição** 2600 – **374 qt** 🖙 27000/37000.

🏨🏨🏨 Casino Park H., Av. do Infante ℰ 23 31 11, Telex 72118, Fax 23 20 76, ≼ montan cidade e mar, « Jardim florido », 🖺, 🏊 climatizada, 🛩 – 🛗 🔲 🗐 🕿 🅿 – 🔬 25/6 **Refeição** Chez Oscar Panorâmico *(só jantar)* - Coffee Shop *(só almoço)* – **354 qt** 20 suites.
AZ

🏨🏨 **Quinta do Sol,** Rua Dr. Pita 6 ℰ 76 41 51, Telex 72182, Fax 76 62 87, ≼, ß 🏊 climatizada – 🛗 🔲 🗐 🕿 🅿 – 🔬 25/80. 🖭 ⓪ 🗉 ⱽⁱˢᴬ. 🛠
Refeição 3500 – **145 qto** 🖙 17000/24000, 6 suites – PA 7000.
X

🏨🏨 Do Carmo, Travessa do Rego 10 ℰ 22 90 01, Telex 72447, Fax 22 39 19, 🏊 – 🛗 🔲 re 🔲 🕿
80 qto.
CY

🏨🏨 **Madeira** *sem rest,* Rua Ivens 21 ℰ 23 00 71, Fax 22 90 71, 🏊 – 🛗 🔲 🕿 – 🔬 25/
🖭 ⓪ 🗉 ⱽⁱˢᴬ. 🛠
53 qto 🖙 9500/10500.
BZ

🏨🏨 **Quinta da Penha de França** 🏖 *sem rest. com snack-bar,* Rua da Penha de Fran 2 ℰ 22 90 87, Fax 22 92 61, « Jardim », 🏊 climatizada – 🕿 🅿. 🖭 ⓪ 🗉 ⱽⁱˢᴬ. 🛠
40 qto 🖙 11900/17500.
AZ

🏨🏨 **Penha França Mar** *sem rest. com snack bar ao almoço,* Rua Carvalho Araúj ℰ 22 90 87, Fax 22 92 61, ≼, 🏊 – 🛗 🔲 🕿 🅿. 🖭 ⓪ 🗉 ⱽⁱˢᴬ. 🛠
33 qto 🖙 14000/19500.
AZ

Windsor sem rest. com snack-bar, Rua das Hortas 4-C, ⊠ 9050, ℘ 233 081, Telex 72 551, Fax 233 080, ⊒ – |≡| TV ☎. ⋘
67 qto ⊇ 9000/10500. CY r

Santa Clara ⑤ sem rest, Calçada do Pico 16-B ℘ 74 21 94, Fax 74 32 80, ≼, Antiga casa senhorial, ⊒, ⚘ – |≡| ☎. ⋘ AY b
15 qto ⊇ 5500/7500.

Albergaria Catedral sem rest, Rua do Aljube 13 ℘ 23 00 91, Fax 23 19 80 – |≡| ☎
25 qto. BZ u

Casa das Hortas sem rest e sem ⊇, Rua das Hortas 55, ⊠ 9050, ℘ 428 99, Fax 23 21 87 – TV. ⋘ CY a
8 qto 4500/5000, 1 apartamento.

XXX **Casa Velha**, Rua Imperatriz D. Amélia 69 ℘ 22 57 49, Fax 22 46 29 – ▤. ᴀᴇ ⓄⒺ ᴠᴵꜱᴬ. ⋘
Refeição lista 3550 a 4950. AZ a

XX **Caravela**, Rua das Comunidades Madeirenses 15 ℘ 22 84 64, Fax 22 20 57, ≼ – ᴀᴇ Ⓞ Ⓔ ᴠᴵꜱᴬ. ⋘ CZ v
Refeição lista 1950 a 3450.

XX **O Solar do F**, Av. Luís de Camões 19 ℘ 22 02 12, Fax 22 02 12, ⇜ – ᴀᴇ Ⓞ Ⓔ ᴠᴵꜱᴬ. ⋘ X r
Refeição (só jantar) lista 2650 a 4450.

XX **Casa dos Reis**, Rua Imperatriz D. Amélia 101 ℘ 22 51 82, Fax 388 18, ⇜ – ᴀᴇ Ⓞ Ⓔ ᴠᴵꜱᴬ. ⋘ AZ t
Refeição (só jantar) lista aprox. 3950.

XX **Dona Amélia**, Rua Imperatriz D. Amélia 83 ℘ 22 57 84, Fax 22 46 29 – ▤. ᴀᴇ Ⓞ Ⓔ ᴠᴵꜱᴬ. ⋘ AZ c
Refeição lista 3300 a 3700.

X **O Celeiro**, Rua dos Aranhas 22 ℘ 23 06 22, Decoração rústica – ▤. ᴀᴇ Ⓞ ᴠᴵꜱᴬ. ⋘ BZ a
Refeição lista aprox. 4820.

X **Solar da Santola**, Marina do Funchal ℘ 22 72 91, Fax 23 39 30, ≼, ⇜ – ᴀᴇ Ⓞ Ⓔ ᴠᴵꜱᴬ
Refeição lista 2050 a 3800. BZ b

o Suloeste da cidade – ⊠ 9000 Funchal – ✆ 091 :

Madeira Palácio, Estrada Monumental - 4,5 km ℘ 76 44 76, Telex 72156, Fax 76 44 77, ≼, ⊒ climatizada, ⚘, ⚒ – |≡| ▤ TV ☎ ❷ – ⚠ 25/220. ᴀᴇ Ⓞ Ⓔ ᴠᴵꜱᴬ
Vice Rei (só jantar) Refeição lista 6600 a 8600 - **Cristovão Colombo** (só jantar) Refeição 5500 - **Coffee Shop Le Terrace** : Refeição lista 4300 a 5400 – ⊇ 1500 – **251 qto** 29000/44000, 2 suites.

Carlton Palms H., Rua do Gorgulho 17 - 2,7 km ℘ 76 61 00, Telex 72276, Fax 76 62 47, ⇜, ℔, ⊒ climatizada – |≡| ▤ rest TV ☎ ❷
Refeição (só buffet) – **78 apartamentos**, 11 suites.

Eden Mar, Rua do Gorgulho 2 - 2,7 km ℘ 76 22 21, Telex 72672, Fax 76 19 66, ≼, ⇜, ℔, ⊒, ▨ – |≡| ▤ TV ☎ ❷ – ⚠ 25/120. ᴀᴇ Ⓞ Ⓔ ᴠᴵꜱᴬ. ⋘
Refeição 3300 – ⊇ 1600 – **146 apartamentos** 18500/21000 – PA 6600.

Vila Ramos ⑤, Azinhaga da Casa Branca 7 - 3 km ℘ 76 41 81, Telex 72168, Fax 76 41 56, ≼, ⊒ climatizada, ⚒ – |≡| ▤ TV ☎ ❷. ᴀᴇ Ⓞ Ⓔ ᴠᴵꜱᴬ. ⋘
Refeição 3600 – **116 qto** ⊇ 11000/13500.

Monumental Lido, Estrada Monumental 284 - 2,7 km ℘ 76 64 66, Fax 76 63 45, ≼, ℔, ⊒ climatizada – |≡| ▤ rest TV ☎ ⇜ – ⚠ 25/200. ᴀᴇ Ⓞ Ⓔ ᴠᴵꜱᴬ. ⋘
Refeição 3500 – **201 qto** ⊇ 15200/17400 – PA 6000.

Baía Azul, Estrada Monumental - 3,5 km ℘ 76 62 60, Telex 72675, Fax 76 42 45, ≼, ℔, ⊒ climatizada – |≡| ▤ TV ☎ ❷ – ⚠ 25/400. ᴀᴇ Ⓞ Ⓔ ᴠᴵꜱᴬ. ⋘
Refeição 3500 – **215 qto** ⊇ 25570/28500 – PA 7000.

Alto Lido, Estrada Monumental 316 - 3,3 km ℘ 76 51 97, Telex 72453, Fax 76 59 50, ≼, ⊒ climatizada – |≡| ▤ rest TV ☎ ⇜ – ⚠ 25/80
118 apartamentos.

Girassol, Estrada Monumental 256 - 2,5 km ℘ 76 40 51, Telex 72176, Fax 76 54-41, ≼, ℔, ⊒ climatizada – |≡| ▤ rest TV ☎ ❷ X e
133 qto.

Atlantic Gardens ⑤ sem rest. com snack-bar, Praia Formosa - 5,8 km ℘ 76 21 11, Telex 72223, Fax 76 67 33, ≼, ⊒ climatizada – |≡| TV ☎ ❷
51 apartamentos.

Do Mar, Quinta Calaça - Estrada Monumental : 3,5 km ℘ 76 10 01, Telex 72255, Fax 76 21 92, ≼ mar, ⊒ climatizada – |≡| ☎ ❷
125 apartamentos.

n São Gonçalo E : 5 km – ⊠ 9050 Funchal – ✆ 091 :

Estal. da Montanha, ℘ 79 35 00, Fax 79 36 79, ≼ mar e Funchal – TV ❷
10 qto. por Rua do Conde Carvalhal X

663

FUNCHAL

Alfândega (R. da) . . . . **BZ 3**
Aljube (R. do) . . . . **BZ 4**
Bettencourt (R. do) . . . . . . **CY 9**
Chafariz (Largo do) . . . . . . **CZ 19**
Dr Fernão de Ornelas (R.) . . **CZ 28**

João Tavira (R.) . . . . **BZ 39**
Phelps (Largo do) . . . . **CY 58**
Pretas (R. das) . . . . **BY 61**
Aranhas (R. dos) . . . . **ABZ 6**
Autonomia (Pr. da) . . . . . . **CZ 7**
Brigadeiro Oudinot (R.) . . . **CY 10**

Carne Azeda (R. da) . . . . . **BY 1**
Carvalho Araújo (R.) . . . . . **AZ 1**
Conceição (R. da) . . . . **CY 2**
Conselheiro
  Aires Ornelas (R.) . . . . . **CY 2**
Conselheiro
  José Silvestre Ribeiro (R.) . **BZ 2**

Machico 9200 – 2 142 h. – 🕓 091.

Arred.: *Miradouro Francisco Álvares da Nóbrega*★ *SO : 2 km – Santa Cruz (Igreja de Salvador*★*) S : 6 km.*

🛈 *Forte do Amparo ☎ 96 22 89.*

Funchal 29.

🏨 Dom Pedro Baía, ☎ 96 57 51, Telex 72135, Fax 96 68 89, ≤ mar e montanh⬛ ☒ climatizada, ⚒ – 🛗 ▤ rest 📺 ☎ 🅿
218 qto.

664

carnação (Calç. da)	BY 30
spital Velho (R. do)	CYZ 34
peratriz D. Amélia	
R. da)	AZ 36
ns (R.)	BZ 37
ino Coelho (R.)	CZ 40
arêto (Caminho do)	DZ 42

Maravilhas (R. das)	AZ 46
Marquês do Funchal (R.)	BY 49
Miguel Carvalho (R.)	CY 51
Mouraria (R.)	BY 52
Ponte de S. Lázaro (R.)	AZ 60
Ribeirinho (R.)	CY 63
Sabão (R. do)	CZ 66

Santa Clara (Calç)	BY 67
São Francisco	
(R. de)	BZ 69
Saúde (Calç.)	BY 72
Til (R. do)	BY 73
Visconde do Anadía (R.)	CYZ 78
Zirco (Av.)	BZ 81

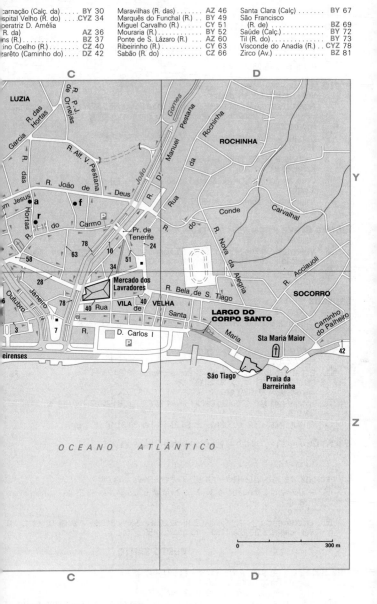

:co do Arieiro – ✉ *9006 Funchal* – 𝄡 *091*.

Ver : *Mirador★★*.

Excurs. : *Pico Ruivo★★ (✳★★) 3 h. a pé.*

Funchal 23.

🏨 Pousada do Pico do Arieiro ⟨⟩, alt. 1 818 ✆ 23 01 10, Fax 22 86 11, ⩽ montanhas e mar – ☎ 🅿
25 qto.

665

MADEIRA (Arquipélago da)

Poiso – *alt. 1412* – ⊠ *9050 Funchal* – 🏙 *091.*
Funchal 15.

⊁ **Casa de Abrigo do Poiso,** Estrada Conde de Carvalhal 237, 🖉 78 22 69 – 🅿. 🖭 ⓘ
  🗲 𝐕𝐈𝐒𝐀. ⅏
  Refeição lista 2300 a 4250.

Porto Moniz *9270 – 3 920 h.* – 🏙 *091.*
  Ver : *Localidade★, escolhos★.*
  Arred. : *Estrada de Santa* ⩽★ *SO : 6 km – Seixal (local★) SE : 10 km – Estrada escarpada★*
  (⩽★) de Porto Moniz a São Vicente SE : 18 km.
  Funchal 106.

🏔 Calhau ⅋ *sem rest,* 🖉 85 31 04, Fax 85 34 43, ⩽ – ☎
  15 qto.

⊁ Cachalote, 🖉 85 31 80, Fax 85 37 25, ⩽
  Refeição (só almoço).

⊁ Orca ⅋ *com qto,* 🖉 85 33 59, Fax 85 33 20, ⩽ – 🖭 ☎
  12 qto.

⊁ Salgueiro ⅋ *com qto,* 🖉 85 27 78, ⩽
  3 qto.

Ribeira Brava *9350 – 6 084 h.* – 🏙 *091.*
  Funchal 30.

🏨 **Valemar,** Sítio do Muro 🖉 95 25 63, Fax 95 11 66, 🍽 – 🛗 🖭 ☎ ⟺. ⓞ 🗲 𝐕𝐈𝐒𝐀.
  Refeição 2500 – **20 apartamentos** ⊃ 6000/10000 – PA 4500.

🏨 Bravamar, Rua Gago Coutinho 🖉 95 22 20, Telex 72258, Fax 95 11 22, ⩽ – 🛗 ☎
  70 qto.

Santana *9230* – 🏙 *091.*
  Funchal 39.

🏨 O Colmo, Sítio do Serrano 🖉 57 24 78, Fax 57 43 12, 🍽 – ☎ 🅿
  16 qto.

São Vicente *9240 – 4 374 h.* – 🏙 *091.*
  Funchal 55.

🏨 **Estal. Do Mar** ⅋, Estrada da Ponte Delgada 🖉 84 26 15, Fax 84 27 65, ⩽, 𝐹ᵟ,
  🔲, ⅏ – 🛗 🖭 ☎ 🅿. 🖭 🗲 𝐕𝐈𝐒𝐀. ⅏
  Refeição 2600 – **80 qto** ⊃ 8000/10000 – PA 5200.

🏨 Estal. Praia Mar, Sítio do Calhău 🖉 84 23 83, Fax 84 27 49 – 🛗 🖭 ☎
  24 qto.

⊁ Quebra-Mar, Sítio do Calhău 🖉 84 23 38, Fax 84 21 14, ⩽ – 🅿.

Serra de Água – *1 426 h.* – ⊠ *9350 Ribeira Brava* – 🏙 *091.*
  Ver : *Sítio★.*
  Funchal 39.

na estrada de São Vicente – ⊠ *9350 Ribeira Brava* – 🏙 *091 :*

🏨 Pousada dos Vinháticos ⅋, N : 2,2 km 🖉 95 23 44, Fax 95 25 40, ⩽ montanhas,
  – ☎ 🅿
  15 qto.

🏨 **Encumeada** ⅋, N : 3,8 km 🖉 95 12 82, Fax 95 12 81, 🍽 – ☎ 🅿. 🖭 ⓞ 🗲 𝐕𝐈𝐒𝐀.
  Refeição lista 2300 a 4150 – **10 qto** ⊃ 4500/7500.

PORTO SANTO

Vila Baleira – ⊠ *9400 Porto Santo* – 🏙 *091 – Praia.*
  ⊁ *do Porto Santo,* 🖉 *98 23 54.*
  🛈 *Av. Vieira de Castro* 🖉 *98 23 62 (ext. 203).*

🏨 Torre Praia Suite H. ⅋, Rua Goulart Medeiros 🖉 98 52 92, Telex 72389, Fax 98 24
  ⩽ mar e montanha, 𝐹ᵟ, 🔲 – 🛗 🗏 🖭 ☎ 🅿
  62 qto, 3 suites.

🏨 Praia Dourada, Rua D. Estêvão (d'Alencastre) 🖉 98 23 15, Telex 72389, Fax 98 23
  🔲 – ☎
  Refeição (no Hotel Torre Praia Suite H.) – **110 qto.**

🏨 Central ⅋ *sem rest,* Rua Abel Magno Vasconcelos 🖉 98 22 26, Fax 98 34 60, ⩽ –
  38 qto, 4 suites.

ɔ Suloeste :

🏨 **Porto Santo** ॐ, 2 km ℰ 98 23 81, Fax 98 26 11, ≤, ☎, ⚓, ⚓, ※ – 🗏 rest 📺
☎ ℗, ᴁ ⲟⱼ ᴇ VISA. ※
Refeição 3500 – **97 qto** ☲ 17250/23000 – PA 7000.

🏨 Luamar Suite H. ॐ sem rest, Cabeço da ponta - 5,5 km ℰ 98 41 21, Fax 98 31 00, ₤₅,
⚓, ※ – |≑| 📺 ☎ ℗
75 qto.

MAFRA 2640 Lisboa 440 P 1 – 13 334 h. alt. 250 – ۞ 061.
Ver : Palácio e Convento de Mafra★★ : basílica★★ (zimbório★), palácio e convento
(biblioteca★).
🛈 Av. 25 de Abril ℰ 81 20 23 Fax 521 04.
Lisboa 40 – Sintra 23.

🏨 **Castelão**, Av. 25 de Abril ℰ 81 20 50, Telex 43488, Fax 516 98 – |≑| 🗏 rest 📺 ☎ –
🛆 25/300. ᴁ ⲟⱼ ᴇ VISA. ※
Refeição lista aprox. 4050 – **35 qto** ☲ 8900/10900.

MALVEIRA DA SERRA Lisboa 440 P 1 – ⊠ 2750 Cascais – ۞ 01.
Lisboa 37 – Sintra 13.

XX Adega do Zé Manel, Estrada de Alcabideche ℰ 487 06 38, Decoração rústica.

X Quinta do Farta Pão, Estrada de Cascais N 9-1, S : 1,7 km ℰ 487 05 68, Rest. típico.
Decoração rústica - ℗.

X O Camponês, ℰ 487 01 16, Rest. típico. Decoração rústica.

MANGUALDE 3530 Viseu 440 K 6 – 5 113 h. alt. 545 – ۞ 032.
⚓ ℰ 62 32 22.
Lisboa 317 – Guarda 67 – Viseu 18.

🏨 **Estal. Casa d'Azurara**, Rua Nova 78 ℰ 61 20 10, Fax 62 25 75, « Antiga casa
solarenga », ⚓ – |≑| 🗏 📺 ☎ ℗, ᴁ ⲟⱼ ᴇ VISA. ※
Refeição 3500 – **15 qto** ☲ 14500/16000 – PA 7000.

🏨 **Estal. Cruz da Mata**, Estrada N 16 ℰ 61 19 45, Fax 61 27 22, ⚓ – 🗏 📺 ☎ ℗ –
🛆 25/90. ᴁ ⲟⱼ VISA. ※ rest
Refeição lista aprox. 3650 – **28 qto** ☲ 8500/10500.

ela estrada N 16 E : 2,8 km – ⊠ 3530 Mangualde – ۞ 032 :

🏨 **Senhora do Castelo** ॐ, Monte da Senhora do Castelo ℰ 61 16 08, Telex 53563,
Fax 62 38 77, ≤ Serras da Estrela e Caramulo, ⚓, 🗒, ※ – |≑| 🗏 📺 ☎ ℗ – 🛆 25/150.
ᴁ ⲟⱼ ᴇ VISA. ※
Refeição 2000 – **85 qto** ☲ 8500/10500.

MANTEIGAS 6260 Guarda 440 K 7 – 3 428 h. alt. 775 – ۞ 075 – Termas – Desportos de Inverno
na Serra da Estrela : ⚐3.
Arred. : Poço do Inferno★ (cascata★) S : 9 km – S : Vale glaciário do Zêzere★★, ≤★.
🛈 Rua Dr. Esteves de Carvalho ℰ 98 11 29.
Lisboa 355 – Guarda 49.

ela estrada das Caldas S : 2 km e desvio a esquerda 1,5 km – ⊠ 6260 Manteigas – ۞ 075 :

🏨 **Albergaria Berne** ॐ, Santo António ℰ 98 13 51, Fax 98 21 14, ≤, ☎ – |≑| 🗏 rest
📺 ☎ ℗, ᴇ VISA. ※
fechado 20 setembro-5 outubro – Refeição 1950 – **17 qto** ☲ 5000/7000.

a estrada de Gouveia N : 13 km – ⊠ 6260 Manteigas – ۞ 075 :

🏨 **Pousada de São Lourenço** ॐ, ℰ 98 24 50, Fax 98 24 53, ≤ vale e montanha –
🗏 rest 📺 ☎ ℗, ᴁ ⲟⱼ ᴇ VISA. ※
Refeição 3650 – **22 qto** ☲ 12500/14500.

MARCO DE CANAVESES 4630 Porto 440 I 5 – 46 131 h. – ۞ 055.
🛈 Alameda Dr. Miranda da Rocha ℰ 53 41 01, Fax 53 40 32.
Lisboa 383 – Braga 72 – Porto 53 – Vila Real 83.

🏨 **Marco** sem rest, Rua Dr. Sá Carneiro 684 ℰ 52 20 93 – |≑| 📺
19 qto ☲ 5000/7000.

MARINHA GRANDE 2430 Leiria 440 M 3 – 25 504 h. alt. 70 – ✪ 044 – Praia em São Ped de Moel.
🛈 Rua Portas Verdes ℘ 56 66 44.
Lisboa 143 – Leiria 12 – Porto 199.

🏨 **Cristal,** Estrada de Leiria (Embra) ℘ 56 01 00, Fax 56 00 65 – |≢| ☰ 🆑 ☎ 🅿
🛄 25/100. 🆎 ⓞ ⋿ 𝘝𝘐𝘚𝘈 ᴊᴄʙ
Refeição 2200 – **60 qto** ⊃ 8300/11300.

🏠 **Paris** sem rest, Av. do Vidreiro 13 ℘ 56 98 21, Fax 56 98 48 – 🆑 ☎
25 qto.

MARRAZES Leiria – ver Leiria.

MARVÃO 7330 Portalegre 440 N 7 – 309 h. alt. 865 – ✪ 045.
Ver : Sítio★★ – A Vila★ (balaustradas★) – Castelo★ (✵★★) : aljibe★.
🛈 Rua 24 de Janeiro 7 ℘ 932 01.
Lisboa 226 – Cáceres 127 – Portalegre 22.

🏨 **Pousada de Santa Maria** ⑤, ℘ 932 01, Fax 934 40, ≤, Decoração regional – |≢|
🆑 ☎ 🆎 ⓞ ⋿ 𝘝𝘐𝘚𝘈. ᢟ
Refeição 3650 – **28 qto** ⊃ 16000/18000, 1 suite.

🏠 **Dom Dinis** ⑤ sem rest, Rua Dr. Matos Magalhães ℘ 932 36, Fax 932 36 – 🆑 ☎.
ⓞ ⋿ 𝘝𝘐𝘚𝘈. ᢟ
9 qto ⊃ 8600/9000.

MATOSINHOS Porto – ver Porto.

MEALHADA 3050 Aveiro 440 K 4 – 5 239 h. alt. 60 – ✪ 031.
Lisboa 221 – Aveiro 35 – Coimbra 19.

na estrada N 1 N : 1,5 km – ✉ 3050 Mealhada – ✪ 031 :

🏨 **Quinta dos 3 Pinheiros,** ℘ 223 91, Fax 234 17, ☖ – ☰ 🆑 ☎ 🅿 – 🛄 25/250.
ⓞ ⋿ 𝘝𝘐𝘚𝘈.
Refeição 2850 – **60 qto** ⊃ 9800/11800 – PA 5700.

✗ **Pedro dos Leitões,** ℘ 220 62, Fax 237 45, Leitão assado – ☰ 🅿. 🆎 ⋿ 𝘝𝘐𝘚𝘈. ᢟ
fechado 2ª feira, 15 dias em abril e 15 dias em setembro – **Refeição** lista 2200 a 460

MESÃO FRIO 5040 Vila Real 440 I 6 – ✪ 054.
Lisboa 391 – Porto 90 – Vila Real 36 – Viseu 97.

🏨 **Panorama** ⑤, Av. Conselheiro Alpoim 525 ℘ 89 15 36, Fax 89 15 86, ≤, 🍽 – |≢|
⟻ – 🛄 25/200. 🆎 ⓞ ⋿ 𝘝𝘐𝘚𝘈. ᢟ
Refeição 2500 – **31 qto** ⊃ 5500/6500.

MIRA 3070 Coimbra 440 K 3 – 4 563 h. – ✪ 031 – Praia.
Arred. : Varziela : Capela (retábulo★) SE : 11 km.
Lisboa 221 – Coimbra 38 – Leiria 90.

🏠 **Canhota,** Rua Dr. Antonio José Almeida 104 ℘ 45 14 48, Fax 45 12 86, ✾ – 🆑 ☎
– 🛄 25/200. ⋿ 𝘝𝘐𝘚𝘈. ᢟ
Refeição lista aprox. 2300 – **16 qto** ⊃ 6000/7000.

na praia NO : 7 km – ✉ 3070 Mira – ✪ 031 :

🏠 **Sra. da Conceição** sem rest, Av. Cidade Coimbra ℘ 47 16 45 – |≢| ☰ 🆑 ☎ 🅿.
ⓞ ⋿ 𝘝𝘐𝘚𝘈. ᢟ
fechado outubro – **23 qto** ⊃ 9000/10000.

🏠 **Do Mar** sem rest, Av. do Mar ℘ 47 11 44, Fax 47 11 44, ≤
14 qto ⊃ 8000/9000.

MIRANDA DO DOURO 5210 Bragança 440 H 11 – 1841 h. alt. 675 – ✪ 073.
Ver : Sé (retábulos★).
Arred. : Barragem de Miranda do Douro★ E : 3 km – Barragem de Picote★ SO : 27 k
Lisboa 524 – Bragança 85.

🏨 **Pousada de Santa Catarina** ⑤, ℘ 412 55, Fax 426 65, ≤ – ☎ 🅿. 🆎 ⓞ ⋿ 𝘝
ᢟ
Refeição 3650 – **12 qto** ⊃ 12500/14500.

MIRANDELA 5370 Bragança **440** H 8 – 7 862 h. – 🕾 078.
Lisboa 475 – Bragança 67 – Vila Real 71.

🏠 **Miratua** sem rest, Rua da República 42 ℰ 26 50 03, Fax 26 50 03 – 🛗 **AE E VISA**. 🛠
30 qto 🖵 4500/6100.

🏠 **Globo,** Rua Cidade de Ortez 35 ℰ 282 10, Fax 288 71 – 🛗 🗐 **Ⓟ**. **AE E VISA**. 🛠
Refeição (fechado domingo e setembro) 1750 – **40 qto** 🖵 3750/7000.

a estrada N 15 NE : 1,3 km – ✉ 5370 Mirandela – 🕾 078 :

🏠 Jorge V sem rest, ℰ 26 58 26, Fax 26 59 26 – 🖵 🚗 **Ⓟ** – **32 qto.**

MOGADOURO 5200 Bragança **440** H 9 – 2 648 h. – 🕾 079.
Lisboa 471 – Bragança 94 – Guarda 145 – Vila Real 153 – Zamora 97.

✗ **A Lareira** com qto, Av. Nossa Senhora do Caminho 58 ℰ 34 23 63
fechado janeiro – Refeição (fechado 2ª feira) lista 1650 a 3150 – **10 qto** 🖵 3000/6000.

MONÇÃO 4950 Viana do Castelo **440** F 4 – 2 687 h. – 🕾 051 – Termas.
🛈 Praça Deu-La-Deu ℰ 65 27 57.
Lisboa 451 – Braga 71 – Viana do Castelo 69 – Vigo 48.

🏠🏠 **Albergaria Atlântico** sem rest, Rua General Pimenta de Castro 13 ℰ 65 23 55,
Fax 65 23 76 – 🛗 🗐 🖵 🕿. **AE ① E VISA**. 🛠
24 qto 🖵 8000/12000.

🏠 **Mané** sem rest, Rua General Pimenta de Castro 5 ℰ 65 24 90, Fax 65 23 76 – 🕿. **AE**
① E VISA. 🛠 – **8 qto** 🖵 6500/9000.

🏠 **Esteves** sem rest e sem 🖵, Rua General Pimenta de Castro ℰ 65 23 86 – 🖵. 🛠
fechado novembro – **22 qto** 4000/5000.

MONCHIQUE 8550 Faro **440** U 4 – 2 540 h. alt. 458 – 🕾 082 – Termas.
Arred. : Estrada★ de Monchique à Fóia ≤★, Monte Fóia★ ≤★.
Lisboa 260 – Faro 86 – Lagos 42.

✗ **Albergaria Bica-Boa** com qto, Estrada de Lisboa 266 ℰ 922 71, Fax 923 60, 🍴 –
AE ① VISA
Refeição lista aprox. 3680 – **4 qto** 🖵 9500/11500.

a estrada da Fóia – ✉ 8550 Monchique – 🕾 082 :

🏠🏠 **Estal. Abrigo da Montanha** 🌄, SO : 2 km ℰ 921 31, Fax 936 60, ≤ vale, montanha
e mar, 🍴, « Terraços floridos », 🏊 – 🕿. **AE ① E VISA**. 🛠
Refeição 3000 – **11 qto** 🖵 13000/17000, 4 suites – PA 6000.

✗✗ **Quinta de São Bento** 🌄 com qto, SO : 5 km ℰ 921 43, Fax 921 43, ≤, 🍴, **Ⅰ₆**,
🏊 – 🕿 **Ⓟ**. **AE ① E VISA**. 🛠
Refeição lista 3000 a 7800 – **5 qto** 🖵 10000/15000, 1 apartamento.

as Caldas de Monchique S : 6,5 km – ✉ 8550 Monchique – 🕾 082 :

🏠🏠 **Albergaria do Lageado** 🌄, ℰ 926 16, 🍴, 🏊 – 🛠
maio-outubro – Refeição 2000 – **20 qto** 🖵 5500/8000.

MONDIM DE BASTO 4880 Vila Real **440** H 6 – 3 165 h. – 🕾 055.
Lisboa 404 – Amarante 35 – Braga 66 – Porto 96 – Vila Real 45.

ela estrada de Vila Real S : 2,5 km – ✉ 4880 Mondin de Basto – 🕾 055 :

🏠 **Quinta do Fundo** 🌄, Vilar de Viando ℰ 38 12 91, Fax 38 20 17, 🍴, Quinta agrícola
com adegas próprias, 🏊, 🎾 – **Ⓟ**. **VISA**. 🛠
Refeição 2500 – **5 qto** 🖵 7500/8500, 2 suites – PA 4000.

MONFORTINHO (Termas de) 6060 Castelo Branco **440** L 9 – 879 h. alt. 473 – 🕾 077 –
Termas – 🛈 Rua Dr. José Gardete Martins ℰ 442 23.
Lisboa 310 – Castelo Branco 70 – Santarém 229.

🏠🏠🏠 **Astória** 🌄, ℰ 442 05, Fax 443 30, 🍴, 🏊, 🏊, 🌧, 🎾 – 🛗 🗐 🖵 🕿 **Ⓟ** – 🏛 25/150.
AE ① VISA. 🛠
Refeição 2500 – **83 qto** 🖵 10000/14000 – PA 5000.

🏠🏠 **Fonte Santa** 🌄, ℰ 441 04, Fax 443 43, « Num parque », 🏊, 🎾 – 🛗 🗐 🖵 🕿 **Ⓟ**.
AE ① VISA. 🛠
Refeição 2500 – **47 qto** 🖵 10000/14000 – PA 5000.

🏠 **Portuguesa** 🌄, ℰ 442 21, 🏊 – 🛠
maio-outubro – Refeição 2000 – **63 qto** 🖵 6000/10500.

MONSANTO *Castelo Branco* **440** *L 8 – alt. 758 –* ⊠ *6085 Medelim –* ❸ *077.*
Ver : *Aldeia*★*, Castelo :* ❉★★*.*
Madrid 328 – Castelo Branco 73 – Ciudad Rodrigo 132 – Guarda 90.

🏨 **Pousada de Monsanto** ⤢, Rua da Capela 1 ℘ 344 71, Fax 344 81, ≤ – 📳 ▤ ▮
☎. ▲〓 ⓪ 〓 *VISA*. ❄
Refeição 3650 – **10 qto** ⊊ 12500/14500.

MONTARGIL *7425 Portalegre* **440** *O 5 – 4 587 h. –* ❸ *042.*
Lisboa 131 – Portalegre 104 – Santarém 72.

🏨 **Barragem** ⤢, Estrada N 2 ℘ 941 75, Fax 942 55, ≤ barragem, 🍴, ⚓, ❄ – ▤ ▮
☎ ℗ – 🛍 25/180. ▲〓 ⓪ 〓 *VISA*. ❄
Refeição 2500 - **A Panela** : Refeição lista 2450 a 4200 – **18 qto** ⊊ 12000/1400◖
3 suites – PA 5000.

Per spostarvi più rapidamente utilizzate le **carte Michelin "Grandi Strade"** *:*
n° **970** *Europa, n°* **976** *Rep. Ceca-Slovacchia, n°* **980** *Grecia, n°* **984** *German*
n° **985** *Scandinavia-Finlanda, n°* **986** *Gran Bretagna-Irlanda,*
n° **987** *Germania-Austria-Benelux, n°* **988** *Italia, n°* **989** *Francia,*
n° **990** *Spagna-Portogallo, n°* **991** *Jugoslavia.*

MONTE DO FARO *Viana do Castelo – ver Valença do Minho.*

MONTE ESTORIL *Lisboa – ver Estoril.*

MONTE GORDO *Faro – ver Vila Real de Santo António.*

MONTE REAL *2425 Leiria* **440** *M 3 – 2 549 h. alt. 50 –* ❸ *044 – Termas.*
🅱 *Parque Municipal* ℘ 61 21 67.
Lisboa 147 – Leiria 16 – Santarém 97.

🏨 **D. Afonso,** Rua Dr. Oliveira Salazar ℘ 61 12 38, Fax 61 13 22, 🔳, ❄ – 📳 ▤ rest
☎ ⟷ – 🛍 25/600. ▲〓 〓 *VISA*. ❄
fechado janeiro-fevereiro – **Refeição** 2200 – **74 qto** ⊊ 9000/9500 – PA 4400.
🏨 **Flora,** Rua Duarte Pacheco ℘ 61 21 21, Fax 81 50 99 – 📳 📺 ☎ ℗. ▲〓 ⓪ 〓 *VISA* ⤣
❄
abril-outubro – **Refeição** 2500 – **35 qto** ⊊ 6000/7500 – PA 5000.
🏠 **Santa Rita,** Rua de Leiria ℘ 61 21 47, Fax 61 21 72, ⚓ – 📺 ℗. ❄
15 abril-outubro – **Refeição** 2000 – **42 qto** ⊊ 7000/8000 – PA 4000.
🏠 **Colmeia,** Estrada da Base Aérea 5 ℘ 61 25 33, Fax 61 19 30 – ▤ rest 📺 ☎
❄
maio-outubro – **Refeição** 2000 – **46 qto** ⊊ 7500/9000 – PA 4000.

em Ortigosa *na estrada N 109 - SE : 4 km –* ⊠ *2425 Monte Real –* ❸ *044 :*
🍴🍴 **Saloon,** ℘ 61 34 38, Fax 61 34 38, 🍴, Rest. típico. Decoração rústica – ℗. ▲〓 ⓪
VISA. ❄
Refeição lista aprox. 3150.

MONTE-SÃO PEDRO DA TORRE *Viana do Castelo – ver Valença do Minho.*

MONTECHORO *Faro – ver Albufeira.*

MONTEMOR-O-NOVO *7050 Évora* **440** *Q 5 – 6 660 h. alt. 240 –* ❸ *066.*
Lisboa 112 – Badajoz 129 – Évora 30.

🎋 Sampaio, Av. Gago Coutinho 12 ℘ 822 37 – ▤ ☎
Refeição (ver rest. Sampaio) – **7 qto.**
🍴 **Bar Alentejano,** Av. Sacadura Cabral 25 ℘ 822 24 – ▤. *VISA*
fechado 2ª feira – **Refeição** lista 4050 a 4450.
🍴 Sampaio, Rua Leopoldo Nunes 2 ℘ 822 37, Decoração rústica regional – ▤.
🍴 **O Bacalhau,** Av. Gago Coutinho 17 ℘ 806 03
⤸ ▤. ▲〓 ⓪ 〓 *VISA*. ❄
fechado 4ª feira – **Refeição** lista 2000 a 3600.

MONTEMOR-O-VELHO 3140 Coimbra **440** L 3 – 2 355 h. – ✆ 039.

Ver : Castelo★ (⁂★).

Lisboa 206 – Aveiro 61 – Coimbra 29 – Figueira da Foz 16 – Leiria 77.

🏛 **Abade João** sem rest, Rua dos Combatentes da Grande Guerra 15 ✆ 68 94 58, ≼ –
🛗 📺 ☎ 🅿. 🖪 *VISA*. ⌁
⌨ 500 – **14 qto** 5000/7500.

✕ **Ramalhão,** Rua Tenente Valadim 24 ✆ 68 94 35, « Decoração rústica » – *VISA*.
🕸 ⌁
fechado domingo noite, 2ª feira e outubro – **Refeição** lista 4000 a 4500
Espec. Bacalhau com migas de broa e ervas aromáticas (maio-setembro). Sável frito enrolado em farinha de milho (março-julho). Pés de porco albardados.

MONTIJO 2870 Setúbal **440** P 3 – ✆ 01.

Lisboa 54 – Setúbal 24 – Vendas Novas 45.

🏨 **Montijo Parque H.** ⌂, Av. João XXIII-193 ✆ 231 33 74, Fax 231 52 61 – 🛗 🗏 📺
☎ ♿ 🚗 – 🕍 25/150. 🖪 ⓐ ⓔ ⌁ *VISA* *JCB*. ⌁
Refeição 2500 – ⌨ 500 – **84 qto** 7500/9000 – PA 5000.

*Le nostre guide alberghi e ristoranti, guide turistiche e carte stradali
sono complementari. Utilizzatele insieme.*

NAZARÉ 2450 Leiria **440** N 2 – 13 162 h. – ✆ 062 – Praia.

Ver : Sítio★★ - O Sítio ≼★ B - Farol : sítio marinho★★.
🛈 Av. da República ✆ 56 11 94.
Lisboa 123 ② – Coimbra 103 ① – Leiria 32 ①.

NAZARÉ

epública (Avenida da) . . . . . A
ousa Oliveira (Praça) . . . . . A 18
ub-Vila (Rua) . . . . A
eira Guimarães
      (Avenida) . . . . A

bel da Silva (Rua) . . . . B 3
çougue (Trav. do) . . . . A 4
drião Batalha (Rua) . . . . . . A 6
zevedo e Sousa (Rua) . . . . B 7
arvalho Laranjo (Rua) . . . . A 9
om F. Roupinho (Rua) . . . . B 10
r Rui Rosa (Rua) . . . . A 12
l Vicente (Rua) . . . . A 13
. de Albuquerque (Rua) . . . A 15
. de Arriaga (Praça) . . . . . . A 16
B de Maio (Rua) . . . . B 19

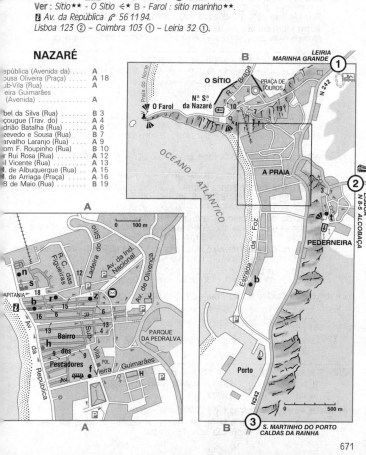

NAZARÉ

🏨 **Praia,** Av. Vieira Guimarães 39 🏢 56 14 23, Telex 16329, Fax 56 14 36 – 📶 🗐 📺 ➊
⟵. ⴅ ➊ ⴿ 𝘝𝘐𝘚𝘈 ⴽⴤⴱ
A
Refeição 2000 – **40 qto** ⟷ 17700/21000 – PA 4000.

🏨 **Da Nazaré,** Largo Afonso Zuquete 🏢 56 13 11, Fax 56 12 38, ⟵ – 📶 🗐 📺 ☎. ⴅ ➊
ⴿ 𝘝𝘐𝘚𝘈 ⴽⴤⴱ. ⴕ rest
A
fechado janeiro – **Refeição** 2000 – **52 qto** ⟷ 11990/12500 – PA 4000.

🏠 **Maré,** Rua Mouzinho de Albuquerque 8 🏢 56 12 26, Fax 56 17 50 – 📶 📺 ☎. ⴅ ➊
𝘝𝘐𝘚𝘈 ⴽⴤⴱ. ⴕ
A
Refeição *(fechado novembro e dezembro)* 2200 – **36 qto** ⟷ 10200/13300 – PA 340

🏠 **Miramar** *sem rest,* Rua Abel da Silva 36 - Pederneira 🏢 56 13 33, Fax 56 17 34, ⵣ
📺 ☎ ⟵. ⴿ 𝘝𝘐𝘚𝘈
B
18 qto ⟷ 9900/14300, 4 apartamentos.

🏠 **Dom Fuas,** Av. Manuel Remigio 🏢 56 13 51, Fax 56 15 00, ⟵ – 📶 📺 ☎ ➋. ⴅ ➊
𝘝𝘐𝘚𝘈 ⴽⴤⴱ. ⴕ
B
Páscoa-novembro – **Refeição** *(só jantar)* 2350 – ⟷ 900 – **32 qto** 10000/14000.

🏠 **Ribamar,** Rua Gomes Freire 9 🏢 55 11 58, Fax 56 22 24, ⟵, Decoração regional – 📺
ⴅ ➊ ⴿ 𝘝𝘐𝘚𝘈 ⴽⴤⴱ. ⴕ
fechado do 19 ao 26 de dezembro – **Refeição** 2000 – **25 qto** ⟷ 9000/14000 – PA 400

🏕 **A Cubata** *sem rest,* Av. da República 6 🏢 56 17 06, Fax 56 17 00 – 📺 ☎. ⴅ ➊
𝘝𝘐𝘚𝘈. ⴕ
A
21 qto ⟷ 6000/8000.

🍴🍴 **Mar Bravo** *com qto,* Praça Sousa Oliveira 67 A 🏢 55 11 80, Fax 55 39 79, ⟵, 🍴, Peix
e mariscos – 📶 🗐 📺 ☎. ⴅ ➊ ⴿ 𝘝𝘐𝘚𝘈 ⴽⴤⴱ. ⴕ
A
Refeição lista 2830 a 5400 – ⟷ 700 – **16 qto** ⟷ 12000/19500.

🍴 **Beira Mar** *com qto,* Av. da República 40 🏢 56 13 58 – 📺. ⴅ ➊ ⴿ 𝘝𝘐𝘚𝘈 ⴽⴤⴱ A
fechado dezembro-fevereiro – **Refeição** lista 1800 a 3180 – **15 qto** ⟷ 9000/1200

ÓBIDOS 2510 Leiria 𝟜𝟜𝟘 N 2 – 825 h. alt. 75 – ➌ 062.

Ver : *A Cidadela medieval*★★ *(Rua Direita*★, *Praça de Santa Maria*★, *Igreja de Santa Mari*
Túmulo★*) - Murallas*★★ *(⟵*★*)*.
🅱 *Rua Direita* 🏢 95 92 31.
Lisboa 92 – Leiria 66 – Santarém 56.

🏨 **Estal. do Convento** ⴕ, Rua D. João d'Ornelas 🏢 95 92 16, Telex 44906, Fax 95 91 5
« *Decoração estilo antigo* » – ☎. ⴅ ⴿ 𝘝𝘐𝘚𝘈 ⴽⴤⴱ. ⴕ rest
Refeição *(fechado domingo e do 1 ao 15 de novembro)* 3000 – **31 qto** ⟷ 13000/1520
– PA 6000.

🏨 **Albergaria Josefa d'Óbidos,** Rua D. João d'Ornelas 🏢 95 92 28, Fax 95 95 33 –
🗐 📺 ☎. ⴅ ➊ ⴿ 𝘝𝘐𝘚𝘈 ⴽⴤⴱ. ⴕ
Refeição 2200 – **36 qto** ⟷ 9000/11000 – PA 4400.

🏠 **Albergaria Rainha Santa Isabel** ⴕ *sem rest,* Rua Direita 🏢 95 93 23, Fax 95 91 ➊
– 📶 🗐 📺 – ⴊ 25/60. ⴅ ➊ ⴿ 𝘝𝘐𝘚𝘈 ⴽⴤⴱ. ⴕ
20 qto ⟷ 11250/12750.

🍴🍴🍴 **Pousada do Castelo** ⴕ *com qto,* Paço Real 🏢 95 91 05, Fax 95 91 48, « *Bel*
instalações nas muralhas do castelo. Mobiliário de estilo » – 🗐 📺 ☎. ⴅ ➊ ⴿ 𝘝𝘐𝘚𝘈. ⟵
Refeição lista 4150 a 5900 – **9 qto** ⟷ 25000/28000.

🍴🍴 **A Ilustre Casa de Ramiro,** Rua Porta do Vale 🏢 95 91 94 – 🗐. ⴅ ➊ ⴿ 𝘝𝘐𝘚𝘈. ⟵
fechado 5ª feira e 5 janeiro-5 fevereiro – **Refeição** lista 4200 a 5300.

🍴 **Alcaide,** Rua Direita 🏢 95 92 20, ⟵, 🍴 – ⴅ ➊ ⴿ 𝘝𝘐𝘚𝘈 ⴽⴤⴱ
fechado 2ª feira e do 10 ao 30 de novembro – **Refeição** lista 3000 a 3650.

na estrada de Caldas da Rainha – ✉ 2510 Óbidos – ➌ 062 :

🏨 **Mansão da Torre** ⴕ, NE : 2,5 km 🏢 95 92 47, Fax 95 90 51, ⵣ, 🖋, 🍴 – 📶 🗐 📺
☎ ➋ – ⴊ 25/40
41 qto.

🍴🍴 **D. João V,** Largo da Igreja do Senhor da Pedra - NE : 1 km 🏢 95 91 34, Fax 95 96 ➊
– ➋.

OEIRAS 2780 Lisboa 𝟜𝟜𝟘 P 2 – 40 149 h. – ➌ 01 – Praia.

🅱 *Jardim Municipal de Santo Amaro de Oeiras* 🏢 442 39 46.
Lisboa 16 – Cascais 8 – Sintra 16.

em Santo Amaro de Oeiras – ✉ 2780 Oeiras – ➌ 01 :

🍴 **Saisa,** Praia 🏢 443 06 34, ⟵, 🍴, Peixes e mariscos – ⴅ ➊ ⴿ 𝘝𝘐𝘚𝘈 ⴽⴤⴱ. ⴕ
fechado 2ª feira – **Refeição** lista 3150 a 4150.

a **Autoestrada A 5** *NE : 4 km* – ⊠ *2780 Oeiras* – **۞** *01* :

🏠 **Ibis Lisboa-Oeiras** *sem rest*, Área de Serviço ℰ 421 62 15, Fax 421 70 39 – 🗏 📺 ☎
 ⅚ 🅿 – 🔏 25. 🆎 ⓪ ㉤ 𝘝𝘐𝘚𝘈
 ⇌ 750 – **61 qto** 7800.

LIVEIRA DE AZEMÉIS *3720 Aveiro* 𝟜𝟜𝟘 *J 4* – *9 210 h.* – **۞** *056.*
 🛈 *Praça José da Costa* ℰ 67 44 63.
 Lisboa 275 – Aveiro 38 – Coimbra 76 – Porto 40 – Viseu 98.

🏨🏨 **Dighton,** Rua Dr. Albino dos Reis ℰ 68 21 91, Telex 23343, Fax 68 22 48 – |韋| 🗏 📺
 ☎ ⅚ ⇌ – 🔏 25/200. 🆎 ⓪ ㉤ 𝘝𝘐𝘚𝘈. ⚘
 Refeição lista aprox. 4500 – **100 qto** ⇌ 10000/12000.

ЖЖ **Diplomata,** Rua Dr. Simões dos Reis 125 ℰ 68 25 90 – 🗏. 🆎 ⓪ ㉤ 𝘝𝘐𝘚𝘈 𝐽ᴄʙ.
 fechado domingo e do 15 ao 31 de agosto – **Refeição** lista 3850 a 4750.

Ж O **Camponês** *com snack-bar*, Rua Dr. Albino dos Reis ℰ 68 21 55.

ela estrada de Carregosa *NE : 2 km* – ⊠ *3720 Oliveira de Azeméis* – **۞** *056* :

🏨 **Estal. S. Miguel** ⚘, Parque de la Salette ℰ 68 10 49, Fax 68 51 41, ≤ vila, vale e
 montanha, 🏛, « Num parque » – 🗏 📺 ☎ 🅿. 🆎 ⓪ ㉤ 𝘝𝘐𝘚𝘈 𝐽ᴄʙ. ⚘
 Refeição 2500 – **14 qto** ⇌ 12000/16000 – PA 5000.

ela antiga estrada N 1 *N : 2 km e desvio a direita 1 km* – ⊠ *3720 Oliveira de Azeméis* –
۞ *056* :

🏨 **Albergaria do Campo** ⚘ *sem rest*, Rua de S. Miguel ℰ 68 27 45, Fax 68 23 85 –
 🗏 📺 ☎ ⅚ 🅿. ⓪ ㉤ 𝘝𝘐𝘚𝘈. ⚘
 14 qto ⇌ 9000/11000.

LIVEIRA DO BAIRRO *3770 Aveiro* 𝟜𝟜𝟘 *K 4* – *4 351 h.* – **۞** *034.*
 🛈 *Estrada N 235,* ⊠ *3770,* ℰ 74 75 50.
 Lisboa 233 – Aveiro 23 – Coimbra 40 – Porto 88.

🏠 **Paraíso,** Estrada N 235 ℰ 74 78 65, Fax 74 73 56, ≤ – |韋| 🗏 📺 ☎ 🅿. 🆎 ⓪ ㉤ 𝘝𝘐𝘚𝘈.
 ⚘
 Refeição 2200 – **30 qto** ⇌ 5000/7000 – PA 4400.

🏠 A **Estância,** Estrada N 235 - NO : 1,5 km ℰ 74 71 15, Fax 74 83 62 – 📺 ☎ 🅿
 15 qto.

LIVEIRA DO HOSPITAL *3400 Coimbra* 𝟜𝟜𝟘 *K 6* – *2 318 h. alt. 500* – **۞** *038.*
 Ver : *Igreja Matriz* ★ *(estátua* ★, *retábulo* ★*).*
 🛈 *Casa da Cultura* ℰ 595 22 Fax 597 39.
 Lisboa 284 – Coimbra 82 – Guarda 88.

🏨 **São Paulo,** Rua Dr. Antunes Varela 3 ℰ 590 00, Fax 590 01, ≤ – |韋| 🗏 📺 ☎ 🅿 –
 🔏 25/80. 🆎 ㉤ 𝘝𝘐𝘚𝘈. ⚘ rest
 Refeição lista aprox. 3450 – **43 qto** ⇌ 7500/9000.

a Póvoa das Quartas *na estrada N 17 - E : 7 km* – ⊠ *3400 Oliveira do Hospital* –
۞ *038* :

🏨🏨 **Pousada de Santa Bárbara** ⚘, ℰ 596 52, Fax 596 45, ≤ vale e Serra da Estrela,
 🏊 ⚘ – 📺 ☎ ⇌ 🅿. 🆎 ⓪ ㉤ 𝘝𝘐𝘚𝘈. ⚘
 Refeição 3650 – **16 qto** ⇌ 17000/19000.

RTIGOSA *Leiria – ver Monte Real.*

VAR *3880 Aveiro* 𝟜𝟜𝟘 *J 4* – *25 518 h.* – **۞** *056* – *Praia.*
 🛈 *Rua Elias Garcia,* ℰ 57 22 15.
 Lisboa 294 – Aveiro 36 – Porto 40.

🏨🏨 **Meia-lua** ⚘ *sem rest*, Quinta das Luzes ℰ 57 50 31, Fax 57 52 32, ≤, 🏊 – |韋| 🗏 📺
 ☎ ⇌ – 🔏 25
 54 qto.

🏠 **Albergaria São Cristóvão,** Rua Aquilino Ribeiro 1 ℰ 57 51 05, Fax 57 51 07 – |韋|
 🗏 rest 📺 ☎ ⇌ – 🔏 25/150. 🆎 ⓪ ㉤ 𝘝𝘐𝘚𝘈. ⚘ rest
 Refeição (só jantar) 2000 – **57 qto** ⇌ 6000/8000 – PA 4000.

PAÇO DE ARCOS Lisboa **440** P 2 – ⊠ 2780 Oeiras – ✪ 01 – Praia.
Lisboa 18.

🏨 **Sol Palmeiras,** Av. Marginal ✆ 441 66 21, Fax 443 07 68, ≤, ⊾, – |≩| 🗐 🗹 ☎ ⑫.
⑪ ⋿ 𝘝𝘐𝘚𝘈
Refeição (ver rest. *La Cocagne*) – 35 suites ⊇ 25000/27000.

XXX **La Cocagne,** Av. Marginal ✆ 441 42 31, Fax 441 42 55, ≤, 🏖, Antiga mansão senhoria|
– 🗐 ⑫. ⌶ ⑪ ⋿ 𝘝𝘐𝘚𝘈. ⋘
Refeição lista 4950 a 6300.

XX Os Arcos, Rua Costa Pinto 47 ✆ 443 33 74, Fax 441 08 77, Peixes e mariscos – 🗐

PADRÃO DE MOREIRA Porto **440** I 4 – 7 782 h. – ⊠ 4470 Maia – ✪ 02.
Lisboa 316 – Amarante 62 – Braga 44 – Porto 11.

X **Tourigalo 2,** Estrada N 13 ✆ 944 90 58, Fax 948 89 22 – 🗐 ⑫. ⌶ ⑪ ⋿ 𝘝𝘐𝘚𝘈. ≤
Refeição lista 2450 a 4145.

PALMELA 2950 Setúbal **440** Q 3 – 18 286 h. – ✪ 01.
Ver : Castelo★ (⚹★), Igreja de São Pedro (azulejos★).
🛈 Castelo ✆ 233 21 22.
Lisboa 43 – Setúbal 8.

🏨 **Pousada de Palmela** ⌂, Castelo de Palmela ✆ 235 12 26, Fax 233 04 40, ≤, « No
convento do século XV, nas muralhas dum antigo castelo » – |≩| 🗹 ☎ ⑫ – 🚗 25/
⌶ ⑪ ⋿ 𝘝𝘐𝘚𝘈. ⋘
Refeição 3650 – 28 qto ⊇ 25000/28000.

🏩 **Varanda Azul** sem rest, Rua Hermenegildo Capelo 3 ✆ 233 14 51, Fax 233 14 54 –
🗐 🗹 ☎. ⌶ ⋿ 𝘝𝘐𝘚𝘈. ⋘
17 qto ⊇ 7000/9000.

PARADELA Vila Real **440** G 6 – 214 h. – ⊠ 5470 Montalegre – ✪ 076.
Ver : Represa★ : sítio★.
Lisboa 437 – Braga 70 – Porto 120 – Vila Real 136.

🏕 Pousadinha Paradela ⌂, ✆ 561 65 – ⑫
7 qto.

PARCHAL Faro – ver Portimão.

PAREDE 2775 Lisboa **440** P 1 – 19 960 h. – ✪ 01 – Praia.
Lisboa 22 – Cascais 7 – Sintra 15.

XX Dom Pepe, Rua Sampaio Bruno 2-1º ✆ 457 06 36, Fax 457 06 36, ≤ – 🗐.

PAREDES DE COURA 4940 Viana do Castelo **440** G 4 – ✪ 051.
🛈 Largo Visconde de Moselos ✆ 78 35 92.
Lisboa 427 – Braga 59 – Viana do Castelo 49.

X **O Conselheiro,** Largo Visconde de Moselos ✆ 78 26 10,
🏖 – ⋿ 𝘝𝘐𝘚𝘈. ⋘
Refeição lista aprox. 2500.

PAUL Lisboa – ver Torres Vedras.

PEDRÓGÃO GRANDE 3270 Leiria **440** M 5 – 2 830 h. – ✪ 036.
Lisboa 150 – Castelo Branco 82 – Coimbra 65 – Leiria 90.

ao Este : 3 km :

X **Lago Verde,** Vale de Góis ✆ 462 40, Fax 462 44, ≤, « Na margem do rio Zêzere »
🗐 ⑫. ⋿ 𝘝𝘐𝘚𝘈. ⋘
fechado 2ª feira de outubro a maio – **Refeição** lista 2150 a 3100.

PEGO 2200 Santarém **440** N 5 – ✪ 041.
Lisboa 152 – Castelo Branco 102 – Leiria 91.

na estrada N 118 E : 2,5 km – ⊠ 2200 Pego – ✪ 041 :

🏨 **Abrantur** ⌂, ⊠ apartado 2 - Pego 2201 Abrantes, ✆ 934 64, Fax 932 87, ≤, ⊾,
– |≩| 🗐 🗹 ☎ ♿ ⑫ – 🚗 25/200. ⌶ ⑪ ⋿ 𝘝𝘐𝘚𝘈. ⋘
Refeição 1850 – 54 qto ⊇ 7800/11900.

'ENAFIEL 4560 Porto **440** I 5 - 6 886 h. alt. 323 - ✆ 055.
   Lisboa 352 - Porto 38 - Vila Real 69.

🏠 Pena H. *sem rest*, Parque do Sameiro 🖉 71 14 20, Fax 71 14 25, ⬛, ⚒ - 🛗 ▤ 📺 ☎
   ❷ - 🔬 25/150
   50 qto.

'ENHAS DA SAÚDE Castelo Branco **440** L 7 - ⊠ 6200 Covilhã - ✆ 075 - Desportos de
inverno na Serra da Estrela : ❄3.
   Lisboa 311 - Castelo Branco 72 - Covilhã 10 - Guarda 55.

🏨 **Quality Inn** 🐾, alt. 1550, ⊠ apartado 314, 🖉 31 38 09, Telex 53829, Fax 32 37 89,
   ≤, ‡6, ⚒ - ▤ rest 📺 ☎ ❷ - 🔬 25/300. ஊ ㅌ 𝘝𝘐𝘚𝘈. ⚘
   Refeição 2600 - **40 qto** ⊇ 13000/17000 - PA 5000.

'ENICHE 2520 Leiria **440** N 1 - 15 304 h. - ✆ 062 - Praia.
   Ver : O Porto : regresso da pesca★.
   Arred. : Cabo Carvoeiro★ - Papoa (❊★) - Remédios (Nossa Senhora dos Remédios :
   azulejos★).
   Excurs. : Ilha Berlenga★★ : passeio em barco★★★, passeio a pé★★ (local★, ≤★) 1 h. de
   barco.
   ⛴ para a Ilha da Berlenga : Viamar, no porto de Peniche, 🖉 78 21 53.
   🅱 Rua Alexandre Herculano 🖉 78 95 71.
   Lisboa 92 - Leiria 89 - Santarém 79.

'ERNES 2000 Santarém **440** N 4 - ✆ 043.
   Lisboa 106 - Abrantes 54 - Caldas da Rainha 72 - Fátima 35.

o Nordeste - Autoestrada A 1 :

🏨 Do Prado, Área de Serviço de Santarém 🖉 44 03 02, Fax 44 03 40, ⬛ - ▤ 📺 ☎ ょ
   ❷ - 🔬 25/40
   30 qto.

'ESO DA RÉGUA 5050 Vila Real **440** I 6 - 9 291 h. - ✆ 054.
   🅱 Rua da Ferreirinha 🖉 228 46.
   Lisboa 379 - Braga 93 - Porto 102 - Vila Real 25 - Viseu 85.

🏠 **Columbano** *sem rest*, Av. Sacadura Cabral 🖉 32 37 04, Fax 249 45, ≤, ⬛, ⚒ - ▤
   📺 ☎ ❷. ⓞ ㅌ 𝘝𝘐𝘚𝘈. ⚘
   70 qto ⊇ 5000/6500.

🏠 **Império** *sem rest*, Rua Vasques Osório 8 🖉 32 01 20, Fax 32 14 57 - 📺 ⟺. 𝘝𝘐𝘚𝘈.
   ⚘
   33 qto ⊇ 4000/6000.

XX **Rosmaninho,** Av. de Ovar-Lote 3 🖉 223 10, Fax 223 10 - ▤. ஊ ⓞ ㅌ 𝘝𝘐𝘚𝘈.
   ⚘
   fechado 2ª feira e 15 janeiro-15 fevereiro - **Refeição** lista 2350 a 4750.

'CO DO ARIEIRO Madeira - ver Madeira (Arquipélago da).

'INHANÇOS Guarda **440** K 6 - 1872 h. - ⊠ 6270 Seia - ✆ 038.
   Lisboa 302 - Coimbra 102 - Guarda 63.

🏠 **Senhora da Lomba** *sem rest*, Estrada 17 🖉 48 10 51, Fax 48 10 90 - ▤ 📺 ☎ ❷.
   ⚘
   20 qto ⊇ 3000/8000.

'INHÃO 5085 Vila Real **440** I 7 - 831 h. alt. 120 - ✆ 054.
   Arred. : N : Estrada de Sabrosa★★ ≤★.
   Lisboa 399 - Vila Real 30 - Viseu 100.

⚐ **Douro,** Largo da Estação 🖉 724 04, ≤ - ▤ qto 📺
   fechado do 15 ao 31 de dezembro - **Refeição** 1800 - **14 qto** ⊇ 3000/5000 - PA 3600.

Non viaggiate oggi con una carta stradale di ieri.

POISO Madeira – ver Madeira (Arquipélago da).

POMBAL 3100 Leiria **440** M 4 – 4 760 h. – ✪ 036.
⌂ Largo do Cardal ℰ 232 30.
Lisboa 153 – Coimbra 43 – Leiria 28.

🏛 **Do Cardal** sem rest, Largo do Cardal ℰ 282 06, Fax 281 36 – 🛗 🗐 📺 ☎ ⇔
🛃 25/50. 🄰🄴 ⑩ 🄴 **VISA**
29 qto ⊑ 4500/7000.

🏛 **Sra. de Belém** ⬡ sem rest, Av. Heróis do Ultramar 185 - Urb. Sra. de Belém ℰ 281 8
Fax 255 33 – 🛗 📺 ☎. **VISA**. 🍴
26 qto ⊑ 4500/7000.

na estrada N 1 – ✉ 3100 Pombal – ✪ 036 :

XX **O Manjar do Marquês** com snack-bar, NO : 2 km ℰ 281 94, Fax 288 18 – 🄿. 🄰🄴 ⑩
🄴 **VISA**. 🍴
Refeição lista 2000 a 3500.

X **São Sebastião** com snack-bar, SO : 3 km ℰ 287 45 – 🗐 🄿. 🄴 **VISA**. 🍴
Refeição lista 1730 a 3100.

PONTE DA BARCA 4980 Viana do Castelo **440** G 4 – ✪ 058.
⌂ Largo da Misericórdia 11 ℰ 428 99.
Lisboa 412 – Braga 32 – Viana do Castelo 40.

🏛 **San Fernando** sem rest, Rua de Santo António ℰ 425 80, Fax 437 66 – 📺 🄿. 🄴 **VISA**
🍴
24 qto ⊑ 6200/6400.

🏛 **Os Poetas** sem rest, Jardim dos Poetas ℰ 435 78, ≤ – 📺 ☎. 🄴 **VISA**. 🍴
junho-setembro – **10 qto** ⊑ 7400/8400.

X Bar do Rio, Praia Fluvial ℰ 425 82, ≤, « Bela paragem junto ao rio » – 🗐.

PONTE DE LIMA 4990 Viana do Castelo **440** G 4 – 2 438 h. alt. 22 – ✪ 058.
Ver : Ponte★ - Igreja-Museu dos Terceiros (talhas★).
⌂ Praça da República ℰ 74 16 52.
Lisboa 392 – Braga 33 – Porto 85 – Vigo 70.

🏛 Império do Minho, Av. dos Plátanos ℰ 74 15 10, Fax 94 25 67, ⤳ – 🛗 🗐 📺 ☎ 🄿
🛃 25
50 qto.

ao Sueste : 3,5 km :
XX Madalena, Monte de Santa Maria Madalena ℰ 94 12 39, ≤ – 🄿.

PONTE DE SOR 7400 Portalegre **440** O 5 – ✪ 042.
Lisboa 173 – Abrantes 35 – Évora 98 – Fátima 99 – Portalegre 67.

🏛 **Sor,** Rua João Pedro de Andrade ℰ 260 26, Fax 260 28 – 🛗 🗐 📺 ☎ 🕭 🄿 – 🛃 25/1
⑩ 🄴 **VISA**. 🍴
Refeição 2200 – **39 qto** ⊑ 7000/9000, 2 suites – PA 4400.

PORTAGEM Portalegre **440** N 7 – ✉ 7330 Marvão – ✪ 045.
Lisboa 246 – Cáceres 115 – Castelo de Vide 9 – Portalegre 17.

🏛 **Sever,** Estrada do Rio Sever ℰ 933 18, Fax 934 12, 🍴 – 📺 ☎ 🄿. 🄴 **VISA**. 🍴
Refeição lista 1600 a 2375 – **16 qto** ⊑ 5500/9000.

PORTALEGRE 7300 🄿 **440** O 7 – 15 383 h. alt. 477 – ✪ 045.
Arred. : Pico São Mamede ⧉★ – Estrada★ escarpada de Portalegre a Castelo de Vide p
Carreiras N : 17 km.
⌂ Estrada de Santana 25 ℰ 218 15 Fax 240 53.
Lisboa 238 – Badajoz 74 – Cáceres 134 – Mérida 138 – Setúbal 199.

na estrada da Serra de São Mamede NE : 4 km – ✉ 7300 Portalegre – ✪ 045 :

🏛 **Estal. Quinta da Saúde** ⬡, ℰ 223 24, Fax 272 34, 🍴, ⤳, ℀ – 🗐 rest 📺 ☎
🄰🄴 ⑩ 🄴 **VISA**
Refeição lista aprox. 5500 – **12 qto** ⊑ 8000/12000.

PORTIMÃO 8500 Faro **440** U 4 – 21 196 h. – ✪ 082 – Praia.

Ver : ≤★ *da ponte sobre o rio Arade* X.

Arred.: *Praia da Rocha*★★ *(miradouro*★ Z **A**).

ᵣ₈ ᵣ₉ ᵣ₉ *Golf Club Penina por* ③ : *5 km* ℰ 41 54 15 Fax 41 50 00.

🛈 *Largo 1º de Dezembro* ℰ 236 95 Av. Tomás Cabreira (Praia da Rocha) ℰ 222 90.

Lisboa 290 ③ – *Faro 62* ② – *Lagos 18* ③.

Plano página seguinte

🏤 **Nelinanda** sem rest, Rua Vicente Vaz das Vacas 22 ℰ 41 78 39, Fax 41 78 43 – |≢| 🗐 📺 ☎. 🆎 ⓸ 𝒱𝐼𝑆𝐴. 𝒮𝒮
X d
28 qto ⌷ 6000/8000.

🏠 **Mira Foia** sem rest, Rua Vicente Vaz das Vacas 33 ℰ 41 78 52, Fax 41 78 54 – |≢| 🗐 📺 ☎
X e
24 qto.

🏠 **Arabi** sem rest, Praça Manuel Teixeira Gomes 13 ℰ 260 06 – 📺 ☎. 𝒱𝐼𝑆𝐴
X t
17 qto ⌷ 6000/7500.

✗ **O Bicho,** Largo Gil Eanes 12 ℰ 229 77, Fax 824 40, Peixes e mariscos – 🗐. 🆎 ⓸ 𝐄
𝒱𝐼𝑆𝐴 ᴊᴄʙ. 𝒮𝒮
X c
fechado domingo meio-dia – **Refeição** lista 2700 a 4700.

em Parchal por ② : *2 km* – ⌷ 8500 Portimão – ✪ 082 :

✗ **O Buque,** Estrada N 125 ℰ 246 78 – 🗐. 🆎 𝐄 𝒱𝐼𝑆𝐴. 𝒮𝒮
fechado sábado meio-dia, domingo meio-dia e do 15 ao 30 de novembro – **Refeição** lista 3300 a 6600.

✗ **A Lanterna,** Estrada N 125 - cruzamento de Ferragudo ℰ 41 44 29 – 🗐. 𝐄 𝒱𝐼𝑆𝐴.
𝒮𝒮
fechado domingo e 27 novembro-27 dezembro – **Refeição** (só jantar) lista 3040 a 4240.

na Praia da Rocha S : *2,3 km* – ⌷ 8500 Portimão – ✪ 082 :

🏨 **Algarve,** Av. Tomás Cabreira ℰ 41 50 01, Telex 57347, Fax 41 59 99, ≤ praia,
ℱᴁ, ⌇ climatizada, 🌊, 🍃, ✗ – |≢| 🗐 📺 ☎ ℗ – 🕍 25/120. 🆎 ⓸ 𝐄 𝒱𝐼𝑆𝐴.
𝒮𝒮 rest
Z y
Refeição 3700 - *Das Amendoeiras* (só jantar) Refeição lista 3700 a 4650 - *Zodíaco* :
Refeição lista 3000 a 4000 - **202 qto** ⌷ 30500/39000, 18 suites.

🏨 **Aparthotel Oriental,** Av. Tomás Cabreira ℰ 41 30 00, Telex 58788, Fax 41 34 13, ≤
praia, 🍴, ⌇, 🍃 – |≢| 🗐 📺 ☎. 🆎 ⓸ 𝒱𝐼𝑆𝐴. 𝒮𝒮
Z c
Refeição 3500 - **85 apartamentos** ⌷ 25300/30800 – PA 7000.

🏨 Bela Vista sem rest, Av. Tomás Cabreira ℰ 240 55, Telex 57386, Fax 41 53 69, ≤ roche-
dos e mar, « Instalado numa antiga casa senhorial » – |≢| 📺 ☎ ℗
Z u
14 qto.

🏨 **Avenida Praia** sem rest, Av. Tomás Cabreira ℰ 41 77 40, Fax 41 77 42, ≤ – |≢| 🗐 📺
☎. 🆎 𝐄 𝒱𝐼𝑆𝐴. 𝒮𝒮
Z s
20 março-outubro – **61 qto** ⌷ 12900/14900.

🏨 **Albergaria Vila Lido** sem rest, Av. Tomás Cabreira ℰ 241 27, Fax 242 46, ≤ – 🗐 📺
☎. 𝐄 𝒱𝐼𝑆𝐴. 𝒮𝒮
Z w
fechado 15 dezembro-15 janeiro – **10 qto** ⌷ 12200/12700.

🏠 **Toca** sem rest, Rua Engenheiro Francisco Bivar ℰ 240 35, Fax 240 35 – 📺 ☎ ℗. 𝒮𝒮
abril-outubro – **15 qto** ⌷ 8000/8500.
Z d

✗✗✗ **Titanic,** Rua Engenheiro Francisco Bivar ℰ 223 71 – 🗐. 🆎 ⓸ 𝐄 𝒱𝐼𝑆𝐴. 𝒮𝒮
Z n
fechado 27 novembro-27 dezembro – **Refeição** lista 2670 a 3570.

✗✗ **Falésia,** Av. Tomás Cabreira ℰ 235 24, Fax 235 24, ≤, 🍴 – 🗐. 🆎 ⓸ 𝐄 𝒱𝐼𝑆𝐴. 𝒮𝒮
Z a
fechado 8 janeiro-8 fevereiro – **Refeição** lista 3100 a 4900.

na estrada de Alvor Y O : *4 km* – ⌷ 8500 Portimão – ✪ 082 :

✗✗ **Por-do-Sol,** ℰ 45 95 05, 🍴 – ℗. 🆎 ⓸ 𝐄 𝒱𝐼𝑆𝐴. 𝒮𝒮
fechado 25 novembro-26 dezembro – **Refeição** lista 2240 a 3700.

na Praia do Vau SO : *3 km* – ⌷ 8500 Portimão – ✪ 082 :

🏨 **Vau'Hotel,** Encosta do Vau ℰ 41 15 92, Telex 58775, Fax 41 15 94, ⌇ – |≢| 🗐 📺 ☎.
🆎 ⓸ 𝐄 𝒱𝐼𝑆𝐴. 𝒮𝒮
Refeição 2050 - **74 apartamentos** ⌷ 13500/35000.

🏨 **Rochavau** sem rest, ℰ 261 11, Fax 261 13, ⌇ – |≢| 🗐 ☎ 🚗. 🆎 ⓸ 𝒱𝐼𝑆𝐴. 𝒮𝒮
abril-outubro – **56 qto** ⌷ 10000/12000.

✗ **Casa Real,** Av. Rocha Vau 3 ℰ 41 80 83, 🍴 – 🗐. 🆎 ⓸ 𝐄 𝒱𝐼𝑆𝐴. 𝒮𝒮
fechado de 15 ao 30 de novembro – **Refeição** lista aprox. 3500.

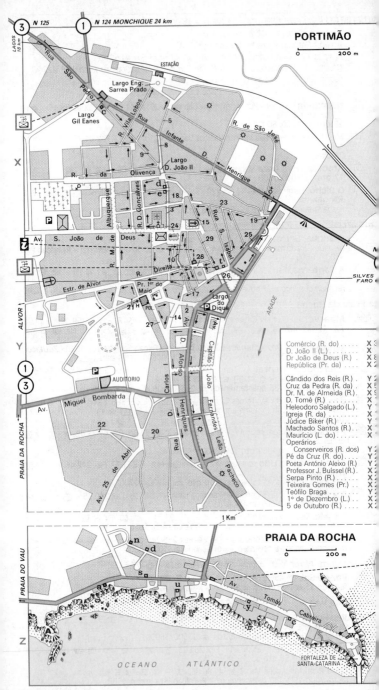

PORTIMÃO

ESTAÇÃO

Largo Eng. Sarrea Prado

Largo Gil Eanes

Rua São Pedro

Largo D. João II

Rua Infante D. Henrique

R. de São José

R. Vila Lobos

R. da Olivença

R. Albuquerque

R. D. Gonçalves

Av. S. João de Deus

R. M. de Deus

R. Isabel

R. Direita

Estr. de Alvor

Pr. 1er do Maio

Largo do Dique

ARADE

SILVES FARO

ALVOR

Av. Miguel Bombarda

AUDITORIO

PRAIA DA ROCHA

Rua Carlos

Av. Capitão João

Rua Fernandes Leão

Rua Afonso Henriques

Rua Pacheco

Av. 23 de Abril

200 m

1 Km

Comércio (R. do) . . . . . **X** 3
D. João II (L.) . . . . **X**
Dr João de Deus (R.) . **X** 8
República (Pr. da) . . . . **X** 2

Cândido dos Reis (R.) . **Y**
Cruz da Pedra (R. da) . **X**
Dr. M. de Almeida (R.) . **X**
D. Tomé (R.) . . . . **X**
Heleodoro Salgado (L.) . **Y**
Igreja (R. da) . . . . **Y**
Júdice Biker (R.) . . . . . **X**
Machado Santos (R.) . . **X**
Maurício (L. do) . . . . . **X**
Operários
  Conserveiros (R. dos) **Y**
Pé da Cruz (R. do) . . . . **Y**
Poeta António Aleixo (R.) **X**
Professor J. Buíssel (R.) . **X**
Serpa Pinto (R.) . . . . . . **X**
Teixeira Gomes (Pr.) . . **X**
Teófilo Braga . . . . **X**
1º de Dezembro (L.) . . **X**
5 de Outubro (R.) . . . . **X**

PRAIA DA ROCHA

PRAIA DO VAU

OCEANO ATLÂNTICO

Av. Tomás Cabreira

FORTALEZA DE SANTA-CATARINA

200 m

a **Praia dos Três Irmãos** *SO : 4,5 km* – ⊠ *8500 Portimão* – 🕾 *082 :*

🏨🏨🏨 **Alvor Praia** ⤵, 𝒫 45 89 00, Telex 57611, Fax 45 89 99, ≤ praia e baía de Lagos, 🏬, 🍃 climatizada, 🐾, 🗯, ✗ – 📳 🔲 📺 ☎ 🄿 – 🔏 25/400. 🖭 ⓞ 🅴 𝒱𝐼𝑆𝐴. ✵
Refeição 5000 – **182 qto** ⊡ 46800/52400, 16 suites – PA 10000.

🏨🏨 **Delfim** ⤵, 𝒫 45 89 01, Telex 57620, Fax 45 89 70, ≤ praia e baía de Lagos, 𝐿𝑏, 🍃, 🐾, ✗ – 📳 🔲 📺 ☎ 🄿. 🖭 ⓞ 🅴 𝒱𝐼𝑆𝐴. ✵
Refeição 3500 – **300 qto** ⊡ 28000/31000, 12 suites – PA 7000.

🏋 **O Búzio**, Aldeamento da Prainha 𝒫 45 85 61, Telex 45 95 69, ≤, 🏬 – 🖭 ⓞ 🅴 𝒱𝐼𝑆𝐴. ✵
março-novembro – **Refeição** (só jantar) lista 4000 a 4600.

a **Praia de Alvor** *SO : 5 km* – ⊠ *8500 Portimão* – 🕾 *082 :*

🏨🏨🏨 **D. João II** ⤵, 𝒫 45 91 35, Telex 57321, Fax 45 93 63, ≤ praia e baía de Lagos, 🍃 climatizada, 🐾, 🗯 – 📳 🔲 📺 ☎ 🄿 – 🔏 25/100. 🖭 ⓞ 🅴 𝒱𝐼𝑆𝐴. ✵
abril-dezembro – **Refeição** 3000 – **202 qto** ⊡ 26800/29600, 18 suites – PA 6000.

a estrada N 125 *por ③ : 5 km* – ⊠ *8500 Portimão* – 🕾 *082 :*

🏨🏨🏨 **Le Meridien Penina Golf,** 𝒫 41 54 15, Telex 57307, Fax 41 50 00, ≤ golfe e campo, 🏬, 𝐿𝑏, 🍃, 🐾, ✗, 🖿 – 📳 🔲 📺 ☎ 🄿 – 🔏 25/350. 🖭 ⓞ 🅴 𝒱𝐼𝑆𝐴. ✵
Sagres (só jantar buffet) **Refeição** lista aprox. 4500 - *Grill (só jantar)* **Refeição** lista 6000 a 8300 - *L'Arlecchino (fechado sábado e domingo)* **Refeição** lista 4800 a 7000 – **181 qto** ⊡ 27650/38000, 15 suites.

ORTO 4000 🅿 440 *I 3* – 302 472 h. alt. 90 – 🕾 02.

Ver : *Sítio*★★ – *Vista de Nossa Senhora da Serra do Pilar*★ EZ – *As Pontes (ponte Maria Pia*★ FZ, *ponte D. Luis I*★★ EZ) – *As Caves do vinho do Porto*★ *(Vila Nova de Gaia)* DEZ – *Sé (altar*★) - *Claustro (azulejos*★) EZ – *Casa da Misericórdia (quadro Fons Vitae*★) EYZ **B** – *Palácio da Bolsa (Salão árabe*★) EZ – *Igreja de São Francisco*★★ *(decoração barroca*★★, árvore de Jessé*★) EZ – *Cais da Ribeira*★ EZ – *Torre dos Clérigos*★ ✲✲ EY - *Museu Soares dos Reis (estátua O Desterrado*★) DY.

Outras curiosidades : *Museu António da Almeida (colecção de moedas de ouro*★) BU **M4** - *Igreja de Santa Clara*★ *(talhas douradas*★) EZ **E** *Fundação de Serralves*★ *(Museu Nacional de Arte Moderna) : jardim*★, *grades de ferro forjado*★.

🖿 *Club de Golf Miramar por ⑥ : 9 km 𝒫 762 20 67.*

✈ *Francisco de Sà Carneiro, 17 km por ①, 𝒫 948 21 41 – T.A.P., Praça Mouzinho de Albuquerque 105, ⊠ 4100, 𝒫 608 02 00.*

🚢 𝒫 56 56 70.

🯄 *Rua do Clube Fenianos 25 ⊠ 4000 𝒫 31 27 40 Fax 32 33 03 e Praça D. João I-43 ⊠ 4000 𝒫 31 75 14 Fax 31 32 12* – **A.C.P.** *Rua Gonçalo Cristóvão 2, ⊠ 4000, 𝒫 31 67 32, Fax 31 66 98.*

Lisboa 314 ⑤ – La Coruña/A Coruña 305 ① – Madrid 591 ⑤.

Planos páginas seguintes

🏨🏨🏨 **Sheraton Porto H.,** Av. da Boavista 1269, ⊠ 4150, 𝒫 606 88 22, Telex 22723, Fax 609 14 67, ≤, 𝐿𝑏, 🔲 – 📳 🔲 📺 ☎ 👤 🖙 – 🔏 25/300. 🖭 ⓞ 🅴 𝒱𝐼𝑆𝐴 𝐽𝐶𝐵. ✵
Refeição lista aprox. 5550 – **234 qto** ⊡ 26250/28700, 17 suites. BU **e**

🏨🏨🏨 **Le Meridien Porto,** Av. da Boavista 1466, ⊠ 4100, 𝒫 600 19 13, Telex 27301, Fax 600 20 31, 🏬 – 📳 🔲 📺 👤 🖙 – 🔏 25/500. 🖭 ⓞ 🅴 𝒱𝐼𝑆𝐴 𝐽𝐶𝐵. ✵
Refeição lista aprox. 6240 – ⊡ 2250 – **226 qto** 28000/31000, 6 suites. BU **a**

🏨🏨🏨 **Ipanema Park H.,** Rua Serralves 124, ⊠ 4150, 𝒫 610 41 74, Fax 610 28 09, ≤, 𝐿𝑏, 🍃, 🔲 – 📳 🔲 📺 👤 🖙 🄿 – 🔏 25/300. 🖭 ⓞ 🅴 𝒱𝐼𝑆𝐴 𝐽𝐶𝐵. ✵ rest AV **b**
Refeição 3500 – **270 qto** ⊡ 22000/24000, 11 suites – PA 7000.

🏨🏨🏨 **Infante de Sagres,** Praça D. Filipa de Lencastre 62, ⊠ 4050, 𝒫 200 81 01, Telex 26880, Fax 31 49 37, « Bela decoração interior » – 📳 🔲 📺 ☎. 🖭 ⓞ 🅴 𝒱𝐼𝑆𝐴 𝐽𝐶𝐵. ✵ EY **b**
Refeição lista 6800 a 7300 – **68 qto** ⊡ 25000/27500, 6 suites.

🏨🏨🏨 **Tivoli Porto** *sem rest. com snack bar,* Rua Afonso Lopes Vieira 66, ⊠ 4100, 𝒫 609 49 41, Telex 23159, Fax 606 74 52, 🍃 – 📳 🔲 📺 ☎ 🖙 – 🔏 25/100. 🖭 ⓞ 🅴 𝒱𝐼𝑆𝐴 𝐽𝐶𝐵. ✵ AU **z**
52 qto ⊡ 22000/24000, 6 suites.

🏨🏨🏨 **Grande H. da Batalha,** Praça da Batalha 116, ⊠ 4000, 𝒫 200 05 71, Telex 25131, Fax 200 24 68, ≤ – 📳 🔲 📺 ☎ – 🔏 25/100. 🖭 ⓞ 🅴 𝒱𝐼𝑆𝐴 𝐽𝐶𝐵. ✵ FY **f**
Refeição 3000 – **140 qto** ⊡ 15300/19000, 9 suites – PA 6000.

🏨🏨 **Dom Henrique,** Rua Guedes de Azevedo 179, ⊠ 4000, 𝒫 200 57 55, Telex 22554, Fax 201 94 51, ≤ – 📳 🔲 📺 ☎ – 🔏 25/80 FX **b**
Refeição Coffee-Shop Tábula – Grill Navegador – **92 qto**, 20 suites.

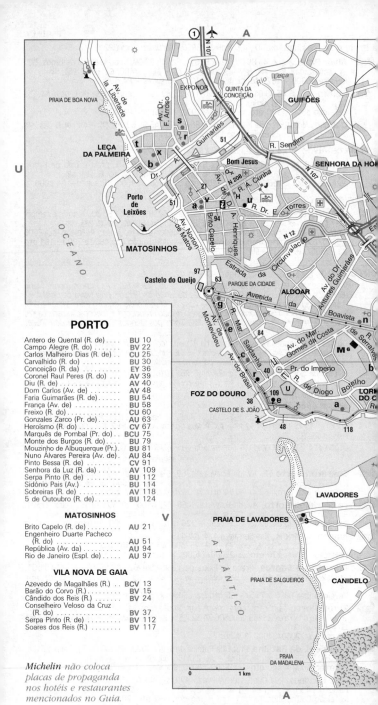

PRAIA DE BOA NOVA

la de Liberdade

LEÇA
DA PALMEIRA

OCEANO

Porto
de
Leixões

MATOSINHOS

Castelo do Queijo

Av. Norte de Matos

EXPONOR

QUINTA DA
CONCEIÇÃO

Rio Leça

GUIFÕES

R. Senhora

Bom Jesus

N 208

R. A. Cunha

SENHORA DA HO

N 107

Estrada da Circunvalação

PARQUE DA CIDADE

ALDOAR

Av. do Dr. Antunes Guimarães

Boavista

Av. do Mar Gomes da Costa

Av. de Montevideu

Av. do Brasil

FOZ DO DOURO

CASTELO DE S. JOÃO

Pr. do Imperio

R. de Diogo

LORD
DO C

FOZ DO DOURO

CASTELO DE S. JOÃO

LAVADORES

PRAIA DE LAVADORES

ATLÂNTICO

PRAIA DE SALGUEIROS

CANIDELO

PRAIA
DA MADALENA

0   1 km

PORTO

Antero de Quental (R. de)	BU 10
Campo Alegre (R. do)	BV 22
Carlos Malheiro Dias (R. de) ..	CU 25
Carvalhido (R. do)	BU 30
Conceição (R. da)	EY 36
Coronel Raul Peres (R. do) ...	AV 39
Diu (R. de)	AV 40
Dom Carlos (Av. de)	AV 48
Faria Guimarães (R. de).....	BU 54
França (Av. de)	BU 58
Freixo (R. do)	CU 60
Gonzales Zarco (Pr. de)	AU 63
Heroísmo (R. do)	CV 67
Marquês de Pombal (Pr. do) ..	BCU 75
Monte dos Burgos (R. do)	BU 79
Mouzinho de Albuquerque (Pr.).	BU 81
Nuno Álvares Pereira (Av. de).	AU 84
Pinto Bessa (R. de)	CV 91
Senhora da Luz (R. da)	AV 109
Serpa Pinto (R. de)	BU 112
Sidónio Pais (Av.)	BU 114
Sobreiras (R. de)	AV 118
5 de Outoubro (R. de).......	BU 124

MATOSINHOS

Brito Capelo (R. de)	AU 21
Engenheiro Duarte Pacheco (R. do)	AU 51
República (Av. da)	AU 94
Rio de Janeiro (Espl. de)	AU 97

VILA NOVA DE GAIA

Azevedo de Magalhães (R.) ..	BCV 13
Barão do Corvo (R.)	BV 15
Cândido dos Reis (R.)	BV 24
Conselheiro Veloso da Cruz (R. do)	BV 37
Serpa Pinto (R. de)	BV 112
Soares dos Reis (R.)	BV 117

*Michelin não coloca
placas de propaganda
nos hotéis e restaurantes
mencionados no Guia.*

680

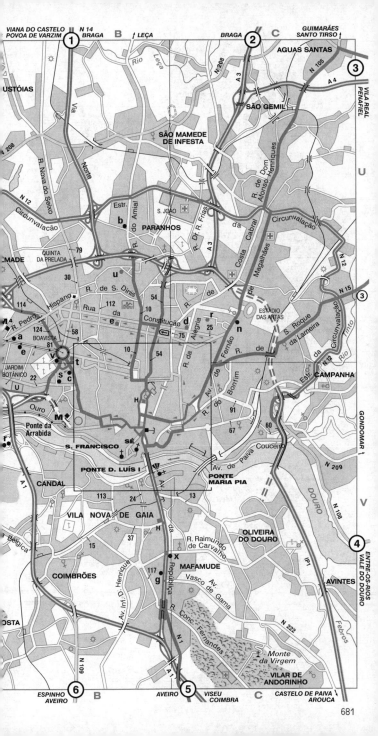

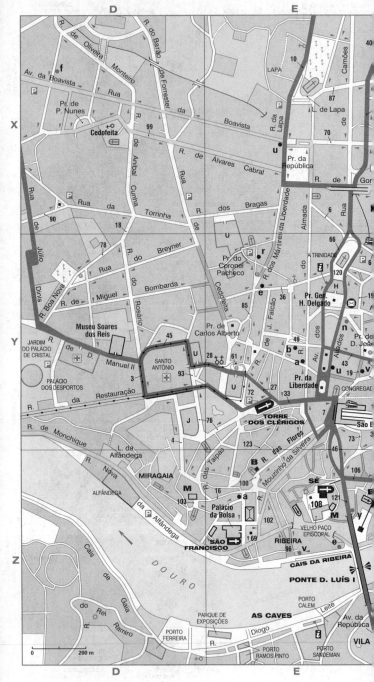

PORTO

Almada (R. do) . . . . **EXY**
Carmelitas (R. das) . . . . . . **EY** 27
Clérigos (R. dos) . . . . **EY** 33
Dr António Emílio
  de Magalhães (R. do) . **EY** 42
Dr Magalhães Lemos
  (R. do) . . . . **EY** 43
Fernandes Tomás (R. de) . **EFY**
Flores (R. das) . . . . **EYZ**
Formosa (R.) . . . . **EFY**
Passos Manuel (R. de) . . **FY** 88
Sá da Bandeira (R. de) . . **FXY**
Santa Catarina (R. de) . . . **FY**
31 de Janeiro (R. de) . . . **EY** 126

Alberto Aires Gouveia
  (R. de) . . . . **DY** 3
Albuquerque (R. Af. de) . **DYZ** 4
Alferes Malheiro (R. do) . **EXY** 6
Almeida Garrett (Pr. de) . **EY** 7
Antero de Quental (R. de) . **EX** 10
Augusto Rosa (R. de) . . . **FZ** 12
Belomonte (R. de) . . . . . . **EZ** 16
Boa Hora (R. da) . . . . . . **DXY** 18
Bonjardim (R. do) . . . . . . **EXY** 19
Carmo (R. do) . . . . **DEY** 28
Cimo da Vila (R. de) . . . . **EY** 31
Coelho Neto (R. de) . . . . **FY** 34
Dr. Tiogo de Almeida
  (R. do) . . . . **DY** 45
Dom Afonso Henriques
  (Av.) . . . . **EYZ** 46
Dona Filipa de Lencastre
  (Pr. de) . . . . **EY** 49
Entreparedes (R. de) . . . . **FY** 52
Faria Guimarães (R. de) . **EX** 54
Fonseca Cardoso (R. de) . **EX** 57
Gomes Teixeira (R. de) . **EY** 61
Guedes de Azevedo
  (R. de) . . . . **FXY** 64
Heróis e Mártires
  de Angola (R. dos) . . . **EY** 66
Infante Dom Henrique
  (Pr. e R. do) . . . . **EZ** 69
João das Regras (R. de) . **EX** 70
Lisboa (Pr. de) . . . . **EY** 72
Loureiro (R. do) . . . . **EY** 73
Mártires da Pátria
  (Campo dos) . . . . **DEY** 76
Maternidade (R. da) . . . . **DY** 78
Nova de São Crispim (R.) . **FX** 82
Oliveiras (R. das) . . . . **EY** 85
Paraíso (R. do) . . . . **EFX** 87
Piedade (R. da) . . . . **DX** 90
Prov. Vicente José
  de Carvalho (R. do) . . . **DY** 93
Ribeira (Pr. da) . . . . **EZ** 96
Sacadura Cabral (R.) . . . . **DX** 99
São Domingos (L. de) . . . **EZ** 100
São João (R. de) . . . . **EZ** 102
São João Novo (Pr. de) . . **DZ** 103
São Lázaro (Passeio de) . **FY** 105
Saraiva de Carvalho
  (R. de) . . . . **EZ** 106
Sé (Terreiro da) . . . . **EZ** 108
Soares dos Reis (L. de) . **FY** 115
Trinidade (R. da) . . . . **EY** 120
Vimara Peres (Av.) . . . . . **EZ** 121
Vitória (R. da) . . . . **EYZ** 123

*Em certos restaurantes
de grandes cidades,
é muitas vezes difícil
encontrar uma
mesa livre.
É aconselhado reservar
com antecedência.*

683

🏨🏨 **Ipanema Porto H.,** Rua Campo Alegre 156, ⊠ 4150, ℰ 606 80 61, Telex 272⬢
Fax 606 33 39 – 🛗 🖭 📺 ☎ 🅿 – 🕍 25/350. 🖭 ⓪ 🖅 𝗩𝗜𝗦𝗔 ᴊᴄʙ. ⁂ rest   BV
Refeição lista 2640 a 5300 – **140 qto** ⊂⊃ 14600/16600, 10 suites.

🏨🏨 **Casa do Marechal,** Av. da Boavista 2652, ⊠ 4100, ℰ 610 47 02, Fax 610 32 41, ⬢
« Bela moradia decorada com elegância », ┢ó, 🛋 – 🖭 📺 ☎ 🅿 – 🕍 25/30. 🖭 ⓪
𝗩𝗜𝗦𝗔. ⁂   AU
fechado agosto – **Refeição** *(fechado sábado e domingo)* 5000 – **5 qto** ⊂⊃ 21000/230⬢

🏨🏨 **Inca,** Praça Coronel Pacheco 52, ⊠ 4050, ℰ 208 41 51, Telex 23816, Fax 31 47 5⬢
🛗 🖭 📺 ☎ – 🕍 25/35. 🖭 ⓪ 🖅 𝗩𝗜𝗦𝗔. ⁂   EY
Refeição lista aprox. 3500 – **62 qto** ⊂⊃ 14000/15200.

🏨🏨 **Castor,** Rua das Doze Casas 17, ⊠ 4000, ℰ 57 00 14, Telex 22793, Fax 56 60 76, Mc⬢
liário antigo – 🛗 🖭 📺 ☎ – 🕍 25/80. 🖭 ⓪ 🖅 𝗩𝗜𝗦𝗔. ⁂ rest   FX
Refeição 2400 – **63 qto** ⊂⊃ 12900/13900.

🏨🏨 **Beta-Porto,** Rua do Amial 601, ⊠ 4200, ℰ 82 50 45, Telex 27108, Fax 82 52 20, ⬢
🖳 – 🛗 🖭 📺 ☎ 🅿 – 🕍 25/100. 🖭 ⓪ 🖅 𝗩𝗜𝗦𝗔. ⁂   BU
Refeição lista aprox. 3450 – **120 qto** ⊂⊃ 14000/17000, 6 suites.

🏨🏨 **Grande H. do Porto,** Rua de Santa Catarina 197, ⊠ 4000, ℰ 200 81 76, Telex 225⬢
Fax 31 10 61 – 🛗 🖭 📺 ☎ – 🕍 25/150. 🖭 ⓪ 🖅 𝗩𝗜𝗦𝗔 ᴊᴄʙ. ⁂   FY
Refeição 2400 – **100 qto** ⊂⊃ 13400/14400.

🏨 **Douro** *sem rest*, Rua da Meditação 71, ⊠ 4150, ℰ 600 11 22, Fax 600 10 90 – 🛗
📺 ☎ 🕭 ⬡ – 🕍 25/30. 🖭 ⓪ 🖅 𝗩𝗜𝗦𝗔. ⁂   BU
44 qto ⊂⊃ 12000/13000, 1 suite.

🏨 **Internacional,** Rua do Almada 131, ⊠ 4050, ℰ 200 50 32, Telex 21076, Fax 200 90⬢
– 🛗 🖭 📺 ☎ – 🕍 25/45. 🖭 ⓪ 𝗩𝗜𝗦𝗔. ⁂   EY
Refeição 2200 – **35 qto** ⊂⊃ 10000/12000 – PA 4400.

🏨 **Albergaria Miradouro,** Rua da Alegria 598, ⊠ 4000, ℰ 57 07 17, Fax 57 02 06,
cidade e arredores – 🛗 🖭 📺 ☎ 🅿. 🖭 ⓪ 🖅 𝗩𝗜𝗦𝗔 ᴊᴄʙ. ⁂   FX
Refeição (ver rest. **Portucale**) – **30 qto** ⊂⊃ 10000/12000.

🏨 Menfis *sem rest*, Rua da Firmeza 13, ⊠ 4000, ℰ 58 00 03, Fax 510 18 26 – 🛗 🖭
☎ 🕭   FY
24 qto, 2 suites.

🏨 **São José** *sem rest*, Rua da Alegria 172, ⊠ 4000, ℰ 208 02 61, Fax 32 04 46 – 🛗
📺 ☎ 🕭. 🖭 ⓪ 🖅 𝗩𝗜𝗦𝗔. ⁂   FY
43 qto ⊂⊃ 9300/10800.

🏨 **Do Vice-Rei** *sem rest*, Rua Júlio Dinis 779-4°, ⊠ 4050, ℰ 609 53 91, Fax 609 26 9⬢
🛗 🖭 📺 ☎. 🖭 ⓪ 𝗩𝗜𝗦𝗔. ⁂   BV
45 qto ⊂⊃ 8200/10000.

🏨 **Nave,** Av. Fernão de Magalhães 247, ⊠ 4300, ℰ 57 61 31, Telex 22188, Fax 56 12⬢
– 🛗 🖭 📺 ☎ 🕭. 🖭 ⓪ 🖅 𝗩𝗜𝗦𝗔. ⁂   FXY
Refeição 2500 – **81 qto** ⊂⊃ 7000/9000.

🏠 **Da Bolsa** *sem rest*, Rua Ferreira Borges 101, ⊠ 4050, ℰ 202 67 68, Fax 31 88 8⬢
🛗 🖭 📺 ☎ 🕭. 🖭 ⓪ 🖅 𝗩𝗜𝗦𝗔. ⁂   EZ
36 qto ⊂⊃ 9900/12100.

🏠 **São João** *sem rest*, Rua do Bonjardim 120-4°, ⊠ 4050, ℰ 200 16 62, Fax 31 61 1⬢
🛗 📺. 🖭 ⓪ 🖅 𝗩𝗜𝗦𝗔. ⁂   EY
14 qto ⊂⊃ 10000/12000.

🏠 **Antas,** Rua Padre Manuel da Nóbrega 111, ⊠ 4300, ℰ 52 50 00, Fax 550 05 03 –
🖭 📺 ☎ 🕭. 🖭 ⓪ 🖅 𝗩𝗜𝗦𝗔. ⁂   CU⬢
Refeição 2500 – **30 qto** ⊂⊃ 10800/12000 – PA 5000.

🏠 Solar São Gabriel *sem rest*, Rua da Alegria 98, ⊠ 4050, ℰ 200 54 99, Fax 32 39 5⬢
🛗 🖭 📺 ☎ 🕭   FY
28 qto.

🏠 Rex *sem rest*, Praça da República 117, ⊠ 4000, ℰ 200 45 48, Fax 208 38 82, An⬢
moradia particular conservando os bonitos tectos originais – 🛗 📺 ☎ 🅿   EX
21 qto.

🏠 **Malaposta** *sem rest*, Rua da Conceição 80, ⊠ 4000, ℰ 200 62 78, Fax 200 62 9⬢
🛗 🖭 📺 ☎. 🖭 ⓪ 🖅 𝗩𝗜𝗦𝗔. ⁂   EY
37 qto ⊂⊃ 6900/8500.

🏠 **Universal** *sem rest*, Av. dos Aliados 38, ⊠ 4000, ℰ 200 67 58, Fax 200 10 55 – 🛗
☎. 🖭 ⓪ 🖅 𝗩𝗜𝗦𝗔   EY
46 qto ⊂⊃ 6000/7500.

🏠 **Escondidinho** *sem rest*, Rua de Passos Manuel 135, ⊠ 4000, ℰ 200 40⬢
Fax 202 60 75 – 🛗 📺. 🖭 ⓪ 🖅 𝗩𝗜𝗦𝗔   FY
23 qto ⊂⊃ 7000/8000.

XXX **Churrascão do Mar,** Rua João Grave 134, ✉ 4150, ℰ 609 63 82, Fax 600 43 37, Peixes e mariscos, « Antiga moradia senhorial » – 🗏 🅿. 🖭 ⓪ Ⓔ 𝘝𝘐𝘚𝘈 ᴊᴄʙ. ⅏ BU d
fechado domingo e agosto – **Refeição** lista 4240 a 6120.

XXX **Portucale,** Rua da Alegria 598, ✉ 4000, ℰ 57 07 17, Fax 57 02 06, ⩽ cidade e arredores – |❧| 🗏 🅿. 🖭 ⓪ Ⓔ 𝘝𝘐𝘚𝘈 ᴊᴄʙ. ⅏ FX d
Refeição lista 4800 a 9400.

XXX **Lima 5,** Ângulo das Ruas Alegria e Constituição, ✉ 4200, ℰ 59 23 60, Espec. em rodizio brasileiro – 🗏. Ⓔ 𝘝𝘐𝘚𝘈. ⅏ CU d
fechado domingo – **Refeição** lista aprox. 5100.

XX **Líder,** Alameda Eça de Queiroz 126, ✉ 4200, ℰ 52 00 89 – 🗏. 🖭 ⓪ Ⓔ 𝘝𝘐𝘚𝘈. ⅏
Refeição lista 3200 a 5400. CU r

XX O Escondidinho, Rua Passos Manuel 144, ✉ 4000, ℰ 200 10 79, Decoração regional –
🗏 FY n

XX **Churrascão Gaúcho,** Av. da Boavista 313, ✉ 4050, ℰ 609 17 38, Fax 600 43 37 –
🗏. 🖭 ⓪ Ⓔ 𝘝𝘐𝘚𝘈 ᴊᴄʙ. ⅏ BU t
fechado domingo e agosto – **Refeição** lista 3010 a 6640.

XX **D. Tonho,** Cais da Ribeira 13, ✉ 4050, ℰ 200 43 07, Fax 208 57 91 – 🗏. 🖭 ⓪ Ⓔ 𝘝𝘐𝘚𝘈. ⅏
Refeição lista 3200 a 5500. EZ e

XX **King Long,** Largo Dr. Tito Fontes 115, ✉ 4000, ℰ 31 39 88, Fax 606 64 44, Rest. chinês
– 🗏. 🖭 ⓪ Ⓔ 𝘝𝘐𝘚𝘈. ⅏ EX p
Refeição lista 1420 a 2370.

XX **Mesa Antiga,** Rua de Santo Ildefonso 208, ✉ 4000, ℰ 200 64 32 – 🗏. 🖭 ⓪ Ⓔ 𝘝𝘐𝘚𝘈. ⅏
fechado domingo – **Refeição** lista 2500 a 4900. FY x

X **Chez Albert,** Rua da Constituição 1365, ✉4200, ℰ 59 23 18 – 🗏. Ⓔ 𝘝𝘐𝘚𝘈. ⅏ BU e
Refeição lista aprox. 4100.

X Aquário Marisqueiro, Rua Rodrigues Sampaio 179, ✉ 4000, ℰ 200 22 31 – 🗏 EY n

X **Dom Castro,** Rua do Bonjardim 1078, ✉ 4000, ℰ 31 11 19, Taberna regional – ⅏
fechado domingo e agosto – **Refeição** lista 2000 a 3700. FX t

X **Casa Victorino,** Rua dos Canasteiros 44, ✉ 4050, ℰ 208 06 68, Peixes e mariscos –
🗏. 🖭 ⓪ Ⓔ 𝘝𝘐𝘚𝘈 ᴊᴄʙ. ⅏ EZ v
fechado domingo – **Refeição** lista aprox. 5000.

X **Toscano,** Rua Dr. Carlos Cal Brandão 22, ✉ 4050, ℰ 609 24 30, Fax 600 22 53, Cozinha italiana – 🗏. 🖭 ⓪ Ⓔ 𝘝𝘐𝘚𝘈. ⅏ DX f
Refeição lista 2500 a 5000.

X Bom Pastor, Rua Nicolau Marquês Guedes 109, ✉ 4200, ℰ 82 42 53 – 🗏 BU u

X **Chinês,** Av. Vimara Peres 38, ✉ 4000, ℰ 200 89 15, Fax 606 64 44, Rest. chinês – 🗏.
🖭 ⓪ Ⓔ 𝘝𝘐𝘚𝘈. ⅏ EZ y
Refeição lista 1450 a 2700.

X **Orfeu** *com snack-bar*, Rua de Júlio Dinis 928, ✉ 4050, ℰ 606 43 22, Fax 600 03 60 –
🗏. 🖭 ⓪ Ⓔ 𝘝𝘐𝘚𝘈 BUV t
fechado domingo de junho a setembro – **Refeição** lista 2750 a 5350.

🔳a **Foz do Douro** – ✉ *4100 Porto* – 🕓 *02* :

🏨🏨 **Boa Vista,** Esplanada do Castelo 58 ℰ 618 31 75, Telex 25574, Fax 617 38 18,
« Ambiente acolhedor » – |❧| 🗏 📺 ☎. 🖭 Ⓔ 𝘝𝘐𝘚𝘈. ⅏ AV e
Refeição *(fechado domingo)* 2500 – **39 qto** ⌑ 11800/13000 – PA 5000.

🏨 **Portofoz** *sem rest,* Rua do Farol 155-3º ℰ 617 23 57, Fax 617 08 87 – |❧| 📺 ☎. 🖭
⓪ Ⓔ 𝘝𝘐𝘚𝘈. ⅏ AV r
19 qto ⌑ 8000/10000.

XXX **Don Manoel,** Av. Montevideu 384 ℰ 617 01 79, Fax 610 44 37, ⩽, 🌲, Instalado num antigo palacete – 🗏 🅿. 🖭 ⓪ Ⓔ 𝘝𝘐𝘚𝘈. ⅏ AU e
fechado domingo – **Refeição** lista 6980 a 8980.

XX **Portofino,** Rua do Padrão 103 ℰ 617 73 39, 🌲 – 🗏. 🖭 ⓪ Ⓔ 𝘝𝘐𝘚𝘈. ⅏ AU c
fechado sábado meio-dia e do 6 ao 23 de agosto – **Refeição** lista 2800 a 3700.

XX **O Bule,** Rua do Timor 128 ℰ 618 87 77, « Terraço junto do jardim », 🌿 – 𝘝𝘐𝘚𝘈. ⅏
Refeição lista 3300 a 4900. AU g

🔳m **Matosinhos** – ✉ *4450 Matosinhos* – 🕓 *02* :

🏨🏨 **Amadeos** *sem rest,* Rua Conde Alto Mearim 1229 ℰ 938 51 13, Fax 938 51 12 – |❧| 🗏
📺 ☎ 🅑 ⇦. 🖭 ⓪ Ⓔ 𝘝𝘐𝘚𝘈 AU u
50 qto ⌑ 10000/12000.

X **Esplanada Marisqueira Antiga,** Rua Roberto Ivens 628 ℰ 938 06 60,
Fax 937 89 12, Peixes e mariscos. Viveiro próprio – 🗏 ⇦. 🖭 ⓪ Ⓔ 𝘝𝘐𝘚𝘈 ᴊᴄʙ. ⅏
fechado 2ª feira – **Refeição** lista aprox. 5900. AU v

X **O Gaveto** com snack-bar, Rua Roberto Ivens 826 ℰ 937 87 96, Fax 938 38 12 – ▤.
① E 𝒱𝒾𝓈𝒶 ᴊᴄ̅ʙ. ❀
AU
fechado 3ª feira – **Refeição** lista 3300 a 5200.

X **Marujo** com snack-bar, Rua Tomaz Ribeiro 284 ℰ 938 37 32 – ▤. 𝔸𝔼 ① E 𝒱𝒾𝓈𝒶.
fechado 3ª feira – **Refeição** lista 1550 a 7250.
AU

Ver também : **Vila Nova de Gaia** por ⑥ : 2 km
Leça do Balio por ① : 7 km
Leça da Palmeira NO : 8 km
Santo Tirso por ② : 22 km

PORTO MONIZ Madeira – ver Madeira (Arquipélago da).

PORTO SANTO Madeira – ver Madeira (Arquipélago da).

PÓVOA DAS QUARTAS Coimbra – ver Oliveira do Hospital.

PÓVOA DE LANHOSO 4830 Braga 𝟜𝟜𝟘 H 5 – ✪ 053.
Lisboa 375 – Braga 19 – Caldelas 24 – Guimarães 21 – Porto 68 – Viana do Castelo 6

X **El Gaucho,** Av. 25 de Abril 207-11º ℰ 63 11 44, ≤, 🏖 – ▐⬧. 𝔸𝔼 E 𝒱𝒾𝓈𝒶
fechado 3ª feira e do 15 ao 30 de setembro – **Refeição** lista 3500 a 4500.

PÓVOA DE VARZIM 4490 Porto 𝟜𝟜𝟘 H 3 – 23 851 h. – ✪ 052 – Praia.
Ver : O bairro dos pescadores★ AZ.
Arred. : Rio Mau : Igreja de S. Cristóvão (capitéis★) por ② : 12 km.
🄱 Av. Mouzinho de Albuquerque ℰ 61 46 09 Fax 61 78 72.
Lisboa 348 ② – Braga 40 ① – Porto 30 ②.

Plano página seguinte

🏨 **Sopete Vermar,** Rua Alto de Martim Vaz ℰ 61 55 66, Telex 25261, Fax 61 51 15,
🕻, ⨯, ❀ – ▐⬧ ▤ 📺 ☎ ⇔ 🄿 – 🛠 25/700. 𝔸𝔼 ① E 𝒱𝒾𝓈𝒶. ❀
AY
Refeição 3000 – **196 qto** ⊊ 11000/15000, 12 suites – PA 6000.

🏨 **Sopete Grande H.,** Passeio Alegre 20 ℰ 61 54 64, Fax 61 55 65, ≤ – ▐⬧ ▤ qto
☎ – 🛠 25/50. 𝔸𝔼 ① 𝒱𝒾𝓈𝒶. ❀
AZ
Refeição 2500 – **88 qto** ⊊ 11350/14200, 4 suites – PA 5000.

🏨 **Luso-Brasileiro** sem rest, Rua dos Cafés 16 ℰ 61 51 61, Fax 62 47 13 – ▐⬧ ▤ 📺
𝔸𝔼 ① E 𝒱𝒾𝓈𝒶. ❀
AZ
62 qto ⊊ 7700/9700.

🏨 **Costa Verde** sem rest, Av. Vasco da Gama 56 ℰ 61 55 31, Fax 61 59 31, ≤ – ▐⬧
☎. 𝔸𝔼 ① E 𝒱𝒾𝓈𝒶 ᴊᴄ̅ʙ. ❀
AY
50 qto ⊊ 7900/9600.

🏨 **Gett** sem rest, Av. Mouzinho de Albuquerque 54 ℰ 68 32 06, Fax 61 72 95 – ▐⬧ 📺.
𝒱𝒾𝓈𝒶. ❀
AZ
22 qto ⊊ 6500/9000.

🏨 Avô Velino sem rest, Av. Vasco da Gama ℰ 68 16 28 – 📺
AY
10 qto.

XX **Euracini,** Av. Mouzinho de Albuquerque 29-1º ℰ 62 71 36, Fax 61 50 51 – ▤. E 𝒱
fechado domingo noite e novembro – **Refeição** lista 3450 a 4450.
AZ

pela estrada N 13 AY – ✉ 4490 Póvoa de Varzim – ✪ 052 :

🏨 **Sopete Santo André Estal.** ❀, Aguçadoura - N : 7 km ℰ 61 56 66, Fax 61 58 6
≤, ⨯, – 📺 ☎ 🄿. 𝔸𝔼 ① E 𝒱𝒾𝓈𝒶. ❀
Refeição 2600 – **46 qto** ⊊ 15000/16500, 4 suites – PA 5200.

🏨 **Torre Mar** sem rest, N : 2,3 km ℰ 61 36 77, Fax 68 26 02 – ▐⬧ 📺 ☎ ⇔ 🄿. 𝔸𝔼
E 𝒱𝒾𝓈𝒶. ❀
31 qto ⊊ 7000/10000.

🏨 Estal. Estela Sol, N : 8,7 km ℰ 60 21 88, Fax 60 21 12 – ▐⬧ 📺 ☎ 🄿 – 🛠 25/30
35 qto, 3 suites.

🏨 **Contriz,** N : 9 km ℰ 60 10 50, Fax 60 10 19 – ▐⬧ 📺 🄿 – 🛠 25/300. 𝔸𝔼 ① E 𝒱
❀
Refeição 2100 – **21 qto** ⊊ 6500/7500, 2 suites – PA 4200.

XX **O Marinheiro,** N : 2 km ℰ 68 21 51, Fax 68 21 51, Imitação dum barco. Peixes e marisc
– ▤ 🄿. 𝔸𝔼 ① E 𝒱𝒾𝓈𝒶. ❀
Refeição lista 3476 a 4675.

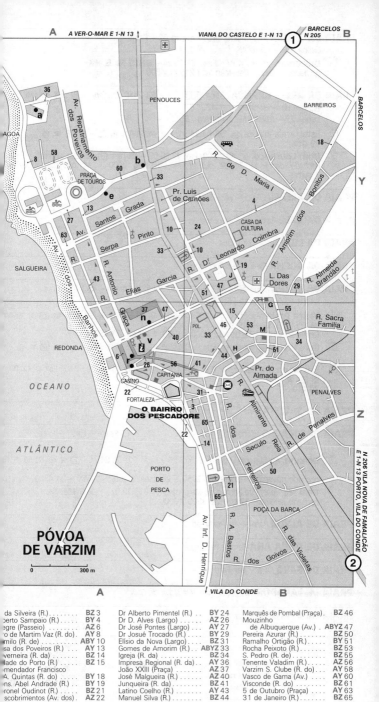

PÓVOA
DE VARZIM

0   300 m

da Silveira (R.) .... **BZ** 3
...erto Sampaio (R.) ..... **BY** 4
...egre (Passeio) .... **AZ** 6
...o de Martim Vaz (R. do). **AY** 8
...milo (R. de) .... **ABY** 10
...sa dos Poveiros (R.) ... **AY** 13
...verneira (R. da) .... **BZ** 14
...lade do Porto (R.) ..... **BZ** 15
...mendador Francisco
...A. Quintas (R. do) .... **BY** 18
...ns. Abel Andrade (R.) .. **BY** 19
...ronel Oudinot (R.) ..... **BZ** 21
...scobrimentos (Av. dos). **AZ** 22

Dr Alberto Pimentel (R.) .. **BY** 24
Dr D. Alves (Largo) ...... **AZ** 26
Dr José Pontes (Largo) ... **AY** 27
Dr Josué Trocado (R.) .... **BY** 29
Elísio da Nova (Largo) .... **BZ** 31
Gomes de Amorim (R.) . **ABYZ** 33
Igreja (R. da) .... **BZ** 34
Impresa Regional (R. da) . **AY** 36
João XXIII (Praça) .... **AZ** 37
José Malgueira (R.) ...... **AZ** 40
Junqueira (R. da) .... **BZ** 41
Latino Coelho (R.) .... **AY** 43
Manuel Silva (R.) .... **BZ** 44

Marquês de Pombal (Praça). **BZ** 46
Mouzinho
   de Albuquerque (Av.) . **ABYZ** 47
Pereira Azurar (R.) .... **BZ** 50
Ramalho Ortigão (R.) ..... **BY** 51
Rocha Peixoto (R.) .... **BZ** 53
S. Pedro (R. de) .... **BZ** 55
Tenente Valadim (R.) ..... **AZ** 56
Varzim S. Clube (R. do) .. **AY** 58
Vasco de Gama (Av.) .... **AY** 60
Visconde (R. do) .... **BZ** 61
5 de Outubro (Praça) .... **AY** 63
31 de Janeiro (R.) .... **BZ** 65

PRAIA DA AGUDA 4405 *Porto* 440 I 4 – 🕲 02 – *Praia.*
Lisboa 303 – Porto 15.

XX **Dulcemar,** 𝒫 762 40 77, Fax 762 78 24 – 🍽. AE ⬤ E VISA
fechado 4ª feira – **Refeição** lista 2150 a 4500.

PRAIA DA AREIA BRANCA *Lisboa* 440 O 1 – ✉ 2530 *Lourinhã* – 🕲 061 – *Praia.*
🛈 *Praia da Areia Branca* 𝒫 42 21 67.
Lisboa 77 – Leiria 91 – Santarém 78.

🏠 Estal. Areia Branca ⏦, 𝒫 41 24 91, Fax 41 31 43, ≤, ⌁, – 🛗 TV ☎ 🄿
29 qto.

♤ **Dom Lourenço,** 𝒫 42 28 09, Fax 42 28 09 – 🍽 rest TV. E VISA. ⅋ rest
fechado do 1 ao 21 de outubro – **Refeição** 2000 – **11 qto** ⌤ 5000/6500
7 suites.

PRAIA DA FALÉSIA *Faro – ver Albufeira.*

PRAIA DA GALÉ *Faro – ver Albufeira.*

PRAIA DA LUZ *Faro – ver Lagos.*

PRAIA DA ROCHA *Faro – ver Portimão.*

PRAIA DA VIEIRA *Leiria* 440 M 3 – ✉ 2430 *Marinha Grande* – 🕲 044 – *Praia.*
Lisboa 152 – Coimbra 95 – Leiria 24.

🏨 **Vieira Praia,** Av. Marginal 𝒫 69 79 00, Fax 69 52 11, ≤, ⅋ – 🛗 🍽 TV ☎ 🕭 ⬆
🄰 25/150. AE ⬤ E VISA JCB. ⅋ rest
Refeição 2250 – **32 qto** ⌤ 9000/11000, 1 suite – PA 4500.

🏠 Ouro Verde ⏦ *sem rest*, Rua D. Dinis 𝒫 69 71 56, Fax 69 54 04 – 🛗 TV ☎ 🄿
32 qto.

🏠 Estrela do Mar *sem rest*, Rua José Loureiro Botas 18 𝒫 69 57 62, Fax 69 54 04,
🛗 TV ☎
24 qto.

PRAIA DA SALEMA *Faro – ver Budens.*

PRAIA DAS MAÇÃS *Lisboa* 440 P 1 – 606 h. – ✉ 2710 *Sintra* – 🕲 01 – *Praia.*
Lisboa 38 – Sintra 10.

🏠 **Océano,** Av. Eugenio Levy 52 𝒫 929 23 99, Fax 929 21 23, ≤ – TV ☎ 🄿. AE ⬤ E VISA
⅋
fechado novembro – **Refeição** 2250 – **26 qto** ⌤ 10500/11500 – PA 4500.

♤ **Real** *sem rest*, Rua Fernão de Magalhães 𝒫 929 20 02 – ⬤ E VISA. ⅋
fechado janeiro – **12 qto** ⌤ 8500/10000.

PRAIA DE ALVOR *Faro – ver Portimão.*

PRAIA DE DONA ANA *Faro – ver Lagos.*

PRAIA DE FARO *Faro – ver Faro.*

PRAIA DE LAVADORES *Porto – ver Vila Nova de Gaia.*

PRAIA DE OFIR *Braga – ver Fão.*

Do not mix up :
Comfort of hotels : 🏨🏨🏨 ... 🏠, ♤
Comfort of restaurants : XXXXX ... X
Quality of the cuisine : 🕸🕸🕸, 🕸🕸, 🕸 ⬧

688

RAIA DE SANTA CRUZ *Lisboa* 🅰🅰🅾 *O 1 – 615 h. –* ✉ *2560 Torres Vedras –* ☎ *061*
Praia.
Lisboa 70 – Santarém 88.

🏨 **Santa Cruz,** Rua José Pedro Lopes 🖉 93 71 48, Fax 93 25 85 – 🛗 ☎ 🅿 – 🛓 25/150.
🅰🅴 ⓞ 🖪 𝚅𝙸𝚂𝙰. 🍽 rest
Refeição *(fechado 2ª feira salvo junho-agosto)* 2000 – **32 qto** ☲ 7500/8500
PA 3400.

🍴 **O Galarós,** Urb. do Pisão Lote 2 - Loja 1 🖉 93 17 65, 🍱
fechado 2ª feira, do 23 ao 30 de dezembro e do 15 ao 30 de abril – **Refeição** lista aprox.
3350.

RAIA DO CARVOEIRO *Faro – ver Lagoa.*

RAIA DO GUINCHO *Lisboa – ver Cascais.*

RAIA DO PORTO NOVO *Lisboa – ver Vimeiro (Termas do).*

RAIA DO VAU *Faro – ver Portimão.*

RAIA DOS TRES IRMÃOS *Faro – ver Portimão.*

QUARTEIRA *8125 Faro* 🅰🅰🅾 *U 5 – 8905 h. –* ☎ *089 – Praia.*
🏌 🏌 🏌 🏌 🏌 *Club Golf de Vilamoura NO : 6 km* 🖉 *38 07 22.*
🅱 *Av. Infante de Sagres 53* 🖉 *31 22 17.*
Lisboa 308 – Faro 22.

🏨 **Atis,** Av. Dr. Francisco Sá Carneiro 🖉 38 97 71, Telex 56802, Fax 38 97 74, ⊼ – 🛗 ☰
📺 ☎. 🅰🅴 ⓞ 🖪 𝚅𝙸𝚂𝙰. 🍽
Refeição 2000 – **97 qto** ☲ 9700/13000.

🏨 **Zodíaco,** Estrada de Almancil 🖉 38 95 89, Fax 38 81 58, ⊼, 🍽 – 🛗 ☰ 📺 ☎ 🅿. 🅰🅴
ⓞ 🖪 𝚅𝙸𝚂𝙰
Refeição 1700 – **60 qto** ☲ 13500 – PA 3400.

🏠 **Claudiana** *sem rest,* Rua Torre de Água 🖉 30 11 28, Fax 30 25 18, ⊼ – 📺 ♿ 🅿. 🖪
𝚅𝙸𝚂𝙰. 🍽
24 qto ☲ 7000/9000.

🍴 **Alphonso's,** Centro Comercial Abertura Mar 🖉 31 46 14, 🍱 – ☰. 🅰🅴 ⓞ 🖪 𝚅𝙸𝚂𝙰.
🍽
Refeição lista 2600 a 3650.

🍴 **Cataplana,** Av. Infante de Sagres 107 🖉 38 86 63, 🍱 – 🅰🅴 🖪 𝚅𝙸𝚂𝙰. 🍽
fechado 2ª feira e 15 novembro-20 dezembro – **Refeição** lista aprox. 4100.

em Vilamoura – ✉ *8125 Quarteira –* ☎ *089 :*

🏩 **Vilamoura Marinotel** ⏦, *O : 3,5 km* 🖉 38 99 88, Telex 58979, Fax 38 98 69,
≤, 🍱, 🎐, ⊼, 🖫, 🐎, 🍽 – 🛗 ☰ 📺 ☎ 🅿 – 🛓 25/1200. 🅰🅴 ⓞ 🖪 𝚅𝙸𝚂𝙰.
🍽
Aries (buffet) **Refeição** 5000 - *Grill Sirius (só jantar)* **Refeição** lista 7150 a 9150 – **364 qto**
☲ 31350/41800, 21 suites.

🏩 **Atlantis Vilamoura** ⏦, *O : 3 km* 🖉 38 99 77, Telex 56838, Fax 38 99 62, ≤, 🍱,
« Relvado repousante com ⊼ », 🎐, 🖫, 🍽 – 🛗 ☰ 📺 ☎ 🅿 – 🛓 25/350. 🅰🅴 ⓞ 🖪
𝚅𝙸𝚂𝙰. 🍽
Refeição 5000 – **302 qto** ☲ 30000/40000, 8 suites – PA 10000.

🏨 **Ampalius,** *O : 3,5 km* 🖉 38 80 08, Telex 56992, Fax 38 09 11, ≤, 🎐, ⊼, 🖫, 🐎, 🍽
– 🛗 ☰ 📺 ☎ ⟷ 🅿 – 🛓 25/200. 🅰🅴 ⓞ 🖪 𝚅𝙸𝚂𝙰. 🍽
Refeição 3450 – **357 qto** ☲ 30200/32050.

🏨 **Vila Galé Marina,** *O : 3 km* 🖉 320 00 00, Fax 320 00 50, ≤, 🍱, 🎐, ⊼, 🖫 – 🛗 ☰
📺 ☎ ♿ ⟷ – 🛓 25/90. 🅰🅴 ⓞ 🖪 𝚅𝙸𝚂𝙰. 🍽
Refeição lista aprox. 3800 – **229 qto** ☲ 19000/25500, 14 suites.

🏨 **Dom Pedro Marina,** *O : 3,5 km* 🖉 38 98 02, Telex 56307, Fax 31 32 70, ≤, 🍱, ⊼
– 🛗 ☰ 📺 ☎ 🅿 – 🛓 25/150. 🅰🅴 ⓞ 🖪 𝚅𝙸𝚂𝙰. 🍽
Refeição 3000 – **121 qto** ☲ 18700/26700, 34 suites – PA 6000.

🏨 **Dom Pedro Golf** ⏦, *O : 3 km* 🖉 38 96 50, Telex 56870, Fax 31 54 82, ≤, 🍱,
« Relvado repousante com ⊼ », 🍽 – 🛗 ☰ 📺 ☎ 🅿 – 🛓 25/600. 🅰🅴 ⓞ 🖪 𝚅𝙸𝚂𝙰.
🍽
Refeição 3000 – **252 qto** ☲ 20500/29400, 9 suites.

🏨 **Motel Vilamoura Golf** 🐾, NO : 6 km 🕿 30 29 77, Telex 56833, Fax 38 00 23, 🍽, ⫶
– ▤ qto 📺 ☎ 🅟
52 qto.

✗ **Casa da Madeira,** Edifício Delta Marina - O : 2,5 km 🕿 30 17 54, 🍽 – ▤. 🆎 ⓞ ▮
VISA. 🛇
fechado 3ª feira (salvo junho-outubro) e janeiro – **Refeição** (só jantar) lista aprox. 420▮

QUATRO ÁGUAS Faro – ver Tavira.

QUELUZ 2745 Lisboa **440** P 2 – 47864 h. alt. 125 – 🕲 01.
Ver : Palácio Nacional de Queluz★★ (sala do trono★) – Jardins do Palácio (escada do Leões★).
🔼 no Palácio 🕿 435 00 39.
Lisboa 12 – Sintra 15.

🏨 **Pousada de D. Maria I,** Largo do Palácio 🕿 435 61 58, Fax 435 61 89, « Be
palacete » – 🈺 ▤ 📺 ☎ 🕭 🅟 – 🔬 25/60. 🆎 ⓞ ▤ _VISA_. 🛇
Refeição (ver rest. **Cozinha Velha**) – **24 qto** ⛳ 20000/23000, 2 suites.

✗✗✗✗ **Cozinha Velha,** Largo do Palácio 🕿 435 61 58, Fax 435 61 89, 🍽, « Instalado n▮
antigas cozinhas do palácio » – ▤ 🅟. 🆎 ⓞ ▤ _VISA_. 🛇
Refeição lista aprox. 7000.

em Tercena O : 4 km – ✉ 2745 Queluz – 🕲 01 :

✗ **O Parreirinha,** Av. Santo António 5 🕿 437 93 11, Fax 439 33 30 – ▤. ▤ _VIS_
🍴 🛇
fechado domingo e agosto – **Refeição** lista 2220 a 4200.

Un consejo Michelin :

Para que sus viajes sean un éxito, prepárelos de antemano.

Los **mapas** y las **guías** Michelin le proporcionan todas las indicaciones útile
sobre :
itinerarios, visitas de curiosidades, alojamiento, precios, etc...

QUINTA DO LAGO Faro – ver Almancil.

REDONDO 7170 Évora **440** Q 7 – 3623 h. alt. 306 – 🕲 066.
Lisboa 179 – Badajoz 69 – Estremoz 27 – Évora 34.

em Aldeia da Serra N : 10 km – ✉ 7170 Redondo – 🕲 066 :

🏨 **Convento de São Paulo** 🐾, Estrada N 381 🕿 99 91 00, Fax 99 91 04, ≤, « Anti▮
convento », ⚓, 🖈 – 🈺 ▤ 📺 ☎ 🕭 🅟 – 🔬 25/100. 🆎 ⓞ ▤ _VISA_. 🛇 rest
Refeição lista 3700 a 5400 – **17 qto** ⛳ 26500/30750.

RETAXO 6000 Castelo Branco **440** M 7 – 1182 h. – 🕲 072.
Lisboa 240 – Castelo Branco 13 – Castelo de Vide 81.

🏨 **Motel da Represa** 🐾, N : 1,5 km 🕿 999 21, Fax 986 68, ≤, 🍽, Típica ambientaç▮
exterior, ⚓, 🛇 – ▤ 📺 🅟 – 🔬 25/200. 🆎 ⓞ ▤ _VISA_
Refeição lista aprox. 3100 – ⛳ 580 – **42 qto** 5000/8000.

RIBAMAR Lisboa **440** O 1 – ✉ 2640 Mafra – 🕲 061 – Praia.
Lisboa 55 – Santarém 92 – Sintra 20 – Torres Vedras 22.

✗ Viveiros do Atlântico, Estrada N 247 🕿 624 38, Fax 624 38, ≤, 🍽, Mariscos. Vive▮
próprio – 🅟.

RIBEIRA BRAVA Madeira – ver Madeira (Arquipélago da).

RIBEIRA DE SÃO JOÃO Santarém – ver Rio Maior.

RIO DE MOINHOS Santarém **440** N 5 – 1882 h. – ✉ 2200 Abrantes – 🕲 041.
Lisboa 137 – Portalegre 88 – Santarém 69.

✗ **Cristina,** Estrada N 3 🕿 981 77, Fax 983 43 – ▤ 🅟. ⓞ ▤ _VISA_. 🛇
fechado 2ª feira e do 1 ao 15 de setembro – **Refeição** lista aprox. 3600.

RIO MAIOR 2040 Santarém **440** N 3 – 6 686 h. – © 043.
Lisboa 77 – Leiria 50 – Santarém 31.

🏨 **R M** sem rest, Rua Dr. Francisco Barbosa ℘ 920 87 – 🛗 📺 ☎
36 qto ⊄ 4500/6500.

🍴 **Adega da Raposa,** Travessa da Estalagem ℘ 911 66 – ▤. **E** VISA
fechado domingo (junho-agosto) e do 15 ao 30 de julho – Refeição lista 2750
a 3650.

no Alto da Serra NO : 4,5 km – ✉ 2040 Rio Maior – © 043 :

🍴 **Cantinho da Serra,** Antiga Estrada N 1 ℘ 99 13 67, Fax 99 13 67, Rest. típico – ▤.
AE **E** VISA. ⁒
fechado 2ª feira e julho – Refeição lista aprox. 3300.

em Ribeira de São João SE : 7,5 km – ✉ 2040 Rio Maior – © 043 :

🏛 **Quinta da Ferraria** ⑤, Estrada N 114 ℘ 950 01, Fax 956 96, Antigo moinho de água
e museu rural, 🔽, 🌳 – ▤ ☎ ❷ – 🔬 25/200. ⓞ VISA. ⁒
Refeição lista aprox. 3900 – **13 qto** ⊄ 11700/14000, 2 apartamentos.

ROMEU 5370 Bragança **440** H 8 – 936 h. – © 078.
Lisboa 467 – Bragança 59 – Vila Real 85.

🍴 **Maria Rita,** Rua da Capela ℘ 931 34, Fax 931 34, Decoração rústica regional – ▤. **E**
VISA
fechado 2ª feira – Refeição lista 2250 a 2900.

SABROSA 5060 Vila Real **440** I 7 – © 059.
Lisboa 419 – Braga 115 – Bragança 115 – Vila Real 20 – Viseu 114.

🏛 **Quality Inn,** Av. Dos Combatentes da Grande Guerra ℘ 93 02 40, Fax 93 02 60, ≤, 🔽
– 🛗 ▤ 📺 ☎ 🕭 🚗 – 🔬 25/70. AE ⓞ **E** VISA. ⁒
Refeição 2200 – **49 qto** ⊄ 10000/13000, 1 suite – PA 4400.

SABUGO 2715 Lisboa **440** P 2 – © 01.
Lisboa 11 – Sintra 14.

em Vale de Lobos SE : 1,7 km – ✉ 2715 Sabugo – © 01 :

🏛 Vale de Lobos ⑤, ℘ 962 34 01, Telex 44564, Fax 962 46 56, ≤, 🔽, 🌳, ⁒ – 🛗 ▤ rest
📺 ☎ ❷ – 🔬 25/400
52 qto.

SAGRES Faro **440** U 3 – 2 032 h. – ✉ 8650 Vila do Bispo – © 082 – Praia.
Arred. : Ponta de Sagres★★ SO : 1,5 km – Cabo de São Vicente★★ (≤★★).
🅱 Turinfo de Sagres ℘ 62 00 03.
Lisboa 286 – Faro 113 – Lagos 33.

🏛 **Pousada do Infante** ⑤, ℘ 642 22, Fax 642 25, ≤ falésias e mar, 🔽, ⁒ – ▤ 📺
☎ ❷ – 🔬 25/50. AE ⓞ **E** VISA. ⁒
Refeição 3650 – **39 qto** ⊄ 19000/22000.

🏛 **Aparthotel Navigator** ⑤, Rua Infante D. Henrique ℘ 643 54, Telex 57179,
Fax 643 60, ≤ falésias e mar, 🔽 – 🛗 ▤ 📺 ☎ 🕭 ❷. AE ⓞ **E** VISA. ⁒ rest
Refeição 2200 – ⊄ 750 – **56 apartamentos** 15000/16000 – PA 4000.

🏛 **Baleeira** ⑤, ℘ 642 12, Fax 644 25, ≤ falésias e mar, 🍴, 🔽, ⁒ – ▤ rest ☎ ❷. AE
ⓞ **E** VISA. ⁒ rest
Refeição 2400 – **120 qto** ⊄ 11000/16000 – PA 4800.

na estrada do Cabo São Vicente NO : 5 km – ✉ 8650 Vila do Bispo – © 082 :

🍴 **Fortaleza do Beliche** ⑤ com qto, ℘ 641 24, « Instalado numa fortaleza sobre uma
falésia dominando o mar » – ▤ qto ☎. AE ⓞ **E** VISA. ⁒
Refeição lista 3230 a 4600 – **4 qto** ⊄ 13000/15000.

SAMEIRO Braga – ver Braga.

SANGALHOS Aveiro **440** K 4 – 4 067 h. – ✉ 3780 Anadia – © 034.
Lisboa 234 – Aveiro 25 – Coimbra 32.

🏛 **Estal. Sangalhos** ⑤, ℘ 74 36 48, Fax 74 32 74, ≤ vale e montanha, 🔽, ⁒ – ▤ rest
📺 ☎ ❷. AE **E** VISA. ⁒
Refeição lista aprox. 2200 – **32 qto** ⊄ 4100/8500.

SANTA BÁRBARA DE NEXE Faro - ver Faro.

SANTA CLARA-A-VELHA 7665 Beja **440** T 4 - © 083.
    Lisboa 219 - Beja 110 - Faro 92 - Portimão 56 - Sines 86.

na barragem de Santa Clara E : 5,5 km - ⊠ 7665 Santa-Clara-A-Velha - © 083 :

    🏨 **Pousada de Santa Clara** ⑤, 𝒫 982 50, Fax 984 02, < barragem e montanhas, ⌂
        🍽 - 📶 🗏 📺 ☎ & ❷. 🖭 ⓞ 🗈 𝚅𝙸𝚂𝙰. 𝕊𝕗
        Refeição 3650 - 18 qto ⊆ 14500/16500, 1 suite.

SANTA LUZIA Viana do Castelo - ver Viana do Castelo.

SANTA MARIA DA FEIRA 4520 Aveiro **440** J 4 - 4877 h. alt. 125 - © 056.
    Ver : Castelo★.
    🅱 Rua Pedro de Santarém 102 𝒫 33 33 18 Fax 241 13.
    Lisboa 291 - Aveiro 47 - Coimbra 91 - Porto 20.

    🏨 **Novacruz** sem rest, Rua S. Paulo da Cruz 𝒫 37 23 11, Fax 37 23 16 - 📶 🗏 📺 ☎ ◀
        ❷ - 📥 25/130. 🖭 ⓞ 🗈 𝚅𝙸𝚂𝙰. 𝕊𝕗
        60 qto ⊆ 10900/12700, 5 suites.

pela estrada N 223 O : 4 km - ⊠ 4520 Santa Maria da Feira - © 056 :

    🏨 **Ibis Porto Sul Europarque** ⑤, Europarque 𝒫 33 25 07, Fax 33 25 09, 🍽 - 📶 ▮
        📺 ☎ & ❷ - 📥 25/60. 🖭 ⓞ 🗈 𝚅𝙸𝚂𝙰
        Refeição lista aprox. 2400 - ⊆ 750 - **63 qto** 6600.

na estrada N 1 - ⊠ 4520 Santa Maria da Feira - © 056 :

    🏨 **Pedra Bela,** NE : 5 km 𝒫 91 15 13, Fax 91 15 95, 𝕝̃, 𝕊𝕗 - 📶 📺 ☎ ⇦ ❷. 🖭 ◀
        🗈 𝚅𝙸𝚂𝙰
        Refeição (ver rest. **Pedra Bela**) - **50 qto** ⊆ 5500/7500.

    ✗ **Pedra Bela,** NE : 5 km 𝒫 91 13 38, Fax 91 15 95 - 🗏 ❷. 🖭 ⓞ 🗈 𝚅𝙸𝚂𝙰. 𝕊𝕗
        Refeição lista aprox. 3500.

    ✗ **Tigre** com snack-bar, Lugar de Albarrada - São João de Ver-NE : 5,5 km 𝒫 31 22 C
        Fax 31 28 28, Mariscos - 🗏 ❷. 🖭 ⓞ 🗈 𝚅𝙸𝚂𝙰. 𝕊𝕗
        Refeição lista 1990 a 4590.

    Dans certains restaurants de grandes villes, il est parfois difficile de trouve
    une table libre. Nous vous conseillons de retenir à l'avance.

SANTA MARTA DE PENAGUIÃO 5030 Vila Real **440** I 6 - © 054.
    Lisboa 400 - Peso da Régua 6 - Braga 95 - Porto 93 - Vila Real 17.

    🏨 Oásis, Estrada N 2 𝒫 915 32 - 📺 ☎ ⇦
        12 qto.

SANTA MARTA DE PORTUZELO Viana do Castelo - ver Viana do Castelo.

SANTANA Setúbal - ver Sesimbra.

SANTARÉM 2000 ℙ **440** O 3 - 28 547 h. alt. 103 - © 043.
    Ver : Miradouro de São Bento ※★ B - Igreja de São João de Alporão (Mus
    Arqueológico★)B - Igreja da Graça★ (nave★) B.
    Arred. : Alpiarça : Casa dos Pátudos★ (tapeçarias★, faianças e porcelanas★) 10 km por ◀
    🅱 Rua Capelo Ivens 63 𝒫 39 15 12.
    Lisboa 80 ③ - Évora 115 ② - Faro 330 ② - Portalegre 158 ② - Setúbal 130 ③.
                        Plano página seguinte

    🏨 **Alfageme** sem rest, Av. Bernardo Santareno 38 𝒫 37 08 70, Fax 37 08 50 - 📶 🗏
        ☎ & ❷ - 📥 25/200. 🗈 𝚅𝙸𝚂𝙰. 𝕊𝕗
        67 qto ⊆ 8150/9500.   A

    🏨 **Victoria** sem rest, Rua 2º Visconde de Santarém 21 𝒫 225 73, Fax 282 02 - 🗏 📺
        🗈 𝚅𝙸𝚂𝙰. 𝕊𝕗
        23 qto ⊆ 5000/6000.   A

    ✗ **Solar,** Largo Emilio Infante da Câmara 9 𝒫 222 39 - 𝕊𝕗
        fechado sábado e agosto - **Refeição** lista 1350 a 2550.   A

SANTARÉM

Capelo Ivens (Rua) .... AB 9
Serpa Pinto (Rua) .... AB

Alex. Herculano (Rua) ..... A 3
Alf. de Santarém (Rua) .... B 4

Braamcamp Freire (Rua) ... B 6
Cândido dos Reis (Largo) .. A 7
G. de Azevedo (Rua) ...... A 10
João Afonso (Rua) .... A 12
Miguel Bombarda (Rua) ... B 13
Piedade (Largo da) .... A 15
São Martinho (Rua de) .... B 16

Teixeira Guedes (Rua) .... A 18
Tenente Valadim (Rua) ... B 19
Vasco da Gama (Rua) .... A 21
Zeferino Brandão (Rua) ... A 22
1º de Dezembro (Rua) .... B 24
5 de Outubro (Avenida) ... B 25
31 de Janeiro .... A 27

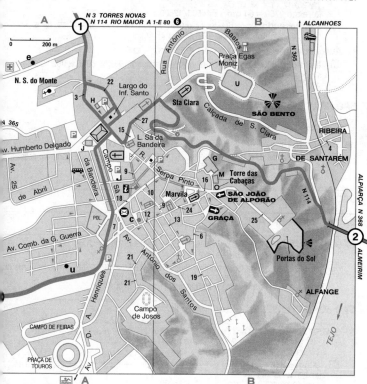

Die Preise Einzelheiten über die in diesem Führer angegebenen Preise finden Sie in der Einleitung.

SANTIAGO DO CACÉM 7540 Setúbal 🗺️ R 3 – 18 354 h. alt. 225 – ✆ 069.

Ver : Á saída sul da Vila ≤★.

🅱 Largo do Mercado ℘ 82 66 96.

Lisboa 146 – Setúbal 98.

🏨 **Albergaria D. Nuno** sem rest, Av. D. Nuno Álvares Pereira 88 ℘ 233 25, Fax 233 28, ≤, ⤢ – 🛗 🗐 📺 ☎ 🄿 – 🛆 25/50. 🆎 ⑩ 🄴 🚾. 🛠
75 qto ⇆ 8000/12000.

🏨 **Gabriel** sem rest, Rua Professor Egas Moniz 24 ℘ 222 45, Fax 82 61 02 – 📺 ☎. 🆎 🄴 🚾. 🛠
23 qto ⇆ 5500/9500.

🍽️ **Pousada de Santiago** com qto, Estrada de Lisboa (possível fecho para obras) ℘ 224 59, Fax 224 59, �, Decoração regional, ⤢, 🦯 – 🗐 qto 📺 ☎ 🄿. 🆎 ⑩ 🄴 🚾. 🛠
Refeição lista 3900 a 4900 – **8 qto** ⇆ 12500/14500.

SANTO AMARO DE OEIRAS Lisboa – ver Oeiras.

SANTO TIRSO 4780 Porto **440** H 4 – 11 708 h. alt. 75 – 🕿 02.

🖪 Praça 25 Abril, 🖉 520 64.

Lisboa 345 – Braga 29 – Porto 22.

🏨 **Cidnay**, Praça do Município 🖉 85 93 00, Fax 85 93 20, ← – 🛗 🗐 📺 🕿 ᰔ ➡ 🅿.
🔝 25/175. 🖭 ⓞ 🖪 *VISA*. ⋘
Refeição 2750 – 64 qto � 14600/17500, 1 suite – PA 4700.

✗ **São Rosendo**, Praça do Município 6 🖉 530 54, Fax 530 54 – 🗐. 🖭 ⓞ 🖪 *VISA*
fechado 2ª feira – **Refeição** lista 2200 a 2900.

na Autoestrada A 3 SO : 13 km – ⊠ 4785 Trofa – 🕿 02 :

🏠 **Ibis Porto-Norte** ⋙ sem rest, Área de Serviço 🖉 982 50 00, Fax 982 50 01 – 🗐 📺
🕿 ᰔ 🅿. 🖭 ⓞ 🖪 *VISA*
⊾ 750 – 61 qto 6800.

SÃO BRÁS DE ALPORTEL 8150 Faro **440** U 6 – 2763 h. – 🕿 089.

🖪 Rua Dr. Evaristo Gago 🖉 84 22 11.

Lisboa 293 – Faro 19 – Portimão 63.

na estrada N 2 N : 2 km – ⊠ 8150 São Brás de Alportel – 🕿 089 :

🏨 **Pousada de São Brás** ⋙, 🖉 84 23 05, Fax 84 17 26, ← cidade, campo e colinas, ⅀
⋘ – 🗐 qto 🕿 🅿. 🖭 ⓞ 🖪 *VISA*. ⋘
Refeição 3650 – 24 qto ⊾ 17000/19000.

SÃO GONÇALO Madeira – ver Madeira (Arquipélago da) : Funchal.

SÃO JOÃO DA CAPARICA Setúbal – ver Costa da Caparica.

SÃO JOÃO DA MADEIRA 3700 Aveiro **440** J 4 – 18 452 h. alt. 205 – 🕿 056.

Lisboa 286 – Aveiro 46 – Porto 32.

✗✗✗ **O Executivo**, Rua Oliveira Júnior 918 🖉 83 27 85, Fax 83 27 86, 🛱, « Instalado nu
belo palacete do início de século », 🖛 – 🗐 🅿. 🖭 *VISA*. ⋘
fechado 4ª feira e agosto – **Refeição** lista aprox. 3700.

SÃO JOÃO DO ESTORIL Lisboa – ver Estoril.

SÃO MARTINHO DO PORTO 2465 Leiria **440** N 2 – 2318 h. – 🕿 062 – Praia.

Ver : ←★ – **🖪** Av. 25 de Abril 🖉 98 91 10.

Lisboa 108 – Leiria 51 – Santarém 65.

🏨 **Albergaria São Pedro** sem rest, Largo Vitorino Frois 7 🖉 98 93 28, Fax 98 93 27
🛗 📺 🕿. 🖪 *VISA*. ⋘
abril-setembro – 25 qto ⊾ 13000/15000.

🏨 **Concha** sem rest, Largo Vitorino Frois 21 🖉 98 92 20, Fax 98 98 35 – 🛗 🗐 📺 🕿
🔝 25/50. 🖪 *VISA*. ⋘
31 qto ⊾ 13000/15000.

🏠 **Albergaria Sto. António da Baía** ⋙ sem rest, Rua da Independência 🖉 98 96 6
Fax 98 98 38, ← – 🛗 📺 🕿 🅿 – 🔝 25/100. 🖪 *VISA*. ⋘
22 qto ⊾ 6000/12000.

✗ **A Casa**, Av. Marginal 🖉 98 96 33, Fax 98 96 33, ← – 🗐. 🖭 ⓞ 🖪 *VISA* ᴶᶜᴮ. ⋘
Refeição lista 2990 a 3600.

SÃO PEDRO DE MOEL Leiria **440** M 2 – ⊠ 2430 Marinha Grande – 🕿 044 – Praia.

Lisboa 135 – Coimbra 79 – Leiria 22.

🏨 **Mar e Sol**, Av. da Liberdade 1 🖉 59 91 82, Fax 59 94 11, ← – 🛗 🗐 📺 🕿 – 🔝 25/18
🖭 🖪 *VISA*. ⋘
fechado novembro – **Refeição** (fechado 2ª feira de outubro a maio) 2250 – 63 q
⊾ 8500/12000 – PA 3500.

🏠 **São Pedro**, Rua Dr. Adolfo Leitão 22 🖉 59 91 20, Telex 18136, Fax 59 91 84 – 🗐
🅿 – 🔝 25/300. 🖭 ⓞ 🖪 *VISA*. ⋘
Refeição 2500 – 53 qto ⊾ 16000/18000.

☝ **Santa Rita** sem rest, Praceta Pinhal do Rei 1 🖉 59 94 98 – ⋘
9 qto ⊾ 8500/11000.

SÃO PEDRO DE SINTRA Lisboa – ver Sintra.

ÃO PEDRO DO SUL 3660 Viseu 440 J 5 – 2 464 h. alt. 169 – © 032 – Termas.
🖪 Termas de S. Pedro ♟ 71 13 20. – Lisboa 321 – Aveiro 76 – Viseu 22.

as termas SO : 3 km – ⊠ 3660 São Pedro do Sul – © 032 :

🏨 **Do Parque** ♨, ♟ 72 34 61, Telex 52977, Fax 72 30 47 – 劇 ⊡ ☎ ⇌ ℗ – 🛆 25/70.
ΑΕ ⓞ Ε 𝘝𝘐𝘚𝘈. ⅏ rest
Refeição 1900 – **56 qto** ⊂ 8000/12000 – PA 3600.

🏨 Grande H. Lisboa, Estrada N 16 ♟ 72 33 60 – 劇 ⊟ ⊡ ☎ ℗ – 🛆 25/140 – **142 qto**.

🏠 Lafões sem rest, Rua do Correio ♟ 71 16 16 – 劇 ⊡ ☎ ⇌ ℗
temp – **21 qto**.

🍴 **Adega da Ti Fernanda,** Av. da Estação ♟ 71 24 68,
⏦ ⏦, Decoração rústica
fechado 2ª feira e novembro – Refeição lista aprox. 3200.

ÃO VICENTE Madeira – ver Madeira (Arquipélago da).

EIA 6270 Guarda 440 K 6 – 7 971 h. alt. 532 – © 038.
Arred. : Estrada★★ de Seia à Covilhã (≤★★, Torre ⁂★★, ≤★) 49 km.
🖪 Largo do Mercado ♟ 222 72.
Lisboa 303 – Guarda 69 – Viseu 45.

🏨 **Camelo,** Av. 1º de Maio 16 ♟ 255 55, Telex 53630, Fax 255 50, ≤, ⬓, ⹋ – 劇 ⊟ ⊡
☎ ℗ – 🛆 25/50. ΑΕ ⓞ Ε 𝘝𝘐𝘚𝘈
Refeição (fechado 2ª feira) lista aprox. 3500 – **75 qto** ⊂ 7900/10900, 5 suites.

🏨 **Estal. de Seia,** Av. Dr. Afonso Costa ♟ 258 66, Fax 255 38, ⬓ – 劇 ⊟ ⊡ ☎ ℗ –
🛆 25/30. 𝘝𝘐𝘚𝘈. ⅏ qto
fechado do 15 ao 30 de agosto – Refeição (fechado 5ª feira) lista 1800 a 3100 – **34 qto**
⊂ 11000/11500.

a estrada N 339 E : 6 km – ⊠ 6270 Seia – © 038 :

🏠 Albergaria Senhora do Espinheiro ♨ sem rest, ♟ 220 73, ≤ vale – ⊡ ☎ ℗ – **24 qto**.

EIXAS Viana do Castelo – ver Caminha.

ERRA DA ESTRELA Castelo Branco 440 K y L 7.
Ver : ★ (Torre★★, ⁂★★).
Hotéis e restaurantes ver : **Covilhã e Penhas da Saude.**

ERRA DE ÁGUA Madeira – ver Madeira (Arquipélago da).

ERTÃ 6100 Castelo Branco 440 M 5 – 5 247 h. – © 074.
Lisboa 248 – Castelo Branco 72 – Coimbra 86.

🏠 **Lar Verde** sem rest, Recta do Pinhal ♟ 635 84, Fax 630 95, ≤, ⬓ – ⊟ ⊡ ☎ ℗. ⅏
22 qto ⊂ 6500/8000.

🍴🍴 **Pontevelha,** Alameda da Carvalha ♟ 615 29, Fax 623 84, ≤ – ⊟. Ε 𝘝𝘐𝘚𝘈.
⅏
fechado 2ª feira – Refeição lista 1775 a 2800.

🍴 **Santo Amaro,** Rua Bombeiros Voluntários ♟ 635 87, Fax 623 84, ⏦ – ⊟. Ε 𝘝𝘐𝘚𝘈. ⅏
fechado 4ª feira – Refeição lista 1775 a 2800.

🍴 **Lagar,** Rua 1º de Dezembro ♟ 635 86, Fax 634 08, ⏦, Rest. típico instalado numa prensa
de azeite – ⊟ ℗. ⅏
fechado 2ª feira – Refeição lista aprox. 2500.

SIMBRA 2970 Setúbal 440 Q 2 – 14 530 h. – © 01 – Praia.
Ver : Porto★.
Arred. : Castelo ≤★ NO : 6 km – Cabo Espichel★ (local★) O : 15 km – Serra da Arrábida★
(Portinho de Arrábida★, Estrada de Escarpa★★) E : 30 km.
🖪 Largo da Marinha ♟ 223 57 43. – Lisboa 43 – Setúbal 26.

🏨 **Do Mar** ♨, Rua General Humberto Delgado 10 ♟ 223 33 26, Fax 223 38 88, ≤ mar,
« Relvado com ⬓ rodeado de árvores », ⬓, ⹋ – 劇 ⊟ ⊡ ☎ ℗ – 🛆 25/220. ΑΕ ⓞ
Ε 𝘝𝘐𝘚𝘈. ⅏ – Refeição 4200 – **168 qto** ⊂ 18500/29000, 2 suites – PA 8000.

🏨 **Villas de Sesimbra** ♨, Altinho de São João ♟ 228 00 05, Telex 16190, Fax 223 15 33,
≤, « Relvado com ⬓ », ₲, ⬓, ⹋ – 劇 ⊟ ⊡ ☎ ⇌ – 🛆 25/100. ΑΕ ⓞ Ε 𝘝𝘐𝘚𝘈 ᴊᴄʙ. ⅏
Refeição 3000 – ⊂ 1100 – **207 apartamentos** 18000/25000.

XX **Ribamar,** Av. dos Náufragos 29 ℰ 223 48 53, Fax 223 43 17, 🍴, Peixes e marisco
🍽. AE E VISA. ⁂
Refeição lista 3750 a 5000.

X **O Pirata,** Rua Heliodoro Salgado 3 ℰ 223 04 01, ≤, 🍴 – AE ⓞ E VISA JCB
fechado 4ª feira e dezembro – **Refeição** lista aprox. 3200.

em Santana N : 3,5 km – ⊠ 2970 Sesimbra – ✪ 01 :

XX **Angelus,** Praça Duques de Palmela ℰ 268 13 40, Fax 223 43 17 – 🍽. AE E VISA.
Refeição lista 2850 a 4650.

SETÚBAL

Álvaro Castelões (Rua) .... BZ 7
António Girão (Rua) ...... BZ 9
Augusto Cardoso (Rua de) . BZ 13
Bocage (Rua do) .... BZ 18
Dr Paula Borba (Rua) ..... BZ 25
Santo António (Largo de) .. BZ 44

Alexandre Herculano
 (Av. de) .... BY 3
Almirante Reis (Praça do) .. AZ 4
Almocreves (Rua dos) .... BZ 6
António José Batista (Rua) . CY 10
Arronches Junqueiro (Rua) . BZ 12
Bela Vista (Travessa da) ... AZ 15
Bocage (Praça do) ...... BZ 16
Ciprestes (Estrada dos) .... CY 19
Clube Naval (Rua) .... AZ 20
Combatentes da Grande
 Guerra (Av. dos) ...... AZ 21
Defensores da República
 (Largo dos) .... CZ 22
Dr António J. Granjo (Rua) . BZ 24
Exército (Praça do) ...... BZ 27
José Filipe (Rua) .... AZ 30
Machado dos Santos
 (Praça) .... AZ 31
Major Afonso Pala
 (Rua do) .... BZ 33
Mariano de Carvalho (Av.) . BY 34
Marquês da Costa (Rua) ... AZ 36
Marquês de Pombal
 (Praça) .... AZ 37
Mirante (Rua do) .... CY 38
Ocidental do Mercado
 (Rua) .... AZ 39
Paulino de Oliveira
 (Rua de) .... AZ 40
República de Guiné-Bissau
 (Av.) .... BY 42
Tenente Valadim (Rua) .... AZ 43
Trabalhadores do Mar
 (Rua dos) . ... AZ 45
22 de Dezembro (Av.) .... BY 46

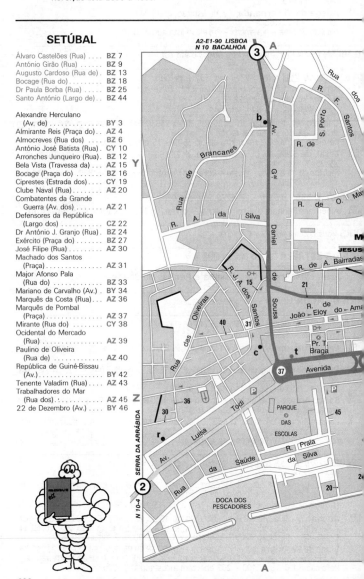

TÚBAL 2900 🅿 🇲🇲🇲 Q 3 – 89106 h. – ✆ 065.

Ver : *Castelo de São Felipe★ (⁜★) por Rua São Filipe* AZ – *Igreja de Jesus ★* AY.

Arred. : *Serra da Arrábida★ (Estrada de Escarpa★★) por* ② – *Quinta da Bacalhoa★ : jardins (azulejos★) por* ③ : *12 km.*

⚓ *para Tróia, Cais de Setúbal* ✆ 35101.

🛈 *Rua do Corpo Santo* ✆ 52 42 84 – **A.C.P.** *av. Bento Gonçalves 18 - A,* ✆ 53 22 92, Fax 39237.

Lisboa 55 ① – *Badajoz 196* ① – *Beja 143* ① – *Évora 102* ① – *Santarém 130* ①.

🏛 Bonfim *sem rest*, Av. Alexandre Herculano 58, ⊠ 2900, ✆ 53 41 11, Fax 53 48 58, ≼
– ⧈ 🗏 📺 ☎ ఉ – 🔬 25/40   BY **b**
100 qto.

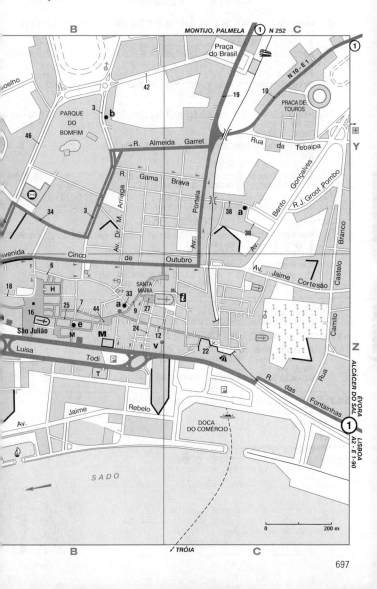

Isidro, Rua Professor Augusto Gomes 3, ⊠ 2910, ℰ 53 50 99, Fax 53 51 18 – ▮▤
📺 ☎ 🕭 ⇔ – 🏄 25/90. 🖭 ⓪ ⋐ 𝘝𝘐𝘚𝘈   por Av. Jaime Cortesão   CZ
Refeição (ver rest. **Isidro**) – 85 qto ⊡ 7500/9000.

Albergaria Laitau sem rest. com snack bar, Av. General Daniel de Sousa 89, ⊠ 29
ℰ 534 031, Fax 360 95 – ▮▤ 🗏 📺 ☎ ⇔ – 🏄 25/200. 🖭 ⓪ ⋐ 𝘝𝘐𝘚𝘈. ⋘   AY
41 qto ⊡ 8500/10000.

Aranguês sem rest, Rua José Pedro da Silva 15, ⊠ 2910, ℰ 52 51 71, Fax 52 68
🔥, 🗔 – ▮▤ 🗏 📺 ☎ 🕭 ⇔. 🖭 ⓪ ⋐ 𝘝𝘐𝘚𝘈. ⋘   CY
48 qto ⊡ 9000/10000, 2 suites.

Albergaria Solaris sem rest, Praça Marquês de Pombal 12, ⊠ 2900, ℰ 52 21
Fax 52 20 70 – ▮▤ 🗏 📺 ☎. 🖭 ⓪ ⋐ 𝘝𝘐𝘚𝘈. ⋘   AZ
30 qto ⊡ 8000/10000.

Mar e Sol sem rest, Av. Luisa Todi 606-612, ⊠ 2900, ℰ 53 46 03, Fax 53 20 36 –
🗏 📺 ☎ ⇔. ⋐ 𝘝𝘐𝘚𝘈. ⋘   AZ
71 qto ⊡ 6000/8500.

Bocage sem rest, Rua de São Cristóvão 14, ⊠ 2900, ℰ 215 98, Fax 218 09 – ☎.
⋐ 𝘝𝘐𝘚𝘈. ⋘   BZ
38 qto ⊡ 4800/6800.

Setubalense sem rest, Rua do Major Afonso Pala 17-1º, ⊠ 2900, ℰ 52 57
Fax 52 57 89 – 📺 ☎. 🖭 ⋐ 𝘝𝘐𝘚𝘈. ⋘   BZ
24 qto ⊡ 7500/9000.

Isidro, Rua Professor Augusto Gomes 1, ⊠ 2910, ℰ 53 50 99, Fax 53 51 18 – 🗏 ⇔
🖭 ⓪ ⋐ 𝘝𝘐𝘚𝘈. ⋘   por Av. Jaime Cortesão   CZ
Refeição lista aprox. 4500.

Novoreno, Av. Luisa Todi 440, ⊠ 2900, ℰ 301 15, Fax 301 15, 🌧 – 🗏. 🖭 ⓪
𝘝𝘐𝘚𝘈. ⋘   AZ
Refeição lista aprox. 5200.

A Roda, Travessa Postigo do Cais 7, ⊠ 2900, ℰ 292 64, 🌧 – 🗏. 🖭 ⓪ ⋐ 𝘝𝘐𝘚𝘈.
fechado domingo – **Refeição** lista aprox. 3500.   BZ

O Beco, Rua da Misericórdia 24, ⊠ 2900, ℰ 52 46 17, Fax 52 56 10 – 🗏. 🖭 ⓪ ⋐
fechado 3ª feira – **Refeição** lista 2150 a 3700.   BZ

na estrada N 10 por ① – ⊠ 2910 Setúbal – 🕾 065 :

Novotel Setúbal, Monte Belo - 2,5 km ℰ 52 28 09, Fax 52 29 12, 🏊 – ▮▤ 🗏 📺
🕭 🅟 – 🏄 25/250. 🖭 ⓪ ⋐ 𝘝𝘐𝘚𝘈
Refeição lista aprox. 3500 – ⊡ 1100 – **105 qto** 10900.

Ibis Setúbal ⑤, Vale da Rosa - 5,5 km ℰ 77 22 00, Telex 42746, Fax 77 24 47,
🏊 – 🗏 📺 ☎ 🕭 🅟 – 🏄 25/60. 🖭 ⓪ ⋐ 𝘝𝘐𝘚𝘈. ⋘ rest
Refeição 2400 – ⊡ 750 – **102 qto** 7500 – PA 4800.

na estrada de Algerus por ① : 5 km – ⊠ 2910 Setúbal – 🕾 065 :

Campanile, ℰ 75 26 72, Fax 77 24 64 – 🗏 📺 ☎ 🕭 🅟 – 🏄 25. 🖭 ⓪ ⋐ 𝘝𝘐𝘚𝘈
Refeição 2250 – ⊡ 650 – **70 qto** 7200 – PA 4500.

no Castelo de São Filipe O : 1,5 km – ⊠ 2900 Setúbal – 🕾 065 :

Pousada de São Filipe ⑤, ℰ 52 38 44, Fax 53 25 38, ≤ Setúbal e Foz do Sado,
Decoração rústica, « Dentro das muralhas de uma antiga fortaleza » – 🗏 📺 ☎ 🅟.
⓪ ⋐ 𝘝𝘐𝘚𝘈. ⋘   por Rua São Filipe   AZ
Refeição 3650 – **14 qto** ⊡ 25000/28000.

SILVES 8300 Faro 𝟒𝟒𝟎 U 4 – 11 020 h. – 🕾 082.
Ver : Castelo★ - Sé★.
Lisboa 265 – Faro 62 – Lagos 33.

ao Noreste : 6 km :

Quinta do Rio-Country Inn ⑤ sem rest, Sítio de São Estêvão, ⊠ apartado 2
ℰ 44 55 28, Fax 44 55 28 – 🅟. 𝘝𝘐𝘚𝘈. ⋘
fechado do 15 ao 31 de dezembro – **6 qto** ⊡ 8500.

In questa guida
uno stesso simbolo, uno stesso carattere
stampati in rosso o in nero, in magro o in grassetto,
hanno un significato diverso.
Leggete attentamente le pagine esplicative.

INES *7520 Setúbal* 440 *S 3 – 9314 h. –* ☻ *069 – Praia.*
   Arred.: *Santiago do Cacém* ≤★.
   🛈 *Av. General Humberto Delgado (Jardim das Descobertas)* ℘ *63 44 72.*
   Lisboa 165 – Beja 97 – Setúbal 117.

   🏨 Aparthotel Sinerama *sem rest*, Rua Marquês de Pombal 167 ℘ 86 25 20, Telex 12671, Fax 63 45 51, ≤ – 🛗 🍴 📺 ☎ – 🔏
   105 apartamentos.

   🏠 **Búzio** *sem rest*, Av. 25 de Abril 14 ℘ 86 25 58, Fax 63 51 51 – 📺 ☎. 🝙 ➀ 🗲 *VISA*. 🛠
   43 qto 🖙 9000/12000.

NTRA *2710 Lisboa* 440 *P 1 – 20574 h. alt. 200 –* ☻ *01.*
   Ver: *Palácio Real*★★ *(azulejos*★★, *tecto*★★) Y.
   Arred.: *S: Parque da Pena*★★ *Z, Cruz Alta*★★ *Z, Castelo dos Mouros*★ *(≤★) Z, Palácio Nacional da Pena*★★ ≤★★ *- Convento dos Capuchos*★ *– Parque de Monserrate*★ *O: 3 km – Peninha* ≤★★ *SO: 10 km – Azenhas do Mar*★ *(sítio*★*) 16 km por* ➀ *– Cabo da Roca*★ *16 km por* ➀.
   🛈 *Praça da República 23* ℘ *923 11 57, Fax 923 50 79.*
   Lisboa 28 ➂ *– Santarém 100* ➂ *– Setúbal 73* ➂.

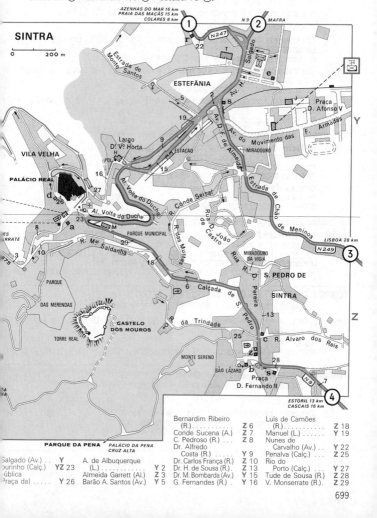

Bernardim Ribeiro (R.)	**Z** 6		Luís de Camões (R.)	**Z** 18	
Conde Sucena (A.)	**Z** 7		Manuel (L.)	**Y** 19	
C. Pedroso (R.)	**Z** 8		Nunes de Carvalho (Av.)	**Y** 22	
Dr. Alfredo Costa (R.)	**Y** 9		Penalva (Calç.)	**Z** 25	
Dr. Carlos França (R.)	**Z** 10		Rio do Porto (Calç.)	**Y** 27	
Dr. H. de Sousa (R.)	**Z** 13		Tude de Sousa (R.)	**Z** 28	
Dr. M. Bombarda (Av.)	**Y** 15		V. Monserrate (R.).	**Z** 29	
G. Fernandes (R.)	**Y** 16				

Salgado (Av.) ... **Y**
ourinho (Calç.) **YZ** 23
ública
Praça da) ..... **Y** 26

A. de Albuquerque (L.) .... **Y** 2
Almeida Garrett (Al.) **Z** 3
Barão A. Santos (Av.) **Y** 5

⌂⌂⌂⌂ **Tivoli Sintra,** Praça da República ✆ 923 35 05, Fax 923 15 72, < - ⇅ ▤ 📺 ☎ ☾
Ⓟ - 🏢 25/200. AE ⓓ E VISA JCB. ⊘ rest Y
Refeição 3900 - **75 qto** ☕ 19000/21300.

✕✕ **Tacho Real,** Rua da Ferreira 4 ✆ 923 52 77, Fax 923 09 69, ☂ - AE ⓓ E VISA.
fechado 4ª feira - **Refeição** lista 3310 a 5650. Z

em São Pedro de Sintra - ✉ *2710 Sintra* - ☏ *01* :

⌂ **Estal. Solar dos Mouros,** Calçada de São Pedro 64 ✆ 923 32 16, Fax 923 32 1
▤ 📺 ☎. AE ⓓ E VISA JCB. ⊘ Z
Refeição (ver rest. ***Dos Arcos***) - **7 qto** ☕ 12500/15500, 1 suite.

✕ **Solar S. Pedro,** Praça D. Fernando II-12 ✆ 923 18 60, Fax 924 06 78 - ▤. AE E
JCB. ⊘ Z
fechado 4ª feira - **Refeição** lista aprox. 5500.

✕ **Dos Arcos,** Rua Serpa Pinto 4 ✆ 923 02 64 - AE ⓓ E VISA JCB. ⊘ Z
fechado 5ª feira, do 1 ao 15 de junho e do 1 ao 15 de outubro - **Refeição** lista 3
a 4500.

✕ **Cantinho de S. Pedro,** Praça D. Fernando II-18 ✆ 923 02 67 - AE ⓓ E VISA.
fechado domingo noite e 2ª feira - **Refeição** lista 1950 a 4660. Z

✕ D. Fernando, Rua Higino de Sousa 6 ✆ 923 33 11, Fax 923 33 11 Z

na Estefânia - ✉ *2710 Sintra* - ☏ *01* :

✕✕ **Wiesbaden,** Av. General J.E. Morais Sarmento 1 ✆ 923 52 68, Fax 923 52 68, ☂ -
AE ⓓ E VISA. ⊘ Y
fechado 2ª feira - **Refeição** lista 1700 a 4100.

✕✕ **Cintrália** *com snack-bar*, Largo Afonso de Albuquerque 2 ✆ 924 22 99, Fax 923 23
- ▤. AE ⓓ E VISA Y
fechado 2ª feira - **Refeição** lista 2700 a 3900.

✕ **Orixás,** Av. Adriano Julio Coelho 7 ✆ 924 16 72, Fax 924 16 73, ☂, Rest. brasileir
AE ⓓ VISA Y
Refeição lista aprox. 4700.

na estrada de Colares *pela N 375* - ✉ *2710 Sintra* - ☏ *01* :

⌂⌂⌂⌂ **Palácio de Seteais** ⚘, Rua Barbosa do Bocage 8 - O : 1,5 km ✆ 923 32
Fax 923 42 77, < campos em redor, « Luxuosas instalações num palácio do século X
rodeado de jardins », 🏊 climatizada, 🎾 - ⇅ ☎ Ⓟ. AE ⓓ E VISA JCB. ⊘
Refeição 6800 - **29 qto** 40000/43000, 1 suite.

⌂⌂ **Quinta da Capela** ⚘ *sem rest*, O : 4,5 km ✆ 929 01 70, Fax 929 34 25, <, « Ant
quinta rodeada dum belo jardim », 🏋, 🏊 - ☎ Ⓟ. AE ⓓ E VISA
5 qto ☕ 21000/24000, 3 suites.

na estrada da Lagoa Azul-Malveira *por ④ : 7 km* - ✉ *Linhó 2710 Sintra* - ☏ *01* :

⌂⌂⌂⌂⌂ **Caesar Park Penha Longa** ⚘, ✆ 924 90 11, Fax 924 90 07, < campo de golfe e Se
de Sintra, ☂, « Numa bela reserva natural com históricos monumentos do século XV »,
🏊, 🏊, 🎾, ⛳18 ⛳9 - ⇅ ▤ 📺 ☎ ♿ 🚗 Ⓟ - 🏢 25/280. AE ⓓ E VISA JCB. ⊘ rest
Jardim Primavera : **Refeição** lista aprox. 7300 - ***Midori*** *(Rest. japonês, só jantar, fech
2ª feira)* **Refeição** lista aprox. 5400 - ☕ 2000 - **158 qto** 37000/41000, 16 suites

---

SOBRAL DE MONTE AGRAÇO *2590 Lisboa* 440 *O 2* - ☏ *061*.

Lisboa 51 - Santarém 61 - Sintra 42 - Torres Vedras 17.

em Folgados *na estrada N 248 - SE : 1,5 km* - ✉ *2590 Sobral de Monte Agraço* - ☏ *06*

✕ **O Folgado,** ✆ 94 20 89, Rest típico. Carnes na pedra
☺ ▤ Ⓟ. ⊘
fechado 5ª feira e agosto - **Refeição** lista 1530 a 3050.

SOUSEL *7470 Portalegre* 440 *P 6* - ☏ *068*.

Lisboa 185 - Badajoz 73 - Évora 63 - Portalegre 59.

ao Suloeste : *3,5 km* :

⌂⌂ **Pousada de São Miguel** ⚘, Estrada Particular ✆ 55 11 60, Fax 55 11 55, < olivei
☂ - ▤ 📺 ☎ Ⓟ - 🏢 25/40. AE ⓓ E VISA. ⊘
Refeição 3650 - **28 qto** ☕ 14500/16500, 4 suites.

L'EUROPE en une seule feuille
Cartes Michelin nº 970 (routière, pliée) et nº 973 (politique, plastifiée).

ÁBUA 3420 Coimbra **440** K 5 – 2 416 h. alt. 225 – ✪ 035.
  Lisboa 254 – Coimbra 52 – Viseu 47.

🏨 **Turismo de Tábua** sem rest, Rua Profesor Dr. Caeiro da Mata 🖉 430 40, Fax 431 66,
  ▨ – 🛗 🗐 📺 ☎ ℗. 🗚 ⓞ 🗲 𝖵𝖨𝖲𝖠
  62 qto ⊇ 5500/8500, 12 suites.

ALEFE Lisboa **440** O 1 – ✉ 2640 Mafra – ✪ 061.
  Lisboa 60 – Sintra 33.

🏨 Estal. D. Fernando ⑤, Quinta da Calada 🖉 85 52 04, Fax 85 52 64, ≤, 👚,
  « Extraordinária localização sobre o mar » – 📺 ℗
  Refeição (só jantar salvo sábado e domingo) – **12 qto.**

AVIRA 8800 Faro **440** U 7 – 8 892 h. – ✪ 081 – Praia.
  Ver : Localidade★.
  🛈 Rua da Galeria 🖉 225 11.
  Lisboa 314 – Faro 31 – Huelva 72 – Lagos 111.

🏨 **Convento de Santo António** ⑤ sem rest, Atalaia 56 🖉 32 56 32, Fax 32 56 32,
  « Antigo convento », ⌇ 𝖵𝖨𝖲𝖠
  fechado dezembro-janeiro – **6 qto** ⊇ 17000/21000, 1 suite.

🏨 **Quinta do Caracol** ⑤ sem rest, Bairro de São Pedro 🖉 224 75, Fax 231 75,
  « Bungalows num jardim com ⌇ », ❨ – ℗. 🗚 ⓞ 🗲 𝖵𝖨𝖲𝖠
  ⊇ 800 – **7 apartamentos** 12000/14000.

✗ **Avenida,** Av. Dr. Mateus T. de Azevedo 6 🖉 811 13, 👚 – 🗐. 🗚 🗲 𝖵𝖨𝖲𝖠. ✦
  fechado 3ª feira e maio – **Refeição** lista 1610 a 3100.

em Quatro Águas S : 2 km – ✉ 8800 Tavira – ✪ 081 :
✗ **Portas do Mar,** 🖉 812 55, 👚, Peixes e mariscos – 🗐 ℗. 🗚 ⓞ 🗲 𝖵𝖨𝖲𝖠. ✦
  Refeição lista 1850 a 3700.

✗ **4 Águas,** 🖉 32 53 29, 👚, Peixes e mariscos – 🗐 ℗. 🗚 ⓞ 🗲 𝖵𝖨𝖲𝖠. ✦
  fechado 2ª feira e novembro – **Refeição** lista 2135 a 3120.

na estrada N 125 NE : 2,5 km – ✉ 8800 Tavira – ✪ 081 :
✗ **Da Bairrada,** 🖉 32 44 67, Espec. em leitão assado – 🗐. 🗲 𝖵𝖨𝖲𝖠. ✦
  fechado 4ª feira, do 1 ao 15 de dezembro e do 1 ao 25 de maio – **Refeição** lista 2560 a 3550.

ERCENA Lisboa – ver Queluz.

OLEDO Lisboa **440** O 2 – ✉ 2530 Lourinhã – ✪ 061.
  Lisboa 69 – Peniche 26 – Torres Vedras 14.
✗ **O Pão Saloio,** 🖉 98 43 55, Fax 98 47 32, Rest. típico. Grelhados – 🗐. 🗚 🗲 𝖵𝖨𝖲𝖠. ✦
  fechado 2ª feira e 24 setembro-24 outubro – **Refeição** lista 2250 a 2650.

OMAR 2300 Santarém **440** N 4 – 14 022 h. alt. 75 – ✪ 049.
  Ver : Convento de Cristo★★ : igreja★ (charola dos Templários★★) edifícios conventuais★
  (janela★★★) – Igreja de São João Baptista (portal★).
  🛈 Av. Dr. Cândido Madureira 🖉 32 24 27.
  Lisboa 145 – Leiria 45 – Santarém 65.

🏨 **Dos Templários,** Largo Cândido dos Reis 1 🖉 32 17 30, Fax 32 21 91, ≤, ⌇, 🖛, ❨
  – 🛗 🗐 📺 ☎ ℗ – 🔬 25/600. 🗚 ⓞ 🗲 𝖵𝖨𝖲𝖠. ✦
  Refeição lista aprox. 4850 – **171 qto** ⊇ 14200/16500, 5 suites.

🏨 **Estal. de Santa Iria,** Parque do Mouchão 🖉 31 33 26, Fax 32 10 82, « Num parque »
  – 📺 ☎ ℗ – 🔬 25/70. 🗲 𝖵𝖨𝖲𝖠. ✦
  Refeição 2000 – **14 qto** ⊇ 12000/14500 – PA 4000.

🏨 **Sinagoga** sem rest, Rua Gil Avó 31 🖉 32 30 83, Fax 32 21 96 – 🛗 🗐 📺 ☎. 🗚 🗲 𝖵𝖨𝖲𝖠
  23 qto ⊇ 5000/8400.

🏨 **Trovador** sem rest, Rua 10 de Agosto de 1385 🖉 32 25 67, Fax 32 21 94 – 🛗 🗐 📺
  ☎. 🗚 ⓞ 🗲 𝖵𝖨𝖲𝖠. ✦
  30 qto ⊇ 6000/8500.

🏨 **Cavaleiros de Cristo** sem rest, Rua Alexandre Herculano 7 🖉 32 12 03, Fax 32 11 92
  – 🛗 🗐 📺 ☎. 🗚 ⓞ 🗲 𝖵𝖨𝖲𝖠. ✦
  17 qto ⊇ 6000/9000.

✗ **Bela Vista,** Fonte do Choupo 6 - Ponte Velha 🖉 31 28 70,
  👚 – ✦
  fechado 2ª feira noite, 3ª feira e novembro – **Refeição** lista aprox. 4100.

em Castelo de Bode *SE : 14 km –* ⊠ *2300 Tomar –* 🏮 *049 :*

🏨 **Pousada de São Pedro** 🦢, 🖉 38 11 59, Fax 38 11 76 – 🖥 📺 ☎ 🅿. 🖭 ⓪ 🗲 🎴
✵
Refeição 3650 – **25 qto** ⊊ 17000/19000.

TONDELA *3460 Viseu* 🔢🔢🔢 *K 5 – 6 962 h. –* 🏮 *032.*
Lisboa 271 – Coimbra 72 – Viseu 24.

🏨 **São José,** Av. Francisco Sá Carneiro 🖉 81 34 51, Fax 81 34 42, ≤, 🍴, ⊐ – 🖥 📺
🅿 – 🔏 25/200. 🖭 🎴. ✵
Refeição *(fechado domingo)* 3000 – **19 qto** ⊊ 7000/10000 – PA 5500.

🏠 **Tondela** *sem rest,* Rua Dr. Simões de Carvalho 🖉 82 24 11 – 🅿. ✵
29 qto ⊊ 3000/5000.

TORRE DE MONCORVO *5160 Bragança* 🔢🔢🔢 *I 8 – 2 457 h. alt. 399 –* 🏮 *079.*
Ver : ≤⋆ *desde a Estrada N 220.*
🚉 *Rua Manuel Seixas,* 🖉 222 89, Fax 227 28.
Lisboa 403 – Bragança 98 – Vila Real 109.

🏨 **Brasília** *sem rest,* Estrada N 220 🖉 25 40 94, Fax 25 42 55, ⊐ – 🛗 🖥 📺 ☎ 🅿.
🗲 🎴
27 qto ⊊ 6500/9500, 1 suite.

TORREIRA *Aveiro* 🔢🔢🔢 *J 3 –* ⊠ *3870 Murtosa –* 🏮 *034 – Praia.*
🚉 *Av. Hintze Ribeiro,* 🖉 482 50.
Lisboa 290 – Aveiro 42 – Porto 54.

🏨 **Estal. Riabela** 🦢, Estrada N 327 🖉 481 37, Fax 481 47, ≤ ria de Aveiro, ⊐, ✵
🖥 rest 📺 ☎ 🅿 – 🔏 25/150. 🖭 ⓪ 🗲 🎴. ✵
Refeição 2900 – **37 qto** ⊊ 9000/11000.

🏠 **Alber-Tina,** Travessa Arrais Faustino 🖉 483 06, Fax 482 06 – 🖥 📺 ☎. 🖭 🗲 🎴.
Refeição lista aprox. 3100 – **20 qto** ⊊ 5000/8000.

na estrada N 327 *S : 5 km –* ⊠ *3870 Murtosa –* 🏮 *034 :*

🏨 **Pousada da Ria** 🦢, 🖉 483 32, Telex 37061, Fax 483 33, ≤ ria de Aveiro, 🍴,
✵ – 📺 ☎ 🅿. 🖭 ⓪ 🗲 🎴. ✵
Refeição 3650 – **19 qto** ⊊ 17000/19000.

TORRES NOVAS *2350 Santarém* 🔢🔢🔢 *N 4 – 14 267 h. –* 🏮 *049.*
🚉 *Largo do Paço* 🖉 81 29 10.
Lisboa 118 – Castelo Branco 138 – Leiria 52 – Portalegre 120 – Santarém 38.

🏨 **Dos Cavaleiros,** Praça 5 de Outubro 🖉 81 24 20, Telex 61238, Fax 81 20 52 – 🛗 🖥
☎ – 🔏 25/80
60 qto.

🍴 **Artur's,** Av. de São José 🖉 217 21, Fax 217 21 – 🖥. 🗲 🎴. ✵
fechado domingo noite, 2ª feira e do 8 ao 22 de agosto – **Refeição** lista 3150 a 41

TORRES VEDRAS *2560 Lisboa* 🔢🔢🔢 *O 2 – 13 394 h. alt. 30 –* 🏮 *061 – Termas.*
🚉 *Rua 9 de Abril* 🖉 31 40 94, Fax 31 30 82.
Lisboa 55 – Santarém 74 – Sintra 62.

🏠 **Imperio Jardim,** Praça 25 de Abril 🖉 31 42 32, Fax 32 19 01 – 🛗 🖥 📺 ☎ ⇦
🔏 25/180. 🖭 ⓪ 🗲 🎴. ✵
Refeição 1800 – **47 qto** ⊊ 5500/7500 – PA 3600.

🏠 **Dos Arcos** *sem rest,* Bairro Arenes - Estrada do Cadaval 🖉 31 24 89, Fax 238 70 –
📺 ☎ ⇦ – 🔏 25/40. 🖭 🗲 🎴
28 qto ⊊ 5000/7500.

🏠 **São Pedro** *sem rest,* Rua Dias Neiva 🖉 31 61 44 – 📺 ☎. 🖭 🎴. ✵
16 qto ⊊ 4000/6000.

🏠 **Moderna** *sem rest e sem* ⊊, Av. Tenente Valadim 18 🖉 31 41 46 – 🛗 📺
14 qto.

em Paul *pela estrada N 9 - O : 3,5 km –* ⊠ *2560 Torres Vedras –* 🏮 *061 :*

🍴 O Barracão, 🖉 249 08, Grelhados – 🖥.

ROFA 4785 Porto **440** H 4 – ❸ 052.
Lisboa 330 – Amarante 73 – Braga 26 – Porto 29.

a estrada N 104 E : 3,5 km – ⊠ 4785 Trofa – ❸ 052 :
※ A Cêpa com qto, Abelheira ℘ 465 65, 斎 – ▤ rest ❷
9 qto.

RÓIA Setúbal **440** Q 3 – ⊠ 2900 Setúbal – ❸ 065 – Praia.
⬜ Club de Golf de Tróia ℘ 441 12.
⬛ para Setúbal, Ponta do Adoxe ℘ 441 51.
Lisboa 181 – Beja 127 – Setúbal 133.

a estrada N 253-1 S : 1,5 km – ⊠ 2900 Setúbal – ❸ 065 :
XXX Bar Golf, Clube de Golf ℘ 441 11, ≤, 斎, « Ao pé do campo de golf » – ▤ ❷.

UIDO-GANDRA Viana do Castelo – ver Valença do Minho.

URCIFAL Lisboa **440** O 2 – ⊠ 2560 Torres Vedras – ❸ 061.
Lisboa 49 – Estoril 69 – Sintra 41 – Torres Vedras 9.
※ **Lampião,** junto à igreja ℘ 95 11 42 – ▤. 彩
fechado 2ª feira noite, 3ª feira e do 15 ao 31 de julho – **Refeição** lista 2300 a 4000.

AGOS 3840 Aveiro **440** K 3 – ❸ 034.
Lisboa 233 – Aveiro 12 – Coimbra 43.
🏠 **Santiago** sem rest, Rua Padre Vicente Maria da Rocha ℘ 79 37 86, Fax 79 37 86 – 🛗.
ﾐ ⓞ 🄴 𝘝𝘐𝘚𝘈. 彩
21 qto ⇆ 5500/7900.
※ A Marisqueira, Praça da República 54 ℘ 79 15 75 – ▤.

ALE DA TELHA Faro – ver Aljezur.

ALE DE AREIA Faro – ver Ferragudo.

ALE DE LOBOS Lisboa – ver Sabugo.

ALE DO LOBO Faro – ver Almancil.

ALENÇA DO MINHO 4930 Viana do Castelo **440** F 4 – 2810 h. alt. 72 – ❸ 051.
Ver : Vila Fortificada★ (≤★).
Arred. : Monte do Faro★★ (✲★★) E : 7 km e 10 mn. a pé.
🅱 Estrada N 13 ℘ 233 74.
Lisboa 440 – Braga 88 – Porto 122 – Viana do Castelo 52.
🏨 Valença do Minho, Av. Miguel Dantas ℘ 82 41 44, Fax 82 43 21, ⎘ – 🛗 ▤ 📺 ☎ ⇔
❷
33 qto, 3 suites.
🏨 Lara, São Sebastião ℘ 82 43 48, Fax 82 43 58 – 🛗 📺 ☎ – 🔬 25/70
Refeição (só jantar) – 53 qto, 1 suite.
🏠 Val-Flores sem rest, Esplanada ℘ 82 41 06, Fax 82 41 29 – 🛗 📺 ☎. ﾐ ⓞ 🄴 𝘝𝘐𝘚𝘈. 彩
32 qto ⇆ 4800/8000.

entro das muralhas :
XXX **Pousada do São Teotónio** ⧉ com qto, ℘ 82 42 42, Fax 82 43 97, ≤ vale do Minho,
Tuy e montanhas de Espanha, 斎 – ▤ 📺 ☎. ﾐ ⓞ 🄴 𝘝𝘐𝘚𝘈. 彩
Refeição lista 3200 a 4950 – 16 qto ⇆ 14500/16500.
※ **Fortaleza,** Rua Apolinário da Fonseca 5 ℘ 231 46, 斎 – ▤. 🄴 𝘝𝘐𝘚𝘈
fechado 3ª feira y 15 janeiro-15 fevereiro – **Refeição** lista aprox. 2500.
※ Baluarte, Rua Apolinário da Fonseca ℘ 82 40 42, 斎.
※ Bom Jesus, Largo do Bom Jesus ℘ 220 88, 斎.

n Tuido-Gandra S : 3 km – ⊠ 4930 Valença do Minho – ❸ 051 :
XX **Lido,** Estrada N 13 ℘ 82 52 90, Fax 82 52 98 – ▤ ❷. ﾐ ⓞ 🄴 𝘝𝘐𝘚𝘈. 彩
fechado 3ª feira – **Refeição** lista 2300 a 3700.

no Monte do Faro *E : 7 km –* ⊠ *4930 Valença do Minho –* ✆ *051 :*

   ✗ **Monte do Faro** ⬠ *com qto,* ✆ *82 58 07,* 🏵, « *Num parque* » – **🅿**. **AE** **①** **E** **V🄸**

   🍴 ✀

     Refeição *(fechado 2ª feira)* lista 3840 a 4980 – **6 qto** ⊇ 8000/9000.

em Monte-São Pedro da Torre *SO : 7 km –* ⊠ *4930 Valença do Minho –* ✆ *051 :*

   🏨 **Padre Cruz** *sem rest,* Estrada N 13 ✆ 83 92 39, Fax 83 96 47 – **TV** **🅿**. ✀
     31 qto ⊇ 4000/6000.

VIANA DO CASTELO 4900 **P** **440** *G 3 – 13 157 h.* – ✆ *058 – Praia.*
    Ver : *Praça da República*★ B – *Hospital da Misericórdia*★ B - *Museu Municipal*★ *(azulejos*★
    faianças portuguesas★*)* A **M**.
    Arred. : *Monte de Santa Luzia*★★*, Basílica de Santa Luzia* ☀★★ *N : 6 km.*
    🄱 *Rua do Hospital Velho* ✆ *82 26 20, Fax 82 97 98.*
    Lisboa 388 ② *– Braga 53* ② *– Orense/Ourense 154* ③ *– Porto 74* ② *– Vigo 83* ③

VIANA DO CASTELO

Bandeira (Rua da)	**B**	
Combatentes da Grande		
Guerra (Av. dos)	**AB** 7	
República (Praça da)	**B** 18	

Cândido dos Reis (Rua)	**B** 3
Capitão Gaspar de Castro	
(Rua)	**B** 4
Carmo (Rua do)	**B** 6
Conde da Carreira (Av. da) .	**A** 9
Dom Afonso III (Av.)	**B** 10
Gago Coutinho (Rua de) . . .	**B** 12

Humberto Delgado (Av.) . . .	**A**
João Tomás da Costa	
(Largo)	**B**
Luís de Camões (Av.)	**B**
Sacadura Cabral (Rua)	**B**
Santa Luzia (Estrada)	**A**
São Pedro (Rua de)	**B**

   🏯 **Do Parque,** Praça da Galiza ✆ 82 86 05, Fax 82 86 12, ≤, 🛋 – 🔰 🗐 🖼 ☎ **🅿**
     🍴 25/180. **AE** **①** **E** **VISA**. ✀   B
     Refeição lista 3300 a 3700 – ⊇ 1650 – **124 qto** 13000/17500.

   🏨 **Viana Sol** *sem rest,* Largo Vasco da Gama ✆ 82 89 95, Fax 82 34 01, 👠, 🛋 – 🔰
     ☎ – 🍴 25/145. **AE** **①** **E** **VISA**. ✀   B
     65 qto ⊇ 9950/12500.

   🏨 **Rali** *sem rest,* Av. Afonso III-180 ✆ 82 97 70, Fax 82 00 60, 🛋 – 🔰 🗐 🖼 ☎ **🅿**
     🍴 25/50. **AE** **①** **E** **VISA**. ✀   B
     38 qto ⊇ 8500/11000.

   🏠 Calatrava *sem rest,* Rua M. Fiúza Júnior 157 ✆ 82 89 11, Fax 82 86 37 – **TV** ☎ B
     15 qto.

🏛 **Jardim** *sem rest*, Largo 5 de Outubro 68 ℰ 82 89 15, Fax 82 89 17 – 🛗 🖼 ☎. 🕮 ⓪ 📧 𝖵𝖨𝖲𝖠. ⁕ B c
20 qto ⚏ 6250/8500.

🏛 **Laranjeira** *sem rest*, Rua General Luís do Rego 45 ℰ 82 22 61, Fax 82 19 02 – 🖼 ☎ ⇔. 🕮 ⓪ 📧 𝖵𝖨𝖲𝖠. ⁕ B a
27 qto ⚏ 7000/8800.

XX **Casa d'Armas,** Largo 5 de Outubro 30 ℰ 249 99 – ☰. ⓪ 📧 𝖵𝖨𝖲𝖠. ⁕ B t
fechado 4ª feira – **Refeição** lista 2250 a 4700.

XX **Cozinha das Malheiras,** Rua Gago Coutinho 19 ℰ 82 36 80 – ☰. 🕮 ⓪ 📧 𝖵𝖨𝖲𝖠. ⁕ B e
fechado 3ª feira – **Refeição** lista 1800 a 4450.

X **Verde Viana,** Praça 1º de Maio ℰ 82 99 32, Fax 258 65 – ☰. 🕮 ⓪ 📧 𝖵𝖨𝖲𝖠 B b
Refeição lista 2500 a 4100.

X **Os 3 Potes,** Beco dos Fornos 7 ℰ 82 99 28, Fax 252 50, Decoração rústica regional –
☰. 📧 𝖵𝖨𝖲𝖠 B s
fechado 2ª feira – **Refeição** lista 2250 a 3725.

X Alambique *com qto*, Rua Manuel Espregueira 86 ℰ 82 38 94, Decoração rústica regional
– ☎ A e
24 qto.

Santa Luzia N : 6 km – ✉ 4900 Viana do Castelo – 🕾 058 :

🏨 **Pousada do Monte de Santa Luzia** ♨, ℰ 82 88 89, Fax 82 88 92, 🍴, « Bela situação com ⇐ mar, vale e estuário do Lima », 🏊, 🌳, ⁕ – 🛗 🖼 ☎ 🅿 – 🕸 25/40. 🕮 ⓪ 📧 𝖵𝖨𝖲𝖠. ⁕
Refeição 3650 – **50 qto** ⚏ 17000/19000, 3 suites.

Santa Marta de Portuzelo *por* ① : 6,5 km – ✉ 4900 Viana do Castelo – 🕾 058 :
X **Camelo,** Estrada N 202 ℰ 83 05 17, Fax 83 19 54 – ☰. 📧 𝖵𝖨𝖲𝖠
fechado 2ª feira e do 8 ao 30 de setembro – **Refeição** lista 1850 a 4150.

DAGO 5425 Vila Real �"🄐🄐 H 7 – alt. 350 – 🕾 076 – Termas.
🛈 Largo Miguel Carvalho ℰ 974 70.
Lisboa 447 – Braga 108 – Bragança 109 – Porto 140 – Vila Real.

🏨 **Vidago Palace** ♨, ℰ 973 56, Fax 973 59, 🍴, « Majestuoso edifício do principio do século num frondoso parque », 🏊, 🌳, ⁕, ⌷, – 🛗 ☰ 🖼 ☎ 🅿 – 🕸 25/200. 🕮 ⓪ 📧 𝖵𝖨𝖲𝖠. ⁕
Refeição 2300 – **73 qto** ⚏ 17500/20000, 9 suites, PA 4600.

EIRA DO MINHO 4850 Braga 🄐🄐🄐 H 5 – 2 229 h. alt. 390 – 🕾 053.
Lisboa 402 – Braga 34 – Porto 84.

Caniçada *na estrada* N 304 - NO : 7 km – ✉ 4850 Vieira do Minho – 🕾 053 :

🏨 **Pousada de São Bento** ♨, ℰ 64 71 90, Fax 64 78 67, ⇐ serra do Gerês e rio Cávado, 🌳 – ☰ ☎ 🅿. 🕮 ⓪ 📧 𝖵𝖨𝖲𝖠. ⁕
Refeição 3650 – **29 qto** ⚏ 19000/22000.

Cerdeirinhas *na estrada* N 103 - NO : 5 km – ✉ 4850 Vieira do Minho – 🕾 053 :

🏛 **Mosteiro,** ℰ 64 77 77 – 🅿. 🕮 ⓪ 📧 𝖵𝖨𝖲𝖠. ⁕
Refeição *(fechado 3ª feira)* 2800 – **18 qto** ⚏ 8000/10000 – PA 5600.

A BALEIRA Madeira – ver Madeira (Arquipélago da) : Porto Santo.

A DO CONDE 4480 Porto 🄐🄐🄐 H 3 – 22 259 h. – 🕾 052 – Praia.
Ver : Convento de Santa Clara★ (túmulos★).
🛈 Rua 25 de Abril 103 ℰ 64 27 00 Fax 641 18 76.
Lisboa 342 – Braga 40 – Porto 27 – Viana do Castelo 42.

🏨 **Estal. do Brasão** *sem rest*, Av. Dr. João Canavarro ℰ 64 20 16, Fax 64 20 28 – 🛗 ☰ 🖼 ☎ 🅿 📧 – 🕸 25/150. 🕮 ⓪ 📧 𝖵𝖨𝖲𝖠. ⁕
26 qto ⚏ 9400/13200, 4 suites.

X **Le Villageois,** Praça da República 94 ℰ 63 11 19 – 🕮 ⓪ 📧 𝖵𝖨𝖲𝖠. ⁕
fechado 2ª feira e do 15 ao 30 de setembro – **Refeição** lista 1950 a 3300.

Azurara *pela estrada* N 13 - SE : 1 km – ✉ 4480 Vila do Conde – 🕾 052 :

🏨 **Sopete Santana Motel** ♨, ℰ 64 17 17, Fax 64 26 93, ⇐, 🏊 – 🖼 ☎ 🅿. 🕮 ⓪ 📧 𝖵𝖨𝖲𝖠. ⁕
Refeição 2200 – **35 qto** ⚏ 13650 – PA 4400.

VILA FRANCA DE XIRA 2600 Lisboa **440** P 3 - 19 823 h. - **☎** 063.
  🛈 Av. Almirante Cândido dos Reis 147 ℰ 260 53.
  Lisboa 31 - Évora 111 - Santarém 49.

🏠 **Flora,** Rua Noel Perdigão 12 ℰ 27 12 72, Fax 265 38 - 🍴 rest 📺 ☎. 🆎 ⓪ Ⅽ ꓦꗞꚠꚟ, ⁎
  Refeição (fechado domingo e setembro) 2500 - **21 qto** ☐ 6000/7000.

🍴🍴 **O Redondel,** Estrada de Lisboa (Praça de Touros) ℰ 229 73, Debaixo das bancadas
  Praça de Touros - 🍴. 🆎 ⓪ Ⅽ ꚠꚟ. ⁎⁎
  fechado 2ª feira - **Refeição** lista 3900 a 4600.

🍴 **O Forno,** Rua Dr. Miguel Bombarda 143 ℰ 321 06 - 🍴. 🆎 Ⅽ ꚠꚟ. ⁎⁎
  fechado 3ª feira e agosto - **Refeição** lista 2500 a 4400.

na estrada N 1 N : 2 km - ✉ 2600 Vila Franca de Xira - **☎** 063 :

🏨 **Lezíria Parque,** ℰ 266 70, Fax 269 90 - 🛗 🍴 📺 ☎ 👍 ⓟ - 🔬 25/80. 🆎 ⓪ Ⅽ ꙍꙍ
  ⁎⁎
  Refeição 2500 - *Aquárius :* **Refeição** lista 2800 a 3900 - **67 qto** ☐ 12000/1400(
  4 suites.

pela estrada do Miradouro de Monte Gordo - ✉ 2600 Vila Franca de Xira - **☎** 06

🏨 **Quinta do Alto** ⚘ sem rest, N : 3,5 km ℰ 268 50, Fax 260 27, ≤, « Casa de cam
  senhorial rodeada duma quinta », ⚕, ⴶ, ⛴, 🍴 - 📺 ☎ ⓟ. 🆎 ⓪ ꚠꚟ. ⁎⁎
  10 qto ☐ 16000/18500, 1 apartamento.

🏠 **São Jorge** ⚘ sem rest, Quinta de Santo André - N : 2,5 km ℰ 221 43, ≤, « Instala
  numa quinta. Bela decoração interior », ⴶ, ⛴ - ⛻ ⓟ. ⁎⁎
  fechado do 1 ao 15 de novembro - **5 qto** ☐ 6000/12000, 1 suite, 1 apartamento

pela estrada de Cadafais N : 6 km - ✉ 2600 Vila Franca de Xira - **☎** 063 :

🏕 **Quinta das Covas** ⚘ sem rest, Cachoeiras ℰ 330 31, « Casa solarenga instalada nu
  quinta » - ⛻ ⓟ
  8 qto ☐ 8000/12000.

VILA FRESCA DE AZEITÃO Setúbal **440** Q 2 y 3 - ✉ 2925 Azeitão - **☎** 065 :.
  Lisboa 33 - Sesimbra 14 - Setúbal 12.

🏨 **Club d'Azeitão** sem rest, Estrada N 10 ℰ 218 22 67, Fax 219 16 29, « Antiga ca
  senhorial », ⴶ, 🍴 - 📺 ☎ ⓟ. 🆎 ⓪ Ⅽ ꚠꚟ. ⁎⁎
  10 qto ☐ 16000/18000.

VILA NOGUEIRA DE AZEITÃO 2925 Setúbal **440** Q 2 - **☎** 01.
  Lisboa 37 - Sesimbra 13 - Setúbal 24.

🍴 **S. Lourenço,** Estrada N 10 ℰ 219 10 56 - 🍴 ⓟ. ⓪ Ⅽ ꚠꚟ. ⁎⁎
  fechado 2ª feira e outubro - **Refeição** lista aprox. 4200.

VILA NOVA DE CERVEIRA 4920 Viana do Castelo **440** G 3 - 1034 h. - **☎** 051.
  🛈 Rua Dr. António Duro ℰ 79 57 87.
  Lisboa 425 - Viana do Castelo 37 - Vigo 46.

🏨 **Pousada D. Diniz** ⚘, Praça da Liberdade ℰ 79 56 01, Fax 79 56 04, « Instalaç
  dentro dum conjunto amuralhado » - 🍴 📺 ☎ - 🔬 25/50. 🆎 ⓪ Ⅽ ꚠꚟ. ⁎⁎
  Refeição 3650 - **25 qto** ☐ 14500/16500, 3 suites.

em Gondarém pela estrada N 13 - SO : 4 km - ✉ 4920 Vila Nova de Cerveira - **☎** 051 :

🏨 **Estal. da Boega** ⚘, Quinta do Outeiral ℰ 79 52 31, Fax 79 60 71, 🌤, « Antiga c
  senhorial rodeada duma quinta », ⴶ, ⛴, 🍴 - ⓟ. 🆎 Ⅽ ꚠꚟ. ⁎⁎
  Refeição (fechado domingo noite) (só buffet) 2900 - **26 qto** ☐ 12900/13500, 2 su
  - PA 5800.

VILA NOVA DE FAMALICÃO 4760 Braga **440** H 4 - 7147 h. alt. 88 - **☎** 052.
  🛈 Rua Adriano Pinto Bastos 75, ℰ 31 25 64.
  Lisboa 350 - Braga 18 - Porto 32.

🏠 **Francesa** sem rest, Av. General Humberto Delgado 227 ℰ 31 12 41, Fax 31 12 71 -
  🍴 📺 ☎. Ⅽ ꚠꚟ
  ☐ 300 - **38 qto** 5600/11550.

🍴🍴 **Iris,** Rua Adriano Pinto Basto ℰ 300 02 00, Fax 31 66 48 - 🍴. ꚠꚟ. ⁎⁎
  fechado domingo e agosto - **Refeição** lista 3330 a 4830.

🍴 **Tanoeiro,** Praça Dª Maria II-720 ℰ 32 21 62
  🍴. Ⅽ ꚠꚟ. ⁎⁎
  Refeição lista 2850 a 4880.

ILA NOVA DE GAIA 4400 Porto **440** I 4 – 63 177 h. – 😚 02.

🖪 *Av. Diogo Leite 242* 🖋 *30 19 02.*

Lisboa 316 – Porto 2.

ver plano de Porto aglomeração

🏨 **Gaiahotel,** Av. da República 2038, ✉ 4400, 🖋 379 60 51, Telex 24957, Fax 379 24 35, 🖪 – 🛗 🍴 📺 ☎ 🚗 – 🔬 25/200. 🖭 ⓪ 🖪 ＶＩＳＡ. ❄ BV g
Refeição 2650 – 🍽 950 – **92 qto** 11300/12400 – PA 5300.

🏨 **Quinta S. Salvador** 🦢, Rua Silva Tapada 200, ✉ 4430, 🖋 370 25 75, Fax 370 36 21, ≤, « Antiga casa senhorial » – 📺 ☎ 🚗 ⓟ – 🔬 25/100. 🖭 ⓪ 🖪 ＶＩＳＡ. ❄
Refeição lista aprox. 3600 – **7 qto** 🍽 11500/13000. CV e

🏨 **Davilina,** Av. da República 1571, ✉ 4430, 🖋 30 75 96, Fax 30 75 71 – 🛗 🍴 rest. 🖭 🖪 ＶＩＳＡ. ❄ BCV x
Refeição 2250 – **28 qto** 🍽 5500/6500.

a Autoestrada A 1 – ✉ 4400 Vila Nova de Gaia – 😚 02 :

🏨 **Novotel Porto Gaia,** Lugar Das Chas - Afurada 🖋 772 42 42, Fax 772 25 90, ≤, 🏊 – 🛗 🍴 📺 ☎ 🕭 ⓟ – 🔬 25/200. 🖭 ⓪ 🖪 ＶＩＳＡ ＪＣＢ. BV r
Refeição 3000 – 🍽 1100 – **93 qto** 11900/12900.

🏨 **Ibis Porto-Gaia,** Mártires de S. Sebastião 247 🖋 772 07 72, Fax 772 07 88 – 🛗 🍴 📺 ☎ 🕭 ⓟ – 🔬 25/80. 🖭 ⓪ 🖪 ＶＩＳＡ BV r
Refeição 1400 – 🍽 750 – **108 qto** 8800.

a Praia de Lavadores O : 7 km – ✉ 4400 Vila Nova de Gaia – 😚 02 :

🏨 **Casa Branca Praia** 🦢, Rua da Bélgica 86 🖋 781 35 16, Telex 20811, Fax 781 36 91, « Ambiente acolhedor em elegantes instalações », 🖪, 🏊, 🎾 – 🛗 🍴 📺 ☎ 🚗 – 🔬 25/150. 🖭 ⓪ 🖪 ＶＩＳＡ ＪＣＢ. AV s
Refeição (ver rest. *Casa Branca*) – **56 qto** 🍽 15000/17000.

🍽🍽 **Casa Branca,** Av. Beira Mar 413 🖋 781 02 69, Telex 20811, Fax 781 36 91, ≤, Colecção de estatuetas de terracota – 🍴. 🖭 ⓪ 🖪 ＶＩＳＡ ＪＣＢ. ❄ AV s
fechado 2ª feira meio-dia – **Refeição** lista 2650 a 5300.

ILA PRAIA DE ÂNCORA 4910 Viana do Castelo **440** G 3 – 3 801 h. – 😚 058 – Termas - Praia.

🖪 *Av. Dr. Ramos Pereira* 🖋 *91 13 84.*

Lisboa 403 – Viana do Castelo 15 – Vigo 68.

🏨 **Meira,** Rua 5 de Outubro 56 🖋 91 11 11, Fax 91 14 89, 🏊 – 🛗 🍴 📺 ☎ 🕭 🚗 ⓟ – 🔬 25/250. 🖪 ＶＩＳＡ
Refeição 2500 – **52 qto** 🍽 10000/15000, 3 suites – PA 4000.

🏨 **Albergaria Quim Barreiros** sem rest, Av. Dr. Ramos Pereira 🖋 95 12 18, Fax 95 12 20, ≤ – 🛗 🍴 📺 ☎. 🖭 ⓪ 🖪 ＶＩＳＡ. ❄
🍽 700 – **28 qto** 12000.

ILA REAL 5000 🅿 **440** I 6 – 13 649 h. alt. 425 – 😚 059.

Ver : Igreja de São Pedro (tecto★).

Arred. : Solar de Mateus★★ (fachada★★) E : 3,5 Km – Estrada de Vila Real a Amarante ≤★ – Estrada de Vila Real a Mondim de Basto (≤★, descida escarpada ★).

🖪 *Av. Carvalho Araujo* 🖋 *32 28 19,* Fax *32 17 12* – **A.C.P.** Av. 1º de Maio 199, 🖋 756 50, Fax 756 50.

Lisboa 400 – Braga 103 – Guarda 156 – Orense/Ourense 159 – Porto 119 – Viseu 108.

🏨 **Cabanelas,** Rua D. Pedro de Castro 🖋 32 31 53, Telex 24580, Fax 32 30 28 – 🛗 🍴 📺 ☎ 🚗. 🖭 ⓪ 🖪 ＶＩＳＡ ＪＣＢ. ❄ rest
Refeição 2350 – **26 qto** 🍽 6000/9000 – PA 3600.

🏨 **Mira Corgo,** Av. 1º de Maio 🖋 32 50 01, Fax 32 50 06, ≤, 🖪 – 🛗 📺 🚗 ⓟ. 🖭 ⓪ 🖪 ＶＩＳＡ. ❄
Refeição 2300 – 🍽 500 – **166 qto** 6500/9000.

🏨 **Real** sem rest, Rua Serpa Pinto 🖋 32 58 79, Fax 32 46 13 – 📺 ☎. ❄
12 qto 🍽 4500/6500.

🍽🍽 **Espadeiro,** Av. Almeida Lucena 🖋 32 23 02, Fax 724 22, 🍴 – 🍴. 🖭 ⓪ 🖪 ＶＩＳＡ ＪＣＢ. ❄
fechado setembro – **Refeição** lista aprox. 4200.

nto a estrada N 15 O : 12,5 km – ✉ 5000 Vila Real – 😚 059 :

🏨 **Casa da Campeã** 🦢, Vale de Campeã 🖋 97 96 40, Fax 97 97 60, 🍴, 🏊 – 🍴 rest 📺 ☎ 🕭 ⓟ. 🖭 ⓪ 🖪 ＶＩＳＡ. ❄ rest
Refeição 3000 – **34 qto** 🍽 7200/10200, 2 suites – PA 4000.

VILA REAL DE SANTO ANTÓNIO 8900 Faro 440 U 7 – 10 950 h. – 🕲 081 – Praia.
⌒ para Ayamonte (Espanha), Av. da República 115 ℰ 43152.
🛈 Av. Infante Dom Henrique (em Monte Gordo) ℰ 444 95.
Lisboa 314 – Faro 53 – Huelva 50.

🏨 **Guadiana** sem rest, Av. da República 94 ℰ 51 14 82, Fax 51 14 78 – 🛗 🗐 📺 ☎.
E 𝘝𝘐𝘚𝘈. ✶
37 qto ⊡ 9500/12500.

🏨 **Apolo** sem rest, Av. dos Bombeiros Portugueses ℰ 51 24 48, Telex 56902, Fax 51 24
– 🛗 🗐 📺 ☎ 🅿. 🆎 ⓪ E 𝘝𝘐𝘚𝘈
⊡ 500 – 42 qto 9700/10200.

em Monte Gordo 0 : 4 km – ⊠ 8900 Vila Real de Santo António – 🕲 081 :

🏨 Baía de Monte Gordo, Rua Diogo Cão ℰ 51 18 51, Fax 51 20 15 – 🛗 🗐 📺 ☎ &
Refeição (só jantar) – **108 qto.**

🏨 Casablanca sem rest, Rua 7 ℰ 51 14 44, Fax 51 19 99, ⊒, ⌧ – 🛗 🗐 ☎
42 qto.

🏨 **Paiva** sem rest, Rua Onze ℰ 51 11 87, Fax 51 16 68 – 📺 ☎ ⇐. 🆎 ⓪ E 𝘝𝘐𝘚𝘈
fechado 15 novembro-janeiro – **26 qto** ⊡ 8900/11800.

✗ **Copacabana**, Av. Infante Dom Henrique 13 ℰ 415 36, Telex 56054, Fax 51 28 72, ⇌
Grelhados – 🗐. 🆎 ⓪ E 𝘝𝘐𝘚𝘈. ✶
Refeição lista 2550 a 3900.

✗ Monte Gordo, Rua Pedro Álvares Cabral 5 ℰ 51 23 63 – 🗐.

VILA VERDE 4730 Braga 440 H 4 – 2690 h. – 🕲 053.
Lisboa 370 – Braga 14 – Porto 64 – Viana do Castelo 64.

✗ **Recreio** com snack-bar, Praça do Município 86-96 ℰ 31 11 34 – 🗐. E 𝘝
✶
Refeição lista aprox. 3300.

VILAMOURA Faro – ver Quarteira.

VILAR DO PINHEIRO 4480 Porto 440 I 4 – 🕲 02.
Lisboa 330 – Braga 43 – Porto 16.

✗ **Rio de Janeiro**, Estrada N 13 - NO : 1 km ℰ 927 02 04, Fax 600 43 37, Cozinha brasile
– 🗐 🅿. 🆎 ⓪ E 𝘝𝘐𝘚𝘈 🇯🇨🇧. ✶
fechado 2ª feira – **Refeição** lista 2480 a 4340.

VILAR FORMOSO 6355 Guarda 440 K 9 – 🕲 071.
Lisboa 382 – Ciudad Rodrigo 29 – Guarda 43.

🏨 **Lusitano**, Av. de la Fronteira ℰ 535 03, Fax 533 38 – 🛗 🗐 📺 ☎ ⇐ 🅿 – 🔬 25/1
🆎 ⓪ E 𝘝𝘐𝘚𝘈. ✶
Refeição 1900 – **30 qto** ⊡ 10500/11700, 4 suites – PA 3000.

VIMEIRO (Termas do) Lisboa 440 O 2 – 1 146 h. alt. 25 – ⊠ 2560 Torres Vedras – 🕲 0
– Termas.
🇫🇹 Club Golf Vimeiro Praia do Porto Novo ℰ 98 41 57.
Lisboa 67 – Peniche 28 – Torres Vedras 12.

🏨 Das Termas ⌘, Maceira ℰ 98 41 03, ⊒ de água termal, ✵ – 🛗 🅿
temp – **83 qto**, 3 suites.

🏨 **Rainha Santa** sem rest, Estrada de A. dos-Cunhados - Quinta da Piedade ℰ 98 42
Fax 98 42 76 – 📺 🅿. 𝘝𝘐𝘚𝘈. ✶
fechado do 16 ao 31 de outubro – **19 qto** ⊡ 4600/5500.

na Praia do Porto Novo 0 : 4 km – ⊠ 2560 Torres Vedras – 🕲 061 :

🏨 Golf Mar ⌘, ℰ 98 41 57, Telex 43353, Fax 98 46 21, ≼, ⊒, ⌧, ✵, 🇫🇹 – 🛗 ☎ 🅿
🔬 25/400
269 qto, 9 suites.

Questa guida non è un repertorio di tutti gli alberghi e ristoranti,
né comprende tutti i buoni alberghi e ristoranti di Spagna e Portogallo.

Nell'intento di tornare utili a tutti i turisti, siamo indotti ad indicare stabilimenti
di tutte le classi ed a citarne soltanto un certo numero di ognuna.

Ver : *Vila Velha★ : Adro da Sé★ Museu Grão Vasco★★* **M** *(Trono da Graça★, primitivos★★)* *– Sé★ (liernes★, retábulo★) – Igreja de São Bento (azulejos★).*

🛈 *Av. Gulbenkian,* ✉ *3510,* 🖉 *42 20 14, Fax 42 18 64 –* **A.C.P.** *Rua da Paz 36,* 🖉 *42 24 37, Fax 45 24 37.*

Lisboa 292 ④ *– Aveiro 96* ① *– Coimbra 92* ④ *– Guarda 85* ② *– Vila Real 108* ①.

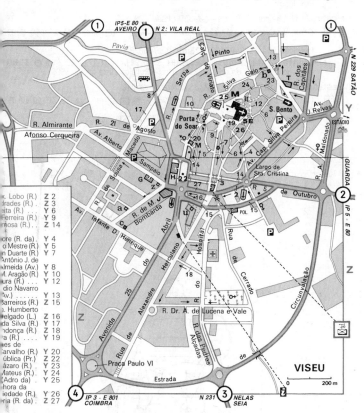

x. Lobo (R.)	Z 2
drades (R.) .	Z 3
eita (R.) . . .	Y 6
Ferreira (R.)	Y 9
mosa (R.) . .	Z 14
ore (R. da)	Y 4
o Mestre (R.)	Y 5
n Duarte (R.)	Y 7
António J. de	
Imeida (Av.)	Y 8
M. Aragão (R.)	Y 10
ura (R.) . . .	Y 12
dio Navarro	
Av.)	Y 13
Barreiros (R.)	Z 15
o. Humberto	
elgado (L.)	Z 16
da Silva (R.)	Y 17
ndonça (R.)	Z 18
a (R.)	Y 19
es de	
arvalho (R.)	Y 20
ública (Pr.)	Z 22
ázaro (R.) .	Y 23
Mateus (R.)	Y 24
(Adro da) .	Y 25
hora da	
iedade (R.)	Y 26
ria (R. da) .	Z 27

🏨🏨🏨 **Montebelo** ⚜, Urb. Quinta do Bosque 🖉 420 00 00, Fax 41 54 00, ≤, £₆, ⬛, ✠ – 🍴 🔲 📺 ☎ ⭑ ⇐ 🄿 – 🛦 25/250. 🄰🄴 ⓞ 🄴 VISA JCB. ✠
Refeição 2750 – **92 qto** ⊇ 9350/11000, 8 suites – PA 5500.
por Av. Infante D. Henrique   Z

🏨🏨 **Grão Vasco,** Rua Gaspar Barreiros 🖉 42 35 11, Telex 53608, Fax 42 64 44, ☂, « Relvado com ⬙ » – 🍴 🔲 📺 ☎ 🄿 – 🛦 25/180. 🄰🄴 ⓞ VISA. ✠ rest   Z u
Refeição lista 2700 a 4100 – **110 qto** ⊇ 12500/14500.

🏨🏨 **Moinho de Vento** *sem rest,* Rua Paulo Emilio 13 🖉 42 41 16, Telex 52698, Fax 42 96 62 – 🍴 🔲 📺 ☎. 🄰🄴 🄴 VISA. ✠   Z a
30 qto ⊇ 6000/7500.

🏨 **Avenida,** Av. Alberto Sampaio 1 🖉 42 34 32, Fax 256 43 – 🍴 📺 ☎. 🄰🄴 ⓞ 🄴 VISA.
✠ rest   Z z
Refeição 1800 – **30 qto** ⊇ 7000/8500 – PA 3600.

✗✗ **Trave Negra,** Rua dos Loureiros 40 🖉 42 37 23, Fax 42 48 53 – 🔲 🄿. ✠   Y b
fechado 2ª feira – **Refeição** lista 2100 a 3200.

✗ **Churrasqueria Santa Eulália,** Bairro de Santa Eulália - 1,5 km 🖉 262 83 – 🔲. 🄰🄴 🄴 VISA. ✠   por ④
Refeição lista 1980 a 3200.

em Cabanões *por ③ : 3 km – ⊠ 3500 Viseu – ☎ 032 :*

🏰 **Príncipe Perfeito** ⟨⟩, Bairro da Misericórdia ℘ 46 92 00, Fax 46 92 10, ⇐ – |≜|
📺 ☎ ዼ ℗ – ⚿ 25/300. ⓞ Ε 𝘝𝘐𝘚𝘈. ⩨
- O Grifo : Refeição lista aprox. 3800 – **38 qto** ⊊ 8500/11000, 5 suites.

✗ **Magalhães,** Urb. da Misericórdia Lote A-5 ℘ 46 91 75 – ▤. ₳Ε ⓞ Ε 𝘝𝘐𝘚𝘈. ⩨
Refeição lista 1800 a 3200.

na estrada N 16 *por ② : 4 km – ⊠ 3500 Viseu – ☎ 032 :*

🏨 **Onix,** Via Caçador ℘ 47 92 43, Fax 47 87 44 – |≜| ▤ 📺 ☎ ℗ – ⚿ 25/600. ₳Ε Ε
⩨ rest
Refeição lista 2300 a 3100 – **75 qto** ⊊ 7000/8500.

✗✗ **Quinta da Magarenha,** Via Caçador ℘ 47 91 06, Fax 47 94 22 – ▤ ℗. Ε 𝘝𝘐𝘚𝘈.
fechado 2ª feira e do 15 ao 30 de junho – **Refeição** lista aprox. 3500.

na estrada N 2 *por ① : 4 km – ⊠ 3500 Viseu – ☎ 032 :*

🏨 **Comfort Inn,** ℘ 45 12 76, Fax 45 13 71 – ▤ 📺 ☎ ℗ – ⚿ 25/40. ₳Ε ⓞ Ε
⩨ rest
Refeição lista aprox. 2420 – **60 qto** ⊊ 8700/9750.

Prefijos telefónicos europeos

Indicativos telefónicos europeios

Indicatifs téléphoniques européens

Indicativi telefonici dei paesi europei

Telefon-Vorwahlnummern europäischer Länder

European dialling codes

desde/da/d'/dalla/von/ *from España*		*desde/de/du/dal/von/* *from Portugal*	
Alemania	0749	Alemanha	0049
Andorra	07376	Andorra	00376
Austria	0743	Aústria	0043
Bélgica	0732	Bélgica	0032
Dinamarca	0745	Dinamarca	0045
Finlandia	07358	Espanha	0034
Francia	0733	Finlândia	00358
Gibraltar	9567	França	0033
Grecia	0730	Gibraltar	00350
Irlanda	07353	Grécia	0030
Italia	0739	Irlanda	00353
Luxemburgo	07352	Itália	0039
Mónaco	07377	Luxemburgo	00352
Noruega	0747	Mónaco	00377
Países Bajos	0731	Noruega	0047
Portugal	07351	Países Baixos	0031
Reino Unido	0744	Reino Unido	0044
Suecia	0745	Suécia	0046
Suiza	0741	Suiça	0041

Distancias Algunas precisiones _____

En el texto de cada localidad encontrará la distancia a las ciudades
de los alrededores y a la capital del estado.

Las distancias entre capitales de este cuadro completan las indicadas en el text
de cada localidad. Utilice también las distancias marcadas al margen de los plan

El kilometraje está calculado a partir del centro de la ciudad por la carretera
más cómoda, o sea la que ofrece las mejores condiciones de circulación, pero q
no es necesariamente la más corta.

Distâncias Algumas precisões _____

No texto de cada localidade encontrará a distância até às cidades dos arredore
e à capital do país.

As distâncias deste quadro completam assim as que são dadas no texto de cad
localidade. Utilize também as indicações quilométricas inscritas na orla das plant

A quilometragem é contada a partir do centro da localidade e pela estrada ma
prática, ou seja, aquela que oferece as melhores condições de condução, mas qu
não é necessàriamente a mais curta.

Distances Quelques précisions _____

Au texte de chaque localité vous trouverez la distance des villes environnantes
et de sa capitale d'état.

Les distances intervilles de ce tableau complètent ainsi celles données au texte de
chaque localité. Utilisez aussi les distances portées en bordure des plans.

Les distances sont comptées à partir du centre-ville et par la route la plus
pratique, c'est-à-dire
celle qui offre les meilleures conditions de roulage, mais qui n'est pas
nécessairement la plus courte.

Distanze Qualche chiarimento _____

Nel testo di ciascuna località troverete la distanza dalle città viciniori e dalla capita

Le distanze fra le città di questa tabella completano cosi quelle indicate nel test
di ciascuna località. Utilizzate anche le distanze riportate a margine delle pian

Le distanze sono calcolate a partire dal centro delle città e seguendo la strada
più pratica, ossia quella che offre le migliori condizioni di viaggio ma che non
necessariamente la più breve.

Entfernungen Einige Erklärungen _____

In jedem Ortstext finden Sie die Entfernungsangaben nach weiteren Städten in d
Umgebung und nach der Landeshauptstadt.

Die Kilometerangaben dieser Tabelle ergänzen somit die Angaben des Ortstextes.
Eine weitere Hilfe sind auch die am Rande der Stadtpläne erwähnten
Kilometerangaben.

Die Entfernungen gelten ab Stadtmitte unter Berücksichtigung der günstigsten
(nicht immer Kürzesten) Strecke.

Distances Commentary _____

The text on each town includes its distance from its immediate neighbours
and from the capital.

The distances in the table completes that given under individual town headings
calculating total distances. Note also that some distances appear in the margins
town plans.

Distances are calculated from centres and along the best roads from a motoring
point of view – not necessarily the shortest.

PRINCIPALI STRADE

...i strada .... *N 63.C 535*

...anza chilometrica 12

...cizi gestiti dallo
...o :
...dor (Spagna), Pousada (Portogallo)

...odo approssimativo
...evamento-(esempio :
...embre-Aprile)   11-4

HAUPTVERKEHRSSTRASSEN

Straßennummer .... *N 63.C 535*

Entfernung in Kilometern 12

Staatlich geleitete
Hotels :
Parador (Spanien), Pousada (Portugal)

Voraussichtliche Wintersperre
(z.B. : Nov.-April)   11-4

MAIN ROADS

Road number .... *N 63.C 535*

Distance in kilometres 12

State operated
hotels :
Parador (Spain), Pousada (Portugal)

Period when roads are likely
to be blocked by snow
(11-6 : Nov.-April)   11-6

MAR

CANTABRICO

Gijón 146
Avilés 116 N 632 E 70 N 634 A 8 37 29
Pola de Siero 121
OVIEDO 201 AS 227 9 57 11 N 632
Mieres AS 17 69 N 634 E 70 N 625
Llanes 59
Fuente Dé 25 N 621 39
Santillana del Mar 27 SANTANDER 17 Laredo
Torrelavega 45 54 9 N 623 23 A 8 E 70 87 Baracaldo
56 49 N 611 BILBO/BILBAO
Reinosa 33 69 Villarcayo 84 62
Cervera de Pisuerga 81 N 627 73
LEÓN 8 18 77 N 625 86 51 N 627 79 74 C 629 N 232 Miranda de Ebro 68 21 3
onferrada N VI 100 Astorga 86 N 120 72 49 90 N 610 N 601 Osorno 60 N 120 113 Sto Domingo de la Calzada 67 63
La Bañeza 43 N 630 615 23 77 620 E 80 53 C 113 123 LR 113
...a de ...oria 78 84 N 525 6 39 N 610 61 50 N 611 Pisuerga N I E 5 83
Benavente N 631 114 60 Palencia 11 78 C 619 71 N 234 93
VALLADOLID N VI 85 48 72 Aranda de Duero 49 66
Miranda do Douro 112 Zamora 70 E 82 N 122 C 611 75 29 N 122 91 N 122
Tordesillas DUERO Río 109 61 76 Río Duero
Medina del Campo 62 620 E 80 82 Cuéllar 601 N 110 153 C 114
SALAMANCA 89 42 85 78 72 603 Eresma 57 Sigüenza
N 620 E 80 74 150 C 610 56 N 501 36 29 38 41 Segovia 80 N II
93 C 515 151 N 502 29 32 98 E 90 N II
Béjar N 110 Gredos 73 Villacastín 72 99 Guadalajara N 320 104
Ávila 58 N VI El Escorial Alcalá de Henares 100 CM 200
Jarandilla de la Vera C 501 64 73 MADRID 31 25 Arganda 55
...ncia N 630 E 803 56 71 40 41 M 501 N V E 90 26 54 N III E 5
133 42 N 403 Aranjuez Chinchón E

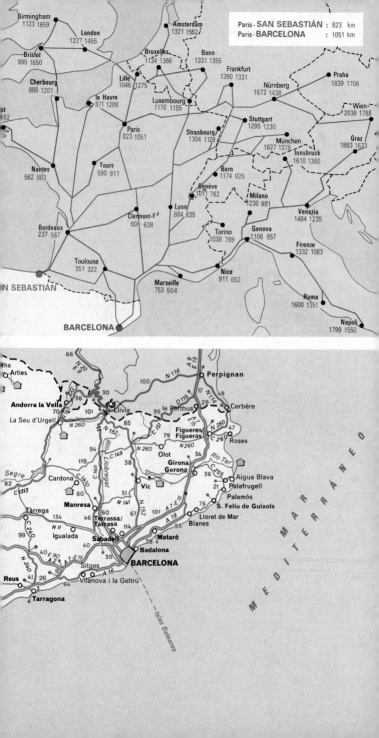

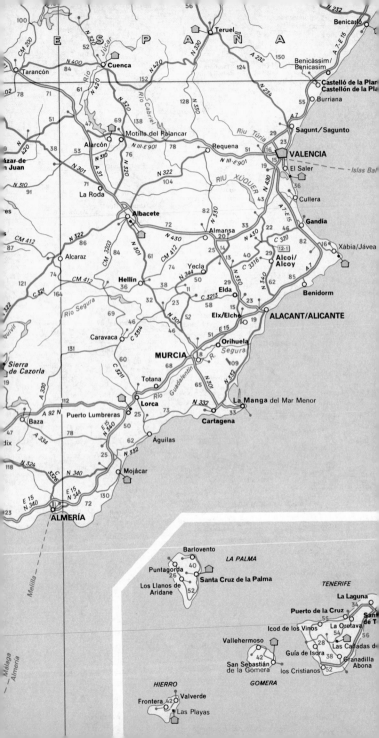

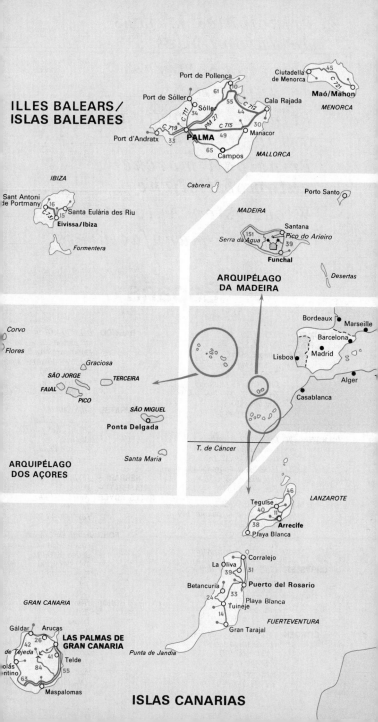

ILLES BALEARS / ISLAS BALEARES

MENORCA

Ciutadella de Menorca
Maó/Mahon
45
C 721

Port de Pollença
Port de Sóller
61
10
Cala Rajada
55
Sóller
44
C 712
34
C 711
PM 27
C 715
30
C 719
49
Manacor
33
PALMA
Port d'Andratx
65
Campos
MALLORCA

IBIZA

Cabrera

Porto Santo

MADEIRA

Sant Antoni de Portmany
16
Santa Eulària des Riu
15
Eivissa/Ibiza

Formentera

Santana
151
Pico do Arieiro
Serra da Água
39
Funchal

ARQUIPÉLAGO DA MADEIRA

Desertas

Bordeaux
Marseille

Barcelona

Lisboa
Madrid

Corvo

Flores

Graciosa

SÃO JORGE
FAIAL
TERCEIRA
PICO

Alger

Casablanca

SÃO MIGUEL
Ponta Delgada

T. de Cáncer

ARQUIPÉLAGO DOS AÇORES

Santa Maria

Teguise
46
40
11
LANZAROTE
38
Arrecife
Playa Blanca

Corralejo
La Oliva
39
31
Betancuria
Puerto del Rosario
24
33
Playa Blanca
Tuineje
14
FUERTEVENTURA
Gran Tarajal

GRAN CANARIA

Gáldar
Arucas
26
42
LAS PALMAS DE GRAN CANARIA
de Tejeda
41
Punta de Jandía
olás
84
Telde
ntino
55
63
Maspalomas

ISLAS CANARIAS

*Principales marcas
de automóviles* _____

*Principais marcas
de automóveis* _____

*Principales marques
automobiles* _____

*Principali marche
automobilistiche* _____

Wichtigsten Automarken _____

Main car manufacturers _____

España

ALFA ROMEO –
FIAT –
LANCIA
*FIAT AUTO
ESPAÑA S.A.
antigua carret.
de Barcelona km. 27,5
28804 ALCALÁ
DE HENARES (Madrid)
Tel. 885 37 00
Fax. 885 39 45
Tel. 24 h. 900 444 900*

AUDI –
VOLKSWAGEN
*VAESA
La Selva 2 – edificio
Geminis Business Park
08820 EL PRAT DE
LLOBREGAT (Barcelona)
Tel. 402 89 55
Fax. 402 89 57*

B.M.W.
*B.M.W. IBÉRICA S.A.
paseo de la Castellana 149
28046 MADRID
Tel. 335 05 05
Fax. 335 05 06
Tel. 24 h. 900 100 482*

CHRYSLER
*CHRYSLER – JEEP IBERIA S.A.
Montalbán 7
28014 MADRID
Tel. 532 06 09
Fax. 532 87 09
Tel. 24 h. 900 101 577*

CITROËN
*CITROËN HISPANIA S.A.
Dr. Esquerdo 62
28007 MADRID
Tel. 585 11 00
Fax. 585 14 46
Tel. 24 h. 519 13 14*

DAEWOO
*DAEWOO MOTOR IBERIA
av. Europa 22 – Parqu
Empressarial La Moralej
28100 ALCOBENDAS (Madr
Tel. 657 83 00
Fax. 657 83 22
Tel. 24 h. 900 303 900*

DAIHATSU
*EUROEMPRESA
av. de la Industria 28
28760 TRES CANTOS
(Madrid)
Tel. 803 42 44
Fax. 803 02 52*

FERRARI –
MASERATI –
ROLLS ROYCE
*TESTARROSA CARS S.A.
Moreto 15
28014 MADRID
Tel. 369 46 70
Fax. 420 35 59*

FORD
*FORD ESPAÑA S.A.
passeo de la Castellana
28046 MADRID
Tel. 336 91 00
Fax. 579 14 23
Tel. 24 h. 900 145 145*

HONDA
*HONDA AUTOMÓVILES
ESPAÑA S.A.
Osona 1 – urbanizacio
Mas Blau
08820 EL PRAT DE
LLOBREGAT (Barcelona
Tel. 370 80 07
Fax. 370 79 52
Tel. 24 h. 900 308 080*

HYUNDAI	*HYUNDAI ESPAÑA D.A., S.A.* *Antonio Maura 12* *28014 MADRID* *Tel. 522 49 14* *Fax. 522 55 84* *Tel. 24 h. 900 153 315*
JAGUAR	*JAGUAR HISPANIA S.A.* *av. Dos Castillas 33 –* *Complejo Atica 7 –* *edificio 2* *28224 POZUELO DE* *ALARCÓN (Madrid)* *Tel. 352 94 00* *Fax. 352 16 38* *Tel. 24 h. 900 509 509*
MAZDA	*MAZDA MOTOR ESPAÑA S.A.* *av. de Burgos 118* *28050 MADRID* *Tel. 302 99 41* *Fax. 766 53 09* *Tel. 24 h. 901 116 124*
MERCEDES BENZ	*MERCEDES BENZ ESPAÑA* *José Ortega y Gasset 22-24* *28006 MADRID* *Tel. 322 60 00* *Fax. 322 60 01* *Tel. 24 h. 900 268 888*
MITSUBISHI	*MMC AUTOMÓVILES* *ESPAÑA, S.A.* *travesía Costa Brava 6 – 5ª* *28034 MADRID* *Tel. 387 74 00* *Fax. 387 74 58* *Tel. 24 h. 902 201 030*
NISSAN	*NISSAN MOTOR ESPAÑA* *General Almirante 4-10* *Torre Nissan* *08014 BARCELONA* *Tel. 290 74 86* *Fax. 290 75 14* *Tel. 24 h. 900 200 094*
OPEL – GENERAL MOTORS	*Opel España de* *Automóviles, S.A.* *paseo de la Castellana 91 – 2ª* *28046 MADRID* *Tel. 900 202 520* *Fax. 456 93 15* *Tel. 24 h. 900 142 142*
PEUGEOT	*PEUGEOT ESPAÑA* *carret. Madrid-Villaverde,* *km 7,5* *28041 MADRID* *Tel. 347 20 00* *Fax. 347 22 43* *Tel. 24 h. 900 442 424*
PORSCHE – SAAB	*PORSCHE ESPAÑA S.A.* *av. de Burgos 87* *28050 MADRID* *Tel. 382 87 77* *Fax. 382 87 51* *Tel. 24 h. 900 212 223*
RENAULT	*RENAULT ESPAÑA* *COMERCIAL S.A.* *av. de Burgos 89* *28050 MADRID* *Tel. 374 22 00* *Fax. 374 10 32* *Tel. 24 h. 900 365 000*
ROVER	*ROVER ESPAÑA S.A.* *Mar Mediterráneo 2* *Polígono Industrial* *28850 SAN FERNANDO DE* *HENARES (Madrid)* *Tel. 678 90 00* *Fax. 656 43 53* *Tel. 24 h. 900 116 116*
SANTANA – SUZUKI	*SANTANA MOTOR S.A.* *av. 1º de Mayo s/n* *23700 LINARES (Jaén)* *Tel. 69 31 93* *Fax. 65 32 01*
SEAT	*SEAT, S.A.* *Sector A – Calle 2 – 1ª¹ 25* *Zona Franca* *08040 BARCELONA* *Tel. 3 31 00 00* *Fax. 4 02 87 72*
SSANGYONG	*INTERNED S.A.* *av. de la Industria 28* *28760 TRES CANTOS* *(Madrid)* *Tel. 803 16 46* *Fax. 803 02 52*
SUBARU	*IMPANIP* *av. de la Industria 28* *28760 TRES CANTOS* *(Madrid)* *Tel. 803 52 21* *Fax. 803 02 52*
TOYOTA	*TOYOTA ESPAÑA S.L.* *pl. Cánovas del Castillo 4 – 6ª* *28014 MADRID* *Tel. 429 59 46* *Fax. 420 33 59* *Tel. 24 h. 900 101 575*
VOLVO	*VOLVO ESPAÑA S.A.* *paseo de la Castellana 130* *28046 MADRID* *Tel. 566 61 00* *Fax. 566 61 31*

Principales marcas de automóviles
Principais marcas de automóveis
Principales marques automobiles
Principali marche automobilistiche
Wichtigsten Automarken
Main car manufacturers

Portugal

ALFA ROMEO	AGUIALSA Rua Luciano Cordeiro 77 a 79 1050 LISBOA Tel. 353 55 24 Fax. 314 29 33	**FIAT –** **LANCIA**	TREVAUTO – Comércio, Ind. e Repres., Lda. Rua de Arroios 89 A 1150 LISBOA Tel. 352 49 45/8 Fax. 352 00 96
AUDI – **VOLKSWAGEN**	CARNOVA Rua Luís de Camões 5 A/B 1300 LISBOA Tel. 363 50 61 Fax. 362 12 74	**FORD**	J. Mendes Coelho, Lda. Rua S. Sebastião da Pedreira 122 1150 LISBOA Tel. 352 25 01 Fax. 315 09 92
B.M.W.	BAVIERA S.A. Rua Coronel Bento Roma 18 A/B 1700 LISBOA Tel. 849 61 15 Fax. 847 26 68 Serviço móvel : (02) 830 11 39	**HONDA**	GARAGEM ATLAS, LDA. Rua Infantaria 16, 79 A 1350 LISBOA Tel. 388 84 33 Fax. 385 37 39
CITROËN	Av. Praia da Vitória 9 1000 LISBOA Tel. 353 41 31 Fax. 354 01 67	**HYUNDAI**	GARAGEM AUTO-RIVIERA Quinta do Alto Estrada da Portela 124 1700 LISBOA Tel. 848 06 99 Fax. 847 13 83
DAIHATSU – **SEAT**	GARAGEM VITÓRIA Rua de Santo António à Estrela 112 1350 LISBOA Tel. 396 18 58	**JAGUAR**	JAGLIS – AUTOMÓVEIS, L Estrada 247,5 – Km 8 Alcoitão – Manique 2765 ESTORIL Tel. 460 09 68 Fax. 460 09 68
FERRARI	VIAUTO – Automóveis e Acessórios, Lda. Rua Carvalho Araújo 72 A 1900 LISBOA Tel. 813 74 63 Fax. 815 30 93	**LADA**	AUTOMÓVEIS PORTUGAL Rua Alfredo da Silva 6 1300 LISBOA Tel. 363 71 64 Fax. 363 68 46

MAZDA *PORTELCAR, LDA.*
Rua Luís de Noronha
24 A
1050 LISBOA
Tel. 797 40 92/9
Fax. 797 40 94

MERCEDES – *MERCAUTO, LDA.*
BENZ *Rua de Campolide 437*
1000 LISBOA
Tel. 726 25 65
Fax. 726 94 90

MITSUBISHI *SIMMA. Soc. Imp.*
de Mat., Lda.
Av. Padre Manuel da
Nóbrega 14 A
1000 LISBOA
Tel. 848 29 55
Serviço 24 h. 388 49 67

NISSAN *ENTREPOSTO LISBOA*
Praça José Queiroz 1
1800 LISBOA
Tel. 854 11 33
Fax. 854 11 91
Serviço 24 h. 347 91 99

OPEL *SOREL, S.A.*
Rua Dr. José Espírito Santo
Cabo Ruivo
1900 LISBOA
Tel. 837 15 06
Fax. 859 71 96
Serviço 24 h. 05 00 66 69

PEUGEOT *RAC*
Rua Oliveira Martins 4
1000 LISBOA
Tel. 796 70 61
Fax. 796 09 09

PORSCHE *ENTREPOSTO LISBOA*
Rua D. Estefânia 118 A
1000 LISBOA
Tel. 352 32 71
Fax. 354 43 04

RENAULT *Sociedade Portuguesa de*
Automóveis, S.A.
Rua da Escola
Politécnica 261
1250 LISBOA
Tel. 387 12 13
Fax. 383 07 60

ROVER *JOL (automóveis)*
Rua António Patrício 11
1700 LISBOA
Tel. 796 70 94/9
Fax. 796 70 95

JOL (Land e Range Rover)
Azinhaga dos Lameiros
Estrada do Paço
do Lumiar
1600 LISBOA
Tel. 716 26 73
Fax. 716 25 91

SAAB *CIMPOMÓVEL – Veículos*
Ligeiros
Av. Infante
D. Henrique 328
1800 LISBOA
Tel. 837 07 50
Fax. 859 59 70

SKODA *CARLAR*
Rua Quinta do
Almargem 10
1300 LISBOA
Tel. 362 06 20
Fax. 362 10 18

SUBARU *ENTREPOSTO LISBOA*
Praça José Queiroz 1
1800 LISBOA
Tel. 854 11 33
Fax. 854 11 90

SUZUKI *CIMPOMÓVEL –*
Veículos Ligeiros
Av. de Madrid 6
1000 LISBOA
Tel. 847 11 49
Fax. 847 11 52

TOYOTA *TRANSMOTOR LISBOA*
Rua Dr. José Espírito
Santo 36
1900 LISBOA
Tel. 837 11 49
Fax. 859 74 89

VOLVO *VOLSUL, S.A.*
Rua José Estêvão 74 A
1150 LISBOA
Tel. 353 95 91
Fax. 353 77 04

Manufacture française des pneumatiques Michelin
Société en commandite par actions au capital de 2 000 000 000 de francs
Place des Carmes-Déchaux – 63 Clermont-Ferrand (France)
R.C.S. Clermont-Fd B 855 200 507

Michelin et Cie, propriétaires-éditeurs, 1996
Dépôt légal décembre 1996 – ISBN 2-06-007369-5

Printed in France 11-96
Photocomposition : MAURY Imprimeur SA, Malesherbes
Impression : CASTERMAN – Tournai (Belgique) et KAPP, LAHURE, JOMBART – Évreux
Reliure : A.G.M. – Forges-les-Eaux

Pages 5 à 11, 14 à 21, 24 à 31, 34 à 41, 44 à 51, 54 à 61, 524 : Cécile Imbert
Pages 161, 341, 490, 534, 643 : Rodolphe Corbel.
Pages 582, 583, 584, 585, 586 : Narratif Systèmes/Genclo.